JN205219

社会保障法

第3版

菊池馨実

SOCIAL SECURITY LAW

有斐閣

第3版へのはしがき

本書の初版から8年，第2版から4年近くが経った。第2版刊行後も，2020（令和2）年国民年金法等改正，2021（令和3）年健康保険法等改正など，毎年，各制度分野において法改正が行われてきた。加えて，2020（令和2）年に入り感染拡大がはじまった新型コロナウイルス感染症（COVID-19）への対応として新たに講じられた社会保障法制上の措置も少なくない。そこで，今般，第3版を刊行する運びとなった。

第3版においても，法制度の解説・裁判例の動向・法理論の展開などを織り交ぜながら，歴史的経緯を踏まえた社会保障法の到達点を明らかにするとの本書のねらいは，初版以来変わっていない。今回も，この4年近くのあいだになされた法改正に加え，不十分であった記述などを補充した結果，総ページ数がさらに膨らむ結果となった。1980年代に研究の道に入り，社会保障法制の展開を見続けてきた筆者にとって，法改正の経緯や内容は，「歴史」としてではなくリアリティをもって描くことができる面があり，後代のためにもあえて大きく削らずに残すという方針を，引き続き維持することにした。

今回も，法改正に対応した最新の制度把握にとどまらず，授業を展開する上で必要性を感じた修正を行った。たとえば，第1章導入部の記述を厚くし，制度説明の便宜のため図表を用いての説明を増やすなどの工夫を行っている。社会保障審議会等の委員として，社会保障各分野の政策策定に向けた議論の一端に関わらせていただいているのも，本書の内容の充実に役立っていると感じている。

第3版の刊行にあたっても，有斐閣校閲部長の高橋俊文氏に編集をご担当いただいた。初版以来，変わらず手厚いサポートをしてくださっている高橋氏に，この場を借りて，心から感謝申し上げる。

2022年3月

菊 池 馨 実

第2版へのはしがき

本書の初版が出版されてから4年近くが経った。この間，2014（平成26）年医療・介護総合確保推進法，2015（平成27）年医療保険制度改革法，2016（平成28）年国民年金法等改正，2017（平成29）年介護保険法等改正をはじめとして，毎年，各制度分野において重要な法改正が行われた。自らの授業では，改正動向を適宜フォローしながら講義できるものの，法改正が積み重なることで，本書を手に取って下さる多くの方にとっては，毎年「追補」を差し込み最新の法改正を紹介しているとはいえ，いささか使い勝手が良くないと感じられるだろう。幸いにも多くの読者に恵まれたことで，今般，版を重ねることができた。

第2版においても，初版を踏襲し，法制度の解説・裁判例の動向・法理論の展開などを織り交ぜながら，歴史的経緯を踏まえた社会保障法の到達点を明らかにすることを目指している。この4年近くのあいだになされた法改正に加え，初版で不十分な記述にとどまった点などを補充した結果，初版よりも総ページ数が大きく膨らむ結果となった。全体的な分量は変えないという編集方針もあり得るものの，まだ体系書としての充実度が足りないことから，今回は編集者の高橋氏とも話し合った末，ページ数の維持よりも内容の充実に力点をおくことにした。筆者としては，法改正の経緯や内容は，単なる「歴史」や「事実」ではなく，その時代に生きた研究者であればこそリアリティをもって描くことができる面があり，後代のためにも削らずに残しておきたいという思いはあるのだが，さりとてボリュームが増えるにも限界はあるだろう。この点は引き続き検討課題としたい。

法改正に対応したブラッシュアップにとどまらず，授業を展開する中で感じた本書の「不具合」に，第2版では多少対応できたと考えている。たとえば，第5章と第6章を入れ替え，失業→長期失業（求職者支援）→生活保護（困窮者支援）という流れの中で学べるようにした。従来は意識的に謙抑的であった筆者の法理論の展開と，現行社会保障法制の評価につき，少し踏み込んで言及した箇所がある。こうした工夫ができるのも，早稲田大学法学部に加えて，ここ数年，東京大学法学部でも社会保障法を講じる機会を得て，両大学の学生達の反応をみながら授業を進めることができたおかげである。

第2版の刊行に際しても，初版と同様，福島豪関西大学教授のご助力をいただいた。年々忙しさを増すなかでも，膨大な校正ゲラに目を通し，多くの貴重なご助言をいただいたことに感謝の意を表したい。そして有斐閣の高橋俊文氏には，校閲部長としての要職に就かれた後も本書の編集をご担当くださり，従前と変わらずご厚誼を賜っている。この場を借りて，心から感謝申し上げる。

2018年4月

菊 池 馨 実

初版 はしがき

社会保障法は，日本では比較的歴史の浅い実定法分野であるが，それでも日本社会保障法学会が1982（昭和57）年に設立されて以来，30年以上が経過した。言うまでもなく社会保障制度をめぐる諸問題は，超少子高齢社会を迎えた日本の重要政策課題である。こうした中にあって，学問分野としての自立そして成熟を図る物差しとなるのは，優れた学術論文や研究書の数であると同時に，複数の著者によるオムニバス形式ではなく透徹した視点で描かれた単著の教科書や体系書の存在である。前者が学問領域それ自体を進化し深化させる原動力となるのに対して，後者は他分野の研究者等に開かれ当該分野を知るための「窓」となり得るからである。

本書の執筆にあたり，コンパクトな教科書と本格的な体系書のどちらのスタイルを目指すかが，ひとつの決断であった。当初は，荒木誠之『社会保障法読本〔第3版〕』（有斐閣，2002年）のような前者のスタイルを模索したものの，第1に，筆者のこれまでの研究成果を生かすためにはある程度詳細な叙述が必要と考えたこと，第2に，政府内の政策論議の一端に関わるにつれ，「法制度の魂は末端に宿る」との思いを強くしたこと，第3に，前者の系譜に属する西村健一郎『社会保障法入門』（有斐閣，2008年。第2版2014年）が刊行されたことなどから，後者のスタイルを目指すことにした。後者の系譜に属するものとしては，2000年代以降（改訂版を含む），岩村正彦『社会保障法Ⅰ』（弘文堂，2001年），西村健一郎『社会保障法』（有斐閣，2003年），堀勝洋『社会保障法総論〔第2版〕』（東京大学出版会，2004年）を挙げ得るに過ぎず，直近の法改正を踏まえた体系書が存在しないという事情もあった。

本書では，社会保障法全体に通ずる総論（第1章，第2章）と，社会保障法各分野（第3章ないし第8章）につき，法制度の解説・裁判例の動向・法理論の展開などを織り交ぜながら，歴史的経緯を踏まえた社会保障法の到達点を明らかにすることを目指している。分厚い一冊になってしまったが，研究者・政策担当者・実務家など社会保障法に通じた専門家にとどまらず，社会保障法に関心をもつ学生や一般読者にも読んでもらえるよう，丁寧な叙述を心掛けた。しかしながら，筆者の力不足ゆえ不十分な点も多々残されているであろう。書けば書くほど粗が目立ち，もう永遠に完成に至らないのではないかと逡巡していた筆者に，「体系書の執筆で，最初から完璧を狙ってはいけない。2版，3版と重ねていく中で充実させていけばいい」

と言って下さる方がいて，それで刊行に向けての踏ん切りをつけることができた。読者諸氏の忌憚なきご批判を賜り，今後さらに改善を図っていきたい。

本書が先学の業績に多くを負っていることは言うまでもない。日頃から研究会等でご指導いただいている皆様に感謝申し上げる。とりわけ西村健一郎先生（同志社大学教授），堀勝洋先生（上智大学名誉教授），岩村正彦先生（東京大学教授）のお名前を挙げさせていただきたい。いずれも，上述した著書を刊行され，本書執筆にあたっても大いに参考にさせていただいた。西村先生には，筆者が大阪大学に赴任した直後，関西社会保障法研究会を立ち上げて勉強したいとご相談申し上げたのに対し，快くお力を貸してくださるとともに，研究会の場などで様々なご指導をいただいた。各論の全分野を網羅した西村先生の体系書は，本書執筆にあたって貴重なペースメーカーとなった。堀先生には，特に早稲田大学に赴任して以降，東京社会保障法研究会などで様々なご指導をいただいた。正面切って学問上のご批判をいただき，その場で反論を挑んだことが何度もある。今では懐かしく，有り難い。『年金保険法〔第 3 版〕』（法律文化社，2013 年）では，年金のみならず総論的にも多くを学ばせていただいた。岩村先生には，社会保障法の総論部分を叙述した前掲書のみならず，医療保障に係る『自治実務セミナー』の長大な連載論文で大いに学ばせていただいた。学問それ自体と，実務的な活動の双方で，様々なアドバイスを下さっていることにも感謝申し上げたい。

そして本書を，荒木誠之先生（九州大学名誉教授）に捧げたい。荒木先生には，筆者が大学院修士課程の折，集中講義でご指導を賜った。真の意味で，初めての社会保障法学との出会いであった。荒木先生から頂戴した直筆のお手紙の心温まる文面で，孤独な研究者の背中を押していただいたことが何度もある。「是非自分ひとりで社会保障法全体を見通した著作を考えてみなさい。そうすると，個別的な問題についても，常に基本的な視点から物事を考えることができる。」そう仰って下さって以来，もう 15 年は経ったであろうか。甚だ不十分ながらも，ようやく荒木先生の課題を提出することができ，安堵している。

本書の刊行に際しては，福島豪関西大学准教授に多大なるご助力をいただいた。校正原稿の段階で，記述の誤り，文献・裁判例の引用にとどまらず，筆者の法理論の各論分野への反映方法，学生にも読みやすい叙述の仕方など，膨大な量の丁寧かつ詳細なコメントを下さったのは本当に有り難かった。そして有斐閣書籍編集第 1 部の高橋俊文氏には，本書の担当として，最初から最後まで長きにわたってお世話になった。信頼できる有能な編集者と長く一緒に仕事させていただけるのは，研究者にとってこの上ない幸せである。ほかにもいくつかの仕事をご一緒させていただく中で，高橋氏は，時に愚痴を聞いてくださり，また時に叱咤激励していただきながら，かれこれ10年以上，産みの苦しみを共に分かち合って下さった。心から感謝申し上げる。

最後に，こうして仕事に専念できるのも家族（順子・柾慶）のおかげである。この場を借りて感謝の意を表したい。

2014年4月

菊池馨実

目　次

総　論

各　論

略語一覧

〈法　令〉

医療　医療法
医療則　医療法施行規則
介保　介護保険法
介保令　介護保険法施行令
介保則　介護保険法施行規則
確定給付　確定給付企業年金法
確定給付令　確定給付企業年金法施行令
確定給付則　確定給付企業年金法施行規則
確定拠出　確定拠出年金法
確定拠出令　確定拠出年金法施行令
求職者支援　職業訓練の実施等による特定求職者の就職の支援に関する法律
求職者支援則　職業訓練の実施等による特定求職者の就職の支援に関する法律施行規則
行訴　行政事件訴訟法
行手　行政手続法
憲　日本国憲法
健保　健康保険法
健保令　健康保険法施行令
健保則　健康保険法施行規則
厚年　厚生年金保険法
厚年令　厚生年金保険法施行令
厚年則　厚生年金保険法施行規則
高齢医療　高齢者の医療の確保に関する法律
高齢医療令　高齢者の医療の確保に関する法律施行令
高齢医療則　高齢者の医療の確保に関する法律施行規則
高齢者虐待　高齢者虐待の防止，高齢者の養護者に対する支援等に関する法律
国税徴収　国税徴収法
国年　国民年金法
国年令　国民年金法施行令

国年則　国民年金法施行規則
国年基金令　国民年金基金令
国保　国民健康保険法
国保令　国民健康保険法施行令
国保則　国民健康保険法施行規則
子育て支援　子ども・子育て支援法
子育て支援令　子ども・子育て支援法施行令
子育て支援則　子ども・子育て支援法施行規則
国公共済　国家公務員共済組合法
雇保　雇用保険法
雇保令　雇用保険法施行令
雇保則　雇用保険法施行規則
私学共済　私立学校教職員共済法
次世代育成　次世代育成支援対策推進法
自治　地方自治法
児手　児童手当法
児手令　児童手当法施行令
児童虐待　児童虐待の防止等に関する法律
児福　児童福祉法
児福令　児童福祉法施行令
児福則　児童福祉法施行規則
児扶手　児童扶養手当法
児扶手令　児童扶養手当法施行令
社福　社会福祉法
社福令　社会福祉法施行令
社福士　社会福祉士及び介護福祉士法
障害基　障害者基本法
障害虐待　障害者虐待の防止，障害者の養護者に対する支援等に関する法律
障害雇用　障害者の雇用の促進等に関する法律
障害差別解消　障害を理由とする差別の解消の推進に関する法律
障害総合支援　障害者の日常生活及び社会生活を総合的に支援するための法律
障害総合支援令　障害者の日常生活及び社会生活を総合的に支援するための法律施行令
障害総合支援則　障害者の日常生活及び社会生活を総合的に支援するための法律施行

規則
少子基　少子化社会対策基本法
身福　身体障害者福祉法
生活困窮者自立支援　生活困窮者自立支援法
生活困窮者自立支援令　生活困窮者自立支援法施行令
生活困窮者自立支援則　生活困窮者自立支援法施行規則
生活保護　生活保護法
生活保護則　生活保護法施行規則
精神，精神保健福祉法　精神保健及び精神障害者福祉に関する法律
精神令　精神保健及び精神障害者福祉に関する法律施行令
精福士　精神保健福祉士法
地公共済　地方公務員等共済組合法
地財　地方財政法
地税　地方税法
地税令　地方税法施行令
知福　知的障害者福祉法
特児扶手　特別児童扶養手当等の支給に関する法律
特児扶手令　特別児童扶養手当等の支給に関する法律施行令
認定こども園　就学前の子どもに関する教育，保育等の総合的な提供の推進に関する法律
能開　職業能力開発促進法
発達障害　発達障害者支援法
母子保健　母子保健法
保助看　保健師助産師看護師法
母福　母子及び父子並びに寡婦福祉法
民　民法
労安衛　労働安全衛生法
労基　労働基準法
労基則　労働基準法施行規則
労災　労働者災害補償保険法
労災令　労働者災害補償保険法施行令
労災則　労働者災害補償保険法施行規則
老福　老人福祉法
労保徴　労働保険の保険料の徴収等に関する法律

労保徴則　労働保険の保険料の徴収等に関する法律施行規則

これ以外の法令については，一般に用いられる略称または有斐閣版六法全書の略語に基づいて表記した。

〈文　献〉

吾妻

吾妻光俊『社会保障法』（有斐閣，1957年）

荒木・読本〔3版〕

荒木誠之『社会保障法読本〔第3版〕』（有斐閣，2002年）

荒木・法的構造

荒木誠之『社会保障の法的構造』（有斐閣，1983年）

岩村Ⅰ

岩村正彦『社会保障法Ⅰ』（弘文堂，2001年）

岩村ほか・目で見る〔5版〕

岩村正彦＝菊池馨実＝嵩さやか＝笠木映里『目で見る社会保障法教材〔第5版〕』（有斐閣，2013年）

碓井

碓井光明『社会保障財政法精義』（信山社，2009年）

江口

江口隆裕『社会保障の基本原理を考える』（有斐閣，1996年）

小川

小川政亮『権利としての社会保障』（勁草書房，1964年）

笠木ほか

笠木映里＝嵩さやか＝中野妙子＝渡邊絹子『社会保障法』（有斐閣，2018年）

加藤ほか〔5版〕〔6版〕〔7版〕

加藤智章＝菊池馨実＝倉田聡＝前田雅子『社会保障法〔第5版〕』，『同〔第6版〕』，『同〔第7版〕』（有斐閣，2013年，2015年，2019年）

河野・権利構造

河野正輝『社会福祉の権利構造』（有斐閣，1991年）

河野・新展開

河野正輝『社会福祉法の新展開』（有斐閣，2006年）

菊池・法理念

菊池馨実『社会保障の法理念』(有斐閣，2000 年)

菊池・将来構想

菊池馨実『社会保障法制の将来構想』(有斐閣，2010 年)

菊池・社会保障再考

菊池馨実『社会保障再考――〈地域〉で支える』(岩波新書，2019 年)

倉田・基本構造

倉田聡『医療保険の基本構造』(北海道大学図書刊行会，1997 年)

倉田・構造分析

倉田聡『社会保険の構造分析』(北海道大学出版会，2009 年)

小西

小西國友『社会保障法』(有斐閣，2001 年)

西原編〔5 版〕

西原道雄編『社会保障法〔第 5 版〕』(有斐閣，2002 年)

西村

西村健一郎『社会保障法』(有斐閣，2003 年)

堀・総論〔2 版〕

堀勝洋『社会保障法総論〔第 2 版〕』(東京大学出版会，2004 年)

堀・年金〔2 版〕〔3 版〕〔4 版〕

堀勝洋『年金保険法〔第 2 版〕』，『同〔第 3 版〕』，『同〔第 4 版〕』(法律文化社，2011 年，2013 年，2017 年)

籾井

籾井常喜『社会保障法』(総合労働研究所，1972 年)

講座 1～6

日本社会保障法学会編『講座・社会保障法 1～6』(法律文化社，2001 年)

新講座 1～3

日本社会保障法学会編『新講座・社会保障法 1～3』(法律文化社，2012 年)

新版判例大系 1～4

加藤智章 = 菊池馨実 = 片桐由喜 = 尾形健編『新版 社会保障・社会福祉判例大系 1～4』(旬報社，2009 年)

百選〔初版〕～〔5 版〕

『社会保障判例百選』〔初版〕，〔第 2 版〕，〔第 3 版〕，〔第 4 版〕，〔第 5 版〕(有斐閣，1977 年，1991 年，2000 年，2008 年，2016 年)

〈判例集・判例収録誌〉

民（刑）録	大審院民事（刑事）判決録
民（刑）集	大審院民事（刑事）判例集，最高裁判所民事（刑事）判例集
集民	最高裁判所裁判集 民事
高民（刑）集	高等裁判所民事（刑事）判例集
下民（刑）集	下級裁判所民事（刑事）裁判例集
行集	行政事件裁判例集
労民集	労働関係民事裁判例集
家月	家庭裁判月報
東高民報	東京高等裁判所判決時報 民事
裁時	裁判所時報
訟月	訟務月報
判時	判例時報
判タ	判例タイムズ
労判	労働判例
労経速	労働経済判例速報
交通民集	交通事故民事裁判例集
判例自治	判例地方自治
金判	金融・商事判例
賃社	賃金と社会保障
保育情報	月刊保育情報

総論

第 1 章
社会保障とその特質

社会保障は，第二次世界大戦の後，先進諸国を中心に本格的に登場した制度である。日本では，高度経済成長と相俟って大幅に充実が図られ，その後の低成長・不況期を通じても，家族形態の変化や少子高齢社会の到来といった社会変化の下，さらに発展を遂げてきた。社会保障は，国民生活の安定という面でも，また国家財政に与える影響という面でも，今日きわめて重要な位置づけを与えられる制度となっている。

本章では，社会保障を法学的に論じる次章の前段階として，社会保障そのものに焦点を当て，総論的にいくつかの側面からみていくことにする。具体的には，社会保障の意義，目的・機能を明らかにするとともに，日本を中心とした歴史的展開過程をたどる。その上で，社会保障全体に関わる論点として，社会保険を中核とする保障方法や制度概念，保障水準，費用負担，行政機構，国際化といった問題に焦点を当てる。

第 1 節　社会保障を取り巻く現況

第 1 款　国民生活と社会保障

人は生まれてから死ぬまでの間，多かれ少なかれ社会保障によって日常生活の基礎を支えられている。たとえば，出生後，基本的に全員が乳幼児健診や予防接種の対象となっており，就学前の子どもは，共働き世帯等であれば，保育所に入所する場合も多い。子どもを養育する多くの世帯には，児童手当が支給される。病気にかかったり怪我をした場合，老若男女を問わず，保険証（被保険者証）1枚で医療保険による治療が受けられる。定年退職後は，公的年金で生活費の相当部分を賄うことになる。高齢で介護が必要になった場合，介護保険からサービスを受けることもできる。仕事中に災害事故にあったり，不況により会社の退職を余儀なくされた場合，労災保険や雇用保険といった制度でカバーされる。以上のような具合である。

他方，これらの諸制度は，国民の社会保険料や税といった負担で財政的に賄われている。多くの国民は，社会保障の受け手であるだけでなく，支え手でもある。ライフサイクル全体からみた場合，これまで日本では，乳幼児期と高齢期（とりわけ後者）が社会保障の給付を多く受ける年代であり，青年期から中年期にかけては，受け手というよりは財政面での支え手としての側面が非常に強かった。

第2款　社会保障を支える社会状況の変容

こうした仕組みは，各世代の人口比が時代を超えて一定であれば，とくに現役世代と引退世代の間では，いわば社会的扶養のシステムとして，うまく機能するはずである。

しかしながら，周知のように，現在日本では少子高齢化[1)]が進行するとともに，人口減少社会に突入している（図1）。少子高齢化は，2020（令和2）年10月1日現在，高齢化の指標として用いられる高齢化率（65歳以上人口が全人口に占める割合）は28.8％であり，2017（平成29）年の人口推計（国立社会保障・人口

1）社会保障が一定の発達段階に達した国家を福祉国家ということがある。福祉国家を類型化したことで有名なエスピン-アンデルセンは，福祉国家を社会民主主義モデル（典型的には北欧各国），保守主義モデル（独・仏），自由主義モデル（英・米）に分類した。日本については，一方における家族の役割の大きさや職域ごとの社会保険制度，他方における企業福祉の役割の大きさという点で，保守主義モデルと自由主義モデルの独特の合成系（第4のモデル）という見方も提示されている。G.エスピン-アンデルセン（岡沢憲芙＝宮本太郎監訳）『福祉資本主義の三つの世界』（ミネルヴァ書房，2001年）xiii頁。ただし，エスピン-アンデルセン自身，西欧福祉国家の大半が19世紀末以降制度を整えるに至ったのに対し，日本のシステムは戦後構築されたばかりでまだ発展途上にあるとして，その流動的性格を指摘している。同書vii頁。実際，最近では家族機能の弱体化，制度の包括化（被用者年金一元化など），非正規雇用の増大・企業福祉の縮小などの状況変化の中で，従来のモデルが妥当しなくなりつつある面がある。

図１　日本の人口の推移

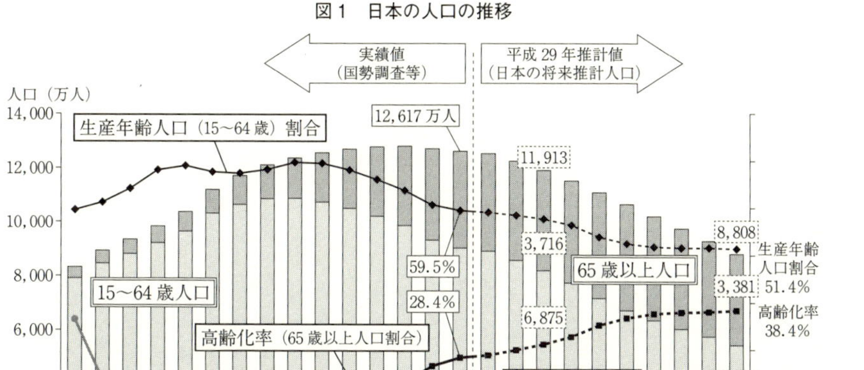

出典：厚生労働省編『令和３年版厚生労働白書（資料編）』（1 厚生労働全般）より

問題研究所）によれば，2065 年における高齢化率は 38.4% になると予想されている（中位推計。以下同様）。他方，少子化の指標として用いられる合計特殊出生率は，2020（令和 2）年で 1.33 であり，2065 年における予測も 1.44 にとどまり，人口規模を維持できるとされる水準（2.08）を大きく下回っている。

こうした将来予測をもとに，さまざまな施策が講じられている。このうち高齢化に関しては，高齢者自身の数が増大する局面（高齢化の第 1 の局面）と異なり，いわゆる団塊の世代（出生数が多かった第二次世界大戦直後のベビーブーム世代）が 75 歳を超え後期高齢者となる 2020 年代後半以降，社会経済を支える現役世代の人口が急激に減少することへの対応が課題となる（高齢化の第 2 の局面）。個人のさまざまな生き方や働き方を支援していくというだけでなく，社会政策的視点からは，社会の「支え手」を増やしていくことに資する施策を講じることが求められる。この観点からは，高齢者（図 2）と女性（図 3）のよりいっそうの就労促進がカギとなり，図にみられるように進捗が期待されている。

少子化に関しても，近年，さかんに少子化対策が講じられているものの，今のところ出生率回復に向けた目立った効果はみられていないのが現状である（第 8 章第 4 節第 3 款）。

他方，社会保障と同じく人びとの生活を支える扶養の機能を果たしてきた家

図2　労働力人口の推移

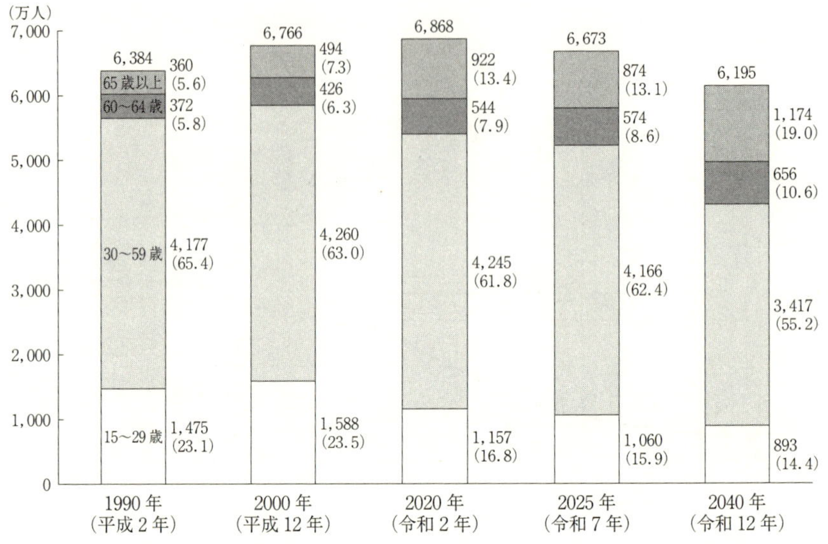

出典：厚生労働省編『令和3年版厚生労働白書（資料編）』（1 厚生労働全般）より

図3　性，年齢別労働力人口比率の推移

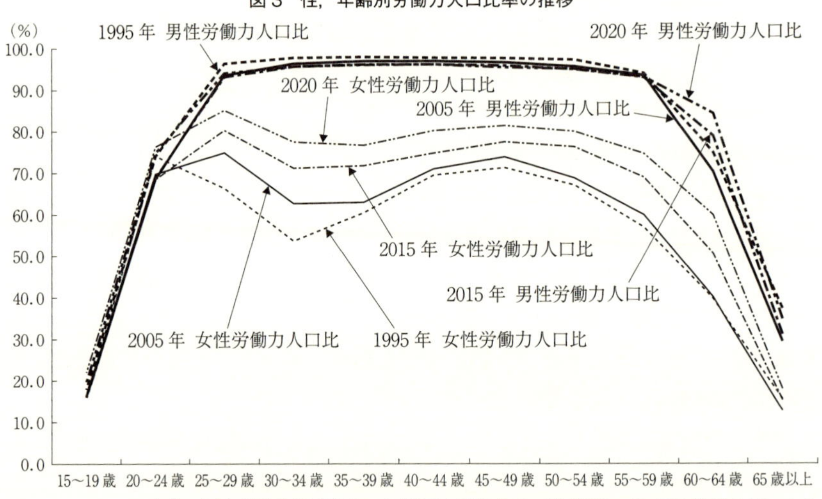

出典：厚生労働省編『令和3年版厚生労働白書（資料編）』（1 厚生労働全般）より

表1　世帯構造別にみた世帯構成割合の推移

年　次	総数 (A)	単独世帯	夫婦のみの世帯	夫婦と未婚の子のみの世帯	ひとり親と未婚の子のみの世帯	三世代世　帯	その他の世帯	高齢者世帯 (B)
1975（昭和 50）年	100.0	18.2	11.8	42.7	4.2	16.9	6.2	3.3
80　（55）	100.0	18.1	13.1	43.1	4.2	16.2	5.4	4.8
90（平成 2）	100.0	21.0	16.6	38.2	5.1	13.5	5.6	7.7
2000　（12）	100.0	24.1	20.7	32.8	5.7	10.6	6.1	13.7
05　（17）	100.0	24.6	21.9	31.1	6.3	9.7	6.4	17.7
10　（22）	100.0	25.5	22.6	30.7	6.5	7.9	6.8	21.0
15　（27）	100.0	26.8	23.6	29.4	7.2	6.5	6.5	25.2
19（令和 元）	100.0	28.8	24.4	28.4	7.0	5.1	6.3	28.7

出典：厚生労働省編『令和2年版厚生労働白書（資料編）』(1 厚生労働全般）より

族の在り方が大きく変化し，多様化している。表でみるように，世帯構造別にみた世帯構成割合につき，高度経済成長期を経た 1975（昭和 50）年と 2019（令和元）年の数値を比較した場合，単独世帯（18.2% から 28.8%），夫婦のみの世帯（11.8% から 24.4%），ひとり親世帯（4.2% から 7.0%）が増加しているのに対し，夫婦と未婚の子のみの世帯（42.7% から 28.4%），三世代世帯（16.9% から 5.1%）が減少している。さらに高齢者世帯の割合が 3.3% から 28.7% と激増しているのが目を惹く（表1）。このことはまた，ひとり暮らしや夫婦のみ世帯の相当数が高齢者世帯であることを想起させる。（高齢）単独世帯や高齢夫婦世帯は，生活上生じるさまざまな困難（病気や失業など）に対して自力で対応することが難しく，社会保障制度による支援が求められる度合いが相対的に高いということができる。

日本では，大企業を中心に企業が従業員とその家族の生活を支える機能を果たしてきたという面も見逃せない。しかし，終身雇用（長期雇用）・年功賃金（生活給）といったいわゆる日本型雇用慣行といわれるシステムが，グローバル経済下で「揺らぎ」をみせる中にあって，地位や待遇が不安定な非正規雇用労働者が増加し，いまや労働者人口の4割近くを占め，社会の二極化（social polarization）ともいうべき状況が作出されるに至っている[2)]。加えて，クラウドワーカー・ギグワーカーなどの就労面・社会保障面の保障が不安定な自営業的就業も増加の一途をたどっている。今後，雇用保障面での規制強化といった

2)　年平均で 1989（平成元）年 19.1%，2004（平成 16）年 31.4% から 2019（令和元）年には 38.3% となった（厚生労働省資料による）。

方策が講じられるとしても，少なくとも，企業福祉制度（住宅・扶養手当，企業年金など）を含め，従来同様の生活保障機能を企業に求めるのは困難であり，自ずと社会保障制度への期待が高まらざるを得ない状況に立ち至っている。

第3款　財政上の制約

少子高齢化の進展は，年金給付費や高齢者医療・介護費など，社会保障給付費の増加要因になると同時に，そうした費用負担を支える側の減少をもたらし，社会保障制度にとっては将来的に大きな制約要因になることが見込まれる。図4にみられるように，日本の社会保障給付費は一貫して増加基調にある。とりわけ特徴的な点として，日本では高齢者に偏った配分がなされてきたと評価されている[3)]。財政緊縮の折には一時的な工事中断もなされ得る公共事業（たとえば道路・橋の建設）などと異なり，義務的経費が大部分であることから，社会保障費の削減は困難を極める。

国家予算の一般歳出（基礎的財政収支対象経費から地方交付税交付金等を除いたもの）に占める社会保障費の割合は，2020（令和2）年度56.5％となっており，一般会計歳出（一般歳出に国債費を加えたもの）のうち，国債費と地方交付税交付金等と社会保障関係費が約4分の3を占めている[4)]。

こうした財政制約の下，限られた財源をいかに公平かつ効率的に配分するか，給付を支えるために必要な負担を誰がどのように負うか，生産年齢人口の大幅な減少を踏まえて将来世代に負担を安易につけ回すことなく給付の適正化をどのように図るか等の視点をもちながら，社会保障のあり方を議論することが求められている。

---

3)　2018（平成30）年度における社会保障給付費のうち，年金保険給付・高齢者医療給付・老人福祉サービス給付・高年齢者雇用継続給付にかかる費用が66.5％を占める。編集委員会編『社会保障入門2021』（中央法規出版，2021年）38頁。

4)　2020（令和2）年2月以降，感染拡大した新型コロナウイルス（COVID-19）の影響で，国債発行が膨らみ国家財政は大幅に悪化した。2021（令和3）年度予算では，歳出3兆9500億円増の主要因を新型コロナウイルス感染症対策予備費（5兆円）が占めるのに対し，これに見合う歳入として税収6兆700億円の減収を公債費11兆400億円増で賄うフレームとなっている（増減はいずれも前年比）。同年度にとどまらず，新型コロナウイルスの財政影響は長期にわたるものと予想される。

図4　社会保障給付費の推移

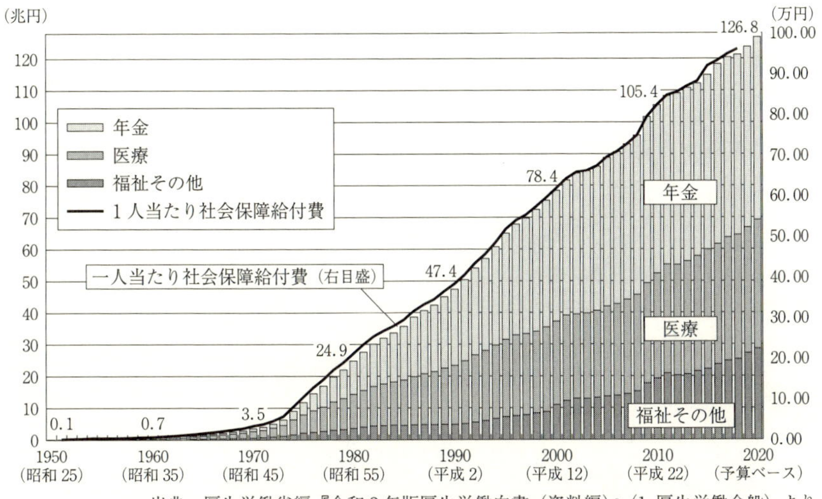

出典：厚生労働省編『令和3年版厚生労働白書（資料編）』(1 厚生労働全般）より

第4款　持続可能性への危惧

これまで述べてきたように，少子高齢化の進展や，家族形態の多様化，そしてグローバル経済下における非正規雇用増大など日本型雇用の「揺らぎ」といった現象は，国民生活における社会保障の役割を将来的にますます高めることが予想される。ただし，公債依存度が高く財政規律が緩んでいる日本の危機的な国家財政を前提とした場合，第3款で述べた視点を十分踏まえて社会保障のあり方を議論する必要がある。

このことは，近時の政策展開において意識されている「社会保障の持続可能性」[5)]を財政面から担保していく切実な必要性を示唆するものである。ただし，「社会保障の持続可能性」とは，財政面での負担が過度にわたらない社会保障制度の構築という意味合いにとどまるものではない。将来的に財政負担が増えていくとしても，そうした負担を共に分かち合い，担っていくことについての

5)　「持続可能な発展（sustainable development)」は，国連会議等でも使用され，環境法の理念のひとつとして位置づけられている。大塚直『環境法〔第4版〕』(有斐閣，2020年）51頁。持続可能性を冠した社会保障立法として，「公的年金制度の持続可能性の向上を図るための国民年金法等の一部を改正する法律」(平成28年法律第114号)。

社会的・市民的な合意が世代を超えて長期的に形成されていれば，制度の持続可能性はなおも失われないからである。逆に，そうした社会的・市民的合意を維持するためにも，社会保障の給付と負担のあり方を絶えず見直していく必要がある。

家族形態が多様化し，地域社会の結びつきが希薄化し，非正規労働者の増大など「格差」の拡大・固定化が指摘される今日，社会保障を支えようとする人びとの意識をどのように維持し，さらに醸成していくのかが重要な今日的課題である（第2章第3節第2款**2**）。

第2節　社会保障とは何か

第1款　社会保障の捉え方

1　捉え方の多様性

社会保障（Social Security）と呼ばれる法制度は，20世紀に入り先進諸国を中心に本格的な発展を開始した。ただし，社会保障の中に何を含めて考えるかについては，必ずしも各国共通の理解があるわけではない。社会的・文化的・政治的背景を異にする各国毎に，その捉え方には相違がみられる。たとえば，1935年に社会保障という名を冠した最初の立法（Social Security Act）が成立したアメリカでは，一般的には年金保険を指す概念として用いられる。また主として，イギリスでは所得保障制度（年金・児童手当・所得補助など），フランスでは社会保険と家族手当を指す概念として用いられる。イギリスの捉え方とも関連して，1942年に同国で発表され，戦後各国の社会保障制度の発展に大きな影響を及ぼしたベヴァリッジ報告書[6]では，「失業，疾病若しくは災害によって収入が中断された場合にこれに代わるための，また老齢による退職や本人以外の者の死亡による扶養の喪失に備えるための，さらにまた出生，および結婚などに関連する特別の支出をまかなうための，所得の保障」と捉えている[7]。

6）　Sir William Beveridge, Social Insurance and Allied Services, 120（Agathon Press, 1969）. 山田雄三監訳『ベヴァリジ報告　社会保険および関連サービス』（至誠堂，1969年）185頁。一圓光彌監訳『ベヴァリッジ報告　社会保険および関連サービス』（法律文化社，2014年）187頁参照。

国際機関などでは，こうした社会保障概念の多義性から，社会的保護（social protection）という概念が用いられることもある[8)]。

2　二つの社保制審勧告

それでは，従来日本では，社会保障ないし社会保障制度をどのように理解してきたのであろうか。

日本の社会保障制度の基盤を形成したのが，1950（昭和25）年社会保障制度審議会[9)]勧告（50年勧告）である。そこでは，社会保障制度が，①社会保険（医療保険，年金保険，失業保険，労災保険），②国家扶助（公的扶助），③公衆衛生及び医療，④社会福祉の4部門に分類され，その後，同勧告に沿った形で社会保障制度が整備されてきた。児童手当法（1972〔昭和47〕年）など社会手当に相当する制度や，老人保健法（1985〔昭和60〕年）及び高齢者医療確保法（2006〔平成18〕年）といった高齢者を対象とする医療保障制度の仕組みなど，同勧告で予定されていなかった新たな制度も導入されたものの，制度の基本的な枠組みは，今日でも維持されているといってよい。

高度経済成長期を過ぎ，戦後50年を経て出された1995（平成7）年社会保障制度審議会勧告（95年勧告）も，介護保険等の個別の制度改革を提言している中にあって，50年勧告の枠組みを依然として引き継ぐものであった。

50年勧告当時の諸制度のうち，公衆衛生は，上下水道の整備などによる衛生状況の向上，伝染病予防対策の徹底なども相俟って国民の疾病構造が慢性疾患中心に移行したこともあり，社会保障の一部として認識されることが少なくなった。しかし，今日でも感染症（最近では，鳥インフルエンザ，エボラ出血熱，新型コロナウイルス〔COVID-19〕感染症など）対策等で注目されることがある。

---

7)　ただしベヴァリッジ報告書は，児童手当，包括的保健・リハビリテーションサービス，雇用の維持を，社会保障の3つの前提と捉えている点に留意する必要がある。山田監訳・前掲書（注6）273頁以下。

8)　岩村Ⅰ9頁。

9)　同審議会は，内閣総理大臣の所轄に属し，2001（平成13）年1月の中央省庁再編に伴い廃止されるまで，数々の勧告・建議・答申などを行った。本文中の50年勧告と95年勧告がとくに重要である。

表2　機能別分類

	ILO定義	日本において含まれる制度（例）
高齢	退職によって労働市場から引退した人に提供される全ての給付	介護保険，厚生年金保険，国民年金，厚生年金基金・農業者年金基金等，各種共済組合，国家公務員恩給・地方公務員恩給等
遺族	保護対象者の死亡により生じる給付	厚生年金保険，国民年金，各種共済組合，戦争犠牲者援護等
障害	部分的または完全に就労不能な障害により保護対象者に支払われる給付	厚生年金保険，国民年金，各種共済組合，戦争犠牲者援護等
労働災害	保護対象者の業務上の災害，病気，障害，死亡に対する労働災害補償制度から支払われる給付	労働者災害補償保険，船員保険，公務員の災害補償
保健医療	病気，傷害，出産による保護対象者の健康状態を維持，回復，改善の目的で提供される給付（傷病で休職中の所得保障を含む）	組合管掌健康保険，協会管掌健康保険，国民健康保険，後期高齢者医療制度，船員保険，各種共済組合，戦争犠牲者援護等
家族	子どもその他の被扶養者がいる家族（世帯）を支援するために提供される給付	雇用保険，各種共済組合等サービスなど）
失業	失業した保護対象者に提供される給付	雇用保険等
住宅	住居費の援助目的で提供される給付（資力調査を行うもの）	生活保護等
生活保護その他	定められた最低所得水準や最低限の生活必需品を得るために，援助を必要とする特定の個人または集団に対して提供される現金および現物給付	生活保護，各種共済組合等

出典：国立社会保障・人口問題研究所『平成30年度　社会保障費用統計』（2020年）51-52頁，72-74頁より筆者作成

3　社会保障の捉え方

社会保障制度審議会が廃止された後，社会保障統計資料の編集に当たっている国立社会保障・人口問題研究所は，部門別（年金，医療，福祉その他。前掲図4）のほか，機能別（高齢，遺族，障害，労働災害，保健医療，家族，失業，住宅，生活保護その他。表2）の分類を行っている。

こうした分類は，主として行政上の観点からのものであり，必ずしも理論的に整序されたものではない。ただし一般的に社会保障に含まれるものがほぼ網羅されていることもあり，これらの諸制度が社会保障に含まれると大まかに理

解しておくことができるだろう。

第2款　社会保障の目的と機能

1　社会保障の目的

先に紹介したベヴァリッジ報告書の捉え方にも示されているように，社会保障は，一定の社会的事故ないし要保障事由の発生による収入の中断・扶養の喪失・特別の支出に備えるための制度として捉えられてきた10)。こうした文脈において，社会保障法学でも，「生活困難に陥った国民に対し健やかで安心できる生活を保障し，その福祉の向上・増進を図ること」を社会保障の目的と捉える堀勝洋の見解がある11)。これに対し，荒木誠之も，社会保障を国民の生活保障を直接の目的とするものと捉える12)。後述するように，「生活困難」をどのように捉えるかという点に理論的な問題を孕むものの，国民の生活保障を社会保障の目的と捉える点で，これらの見解は共通している。社会保障法学の通説的見解と言ってよい（第2章第2節第1款1）。

ここで保障されるべき国民の生活とは，憲法25条1項にいう「健康で文化的な最低限度の生活」にとどまらない13)。先の堀説のほか，社保制審95年勧告も述べているように，戦後における飛躍的な生活水準の向上を反映して，

10)　ILOも，「社会保障は，社会がしかるべき組織を通じて，その構成員がさらされている一定の危険に対して与える保障である」と捉えてきた。塩野谷九十九ほか訳『ILO・社会保障への途』（社会保障研究所，1972年）102頁。岩村Ⅰ13頁では，「欧米等で『社会保障（『社会的保護』）』として考えられているのは，個人（場合によっては世帯）に対し，これまでの生活を脅かす事由，すなわち要保障事由（具体的には，傷病，障害，老齢，要介護状態，生計維持者の死亡，出産，多子，失業，困窮等）が発生した場合に，社会保険料や租税等を財源として，国および地方公共団体あるいはそれらの監督下にある機関が，財貨や役務等の給付を提供する制度である」とする。また西村3頁では，「社会保障は，国が中心となって，生活保障を必要とする人に対して，一定の所得ないしサービス（医療および社会福祉サービス）を公的に提供することで，これらの生活上の困難・危険を回避し，軽減するために準備された制度である」とする。

11)　堀・総論〔2版〕18頁。

12)　荒木・読本〔3版〕250-251頁。

13)　50年勧告では，憲法25条を冒頭に掲げ，生存権とこれに対する国家の生活保障義務を強調している。岩村ほか・目で見る〔5版〕4頁。

「健やかで安心できる生活の保障」が射程におかれる[14)]。このことは，戦後以来，「生活困難」あるいは貧困からの救済（救貧）や貧困の予防（防貧）のための制度として理解されてきた社会保障が，相対的に高い水準の生活保障を目指すに至ったことを意味している。

社会保障の直接的な目的が国民の生活保障におかれること自体に異論はない。ただし，より根源的には，個人の自律の支援が社会保障の目的と捉えられる。すなわち，個人が自らの生を主体的に追求できること，それ自体に価値があり，そのための条件整備を図ることが，社会保障の究極的な目的である。こうした理解は本書で展開される社会保障法理論と密接に関わるものであり，後に詳述する（第2章第2節第2款**2**）[15)]。2000年代以降の法制度改正においても，介護保険法・成年後見制度・生活困窮者自立支援法・生活保護制度改革などをめぐる議論のなかで，高齢者・生活困窮者・生活保護受給者などの「自立支援」[16)]が改革にあたっての理念ないし目的として挙げられることが少なくない。

2　社会保障の機能

社会保障の機能として挙げられるのが，第1に，所得再分配機能である[17)]。

14）同書7頁。

15）こうした理解はまた，社会保障を実体的な給付の体系として捉えてきた従来の見方を超えた視座を提供する可能性を秘めている。第2章第1節第2款**4**注84）参照。

16）政策的には「自立支援」の用語が用いられる。ここで「自立」とは，公的・社会的支援を受けながらも「行為主体として独立できていること」（生活状態を示す概念）をいい，本書が依拠する「自律」とは，「主体的かつ自由に自らの生き方を追求できること」（目指されるべき目標）と捉えられる。菊池馨実「自立支援と社会保障」同編著『自立支援と社会保障』（日本加除出版，2008年）358-362頁。

17）経済学・財政学において，所得再分配を社会保障の目的とする考えがみられることがある。しかし，社会保障の目的は国民の生活保障ひいては個人の自律支援と捉えるべきであり，所得再分配はあくまで機能にすぎない。堀・総論〔2版〕21頁。これに対し，社会保障法の顕著な特色は給付をめぐる法制度の多様性にあるとしながらも，その基盤にある負担の法制度を租税法の議論も踏まえて検討することが重要であるとして，社会保障法を，「個人の自立した日常生活を支えるための所得再分配を規律する法」と捉える行政法学説として，原田大樹『例解行政法』（東京大学出版会，2013年）230頁，同「グローバル社会保障法？」同『行政法学と主要参照領域』（東京大学出版会，2015年）186頁。ただし，この見解も所得再分配を「目的」と明示しているわけではない。黒田有志弥「社会保障制度を通じた所得再分配の意義と機能」荒木尚志ほか編『労働法学の展望　菅野和夫先生古稀記念論集』（有斐閣，2013年）723頁は，

社会保障を通じて，一次的な所得分配[18]が，先述した社会保障の目的に合致するように再分配される。この機能は，基本的に社会保険・社会扶助といった保障方法を問わずみられる。所得再分配には垂直的所得再分配（高所得層から低所得層への再分配）と，水平的所得再分配（同一所得層内での再分配）がある。

第2に，リスク分散機能が挙げられる。社会保障は，生活遂行上生じ得る様々な社会的事故ないし要保障事由（たとえば，老齢・障害・疾病・要介護状態・失業・労働災害・生計維持者の死亡など）の発生に備えて，財源をプールしておき，リスクが現実に発生した際，ここから給付を行う仕組みである。この機能は，典型的には社会保険にみられる。

第3に，社会保障が経済と密接な関連をもつことの表われとして，景気の変動を微調整する機能（ビルト・イン・スタビライザー機能）をもつと言われることがある。たとえば，被用者保険の保険料は報酬の一定割合と決められているので，好況時にはその徴収額が増加し，可処分所得ひいては有効需要が減少することにより景気の過熱が抑えられる一方，不況期における雇用保険などの所得保障給付の増大は，有効需要の増大に資する面がある。このことと関連して，経済との関連では，重い社会保障負担が企業などの経済活動を沈滞させ，経済成長を妨げるとの議論が従来からなされてきた一方で，最近では，社会保障が医療・介護などの分野での雇用創出につながる，高齢化率の高い地方では年金が地域経済を支えている，子育て支援や介護体制の充実が女性や中高年の雇用を支えるといった議論もみられる。

第4に，家庭の支援ないし代替という機能がある。歴史的にみれば，社会保障は従来家庭が担ってきた役割の「社会化」という側面をもつ。たとえば現在，老親の経済的扶養の多くを年金制度が担い，身体的扶養も介護保険制度などで担われつつある。最近では，少子化対策ないし育児支援策として，保育施設の充実など「児童扶養」の社会化ともみられる動きが加速している。家族形態の変容という社会的背景の下（第1節第2款），社会保障の基礎的単位を個人単位

「所得再分配を結果的な単なる社会保障の機能と捉えるのではなく，目的とまでは言わないまでも，社会保障制度の費用負担と給付の関係を基礎づける一要素として捉え直すことができる」とする。

18)　経済学的にいえば，「配分」とは，財の生産にあたっての資源の投下，「分配」とは，経済活動の結果を通じての所得と富の分布をいう。

で考えるべきか，世帯ないし家庭をも単位として考えるべきか[19]は，社会保障をめぐる政策論において度々登場してくる重要な争点である。

第5に，社会的セーフティネット（安全網）の機能をもつことが指摘される。ただし，論者により「セーフティネット」の捉え方（範囲・程度）に差異があることに留意する必要があり，生活保護を中心とした生活困窮者・貧困者対策を念頭に置く場合もあれば[20]，年金・医療・雇用保険などの社会保険制度や住宅施策など国民一般への基盤的社会保障制度を広く含ませる捉え方もあり得る[21]。

第3款　社会保障の歴史

1　社会保障の生成と発展

(1)　救貧制度

社会保障（Social Security）の語を冠した世界最初の立法は，アメリカの1935年社会保障法（Social Security Act）である。しかし，この法律が国際的にみた社会保障の実質的な出発点と捉えられているわけではない。

現代に至るまで，社会保障の前駆形態ともいうべき二つの流れがあった。その一つが，イギリスを代表として発展した公的救貧制度である。1601年エリザベス救貧法を抜本的に改正した1834年新救貧法は，資本主義社会の発展過程において，貧困は本来個人の責任であるという基本的視点に立ち，労働能力ある貧民は労役場（work house）への収容と強制的な労働，労働能力のない貧民は「劣等処遇（less eligibility）の原則」（最下層の自立生活者の生活水準以下とする）の下，恩恵的に救済を行うというものであった。

公的救貧制度には，従来，教会などが行っていた貧民救済を国家の責務とし

19)　岩村正彦「社会保障における世帯と個人」岩村正彦＝大村敦志編『融ける境　超える法①個を支えるもの』（東京大学出版会，2005年）261頁以下。

20)　堀・総論〔2版〕22頁では，貧困の予防・救済を社会保障の機能と捉えている。

21)　政策面では，第1のネットである社会保険・労働保険制度と，第3のネットである生活保護制度の間に，求職者支援制度や生活困窮者自立支援制度などの第2のネットを位置づけ，三層構造として理解する見方が有力である。第6回社会保障審議会生活困窮者の生活支援の在り方に関する特別部会（2012〔平成24〕年7月17日）1頁資料2「『生活支援戦略』中間まとめ参考資料」。

て法制度化し，財源として公費を用いたことなど，今日の公的扶助との制度的関連性を見出し得る。しかし，あくまで貧困を個人の責任と捉えたこと，劣等処遇のほか公民権の剥奪などの不名誉（スティグマ）を伴っていたこと，給付を生存権の実現と捉える視点を欠いていたことなど，現代的公的扶助制度とは異なる性格を有していた。

(2)　労働者保険

現代社会保障のもう一つの前駆形態，そしてより直接的な前駆形態といえるのは，19世紀末ドイツにおける労働者保険制度である。これは社会保険のルーツにあたり，既に貧困に転落した者への事後的・恩恵的な救済とは異なり，現に労働に従事する者が貧困へと転落するのを防止するために，保険技術を利用した相互扶助的制度として登場した。ただし，当時はまだ，一定範囲の労働者（当初は肉体労働者）を対象とするにとどまり，今日の社会保険のように国民一般を対象とするものではなかった。

(3)　社会保険から社会保障へ

その後，様々な経緯を経て，20世紀初頭から第二次世界大戦後にかけて，貧困の社会的性格（貧困は必ずしも個人の責に帰せられるべきでないという考え方）についての認識が一般化するとともに（このことは，「市民法から社会法へ」という法思想の流れと軌を一にする），国民全体に対する最低限の生活保障が国の責務であるという見方（その背景としての生存権思想）が広がり，各種制度が整備されていった。公的救貧制度は，劣等処遇の否定，権利性の承認などにより，現代的公的扶助（あるいは社会扶助）へと変質を遂げた。扶助の基準も，生物的な生存の維持を可能にする程度の水準から，健康で文化的な生活を可能とする水準へと引き上げられていった。他方，労働者保険は適用範囲を拡大し，公的扶助と同様，国民一般を対象とする社会保険へと発展した。保険としての性格を特徴付ける拠出と給付との対価的関連性も一定程度希薄化し，扶助原理（第4款 **1**(1)）が濃厚に見出されるようになった。

こうして，対象者・制度内容などの面で，その違いが相対化した社会保険と公的扶助（あるいは社会扶助）を統合する概念として，社会保障という用語が用いられるに至った。たとえば，ILOから1942年に出版された『社会保障への途』に，こうした見方が示されている[22]。また20世紀初頭から戦後にかけての変化は，「社会保険から社会保障へ」というスローガンで表現されることもある。このことは，拠出原則の解消などが社会保障の向かうべき方向性であるとの見方を生むことにもなった。そして，受給者側からみたこれらの制度がもつメリット（無拠出での定型的給付）を統合した社会手当が，社会保障の理想的な制度形態であるとの見方を生み[23]，日本の社会保障法学説にも影響を与えた[24]。

このほか，社会保障の国際的発展を叙述する上で，先にも挙げたイギリスの1942年報告書「社会保障および関連サービス」（「ベヴァリッジ報告書」）が重要である。これは，均一拠出均一給付という戦後イギリス社会保障制度の礎を築いたばかりでなく，各国に少なからぬ影響を及ぼした。日本の1950（昭和25）年社会保障制度審議会勧告（50年勧告）も，社会保険を中心とした社会保障制度の構築など，同報告書の影響を受けたといわれる。

なお先に紹介した1935年アメリカ社会保障法は，社会保険（年金・失業）と公的扶助を含む連邦法であった。しかし制度の寄せ集めという域を脱せず，理論的な見地から社会保険と公的扶助の統合概念として社会保障という用語を用いたわけではない。一般にアメリカは，西欧諸国に遅れて社会保障制度が発展した国であり，今日でもその充実度は相対的に高くないと評価される。これに対し，「社会法（Sozialrecht）」という枠組みではあるものの，社会法典を有するドイツのように，総則規定をもつ統一的な法分野として把握されている国もある。

戦後から今日に至るまでの社会保障の国際的な発展過程については，包括的かつ簡潔に叙述することが困難であるため，本書では触れない[25]。

22）　ILO・前掲書（注10）103-104頁は，「社会扶助制度は資力の小さい人びとのために権利として認められた給付を最低標準のニードを満たすに足る額において供給するものであって，資金は租税から調達されるのに対し，社会保険制度は収入の少ない人びとのために権利として認められた給付を供給するものであって，その額は使用者および国からの補助金に被保険者の拠出努力を結び合わせたものである」とした上で，「社会扶助は救貧から社会保険の方向への前進であり，他方，社会保険は私的保険から社会扶助の方向への進展である」とする。

23）　同書106頁。

24）　西原道雄「社会保険における拠出」刊行委員会編『契約法大系Ⅴ』（有斐閣，1963年）346頁，348頁，角田豊「社会保障法の形成と機能」小川政亮＝蓼沼謙一編『現代法10現代法と労働』（岩波書店，1965年）230-231頁。

25）　塩野谷祐一ほか編『先進諸国の社会保障（全7巻）』（東京大学出版会，1999～2000年），宇佐見耕一ほか編『新　世界の社会福祉（全12巻）』（旬報社，2019～2020年）など参照。ILO

2　日本社会保障の発展

(1)　社会保障前史

明治期における代表的な救貧制度は，1874（明治7）年の太政官達162「恤救規則」である（以下，表3を参照)。それは全7条からなる短いもので，貧民救済は基本的に国民の相互扶助で実施されるべきものであるとの原則が明らかにされている。その上で，同規則は，そうした相互扶助がなされない極貧の単身生活者で，老衰や病気や障害をもつために就業できない者，単身生活者で13歳以下の者，単身生活者ではないが家人が70歳以上か15歳以下で，障害をもっていたり病気や老衰の者などに対して救済を行うとした。こうした救済は，対象者の面で不十分であった上，保護受給権や国の救済義務といった考え方を知らぬものであった。

恤救規則に次いで注目される戦前の救貧立法は，1929（昭和4）年に成立し，1932（昭和7）年に施行された救護法である。同法は，全32条からなり，その対象者は，扶養義務者が扶養することのない65歳以上の老衰者，13歳以下の幼者，妊産婦，身体的・精神的な障害により労働できない者であった。従来からの居宅保護に加え，養老院，孤児院，病院などの施設での収容保護も対象とした点，生活扶助，医療，助産，生業扶助という4種類の救護を規定した（扶助の種類が増えた）点などに進展がみられる。しかし他方，著しく怠惰な者に対する欠格条項が設けられ，被救護者に選挙権の行使が停止されるなど，いまだ現代的公的扶助とはいい難い性格を残していた。

(2)　社会保険の登場

最初の社会保険立法は，1922（大正11）年健康保険法である。同法は，第一次世界大戦後における労働運動激化への対応策との側面を有していた。現行法と大きく異なる点は，①いわゆるブルーカラーを対象とし，ホワイトカラーを対象外としたこと，② 10人未満事業所の労働者のほか，年収1200円以上の高額所得者を対象外としたこと（これらにはドイツの影響を見て取ることができる)，③保険給付には業務上災害（労災）も含まれていたことなどである。

1930年代後半になると，いわゆる戦時政策の一環として各種立法がなされた。すなわち農村部の貧困と保健状態の悪化への対処（健民健兵策）をねらい

や国連の取り組みについては，第7款1参照。

表3　社会保障の発展

時代区分	主な立法など
社会保障前史	1874　恤救規則 1922　健康保険法 1929　救護法 1938　国民健康保険法 1939　船員保険法，職員健康保険法 1941　労働者年金保険法，健康保険法改正（職員健康保険との統合） 1944　厚生年金保険法
戦後社会保障の形成	1946　（旧）生活保護法 1947　児童福祉法，失業保険法，労働者災害補償保険法 1948　国家公務員共済組合法，医療法，医師法，保健婦助産婦看護婦法 1949　身体障害者福祉法 1950　生活保護法（福祉3法体制），精神衛生法 1951　社会福祉事業法
国民皆保険・皆年金	1958　国民健康保険法改正（皆保険） 1959　国民年金法（皆年金）
社会保障制度の充実	1960　精神薄弱者福祉法 1961　児童扶養手当法 1963　老人福祉法 1964　母子福祉法（福祉6法体制），特別児童扶養手当法 1965　厚生年金保険法改正（1万円年金） 1966　国民健康保険法改正（7割給付） 1969　厚生年金保険法改正（2万円年金） 1970　心身障害者対策基本法 1971　児童手当法 1973　老人福祉法改正（老人医療費無料化），健康保険法改正（家族7割給付，高額療養費），年金法改正（5万円年金，物価スライド），労働者災害補償保険法改正（通勤災害） 1974　雇用保険法
社会保障制度の再編	1981　母子及び寡婦福祉法 難民の地位に関する条約および議定書加入 1982　老人保健法（老人医療一部負担） 1984　健康保険法等改正（本人9割給付，退職者医療制度） 1985　年金法改正（基礎年金） 1986　機関委任事務整理合理化法 1987　精神保健法，老人保健法改正（老人保健施設） 1989　年金法改正（国民年金基金），高齢者保健福祉推進10ヵ年戦略（ゴールドプラン）策定 1990　福祉8法改正（在宅福祉の推進） 1993　障害者基本法，地域保健法 1994　年金法改正（厚生年金〔定額部分〕支給開始年齢引上げ），エンゼルプラン策定，新ゴールドプラン策定 1995　障害者プラン策定

時代区分	主な立法など
社会保障構造改革	1997　児童福祉法改正（保育所制度改正），健康保険法等改正（本人8割給付），介護保険法 2000　年金法改正（厚生年金〔報酬比例部分〕支給開始年齢引上げ），社会福祉事業法等改正（社会福祉法），健康保険法等改正（老人保健制度1割負担） 2001　確定給付企業年金法，確定拠出年金法 2002　健康保険法等改正（本人7割給付） 2004　国民年金法等改正（保険料水準固定方式，給付のマクロ経済スライド） 2005　介護保険法改正（新予防給付，地域支援事業），発達障害者支援法，障害者自立支援法（障害福祉サービス事業の一元化） 2006　健康保険法等改正（後期高齢者医療制度）
社会保障・税一体改革	2010　障害者自立支援法改正（応能負担） 2011　求職者支援法，介護保険法改正（地域包括ケア），障害者基本法改正 2012　障害者自立支援法改正（障害者総合支援法），子ども・子育て支援関連三法，年金法改正（年金機能強化法〔基礎年金国庫負担2分の1恒久化〕・被用者年金一元化法・年金生活者支援給付金支給法）
全世代型社会保障改革	2013　健全性信頼性確保法（厚生年金基金制度見直し），生活困窮者自立支援法 2014　医療・介護総合確保推進法（地域医療構想，地域包括ケア） 2015　医療保険制度改革法（国民健康保険安定化） 2017　介護保険法等改正（地域包括ケア） 2018　生活困窮者自立支援法等改正（自立支援の強化） 2019　子ども・子育て支援法改正（就学前教育・保育の無償化） 2020　雇用保険法等改正（複数就業者への労災保険・雇用保険の整備，育児休業者への給付の基盤整備等），国民年金法等改正（被用者保険の適用拡大，受給開始時期の75歳までの拡大等） 2021　健康保険法等改正（後期高齢者一部2割負担）

とした国民健康保険法（1938〔昭和13〕年），戦時体制下での海運国策としての性格をもつ船員保険法（1939〔昭和14〕年），ホワイトカラーを対象とする職員健康保険法（1939〔昭和14〕年）が，相次いで制定された。1941（昭和16）年には，購買力の吸収や戦費調達の意味合いをもつ労働者年金保険法が制定され，健康保険法改正により職員健康保険法との統合がなされた。国民健康保険法も改正され，それまで国民健康保険組合は任意設立・任意加入であったのを，強制設立・強制加入とした。1944（昭和19）年には，雇用構造の変化に対処するため労働者年金保険法が廃止され，新たに厚生年金保険法が制定された。

こうした戦前の立法は，戦後社会保障制度との継続性をもつとはいえ，国民の生活保障を第一義的な目的とするものとはいい切れず，その意味で現代的社会保険と異なる性格を併せ有するものであった。

(3) 戦後社会保障の形成

戦後社会保障制度の展開にあたり，重要な役割を果たしたのは，その基本理念としての生存権の明文化（憲法25条）と，制度の全体枠組みを示した1950（昭和25）年社会保障制度審議会勧告（50年勧告）である。

戦後の生活困窮者救済施策としては，GHQ（連合国軍最高司令官総司令部）の指導を受け，1946（昭和21）年旧生活保護法が制定された。これは①保護の無差別平等，②保護の国家責任の明確化，③最低生活の保障を基本原則とし，現行法に相通じる性格を有していた。しかし，保護受給権を認めないなど憲法25条との関係が不明確である等の理由で，1950（昭和25）年全面改正され，現行生活保護法となった。

福祉立法としては，児童福祉法（1947〔昭和22〕年）・身体障害者福祉法（1949〔昭和24〕年）・社会福祉事業法（1951〔昭和26〕年）が制定された。児童福祉法・身体障害者福祉法（これら2法はそれぞれ戦災孤児対策，傷痍軍人対策としての一面を有していた）・生活保護法は「福祉3法」といわれ，戦後の混乱期にあって，主に救貧対策としての機能を果たした。

社会保険立法としては，1947（昭和22）年失業保険法が制定された。また同年，失業手当法が制定され，失業保険給付を受けるのに必要な6ヵ月の資格期間を満たさない者にも時限的に失業手当が支給されることになった。さらに同年，健康保険法と厚生年金保険法によって行われていた業務災害に係る保険給付を労働者災害補償保険法の下で一括して行うこととした。1948（昭和23）年には，戦前からの恩給法に代わって国家公務員共済組合法が成立した。その後，私立学校教職員や農林漁業団体職員，公共企業体職員，地方公務員などの共済組合が相次いで分離・制度化された。

(4) 皆保険・皆年金体制

1950年代半ばに始まった経済の高度成長を背景として，国民皆保険・皆年金と呼ばれる体制が一応の実現をみた。具体的には，1958（昭和33）年国民健康保険法が全面改正され，翌1959（昭和34）年国民年金法が制定された。

(5) 社会保障制度の充実

1960年代に入ると，福祉分野において，精神薄弱者福祉法（現在の知的障害者福祉法），老人福祉法，母子福祉法が相次いで制定され，いわゆる「福祉6法」の時代となり，生活保護法を除き，貧困者というよりも社会的弱者に対する救済施策としての色彩を強めた。このほか，一定の児童のいる家庭を対象に金銭給付を行う立法として，児童扶養手当法，特別児童扶養手当法，児童手当法が制定された。

1960年代には，医療保険及び年金保険の給付も充実した。医療保険については，1963（昭和38）年から世帯主，1966（昭和41）年から世帯員につき，従来5割であった国民健康保険の給付率が7割に引き上げられた。健康保険の被扶養者給付率についても，1973（昭和48）年改正により5割から7割に引き上げられた。また同年，老人医療費支給制度が老人福祉法改正により設けられ，70歳以上の高齢者に対する医療費の無料化が実施された。

年金分野でも，1960年代後半以降，給付水準の引上げをめざす改正がたびたび行われた。急激なインフレなどを背景としてなされた1973（昭和48）年改正では，いわゆる5万円年金の導入，物価スライドの導入などが行われた。70年代を通じて，年金給付水準はたびたび引き上げられた。

こうした医療・年金の充実は，その後の医療費問題や年金財政問題の遠因ともなった点に留意する必要がある。とりわけ老人医療費無料化の実施や，年金への物価スライドの導入などを，その最たるものとして挙げることができる。

労働保険の分野では，1973（昭和48）年労災保険法改正により通勤災害給付が新設され，翌1974（昭和49）年失業保険法が廃止され雇用保険法が制定された。

(6)　社会保障制度の再編

年金・医療などの各分野で制度の拡充を図るための大規模な法改正が行われた1973（昭和48）年は，「福祉元年」ともいわれた。しかしこの年，第1次オイル・ショックが発生し，経済の高度成長期は終焉を迎えた。これ以降，低成長へと移行した経済状況を背景として，1970年代末にかけて，国家財政の再建が深刻な政策課題となった。1980年代に入ると，一応の充実をみた社会保障制度の再編が図られた。その背景には，今述べた財政問題のほか，人口高齢化，モザイク的に発展してきた各制度の整理・体系化の必要性などの事情があった。

医療分野では，1982（昭和57）年老人保健法が制定され，従来老人福祉法の老人医療費支給制度により無料化されていた老人医療費の負担につき，本人一部負担が導入されるとともに，各医療保険者間での財政調整の仕組みが導入された。1984（昭和59）年健康保険法等改正では，被用者本人給付率が10割から

9割に引き下げられた。1986（昭和61）年老人保健法改正では，病院とは別に，医療機関としての老人保健施設が導入された。

年金分野では，1985（昭和60）年改正により，従来自営業者などを対象としていた国民年金を20歳以上の全国民共通の基礎年金とし，厚生年金保険や共済組合などは基礎年金の上乗せ部分として報酬比例年金を支給する二層構造の制度にした。

福祉分野では，1986（昭和61）年機関委任事務整理合理化法やいわゆる福祉8法改正により，従来機関委任事務であった事務の多くが分権化され（機関委任事務から団体事務へ），それとともに，施設入所型福祉から在宅福祉へという政策の流れも顕著となった。このことに関連して，1993（平成5）年健康保険法等改正により，在宅医療の推進などを含む改正が行われた。

(7)　社会保障構造改革

1990年代後半以降，社会保障構造改革が重要な政策課題となった。その第一歩として位置付けられるのが1997（平成9）年介護保険法の成立である。同法は，第5番目の社会保険制度として，2000（平成12）年4月施行された。このほか福祉分野では，1997（平成9）年児童福祉法改正により，保育所入所制度の改革などが行われたのに続き，2000（平成12）年，いわゆる社会福祉基礎構造改革として，社会福祉事業法を社会福祉法と改称し，障害者福祉に係る措置制度を支援費支給制度に改める等の大改正が行われた。

年金分野では，2000（平成12）年，国民年金法等改正法が成立し，1994（平成6）年改正で厚生年金定額部分の支給開始年齢の将来的引上げなどが行われたのに引き続き，報酬比例部分の支給開始年齢の将来的引上げがなされた。2001（平成13）年にはいわゆる企業年金2法（確定給付企業年金法・確定拠出年金法）が成立し，企業年金制度の枠組みにも大きな変更が加えられた。

医療分野では，1997（平成9）年健康保険法等改正による被用者本人給付率の9割から8割への引下げ，2000（平成12）年改正による老人一部負担の引上げなどが行われた。さらに2002（平成14）年改正により，被用者本人給付率の7割への引下げ，老人医療制度対象年齢の75歳への段階的引上げなどを含む医療保険制度改革がなされた。

その後も毎年のように重要な法律改正が相次いだ。2004（平成16）年には，国民年金法等改正により，基礎年金国庫負担率の2分の1への引上げに加えて，保険料水準固定方式とマクロ経済スライドによる給付の自動調整の仕組みの導入という抜本的な改革がなされた。2005（平成17）年には，介護保険法改正により，要支援者に対する新たな予防給付の創設，地域支援事業の創設，地域密着型サービス等新たなサービス体系の確立など，大幅に制度が見直された。また従来，身体・精神・知的といった各障害領域の谷間に取り残されてきた発達障害児（者）への取り組みを図るための立法として，発達障害者支援法が制定された。さらに同年，それまで縦割りであった障害福祉サービス事業の一元化を図るための立法として，障害者自立支援法が制定され，利用者定率負担（1割）の導入などが行われた。2006（平成18）年には，健康保険法等改正により，医療費適正化計画の策定，介護療養型医療施設の廃止，後期高齢者（75歳以上）を対象とする後期高齢者医療制度の創設，政府管掌健康保険の公法人化など，長きにわたる議論の末，医療保険制度改革が実現した。

これらの一連の立法も，超少子高齢社会の到来，国家財政の逼迫などを背景とした社会保障構造改革の大きな流れの中に位置づけることができる。

(8)　政権交代と社会保障・税一体改革

2009（平成21）年秋の民主党連立政権樹立により，公的年金改革，後期高齢者医療制度及び障害者自立支援制度の廃止，子ども・子育て新システムなど，社会保障全体にわたる改革が企図された。2010（平成22）年には，単年度の時限立法として，政権公約（マニフェスト）の目玉であった子ども手当の支給が開始された。同年夏の参議院選挙での政権与党の敗北，2011（平成23）年3月の東日本大震災の影響もあり，改革の見通しは一転して不透明な情勢となったものの，2010（平成22）年秋から2012（平成24）年にかけて，「社会保障・税一体改革」の名の下，消費税増税と一体的に社会保障制度改革が検討され，2012（平成24）年には公的年金改革，子ども・子育て関連の法律改正が行われた。公的年金改革との関連では4本の法律が制定され，このうち年金機能強化法（平24法62）により基礎年金国庫負担2分の1の恒久化，受給資格期間の短縮（25年から10年へ），短時間労働者に対する厚生年金適用拡大などが行われ，被用者年金一元化法（平24法63）により厚生年金と共済年金の一元化が図られた。子ども・子育て関連では，子ども手当がわずか2年で廃止され，所得制限付きの児童手当が復活したほか，いわゆる子ども・子育て支援3法により認定こども園制度の改善，施設型給付及び地域型保育給付の創設などがなされた。他方，定率負担への障害者側の反発に端を発した障害者自立支援制度廃止に向けた検討の末，2012（平成24）年障害者自立支援法が改正され，名称も障害者総合支援法と改称された。

(9) 再度の政権交代と全世代型社会保障改革に向けて

2012（平成24）年の政権交代後も，「社会保障・税一体改革」の延長線上に位置づけられる法改正がなされた。2013（平成25）年には，年金法改正（健全性信頼性確保法〔平25法63〕）により厚生年金基金制度の大幅見直しが行われたほか，貧困者・生活困窮者対策として生活保護法改正，生活困窮者自立支援法制定がなされた。2014（平成26）年には，年金事業運営改善法（平26法64）により年金保険料の納付向上策，年金記録訂正手続創設などがなされたほか，医療・介護総合確保推進法（平26法83）により，地域医療構想の策定，地域包括ケアシステムの構築（地域支援事業の充実），介護保険利用者負担の2割への引上げ（一定以上所得者）など，医療法・介護保険法等にまたがる改正がなされた。

この頃から，従来の高齢者中心型社会保障の体系を，現役世代や低所得者・格差問題なども課題として捉える全世代型社会保障に改変していく（その際，負担のあり方も高齢者を一律に軽減する年齢別負担から，世代を問わず負担能力別負担としていく）ことが，政策課題として認識されるようになり，内閣総理大臣の下，2012（平成24）年社会保障制度改革国民会議，2019（令和元）年全世代型社会保障検討会議といった会議体が設置され，内閣主導で社会保障制度改革が行われている。

2015（平成27）年には，持続可能な医療保険制度を構築するための国民健康保険法等改正（医療保険制度改革法）として，国民健康保険の安定化（都道府県を財政運営の責任主体とする等），後期高齢者支援金に係る全面総報酬割の導入などがなされた。2017（平成29）年には，介護保険法等改正による地域包括システムの深化・推進，介護保険利用者負担の3割への引上げ（特に所得の高い者），介護納付金の総報酬割導入（被用者保険者間）などがなされた。

2018（平成30）年には，生活困窮者自立支援法等改正により，生活困窮者の自立支援の強化，進学準備給付金など生活保護の自立支援の強化などが図られた。2019（令和元）年には，子ども・子育て支援法改正により，子育てのための施設等利用給付を創設するなどの措置を講じ，就学前教育・保育の利用者負担無償化の仕組みを設けた。

2020（令和2）年には，雇用保険法等改正により，労災保険にかかる複数業務要因災害に関する保険給付の創設，育児休業給付の失業等給付からの独立等がなされた。国民年金法等改正では，被用者保険の適用拡大（段階的に50人超の事業所まで企業規模を引下げ），受給開始時期の75歳までの拡大等がなされた。また社会福祉法等改正では，市町村の包括的な支援体制構築のための事業の創設等がなされた。2021（令和3）年には，健康保険法等改正により，後期高齢者医療制度利用者負担の一部2割への引上げ等がなされた。

第4款　社会保障の保障方法

1　社会保険

(1)　社会保険の意義

1950（昭和25）年社会保障制度審議会勧告（50年勧告）で，「社会保障の中心をなすものは自らをしてそれに必要な経費を拠出せしめるところの社会保険制度でなければならない」とされて以来，今日に至るまで，日本の社会保障は社会保険を中心に発展してきた[26)]。

一般的な理解によれば，社会保険とは，リスク分散のため保険の技術を用いて保険料などを財源として給付を行う仕組みである。そもそも保険とは何かについて，保険学の分野で定説があるわけではない[27)]。最近では，このような抽象的な論議よりも保険がもつ特質あるいは固有の要素を個別に明らかにする方がはるかに有意義であるとする立場が強く主張されている[28)]。

保険制度に登場する当事者間に存在する法関係は，一種の等価交換を前提とした有償の双務契約関係である。この保険は，大数の法則によって成り立っている。大数の法則とは，個別に見れば偶然と思われる事象も，大量観察すれば

26)　社会保険をめぐる法学研究の展開については，菊池馨実「社会保障法学における社会保険研究の歩みと現状」『社会保障法研究』1号（2011年）119頁以下参照。このほか，菊池馨実編『社会保険の法原理』（法律文化社，2012年），河野正輝ほか編『社会保険改革の法理と将来像』（法律文化社，2010年），倉田・構造分析など。

27)　大谷孝一編著『保険論〔第3版〕』（成文堂，2012年）21頁。

28)　近見正彦＝堀田一吉＝江澤雅彦編『保険学〔補訂版〕』（有斐閣，2016年）16頁。同書では，「保険とは，同様なリスクにさらされた多数の経済主体による，偶然な，しかし評価可能な金銭的入用の相互的充足である」（入用充足説）との立場を採る。

そこには一定の法則が見られるという原理（たとえば，コインの裏表のうち表が出る確率は，試行回数を増やすほど2分の1に近づく）である[29]。この考え方は，後述する社会保険にも当てはまる。

さらに保険がよって立つ基本的な考え方として，①給付反対給付均等の原則（加入者の給付する保険料は，その偶然に受け取ることのあるべき保険金の数学的期待値に等しい）[30]と，②収支相等の原則（保険者の収受する保険料の総額がその支払う保険金の総額と等しい）が挙げられる[31]。これらを数式化すると以下のようになる。

① $P=wZ$

（P＝保険料額，w＝事故発生の確率，Z＝保険金額）

② $nP=rZ$

（n＝保険集団の構成員数，r＝保険金受領者数）

①は，保険のいわばミクロの個別的保険取引レベルでの等価交換の達成という側面を示し，②は，マクロの集団的レベルでの企業経営の観点の重要性を示すものである[32]。

社会保険とは，こうした保険の基本原則を，国民の生活保障という社会保障の目的達成の見地から，平均保険料方式・応能保険料負担・事業主負担・公費負担などの手法を用いて修正したものである。したがって，ここではもはや給付反対給付均等の原則は成立しない。他方，収支相当の原則は，本来の保険と異なり公費負担を含めた上で守られていると言い得る[33]。社会保険の下での法関係は，基本的にこうした社会政策目的を通じた加入強制に基づくものであり，保険者―加入者間における等価交換を前提とする債権債務関係は典型的には認め難い。

こうした社会保険の捉え方は，換言すれば，上述①②のような保険原理（保険がよって立つ考え方）を，国民の生活保障という社会政策目的に沿った扶助原

29） 同書17頁。

30） ただし，私保険であっても厳密な意味で給付反対給付均等の原則が守られているわけではない。堀・年金〔4版〕41頁。

31） 近藤文二『社会保険』（岩波書店，1963年）69-70頁。

32） 堀田一吉『保険理論と保険政策』（東洋経済新報社，2003年）3-5頁。

33） 堀・年金〔4版〕42頁参照。否定説として，西原・前掲論文（注24）337頁。

理（扶養原理とも言われる）によって修正したものということができる[34]。この両面を捉えて，社会保険には，「保険」的性格（保険性）と，「社会」的性格（社会性）があるとも言われる[35]。

日本には，社会保険の種類として年金保険・医療保険・介護保険・労災保険・雇用保険の5つがある。加入者（被保険者）の属性に着目すると被用者保険・住民保険，保険集団の属性に着目すると職域保険・地域保険といった分類も可能である。

(2)　社会保険の機能

社会保険の機能として，①リスク分散機能[36]と，②所得再分配機能が挙げられる。前者は，保険の技術を用いていることから派生する本来的機能として，また後者も，保険の基本的考え方（保険原理）を扶助原理で修正した「社会」保険であることの帰結として認められる。ただし，所得再分配の一環として行われる加入者から受給者（保険事故が発生した者）への所得再分配（保険的所得再分配）[37]は，いわば保険固有の再分配機能であり，リスク分散機能と重なり合う。社会保険の「社会」性に由来する所得再分配としては，応能負担の保険料を通じての高所得者から低所得者への所得再分配がある。また事業主の保険料負担がある場合，これを労働者の賃金と捉えなければ（第5款**2**(2)），事業主から被用者への所得再分配が生じているとみることができる。

最近では，年金・医療・介護など多くの制度において，現役世代から高齢者世代への所得移転（世代間所得再分配）効果が大きくなり，その限界づけの必要性が論じられている（全世代型社会保障改革。第3款**2**(9)）。たとえば，実質的に賦課方式化している公的年金の財政方式はこうした機能を当然に含んでおり，

---

34)　西原編〔5版〕15頁参照。保険原理と扶助原理の比較については，堀・年金〔4版〕58-59頁。日本の社会保険における保険原理の制度化の状況は各制度毎に異なっている。江口隆裕「社会保険料と租税に関する一考察」同『変貌する世界と日本の年金——年金の基本原理から考える』（法律文化社，2008年）179-194頁。

35)　河野正輝「社会保険の概念」河野ほか編・前掲書（注26）2頁以下，西村26頁参照。

36)　社会保険では，原則として要保障事由（リスク）の発生を給付の契機とするものの，介護保険法の予防給付（介保18条2号）や労災保険法の二次健康診断等給付（労災7条3号）のように，リスク発生の「予防」も給付の対象となり得る。石田道彦「社会保険法における保険事故概念の変容と課題——予防給付を手がかりに」『社会保障法』21号（2006年）123頁以下。

37)　近藤・前掲書（注31）83頁。

後期高齢者医療制度・介護保険制度でも後期高齢者支援金・介護納付金という形で財政支援の仕組みが設けられている。超少子高齢社会の到来を迎え，社会保障給付費の約３分の２を高齢者関係給付費が占める日本の状況下にあって[38)]，未だ生まれていない将来世代も含めた世代間の所得再分配のあり方の公平さをめぐる議論と制度改革が，切実に求められている。

(3)　社会保険の特徴

社会保険の制度的特徴として，一般に挙げられてきたのは，①給付要件及び給付内容の定型性[39)]，②資産・所得調査がないこと，③所得の減少ないし貧困に対し事前予防的であること，④保険料を財源（の少なくとも一部）とすること，などである。こうした特徴は，とりわけ年金保険を念頭においた場合，そして後述する公的扶助との対比において典型的に妥当する[40)]。

このほか，所得再分配機能が組み込まれていることや，逆選択（保険事故の発生確率が高くなってから保険加入すること）の防止[41)]との関連で，社会保険は基本的に強制加入をその特徴としている。ただし，根幹に関わらない部分については任意加入が認められる場合があるほか（国民年金の任意加入被保険者〔国年附則５条〕，付加年金〔国年43条以下〕など），比較法的には，アメリカの公的医療保険の一環であるメディケアパートＢ（SMI：補足的医療保険）のような例外もある。

(4)　社会保険と税

先述したように（第３款１(3)），かつて社会保障法学では，保険原理を希薄化し，公費負担割合の増加などにより扶助原理が強まることに対し，社会保障のあるべき方向性であるとして積極的な評価がなされ，本人拠出そのものをなくすことが理想的な保障形態であるとの見方を生んだ[42)]。ここから，社会保険でも公的扶助でもない中間的な保障方法として，無拠出で定型的給付を行う社会

38)　注3）参照。

39)　総報酬月額相当額と老齢厚生年金の基本月額の合計額が一定額を超える場合に一部が支給停止される在職老齢年金（厚年46条１項・３項）など例外もある。

40)　西原編〔5版〕10-12頁。

41)　これに対し，逆選択の防止という観点から強制加入を説くのは，論理としてはあり得るが，歴史的には，社会保険の成立に際して逆選択の防止を目的に強制加入が導入された事実はないとするものとして，土田武史編著『社会保障論』（成文堂，2015年）215頁〔土田武史執筆〕。

42)　注24）参照。

手当の仕組みに積極的な評価が与えられた。

これとは別に，基礎年金などの財源のあり方をめぐって，社会保険の仕組み（社会保険方式）と全額税で賄う仕組み（税方式ないし社会扶助方式）のどちらが適切かをめぐって議論がなされてきた[43]。社会保険のメリットとして指摘されるのは，後述する諸点のほか，①税よりも保険料負担の方が引上げに際して国民の合意を得やすい，②すべて税で賄うとすると巨額の税負担（消費税であれば税率の大幅な引上げ）が必要となる，③税財源（ただし目的税を除く）と異なり，保険料は使途を特定されているため財源として安定している，④立法技術的に無拠出給付は所得制限と結びつきやすい（その意味で公的扶助と類似の性格をもつ）のに対し，拠出に基づく給付はそうではない，といった点である。これに対し，税方式のメリットとして指摘されるのは，①社会保険における排除原理（保険料を拠出できない低所得者等が給付を受けられない事態を生じること）を回避できる，②保険料徴収に係る膨大な事務コストの削減，③いわゆる国民年金第3号被保険者制度の解消などである[44]。

これに対し，社会保障法学説では，社会保険の仕組みを再評価する見方が有力である。判例でも社会保険の仕組みの規範的意義を積極的に評価する判断が示されている。

第1に，社会保険給付の対価性[45]，すなわち拠出記録に基づき受給権が発生

43）社会保険方式と税方式のメリット・デメリットについては，笠木映里「医療・年金の運営方式」新講座1 15-18頁。

44）2006（平成18）年以降大きな社会問題となった，社会保険事務所における多くの国民の年金記録の不備（いわゆる「消えた年金」問題），2008（平成20）年以降問題化した，同事務所が関与しての厚生年金保険料・健康保険料及び厚生年金給付等の基礎となる標準報酬を低く算定する等の不適切な扱い（いわゆる「消された年金」問題）は，税方式の提案を支持するさらなる論拠を提供した。ただし，こうした問題が発生した当時と異なり，現在では税方式の主張はそれほど有力にはなされておらず，ベーシックインカム（BI）をめぐる議論にシフトしているようにもみられる。P.ヴァン・パリース（後藤玲子＝齊藤拓訳）『ベーシック・インカムの哲学』（勁草書房，2009年），Philippe Van Parijs and Yannick Vanderborght, Basic Income: A Radical Proposal for a Free Society and a Sane Economy, (Harv. Univ. Press, 2017).

45）堀勝洋は，保険給付が保険料の対価であること（対価性）と，個々の被保険者にとって保険における給付と反対給付が確率的に等価であること（等価性）を区別し，社会保険について前者は基本的に妥当するが，後者は厳格には妥当せず，「緩い等価性」で足りるとする。堀勝洋『社会保障・社会福祉の原理・法・政策』（ミネルヴァ書房，2009年）293頁。ただし，「緩い等価性」は年金保険を念頭においたものとみられる。堀・年金〔4版〕66-68頁。

するという1対1の対応関係が原則として貫かれている点[46]が指摘され，こうした意味での権利性の強さが社会保険のメリットであると主張される。たしかに，保険者―加入者間における等価交換を前提とする債権債務関係の存在を予定しない（給付反対給付均等の原則が妥当しない）点に社会保険の積極的意義が認められる以上，拠出に基づく「権利」の観念を法学的に強調することは，とくに解釈論としては慎重である必要がある。しかし，税を財源とする仕組みにおいて，法律の規定ぶりやその給付を支える憲法上の根拠にまで遡って権利性を基礎付けることは可能であるとしても，上述の意味での対価性が，社会保険固有の規範的意義をもち得ることは否定できないであろう[47]。社会保険の「権利」性に直接言及するものではないが，最高裁判所も，「けん連性」概念をひとつの手がかりにして社会保険の法的構造に独自の規範的意義を認めている。すなわち，不法行為の際の損害賠償額の算定にあたり，障害基礎年金・障害厚生年金の逸失利益性を肯定する際，「保険料が拠出されたことに基づく給付としての性格を有している」ことを指摘し[48]，遺族厚生年金の逸失利益性を否定する際，同年金が「受給権者自身が保険料を拠出しておらず，給付と保険料とのけん連性が間接的である」ことを理由の一つとして挙げる[49]。他方，軍人恩給としての扶助料の逸失利益性を否定する際，「全額国庫負担であ」ることを理由の一つとして挙げている[50][51]。また国民健康保険料につき憲法84条の直

46）厳密に言えば，医療保険や介護保険に端的にみられるように，要保障事由（傷病・要介護状態など）が発生しない限り，拠出と給付が常に現実的に対応するわけではない。給付を受けうる地位ないし資格にあること自体が社会保険における第一義的な受益と考えられる。これに対し江口によれば，「社会保険制度における受益とは，集団の構成員たる他人の受益と自己の受益を同一視し得るような連帯意識の存在を前提とした保険集団としての受益を意味」するものとされる。これは，同一の保険集団に属する他人が給付を受けられることを被保険者本人の受益と同一視する考え方であるようにみられる。江口192頁。

47）太田は，社会保険は保険でないとしても「共済」「原始的保険」に想定される「緩やかな交換」の観念をも視野に入れることにより，「社会保険の対価性」を語りうる可能性を示唆する。太田匡彦「権利・決定・対価（3）」『法学協会雑誌』116巻5号（1999年）805-806頁。ただし太田は，この社会保険における交換の観念は容易に動員できる存在ではない旨述べてもいる。同「リスク社会下の社会保障行政（下）」『ジュリスト』1357号（2008年）98頁。太田の後者の議論への批判として，堀・年金〔2版〕70-77頁。

48）最2判平11・10・22民集53巻7号1211頁。

49）最3判平12・11・14民集54巻9号2683頁。

50）最3判平12・11・14判時1732号83頁。

接適用を否定する際，国民健康保険事業に要する経費の約3分の2が公的資金によって賄われていることによって，「保険料と保険給付を受け得る地位とのけん連性が断ち切られるものではない」旨判示する[52)]。

第2に，社会保険のメリットとして保険者自治の側面が指摘されている[53)]。すなわち，社会保険には，負担と受益が保険集団の構成員に限定された政治システムという側面がある[54)]。一般の政治的意思決定システムである議会とは切り離された社会保険というシステムの下で，制度運営への参加と民主的決定を通じて，政策目的を特定した保険集団内での自治が果たされ得る[55)]。税方式の下でも当事者参加を重視した仕組みを設けることは可能であるものの，保険料拠出という積極的行為が組み込まれることで，自らの関与権をより主張しやすくなるということができる。ただし，現行法の下で保険者自治が実質的に機能していないのではないかという問題がある[56)]。また日本の社会保険の多くには

---

51)　老齢年金については，地方公務員等共済組合法に基づく退職年金の逸失利益性が認められた最大判平5・3・24民集47巻4号3039頁などがあるものの，けん連性についての言及はみられない。第3章第7節第1款1参照。

52)　最大判平18・3・1民集60巻2号587頁。

53)　保険者に関しては，医療保険を主に念頭におき，医療の質の確保をねらいとした保険者機能の強化が論じられてきた。加藤は，同機能を報酬支弁者としての機能，情報収集・蓄積機能，被保険者に対する援助機能に分類する。加藤智幸「医療保険制度における保険者機能」山崎泰彦＝尾形裕也編著『医療制度改革と保険者機能』（東洋経済新報社，2003年）144-148頁。現物給付中心で，保険者の自主的判断に委ねる余地が少なくない医療保険に対し，金銭給付である年金保険では，保険者の自治的機能が働きにくいようにもみられる。しかし，積立金の運用のあり方に関しては選択の幅があり，拠出者（集団）による保険者自治の発揮が図られ得る。菊池馨実「公的年金の運用改革」『法律時報』88巻7号（2016年）2頁。

54)　太田匡彦「社会保険における保険性の在処をめぐって」『社会保障法』13号（1998年）83頁。倉田・基本構造325-326頁参照。

55)　最大判平18・3・1・前掲（注52）における滝井補足意見は，住民すべてを代表する議会が国民健康保険加入者からなる保険集団の議決機関とは本来的にいえないことを認識しつつも，保険料の料率や賦課額につき厳格な法的統制の下に置かないことを保険者自治の観点から許容している。

56)　医療保険でもっとも自治的な性格が強くみられるのが，健康保険組合（組合会。健保18条～20条）である。このほか全国健康保険協会に運営委員会（同7条の18～7条の20），評議会（同7条の21），国民健康保険に国民健康保険運営協議会（国保11条）がおかれている。ただし，健康保険組合でさえ，保険給付の内容や診療報酬を独自に定められるわけではなく，保険料の設定にも枠がはめられている（健保160条1項・13項）など，自治への制約度は強い。堀・年金〔4版〕78頁参照。

多額の公費が投入されており，公費負担割合の増加が制度加入者集団の発言力や自治権能を相対的に弱めることにならないかとの問題がある[57)]。

(5) 財政方式

社会保険の財政方式には，大別して①賦課方式と，②積立方式がある。前者は，一定の短期間（通常は1年間）に支払うべき給付費を，当該期間内の保険料収入等により賄うように計画する財政方式であり，後者は，将来の給付費の原資を，保険料等によりあらかじめ積み立てるように計画する財政方式である（後者は，完全積立方式と，完全ではないものの一定の積立金を保有する修正積立方式に分かれる）。日本の年金保険は，完全積立方式の考え方に則って開始されたものの，その後，段階保険料方式・度重なる給付引上げ・物価スライドなどにより，賦課方式的な性格を強め，修正積立方式と呼ばれるようになった。さらに2004（平成16）年年金改正は，永久均衡方式から有限均衡方式（既に生まれている世代がおおむね年金受給を終えるまでの期間〔100年程度〕を設定し，この期間で給付と負担の均衡を図る方式）へと考え方を改めることにより，理念的には賦課方式化したとの評価が可能である[58)]。

社会保険の財政方式は，主として長期保険である年金保険との関連で議論されてきた。医療保険のように短期保険の場合，原理的に積立方式となじみにくいからである。ただし理論的には，医療における世代間での負担と給付のバランスを図るという観点から，長期積立型医療保険制度なども想定する余地がないわけではない[59)]。実際，医療保険や介護保険では，中期的な財政運営が意識されている[60)]。

57） こうした観点から，後期高齢者医療制度の財源につき，公費と後期高齢者拠出金が大部分を占め，保険料で賄われる割合が1割に過ぎない点は，自ずと加入者による自治の範囲を狭める方向に働く要因となり得る。

58） 実際にも年金積立金は，運用環境の変化に応じて増減はあるものの，長期的に減少傾向にあり，公的年金積立金は2000（平成12）年度末255兆3千億円余から2015（平成27）年度末185兆1千億円余となった。国立社会保障・人口問題研究所『社会保障統計年報（平成24年版）』172頁，同『社会保障統計年報（平成31年版）』42頁。

59） 西村周三「長期積立型医療保険制度の可能性について」『医療経済研究』4巻（1997年）13頁以下。

60） たとえば，全国健康保険協会は，2年ごとに，翌事業年度以降の5年間についての協会が管掌する健康保険の被保険者数及び総報酬額の見通し並びに事業の収支見通しを作成し，公表するものとされ（健保160条5項），介護保険料率は，おおむね3年を通じ財政の均衡を保つこ

一般に，積立方式は人口構成の変動の影響を受けない反面，インフレの影響を受けやすい。これに対し，賦課方式は逆に，インフレへの対応が容易である半面，人口構成の変動に弱い。公的年金改革案のひとつとして，積立方式の導入の必要性が論じられることがあったのも[61]，急速な少子高齢化を背景として，財政方式に対するこうした基本的理解が前提となっている[62]。

2　社会扶助

社会保障の保障方法として，社会保険と並んで社会扶助が挙げられることがある[63]。1995（平成7）年社会保障制度審議会勧告（95年勧告）の前提となった1993（平成5）年同審議会社会保障将来像委員会第一次報告でも，公的扶助を含めて社会手当，福祉サービス，公費負担医療など一般財源による給付を社会扶助と呼ぶとすれば，社会保障は社会保険と社会扶助からなるとしている。

社会扶助には，「保険の技術や原理に基づかずに租税を中心とする公費によって給付を行う仕組みである」（下線筆者）[64]，といった定義づけがなされる。ただし，社会保険には，先述したように，保険の技術を「用いたもの」という積極的性格づけがなされ，対価性・保険者自治といった規範的議論の展開が可能であるのに対し，社会扶助の場合，積極的な性格づけを行うとすれば，保険料以外の租税などを財源とする点に求められるにとどまる。

社会扶助は，歴史的に遡れば公的救貧制度にその淵源を求めることができる。ただし，今日的概念としての社会扶助には，公的救貧制度の発展形態としての公的扶助のほか，社会手当，公費負担による社会福祉サービス（いずれも3参照）などを含むと理解されている。

とができるものでなければならないとされている（介保129条3項）。

61）小塩隆士『年金民営化への構想』（日本経済新聞社，1998年），八田達夫＝小口登良『年金改革論――積立方式に移行せよ』（日本経済新聞社，1999年）。

62）20世紀末以来，スウェーデンなどで，財政方式は賦課方式だが年金給付は拠出建てである（積立金がないにもかかわらず保険料相当額を個人勘定に積み立てる）「観念上の拠出建て年金」といわれる仕組みがみられる。年金給付債務の観念化という観点から，積立方式は保険料資産について市場運用による収益の獲得を目指すのに対し，賦課方式は，非市場運用，すなわちその国の経済成長による収益獲得を目指すものであることになり，両方式の相違は相対的なものにすぎない旨述べるものに，江口隆裕「公的年金の財政」新講座1 279頁。

63）堀・総論〔2版〕44-47頁。

64）同書44頁。

先述したように（1(4)），社会保障の保障方法ないし財源調達方法として，社会保険と社会扶助（ないし税）の仕組みのいずれが適切であるかが，基礎年金などのあり方をめぐって議論されてきた。

3　公的扶助・社会福祉・社会手当

1950（昭和25）年社会保障制度審議会勧告（50年勧告）が，社会保障制度を社会保険・国家扶助・公衆衛生及び医療・社会福祉の4部門に分類したのをはじめとして，従来，社会保険と並んで，公的扶助（50年勧告にいう国家扶助），社会福祉といった制度分類が行われてきた。こうした制度概念は，社会保障法の体系を制度毎に捉える，いわゆる制度別体系論（第2章第2節第1款**2**）の観点からは馴染み深い制度分類である。

公的扶助は，拠出を要件とせず，生活困窮に陥った原因を問わず，最低生活水準を下回る事態に際し，その不足分を補う限度において行われる給付である。憲法25条1項にいう「健康で文化的な最低限度の生活を営む権利」に密接に関連し，生活保護法が代表的立法である。一般に社会保険との対比において，制度的特徴として挙げられるのは，①給付内容における個別性（必要即応の原則），②資産・所得調査，③貧困に対する事後的対応，④一般歳入（租税）を財源とすること，などである。

社会福祉は，50年勧告当時にあっては，低所得層に対する施策という色彩が濃くみられたものの，次第に，低所得層に限定されない一定の生活上の身体的・社会的ハンディキャップ（障害・母子家庭・老齢など）に対する非金銭的給付と捉えられるに至った。なお高齢者福祉サービスとして提供されていた給付の主要部分は，現在では社会保険としての介護保険の下で提供されている。

社会手当は，先述したように（第3款**1**(3)），社会保険と公的扶助の両者のメリット（無拠出でありながら給付の定型性がある）を兼ね備えた性格をもつ給付と捉えられてきた。

第5款　社会保障の保障水準と費用負担

1　保障水準

社会保障は，基本的に給付の体系であると捉えられてきた[65]。その際，保障される給付水準がどうあるべきかを規範的に論じるにあたり，いくつかの水準論が成り立ち得る。

第1に，最低生活保障（あるいはミニマム保障）という考え方がある。「最低」の捉え方にもよるものの，少なくとも憲法25条1項にいう「健康で文化的な最低限度の生活」水準と密接なかかわりをもち得るという意味で，小さくない規範的意義を有する。生活保護基準のほか，元々65歳以降の1人暮らし無職者の衣食住に関する消費額を勘案してモデル年金額が設定された老齢基礎年金の給付水準[66]も，最低生活保障水準と関連性をもつ。このことに関連して，基礎年金の水準が生活保護基準を下回ることの問題性が指摘されることがある。しかしながら，現実には年金保険料の拠出インセンティブが働かないといった弊害があるとしても，憲法25条1項の保障水準は生活保護その他の諸施策を含め総合的に判断すべきものである以上，基礎年金水準が生活保護基準を下回ることが直ちに憲法25条1項の規範的要請を満たさないということにはならない[67]。

第2に，適正水準保障（あるいはオプティマム保障）という考え方がある。所得保障ニーズで捉え尽くせない医療保障の場面において，ミニマムを超えたオプティマムの保障が規範的に求められる（つまりそれを憲法25条1項の規範内容に読み込むことができる）との見方が可能である。たとえば，脳死者を含む移植用心（臓）採取術と同種心（臓）移植術を保険適用の対象にしている現行法は，ミニマム保障水準を超えていると言い得るであろう。ただし，具体的な制度との関連で，何が最低水準で何が適正水準であるかの区別は必ずしも自明ではない。

65）社会保障給付は，典型的には金銭・現物・サービスといった形式で支給される。本書でも，基本的にこれらの実体的給付を主な考察対象としている。ただし筆者は，今日的には相談支援もまた，いわゆる「手続的給付」として位置づけ，その保障のあり方を社会保障ないし社会保障法との関連で議論する必要があるとの問題意識を有している。第2章第2節第1款1及び同章第3節第2款1。菊池・社会保障再考第5章参照。

66）当初の5万円という基礎年金の額は，20歳から59歳までの40年間保険料を納付した場合国民の老後生活の基礎的部分を保障するものとして高齢者の生計費等を総合的に勘案（1984〔昭和59〕年度の65歳以上の単身，無業者の基礎的消費支出にその後の消費水準の伸びを加味）して決められたものとされる。吉原健二『わが国の公的年金制度――その生い立ちと歩み』（中央法規，2004年）115頁。

67）同旨，堀・年金〔4版〕233頁。東京地判平9・2・27判時1607号30頁参照。

第3に，従前生活保障という考え方がある。厚生年金などの報酬比例年金がこの水準にかかわる。ただし，そうした給付水準の保障が規範的に要請されているとみられる度合いは，第1・第2の水準と比較した場合，相対的に弱いといわざるを得ない。突発的に発生する障害や労働災害といった要保障事由と，長期間にわたっての事前準備が可能であり予測可能性も高い老齢とでは，従前生活保障水準への要請の度合いが異なるという側面もある。

第4に，最高水準保障という考え方もあり得る。この水準は，要保障者が有する全てのニーズを保障することを意味する。ただし現行制度上，こうした水準を保障する制度は存在しない。またニーズの捉え方いかんにもよるが，そうした保障が，生活自助原則との関連で社会保障における理想的な制度のあり方であるとも言えない。

社会保障給付の水準は，保険料負担水準や，社会保障に投入される一般財源の割合ひいては国民の租税負担水準との兼ね合いで決まる側面がある。したがって，第2・第3（とりわけ第3）の保障水準は，立法府・行政府の政策選択に相当程度依拠せざるを得ない。第1の水準は相対的に強く保障されるべきであるものの，その水準の設定・変更についても専門技術的・政策的裁量判断に委ねざるを得ない面がある[68)]。

2　費用負担

(1)　公費負担

1で述べた保障水準のほか，社会保障の保障内容・保障範囲などは，超少子高齢社会の進行や多額の公債残高を抱える日本の状況下にあって，給付を支える費用負担のあり方と併せて議論する必要がある[69)]。

1950年社会保障制度審議会勧告（50年勧告）以来，日本の社会保障は社会保険を中核的な保障方法として発展してきた。比較法的には，ドイツの疾病保険

---

68)　最大判昭57・7・7民集36巻7号1235頁（堀木訴訟），最3判平24・2・28民集66巻3号1240頁，最2判平24・4・2民集66巻6号2367頁。第2章第1節第2款(4)参照。

69)　岩村正彦「社会保障の財政」『社会保障法研究』2号（2013年）2頁以下。租税以外の費用負担形式に着目した論稿として，太田匡彦「社会保障における租税以外の費用負担形式に関する決定のあり方について――あるいは，租税と社会保障／社会保険の一断面」金子宏監修『現代租税法講座第1巻　理論・歴史』（日本評論社，2017年）93頁以下。

（医療保険）などのように，伝統的に公費負担の導入を拒否することにより，保険者の財政の独立性ひいては財政自律を確保してきた国もある[70]。これに対し，日本では相当規模の公費負担が導入されてきた。とりわけ国民健康保険や介護保険における公費負担割合が高く，たとえば，都道府県が市町村に交付する国民健康保険保険給付費等交付金は，国庫負担等を含め50％とされており，介護保険の公費負担も国・都道府県・市町村併せて給付費の50％とされている。2008（平成20）年に導入された後期高齢者医療制度の公費負担も50％である。公費負担には，国庫負担と各地方公共団体（都道府県及び市町村）による負担がある。負担の対象となるのは，大別すると事務費と給付費である。

公費の主たる財源は租税[71]であるが，公債（国債・地方債）の借入金などが財源となることもある[72]。公債も結局は後代の国民負担になることを考えると，世代間の負担の公平が課題となっている今日にあっては，安易に公債に財源を依存する姿勢は慎まねばならない[73]。

社会保険において公費負担がなされる根拠としては，①強制加入させる見返り，②制度内の低所得者の負担能力の補完，③制度毎の財政力格差の調整（国保・協会健保など），④国民の生活保障に対する公的責任の遂行，といった理由が挙げられている[74]。

社会保険以外の諸制度については，事業主負担が導入されている児童手当な

70）幸田正孝ほか編著『日独社会保険政策の回顧と展望』（法研，2011年）303頁〔土田武史執筆〕は，「自主財源による運営が，疾病金庫の当事者自治を財政面から支える役割を果たしていた」と指摘する。

71）税制の一環として，勤労所得に基づく個人所得税を対象に一定額の税額控除を設定し，所得が低いために控除しきれない場合，その分の給付を行う「給付付き税額控除」という仕組みがある。アメリカの勤労所得税額控除（EITC: Earned Income Tax Credit）などが有名である。こうした仕組みには，社会保障と同様，所得再分配機能をもつ給付としての性格がみられる。

72）基礎年金国庫負担割合は，従来3分の1であったものが次第に引き上げられ，2009（平成21）年度以降50％になったものの，2012（平成24）年改正に至るまで恒久的財源がなく，2009（平成21）年度と2010（平成22）年度は財政投融資特別会計の剰余金，2011（平成23）年度は復興債，2012（平成24）年度と2013（平成25）年度は年金特例国債（つなぎ国債）という臨時財源により補填された。

73）その意味で注72）で挙げた年金特例国債は，消費税増税により得られる収入を償還財源とした点で，一定の歯止めをかけるものであった。

74）堀・総論〔2版〕55頁，厚生労働省「社会保障負担等の在り方に関する研究会報告書」（2002年）。

どを除くと，法定の公費負担が主要な財源となっている。

なお財政法上，負担金とは，当然に国などが経費を分担すべきとされている義務的な支出であるのに対し（地財10条～10条の4），自治体に対する補助金は，国の「施策を行うため特別の必要があると認めるとき」などに行われる裁量的な支出である（同16条）。

(2)　社会保険料

社会保険では，保険料拠出が財源の相当部分を占めている。保険料負担義務は，業務上災害に関する補償責任を保険化したとの性格から事業主のみが負担する労災保険を除くと，事業主と被保険者に負わされている[75)]。自営業者等を対象とする国民年金及び国民健康保険では，被保険者のみが負担を行う[76)]。

このうち事業主負担は，経済学では少なくとも部分的に賃金に帰着（転嫁）するとの実証分析がなされ[77)]，企業会計上も労務費（人件費）として処理されるのに対し，法的観点からは，やはり事業主の負担であり[78)]，賃金（労基11条）ともみられていない[79)]。事業主負担の根拠としては，①保険事故の発生が事業主の責任に帰せられるべき側面がある（原因者負担。典型的には労災，失業，傷病など），②社会保険の存在が事業主に利益をもたらす（受益者負担。医療保険，雇用保険，年金保険など），③被保険者の負担能力の不足を補うため，といった理由が挙げられる[80)]。実際には，介護保険のように地域保険的色彩の濃い制度にも，「企業の社会的責任」という立法段階での政府説明をもって，第2号被

---

75)　健康保険組合や厚生年金基金（いずれも事業主負担分を増やすことが認められる）を除くと，基本的には労使折半で負担される。その理由として，健康保険を題材に，労使協調の重視とりわけ健保組合における評決権の労使対等原則の重視にあるとみる見解として，島崎謙治「健康保険の事業主負担の性格・規範性とそのあり方」国立社会保障・人口問題研究所編『社会保障財源の制度分析』（東京大学出版会，2009年）139頁。

76)　介護保険料は，介護保険第1号被保険者につき被保険者のみが負担し，第2号被保険者（40歳～64歳の医療保険加入者）につき事業主負担も課される。

77)　岩本康志＝濱秋純哉「社会保険料の帰着分析――経済学的考察」『季刊社会保障研究』42巻3号（2006年）216頁。

78)　労災保険料につき，荒木尚志ほか編『雇用社会の法と経済』（有斐閣，2008年）237頁〔大内伸哉執筆〕。

79)　横浜地判平10・9・16判例自治187号86頁（横浜市健康保険組合事件），東京高判昭58・4・20労民集34巻2号250頁（日本液体運輸事件）。

80)　堀・総論〔2版〕58-59頁。

保険者への事業主負担が導入されている例がある。社会保障への財源制約がますます厳しくなる中にあって，事業主負担の理論的根拠づけは，重要な理論的課題である[81]。

被用者保険の保険料は事業主に納付義務がある（健保161条2項，厚年82条2項）。国民健康保険料（税）は，世帯主に納付義務が課される（国保76条1項，地方税703条の4第31項）。国民年金，後期高齢者医療制度及び介護保険の保険料は，被保険者本人のほか世帯主（国年88条2項，高齢医療108条2項，介保132条2項），配偶者（国年88条3項，高齢医療108条3項，介保132条3項）にも連帯納付義務が課される。被用者保険の被保険者負担分の保険料は，報酬から源泉控除することができる（健保167条，厚年84条）。国民健康保険料，後期高齢者医療保険料及び介護保険料は，納付義務者からの直接徴収（普通徴収）が原則であるものの，年金受給者である場合，年金給付からの控除（特別徴収）が採用されている（国保76条の3，高齢医療107条，介保131条）。

社会保険料に関しては，強制徴収のための滞納処分に係る規定がおかれている（健保180条4項，厚年86条5項，国保79条の2，国年96条4項，介保144条，高齢医療113条など）。保険料負担能力が十分でない者が多く加入している国民健康保険，国民年金，介護保険では，保険料減免制度が重要な役割を果たしている（国保77条，国年89条～90条の2，介保142条）[82]。

(3)　利用者負担

医療・福祉等のサービス給付には，利用者負担を課す場合が多くみられる。一般には本人負担が課されるほか，児童福祉分野などでは扶養義務者負担が課されることもある。負担の仕方としては定率負担と定額負担がある。前者の例として，医療保険・介護保険が挙げられる。定額負担にも，労災保険法上の療養給付のように，一律の料金（200円）が課される場合と，児童福祉法や障害者総合支援法のように所得に応じて段階的に料金が課される場合がある。利用者負担は，とりわけ定率負担を念頭においた場合，給付率の問題として捉えることもできる[83]。ただし，社会保険財源としての根幹をなす保険料負担と異な

81）　健康保険料の事業主負担につき，台豊『医療保険財政法の研究』（日本評論社，2017年）75頁以下，島崎・前掲論文（注75）135頁以下。

82）　年金保険を中心とする免除制度の分析については，高畠淳子「社会保険料免除の意義」『社会保障法研究』2号（2013年）18頁以下。

り，利用者負担は本来，過度のサービス利用に係るモラル・ハザードの防止といった趣旨に基づくものであり，論理必然的に導入が求められるものではない[84]。またこうした趣旨からすると，利用者負担が際限なく増大することには慎重な姿勢が求められる[85]。

⑷　財政調整

日本の社会保険では，健康保険・国民健康保険・後期高齢者医療制度・介護保険など，職種，年齢，地域毎に多数の保険者が分立している。このため，必然的に保険者間あるいは制度間の財政力格差が生じざるを得ず，この点を是正するための財政調整の仕組みが導入されている[86]。財政調整としては，同一目的の複数の制度間の調整を行うものと，制度内での調整を行うもの（さらに細分化すると，国又は都道府県の公費負担による垂直的調整と市町村間の水平的調整）がある[87]。前者の例としては，現役世代が加入する医療保険者から調整目的で必要な保険者へと行われる前期高齢者交付金（高齢医療 32 条），後期高齢者医療広域連合に対する後期高齢者交付金（同 100 条 1 項）があり，後者として，財政基盤に不安を抱える国民健康保険（財政安定化基金）や介護保険（介護保険財政調整交付金，財政安定化基金）に多くの仕組みが設けられている。基礎年金拠出金も，産業構造の変化により被用者が増大する一方で自営業者が減少し，国民年金の財政悪化を招いたという導入時の経緯からすれば，国民年金に対する被用者年金（厚生年金・共済年金）からの一種の財政調整の仕組みと捉えることが可能である。

83）　荒木誠之＝河野正輝＝西村健一郎＝良永彌太郎＝岩村正彦＝菊池馨実「〔座談会〕特集・社会保障法学の軌跡と展望」『民商法雑誌』127 巻 4＝5 号（2003 年）548 頁〔良永彌太郎，岩村正彦発言〕。

84）　健康保険被保険者本人負担は，1984（昭和 59）年改正で初めて 1 割定率負担が導入され，その後 2 割，3 割と相次いで引き上げられた。

85）　健康保険法 2002（平成 14）年改正法（法 102）附則 2 条 1 項では，「医療保険各法に規定する被保険者及び被扶養者の医療に係る給付の割合については，将来にわたり 100 分の 70 を維持するものとする」旨規定する。

86）　財政調整に係る包括的な検討として，新田秀樹「財政調整の根拠と法的性格」『社会保障法研究』2 号（2013 年）64 頁以下。1983（昭和 58）年老人保健法による老人保健拠出金や，2006（平成 18）年改正による後期高齢者支援金の法的分析を行ったものとして，倉田・構造分析 239-278 頁，291-299 頁，加藤智章『社会保険核論』（旬報社，2016 年）189 頁以下。

87）　碓井 73 頁。

他方，最近の傾向として，医療費や介護費の適正化に向けた保険者の取り組みを促す財政的インセンティブやペナルティを付与するための仕組みが導入されている点が特徴的である（後期高齢者支援金調整率〔高齢医療120条3項〕，保険者努力支援制度〔国保72条3項〕，保険者機能強化推進交付金〔介保122条の3第1項・2項〕)。保険者の自主的な取り組みによる効率的な保険運営という観点からの措置といい得る[88)]。

(5)　応能負担と応益負担

保険料であると利用者負担であるとを問わず，社会保障制度における負担の方法としては，支払能力に応じた負担（応能負担）と受益に応じた負担（応益負担）がある。たとえば，標準報酬を基準にして定率で課される健康保険や厚生年金保険の保険料は応能負担の考え方に基づいており，医療保険や介護保険の定率（ただし，食事療養費など定額の場合もある）利用者負担は，応益負担の考え方に基づいている。応能割（資産割・所得割）と応益割（人頭割・世帯割）を組み合わせた国民健康保険料には，両者の考え方が入り込んでいる。

応益負担にはコスト意識を喚起し，効率的な資源配分をもたらすメリットがある一方，負担能力を十分勘案しない応益負担は，制度利用を事実上妨げることになりかねず，社会保障制度のあり方としては適切でない[89)]。他方，被用者を対象とする社会保険料が応能負担であるといっても，保険料算定の基礎となる標準報酬に上限が設けられている。この限度額の設定の根拠は，厚生年金保険では保険料拠出と給付とが報酬比例で連動しており，給付が過大にならないように配慮する必要があること，これに対し健康保険では高額の保険料がそれに見合う医療に必ずしも結びつかないこと[90)]に求められる[91)]。ここには応益負

88)　保険者自治と緊張関係を孕むほか，保険者の行動への間接的規制を通じて，被保険者等の行動変容を期待するものでもあるため，個人の自律性に対する規制という性質ももつ。中益陽子「医療保険および介護保険制度と保険者」『社会保障法研究』9号（2019年）130頁。菊池・将来構想17頁参照。

89)　2005（平成17）年障害者自立支援法により，障害者福祉サービスに原則1割負担が導入されたものの，当事者団体などからの反対が強く，2010（平成22）年改正により従前同様，応能負担化された。同法改正による2012（平成24）年障害者総合支援法もこれを踏襲している。

90)　横浜地判平2・11・26判時1395号57頁（国保料の賦課限度額が憲法25条及び14条に反しないとされた例）。

91)　ただし，厚生年金保険では第32級（標準報酬月額65万円）が上限であるのに対し，健康保険では第50級（同139万円）が上限とされ，拠出と給付が切断されている後者のほうが2倍

担の発想が組み込まれているといえよう。

(6) 社会保険料と税

先に，社会保険の仕組み（社会保険方式）と税で賄う仕組み（社会扶助方式ないし税方式）のどちらが適切かに関わる議論を取り上げた（第4款1(4)）。ただし，実際には国民健康保険税（国保76条1項）のように，保険料と税を選択的に課すことが保険者に認められている場合がある。国保税であっても，納付率を高めるために税の形式に依っているに過ぎず，その法的性格は保険料であるとの見方もあり得る[92]。しかしながら，最高裁は，租税法律（条例）主義（憲法84条）の適用につき，国民健康保険料に「憲法84条の規定が直接に適用されることはない」とする一方[93]，国民健康保険税については「形式が税である以上は，憲法84条の規定が適用される」と判示した。

このほか，社会保険料の法的性格が租税法律（条例）主義（憲法84条）との関係で争われた例として，最高裁は，介護保険第1号被保険者に課する介護保険料の料率を，政令で定める基準に従い条例で定めるところにより算定する旨規定する介護保険法129条2項が，憲法84条の趣旨に反しない旨判示している[94]。利用料についても，児童福祉施設である保育所の保育料につき，「保育所へ入所して保育を受けることに対する反対給付として徴収されるものであって，租税には当たらないから，憲法84条，92条違反をいう主張は，その前提を欠く」とした[95]。

以上の金額となっている。

92）堀・総論〔2版〕54頁，碓井63頁。

93）最大判平18・3・1・前掲（注52）。

94）最3判平18・3・28判タ1208号78頁。これに対し，租税法律（条例）主義の趣旨に反するとする説として，碓井97頁。このほか，東京地判平20・4・17判時2008号78頁は，労働保険料につき，憲法84条の趣旨は賦課徴収の強制の度合い等の点において租税に類似する性質を有するものに及ぶとした上で，労働保険の保険料の徴収等に関する法律8条1項の解釈は，原則として，規定の文言に即して解釈されるべきであるとし，労働保険料認定決定処分の取消請求を一部認容した。岐阜地判平18・10・26裁判所ウェブサイト（LEX/DB文献番号28130118）は，単なる加入員の減少の場合に特別掛金を徴収することは，厚年法138条5項の文言から離れた類推解釈に当たり，憲法84条の趣旨に反し許されないとして，特別掛金賦課処分の取消請求を認容した。

95）最2判平2・7・20集民160号343頁。

第6款　社会保障の行政機構

1　実　施

(1)　国

憲法上，国は国民の「健康で文化的な最低限度の生活を営む権利」を保障する義務を負い（憲25条1項），「すべての生活部面について，社会福祉，社会保障及び公衆衛生の向上及び増進に努めなければならない」（同条2項）。同条1項によれば，健康で文化的な最低限度の生活水準を保障すべき義務は，国（第一義的には中央政府）に負わされているということができる。しかしこのことは，必ずしも社会保障制度が国によって直接運営・実施されねばならないことを意味しない。実際にも，運営・実施を他の主体に委ねるとしても，国の責任の果たし方としては，既に述べた財政責任ないし公費負担責任，**2**で述べる計画策定責任及び指導監督責任など多様であり得る。このことは，社会保障制度が，1995年社会保障制度審議会勧告（95年勧告）でいうように，「健康で文化的な最低限度の生活」を上回る「健やかで安心できる生活」という，より高い水準の保障を目指すに至ったこととも関連している。後者の水準の保障を国が一元的かつ直接に管理・運営することは，効率的でなく，（たとえば福祉・介護サービスなどの）給付の性格上望ましいとも言えないからである。

(2)　地方公共団体

地方公共団体（都道府県・市町村）は，国民健康保険・介護保険の管掌者（保険者），児童福祉・障害者福祉などの事業実施主体などとして登場する。地方公共団体が行う事業の中には，根拠を法律でなく条例・規則等におくものも存在する。

国と地方公共団体の関係については，かつて機関委任事務・団体委任事務などの事務区分がなされ，1986（昭和61）年機関委任事務整理合理化法や1990（平成2）年のいわゆる福祉8法改正により，機関委任事務とされてきた福祉関係の事務が随時分権化（団体委任事務化）された。次いで1999（平成11）年のいわゆる地方分権一括法により，従来の事務区分が自治事務（自治2条8項）と法定受託事務（同条9項）に再編成され，機関委任事務が廃止されることにより地方公共団体の事務実施主体としての役割がいっそう大きくなった（第1期地方分権改革）。さらに2011（平成23）年のいわゆる第1次・第2次一括法（いずれの正式名称も「地域の自主性及び自立性を高めるための改革の推進を図るための関係法律の整備に関する法律」）により，法令による義務付け・枠付けの見直しがなされ，数多くの法律が改正された。社会保障関連では，施設・公物設置管理の基準を廃止し，又は基準設定を条例に委任する（たとえば，従来の児童福祉施設最低基準は厚生労働大臣が定立するものとされていたのに対し，都道府県知事に定立義務が課せられることとなった〔児福45条1項〕）等の見直しを行った[96]。2013（平成25）年にはいわゆる第3次一括法（正式名称は第1次・第2次一括法と同じ）が成立し，義務付け・枠付けの見直しがなされ，社会保障関連では，居宅介護支援事業者，地域包括支援センター等の指定基準設定を厚生労働省令から都道府県（介保81条）・市町村（同115の46）の条例に委ねるなど介護保険法関連を中心とした改正がなされた（第2期地方分権改革）[97]。

こうした地方分権改革の流れは，憲法92条が定める「地方自治の本旨」と相俟って，国民主権の内容を豊かにする可能性をもつ。それは，地方議会によるコントロールを通じての民主的統制により，地域の実情に合った行政を帰結し得る。さらに身近な地方行政への様々な形での住民参加を通しても，民意の反映が期待される。したがって，福祉サービス等のうち一般性が高く，多くの住民に関わるものや，人権への慎重な配慮が必要な入所施設でない通所施設等については，国による一律の基準設定に馴染まない面がある[98]。他方，こうした民主的統制との齟齬をきたす可能性のある少数者保護あるいは社会的弱者支援のための施設等については，憲法25条あるいはナショナルミニマム保障の観点からの法的規律が依然として重要である。また，地方分権改革が国による財政負担軽減に向けた安易な調整手段として用いられないよう留意する必要もある。

96）下井康史「2011年第二期地方分権改革の意味・意義・課題」『社会保障法』27号（2012年）5頁以下。

97）社会保障関連では，2014（平成26）年第4次一括法において，看護師・理学療法士・作業療法士・保育士などの各種資格者の養成施設等の指定・監督等の国の事務権限の都道府県への移譲，病院開設許可権限の都道府県から指定都市への移譲などがなされ，その後も2021（令和3）年第11次一括法に至るまで毎年法律改正がなされている。

98）菊池馨実「地方分権と一体改革——施設設置管理基準の条例化」『週刊社会保障』2673号（2012年）37頁。

(3) その他の機構

国や地方公共団体以外の運営・実施主体として挙げられるものに，全国健康保険協会（健保4条，7条の2以下）・健康保険組合（健保4条，8条以下）・国民健康保険組合（国保3条2項，13条以下）・後期高齢者医療広域連合（高齢医療48条），厚生年金基金（平成25年改正前厚年106条以下，健全性信頼性確保法〔平25法63〕附則4条）・国民年金基金（国年115条以下）などの特別法人がある。

これらのうち，健康保険組合については，事業主と被保険者を組織員とし，独自事業を行うことが予定されているなど，保険者としての独立性が相対的に高い。2006（平成18）年健康保険法改正により，従来政府が管掌してきた健康保険が公法人（全国健康保険協会）化され，新たに後期高齢者医療広域連合が設立されたように，保険者の再編に向けた動きもみられる[99]。

行政コストの削減などをねらいとして，従来地方公共団体が直接担ってきた社会福祉施設等に係る運営・管理の民営化が進み，法的紛争も発生した。この民営化は，大別すると，部分的な業務の私人への委託（運営業務委託方式），公の施設の指定管理者による指定・管理（指定管理者制度）[100]，民間への移管（公設民営方式）[101]などに分けられる[102]。

このほか，制度の運営・実施を担う組織として，公的年金業務の運営を担う日本年金機構（日本年金機構法），公的年金積立金の管理運用を行う年金積立金管理運用独立行政法人（GPIF〔年金積立金管理運用独立行政法人法〕），医療保険・介護保険の診療報酬の審査・支払を行う社会保険診療報酬支払基金（社会保険

---

99) 従来の通説的理解によれば，これら保険者は国が本来なすべき保険経営を「代行」する組織という位置づけにとどまっていた。籾井131頁。こうした二元論的思考に疑問を呈し，「国家」と「個人」に収斂されない「社会」に着目するものとして，倉田・構造分析第1章。

100) 横浜地決平19・3・9判例自治297号58頁（指定管理者の指定が違法であるとしてなされた効力停止申立てが却下された例）。

101) 岐阜地判平19・8・29裁判所ウェブサイト（LEX/DB文献番号28132114）（民間移管による運営事業者としての決定が解除されたことから，この違法を争ったものの，決定の処分性を否定し訴えを却下するとともに，地位確認請求についても解除が有効とされた例）。このほか公立保育所の民間移管に伴う廃止条例の処分性や処分の違法性などが争われた一連の訴訟がある。最1決平19・11・15賃社1501号47頁，最1決平19・11・15賃社1501号48頁，最1判平21・11・26民集63巻9号2124頁など。

102) 事業そのものの廃止の違法性が争われた事案として，名古屋地判平20・3・26判時2027号57頁（障害者ホームヘルプサービス事業の廃止が適法とされた例）。

診療報酬支払基金法）及び国民健康保険団体連合会（国保83条以下）などの法人がある。また医療・福祉・介護サービスの提供は，国及び地方公共団体のみならず，民間事業者も行うことができ，医療法人，社会福祉法人のほか，NPO，株式会社など様々な法人等が関わっている（第2章第2節第2款1）。

2　計画・監督

(1)　計　画

社会保障のうち，サービス供給主体の確保を不可欠とする保健・医療・介護・福祉の各分野では，制度の実施にあたる地方公共団体に対し，行政計画を策定する責任を負わせている。医療計画（医療30条の4），都道府県医療費適正化計画（高齢医療9条），市町村・都道府県老人福祉計画（老福20条の8，20条の9），市町村介護保険事業計画（介保117条），都道府県介護保険事業支援計画（介保118条），市町村・都道府県障害福祉計画（障害総合支援88条，89条），市町村・都道府県障害児福祉計画（児福33条の20，33条の22），都道府県・市町村障害者基本計画（障害基11条2項・3項），市町村地域福祉計画（社福107条），都道府県地域福祉支援計画（社福108条），都道府県健康増進計画（健康増進8条）などが法定されている。これらについては，相互に一体として，あるいは調和を保って作成されねばならない，整合性の確保を図らねばならない旨の規定がおかれる場合が少なくない（医療30条の4第13項，介保118条6項・9項，高齢医療9条6項）。

これらの計画を策定するにあたっては，厚生労働大臣が，基本方針ないし基本指針を示す（医療30条の3，高齢医療8条，介保116条，障害総合支援87条，児福33条の19，健康増進7条）旨規定されている場合があるほか，全国計画の定め（高齢医療8条，障害基11条1項〔策定主体は政府〕）もある。

(2)　指導及び監督

国（政府）及び地方公共団体は，直接運営・実施にあたらないとしても，民間施設・事業者等に対する指導・監督といった規制行政的手法により，いわば間接的に社会保障制度の実施にかかわる場合も多い。たとえば，医療分野では，医療法と医療保険各法の二側面から規制がなされ，福祉・介護分野では，社会福祉法，介護保険法，子ども・子育て支援法，障害者総合支援法，老人・児童・障害者福祉各法などによる各種の規制がなされている。こうした規制行政的手法は，従来から存在していたが，「措置から契約へ」の移行がなされた2000（平成12）年以降，福祉・介護分野を中心に顕著にみられるようになった。このことは，換言すれば，従来地方公共団体の行政処分により一方的に設定されてきた法関係が，私人たる供給主体―利用者間における契約関係を軸にして捉えられるようになったことを意味する（第8章第1節第4款）。

3　救　済

社会保障の給付や保険料などをめぐる紛争処理のため，行政不服申立てのための独自の機関が法定されている。たとえば，社会保険審査官・社会保険審査会（厚年90条，健保189条，国年101条），国民健康保険審査会（国保91条），介護保険審査会（介保183条），労働者災害補償保険審査官・雇用保険審査官・労働保険審査会（雇保69条，労災38条），障害者介護給付費等不服審査会（障害総合支援98条）などがある（第2章第1節第5款**3**）。

最終的には行政訴訟と結びつく行政不服申立制度とは別に，事実上の紛争を処理するための苦情処理機関として，運営適正化委員会（社福83条）と国民健康保険団体連合会（介保176条）が位置づけられている。前者は社会福祉事業として提供される福祉サービスに係る苦情解決についての相談，助言，調査，あっせん（社福85条）を行うものとされ，後者は介護保険法上のサービス事業者に対するサービスの質の向上の面からの指導及び助言（介保176条1項2号）が予定されている。条例・要綱等を根拠とする独自の苦情処理の仕組みを設けている地方公共団体も少なくない（第2章第1節第5款**5**）。

第7款　社会保障の国際化

1　社会保障と国際基準

社会保障の発展形態は国ごとに異なるものの，国際的にみた場合，国際機関などによる条約等の様々な取り決めによって発展が促されてきた側面がある。憲法98条2項が，「日本国が締結した条約及び確立された国際法規は，これを誠実に遵守することを必要とする」旨謳っていることからすれば，これらの条約等は憲法などとともに社会保障法における法源でもある（第2章第1節第1款**1**(1)）。歴史的には，国際労働機関（ILO）による種々の社会保障関係の条約・

勧告，国連総会が採択した1948（昭和23）年世界人権宣言，1966（昭和41）年国際人権規約A規約（経済的，社会的および文化的権利に関する国際規約〔社会権規約〕）での社会保障にかかわる権利の明文化などが重要である。

ILOの取組みとしては，1942（昭和17）年に『社会保障への途』が事務局から発表され，1944（昭和19）年にフィラデルフィア宣言（ILOの目的に関する宣言）が採択された。ここでの「基本的収入（basic income）を提供して保護する必要のあるすべての者にこの収入を提供するための社会保障措置を拡張し，かつ，広範な医療給付を拡張すること」との規定（3項(f)）は，社会保障の人権的側面の起源とされる[103)]。その後，多くの社会保障関係の条約，勧告が出され，このうち日本が批准したものとしては，「社会保障の最低基準に関する条約」（102号条約。1976〔昭和51〕年，傷病給付・失業給付・老齢給付・業務災害給付に係る義務を受諾），「業務災害の場合における給付に関する条約」（121号条約。1974〔昭和49〕年批准）がある。

世界人権宣言では，22条が社会保障を受ける権利を規定し，25条1項が「衣食住，医療および必要な社会的施設等により，自己および家族の健康及び福祉に十分な生活水準を保持する権利並びに失業，疾病，心身障害，配偶者の死亡，老齢その他不可抗力による生活不能の場合は，保障を受ける権利」を規定した。国際人権規約では，より細分化して，「経済的，社会的及び文化的権利に関する国際規約」（社会権規約）において，社会保障についての権利（9条），家族・母親・児童の保護（10条），生活水準についての権利（11条），健康を享受する権利（12条）を規定した。社会権規約は1979（昭和54）年に批准されたものの，最高裁は，同規約が直ちに国内法上の裁判規範性（自動執行力）をもつものではないと解している[104)]。2008（平成20）年には，「経済的，社会的お

103）棟居徳子「ナショナルミニマムと国際人権基準：国際人権法上の社会保障に対する権利と国家が保障すべき最低限度の義務」新講座3 32頁。

104）最1判平元・3・2判時1363号68頁（塩見訴訟）。ただし，大阪高判平18・11・15判例集未登載（LEX/DB文献番号25450330。原審である大阪地判平17・5・25判時1898号75頁も同旨）は，社会権規約2条2項（差別禁止）につき，本件が国家から差別的待遇を受けないことを求める自由権的側面に関わる問題であるとし，自動執行力ないし裁判規範性を認めた（結論的には請求棄却）。国際人権法学では，社会権規約の国内的効力を積極的に認める有力説がみられる。申惠丰「社会権訴訟における国際人権法の援用可能性」『法律時報』80巻5号（2008年）39頁。

よび文化的権利に関する委員会」（社会権規約委員会）から，社会保障についての権利を定める社会権規約9条に関する一般的意見が公表され，総合的かつ明示的に社会保障に対する権利の国際基準が示された[105]。

このほか社会保障関連では，難民条約（1981〔昭和56〕年批准），子どもの権利に関する条約（1994〔平成6〕年批准）などがあり，なかでも難民条約の批准は，国内法の改正を通じて多くの社会保障各法上の国籍要件の撤廃をもたらした点で重要である。また2008（平成20）年には障害者権利条約が発効し，2009（平成21）年12月以降，内閣府に障がい者制度改革推進本部が設置され，同条約批准に向けた国内法の整備に向けた検討が行われた[106]。2014（平成26）年1月には国連に批准書が寄託され，翌2月発効した。このように，国内法上の効力とは別個に，立法策定指針ないし政策策定指針としての条約の果たす役割は決して小さくないことに留意する必要がある。

2　グローバル化と社会保障

(1)　国際協力

社会保障の分野では，様々な形で国際的な協力活動が行われている。こうした活動は，多くの場合，途上国への開発援助の一環としてなされている。

国際協力は，ODA（政府開発援助）など政府ベースのものとNGO（非政府組織）などの民間ベースのものがある。このうち前者には，①WHO（世界保健機関）・OECD（経済協力開発機構）などの国際機関を通じた多国間協力によるものと，②政府による専門家派遣や，JICA（国際協力事業団）などを通じての二国間協力によるものがある。①に関しては，新型コロナウイルス感染症（COVID-19）等の感染症対策など各国間の協力が求められる課題が登場している。②に関しては，単なる金銭的な援助・拠出にとどまらず，保健医療分野を中心とした人材育成や制度構築に向けた支援が重視されている。とりわけアフリカや東南・南アジアに対する支援協力事業の展開が求められている。

(2)　グローバル化と社会保障

グローバリゼーションという言葉に象徴されるように，各国経済は相互に密

105）　棟居・前掲論文（注103）33頁以下。

106）　その一部は2011（平成23）年障害者基本法改正，2013（平成25）年障害者差別解消促進法・障害者雇用促進法改正として実現をみた。

接な関わりを有している。グローバル化により，世界的規模での物資と資本の流動性の拡大とともに，各国間での人的交流の拡大を伴い，国民国家を前提として発展を遂げてきた社会保障[107)]の適用問題が生じている。

第1に，経済格差などを背景にした外国人労働者の流入と，不法滞在も含めた公的扶助・医療保険などの適用問題がある[108)]。この問題は，社会保障制度の人的適用範囲の限界[109)]に関わるほか，本来的には国の出入国管理・労働政策に密接に関わっている。日本の高齢化や若年労働力の減少を背景として，ASEAN構成国などとの間で締結されるEPA（経済連携協定）の中に自然人の移動に関する章がおかれ，高齢者介護などの労働力になることが期待される看護師・介護福祉士候補者の受け入れが行われている。これに対し，2016（平成28）年出入国管理及び難民認定法改正により，介護の在留資格を有する者が介護又は介護の指導を行う業務に従事する「介護」を新たに在留資格として認めるとともに，外国人技能実習生の受け入れ先への監督を強化する外国人技能実習適正化法が制定された。また2018（平成30）年出入国管理及び難民認定法及び法務省設置法の一部を改正する法律により，人材を確保することが困難な状況にある産業上の分野に属する技能を有する外国人に係る新たな在留資格（特定技能）を設けた。このように新たな法律の枠組みができつつあるとはいうものの，外国人介護労働力の本格的な導入に関しては，国家のあり方にも関わる問題であることから，社会的に議論を尽くす必要がある。

第2に，在外勤務などの際，滞在国の社会保障制度の適用を受けることにより，たとえば長期保険である年金保険の保険料拠出義務を負わされるといった問題がある。この点については，二国間協定を締結し，両国間の移動に伴う社

107）　国民国家の枠組みを超えた視点から，国際化・グローバル化に対応する社会保障（法）のあり方を問う動きが，行政法や租税法の分野でみられる。原田・前掲論文（注17）185頁以下，藤谷武史「グローバル化と『社会保障』」浅野有紀ほか編著『グローバル化と公法・私法関係の再編』（弘文堂，2015年）206頁以下。

108）　岩村正彦「外国人労働者と公的医療・公的年金」『季刊社会保障研究』43巻2号（2007年）107頁以下，高畠淳子「外国人への社会保障制度の適用をめぐる問題」『ジュリスト』1350号（2008年）15頁以下。

109）　外国人への社会保障立法の適用が争われた最高裁判例として，最1判平元・3・2・前掲（注104）（国民年金法），最3判平9・1・28民集51巻1号78頁（改進社事件。労災保険法），最3判平13・9・25訟月49巻4号1273頁（生活保護法），最1判平16・1・15民集58巻1号226頁（国民健康保険法）。

会保障制度の適用に不都合を生じさせない方策がとられている。既に協定が締結され発効しているのは，ドイツ・イギリス・韓国・アメリカ・ベルギー・フランス・カナダ・オーストラリア・オランダ・チェコ・スペイン・アイルランド・ブラジル・スイス・ハンガリー・インド・ルクセンブルク・フィリピン・スロバキア・中国・フィンランドであり（2022〔令和4〕年1月現在），交渉中又は予備協議中の国もある。他の先進各国と異なり日本は取組みが遅れてきたとの経緯があり[110]，効率化とスピードアップを図る必要があることから，2007（平成19）年「社会保障協定の実施に伴う厚生年金保険法等の特例等に関する法律」（包括実施特例法）により，従来のような，社会保障協定を国内で実施するための各国ごとの特例法の成立を要しないこととなった。

110）　西村淳「社会保障協定と外国人適用」『季刊社会保障研究』43巻2号（2007年）149-150頁，154-155頁。

第2章
社会保障法の理論と展望

本章では，前章での叙述を踏まえた上で，社会保障をより法学的見地から考察の対象とし，社会保障を構成する各制度に共通する総論的事項についてみていくことにする。前章が「社会保障」総論としての性格が強いのに対し，本章は「社会保障法」総論と位置付けられよう。

具体的には，社会保障が基本的に給付の体系として発展してきたことから，給付を基礎付ける法的権利の観点に着目し，ここから社会保障をめぐる法律関係の特徴・性格を明らかにする。次いで，社会保障をめぐる法理論の展開と現状を，社会保障法の意義・体系・範囲，法主体論・法理念論といった観点から明らかにする。そして最後に，現実の社会保障制度と同制度を分析対象とする社会保障法が直面する課題や今後の可能性につき考えてみたい。

第1節　社会保障の権利

第1款　権利と法的根拠（法源）

社会システムを法的観点から分析する場合，権利と義務の概念が重要な意味をもつ。社会保障領域においては，社会保障をめぐる法関係が国から国民への給付の関係と理解されてきたことから，とりわけ権利概念を中心に論じられる傾向にあった[1]。また社会保障は，伝統的に生存権（憲 25 条）を法的基盤として展開されてきたことから，多数当事者間における実定法上の権利義務関係の解明というよりは，（基本的）人権としての社会保障に焦点が当てられることが多かった[2)]。さらに社会保障法の技術的性格（法解釈に委ねられる余地が相対的に少ない）と，そうした性格にも由来する法改正の頻度の多さなどから，裁判規範としての権利論の深化と並んで，法改正のあり方を規範的に領導する権利論の展開に重きをおく傾向もみられる[3)]。

本節では，こうした社会保障法における権利の意義の諸特徴を念頭におきながら，社会保障を取り巻く法関係の性格を明らかにしていく。まず，通常「法源論」として取り上げられる諸事項や，権利と裁量の問題につき概観した上で，次款以降において，社会保障の権利論の展開過程や，憲法・個別実定法・手続的保障との関連での社会保障の権利の諸側面を取り上げることにする。

1　成文法

成文の法的根拠としては，憲法，条約，法律などが挙げられる。このうち憲法については後に詳述することとし（第2款），以下ではその他の成文法源を取り上げる[4)]。

(1)　条　約

憲法98条2項が「日本国が締結した条約及び確立された国際法規は，これを誠実に遵守することを必要とする」と規定するように，条約等は社会保障法における法源となる[5)]。前章でみたように（第1章第2節第7款1），ILO「社会保障の最低基準に関する条約」，国際人権規約A規約（社会権規約）などが重要である。最高裁は，直ちに国内法上の裁判規範性（自動執行力）をもつもの

1)　社会福祉領域に限定してではあるが，その権利構造を解明した原理的考察として，河野・権利構造87頁以下。

2)　代表的な文献として，小川120頁以下。

3)　菊池・法理念参照。

4)　本文で取り上げるほか，私的な自治法規（社会自治法規）も，一定の範囲の人びとを一律に拘束し，裁判規範として機能する面があることに着目すれば，成文法の一種として法源性が認められよう。田中成明『法学入門〔新版〕』（有斐閣，2016年）19頁。たとえば，健康保険組合及び国民健康保険組合の規約（健保12条1項，16条，国保17条2項，18条），確定給付企業年金の規約（規約型につき確定給付3条1項1号，4条，基金型につき同3条1項2号，11条），企業型確定拠出企業年金の規約（確定拠出3条）などがある。笠木ほか62-65頁参照。

5)　法源としての条約その他国際法規について包括的に論じたものとして，山下慎一「社会保障法と国際法規」『社会保障法研究』9号（2019年）57頁以下。

ではないと解しているものの[6)]，難民条約（1981〔昭和56〕年批准）が多くの社会保障各法上の国籍要件の撤廃をもたらし，また障害者権利条約の発効を受けて2009（平成21）年12月以降，同条約批准に向けた国内法の整備が行われるなど，国内法上の裁判規範性とは別個に，立法策定指針ないし政策策定指針としての条約の果たす役割は決して小さくない。

⑵　法　律

法律は，社会保障を規律するもっとも重要な法形式である[7)]。日本では，民法や刑法といった分野とも，社会法典（Sozialgesetzbuch）があるドイツのような国とも異なり，社会保障法という名称の統一的法典は存在せず，個別制度毎に多数の法律が存在する。ただし，法律による規律密度は必ずしも高いとは言えず，法律よりも下位の法規範に規律を委ねている部分が多い[8)]。また社会保障における権利義務関係は，民法，行政法，労働法等の領域に属する法律によっても規律される。

⑶　政令・省令・告示

社会保障分野の法律は，技術的性格が強く，給付の細目や請求・支給手続などの規律の多くを下位規範である政令（施行令など）や省令（施行規則など）に委ねている。政令・省令は，法規命令であり，基本的に行政主体と私人との関係を規律する効果を有する。公の機関が意思決定又は事実を一般に公に知らせる形式として，告示という形式もあり（行組14条1項），法の委任を受けた生活保護法の保護基準（生活保護8条1項）や健康保険法の診療報酬点数表（健保76条2項）などは，法規命令としての性格をもつものと解される。

法律の委任に基づく命令については，委任の範囲を超えたか否かが問題となることがある[9)]。

6）　最1判平元・3・2判時1363号68頁（塩見訴訟）。同旨，西村31頁，堀・総論〔2版〕193頁。ただし国際人権法からの批判として，申惠丰「社会権訴訟における国際人権法の援用可能性」『法律時報』80巻5号（2008年）39頁。

7）　伝統的には，「法律の留保」の及ぶ範囲をどう解するかにつき行政法学で争いがある。宇賀克也『行政法概説Ⅰ〔第7版〕』（有斐閣，2020年）32頁以下。

8）　社会保障法の法源として機能する行政基準（法規命令・行政規則）をめぐる論点を包括的に取り上げたものとして，笠木映里「社会保障法と行政基準」『社会保障法研究』3号（2014年）4頁以下。

9）　最高裁は児童扶養手当法施行令1条の2第3号（1998〔平成10〕年改正前）が，認知された婚

⑷　条例・規則

社会保障法の領域では，都道府県や市町村などの地方公共団体が重要な役割を果たしている。地方議会が制定する条例も，社会保障を規律する法規範である。条例には，法律の委任に基づくもの（委任条例）もあるが，かかる委任がなくとも地方公共団体が法律の範囲内で条例を制定することは可能である（憲94条）。地方公共団体の条例制定権は，自治事務と法定受託事務の双方に及ぶ。

条例以外にも，地方公共団体の長は，その権限に属する事務に関し，法令に違反しない限りにおいて規則を定めることができる（自治15条1項）。条例で定めることが明文で要求されている場合がある一方（国保81条，介保129条2項など），条例と規則のいずれにより定めるべきか明確でなく，争われることがある[10]。

⑸　通達・要綱など

社会保障の給付には，法律・条例の根拠がない場合，あるいは抽象的な根拠しかもたない場合も多く，通達・要綱・内規といった行政規則で詳細が定められることが少なくない。こうした行政規則は，行政機関相互を拘束する内部効果をもつ一方，国民の権利義務に直接関係しないという法的性格をもつとされてきた。しかしながら，根拠となる法律の定めや要綱等の規定の仕方などによっては，支給申請に対する行政機関の応答が行政処分とされる場合があり得るし[11]，一種の裁量基準として平等原則違反が認められることもある[12]。

姻外の児童の監護者に手当の受給資格を認めない扱いにつき，法による委任の範囲を超えた違法なものと判示した。最1判平14・1・31民集56巻1号246頁（奈良事件），最1判平14・1・31賃社1322号47頁（広島事件），最2判平14・2・22判時1783号50頁（京都事件）。

10）京都地判平11・6・18賃社1269号56頁（保育所保育料の額を条例によらず規則で定めても違法でないとされた例）。

11）最1判平15・9・4集民210号385頁（労災就学援護費不支給決定の処分性が認められた例），東京高判平13・6・26裁判所ウェブサイト（LEX/DB文献番号25410194）（通知に基づく療育手帳交付決定の処分性が認められた例）など。

12）東京地判平8・7・31判時1593号41頁（区の要綱に基づくホームヘルパー派遣につき，要綱に基づく派遣基準該当性を認め，国家賠償請求を認容した例）。

2　不文法

(1)　判　例

社会保障法の領域では，技術的性格が強く法改正が頻繁に行われること，法分野としての新しさなどにより，裁判例の数は特定分野（労災保険の業務上外認定など）を除くとそれほど多いとは言えない。しかしながら，紛争が生じた場合，最高裁判例が先例として重要な法源となる（下級審裁判所を拘束する）ことがある。下級審裁判例も，従来先例のなかった法律問題に法的判断を示すことで，重要な意義をもち得る。判例そのものの効果ではないが，訴訟提起が法改正・制度改正をもたらすきっかけとなる場合もみられる[13)]。

社会保険審査会，労働保険審査会等の裁決例も，社会保険に関する実務に影響を及ぼす点で一定の意義を有している[14)]。

(2)　慣習法

社会保障法の適用領域のうち，特に国・地方公共団体と私人間においては，基本的に法律による行政の原理が妥当し，当事者の自治が広く認められる私人間の法律関係に比べると，慣習法の成立する余地は一般的に言って少ないと考えられる。しかしながら，通達等の行政規則の中には，一義的には行政機関相互を拘束する内部効果をもつに過ぎないとしても，それに沿った一般的・反復的運用があり，かつ，それが法的確信に支えられて国民の間に定着したとみられる場合には，一種の法源としての効果が認められる場合もある[15)]。

(3)　条理（法の一般原則）

このほか，法律の規定がない場合にも裁判規範として用いられる条理の存在が認められる。条理とは，法の一般原則をいい，「条理」そのものが法源として用いられる場合のほか[16)]，信義誠実の原則（信義則）[17)]や信頼保護原則[18)]，禁

---

13)　たとえば，障害者自立支援法改正（障害者総合支援法へと改称）の背景として，障害者権利条約の発効のほか，2010（平成22）年1月7日，障害者自立支援法違憲訴訟原告団・弁護団と国（厚生労働省）との基本合意文書に依るところが大きかった。

14)　加茂紀久男『裁決例による社会保険法〔第2版〕』（民事法研究会，2011年）。

15)　西村34頁。碓井78頁は，従来存在していた「内かん」による被用者保険の適用に係る4分の3要件につき，定着している扱いについて一種の行政慣習法が成立しているとみることもできるから，この状態を改めるには法律によらねばならないとする。この点は，2012（平成24）年年金機能強化法（法62）により，適用拡大とともに法律上明文化された（厚年12条6号）。

16)　東京地八王子支判平20・5・29判時2026号53頁は，市立小学校に通っていた自閉症児の転

反言の法理[19)]，平等原則といった一般原則が適用されることもある。

第2款　憲法と社会保障の権利

社会保障法は，実定法の一分野として位置付けられる。したがって，個別社会保障制度のとりわけ給付関係に登場する法主体を規律する法律関係ないし権利義務関係の解明が，重要な理論的課題である。ただし，従来の社会保障法学では，そうした作業とは別に，「生存権論」（憲法25条論）を中心とした憲法レ

落事故につき，市の安全配慮義務違反を認めた際，事故発生の際の調査報告義務の存在を「条理」に基づき導き出している。大阪高判平26・11・27判時2247号32頁は，市の窓口職員の誤教示により特別児童扶養手当を受給できなかったことにつき，「条理」に基づく職務上の教示義務違反を認めた。

17)　東京高判昭58・10・20行集34巻10号1777頁は，国籍要件を設けていた当時の国民年金法の下で被保険者資格がないにもかかわらず，国民年金保険料を納付して受給資格を充足した在日韓国人の年金受給権の存否が争われた事案で，「信頼関係が生じた当事者間において，その信頼関係を覆すことが許されるかどうかは，事柄の公益的性格に対する考慮をも含めた信義衡平の原則によって規律されるべきものであ」り，本件において信頼関係を行政当局が覆すことが許されるやむを得ない公益上の必要もないとし，老齢年金裁定請求却下処分を取り消した。東京地判平9・2・27判時1607号30頁は，過払い年金の支払調整及び返還請求につき，過払い金の返還請求権を一部否定した。最3判平19・2・6民集61巻1号122頁は，被爆者援護法に基づき健康管理手当の支給認定を受けた被爆者が国外に居住地を移したことに伴いその支給を打ち切られたため未支給の健康管理手当の支払を求めた訴訟において，支給義務者が地方自治法236条所定の消滅時効を主張することが信義則に反し許されない旨判示した。このほか，大阪高判平28・7・7賃社1675号24頁（年金時効特例法に基づく時効特例給付の不支給決定につき，国が消滅時効の主張を行うことは信義則に反し許されないとして，未支給年金等の支払が認められた例）参照。

18)　将来的な厚生年金保険料率を定める厚年法81条4項を念頭において，信頼保護原則を各種の人権規定とは異なる視点から憲法上の要請として読み込むことを示唆するものに，笠木映里「現代の労働者と社会保障制度」『日本労働研究雑誌』612号（2011年）47-48頁。老齢加算廃止の合憲性・違法性が争われた訴訟の上告審で，最高裁が激変緩和等の措置を採るか否か等の判断の適法性につき，「被保護者の期待的利益」の観点を勘案しているのも，一種の信頼保護に対する配慮とみることができる。最3判平24・2・28民集66巻3号1240頁，最2判平24・4・2民集66巻6号2367頁。

19)　奈良地判平30・3・27賃社1711＝1712号57頁は，保護実施機関の表示を信頼しその信頼に基づいて行動した要保護者が，後に表示に反する処分が行われたことで経済的不利益を受けることになった場合，禁反言の法理の適用により処分は違法になるとした。

ベルでの理論展開に重きが置かれる傾向がみられた。もとより憲法は，社会保障法における重要な法源でもある（第1款）。

以下では，こうした「権利論」に関わる憲法レベルでの理論的到達段階や課題についてみておくことにしたい。まず**1**で「生存権論」を軸とする「権利論」の展開についてみた後，**2**以降において社会保障の権利にかかわる議論を憲法の人権規定との関連を中心にみていく。権利を基礎付けるものではないが，社会保障分野で問題となるその他の憲法条項についても，**8**で触れておきたい。

1　生存権論

(1)　生存権論

戦後，社会保障の権利にかかわる議論は，主として憲法学における「生存権論」（憲法25条論）を軸に展開されてきた[20)]。憲法25条の法的性格（裁判規範性）につき，判例・通説は当初プログラム規定説の立場にあり[21)]，生存権規定は裁判上請求できる具体的権利を国民に与えたわけではなく，国に対してそれを立法によって具体化する政治的・道徳的義務を課したものにすぎないと解していた。

その後，いわゆる朝日訴訟第一審判決が，厚生大臣の設定する生活保護基準が健康で文化的な生活水準を維持することができる程度の保護に欠ける場合，当該基準は生活保護法8条2項，2条，3条等に違反し，「ひいて憲法第25条の理念をみたさないものであって無効といわなければならない」と判示し，憲法25条の裁判規範性を認めるに至った。これを契機として，憲法25条を具体化する法律によって生存権の権利性が実質化されるとする抽象的権利説，具体化する法律が存在しない場合でも同条の裁判規範性を認める具体的権利説などが展開された。その後，憲法学では，生存権が一定の範囲で裁判規範としての効力を有することを前提として，立法裁量との関係で違憲審査基準をどう考えるかに関心が寄せられ（たとえば，合理性の基準か，厳格な合理性の基準か），また

20)　生存権論の歴史的展開については，葛西まゆこ『生存権の規範的意義』（成文堂，2011年）第2章参照。

21)　最大判昭23・9・29刑集2巻10号1235頁（食糧管理法違反の罪に問われた被告人が，配給食のみでは生命・健康を維持することができないにもかかわらず配給統制を行うことが憲法25条違反であると主張した刑事事件）。

いかなる訴訟類型においていかなる違憲審査基準によって生存権が裁判上保障されるか（たとえば，立法府の不作為の違憲確認訴訟，国家賠償訴訟の可否）が議論されてきた[22)]。

これに対し，朝日訴訟最高裁判決[23)]は，「何が健康で文化的な最低限度の生活であるかの認定判断は，いちおう，厚生大臣の合目的的な裁量に委されており，その判断は，当不当の問題として政府の政治責任が問われることはあっても，直ちに違法の問題を生ずることはない」とし，あくまで傍論として述べたに過ぎなかったものの，広範な行政裁量を認める説示を行った。さらに児童扶養手当と障害福祉年金の併給調整の合憲性が争われたいわゆる堀木訴訟において，最高裁判所が，「憲法25条の規定の趣旨にこたえて具体的にどのような立法措置を講ずるかの選択決定は，立法府の広い裁量にゆだねられており，それが著しく合理性を欠き明らかに裁量の逸脱・濫用と見ざるをえないような場合を除き，裁判所が審査判断するに適しない事項である」[24)]と判示し，広範な立法裁量を認め，以後，判例法理として定着するに至った[25)]。その後，最高裁は，生活保護の老齢加算廃止につき，堀木訴訟大法廷判決を引用しつつ広範な行政

22) 中村睦男＝永井憲一『現代憲法大系⑦　生存権・教育権』（法律文化社，1989年）70頁，73-74頁，125-132頁〔中村執筆〕。

23) 最大判昭42・5・24民集21巻5号1043頁。

24) 最大判昭57・7・7民集36巻7号1235頁。

25) その後，立法裁量につき本判決を引用した最高裁判決として，最2判昭57・12・17訟月29巻6号1074頁（戦争公務扶助料と老齢福祉年金の併給調整が合憲とされた例〔岡田訴訟〕），最1判平元・3・2判時1363号68頁（国民年金法〔昭和56年改正前〕の国籍条項が合憲とされた例〔塩見訴訟〕），最2判平2・7・20集民160号343頁（保育料について定める児童福祉法56条1項2項が合憲とされた例），最3判平13・9・25訟月49巻4号1273頁（生活保護法が保護受給者を対象にしないことが合憲とされた例），最3判平18・3・28判タ1208号78頁（市介護保険条例における保険料の定めが合憲とされた例），最2判平19・9・28民集61巻6号2345頁（学生障害無年金訴訟），最3判平19・10・9裁時1445号4頁（同），最3判平23・10・25民集65巻7号2923頁（混合診療保険給付外の原則が合憲とされた例），最3判平24・2・28・前掲（注18），最2判平24・4・2・前掲（注18），最1判平26・10・6賃社1622号40頁（老齢加算の廃止が合憲とされた例），最1判平26・10・6判例集未登載（LEX/DB文献番号25504782。最2判平24・4・2の差戻上告審），最3判平29・3・21集民255号55頁（地方公務員災害補償法32条1項但書にかかる夫のみに課された年齢要件が合憲とされた例），最3判平30・9・25判例集未登載（LEX/DB文献番号25561677。遺族基礎年金の支給対象からの父子家庭の除外が合憲とされた例）。

裁量を認めながらも[26)]，判断過程審査の手法を取り入れた判断を示した[27)]。

憲法学では，1990年代以降，具体的権利説の立場から「健康で文化的な最低限度」を下回る特定の水準については金銭給付請求が可能であるとする見解[28)]や，憲法25条1項の（裁判所での救済と結びついた）つよい「権利」性を認める見解[29)]などが主張されたものの，総じて生存権論に対する学界の関心は高いとはいえない状況であったといわれる[30)]。ただし，生活保護の老齢加算廃止をひとつの契機として[31)]，合理的理由なく制度後退してはならないという内容の憲法上の法規範を認める制度後退禁止原則を主張する見解[32)]などの展開がみられた。

⑵　権利論批判

⑴で述べた憲法学や判例の理論展開とは別に，社会保障法学における理論展開に目を移してみよう。

社会保障法学の通説的理解によれば，今日に至るまで，憲法25条に基礎を置く生存権は，社会保障法の基本原理ないし基本理念であるとされてきた。そのひとつの有力な端緒となったのが，小川政亮の権利論であった[33)]。上述のような戦後最高裁の消極的態度にもかかわらず，「権利としての社会保障」の確

26)　最3判平24・2・28・前掲（注18）は，厚生労働大臣の保護基準改定が憲法25条違反でないことは，堀木訴訟大法廷判決の「趣旨に徴して明らか」と判示している。実質的に憲法25条が広範な行政裁量の下にあることを認めたものと解される。

27)　最3判平24・2・28・前掲（注18），最2判平24・4・2・前掲（注18），最1判平26・10・6・前掲（注25），最1判平26・10・6・前掲（〔注25〕。最2判平24・4・2の差戻上告審）。最1判平4・10・29民集46巻7号1174頁（伊方原発原子炉設置許可処分取消訴訟最高裁判決）参照。

28)　棟居快行「生存権の具体的権利性」長谷部恭男編著『リーディングズ現代の憲法』（日本評論社，1995年）155頁。

29)　藤井樹也『「権利」の発想転換』（成文堂，1998年）第5章。

30)　尾形健『福祉国家と憲法構造』（有斐閣，2011年）140頁。

31)　棟居快行「生存権と『制度後退禁止原則』をめぐって」初宿正典ほか編『国民主権と法の支配（下）　佐藤幸治先生古稀記念論文集』（成文堂，2008年）369頁以下，葛西まゆこ「生存権と制度後退禁止原則――生存権の『自由権的効果』再考」『季刊企業と法創造』7巻5号(2011年) 26頁以下など。

32)　内野正幸『憲法解釈の論理と体系』（日本評論社，1991年）377頁。内野は根拠を憲法25条2項に求めるのに対し，棟居は同条1項に求める。棟居・前掲論文（注31）373頁，386頁。

33)　小川参照。

立を目指す社会保障法学説の展開は，朝日訴訟をはじめとする裁判闘争を契機として，生活保護制度などの改善に一定程度寄与したといわれる[34]。しかし，高度経済成長期を過ぎ，1980年代に入ると，とりわけ法学以外の学問分野から，こうした運動論的な「権利主義的社会保障論」（これらの中には，究極的には資本主義体制そのものの変革を意図するイデオロギー的色彩の濃いものもあった）は，低成長の下でパイの増大が容易には望めなくなり，社会保障費の膨張を不可避とする急速な高齢化が予測される中で，その有効性を失ったと批判されるに至った[35]。

その後もバブル経済崩壊後の平成不況，サブプライムローン問題（ないしリーマン・ショック）を発端とする世界金融危機とその後のデフレ経済，政府財政状況の悪化など，社会保障を取り巻く経済・財政状況が厳しさを増す中にあって，財源論を射程に入れた権利論を展開する必要性がますます高まっている状況にある。

他方において，こうした状況がみられる中でも，戦後と比べて格段に国民の平均的生活水準が向上したことは確かである。それに伴い，国民のライフスタイルや価値観が多様化し，生活保障を目的とする社会保障に求められる役割も多様化してきた。たとえば，1950（昭和25）年社会保障制度審議会勧告（50年勧告）では，冒頭に憲法25条の規定を掲げた上で，具体的な制度案に言及している。戦後の困窮状態にあった当時の国民生活に鑑みると，憲法25条が社会保障制度の基盤として重要な役割を果たしたことが窺われる。これに対し，1995（平成7）年社会保障制度審議会勧告（95年勧告）では，社会保障推進の原則として，「権利性」が「普遍性」「公平性」「総合性」「有効性」と並列的に位置づけられている。このことは，生存権（典型的には「健康で文化的な最低限度の生活」の保障）の実現が全国民的政策課題とされた戦後と異なり，生活水準の向上とも相俟って，権利論あるいは生存権論のみで社会保障のあり方を論じ尽

34）ただし，朝日訴訟第1審判決が生活保護制度の形成と展開にとって実質的な影響力をもったことを認めながらも，その影響力を過大評価すべきでないとの趣旨の見解もある。副田義也『生活保護制度の社会史』（東京大学出版会，1995年）（増補版，2014年）149-150頁，154頁。管沼隆ほか編『戦後社会保障の証言』（有斐閣，2018年）98-99頁参照。

35）福武直「社会保障と社会保障論」社会保障研究所編『社会保障の基本問題』（東京大学出版会，1983年）1頁。

くせなくなったことを意味している。

こうした法学外在的批判や時代状況の変化とは別に，1990年代に至るまでの社会保障法学における生存権論ないし「社会保障の権利」論の展開には，以下のような特徴・限界があったと考えられる。

第1に，生存権そのものの理念的基礎づけが必ずしも十分になされてこなかったことである。この点は，従来，社会保障の歴史的生成に伴う必然性（資本主義経済の矛盾の露呈と，その緩和・調整策としての社会保障）という観点から説明されてきた。歴史的にこうした経緯の下で生存権が登場してきたとしても，生存権を中心とする社会権を人権のカタログに含めることに疑問を呈する議論もあった中では[36]，生存権そのもののいわばメタ理論的な基礎付けが求められる。

第2に，従来の権利論は，主として裁判規範としての権利の視角から捉えられ，立法策定指針ないし政策策定指針というレベルでの権利の意義に着目することがあまりなかったことである。しかし，社会保障法学においては二つの意味で裁判規範としての権利に限定されない視角が必要とされる。すなわち，一つには，社会保障分野では頻繁に法改正がなされる一方，関係法令が技術的性格を有し，法解釈に委ねられるべき度合いが他の実定法分野と比較して必ずしも大きくない。したがって，社会保障の基本構造が大きな変革の波にさらされている現状においては，法改正のあり方を領導する立法策定指針ないし政策策定指針としての権利という側面もきわめて重要である。裁判規範としての権利は，国民の権利を侵害する立法や行政庁の措置を違法・無効にするという意味で消極的な（規範的には強力な）効力を有し，権利侵害の有無は最終的には裁判所が判断を下す。これに対して，立法策定指針ないし政策策定指針としての権利は，権利に適合的な立法や政策を領導するという意味で積極的な（規範的には相対的に弱い）効力を有し，権利に適合するかどうかは第一義的に立法府又は行政府が判断する。その意味で，立法策定指針ないし政策策定指針としての権利は，後述する社会保障の規範的な指導理念（第2節第2款**2**(2)）に近接した性格をもつ規範概念ということができる[37]。

---

36)　松井茂記『日本国憲法〔第3版〕』（有斐閣，2007年）555頁は，生存権は基本的に政治プロセスに委ねられるべき問題であるとし，阪本昌成『憲法理論 III』（成文堂，1995年）315頁は，「生存権」を中心とする「社会権」は，一定の資格・身分を前提としてはじめて保障される権利である以上，人権ではなく，憲法典上の権利又は制度化された権利であるとする。

もう一つは，社会福祉分野でいわれる「権利擁護」にみられるように，社会保障分野では，法学でいう「切り札」としての権利，あるいは裁判規範としての権利というように，狭く捉えきってしまうことになじまない側面がある。法律行為（たとえば，施設入所契約）を直接的な法的規律の対象とするにしても，事実行為も含めた対象者の生活そのものを広く支援し擁護するという視点が抜け落ちていては，「権利擁護」の目的を達することは難しいし，制度としての十分な発展も望めない[38]（第5款**5**）。

第3に，かつて有力であった権利論は憲法25条1項を念頭においた公的扶助（生活保護）を主たる対象として展開され，それ以外の分野での理論展開が必ずしも十分になされてこなかったことである。こうした背景の下で，権利主体としての国民と，責任（義務）主体としての国家という，二項対立的な社会保障法の捉え方が一般化し，「社会保障の権利」主体＝社会保障給付の受給主体たる（受動的な）個人という通説的理解へと結びついた（第2節第2款**1**）。しかし，社会保障法関係における個人は，拠出（負担）義務を負い給付を受ける積極的能動的な権利義務主体である。また社会保障における法主体とは，本来，国―国民の二当事者関係のみで捉えきれるものではない（第1章第6款**1**）。年金分野における保険者―運用受託機関―被保険者間の法律関係，医療・介護分野における保険者―サービス供給者―報酬支払機関―被保険者等をめぐる法律関係など，複雑に絡み合う法主体間の権利義務関係の法的解明が必ずしも十分なされてこなかった背景に，生活保護を主として念頭においてきた従来の権利論（生存権論）の展開があったことは否定できない。

37）たとえば，公的年金の給付水準引下げを伴う論点（マクロ経済スライドのフルスライド実施など）を議論する際，審議会等に提出される行政当局の資料では，財産権保障（憲29条1項）との兼ね合いが意識されることがある。第3回社会保障審議会年金部会（2011〔平成23〕年9月29日）資料2「マクロ経済スライドについて」6頁。財産権保障等についての言及として，第3回社会保障審議会年金部会（2011〔平成23〕年9月29日）及び第26回同部会（2014〔平成26〕年10月15日）筆者提出資料参照。

38）たとえば，施設での職員の接遇（高齢者を○○ちゃん付けで呼ぶなど）の問題や食事への不満（冷めた味噌汁が出されるなど）は，名誉棄損や債務不履行（不完全履行）といった形で法的責任追及のための法律構成ができないわけではないが，これらをいちいち法的紛争として捉えていては入居者及び施設の双方にとって，平穏かつ円滑な日常生活は望めないだろう。広い意味での「権利擁護」の観点からの苦情解決等の仕組みが重要である。

⑶　権利論の可能性

⑵で述べたような社会状況及び理論状況にかかわらず，生存権論ないし実体的権利論の意義はなおも軽視されるべきでない。たとえば，社会保障給付の切下げを念頭においた「制度後退禁止原則」など，先述のように（⑴），新たな理論展開がみられる。また後述するように（第2節第2款**2**），生存権の規範的基礎付け論や，裁判規範としての権利の射程を超えた立法策定指針ないし政策策定指針レベルでの規範論も展開されている[39]。個別具体的な制度場面における当事者間の権利義務関係の解明を志向する本格的な解釈論的分析もなされている[40]。

一般に政治プロセスへのアクセスが容易でない貧困者・障害者や，そもそもアクセスの途が確保されていない子どもなどの生活保障につき，依拠すべき有力な法的基盤になり得ることから，実体的権利論の意義は依然として重要である。ただし，権利主張による比較的一般性の高い住民利益の実現（たとえば，公立保育所の廃止・民営化の拒否と継続入所）は，議会による民主主義プロセス（公費の保育財源への配分のあり方に係る審議と議決）と相容れない面があることは否定できない。生存権の実現が，国民の拠出を財源とした給付に依るものである以上，権利を主張すればするほど，住民間の横のつながり（連帯）の基盤を断絶する可能性を孕む。社会保障法学では，権利アプローチと民主的統制の緊張関係を踏まえつつ，とりわけ立法策定ないし政策策定の場合では謙抑的にそれらの役割分担を模索する姿勢が求められる。

⑷　権利と裁量

⑴で述べたように，朝日訴訟最高裁判決は，傍論ではあるものの，「健康で文化的な最低限度の生活」に係る認定判断につき，広範な行政裁量を認め[41]，堀木訴訟最高裁判決も，憲法25条の趣旨に応えた具体的立法措置につき，広範な立法裁量を認めた[42]。これらの判例の立場を前提とした場合，憲法25条の趣旨を実現する社会保障立法においては，広範な行政裁量及び立法裁量に委ねられているとみざるを得ない[43]。

39）　菊池・法理念第3章，同・将来構想第1章。

40）　岩村正彦編『福祉サービス契約の法的研究』（信山社，2007年）。

41）　最大判昭42・5・24・前掲（注23）。最3判平24・2・28・前掲（注18）参照。

42）　最大判昭57・7・7・前掲（注24）。

ただし最近，こうした広範な裁量の法的統制（最高裁の判断枠組みでいえば，裁量権の逸脱・濫用該当性）のためのアプローチがみられる。行政裁量の統制に関しては，いわゆる判断過程審査の手法が用いられ，老齢加算の廃止を内容とする生活保護基準の改定に係る「厚生労働大臣の判断に，最低限度の生活の具体化に係る判断の過程及び手続における過誤，欠落の有無等の観点からみて裁量権の範囲の逸脱又はその濫用があると認められる場合」に生活保護法３条又は８条２項違反となる余地を認めた（結論は適法）[44]。立法裁量の統制に関しても，首尾一貫性の要請（立法者の自己拘束）や，判断過程審査に類した立法裁量統制型の手法の展開可能性が指摘されており，憲法25条１項のみならず同条２項に関わる社会保障立法についての裁判規範・立法策定指針の両レベルでの理論展開が期待される[45]。

以上述べた憲法論としての裁量問題とは別次元の問題として，社会保障立法における給付の実現にあたっては，直接的に受給権の有無が問われるのではなく，一定の行政裁量の存在を所与の前提として，その裁量判断の適法性が争われることが多い。このことは，とりわけ生活保護や社会福祉といった非定型的な給付などに妥当する（第３款**1**(4)(5)）。

また，こうした実体的な裁量判断の違法とは別に，行政手続法の整備に伴い，

43）社会保障立法に係る広範な立法裁量は，法の下の平等が問題となる憲法14条１項違反をめぐる訴訟でも同様に妥当する。最大判昭57・7・7・前掲（注24），最２判平19・9・28・前掲（注25）。

44）最３判平24・2・28・前掲（注18）。最高裁判決の分析と学説の渉猟に際しては，前田雅子「保護基準の設定に関する裁量と判断過程審査」曽和俊文ほか編『行政法理論の探究　芝池義一先生古稀記念』（有斐閣，2016年），豊島明子「生活保護基準と行政裁量」『社会保障法』33号（2018年）43頁以下が詳細である。最近の下級審裁判例では，生活保護法に基づく生活扶助基準の改定につき，判断過程審査の観点から違法とした裁判例が注目されたものの（大阪地判令3・2・22判タ1490号121頁），適法とした裁判例が多い（名古屋地判令2・6・25訟月67巻3号275頁，札幌地判令3・3・29裁判所ウェブサイト〔LEX/DB文献番号25571549〕，福岡地判令3・5・12裁判所ウェブサイト〔LEX/DB文献番号25571526〕。

45）小山剛『「憲法上の権利」の作法〔新版〕』（尚学社，2011年）173頁以下，笠木映里「憲法と社会保障法」『法律時報』87巻11号（2015年）134-135頁，139頁，菊池馨実「立法裁量の法的統制」『週刊社会保障』2858号（2016年）36-37頁など。なお，判断過程審査も首尾一貫性審査も，従来の憲法25条をめぐる審査基準論や，「健康で文化的な最低限度の生活」の内容をめぐる理解に直ちに影響を及ぼすものではない。笠木映里「日本における社会保障法と憲法・司法審査」『社会保障法研究』9号（2019年）50頁。

行政庁の手続的な違法が問われる裁判例も増加している（第5款**2**）。

2　憲法25条

(1)　憲法25条の法的性格

社会保障の権利を論ずる際，もっとも重要な憲法条項は25条である。同条の規範構造をどう理解するかについては争いがあり，従来の憲法学説では，1項と2項を同一の射程をもつものとして一体的にとらえ，権利としての問題を1項に限定する見解が一般的であった[46)]。これに対し，社会保障法学説として，籾井常喜は，憲法25条1項が人間としての「最低限度」の生活の保障（緊急的生存権）に対応するのに対し，同条2項は「最低限度」を上回る条件の維持・向上についての国家の努力を要求する権利（生活権）に対応すると捉える1項・2項区分論（生存権の二重構造的把握）を提起した[47)]。

このように社会保障法学説では，両項の規範内容を別個にとらえ，「健康で文化的な最低限度の生活」の保障（1項）とそれを超えたより快適な生活の保障（2項）とで，裁判規範としての効力に差異を認め，2項は1項を前提として，より広い社会国家的視野からの国の責務を規定したものと捉える1項・2項区分論が有力である[48)]。この場合，2項との関連では，今日的には給付水準の引下げや給付内容の縮減が問題となり得るものの，基本的に2項違反の問題は生じないとする説[49)]と，一定の配慮がなされれば2項違反とはならないとする説[50)]があり，いずれにせよ裁判規範性は弱いものと解されてきた[51)]。

---

46)　樋口陽一ほか『憲法II』（青林書院，1997年）158-159頁〔中村睦男執筆〕など。

47)　籾井87-88頁。中村睦男は，第1項の権利のなかに，人間としてのぎりぎりの最低限度の生活の保障を求める権利と，より快適な生活の保障を求める権利の両方が含まれ，違憲審査基準として前者に「厳格な合理性」の基準，後者に「明白の原則」が適用されるべきものと解した。樋口ほか・前掲書（注46）159頁，中村＝永井・前掲書（注22）128頁。

48)　堀・総論〔2版〕141頁。

49)　岩村I 35-36頁，西村40頁。

50)　堀・総論〔2版〕147頁では，①合理的な理由に基づき，②必要最小限度のものにとどまり，③既得権や期待権をできる限り尊重し，④急激な変化のないよう経過措置を設けるなどの配慮を加えれば，2項違反とはいえないとする。私見も2項の裁判規範性を肯定しながら，合理的理由に基づく必要最小限度の引下げであれば，同項の趣旨に反しないと解する。菊池・将来構想97-98頁。

51)　憲法25条2項と医療保険の事業主体の変更については，岩村正彦「社会保障改革と憲法25

かつて堀木訴訟控訴審判決[52]は，憲法25条１項を救貧施策，２項を防貧施策と結びつけた上で，「第１項にいう『健康で文化的な最低限度の生活』（生存権）の達成を直接目的とする国の救貧施策としては，生活保護法による公的扶助制度がある」と判示した。生活保護法が１項の規範内容の実現に直接関わる制度であるとしても，同項の規範内容は，生活保護法，社会保険・福祉各法その他国政全般を通じて実現が図られていることに留意する必要がある[53]。

(2)　生存権保障の拡がり

憲法25条１項に定める「健康で文化的な最低限度の生活」の保障が，社会保障法制などの国政全体で図られるとしても，その中核は「最低限度の生活を保障する」（生活保護１条）ことを主要な法目的とする生活保護法によって担われていると言わねばならない。ただし，憲法や生活保護法によって保障されるべき具体的な生活水準を客観的に確定する作業は，それが社会経済等の進展に伴って変わり得ることからすれば，相当な困難を伴う[54]。物理的な意味での生存を維持するための水準（衣食住など）にとどまらない，「健康で文化的な」最低水準を客観的に確定するのはさらに難しい[55]。

最近，生活保護基準など既存の給付水準を引き下げる場合，合理的理由の存在が求められるとの法理論が展開され[56]，判例においても判断過程審査の手法が取り入れられ，一定の裁量統制が図られているようにみられる[57]点は，既に

条――社会保障制度における『国家』の役割をめぐって」江頭憲治郎＝碓井光明編『法の再構築〔Ⅰ〕国家と社会』（東京大学出版会，2007年）106頁以下。

52）　大阪高判昭50・11・10民集36巻7号1452頁。

53）　堀・総論〔2版〕141頁参照。

54）　同書143頁参照。これに対し，2013（平成25）年社会保障審議会生活保護基準部会報告書では，統計データ，分析手法を明らかにした上で，生活扶助基準と第１・十分位世帯の生活扶助相当支出との比較を行い，これが同年８月生活扶助基準額の見直し（引下げ）に結びついた。2017（平成29）年同部会報告書でも同様の比較を行っている。これらの試みは，あくまで一般世帯との比較による相対的な評価にとどまり絶対的な基準の策定ではない。

55）　東京地判平20・6・26判時2014号48頁（老齢加算廃止東京訴訟）は「憲法25条及び〔生活保護〕法３条において，健康で文化的な最低限度の生活というとき，衣食住等を始めとする生存・健康を維持するための必要不可欠の要素に加え，人間性の発露として，親族・友人との交際や地域社会への参加その他の社会的活動を行うことや，趣味その他の形態で種々の精神的・肉体的・文化的活動を行うこともまたその構成要素に含まれる」とする。

56）　制度後退禁止原則につき，注31）及び注32）参照。

57）　最３判平24・2・28・前掲（注18）。1(4)参照。

述べた通りである。

「健康で文化的な最低限度の生活」は，従来，生活保護法によって具現化されているものと考えられてきた。このことは，憲法25条1項の保障水準を経済的側面から理解してきたことと関連している。これに対し，生活保護法による保障が十分なされてこなかった分野につき，憲法25条1項違反の問題を生じ得ることが指摘されている。具体的には，金銭給付によっては当然には充足され得ない介護サービス給付の保障の固有性に着目し[58)]，生活保護法を含めた法制度の未整備を指摘するもの[59)]や，精神的自律能力ないし判断能力の不十分・欠如に対するサポートシステムの整備・充実（成年後見制度利用のための経済的支援や，市町村長申立てによる審判請求〔老福32条など〕の義務化など）の必要性を主張するもの[60)]がある。

裁判例では，生活保護法などの適用をめぐって，在宅での24時間介護が必要な重度身体障害者に係る事案において争われてきた。完全四肢麻痺の重度障害を負う生活保護受給者が他人介護費特別基準の低廉さなどを争った事案では[61)]，在宅保護の場合の金銭給付額に一定の上限を設けることも裁量の範囲内にあるとし，月額12万1000円という上限額の設定に裁量の逸脱はない旨判示した。また近時，障害者自立支援法（現在の障害者総合支援法）における介護給付費の支給を求める訴訟において，1日24時間には及ばないものの相当量の支給を義務付けた判決がみられる[62)]。

58）　植木淳「介護請求訴訟の展開（2・完）」『北九州市立大学法政論集』41巻1号（2013年）36-37頁。

59）　河野・権利構造41-42頁，前田雅子「介護保障請求権についての考察」『賃金と社会保障』1245号（1999年）19頁，菊池・法理念第5章，同・将来構想22頁。

60）　菊池馨実「貧困解決に社会保障法はいかに貢献できるか」『貧困研究』1号（2008年）37頁。

61）　名古屋高金沢支判平12・9・11判タ1056号175頁（高訴訟）。

62）　原審（和歌山地判平22・12・17賃社1537号20頁）が月500.5時間以上744時間以下という幅のある義務付け判決を言い渡したのに対し，控訴審（大阪高判平23・12・14賃社1559号21頁）は，原判決が認めた下限を上回る月558時間の義務付けを行った（石田訴訟）。これに対し，同じく1日24時間介護が争点となった札幌高判平27・4・24判例自治407号65頁は，市の裁量権の逸脱・濫用にあたらないとして原告の介護給付費支給決定取消請求を棄却した原審を維持した。このほか，1日24時間介護ではないものの，原告の請求を一部認容した裁判例として，東京地判平30・10・12判例自治455号57頁（月527時間とした支給決定を違法とし，568時間20分を限度に義務付けを認めた例）。

医療や介護などのサービス給付に係る保障内容は，金銭給付と異なり，単に量的に充足されれば足りるという性格のものではない。医療及び社会福祉分野において，質の評価などを通じてのサービスの質の向上は重要な政策課題となっている（医療1条の2，社福78条など）。こうした動向は，従来，憲法25条（特に1項）の規範内容が量的な側面から考えられてきたのに対し，サービス給付の分野では質的な面も含めた権利保障でなければならないことを示唆するものである。そうした配慮の必要性は，裁判規範というよりも，一義的には制度改正を領導すべき規範的な立法策定指針ないし政策策定指針のレベルで生じるものと捉えられる。

3　憲法14条

社会保障の権利を適正に実現するにあたっては，憲法14条1項にいう「法の下の平等」の要請を考慮に入れる必要がある。多くの学説の理解によれば，「法の下の平等」の意義につき「合理的根拠」のある区別（合理的差別）は合憲であるとされており[63]，堀木訴訟最高裁判決も，「憲法25条の規定の要請にこたえて制定された法令において，受給者の範囲，支給要件，支給金額等につきなんら合理的理由のない不当な差別的取扱をした」場合には憲法14条違反の問題を生じ得ると判示し，社会保障立法に係る広範な立法裁量を認め，児童扶養手当と障害福祉年金との併給調整条項を合憲とした[64]。

かつて，社会保障の給付を行う際に，特定の者を別扱いすることが憲法14条に違反するとして争われた裁判例としては，堀木訴訟のように併給禁止規定の合憲性を争う類型が多くみられた。しかし実際，上述の判例法理の下で違憲判断が示された裁判例は少なく，堀木訴訟第1審判決[65]，老齢福祉年金の夫婦受給制限に係る牧野訴訟第1審判決[66]にとどまった。

その後最高裁は，婚姻によらないで懐胎した児童を父が認知した場合に児童

63）佐藤幸治『憲法〔第3版〕』（青林書院，1995年）467頁。

64）最大判昭57・7・7・前掲（注24）。

65）神戸地判昭47・9・20民集36巻7号1444頁。控訴審では合憲判断が示された。大阪高判昭50・11・10民集36巻7号1452頁。

66）東京地判昭43・7・15行集19巻7号1196頁。反対に合憲判断を示した事案として，大阪高判昭51・12・17行集27巻11＝12号1836頁（松本訴訟）。

扶養手当の受給資格を認めない施行令の定めが不合理な差別であるとして争われた事案につき[67]，違憲判断を回避しながら，手当の受給資格を認めない施行令の括弧書き部分のみを，法による委任の範囲を超えた違法なものと判示して，原告の請求を認めた[68]。

以上の事案において，下級審で違憲判断が示された規定については，上級審の帰趨にかかわらずいずれも改正されている。裁判所の法律判断が立法策定に際して影響力をもった実例ということができる。

その後，1985（昭和60）年改正前の国民年金法の下で任意加入だった学生が国民年金の保険料を支払っていなかったことを理由とする障害基礎年金の不支給処分の違憲・違法が各地で争われたいわゆる学生障害無年金訴訟で，憲法14条違反を認め国家賠償請求を認容した地裁判決が相次いで出された[69]ものの，高裁判決はこの判断を覆し[70]，最終的に最高裁も合憲判断を示した[71]。

このほか，性別・年齢・職種などによる制度格差も憲法14条1項との関係で問題となる余地がある。たとえば，国民年金法49条（寡婦年金），厚生年金保険法59条（遺族厚生年金）などでは，女性受給者に有利な扱いがなされている[72]。また介護保険法では40歳未満の要介護障害者は被保険者資格を有せず，

67）違憲判決として，奈良地判平6・9・28行集46巻10＝11号1021頁，広島高判平12・11・16訟月48巻1号109頁。

68）最1判平14・1・31・前掲（注9）（奈良事件），最1判平14・1・31・前掲（注9）（広島事件），最2判平14・2・22・前掲（注9）（京都事件）。

69）東京地判平16・3・24判時1852号3頁，新潟地判平16・10・28賃社1382号46頁，広島地判平17・3・3判タ1187号165頁。

70）東京高判平17・3・25民集61巻6号2463頁（東京訴訟），東京高判平17・9・15裁判所ウェブサイト（LEX/DB文献番号28140804。新潟訴訟），広島高判平18・2・22判タ1208号104頁（広島訴訟）。

71）最2判平19・9・28民集61巻6号2345頁（東京訴訟），最3判平19・10・9裁時1445号4頁（広島訴訟）。このほか堀木訴訟最高裁判決を引用しながら憲法14条1項との関係で合憲判断を示した最高裁判例として，最3判平13・9・25・前掲（注25），最3判平18・3・28・前掲（注25），最3判平23・10・25・前掲（注25），最3判平24・2・28・前掲（注18），最2判平24・4・2・前掲（注18），最3判平29・3・21・前掲（注25），最3判平30・9・25・前掲（注25）。

72）地方公務員災害補償法上の遺族補償年金の受給資格につき男性のみに設けられた年齢制限を違憲とした裁判例として，大阪地判平25・11・25判時2216号122頁。これに対し，控訴審である大阪高判平27・6・19判時2280号21頁は，原審を覆して合憲とした。地公災制度の損害

40歳以上65歳未満の第2号被保険者に対する給付事由が極めて制限的である。

このように，社会保障の権利を適正に実現するに当たっては，憲法14条1項にいう「法の下の平等」の要請が，重要な裁判規範ないし立法・政策策定指針となり得る。同条の解釈上，合理性判断の要素として，憲法25条1項にいう「健康で文化的な最低限度の生活」保障に係る判断が実質的に入り込んでいるとみる余地もある。ただし，いずれにせよ憲法14条は，憲法25条がそうであるのと同様な意味合いにおいて，社会保障を基礎付ける根拠規定として当然に位置付けることができるわけではない[73)]。

4　憲法13条

社会保障法学では従前より，憲法25条の生存権を，憲法13条に基盤をおく「人間の尊厳」から根拠付ける考え方がみられた[74)]。これによれば，憲法13条は「社会保障の権利」を直接具現化するとはいえないにせよ，生存権を間接的に枠付ける形で，社会保障の権利のありようを規律していることになる。後述するように，本書では憲法13条を軸に据えた社会保障法の基礎理論を展開する（第2節第2款**2**）。

実定法レベルにおいても，憲法13条を直接の規範的根拠として，あるいは同25条などと相まって重畳的に社会保障における利用者・受給者の権利が論じられることがある。先述した堀木訴訟最高裁判決も，憲法25条の要請にこたえて制定された法令において，個人の尊厳を毀損するような内容の定めを設

賠償的性格を重視した原審と，社会保障的性格を重視した控訴審との違憲審査基準の違いが結論を大きく左右したようにみられる。最高裁も堀木訴訟最高裁判決を引用し，原審の結論を支持した。最3判平29・3・21・前掲（注25）。遺族基礎年金の支給要件（国年37条）及び支給停止（国年41条2項）につき妻のみを支給対象としていた（いずれも2012〔平成24〕年改正により「配偶者」が支給対象とされた）ことにつき，それぞれ最3判平30・9・25・前掲（注25）及び東京高判平25・10・2判例集未登載（原審・東京地判平25・3・26判例集未登載〔LEX/DB文献番号25511386〕）は，憲法14条1項に照らして合憲とした。菊池馨実「遺族年金制度の課題と展望」『社会保障研究』1巻2号（2016年）362-363頁。

73）ただし，後述するように私見は，「実質的機会平等」の規範的価値が，憲法14条1項の趣旨も踏まえながら，直接的には憲法25条を媒介として具現化されているものととらえる（第2節第2款**2**）。

74）片岡曻＝西村健一郎「社会保障の権利」編集委員会編『社会保障講座1　社会保障の思想と理論』（総合労働研究所，1980年）163-164頁。

けているときは，憲法13条違反の問題を生じうることは否定しえない旨判示しており，同条の裁判規範性がまったく否定されているわけではない。ただし以下での規範的議論は，裁判規範としての権利に限定されない射程を有している。

第1に挙げられるのは，情報アクセス権あるいは「知る権利」である。それは，社会保障制度を策定・実施する際，後述する参加権などの十全な行使を可能にするための前提条件であるとともに，個人の選択による自己決定や将来の生活設計を支援するという意味合いもある。医療・福祉領域で進みつつあるサービス情報提供の促進（医療6条の2〜6条の4の2，介保115条の35）や，日本年金機構による「ねんきん定期便」の送付や「ねんきんネット事業」（国年74条1項・3項，厚年79条1項・3項）なども，こうした観点から積極的に評価され得る。また医療分野での診療録（カルテ）[75]や診療報酬明細書（レセプト）[76]の開示請求や，福祉分野での生活保護記録開示請求[77]，介護記録開示請求[78]などにみられるように，自己情報のコントロールという側面もある[79]。情報公開法，個人情報保護法，行政機関個人情報保護法などを根拠として，情報開示請求がな

---

75)　東京地判平19・6・27判時1978号27頁（診療所開設者に対する診療録開示請求が棄却された例）。

76)　最2判平18・3・10裁時1407号3頁（自らの診療に係るレセプトの記載の訂正が条例上予定されていないとして，個人情報非訂正決定が適法とされた例），最3判平13・12・18民集55巻7号1603頁（自らの分娩に関するレセプトについての公文書非公開決定が取り消された例），東京地判平25・6・28判例自治386号74頁（診療報酬明細書を含む自己情報開示請求の一部非開示決定が適法とされた例）。

77)　最1決平20・12・18賃社1500号69頁（生活保護記録提示命令申立てを認容した原審が是認された例〔ただし保護記録は申立人の自殺した父のもの〕），東京地判平19・7・4賃社1449号62頁（生活保護ケースワーク記録の一部非開示処分が取り消された例），さいたま地越谷支決平19・5・9賃社1500号69頁（生活保護に係る文書等を証拠保全による検証物の提示として，証拠調べ期日に現場において提示するよう決定した例）。関連して，生活保護受給者の個人情報を特定秘密保護法にいう特定秘密として指定することの差止めを求める訴えが却下された例として，東京地判令元・7・11判例集未登載（LEX/DB文献番号25580479），東京地判平29・2・28判例集未登載（LEX/DB文献番号25553420）。

78)　東京高判平14・9・26判時1809号12頁（生活指導記録表の本人に対する一部非開示決定が違法とされた例）。

79)　このほか自己の年金情報につき，大阪高判平19・1・31訟月54巻3号835頁（不開示決定適法），障害者福祉サービスに係る児童の法定代理人による愛の手帳（東京都）交付の際の所見等につき，東京地判平22・10・27裁判所ウェブサイト（LEX/DB文献番号25443414）など。

される場合が多い。

これらの権利と関連して，社会保障制度に関する行政庁の広報義務ないし情報提供義務の存否が問題となり得るケースがある。この点が争われたいわゆる永井訴訟[80]は，児童扶養手当制度に関する広報のあり方につき，憲法25条との関連で争われた。このほか，移動の自由が憲法13条の一内容であるとしつつ，身体障害者介護者の運賃割引制度に係る情報提供義務違反を認めた裁判例[81]などがある[82]。

第2に，プライバシー権を挙げることができる。この点に関連して，サービス提供主体などにおける守秘義務の遵守が求められる。さらに居宅や施設内でのサービス利用者のプライバシー保護も問題となる。とりわけ生活施設であるにもかかわらず個室でないことが少なくない入所施設にあっては，個人のプライバシーと抵触する場面が少なくない。かつて養護老人ホームにおける個室入居を求めて争われた裁判例[83]も，「健康で文化的な最低限度の生活」保障（憲25条）の内容とともに，プライバシーの保護（憲13条）が争点となったものである。

第3に，参加権が問題となり得る。ともすれば国などによる一方的な介入や押付けを伴いがちな社会保障制度の策定・運用においては，可能な限り利害関係者たる個人の参加による主体的な関与がなされることが本来的に望ましい。こうした参加の契機は，「自由」や「自律」の契機を重視する本書の立場や，社会保険において保険者自治を重視する立場からも尊重されるべきものであ

80）広報義務違反を認めた原審（京都地判平3・2・5判時1387号43頁）を覆して，控訴審である大阪高判平5・10・5訟月40巻8号1927頁は，法的義務としての広報義務ないし周知徹底義務の存在を否定した。

81）東京高判平21・9・30判時2059号68頁。

82）注185）参照。山下慎一「社会保障法における情報提供義務に関する一考察」『福岡大学法学論叢』60巻2号（2017年）247頁，249頁は，社会保障法領域において「情報」をめぐる行政の法的義務が固有の理論的枠組みにおいて語られるべきは，市民と行政との間で特定の制度の給付・受給関係に至っておらず，行政窓口を訪れた市民によっていまだ具体的な制度の特定がされていない場面に限られ，自らが受給を欲する制度について具体的に特定して質問等を行った場合は，申請権の侵害との関係で論じることが可能であるとする。

83）東京地判平4・1・29判例自治97号102頁。県に対して，個室のある養護老人ホームを確保し，個室に入所させることを請求しうる具体的権利の存在は否定された。堀勝洋「社会保障法判例」『季刊社会保障研究』28巻4号（1993年）436頁以下参照（1審評釈）。

る[84)]。

5　憲法29条

憲法29条が規定する財産権の保障は，社会保障の権利との関連では2つの側面から問題となり得る。

第1に，社会保障受給権の財産権的性格をめぐる問題がある。換言すれば，社会保障給付に対する憲法上の財産権保障がどの程度及び得るかという問題である。この点は，後述するように特に年金受給権との関連で論じられる[85)]。

第2に，社会保険料等の費用負担をめぐる問題がある。具体的には，社会保障給付の財源の相当部分が社会保険料で賄われており，同保険料は強制徴収の対象となっていることから，そうした取扱いが負担者の財産権侵害となるのではないかが問題となり得る。理論的には，利用料や一部負担金の徴収にあたっても同様の問題が生じ得る。ただし，社会保険料については，国民皆保険体制になる前の事案において，国民健康保険への加入強制につき，憲法29条1項所定の財産権を故なく侵害するものではないとした最高裁判決[86)]があり，国民年金についても同様の判断を示した下級審裁判例[87)]がある。また社会保険料等の徴収により費用負担者の生活が最低生活水準を割り込むような事態が生じた場合，そうした徴収自体の憲法適合性が，憲法25条1項との関係で問題とな

84)　最近の立法動向として，相談支援の法定化が進んでいる（生活困窮者自立支援法，障害総合支援51条の5以下など）。こうした支援は，「伴走型支援」「寄り添い型支援」として，継続して行われることが想定されている。ただし，相談支援は，金銭・現物・サービス給付のような実体的な保障の一内容というよりも，人びとの「自律」に向けた取り組みを継続的に支援するプロセスそれ自体を確保するという意味での手続保障的性格を有し，それゆえ定量的な水準の保障という捉え方に馴染みにくい。相談支援の規範的要請は，直接的には憲法25条2項に求められ，より根源的には憲法13条に求められる。第3節第2款1④参照。

85)　逆にいえば，社会保障受給権の財産権的性格が論じられるのは，個人の拠出が長期間にわたって求められる年金受給権にほぼ限定されるとも言い得る。福島豪「公的老齢年金制度におけるスライド」『社会保障法』31号（2016年）30頁。最近では，2012（平成24）年国年法等改正による特例水準の解消に伴う年金減額につき，憲法29条等違反が争われた札幌地判平31・4・26訟月65巻8号1183頁，仙台高判令3・2・24判例集未登載（LEX/DB文献番号25569452）等の一連の判決などがある（いずれも憲法違反ではないとされた）。

86)　最大判昭33・2・12民集12巻2号190頁。

87)　京都地判平元・6・23判タ710号140頁。

り得る。しかし最高裁は，国民健康保険料につき[88]，恒常的生活困窮者には生活保護法による保護を予定して市町村国保の被保険者としていないこと，国保法81条を受けて定められた条例では低額所得被保険者の保険料負担の軽減を図るため，応益負担分についての減額賦課を定めていること，同条例では応能負担である所得割額を賦課期日の属する年の前年の所得を基準に算定するものとしていることから，憲法25条に違反しないとした。また介護保険料[89]についても，介護保険制度が国民の共同連帯の理念に基づき設けられたものであることに鑑み，同条に反しないとの判断を示している。

6　憲法26条

憲法26条は，教育を受ける権利（1項）と義務教育の無償（2項）などを定める。後述するように（第2節第2款**2**），社会保障の目的が「主体的な生の追求を可能にするための前提条件の整備」であり，一人ひとりの子どもの個性・能力に応じた発達支援を実効的に保障することが求められるとすれば[90]，教育権も社会保障の権利の実現に密接に関わるものと言うことができる。

教育内容とは別個に，教育を受けるための経済的基盤の確保は，生活保護法上の教育扶助（生活保護13条）・生業扶助（同17条）[91]のほか，学校教育法（同法19条）等の教育法制[92]において立法化されている部分も多いとはいえ，理論的には一体として把握できる面を有し，体系的な整備が求められる[93]。最近，児童福祉施設である保育所と学校教育法上の学校である幼稚園を統合する幼保一元化に向けた動きがみられ[94]，子ども・子育て支援法では子ども・子育て支

88）最大判平18・3・1民集60巻2号587頁。

89）最3判平18・3・28・前掲（注25）。同判決は，介護保険料の特別徴収制度についても合憲とした。

90）菊池・将来構想24頁。

91）高等学校等への就学費用は技能習得費として支給され，大学進学にあたっては進学準備給付金（生活保護55条の5）が支給される。

92）「就学困難な児童及び生徒に係る就学奨励についての国の援助に関する法律」，「義務教育諸学校の教科用図書の無償措置に関する法律」参照。

93）貧困児童を対象に，社会保障法制の教育的機能に着目する論稿として，常森裕介「社会保障法における児童の自立――アメリカ貧困児童法制の総合的考察」『社会保障法』28号（2013年）198頁以下。

94）「就学前の子どもに関する教育，保育等の総合的な提供の推進に関する法律」（平18法77）

援給付の一環として，認定こども園，幼稚園，保育園を通じて共通化した施設型給付を含む教育・保育給付を設けたが，こうした施設や給付は憲法上も（25条・26条を設置根拠とするという意味で）複合的な性格を有するものと位置付けられよう。

7　憲法27条

憲法27条1項は，勤労の権利と義務を定める。高度経済成長期に大企業を中心に構築された終身雇用，年功賃金等の日本型雇用慣行が揺らぎをみせ，非正規雇用が増大した状況下にあって，未就業者，長期失業者，非熟練労働者などへの職業訓練・就労支援の重要性が増している。こうした就労支援等は所得保障などによる生活手段の確保を不可欠の前提とすること，就労・労働という営みそれ自体が「主体的な生の追求」であることからすれば，勤労権ないし労働権も社会保障の権利と密接な関連性を有している[95]。

憲法25条の生存権と憲法27条1項の勤労の義務との関係につき，有力な憲法学説は，「勤労の能力があり，その機会があるのにかかわらず，勤労しようとしない者に対しては，生存権や労働権の保障が及ばないというかぎりで，勤労の義務に法的意味を認める」ものとされる[96]。したがって，客観的にみて稼働能力があり，ソーシャルワーク等による支援の必要性も存しないにもかかわらず確信犯的に就労しない者のために生存を確保するための施策を講ずべき規範的要請は働かない[97]。最近，所得調査を必要とせず，就労義務とも切り離され，稼働能力ある成人も含めまったくの無条件で一律に金銭給付を行うという意味でのベーシック・インカム（BI）構想が論じられているけれども，上記の

により，認定子ども園が設置された後，2012（平成24）年改正により，学校及び児童福祉施設としての法的位置づけをもつ「幼保連携型認定こども園」が創設され，認可・指導監督を一本化した。

95）労働権の保障には，一般的な職業紹介・職業訓練にとどまらず，個々人の状況やニーズに応じた個別的・積極的な就労支援を含み，またその射程は労働者や失業者のみならず貧困者・生活困窮者にまで及ぶと考えられる。菊池馨実「貧困と生活保障――社会保障法の観点から」『日本労働法学会誌』122号（2013年）118頁。

96）樋口ほか・前掲書（注46）195-196頁〔中村執筆〕，野中俊彦ほか『憲法Ｉ〔第5版〕』（有斐閣，2012年）564頁〔野中執筆〕。菊池馨実「社会保障法学と労働法学」日本労働法学会編『講座労働法の再生第6巻　労働法のフロンティア』（日本評論社，2017年）285頁参照。

97）菅野和夫『労働法〔第12版〕』（弘文堂，2019年）30頁参照。

ような憲法構造の理解からは支持できず，政策論として適切とも思われない[98]。

8　その他の憲法規定と社会保障法

このほか，必ずしも国民の権利の問題としてではないが，社会保障法の適用関係において憲法規定が問題となることがある。

まず社会保障の給付とりわけ医療・介護等のサービス給付は，民間の提供主体によってなされることが多い。他方，憲法22条1項で保障されている職業選択の自由の中には営業の自由を含むと考えられている。ただし，誰でも無制限に給付主体になることは想定されておらず，たとえば医療保険では，医療法上の病院の開設許可（医療7条1項）のほか，保健医療機関の指定（健保65条1項）を受ける必要がある。この点につき，医療法に基づく病院開設中止勧告（医療30条の11）に従わないことを理由とする保険医療機関指定拒否処分（健保65条4項2号）につき，最高裁は憲法22条1項に反せず適法とした[99]。

前章でも触れたように（第1章第2節第5款**2**(6)），社会保険料負担などの金銭の徴収に際し，憲法84条のいわゆる租税法律（条例）主義の適用が問題となる。この点につき，最高裁は，国民健康保険料につき，保険給付を受け得ることに対する反対給付として徴収されるものであること，強制徴収されるのは社会保険としての国民健康保険の目的及び性質に由来するものであることから，租税の意義として挙げられる「非対価性」「権力性」[100]を否定し，憲法84条が直接適用されることはないとする一方，租税に類似する性質を有することから同条の趣旨は及ぶとした[101]。このほか，介護保険第1号被保険者に課する介

98）菊池・将来構想34頁。秋元美世「ベーシックインカム構想の法的検討」新講座3 130頁も，生存権保障の問題として位置づけることの困難性を指摘する。AI社会に向けたBI構想の検討として，水島郁子「AI社会に向けた社会保障法上の課題」『季刊労働法』275号（2021年）79-82頁。

99）最1判平17・9・8判時1920号29頁。このほか大阪高判令3・7・9裁判所ウェブサイト（LEX/DB文献番号25571688。あん摩マッサージ指圧師，はり師，きゅう師を教育する学校等の認定につき，視覚障害者以外の者を教育する学校等について，必要があると認めるときは認定しないことができる旨の規定が憲法22条1項に反しないとされた例）。

100）金子宏『租税法〔第24版〕』（弘文堂，2021年）10頁。

101）最大判平18・3・1・前掲（注88）。同判決は，選択的に課すことができる国民健康保険税については，形式が税である以上，憲法84条が適用されるとした。これに対し，保険料と保険税を区別しない考え方として，江口210頁，倉田・構造分析199頁。

護保険料率を，政令で定める基準に従い条例で定めるところにより算定する旨規定する介護保険法129条2項が，憲法84条の趣旨に反しない旨判示したもの[102]，児童福祉施設である保育所の保育料につき同条の租税に当たらないとしたものがある[103]。租税法律主義の適用ないし類推適用は，財政調整に基づく拠出金負担（前期高齢者納付金〔高齢医療36条以下〕・後期高齢者支援金〔同118条以下〕など）についても問題となる[104]。

憲法89条後段は，慈善・博愛の事業に対する公金の支出等を禁止している。公私分離の思想を背景とした公金支出禁止規定は，措置委託や社会福祉法人といった戦後の社会福祉事業を特徴づけた制度枠組みに影響を及ぼした。同条にいう「慈善・博愛の事業」の意義，「公の支配」の意義などについては，社会サービス保障の章で詳述する（第8章第1節第3款**2**）。

第3款　社会保障受給権

1　受給権の法的性格

社会保障給付を受ける権利すなわち社会保障受給権の性格については，制度毎に異なっており一律でない[105]。以下では主なものを取り上げ，法律の構造や判例・裁判例の立場を手がかりに法的性格をみておきたい。

(1)　労働保険・年金保険

社会保険給付の中でも労災保険につき，「労働者災害補償保険法による保険給付は，同法所定の手続により行政機関が保険給付の決定をすることによって給付の内容が具体的に定まり，受給者は，これによって，始めて政府に対し，

---

102)　最3判平18・3・28・前掲（注25）。租税法律（条例）主義の趣旨に反すると主張する学説として，碓井97頁。

103)　最2判平2・7・20・前掲（注25）。

104)　江口200頁。国や地方公共団体以外の公法人等が保険者になる場合にも憲法84条の趣旨は及ぶ。最3判平18・3・28・前掲（注25）。碓井光明「財政法学の視点よりみた国民健康保険料——旭川市国民健康保険料事件判決を素材として」『法学教室』309号（2006年）28-29頁。憲法84条を含めた財政調整の法的規整の総合的検討として，新田秀樹「財政調整の根拠と法的性格」『社会保障法研究』2号（2013年）63頁以下。

105)　太田匡彦「権利・決定・対価(1)～(3)」『法学協会雑誌』116巻2号1頁以下，3号1頁以下，5号70頁以下（1999年）参照。

その保険給付を請求する具体的権利を取得するのであり，従って，それ以前においては，具体的な，一定の保険金給付請求権を有しないとした原判決の解釈は正当」と説示した最高裁判決がある[106]。このように，法定の受給要件を充足しても，受給権は抽象的なものにとどまり，具体的請求権は行政庁の決定たる裁定（行政処分）をまって発生するとの考え方は，年金保険でも踏襲されている[107]。このことが意味するのは，保険料納付済期間と保険料免除期間が10年以上ある者が65歳に達することにより，老齢基礎年金の支給要件を充足するとはいえ（国年26条），この段階で直接給付を求める訴えを提起することはできず，日本年金機構に年金請求書を提出し，裁定を受けなければならないということである。ただし，支給要件を充足した時点で，抽象的な受給権は発生しており[108]，後述する支給水準引下げ等の議論との関係では財産権保障（憲法29条1項）の対象となり得る[109]。なお裁定により受給権が生じるといっても，いわゆる基本権が生じるにとどまり，具体的には各月の到来によって当該月分の支分権が生じる[110]。雇用保険の基本手当についても，支給要件の充足を前提とした上で（雇保13条），「失業の認定」（雇保15条3項）を受けた後でなされる行政庁の支給決定により，受給権が具体的に発生するものとされている[111]。こうした受給権の発生メカニズムは，典型的には労働保険や年金保険に係る金銭給付において妥当する。

憲法学における財産権保障をめぐる議論によれば，年金受給権などの公権にも憲法29条の保護が及ぶと解されている[112]。しかし，将来給付分に係る受給権は必ずしも確定的なものではない。この点に関連して，2004（平成16）年改

106）　最2判昭29・11・26民集8巻11号2075頁。

107）　最3判平7・11・7民集49巻9号2829頁。恩給についても同様である。東京地判昭49・9・30判タ315号302頁。これに対し，国家公務員災害補償法に基づく災害補償については，行政処分を介在させず，法の定める要件事実の発生に伴い当然に補償請求権が発生するものとされている。東京地判昭45・10・15判時610号21頁。したがって，通常の民事訴訟ないし公法上の当事者訴訟により，給付を訴求することになる。西村55頁。

108）　その意味で，裁定は形成的行為ではなく確認行為である。最3判平7・11・7・前掲（注107）。

109）　堀・年金〔4版〕244頁，菊池・将来構想90頁。

110）　広島高松江支判昭56・5・13訟月27巻8号1526頁。

111）　横浜地判昭31・1・21労民集7巻1号145頁。

112）　佐藤・前掲書（注63）565頁。

正により給付水準の引下げを伴うマクロ経済スライドが導入された際，既裁定年金受給者に係る年金の名目額が維持されたのは，一応合理性のある仕組みと評価できる[113]。財産権に対する「公共の福祉」による制約を定めた憲法29条2項に加え，憲法25条2項の趣旨をも勘案した場合，既裁定年金の引下げが一切許されないとは言えないであろう[114]。

⑵　医療保険・介護保険

医療保険の場合，基本的に被保険者資格があれば直接給付を受け得る地位にあるといえる。主たる給付である現物給付としての「療養の給付」（健保63条1項，国保36条1項）は，通常，保険医療機関への被保険者証の提示によりなされ，基本的に行政庁による認定などの行為は必要とされない。これに対し，介護保険の場合，行政庁の個別の決定を介さずに指定事業者・施設がサービスを提供するとはいうものの，行政処分である要介護認定を前提とし，原則として介護支援事業者による介護サービス計画の作成を要するなど，医療保険と異なる部分が少なくない。このことは，医療の場合，給付の可否・内容などに係る判断に当たり，医学の専門性に裏打ちされた医師（保険医）の裁量に委ねられる余地が大きいのに対し，福祉・介護サービスについてはこうした意味での専門性に裏打ちされない（したがって，保険者自身が判定せざるを得ない）ことに由来する部分が大きい。

---

113)　菊池・将来構想100頁，中野妙子「老齢基礎年金・老齢厚生年金の給付水準――法学の見地から」『ジュリスト』1282号（2005年）69-73頁。マクロ経済スライド発動の前提として，特例水準の解消に伴う年金減額につき，憲法29条違反か争われ合憲とされた裁判例として，仙台高判令3・2・24・前掲（注85）など参照。

114)　菊池・将来構想90-99頁。2016（平成28）年改正により，①マクロ経済スライドにつき，年金の名目額が前年度を下回らない措置を維持しつつ，賃金・物価上昇の範囲内で前年度までの未調整分を含めて調整することとしたほか（キャリーオーバー。国年27条の4，厚年43条の5），②賃金変動が物価変動を上回る場合，賃金変動に合わせて年金額を改定する考え方を徹底し，賃金下落時には既裁定年金の名目額の引下げもあり得ることとした（国年27条の2，厚年43条の2）。嵩さやか「公的年金と財産権保障」荒木尚志ほか編『労働法学の展望　菅野和夫先生古稀記念論集』（有斐閣，2013年）737頁以下では，憲法29条の財産権保障には既得権保護としての側面と制度保障としての側面があることを前提に，主に後者の側面について対価性・等価性のある一定のものの制度保障を分析し，高所得者への老齢基礎年金の支給停止案の評価を行っている。公費負担相当部分の引下げ論が主張されることがある中にあって，最初から国庫負担相当部分と保険料負担相当部分を分けて財産権としての強弱を議論することは妥当でない旨の指摘は重要である。

⑶　社会手当

児童手当や児童扶養手当などの社会手当についても，社会保険としての年金などと同様，市町村長（児手7条1項）や都道府県知事（児扶手6条1項・特児扶手5条1項）の認定を受けなければならない。これらの手当の支給は，認定請求をした日の属する月の翌月から開始され（児手8条2項，児扶手7条1項，特児扶手5条の2第1項），支給要件を充足した時点に遡って支給されることはない。行政解釈によれば[115]，この認定（行政処分たる性格を有する）は年金受給権のような確認行為ではなく，形成的行為（設権行為）であるとされる[116]。この点は，支給開始時期が事前の拠出に基づくか否かによって異なるという意味で，拠出に基づく給付である社会保険との法的性格の違いを表しているとみることができる。

⑷　生活保護

生活保護法は，憲法25条1項の趣旨を直接実現するために設けられた立法として位置づけられる。朝日訴訟最高裁判決によれば，「生活保護法の規定に基づき要保護者または被保護者が国から生活保護を受けるのは，単なる国の恩恵ないし社会政策の実施に伴う反射的利益ではなく，法的権利であ」[117]るとされた。具体的な受給権は，行政処分（形成的行為）たる行政庁の保護開始決定をまって発生し，開始決定の効力発生時期は申請時である。生活保護については，⑴ないし⑶で取り上げた諸給付と同様に申請主義が原則であるものの，職権主義（急迫保護）の規定がおかれている（生活保護7条但書）点が特徴的である。また拠出に基づく給付であることから財産権保障への配慮をより強く受け得る年金受給権と同程度に，将来給付分に係る受給権が法的保障の対象となるわけではない。ただし最高裁は，老齢加算の廃止につき，基本的に厚生労働大臣の裁量判断に委ねながらも，保護基準によって具体化されていた期待的利益の喪失に配慮した判示を行った[118]。

⑸　社会福祉

社会福祉分野では，サービス提供に係る行政庁への権限付与規定（「できる規

115）　児童手当制度研究会監修『五訂児童手当法の解説』（中央法規，2013年）110頁。

116）　これに対し，確認行為とするものとして西村57頁。

117）　最大判昭42・5・24・前掲（注23）。

118）　最3判平24・2・28・前掲（注18）。

定」）が少なくない（児福20条，身福18条1項・20条，知福15条の4，老福10条の4など）。この規定を根拠にして，サービス利用者の受給利益の法的権利性を導くことは一義的には難しい[119]。これに対し，義務付け規定（「しなければならない」）の形式になっていても，従来，措置制度（福祉サービス給付の可否・内容を行政処分たる行政庁の決定を通して一方的に決定する仕組み。第8章第1節第4款**3**⑴）の下，給付を受ける利益の法的権利性は認められない（反射的利益にすぎない）というのが，行政解釈及び一部の裁判例の立場であった[120]。こうした観点からは，申請権すら認められないことになる。これに対し学説は，行政裁量を伴わざるを得ないことを認めつつも，申請権や一定の請求権の存在を認めてきた[121]。

福祉サービスの社会保険化（介護保険）に伴う措置制度から直接契約制への移行に際し，サービス受給の権利性（選択権）を認めるものであるとの積極的な評価がなされた。ただし法的には，客観的になされる要介護認定を経て，要介護度に応じた介護サービス費の支給を受け得る法的資格が生じるにとどまり，具体的なサービスは施設・事業者との契約締結により受給することになる。2000（平成12）年社会福祉事業法等改正により導入された支援費支給制度や，これを継承した2005（平成17）年障害者自立支援法（2012〔平成24〕年改正で障害者総合支援法と改称）による自立支援給付も同様である。ただし，自立支援給付のサービス支給量は，障害支援区分認定（障害総合支援21条）に加え，介護を行う者の状況や障害者等の置かれている環境などを勘案した支給決定（同22条）により定められ，行政庁の裁量の幅が広く認められているようにみられる。しかしながら，裁判例においては，介護給付費に係る義務付け判決など積極的に受給権保障を図るものがみられ，注目される[122]。

---

119)　裁量瑕疵のない決定を求める権利があるとするものに，河野・権利構造104-105頁。

120)　厚生省社会局老人福祉課監修『老人福祉法の解説〔改訂版〕』（中央法規，1987年）88-89頁，東京高判平4・11・30判例集未登載（本判決の紹介として，堀・総論〔2版〕163-164頁参照）。

121)　堀・総論〔2版〕211-212頁。

122)　前掲（注62）掲記の大阪高判平23・12・14など参照。

2　受給権の主体

(1)　受給権の主体

法律上の要件を充たす者に社会保障給付を行う際，受給権の主体すなわち権利の名宛人が誰かが問題となる。具体的には，社会保障給付の要否・程度を裁判上争う際，原告適格の有無という形で問われる。従来の裁判例では，生活保護につき，保護世帯構成員にも保護変更処分の取消しを求める原告適格があるか[123)]，厚生年金保険法及び健康保険法上の被保険者資格取得の確認につき被扶養者に原告適格があるか[124)]，介護保険法上の介護予防住宅改修費支給決定取消処分の取消請求につき施行事業者に原告適格があるか[125)]，などが争われてきた。子どもの存在を契機としてなされる給付であっても，保育所などのサービス給付は児童本人の受給利益の法的権利性が前提となっているのに対し[126)]，児童手当・児童扶養手当・特別児童扶養手当の受給資格者は保護者等であり，前二者に関しては「家庭等における生活の安定」（児手1条）「家庭の生活の安定と自立の促進」（児扶手1条）が法目的として含まれる。しかし，「児童の健全な育成及び資質の向上」「児童の福祉の増進」も目的として掲げられている以上，児童本人の受給利益の法的権利性を認めることも可能と考えられる（児手12条，児扶手16条参照）。特別児童扶養手当に関しては，もっぱら当該障害児の福祉の増進を図ることが目的であることから（特児扶手1条），このことがより直接的に妥当する。

(2)　外国人に対する保障

社会保障は国民国家を前提として発展を遂げてきた。日本でも，外国人への社会保障各法の適用が当然になされてきたわけではない。1981（昭和56）年難民条約の批准により，国民年金法，児童扶養手当法等から国籍要件が削除されたものの，依然として外国人に対する適用が及ばない制度がある。とりわけ深刻な事態を生じるのは，不法滞在者の緊急医療が問題になるケースである[127)]。

---

123)　中嶋訴訟では，第1審判決（福岡地判平7・3・14訟月42巻7号1664頁）が，世帯構成員にすぎない子らの利益は単なる事実上のものであるとしたのに対し，控訴審判決（福岡高判平10・10・9判時1690号42頁）は，世帯構成員も保護受給権を有し，取消しを求める利益を有するとした。

124)　東京地判昭58・1・26判タ497号139頁（消極）。

125)　大阪地判平26・3・14判例自治394号81頁（消極）。

126)　最1判平21・11・26民集63巻9号2124頁（保育所廃止・民営化訴訟〔横浜市〕）参照。

最高裁は，国民健康保険法5条における「住所を有する者」にあたるとして，不法滞在者への同法の適用を限定的に認めたものの[128)]，その後の法施行規則の改正により明文上適用除外とされた（国保6条11号，国保則1条1号）。生活保護の適用も否定され，こうした扱いは憲法25条にも反しないとされている[129)]。

不法滞在者への扱いとは別に，永住外国人を含む一定範囲の外国人については，生活保護法が「国民」という文言を用いているにもかかわらず，同法の準用による法的保護の対象になるとの高裁判決が出されたのに対し[130)]，最高裁は，「外国人は，行政庁の通達等に基づく行政措置により事実上の保護の対象となり得るにとどまり，生活保護法に基づく保護の対象となるものではなく，同法に基づく受給権を有しない」と判示した[131)]。

3　受給権の保護

社会保障給付は，受給権者の生活保障を目的とするため，受給権保護規定がおかれることが多い。

第1に，受給権の譲渡禁止・担保付与禁止，受給権・支給金品の差押禁止（生活保護58条，59条，国年24条，厚年41条1項，健保61条，国保67条，労災12条の5第2項，雇保11条，介保25条，障害総合支援13条，児手15条，児扶手24条，児福57条の5第2項など）がある。

これらのうち譲渡禁止の効果として，受給権者が第三者に給付の受領権限を付与する契約は無効と解される[132)]。担保付与禁止との関連では，年金受給権を法律で定めるところにより担保に供することは認められ，独立行政法人福祉

127)　業務上災害であれば，不法滞在者でも「労働者」（労災1条）に該当する以上，労災保険の適用を受け得るし，使用者に対する損害賠償請求も提起し得る。最3判平9・1・28民集51巻1号78頁。

128)　最1判平16・1・15民集58巻1号226頁。

129)　最3判平13・9・25・前掲（注25）。

130)　福岡高判平23・11・15訟月61巻2号377頁。

131)　最2判平26・7・18訟月61巻2号356頁。第6章第3節第2款参照。

132)　西村63頁。最1判昭30・10・27民集9巻11号1720頁は，第三者に恩給証書と恩給受領についての委任状を交付し，第三者が受領した恩給によって恩給受領権者の債務を弁済する契約自体を有効としながら，同契約の解除権の放棄又は不解約の特約を，恩給法11条の脱法行為であって無効とした。

医療機構や日本政策金融公庫などが年金担保融資を行ってきたものの，生活費に充てられるべき年金が返済に充てられ利用者の困窮化を招くこと等の指摘を踏まえ，2010（平成22年）の閣議決定において廃止することとされ，2020（令和2）年改正により2022（令和4）年3月をもって軍人恩給等を除き新規申込受付を終了した（国年24条，厚年41条1項，恩給11条1項但書）。金融機関からの借入金の返済方法として，普通預金口座に振り込まれた年金を借入金の弁済にあてることとし，債務の弁済まで預金口座の不解約特約を付すことについては，特約を無効とは言えないとする裁判例がある[133]。差押禁止との関連では，老齢基礎年金及び付加年金（国年24条但書），老齢厚生年金（厚年41条1項但書）などを国税滞納処分の例により差し押さえることが，例外的に認められている[134]。

第2に，租税その他公課の禁止（生活保護57条，国年25条，厚年41条2項，健保62条，国保68条，労災12条の6，雇保12条，介保26条，障害総合支援14条，児手16条，児扶手25条，児福57条の5第1項など）がある。ただし，老齢基礎年金及び付加年金（国年25条但書），老齢厚生年金（厚年41条2項但書）などについてはこの限りでなく，所得税法上雑所得として課税対象となる（所税35条）。ただし，公的年金等控除により税額は相当程度軽減されている[135]。

生活保護法は，正当な理由がなければ，既に決定された保護を不利益に変更することを禁止し（生活保護56条），労災保険法は，保険給付を受ける権利は

133）東京高判昭63・1・25判時1276号49頁，最3判平10・2・10金判1056号6頁。同旨，西村63頁。こうした扱いが，担保付与禁止規定の趣旨に反する疑いがある旨述べるものとして，堀・総論〔2版〕241頁。さらに堀・年金〔4版〕283頁は，年金が年金専用口座に振り込まれる都度，金融機関がその年金に係る預貯金債権を自働債権とする相殺を行うような場合は，担保付与禁止規定に違反するとする。

134）差押禁止債権に係る金員が金融機関の口座に振り込まれることによって発生する債権は，原則として差押禁止債権としての属性を承継しない。最3判平10・2・10・前掲（注133）。例外的にほぼ全額が児童手当を原資とする預金債権の差押えが違法とされた例として，広島高松江支判平25・11・27金判1432号8頁。

135）老齢年金の課税対象とされた理由を，その貯蓄的性格と，社会保険料控除として所得から控除されている点にあるとした上で，前者はほぼ賦課方式に移行した点で説得力を失っており，後者もその趣旨は遺族年金・障害年金にも当てはまるとし，障害年金及び遺族年金との均衡上，これらの年金に対する非課税措置を廃止し，公的年金等控除の適用を主張するものとして，堀・年金〔4版〕293頁。

労働者の退職によって変更されることがない旨規定し（労災12条の5第1項），受給者の法的地位に配慮している。

4　権利の制限・消滅

(1)　権利の制限

社会保障受給権には，様々な給付制限事由が規定されている。

第1に，併給制限（併給調整）である。複数給付の受給権が同一人に重複して発生する場合，一方を支給し，他方の全部又は一部の給付が支給停止（国年20条，36条，41条，厚年38条，46条，54条など）又は不支給（児扶手4条2項2号など）とされることがある。併給制限をめぐっては，その合憲性をめぐってしばしば争われてきた（第2款**3**）。

第2に，所得制限である。受給者に一定以上の所得がある場合，減額，支給停止又は不支給とされる場合がある。こうした仕組みは，拠出に基づかない給付には一般的にみられる（国年36条の3，児手5条1項，同附2条1項，児扶手9条など）。

第3に，給付免責である。第三者の加害行為による負傷・障害・死亡等の場合，被害者側が社会保険給付より先に加害者から損害賠償を受けると，その賠償の価額の限度で保険者は，同一事由に基づく保険給付を行う責任を免れるとの規定がおかれ（国年22条2項，厚年40条2項など），これを給付免責という。詳しくは第4款**2**で述べる。

第4に，給付制限である。給付を受けるべき者に帰責事由がある場合，制裁措置として給付制限が課される。給付制限事由としては，①保険事故を故意に生じさせた場合，故意の犯罪行為，重大な過失，闘争・泥酔・著しい不行跡による場合（国年69条～71条，厚年73条，74条，76条，国保60条，61条，健保116条，117条，介保64条，労災12条の2の2等），②不正受給の場合（国年23条，厚年40条の2，国保65条1項，健保58条1項，介保22条1項，労災12条の3第1項，雇保10条の4第1項等），③医療を受ける際に療養上の指示・受診命令に従わない場合（国保62条，健保119条等）などがある。社会保険の保険料滞納は，年金保険については受給資格・給付額に反映されるのに対し，医療保険・介護保険については，保険給付の全部又は一部の一時差止め（国保63条の2第1項・2項，介保67条1項・2項），被保険者証の返還と被保険者資格証明書の発行による償還払い化（国保9条3項以下），被保険者証への支払い方法変更の記載による償還払い化（介保66条）などの制裁的措置がある。

(2)　権利の消滅

社会保障受給権は，受給権者の死亡，時効の成立，その他支給事由の消滅ないし失権事由の発生などにより消滅する。

社会保障受給権は，基本的には受給権者の死亡によって消滅する。社会保障給付には，受給権に相続財産性が認められないという意味で，一身専属性があるといわれる（民896条但書）。相続とは異なった仕組みとして，受給権者が死亡した場合，その死亡した者に支給すべき給付でまだその者に支給しなかったものがあるときは，未支給の給付として法定の親族の請求に基づき支給される（国年19条，厚年37条，労災11条，雇保10条の3）[136)]。

判例によれば，生活保護受給権の相続財産性が否定され[137)]，年金でも未支給年金（国年19条，厚年37条）の相続財産性が否定されている[138)]。他方，介護保険法に基づく居宅介護サービス費の支給を受ける権利の相続財産性につき，被保険者のみならずサービスを提供した指定居宅サービス事業者にも固有の支給請求権が発生する場合があるという権利の性格に鑑みれば，「当該権利は，その存続が第三者である指定居宅サービス事業者の利害にも関係を有するものであり，居宅要介護被保険者の一身に専属する性質の権利であるとはいえず，相続の対象となる」と判示した下級審裁判例がある[139)]。このことは，各法の権利の性格によっては相続財産性が認められる余地があることを示唆している[140)]。

次に，社会保障受給権は時効によって消滅する。国及び地方公共団体による

136)　岩村Ⅰ67頁，西村69-70頁は，法所定の遺族がいない場合，相続人が自己の名で未支給の給付を請求できるとする。公務員共済では，従前，支給すべき遺族がいないとき，相続人に支給する旨を明文で定めていたが，いわゆる被用者年金一元化により，厚生年金の規定に揃えられた（国公共済44条1項，地公共済47条1項）。

137)　最大判昭42・5・24・前掲（注23），最3判昭63・4・19判タ669号119頁。

138)　最3判平7・11・7・前掲（注107）。

139)　東京地判平20・2・22裁判所ウェブサイト（LEX/DB文献番号25421218）。

140)　最1判平29・12・18民集71巻10号2364頁は，被爆者援護法上の健康管理手当認定申請却下処分等の取消訴訟等につき，国家補償的配慮が制度の根底にあることをひとつの理由として，受給権の一身専属性を否定し，相続財産性を肯定した。

金銭の給付に係る権利は，後述するように法律に規定がある場合はその定めによるほか（児手23条1項，児扶手22条等），5年間の消滅時効にかかる（会計30条，自治236条1項）。国及び地方公共団体以外の私人が当事者となっている場合[141]，法律に特別の定めがない限り民法の消滅時効の規定が適用される（民166条以下）。療養の給付や措置制度下の福祉サービスなどの現物給付については，給付事由があればいつでも請求でき，過去分の給付が不可能であるため，消滅時効は問題とならない[142]。

社会保障分野のうち時効の問題が生じることが多い社会保険に係る特則として，年金給付を受ける権利については5年（国年102条1項，厚年92条1項），それ以外の給付については2年（健保193条1項，国保110条1項，介保200条1項，雇保74条）の消滅時効が定められている。労災保険では，障害補償給付，遺族補償給付を受ける権利は5年，療養補償給付，休業補償給付，介護補償給付，葬祭料を受ける権利は2年で時効消滅する（労災42条）。

年金給付につき，「保険給付を受ける権利」（基本権）及び「当該権利に基づき支払期月ごとに支払うものとされる保険給付の支給を受ける権利」（支分権）は，5年の消滅時効にかかる（厚年92条1項。国年102条1項は「年金給付」との文言を用いているが同義）[143]。

保険料その他法律の規定による徴収金を徴収し，又はその還付を受ける権利

141）国等が当事者でも，私人相互間における金銭債権・債務関係と評価される場合（たとえば，安全配慮義務違反による損害賠償），会計法30条は適用されない。西村72頁。最3判昭50・2・25民集29巻2号143頁。

142）堀・総論〔2版〕259頁。

143）2007（平成19）年のいわゆる年金時効特例法以前，「保険給付を受ける権利」についてのみ規定がおかれ，支分権は会計法30条により5年の時効にかかるものとされていた。『厚生年金保険法解説〔改訂版〕』（法研，2002年）1041-1042頁。ただし，行政による運用は，基本権には民法145条が適用され，基本的には時効の援用をしないとの取扱いがなされていた。吉田尚弘「厚生年金保険の保険給付及び国民年金の給付に係る時効の特例等に関する法律」『ジュリスト』1341号（2007年）96頁。立法論としても，消滅時効の対象は年金の支分権に限定すべきとするものに西村74頁。これに対し，年金時効特例法では明文で会計法の規定を適用しないこととし（国年102条3項，厚年92条5項），金銭の給付を目的とする国の権利の時効による消滅について援用を要しない旨規定する会計法31条の適用を排除し，このことにより時効の援用を必要とする民法の原則に戻り（民145条），保険者は時効の利益を放棄できることになった。なお，厚生年金基金・国民年金基金については，債権等の消滅時効を定める民法166条が適用される。

は2年の消滅時効にかかる（国年102条4項，厚年92条1項，健保193条1項，国保110条1項，介保200条1項等）。

民法上の消滅時効は，権利を行使することができることを知った時（主観的起算点。5年）もしくは権利を行使することができる時（客観的起算点。10年）から進行する（民166条1項）。他方，年金給付を受ける権利（基本権）の消滅時効の起算点は「支給すべき事由が生じた日」（老齢基礎年金であれば，保険料納付済期間又は保険料免除期間を有する者が65歳に達した日〔国年26条〕），支分権の消滅時効の起算点は「支払期月の翌月の初日」である（国年102条1項，厚年92条1項）[144]。時効障害事由として，民法は，裁判上の請求，支払督促，和解，民事調停，破産手続への参加等の完成猶予事由と，確定判決，承認等の更新事由を挙げている（民147条以下）。社会保険の特則として，審査請求及び再審査請求を裁判上の請求とみなす旨の規定が置かれている（国年101条3項，厚年90条3項，健保189条3項，国保91条2項，介保183条2項，労災38条3項，雇保69条3項）。給付請求については明文の規定がないが，学説は審査請求及び再審査請求に関する規定を類推適用して中断効を認める[145]。このほか，年金給付がその全額につき支給停止されている間，年金給付を受ける権利（基本権）の時効は進行しない旨の規定がおかれている（国年102条2項，厚年92条3項）。

社会保障受給権は，受給権者の死亡以外にも支給事由の消滅や失権事由の発生により消滅する。具体的には，給付の原因となった事由の消滅（医療保険・労災保険における傷病の治癒，介護保険における要介護・要支援状態の解消，雇用保険における就職，年金保険における障害の状態の解消〔ただし国年35条2号・3号，厚年53条2号3号〕），支給期間の満了ないし一定年齢への到達（傷病手当金〔健保99条2項〕，雇用保険基本手当〔雇保22条〕，児童手当〔児手4条1項〕等），身分関係の変動などによる支給を不相当とする事由の発生（遺族年金における親族関係の消滅（受給権者の婚姻，直系血族又は直系姻族以外の養子となること，離縁〔国年40

144)　本文で述べたような形で，2020（令和2）年改正民法施行と同時に年金給付の消滅時効に係る規定が整備される以前の事案において，最高裁は，障害年金の支分権の消滅時効の起算点につき，裁定を受けた時ではなく，その本来の支払期（支給すべき事由が生じた月の翌月。国年18条1項，厚年36条1項）から進行するとの判断を示した。最3判平29・10・17民集71巻8号1501頁。

145)　岩村Ⅰ111頁，西村77頁。

条1項，厚年63条1項2号～4号〕）などである。

第4款　損害賠償請求権との調整

1　はじめに

負傷，障害，死亡といった要保障事由が第三者の加害行為によって発生した場合，被害者及びその遺族は，社会保障給付の受給権を取得すると同時に，加害者に対し損害賠償請求権を取得する。この場合，社会保険を中心とした受給権と，損害賠償請求権の競合が生じ，その調整が問題となる。

以下では，損害賠償請求権との調整に関する一般的問題を取り上げる。年金給付の逸失利益性などをめぐる争点については各論で取り上げるので，併せて参照してほしい（第3章第7節）。

2　給付免責

社会保険の受給権者が加害者から損害賠償を受けた場合，重複給付を防ぐとの趣旨から，保険者はその価額の限度で給付を行う責を免れる（国年22条2項，厚年40条2項，健保57条2項，国保64条2項，介保21条2項，労災12条の4第2項）。これを給付免責という。この場合，保険者が保険給付義務を免れるのは，「同一の事由」についてである。このことは，保険給付の対象となる損害と民法上の損害賠償の対象となる損害が同性質のものであることを意味する[146)]。たとえば，相手方に過失ある交通事故により負傷し休業を余儀なくされた場合，療養の給付と治療費（積極損害），傷病手当金や障害年金と逸失利益がそれぞれ調整の対象となる。慰謝料については「同一の事由」にあたる給付は存在せず，免責の対象とはならない[147)]。

被害者である受給権者が加害者との示談により，損害賠償請求権の全部又は一部を放棄した場合，保険者はその限度において保険給付を行う義務を免れるとした最高裁判決がある[148)]。この点は，不用意に示談した者は保険給付を受

146)　最2判昭62・7・10民集41巻5号1202頁（労災保険法12条の4第2項に係る事案）。堀・総論〔2版〕249頁，岩村Ⅰ90頁，西村82頁。

147)　逆に社会保険給付を受けたとしても慰謝料の請求は可能である。最1判昭37・4・26民集16巻4号975頁（労災保険）。

ける権利を失うという大きな不利益を蒙る点で，学説の反対を受けている[149]。労災保険の行政実務では，年金給付は災害発生後最大限3年間給付免責の対象とするにとどめ，3年経過後は年金を支給する扱いとし，こうした不利益を一定程度緩和している[150]。

3　代位取得

社会保険給付が加害者による損害賠償に先んじてなされた場合，保険者はその給付の価額の限度で，受給権者が第三者に対して有する損害賠償請求権を取得する（国年22条1項，厚年40条1項，健保57条1項，国保64条1項，介保21条1項，労災12条の4第1項）。これを損害賠償請求権の代位取得ないし第三者求償という。ここにいう「第三者」には，加害者のみならず，賠償責任を負う使用者（民415条・715条），自動車損害賠償責任保険の保険者（自賠6条）なども含まれる。労災保険の適用にあたり，労災事故が使用者（事業主）の行為によって生じた場合（使用者行為災害），国からの求償を認めると使用者の労災補償責任を担保するという労災保険の目的に合致しない不合理な結果を生じることから，求償権の行使はできず，当該使用者及びその被用者は「第三者」に含まれない[151]。保険給付を受ける前に被害者が損害賠償を受けた場合，損害賠償請求権は消滅し，代位の余地はなくなるので，求償の対象ともならない[152]。保険者は，保険給付を行う都度，その給付の価額の限度で，被保険者が第三者に対して有する損害賠償請求権を当然に代位取得する[153]。

---

148)　最3判昭38・6・4民集17巻5号716頁（労災保険）。

149)　西村85-86頁。なお**3**参照。

150)　西村87頁は，健康保険，厚生年金等には最3判昭38・6・4・前掲（注148）の射程は及ばず，示談があったことを理由に給付を拒否できないとする。

151)　西村92頁。

152)　最1判平10・9・10判時1654号49頁（国民健康保険）。

153)　最3判昭42・10・31集民88号869頁（国民健康保険）。ただし，労災保険につき，被害者が労災保険給付を受けてもなお塡補されない損害について直接請求権を行使する場合，被害者の直接請求権の額と国に移転した直接請求額の額の合計額が自賠責保険金額を超えるときであっても，被害者は，国に優先して自賠法16条1項に基づき損害賠償額の支払を受けることができる。最1判平30・9・27民集72巻4号432頁。最2判令元・9・6民集73巻4号419頁は，遅延損害金の発生時期につき，後期高齢者医療給付を行った後期高齢者医療広域連合が代位取得した第三者に対する損害賠償請求権に係る債務について，損害賠償金の支払を請求した

先に被害者である受給権者と加害者の示談により，損害賠償請求権の全部又は一部を放棄した場合，保険者はその限度において保険給付を行う義務を免れるとした最高裁判決を紹介したが（2)，その後最高裁は，示談当時予想できなかった後遺症等については，損害賠償請求権を放棄したものではなく[154]，示談による額を超えた額の損害賠償請求権を放棄したものではない[155]との判断を示した。これらの場合，保険給付が行われ国による求償が認められる余地を生じる。

保険者による損害賠償請求権の代位取得の問題とは別に，損害賠償を行った加害者が，社会保険給付の受給権を保険者に対し代位取得（第三者求償）できるかにつき，被災労働者に対し迅速かつ公平な保護をすることを目的としてなされる労災保険法の給付と労働者が失った損害を補填すること自体を目的とする損害賠償とは制度の趣旨・目的を異にするものであるから，使用者（加害者）は賠償された損害に対応する労災保険法に基づく給付請求権を代位取得できない旨判示した最高裁判決がある[156]。

4　被害者側の損害賠償請求権

年金給付の将来分が控除の対象となるかにつき，最高裁は，労災保険及び厚生年金保険につき，いまだ現実の給付がない以上，たとえ将来にわたり継続し給付されることが確定していても，受給権者は第三者に対する損害賠償の請求をするに当たりこのような将来の給付額を損害額から控除することを要しないとし，非控除説の立場をとった[157]。その後最高裁は，「被害者又はその相続人が取得した債権につき，損益相殺的な調整を図ることが許されるのは，当該債権が現実に履行された場合又はこれと同視し得る程度にその存続及び履行が確実であるということができる場合に限られる」と判示し，より具体的に控除すべき範囲を画している（第3章第7節）[158]。控除の対象となるのは，同質性・相

日の翌日ではなく，当該後期高齢者医療給付が行われた日の翌日であるとした。

154)　最2判昭43・3・15民集22巻3号587頁。

155)　最2判昭44・3・28訟月15巻6号654頁。

156)　最1判平元・4・27民集43巻4号278頁。

157)　最3判昭52・5・27民集31巻3号427頁。

158)　最大判平5・3・24民集47巻4号3039頁（地方公務員等共済組合法の退職年金）。控除肯定説の立場からの批判として，岩村Ⅰ93-94頁。最1判平22・9・13民集64巻6号1626頁は，

互補完性の観点から消極損害に限定される[159]。また同様の観点から，損益相殺的調整は，損害の元本との間で行うべきであり（遅延損害金を含まない），制度の予定するところと異なってその支給が著しく遅滞するなどの特設の事情のない限り，その塡補の対象となる損害は不法行為の時に塡補されたものと法的に評価して損益相殺的調整をすることが公平の見地から相当であるとした[160]。他方，最高裁は上述の第三者行為災害と並んで，労災保険の使用者行為災害の事案についても，非控除説の立場を採用した[161]。

加害行為により死亡した場合，一定の遺族に社会保険給付の遺族（補償）給付の受給権が発生する一方，相続権者に損害賠償請求権が発生する。この両者が一致しない場合，受給権者でない相続人の損害賠償額が調整の対象になるのかが問題となる。最高裁は，労災保険の使用者行為災害の事案につき，受給権者（妻）でない者の損害賠償額から受給権者への労災保険給付（遺族補償費，葬祭料）の控除を否定した[162]。同様に第三者行為災害の事案でも，最高裁は非控除説の立場をとる[163]。社会保険給付の受給権者以外の相続人との関係では，損害賠償額の調整は行われないということになろう[164]。

第三者行為災害に係る労災保険給付につき，被災者にも過失があり過失相殺（民418条・722条2項）の対象となる場合，先に過失相殺を行ってから労災保険給付の控除を行うのか，労災保険給付の控除を行ってから過失相殺を行うのかが問題となる。たとえば，損害額が100，労災保険給付の額が30，被災者の過失が2割，加害者の過失が8割とすると，前者の控除前相殺の場合には100×

被害者が不法行為によって傷害を受け，後遺障害が残った場合において受けた労災保険法や公的年金制度に基づく各種給付につき，塡補の対象となる特定の損害と同質であって，かつ，相互補完性を有する損害の元本との間で損益相殺的な調整を行うべきものとした。

159）　最2判昭50・10・24民集29巻9号1379頁（国家公務員災害補償法・国家公務員共済組合法の遺族補償金・遺族年金），最大判平27・3・4民集69巻2号178頁（遺族補償年金）等。

160）　最大判平27・3・4・前掲（注159）。

161）　最3判昭52・10・25民集31巻6号836頁。これに対し，政府が自動車損害賠償保障法72条1項により塡補すべき損害額は，支給を受けることが確定した年金額を控除するのではなく，当該受給権に基づき被害者が支給を受けることになる将来の給付分も含めた年金額を控除すべきとしたものとして，最1判平21・12・17民集63巻10号2566頁。

162）　最1判昭37・4・26民集16巻4号975頁。

163）　最2判昭50・10・24・前掲（注159）。

164）　最2判平16・12・20集民215号987頁（遺族厚生年金）。

0.8－30＝50となり，後者の控除後相殺の場合には（100－30）×0.8＝56となる。このように後者の方が被災者にとって有利であるが，最高裁は，「損害賠償額を定めるにつき労働者の過失を斟酌すべき場合には，受給権者は第三者に対し右過失を斟酌して定められた額の損害賠償請求権を有するにすぎない」とし，前者の立場（控除前に相殺を行う）を採用した[165)][166)]。

また労災民事訴訟において，労災保険法上の労働福祉事業（労災29条）の一環として支給される特別支給金が損害賠償額から控除されるかが問題となり，最高裁は「特別支給金が被災労働者の損害をてん補する性質を有するということはでき」ないとして非控除説を採用した[167)]。

5　使用者行為災害と損害賠償

社会保険給付と損害賠償との調整を論じる際，労災保険の使用者行為災害につき別途触れておく必要がある。労働者の事業場での使用者行為災害については，労基法上の災害補償と労災保険法上の労災保険給付の補償対象となる一方で，民法上の要件を充足すれば損害賠償請求も可能であるからである（併存主義）。労基法上の災害補償は，労災保険法等による給付が行われるべきものである場合，使用者は補償の責を免れる（労基84条1項）。

労基法84条2項によれば，使用者は，同法による災害補償を行った場合，同一の事由について民法による損害賠償の責を免れるとされる。被災者の二重の損害塡補を避ける趣旨である[168)]。労災保険法上も，労基法84条2項の類推適用により，損害賠償との調整がなされると考えられてきた[169)]。

4で述べたように，損害賠償額からの労災保険給付の控除については，第三

165)　最3判平元・4・11民集43巻4号209頁。これに対し，被害者の過失による損害部分を，本来負担すべき保険者ではなく，実質的に被害者に負担させる結果となり，妥当ではないと反対するものに，岩村Ⅰ91頁。

166)　自動車損害賠償保障法72条1項後段による損害の塡補額の算定にあたり，被害者の損害額から過失相殺を行った後に国保法58条1項に基づく葬祭費の支給額を控除するとしたものとして，最1判平17・6・2民集59巻5号901頁。

167)　最2判平8・2・23民集50巻2号249頁（コック食品事件）。これに対し，岩村Ⅰ91頁は，休業特別支給金や，特別年金・一時金は，損害塡補の性格を持つので，調整の対象となるとする。

168)　西村91頁。

169)　最2判昭62・7・10・前掲（注146)。

者行為災害のみならず使用者行為災害についても将来分については控除しないとの判例が確立している[170]。しかし，使用者行為災害の場合，支給が確実でも控除の対象にならないとすることは，沿革的に責任保険的性格を有する使用者の労災保険加入の意義を減殺することになる。そこで1980（昭和55）年労災保険法改正により，使用者の損害賠償の履行猶予制度が設けられたものの（労災64条1項），ほとんど機能していないといわれる[171]。また労働者又はその遺族が保険給付を受けるべきときに，同一の事由について損害賠償を受けたときは，政府は，労働政策審議会の議を経て厚生労働大臣が定める基準により，その価額の限度で保険給付をしないことができることとされている（同条2項）。

第5款　手続的保障

1　参加システムの重要性

社会保障分野では，頻繁に法改正がなされる。また日々の生活を送るうえで欠かすことのできない給付への切迫したニーズが存在することの少なくない社会保障制度の性格上，訴訟等による事後的な権利救済手続では受給権の実効的な確保が望み難い場合もある。したがって，実質的な手続的権利保障の一内容としては，まず政策立案過程への参加が重要な意味をもつ。具体的には各種審議会・委員会，医療・保健・福祉等の各分野において作成される行政計画（医療計画など）への被保険者・受給者等の参加が望まれる。この点に関し，介護保険法は市町村が作成する介護保険事業計画に被保険者代表の参加を義務づけている（介保117条8項）。また障害者基本法は，障害者基本計画策定の際の意見聴取主体である障害者政策委員会の委員に障害者の参加を義務付けるとともに（障害基33条2項），都道府県等における合議制機関の委員構成についても，障害者の意見聴取への配慮等を定めている（同36条2項）。

次に，社会保障制度の管理・運営への参加機会の確保も重要である。社会保障法関係における個人（市民）が，単に受動的な「保護されるべき客体」では

170）　最3判昭52・10・25・前掲（注161）。

171）　西村94頁。岩村Ⅰ94頁は，こうした調整規定が十分に機能するためには，損害賠償額の確定や支払の過程に，必ず社会保険の保険者が関与できるような仕組みを用意する必要があるとする。

なく，能動的な権利義務「主体」である以上，社会保障制度の管理・運営に積極的に参加し，意見を反映できることが望ましい。具体的には，社会保険における保険者自治の側面などがこれに相当し，厚生年金基金・健康保険組合の加入員として代議員会（健全性信頼性確保法附則5条1項1号，平成25年改正前厚年117条，118条）や組合会（健保18条～20条）等を通じての参加，国保運営協議会（国保11条）や全国健康保険協会運営委員会（健保7条の18～7条の20）などを通じての関与，年金積立金管理運用法人の役員として被保険者並びに事業主の利益を代表する者（年金積立金管理運用独立法人法〔平16法105〕7条の2第4項）による公的年金積立金の運用方針決定等への参加などが挙げられる。ただし，現行法の制約の下で保険者自治が実質的に機能していないのではないかという問題がある。こうした保険者単位での自治を積極的に評価することは，社会保障の財源調達方法として，税方式ではなく社会保険方式を支持する積極的な理由ともなる。

2　行政手続法

社会保障法の領域では，給付や負担を基礎付ける権利義務関係が行政処分たる行政庁の決定によって設定されることが多い。行政手続法は，処分，行政指導及び届出について遵守すべき基本的ルールを定めており，社会保障行政の領域にも，後述のように適用除外される場合を除き，原則としてこうした手続的保障が及ぶ。社会保障給付の多くは申請主義を採用していることから，同法第2章（申請に対する処分）に規定する審査基準の定立（行手5条）[172]，審査応答義務（同7条）[173]，理由提示義務（同8条）[174]などの違反が裁判上争われ[175]，行政

172）大阪地判平14・6・28賃社1327号53頁（保育所入所保留処分が法5条3項及び〔平成14年改正前〕8条1項に反し違法とされ国家賠償請求が認容された例）。

173）名古屋高金沢支判平20・7・23判タ1281号181頁（医療法に基づく病院開設中止勧告の取消請求が，5回にわたる申請書の提出を申請として取り扱わなかった点に法7条違反の違法を認めた例），札幌地判平20・9・22訟月56巻3号1134頁（原爆症認定申請について一定の審査期間を要したことをもって法7条違反はないとされた例）。

174）東京高判平13・6・14訟月48巻9号2268頁（医師国家試験予備試験受験資格認定に対する拒否処分が法5条及び同8条に違反するとして取り消された例），東京地判平27・12・11裁判所ウェブサイト（LEX/DB文献番号25532479。障害基礎年金不支給処分に係る理由付記が法8条1項違反として取り消される一方，障害等級2級相当に当たらないとして，義務付け請求が棄却された例），大阪地判平31・4・11判時2430号17頁（I型糖尿病で障害基礎年金を受

庁の対応を違法とする裁判例も少なくない。

生活保護法上の保護の実施及び社会福祉各法上の措置について，不利益処分に際しての意見陳述のための手続（聴聞及び弁明の機会の付与）を規定する行政手続法第3章の規定[176]は，同法12条及び14条を除き適用を除外されている（生活保護29条の2，老福12条の2，児福33条の5，身福19条など）。その理由としては，これらの領域におけるソーシャルワークなどの特殊性を尊重することが挙げられている。その代わりに，弁明の機会付与（生活保護62条4項），理由説明・意見聴取（老福12条，児福33条の4，身福18条の3など）といった手続が規定されているものの，これで十分な手続的保障といえるかについては疑問が残る[177]。このほか労働保険の保険料等の徴収に関する法律は，同法（33条2項及び4項を除く）の規定による処分については，行政手続法第2章及び第3章の規定は適用しない旨定めている（労保徴36条の2）。

3　不服申立手続

行政庁の違法又は不当な処分その他公権力の行使に当たる行為に関しては，行政不服審査法に基づく不服申立ての途が開かれている（行審1条1項）。後述する訴訟とは別に，簡易迅速かつ公正な手続の下で広く行政庁に対する不服申立てをすることができるための制度を定めることにより，国民の権利利益の救

給していた者に対する支給停止処分が法14条〔不利益処分の理由の提示〕に違反するとともに，支給停止を解除しない処分が法8条に違反するとして取り消された例）。

175)　東京高判平17・11・16裁判所ウェブサイト（LEX/DB文献番号28131597）（法11条1項の不遵守のみを理由として処分が取り消されるべきものとはいえないとし，傷病手当金の不支給処分を適法とした例）。

176)　社会保障法領域で不利益処分の際の理由提示要件を定めた法14条1項違反を認めた裁判例として，名古屋高判平25・4・26判例自治374号43頁（知事のした指定通所リハビリテーション事業者の指定を取り消す処分を違法として取り消した例），熊本地判平26・10・22判例自治422号85頁（知事のした介護老人保健施設の指定取消処分等を違法として取り消した例。ただし控訴審〔福岡高判平28・5・26判例自治422号72頁〕は，本件通知書の記載内容により処分選択理由を知ることができたとして本件処分等を適法とした），名古屋地判平31・1・31判時2454号5頁（生活保護費徴収決定を違法として取り消した例），大阪地判平31・4・11・前掲（注174）。

177)　前田雅子「社会保障における行政手続の現状と課題」『ジュリスト』1304号（2006年）21-23頁参照。

済を図るとともに，行政の適正な運営を確保することを目的とする。他の法律に特則が設けられていない限り，同法が適用される（同条2項）。2014（平成26）年全面改正により，不服申立てが審査請求に一元化されるとともに（同2条），審理員による審理手続（同9条）や第三者たる行政不服審査会等への諮問手続（同43条）など，不服申立てについて審理手続の公平性を担保する仕組みが導入された。また審査請求の機会をより多く付与するとの見地から，審査請求期間が3ヵ月（従来60日）に延長された（同18条）。

社会保障法領域では，こうした原則的取扱いとは異なり，審査請求の審査庁（生活保護64条），みなし却下処分に対する審査請求（同24条4項，介保27条12項），審査請求に対する裁決期間（生活保護65条1項）など特則が設けられていることがある。とくに社会保険については，特別の不服申立機関が設けられており，厚生年金保険・健康保険・国民年金は社会保険審査官及び社会保険審査会（厚年90条，健保189条，国年101条），国民健康保険は国民健康保険審査会（国保91条），介護保険は介護保険審査会（介保183条），労災保険は労働者災害補償保険審査官及び労働保険審査会（労災38条），雇用保険は雇用保険審査官及び労働保険審査会（雇保69条）がその任にあたる。障害者総合支援法でも，任意設置ではあるものの不服申立機関として障害者介護給付費等不服審査会が法定されている（障害総合支援98条）。

また社会保障法領域では，多数の処分に係る紛争の簡易迅速な解決という観点から，処分についての審査請求に対する裁決を経た後でなければ取消訴訟を提起できないとしていることが多い。これを不服申立前置主義という（生活保護69条，厚年91条の3，健保192条，国年101条の2，国保103条，介保196条，労災40条，雇保71条，障害総合支援105条）[178]。

178）国民の裁判を受ける権利を不当に制限しないようにするとの見地から，2014（平成26）年改正により，従前，不服申立前置を定めていた子ども・子育て支援法，児童扶養手当法，特別児童扶養手当等の支給に関する法律，労働保険の保険料の徴収等に関する法律，児童手当法などは，不服申立前置を廃止し，また健康保険法，労働者災害補償保険法，厚生年金保険法，国民年金法，雇用保険法などにおいて2段階の不服申立手続を経なければ取消訴訟を提起できないとしていた仕組み（再審査請求の前置）はすべて廃止された。

4 訴　訟

行政庁の公権力の行使に関する社会保障法上の紛争は，領域によっては行政不服申立手続を経た後，最終的には，原処分や裁決の取消しや無効確認などを求める抗告訴訟（行訴3条）などの行政訴訟により争われる。行政訴訟制度につき，国民の権利利益のより実効的な救済を図るため，その手続を整備するとの基本的考え方に基づいてなされた2004（平成16）年行政事件訴訟法改正により，抗告訴訟の類型として義務付けの訴え（同3条6項）及び差止めの訴え（同条7項）が法定化され，付随的に仮の義務付け及び仮の差止めの制度も設けられた（同37条の5）。当事者訴訟（同4条）としての確認訴訟の活用なども期待されている。保育所，障害者福祉，生活保護，労災，年金，医療保険などの領域において，こうした訴えが提起され，請求が認容される事案も少なくない[179]。

179）保育所につき，東京地決平18・1・25判時1931号10頁（障害児の保育園入園承諾の仮の義務付けが命じられた例。本案でも義務付けが命じられた。東京地判平18・10・25判時1956号62頁），神戸地決平19・2・27賃社1442号57頁（市立保育所民営化を目的とした条例制定による保育所廃止処分が仮に差し止められた例。抗告審で原決定取消し。大阪高決平19・3・27裁判所ウェブサイト〔LEX/DB文献番号28130776〕）。障害者福祉につき，和歌山地決平23・9・26判タ1372号92頁（ALS患者に対する1日20時間の介護給付費支給を仮に義務付けた例。抗告審で原決定取消し。大阪高決平23・11・21裁判所ウェブサイト〔LEX/DB文献番号25444631〕），和歌山地判平22・12・17・前掲（注62。障害者自立支援法に基づく月500.5時間以上744時間以下の介護給付費支給決定が義務付けられた例。控訴審である大阪高判平23・12・14・前掲（注62）は，月558時間の介護給付費支給決定を義務付けた），和歌山地判平24・4・25判時2171号28頁（障害者自立支援法に基づく月542.5時間の介護給付費支給決定が義務付けられた例），福岡地判平27・2・9賃社1632号45頁（電動車いすに係る補装具支給決定が義務付けられた例），東京地判平28・9・27判例集未登載（LEX/DB文献番号25537717。重度訪問介護支給量を月655時間とする決定が義務付けられた例）。生活保護につき，那覇地決平21・12・22判タ1324号87頁（生活保護開始の仮の義務付けが命じられた例。抗告審で原決定に対する即時抗告を棄却。福岡高那覇支決平22・3・19判タ1324号84頁），那覇地判平23・8・17賃社1551号62頁（生活保護開始の義務付けが命じられた例）。医療保険につき，東京地判平19・11・7判時1996号3頁（混合診療禁止に係る療養の給付を受ける権利を有することを確認した例。控訴審は原判決を取り消した。東京高判平21・9・29訟月56巻7号1947頁）。労災保険につき，高松地判平21・2・9労判990号174頁（労災保険に基づく遺族補償給付及び葬祭料の給付決定が義務付けられた例），神戸地判平22・9・17労判1015号34頁（労災保険に基づく療養補償給付及び休業補償給付の支給決定が義務付けられた例），大阪地判平26・7・31裁判所ウェブサイト（LEX/DB文献番号25504627。障害等級1級の障害厚生年金の支給裁定が義務付けられた例）。被用者保険につき，東京地判平27・3・20裁判所

上述のように社会保障の法関係は，典型的には行政処分を契機とした国ないし地方公共団体と国民の関係として捉えられてきた。しかし最近，社会福祉分野を中心に，従来であれば行政訴訟として争われた紛争が，一義的には民事訴訟となる領域が広がっている[180]。このことは，社会保障法関係における公的責任のあり方という新たな問題を提起している（第1章第2節第6款**2**(2)）。

5　権利擁護・苦情解決

社会保障の対象となる人々には，認知症・知的障害・精神障害など判断能力が不十分な場合も少なくない。そこで，こうした人々の立場に立って，虐待を防止し，福祉サービスの利用を援助し，財産を管理するなど，権利行使やニーズの充足を援助するためのシステムが必要とされる[181]。とりわけ社会福祉基礎構造改革の下，福祉サービス提供に係る法関係が従来の措置制度から契約制度へと移行するに際して，そうしたシステムの必要性が強く認識された。

介護保険制度の導入と時を同じくして，2000（平成12）年4月の改正民法等施行により，財産管理及び身上監護に関する契約等の法律行為全般を行う仕組みとして，成年後見制度が導入され，後見・保佐・補助の三類型からなる法定後見制度（民7条以下）のほか，任意後見契約に関する法律に基づく任意後見制度が新たに開始された[182]。また社会福祉サービスの利用やその他の日常生

ウェブサイト（LEX/DB 文献番号 25524743。厚生年金保険及び健康保険の被保険者資格の確認が義務付けられた例），東京地判平28・2・26判時2306号48頁（夫の悪意の遺棄に係る配偶者につき生計維持要件を充たすとして，遺族厚生年金の支給裁定が義務付けられた例），東京地判令元・12・19判時2470号32頁（DV被害者につき生計維持要件を充たすとして，遺族厚生年金の支給裁定が義務付けられた例）など。

180）たとえば，特別養護老人ホームへの入退所は，介護保険導入前は措置（解除）決定処分の取消訴訟という形で争われたのに対し，現在は施設と利用者間の入所契約をめぐる紛争となる。

181）菊池・将来構想24-26頁。

182）民法がかかわるのは原則としてあくまで自己の財産を有する者の取引行為であるとして，財産管理の観点から成年後見をとらえる見解（内田貴『民法Ⅰ総則・物権総論〔第4版〕』〔東京大学出版会，2008年〕119頁参照）に批判的な立場から，数多くの低所得者が第三者後見の形態で成年後見を利用しているとの指摘がある。上山泰『専門職後見人と身上監護〔第3版〕』（民事法研究会，2015年）288頁。社会保障法の観点からも，低所得・無資力者に対する成年後見制度の経済的側面からの利用支援は重要な関心事であるし（第1節第2款**2**(2)），意思決定支援の重要性が意識されるようになった成年後見法分野の議論の方向性は，個人の自律支援を指向する本書の立場とも適合的である。

活支援を念頭におく国庫補助事業として，1999（平成11）年10月から地域福祉権利擁護事業（現在の日常生活自立支援事業）が開始された。この事業は，2000（平成12）年社会福祉事業法等改正で社会福祉事業の一環として法定化され（福祉サービス利用援助事業。社福2条3項12号），2015（平成27）年生活困窮者自立支援法の施行に伴い，同法上の事業となった。ただし，実際にはこれらの制度や事業はまだ十分普及しているとはいい難く，家族などによる事実上の代行に委ねられている場合も多い。たとえ家族であっても利益相反となる面があるため，受給者本人の権利保障の点が依然として懸念される[183]。

必ずしも判断能力が不十分である者に限定せず，利用者側の権利行使を広く援助するための仕組みとして，法律上の位置づけを与えられたオンブズマン制度，苦情解決制度などが整備されている。サービス提供者自身による利用者からの苦情への対応（社福65条1項・80条以下），社会福祉事業の経営者による苦情の解決（同82条），都道府県社会福祉協議会に設置される運営適正化委員会による助言・勧告，相談・あっせん（同83条〜87条），介護保険法上の都道府県国民健康保険団体連合会による指導・助言（介保176条1項3号）などである。地方公共団体において条例・要綱等を根拠とする独自の苦情解決の仕組みを設けている地方公共団体も少なくない[184]。サービス提供者—利用者間の「情報の非対称性」に鑑みて，情報提供の促進（医療6条の2〜6条の4，介保115条の35，社福75条）や，サービスの質の評価（社福78条）などの施策も展開されつつある。これらを通じて，利用者側の選択権が実質的に確保されることが期待される。

社会保障の法関係が契約により規律されるようになってきたことに伴い，消費者法的観点も踏まえた契約規制のあり方も，重要な検討課題である。ただし，

183）2016（平成28）年成年後見利用促進法では，地域住民の需要に応じた利用の促進などを含む基本方針（同11条）に基づき，政府が成年後見制度利用促進計画（同12条）を定める等の措置を講じるとともに，市町村は同計画を踏まえた成年後見等実施機関の設立等を努力義務として負うことになった（同14条）。こうした取り組みと，近時の社会保障制度の政策的取り組みである地域包括ケア・地域共生社会の方向性を，どのように有機的に関連づけていくのかが重要な政策課題である。成年後見・権利擁護と社会保障法の関連につき，川久保寛「成年後見・権利擁護と社会保障法」『社会保障法研究』12号（2020年）4頁以下，小賀野晶一「成年後見制度の役割と地域包括ケア・地域共生社会」同24頁以下参照。

184）菊池・将来構想第12章。

受給者による実体的な権利行使を可能にするためには，調査・指定・監督権限等を背景とした行政の役割も依然として重要である。従来の裁判例の中には，住民への周知徹底義務（広報義務）の懈怠につき，国の損害賠償責任を認めたものがある[185]。消費者法的な規制を超えた「福祉契約」固有の法規制のあり方や規制枠組みなど，福祉分野における固有の契約法理の探求が，社会保障法のみならず幅広い領域にまたがる法学研究の課題である[186]。

第2節　社会保障の法理論

第1款　社会保障法の意義と体系

1　社会保障法の意義

日本に社会保障法という名称の法律があるわけではない。ある法律が社会保障法に含まれるとしても，そこから当然に何らかの法的効果が発生するわけでもない[187]。しかし，社会保障法の名の下で，社会保障を法的視点から分析対

185）　京都地判平3・2・5判時1387号43頁（児童扶養手当制度の住民への周知徹底義務〔広報義務〕の懈怠につき国の国家賠償責任が認められた例。ただし控訴審〔大阪高判平5・10・5訟月40巻8号1927頁〕では法的義務を否定した）。このほか受給権者への個別の教示等に係る違法が問われた事案として，東京地判平10・5・13判タ1013号141頁（健保法上の傷病手当金の時効消滅につき制度周知徹底義務違反を認めなかった例），名古屋高金沢支判平17・7・13判タ1233号188頁（介護慰労金の受給要件を充たしていた者への条理上の教示義務違反を認めた例），東京高判平22・2・18判時2111号12頁（国年法上，誤った教示により受けられなかった障害福祉年金及び障害基礎年金〔無拠出制〕相当額につき国家賠償責任を認めた例），神戸地判平25・3・22賃社1590号54頁（通院交通費が支給される可能性があったにもかかわらず，漫然と生活保護費の中から賄うよう返答を繰り返したケースワーカーの行為が国家賠償法上違法とされた例），東京地判平26・4・28判時2231号59頁（社会保険業務センター職員による老齢基礎年金の支給繰り下げ制度についての事前の情報提供に関して国家賠償法上の違法が否定された例），大阪高判平26・11・27判時2247号32頁（職員の誤教示により特別児童扶養手当を受給できなかったことにつき国家賠償責任を認めた例），東京地判平28・9・30判時2328号77頁（遺族厚生年金について相談を受けた社会保険事務所の担当者の説明ないし回答に誤りがあったことにつき国家賠償責任を認めた例）など。注80）ないし注82）参照。

186）　岩村編・前掲書（注40）。福祉分野にとどまらず，社会保障法における民事法規による規律につき全般的に論じたものとして，嵩さやか「社会保障法と私法秩序」『社会保障法研究』3号（2014年）27頁以下。

187）　岩村Ⅰ13頁では，ある制度が「社会保障」に含まれるかどうかで，憲法25条の定める「社

象とする以上，社会保障法の意義につき検討しておくことは決して意味のないことではない。

従来の代表的学説として，荒木誠之は，「社会保障とは，国が，生存権の主体である国民に対して，その生活を保障することを直接の目的として，社会的給付を行う法関係である」とする[188]。荒木説は，後述する荒木独自の法体系論を展開するにあたっての前提作業として，積極的な社会保障の法的定義づけを行った。この定義は次のことを明確にしている。

第1に，生存権が社会保障の法的基盤になっていることである。

第2に，社会保障の法関係は，基本的に国と国民との間に成立することである。

第3に，社会保障の目的は，国民の生活保障にあることである。

第4に，社会保障とは社会的給付を行う法関係であることである。

これらのうち，第1は現在でも異論のないところであり，第3も通説的見解である（第1章第2節第2款1）。これに対し第2と第4は，後述する有力説とは相容れない部分がある。

堀勝洋は，堀自身の社会保障概念に照らして[189]，社会保障に関する法すなわち「国民の生活困難に対し公的責任で生活保障の給付を行う法の体系を社会保障法という」[190]とする。先の荒木説と比較すると，生存権という文言が用いられていない。しかし，この見解も生存権が社会保障法を支える理念であることは認めている[191]。生活保障を中心とし，給付関係に焦点を当てる見方も，荒木説と基本的に異ならない。また荒木説は国と国民との間に成立する法関係と捉えているのに対し，堀説は公的責任という文言を用いている。この点も，公的責任を最終的には国の責任と捉えるならば，相容れない捉え方ではないだろう。

会福祉及び社会保障」の「向上及び増進」に関する国の責務の対象となるかが左右されることに，「社会保障」概念の法政策論上の意義を見出す。

188）荒木・読本〔3版〕249頁。

189）堀・総論〔2版〕11-12頁は，「事故によって生じた生活上の様々な困難に直面した国民に対し，その生活を健やかで安心できるものとするため，公的責任で生活保障の給付を行う制度」を社会保障と定義付ける。

190）同書81頁。

191）同書99頁。

これに対し，岩村正彦によれば，社会保障法を，「前記の意味での社会保障制度（＝社会保険，公的扶助，社会福祉，児童手当，公衆衛生・医療…筆者注）に登場する各種の当事者の組織，管理運営およびそれらに対する監督を規律するとともに，これら当事者相互間に発生する様々な法律関係，権利義務関係を規律する法である」[192]と定義している。岩村説は，従来の捉え方を全面的に否定するものとみるべきではないが，社会保障を給付面のみならず拠出面からも捉えようとする点，国と国民との間の給付関係では捉え切れない多様な法主体間の法律関係の解明に焦点を当てている点で，現代における社会保障法の性格を的確に表している面がある。

本書では，社会保障法を，「憲法25条を直接的な根拠とし，国民等による主体的な生の追求を可能にするための前提条件の整備を目的として行われる給付やその前提となる負担等を規律する法」と定義づけておくことにしたい。

以下，もう少し具体的に要点を説明しておこう[193]。

第1に，国民等[194]による主体的な生の追求を可能にするための前提条件の整備を目的とする法である。この点は，社会保障の目的を国民の生活保障にあるとし，「生活困難」[195]等の発生を契機とする従来の捉え方と相対立するものではなく，これを基本的に包含し，前提とする。その上で，さらに行為主体による自主的自律的な生の構築，そしてそれを可能にするための生き方の選択の幅の確保という，いわば動的な視点をも組み込むことを意図したものである。

第2に，憲法25条を直接的な法的根拠とする法である。根源的には，憲法13条に根拠をおく「個人の自律」に価値をおき，社会保障制度のあり方を領導すべき一定の規範的諸原理は同条から直接導かれるというのが私見の捉え方であるものの（第2款**2**(2)），制度の根幹である「給付」[196]に係る場面では憲法

192）岩村Ⅰ 15頁。

193）私見の社会保障法の定義づけに至るまでの理論的プロセスについては，菊池馨実「新しい社会保障法の構築に向けた一試論」小宮文人ほか編著『社会法の再構築』（旬報社，2011年）233頁以下参照。

194）公的扶助の取扱いなど，最終的には国民に限定せざるを得ない面があるものの（最3判平13・9・25・前掲〔注25〕，最2判平26・7・18・前掲〔注131〕），社会保険など制度の性格によっては外国人にも適用すべき場合がある。最1判平16・1・15・前掲（注128）参照。

195）先述の堀説の定義を参照。従来の社会保障は，所得喪失ひいては貧困化の契機となり得る要保障事由ないし社会的事故の概念を前提としてきた。菊池・前掲論文（注193）237-238頁。

25条を直接的な根拠とすることにより[197]，第1で述べた意味での前提条件の整備を目的とする他の諸々の法制度（たとえば雇用，教育，住宅，交通・通信など）と社会保障法との限界が画されることになる[198]。

第3に，給付やその前提となる負担等を規律する法である。社会保障法は，給付のみならずその財源となる負担のあり方をも射程に入れたものでなければならない[199]。また給付やその前提となる負担等を「規律する」法とは，国・地方公共団体と国民（市民）との直接的な給付及び負担をめぐる法関係に限らず，民間事業者等によって提供される給付（企業年金の一部[200]，医療保険における療養の給付，介護保険における介護サービス，障害者に係る自立支援給付など）の適正な確保のための関係当事者の法律関係のあり方などに関わる様々な法規制も含むとの趣旨である。

196）ここでいう「給付」とは，基本的には金銭・現物・サービスといった経済的・物質的給付（実体的給付）を指す。加えて，最近の考察を通じて，筆者は，社会とのつながりを結び直すための「相談支援」のプロセスが展開されることも，一種の給付に類したもの（手続的給付）として位置づけ，その法的保障のあり方を考えていくことが必要と考えるに至った。菊池・社会保障再考70頁，同「相談支援とは何か」（朝比奈ミカ＝菊池馨実編『地域を変えるソーシャルワーカー』（岩波ブックレット，2021年）30頁。第3節第2款1④参照。

197）この点は，荒木説が社会保障の目的を国民の生活保障と捉える一方，生存権が「無媒介的に」支配する等の限定を付すことで社会保障法の対象領域を画したことに示唆を得ている。荒木・読本〔3版〕251頁。なお，注84）参照。

198）「個人の自律の支援」のように目的に着目した社会保障の捉え方では，雇用，教育，住宅，交通・通信などに関わる法制度も包含される可能性がある。伝統的に社会保障制度の範疇で捉えられてきた制度以外にも，「個人の自律の支援」という共通目的に資する「条件整備」のための制度と理解され得るものが存在するからである。

199）税制上の人的控除（基礎控除，配偶者控除，扶養控除など），医療費控除等は，給付そのものではないけれども，社会保障と密接な関係にある。碓井21頁。税額控除制度にした上で，給付付き税額控除を設けた場合，社会保障との相違はさらに相対化する。黒田有志弥「社会保障制度を通じた所得再分配の意義と機能」荒木尚志ほか編『労働法学の展望　菅野和夫先生古稀記念論集』（有斐閣，2013年）719頁は，給付付き税額控除を，あるべき所得再分配の程度が給付の程度を確定する類型の社会保障制度として捉えられるとする。

200）本来国が行うべき老齢厚生年金の給付を代行してきた厚生年金基金が典型例である。社会保障法の枠内で捉え得るかどうかは措くとしても，確定給付企業年金や確定拠出年金についても，規制や助成のあり方を公的年金と連続的に考える必要がある。菊池・将来構想110頁。

2　社会保障法の体系

社会保障法という独自の法領域の存在が認識されたのは，戦後しばらく経た後であった。1957（昭和32）年に出版された石井照久『労働法総論』によれば，「社会保障法という統一的かつ独自の法領域を承認することは，法学的にみて妥当でない」[201]とされていた。当時は，主として労働保険（失業保険・労災保険）が，労働法学者の関心の対象となるにとどまっていたのである。

社会保障の法体系をどう捉えるかについては，社会保障法学が本格的な発展を開始した1950年代以降，社会保険・公的扶助・社会福祉といった各部門からなるという意味での，いわゆる「制度別体系論」が主流であった。1950（昭和25）年社会保障制度審議会勧告（50年勧告）でも，社会保障を社会保険，国家扶助（公的扶助），公衆衛生，社会福祉の4部門と捉えている。こうした見方は，社会保障法を，単に社会保障関係立法の総体と捉える見方につながるものであった。石井『労働法総論』と同年に出版された吾妻光俊『社会保障法』（有斐閣）は，「社会保障法なる統一的観念が成立し得るか否かについての確定的な回答を用意せず，またその概念の内包についてもこれを確定し得ない」[202]，「社会保障の観念自体が生成途上にあり，その領域が整然たる体系化を経ていない現在において，社会保障法の体系付けを行うことは極めて困難であ」[203]ると述べながらも，社会保障法を，社会保険法と国家的扶助法に分類している。

これに対し，1960年代半ばに至り，こうした体系論を法的な吟味がないうえ，相互のどのような関連で社会保障法を構成しているのか理論的検討がなされていないとして批判し，いわゆる「給付別体系論」が提示されるに至った。荒木誠之によって提起されたこの体系論は，生活保障を必要とする原因と，それに対応する保障給付の内容・性質によって，所得の喪失を要保障事由として金銭給付を行うための所得保障給付（これは，さらに生活危険給付〔生活をおびやかす各種の所得喪失事由にそなえて，一定の所得を補う給付〕と生活不能給付〔現実に貧窮状態に陥った者に，最低生活水準を営むに必要な限度で行う給付〕に分かれる）と，心身の機能の喪失又は不完全によって生ずる生活上のハンディキャップに対して，社会サービス給付を行うための生活障害給付からなるとする。この荒木説

201）石井照久『労働法総論』（有斐閣，1957年）228頁。

202）吾妻14頁。

203）同書68-69頁。

における法体系論の展開は，先述した社会保障法の意義を明らかにする理論的作業と有機的関連性をもつものであった[204]。

この荒木説に対しては，性格の異なる医療給付と福祉給付を生活障害給付として一括している点[205]，所得保障給付に生活危険給付と生活不能給付のほか，児童手当を典型とする生活負担給付を区分していない点[206]など，批判もなされた。ただし，これらを含むその後の学説の多くも，給付別体系論を完全にしりぞけるのではなく，これを一定程度吸収したうえで体系化を試みている。他方，体系論は法解釈論や法政策論の視点からはそれほど実益があるわけではなく，制度別に体系化すれば十分である[207]旨を述べる岩村説など，制度別体系論の系譜に属する学説もみられる。

学説には，社会保障の目的に着目し，目的としての「自立」や「社会参加」の価値を尊重する観点から，「自立支援や社会参加促進の保障」を，所得保障法，健康保障法と並ぶ自立支援保障法と関連付ける「目的別体系論」も展開されている[208]。

本書では，社会保障の法体系を保障ニーズの性格に対応した給付内容の違いに応じて構成し，金銭給付たる所得保障法と，サービス給付を中核とする医療保障法，社会サービス保障法の3部門に分けて考える立場をとる。これは，一義的には給付別体系論の系譜に属するという見方もできる。ただしこの立場は，「個人の自律の支援」という社会保障の目的（第2款**2**(2)）を実現するための給付の性格の違いに応じた区分でもある。ここで留意すべきなのは，サービス給付の中でも，疾病の予防・治療・リハビリによる健康の維持・回復を図る医療保障法とは別に，生活自立に向けた社会的支援のための（狭い意味での社会福祉

204）「社会保障の法体系を考えるにあたっては，まず，社会保障とはなにかという問題を，政策論や制度論としてではなく，法のレベルではっきりさせておく必要がある。法とは，権利・義務の関係を規律する規範である。法の世界で社会保障とは，いかなる権利・義務の関係がいかなる当事者の間に生じているかをたしかめること，いいかえると社会保障の法的定義を明確にすることが，その法体系を考える前提作業となる」（荒木・読本〔3版〕249頁）。つまり荒木による社会保障の法的定義づけは，独自の法体系論を展開するにあたっての前提作業であった。

205）河野・権利構造10-11頁，堀・総論〔2版〕108頁。

206）山田晋「児童扶養と社会保障法」『季刊社会保障研究』29巻4号（1994年）392頁。

207）岩村Ⅰ17頁。

208）河野・新展開18-23頁。

サービスに限定されない）社会サービスの保障が独自の意義をもつということである[209]。

ただし，こうした理論上の法体系と講学上の体系とを完全に一致させることは必ずしも容易ではないし，そうすることでかえって現行法の体系的理解を損なうおそれもある。本書も上記の3つの柱立てに限定されない各論の構成を採用している[210]。

3　社会保障法の範囲

社会保障法の範囲ないし限界をどう画するかという問題は，社会保障法の意義や，社会保障の法体系をどう捉えるかとも密接な関わりをもつ。

社会保障法の範囲との関係では，学説上，従来から医療保障，住宅保障といった領域を組み込むことの可否が焦点となってきた[211]。

社会保障法学では，医療保障（法）を社会保障法の領域に含める見解が一般的である[212]。医療保障の概念には二つの意味合いがある。第1に，要保障事由としての傷病の発生に際しての費用の保障（医療保険）にとどまらず，医療サービス供給主体の規制まで含めて包括的に捉える視点である。第2に，傷病の治療にとどまらない，その予防―治療―リハビリテーションという一連のプロセスを包括的に捉える視点である。このほか学説には，医療保障よりも広範な施策を包含し得る法概念として，健康権を中核とする健康保障も提唱されてきた[213]。健康保障という捉え方自体，要保障事由概念から大きく乖離するこ

209）　こうした理解は，給付別体系論の見地から所得保障法，医療保障法，福祉（介護）サービス保障法に分類していた私見（菊池馨実「社会保障の権利」講座1 75頁注33）を修正するものであり，目的別体系論との親近性を有する議論ということができる。河野・新展開269-271頁参照。

210）　本書では，所得保障（ただし保障技術上の相違から，年金〔第3章〕と社会手当〔第4章〕に分ける）と，医療保障（第7章）及び社会サービス保障（第8章）の間に，労働保険（第5章）と公的扶助（第6章）をおいた。両者ともに金銭（所得保障）給付としての性格をもつ一方で，医療・介護等のサービス給付も主要な給付としているからである。さらに「個人の自律の支援」との観点からみた施策の重なり（たとえば，長期失業者・生活困窮者・貧困者対策）という面から，両者を並列することには積極的意義があるものと考えられる。

211）　このほか税制上の控除との関連につき，注199）参照。

212）　加藤ほか〔7版〕第5章（医療保障），講座4など。

213）　井上英夫「健康権と医療保障」朝倉新太郎ほか編『講座日本の保健・医療2　現代日本の医

とになる等の理由により，社会保障法への全面的な包摂は難しい[214]。しかし，国際人権規約A規約（いわゆる社会権規約）12条1項において「すべての者が到達可能な最高水準の身体及び精神の健康を享受する権利」として規定される健康権は，直ちに日本国憲法に基礎付けられた裁判規範として，あるいは憲法上の原理・原則として論じるのではなく，国際人権法の視座からその範囲及び内容を明らかにし，国際条約機関からの一般的意見なども踏まえて，一義的には政策策定指針として国内法制度のあり方を論じるという面では，参照する意義はあろう[215]。

次に，超高齢社会の到来に伴い高齢者などの在宅での居住環境の整備が重要な課題となっている状況下，規範的根拠としての居住権理念の下，住宅保障（法）の領域を社会保障法に組み込むべきとの見解もみられてきた[216]。2008（平成20）年秋の金融不況以降，非正規労働者が雇用の場と同時に生活の場そのものを喪失することを端的に示したことや，地域包括ケアシステムの推進にあたって，高齢者などが安心して地域で暮らせる住まいの整備が重要な課題となりつつあることなどを背景として，こうした理論的必要性は高まっているようにもみられる。しかしながら，住宅保障ないし住居保障という考え方も，要保障事由概念から大きく乖離する可能性があり，社会保障法への全面的な包摂は困難である[217]。ただし，低所得者等に対する住宅扶助・居宅保護，公営住宅の提供，家賃補助ないし住宅手当などに加えて，たとえば高齢者・障害者世帯等に対する滞納家賃の債務保証，バリアフリー化に対する公費助成や融資制度など，高齢者・障害者などの要支援者に対し，物理的な意味での住居の確保にとどまらない，地域の中で居住することに関わる諸施策を社会保障法の枠内

療保障』（労働旬報社，1991年）86頁，高藤昭『社会保障法の基本原理と構造』（法政大学出版局，1994年）163頁以下。

214）たとえば，高藤・前掲書（注213）198-199頁は，積極的健康増進施策（スポーツ振興，レジャー施設の整備，確保，都市における遊休緑地，公園の確保）まで含まれるとする。

215）棟居（椎野）徳子「国際人権法における健康権（the right to health）保障の現状と課題」『社会保障法』21号（2006年）166頁以下参照。井原辰雄『医療保障法』（明石書店，2006年）は，健康権の枠組みで医療保障法を論じる。

216）高藤・前掲書（注213）209頁以下，坂本重雄「居住の権利と住居保障法」講座5 17-18頁，河野・新展開22-23頁。

217）たとえば，高藤・前掲書（注213）243頁は，宅地供給開発や住宅貯蓄援助なども住宅保障法体系ひいては社会保障法の中に含める。

で捉えることは可能であろう[218]。

このほか，最近整備されつつある領域として虐待法制との関連なども問題となり得る[219]。児童福祉法その他福祉各法と密接な関連性があることは言うまでもないけれども，虐待者を念頭に置いた警察権限の行使などを含む虐待法制全体を社会保障法の中に取り込むのはやはり無理があるように思われる。同様に，被爆者援護や薬害被害救済のように国家補償との複合的性格を有する制度や，犯罪被害者支援のように損害を発生させた原因との関連で特別な配慮を必要とする制度における保障ないし補償のあり方も，社会保障法の法理のみで論じ切ることはできない。そうした諸制度は，社会保障関連制度であるとは言えても，社会保障法の領域に包摂することは，かえって社会保障法固有の規範的意義を希薄化することになり妥当でないように思われる[220]。

本書は，社会保障の目的を，「個人の自律の支援」，すなわち「個人が人格的に自律した存在として主体的に自らの生き方を追求していくことを可能にするための条件整備」と捉え（第2款**2**(2)），ここから社会保障の規範的基礎付け論を展開する。こうした「個人の自律の支援」のための条件整備の役割を果たすものとしては，年金・医療・社会福祉・介護・生活保護などの従来一般的に社会保障の一環として捉えられてきた諸制度にとどまらず，雇用，教育，住宅，交通・通信などに関わる諸制度も含まれる可能性がある。伝統的に社会保障制度の範疇で捉えられてきた制度以外にも，「個人の自律の支援」という共通目的に資する「条件整備」のための制度と理解されうるものが存在するからである。しかしながら，社会保障法の意義や範囲を画するにあたって，社会保障の枠組みを従来の通説的見解を超えて雇用・教育・住宅政策一般に拡げることは適切でない。なぜなら第1に，社会保障は歴史的に生成されてきた概念であり，将来的にも変遷しうるとしても，現時点では，従来から社会保障の前提とされ，貧困の契機となるという意味で重視されてきた要保障事由ないし社会的事故の概念を[221]，一定の変容を認めながらも[222]なお基本的に前提とすることが適切

218)　菊池馨実「人間らしく『住まう』ためのセーフティネットに関する法的考察——住居の保障と社会保障法」『社会福祉研究』110号（2011年）23頁。

219)　『社会保障法』26号（2011年）所収の「近親者からの虐待・暴力に対する法制度の課題——各国比較をふまえて」に係る諸論稿参照。

220)　菊池・前掲論文（注193）247頁注57参照。

である[223]。

第2に，社会保障法は，憲法25条が教育権（憲法26条1項）や勤労権（同27条1項）を通じて間接的にではなく，「無媒介的に」直接的な法的根拠となる法制度と捉えることができる。健康保障法の規範的根拠としての健康権や，住宅保障法の根拠としての居住権ないし住居権も，憲法25条に直接の根拠を置くものとされており，教育権や勤労権と必ずしも同列に論じられるわけではない。しかしながら，前述のように健康保障法や住居保障法には要保障事由概念から大きく離れた保障内容が含まれ，社会保障法の枠組みに包摂し切ることは困難である。健康権の主張として，憲法25条のほか憲法前文，13条，国際人権規約（A規約）12条1項を根拠とする見解がみられるように[224]，それぞれ独自の解釈原理や法理念に支配される法領域として発展可能性を探るのが適切であろう。

ただし，社会保障法という実定法分野の範囲を以上のように限定的に画することが適切であるとしても，とくに立法論・政策論の展開場面においては，伝統的な社会保障の枠にとらわれず，先に述べた目的（「個人の自律の支援」）を部分的であっても共有する雇用・教育・住宅等の関連諸制度と有機的に関連付けた包括的な議論を展開することが積極的に求められる。逆に言えば，社会保障の枠組みを超えて包括的な立法論・政策論を展開するにあたっての内在的視点を，従来の社会保障法は当然にはもたなかったのである[225]。

こうした立法論・政策論レベルでの社会保障の法的把握は，従来の社会保障の枠組みを超え，雇用・教育などを含んだ「生活保障」[226]の法という包括的な

221） 社会的事故ないし要保障事由といった概念は，社会保障が歴史的に社会保険を中心に発展してきたこと，そして社会保険においてはこれらの事由（ないしリスク）の発生・現実化が受給要件とされたことと関連している。

222） たとえば，ILO「社会保障への途」（1942年）では，貧困の契機となるという意味で「多子」が要保障事由と捉えられていたのに対し，現在では「児童扶養」ないし「育児」それ自体が政策策定に当たっての要保障事由と捉えられている。なお，雇用の二極化等による「ワーキング・プア」の問題を背景として，「低賃金」というリスクを要保障事由として捉えるべきかという問題提起を行うものとして，笠木・前掲論文（注18）45頁。

223） 菊池・将来構想171頁。

224） 井上英夫「医療保障法・介護保障法の形成と展開」講座4 2-5頁。

225） 菊池・前掲論文（注193）242頁。

226） 宮本太郎『生活保障——排除しない社会へ』（岩波書店，2009年），大沢真理『現代日本の

視点をもたらす。こうした視点を組み込んだ国民一般を対象とする生活保障法ともいうべき法領域の成立可能性が論じられつつある[227)]。また，たとえば障害者，高齢者，子どもといった特定の人的カテゴリーに着目し，社会保障関連法制にとどまらず，従来のタテ割りの個別実定法分野の枠組みを超えてこれらの人々に生起し得る法律問題を広く扱う実体法分野（障害法，高齢者法，子ども法など）の定立というレベルでも，生活保障の視点をふまえた法領域の展開可能性が開かれているように思われる[228)]。こうした既存の法分野にまたがる横断的な枠組みは，特定の人々に対する制度間の不整合や保障システムの欠缺などを明らかにし得る点で有用である。またこうしたアプローチは，アメリカ法において顕著にみられる特定の人的カテゴリーに属するクライアントに着目した実務法曹の視点ともいえ[229)]，ロースクール時代の日本においても発展可能性を秘めているといい得る[230)]。ただし，これらが日本において社会保障法とは別個の実定法分野として定着するためには，当該法領域を画する法理念あるいは基本原理の構築といった理論的作業が必要になると思われる。既に日本では，医事法（Health Law）と呼ばれる法分野が，高度に専門化され，人々の生命・健康に深く関わる医療と法をめぐる諸問題につき分野横断的に取り上げる実定法分野として確立している[231)]。

生活保障システム――座標とゆくえ』（岩波書店，2007年）参照。

227）労働法と社会保障法の交錯領域に対応する両者の連携に関する法を生活保障法と呼ぶことを提唱する見解として，島田陽一「貧困と生活保障――労働法の視点から」『日本労働法学会誌』122号（2013年）106-108頁，同「これからの生活保障と労働法学の課題――生活保障法の提唱」根本到ほか編『労働法と現代法の理論（上）　西谷敏先生古稀記念論集』（日本評論社，2013年）68-73頁。荒木誠之『生活保障法理の展開』（法律文化社，1999年）参照。

228）菊池馨実ほか編著『障害法〔第2版〕』（成文堂，2021年），樋口範雄＝関ふ佐子編『高齢者法』（東京大学出版会，2019年），大村敦志ほか『子ども法』（有斐閣，2015年）など参照。

229）たとえば，入門書的なNutshellシリーズとして，Ruth Colker, Federal Disability Law (6th ed. 2019); Lawrence A. Frolik & Richard L. Kaplan, Elder Law (7th ed. 2019); Douglas E. Abrams, Susan Vivian Mangold & Sarah H. Ramsey, Children and the Law (7th ed. 2021).

230）菊池・将来構想336-339頁。

231）最新の教科書として，米村滋人『医事法講義』（日本評論社，2016年）。

第2款　社会保障の法理論

1　社会保障の法主体

(1)　国家と個人

先述したように（第1款1），従来の通説的見解では，社会保障を国と国民との間を規律する公法上の関係として捉えてきた。したがって，社会保障に登場する法主体としても，典型的には国（中央政府）と国民の二者が考えられてきた。

このうち国は，憲法25条や福祉国家理念を通じて，社会保障の責任主体として位置づけられてきた。ただし経済発展やニーズの多様化などを背景として，その責任主体としての関わり方には変化がみられる。すなわち1950（昭和25）年社会保障制度審議会勧告（50年勧告）は，「疾病，負傷，分娩，廃疾，死亡，老齢，失業，多子その他困窮の原因に対し，保険的方法又は直接公の負担において経済保障の途を講じ，生活困窮に陥った者に対しては，国家扶助によって最低限度の生活を保障するとともに，公衆衛生及び社会福祉の向上を図り，もってすべての国民が文化的社会の成員たるに値する生活を営むことができるようにすること」という社会保障制度の捉え方を前提として，その生活保障責任は国家にあるとし，社会保障における国家の責任を強調している[232]。これに対し，1995（平成7）年社会保障制度審議会勧告（95年勧告）の基礎となった1993（平成5）年社会保障将来像委員会第1次報告では，社会保障を「国民の生活の安定が損なわれた場合に，国民にすこやかで安心できる生活を保障することを目的として，公的責任で生活を支える給付を行うもの」と定義するとともに，こうして所得保障，医療保障，社会福祉からなる「給付」を「狭義の社会保障」に含める一方，給付を要件としなければ，医療や社会福祉についての資格制度，人材の確保，施設の整備，各種の規制措置，公衆衛生，環境衛生，公害防止等も，「広義の社会保障」として捉えることが可能とした。50年勧告では，憲法25条1項と密接に結びついた最低限度の生活保障責任を担う点で国家の役割が前面に出ていたのに対し，93年第1次報告では，そうした最低限度を相当程度上回るレベル（すこやかで安心できる生活）での安定的な生活保障

232)　籾井41頁も，「社会保障法は，国家みずからが責任主体となっておこなう全国民的規模での生活保障政策（生存権保障にほかならない）を具体化する法制」と捉える。

が求められるに至った点で，国家に期待される役割もおのずと多様化したことが窺われる。社会保障における国家とりわけ公行政の役割の「相対化」と言ってもよい[233]。ただし，最低生活保障責任に係る国家の役割は依然として重要であり，それを上回る部分の生活保障においても，基本指針の作成，施設等運営基準の整備，規制監督権限の行使，費用負担などを通じての間接的な関わりをも含めた多様な責任主体として位置づけられる。

これに対し，国民あるいは個人も社会保障における基礎的な法主体である。ただし，先述したように（第1節第2款1⑵），学界における従来の議論は公的扶助（生活保護）を念頭においた生存権論として展開され，社会保障は国から国民に対する一方的（国民の側からみれば受動的）な給付関係として捉えられがちであった。社会保障法関係における個人像は，主体的能動的な権利義務主体というよりも，「保護されるべき客体」としての性格を帯びていたことを否定できない。こうした事情の下，後述するような新たな社会保障法理論が提起されるに至ったのである。

⑵　多様な法主体

国民ないし個人との関係で法主体性が問題となり得るのは，家族である。歴史的には，家族が個人の生活保障のための最も基礎的な生活単位であった。社会保障は，こうした家族（法的概念としての世帯）による「私的扶養」で対処しきれない生活事故に対する公的・社会的な対応策として登場してきた側面がある。現在，社会保障法の適用関係においては，様々な場面で世帯が拠出ないし給付の単位とされており，個人との関係でのみ論じ尽くすことはできない[234]。その意味で，世帯は，それ自体法的権利義務主体性をもつとは直ちにはいえないとしても，基礎年金第3号被保険者制度の合理性など，法政策論の展開場面のみならず，生活保護法の世帯単位原則（生活保護10条）など，法解釈論の展開場面でも重要な意味をもつ基礎的概念である。近時における家族のあり方ないし家族観の変化（多様化）は，今後の社会保障制度のあるべき方向性にも大きな影響を及ぼすことが予想され，1995年社会保障制度審議会勧告では，「社会保障制度を世帯単位中心から，できるものについては個人単位に切り替える

233）　倉田・構造分析31頁。

234）　岩村正彦「社会保障における世帯と個人」岩村正彦＝大村敦志編『融ける境　超える法①個を支えるもの』（東京大学出版会，2005年）276-286頁，堀・年金〔4版〕18頁。

ことが望ましい」との方向性が示された。

家族のほか，国（中央政府）と国民（個人）とのいわば中間領域にある諸々の社会構成単位の社会保障に対する関わりも重要である。従来の社会保障法学においては，権利主体としての国民と，責任（義務）主体としての国家という，二項対立的な社会保障法の捉え方が一般化し，「社会保障の権利」主体＝社会保障給付の受給主体たる（受動的な）個人という通説的理解へと結びついた。こうした捉え方をも背景として，従来，国家と国民との間にある「社会」の法主体性を認めない学説が存在した[235)]。これに対し，「社会保障は個人の生活上に生じうるリスクを個人の集合体である社会でカバーする仕組みであり，この社会は必ずしも国家と一致しない」[236)]との認識を共有しながら，「社会」の固有の役割や法主体性を重視する考え方が有力に唱えられた[237)]。

先述した社会保障における国（中央政府）の役割の多様化（相対化）を踏まえると，国民ないし個人とのいわば中間領域にある諸々の社会構成単位の関わりが改めて顕在化してくる。社会保障法の適用場面では，とりわけ「地域」と「職域」という二つの「社会」が問題となる。

このうち「地域」との関係で重要なのが地方公共団体である。従来，憲法25条の責任主体としては，中央政府たる国が主として念頭におかれてきた。しかし現実には，地方公共団体は保険者など事業の実施主体として，あるいは規制・監督や費用負担の主体として，社会保障法関係において固有の位置を占めている。

地方公共団体については二つの側面から捉えることが可能である。その一つは，国の委託を受け，あるいは本来的に，社会保障に対する公的責任主体として事務を行うという側面である。もう一つは，地域住民の意思と責任に基づい

---

235)　籾井によれば，健康保険組合等の保険者は，「国の負う生活保障責任を代行しているにすぎ」ず，「国が本来なすべき保険経営を代行する組織である」とされる。籾井112頁，131頁。倉田はこれを代行機関説と名付ける。倉田・構造分析20頁。荒木によれば，「国家は，統治権力の主体としてではなく，生活主体の生存権・生活権の名宛人としての社会そのものの代表者たる資格において，法関係の一方の当事者となる」とされ，「社会」の代表者としての国家との位置づけを行っている。荒木・法的構造30頁。

236)　遠藤博也『行政法Ⅱ（各論）』（青林書院新社，1977年）204頁。

237)　加藤智章『医療保険と年金保険』（北海道大学図書刊行会，1995年）5頁，倉田・構造分析32頁。

て社会保障にかかわる事務を行うという側面である。いわゆる住民自治の理念に関わるもので，社会保障における「参加」の契機の重視は，この後者の観点からも根拠付けられる。

地方公共団体や国といった公的責任主体とは別個の法主体（公法人）を設置し，社会保険の保険者としての運営を担わせる例が増えている。後期高齢者医療制度における後期高齢者医療広域連合（高齢医療 48 条），健康保険における全国健康保険協会（健保７条の２以下）などがこれにあたる。

また最近，地域包括ケアシステムや地域共生社会の構想など，医療・介護や生活困窮者支援などを中心とする「地域」を基盤とした政策形成への志向が強まっている。

「職域」との関係では，企業ないし事業主の位置づけが重要である。事業主は，社会保険料等の拠出主体として，あるいは被保険者とともに健康保険組合・厚生年金基金を組織するものとして登場する（健保８条，健全性信頼性確保法〔平 25 法 63〕附則５条１項１号，平成 25 年改正前厚年 107 条）。その意味では，社会保障法における事業主の責任主体性が問題となる。健康保険組合や厚生年金基金も，保険者として固有の法主体性を有する。

このほか，社会保障法関係においては多様な法主体が関与している。たとえば，年金制度においては，実際の資産運用にあたる金融機関等のパフォーマンスが，給付内容などに重大な影響を与える可能性があり，保険者に対して一定の忠実義務・誠実義務を負っている（年金積立金管理運用独立行政法人法 11 条，確定給付 71 条，72 条）。医療及び社会サービス分野にあっては，サービス提供主体（施設及び事業者）の存在を欠くことができない。従来から，医療提供体制は医療法人などの私人による供給が中心であったし，社会サービス分野でも，社会福祉法人が大きな役割を果たしてきた。介護保険の導入などに伴い，民間企業や NPO（民間非営利団体）なども重要な役割を果たしつつある[238)]。

238）石田道彦「医療法人制度の機能と課題」社会保障法研究４号（2014 年）３頁以下，原田啓一郎「社会福祉法人」同 23 頁以下，倉田賀世「NPO 法人――社会福祉サービス供給体制における NPO 法人の位置づけ」同 51 頁以下。

2　社会保障の法理念

(1)　社会保障の法的基礎づけ

前節で述べたように，日本の社会保障制度は，憲法25条によって根拠付けられてきた。歴史的にみても，社会保障制度には，近代市民社会の下での資本主義経済の進展に伴う諸矛盾の露呈に対する緩和・調整策としての側面があり，その意味では明文の憲法条項の存在いかんにかかわらず，こうした社会保障制度の生成の背景にあった生存権思想が，社会保障ないし社会保障法を基礎付ける法理念であるということができる。生存権が社会保障を支える法理念であることについては，今日では異論がないといってよい。

これに対し，社会連帯を生存権と並ぶ社会保障法の規範的根拠と捉える見方も有力である[239)]。比較法的にみれば，とりわけドイツ・フランスにおいて（社会）連帯の考え方が社会保障制度構築の理念として重要な役割を果たしてきた。社会保障が，本来的に社会構成員間における互恵的な関係を前提とし，これを基盤とした国家による制度化という側面をもつことは否定できない。法律上も，目的規定において，「老齢，障害又は死亡によって国民の生活の安定がそこなわれることを国民の共同連帯によって防止し」（国年1条），「高齢者の医療について，国民の共同連帯の理念等に基づき」（高齢医療1条），「国民の共同連帯の理念に基づき介護保険制度を設け」（介保1条）と規定し，連帯が個別制度の理念であることが明示されている。学説は，憲法上の根拠を25条2項に求めるもの[240)]，13条の個人の尊重原理がこのような諸個人の連帯を内包しているとするもの[241)]，生存権は単に国家によって保障されるにとどまらず，社会連帯を基盤にして保障される旨述べるもの[242)]等がある[243)]。

社会連帯の主張には，従来ともすれば社会保障法関係を国家—国民（個人）という二当事者関係で捉えてきたことに対する批判と，地方公共団体や事業主などを含む多面的な社会保障の法主体が存在することへの再認識という側面か

239)　西村17頁，堀・総論〔2版〕99頁。

240)　高藤昭『外国人と社会保障法——生存権の国際的保障法理の構築に向けて』（明石書店，2001年）397頁。

241)　竹中勲「自己決定権と自己統合希求的利益説」『産大法学』32巻1号（1998年）22頁。

242)　戸波江二「憲法学における社会権の権利性」『国際人権』16号（2005年）63頁。

243)　このほか，新田秀樹「自立支援のための『社会連帯』」菊池馨実編著『自立支援と社会保障』（日本加除出版，2008年）71頁以下参照。

ら，積極的に評価できる面がある。ただし，「社会」連帯の強調は，「個」が確立されていないといわれる日本にあって，社会全体の利益の中に個人を埋没させ，安易に個人への犠牲を強いかねない危険性，そして個人の自由ないし自律を抑圧する危険性を孕んでいる点に留意する必要がある。また特定の制度のあり方を構想するにあたって，どこまでの連帯が規範的に求められるのか，当然にはその限界づけが明らかでない。さらに次節に述べるように，現在，既に連帯の社会的基盤自体が脆弱化しており，こうした理念の存在を所与の前提として社会保障制度のあり方を規範的に構想していくことに対しては，慎重な姿勢が求められるべき状況に立ち至っている。この点で，倉田聡は，憲法レベルの理念ではなく，個々の制度との関連で，比較法的視座を踏まえながら法解釈論的に，社会連帯の存在とその規範的意義を導き出そうとするアプローチを採っている[244]。

(2)　自律基底的社会保障法理論（「自由」の理念）

上記の社会連帯論のほか，社会保障の規範的根拠をめぐる議論が憲法25条論ないし生存権論にのみ終始してきたというわけではない。社会保障法学では，従来から憲法13条に基盤を置く「人間の尊厳」に着目した学説が存在した[245]。そこでは，生存権との関係で，自由の回復の基礎条件[246]，実質的自由の保障への要請[247]といった自由との関係が論じられていた。ただしこれらの学説は，憲法13条の理念を憲法25条の解釈適用にあたって意義を有するものと抽象的に論じるにとどまっていた。

前述したように（第1節第2款1(2)），現代においては，生存権そのもののメタ理論的な基礎付けが求められている。そうした状況下，従来の社会保障法は，社会保障をめぐる法関係を，権利主体としての国民と，責任（義務）主体としての国家の二項対立として捉え，個人を受動的な受給者すなわち「保護されるべき客体」として捉える傾向にあった。しかし，本来的には，個人が社会保障

---

244)　倉田・構造分析第5章～第7章，同『これからの社会福祉と法』（創成社，2001年）136-139頁など。

245)　沼田稲次郎「社会保障の思想」沼田ほか編『社会保障の思想と権利』（労働旬報社，1973年）39-40頁。

246)　沼田稲次郎『社会法理論の総括』（勁草書房，1975年）388頁。

247)　片岡＝西村・前掲論文（注74）161頁。

法関係の中心に据えられるべきであり，その際，給付及び拠出の両面を踏まえた積極的能動的な法主体として位置付ける視角が必要である。つまり，社会保障法関係における個人の主体的位置づけを意識した社会保障法理論の定立が求められているのである。

他方，社会保障法学の従来の通説が，社会保障の目的を国民の生活保障と捉えてきたことに象徴されるように，生存権を基盤とした社会保障は，第一義的には財（所得・サービス）の分配それ自体に着目した静的ないし帰結主義的な意味での平等を志向するものであったことは否めない。しかしながら，戦後復興から高度経済成長を経て，国民生活が相当程度豊かになった21世紀の日本社会に鑑みれば，社会保障の目的としては，要保障事由の発生に対する生活保障という従来の捉え方を前提とした上で，さらに進んで，個人の主体的な生の構築に対するサポートという，より動態的ないしプロセス的な視点も重視する必要があるのではないかと考えられる。こうした視点は，社会保障を消極的・事後的な受け皿（セーフティネット）にとどまらず，積極的・事前的なばね板（スプリングボード）として把握する視点とも相通じるものがある[248)]。

こうした問題意識の下，本書は，社会保障の目的を，従来の通説にいう国民の生活保障にとどまらず，より根源的には「個人の自律の支援」，すなわち「個人が人格的に自律した存在として主体的に自らの生き方を追求していくことを可能にするための条件整備」にあると捉える。そしてここにいう「個人が人格的に自律した存在として主体的に自らの生き方を追求できること」，いわゆる「自由」の理念が，個人主義の思想を基盤とする日本国憲法下にあって，社会保障の規範的な指導理念として位置付けられる[249)]。このことは，社会保障の目的を，財（所得・サービス）の分配（そしてそれによる物質的ニーズの充足）による生活保障という物理的事象で捉え切ってしまうのではなく，自律した個人の主体的な生の追求による人格的利益の実現（それは第一義的に「自己決定」の尊重という考え方とも重なり合う）のための条件整備と捉えるものであり，憲法との関連では13条に規範的根拠をおくものである。こうした捉え方は，第

---

248)　城戸喜子＝駒村康平編著『社会保障の新たな制度設計――セーフティ・ネットからスプリング・ボードへ』（慶應義塾大学出版会，2005年）13頁，43頁，71頁，塩野谷祐一『経済と倫理』（東京大学出版会，2002年）374頁。

249)　菊池・法理念第3章，同・将来構想第1章。

1に，行為主体による自主的自律的な生の構築，そしてそれを可能にするための生き方の選択の幅の確保という，いわば動的な視点に積極的な価値を見出すこと，第2に，「個人が人格的に自律した存在として主体的に自らの生き方を追求できること」に対して，福利（welfare）ないし幸福の達成のための手段的価値にとどまらない，それ自体が福利の構成要素たるべき内在的価値を見出すことにほかならない250)。

こうした人格的利益の実現を図るため，憲法25条1項2項が規定するように，国家は社会保障制度を整備し，一定の財・サービスの供給を確保する責任を負う一方で，それに対応する形で，国民は一定の限度で財産権への制約（憲29条2項）を甘受することになる251)。

---

250)　ここから①「個人」基底性，②「自律」指向性，③実質的機会平等といった規範的価値の尊重が要請される。菊池・将来構想9-14頁。さらにこれらの規範的諸原理との関係で導出される下位原則として，①-(i)国家による個人の過度な干渉に対する警戒，(ii)個人単位での権利義務の把握，②-(i)「参加」原則，(ii)「選択」原則，(iii)「情報アクセス」原則，(iv)「貢献」原則，③-(i)医療・福祉・介護サービスの充実，(ii)子どもへの実体的保障，(iii)精神的自律能力の不十分・欠如に対するサポート，(iv)失業者等の就労支援が挙げられる。こうした規範的価値は，憲法25条によっても正当化され得る給付の場面のみならず，たとえば「参加」「選択」といったプロセス的価値をも含むものであり，その意味で憲法13条が社会保障法を（憲法25条を介してではなく）直接規範づける法的根拠であるということができる。同書15-27頁。

251)　こうした私見に対しては，①加入強制など「自由」の侵害を必然的に伴わざるを得ない社会保障制度を「自律」「自由」の保障の観点から説明することの矛盾ないし困難性，②費用負担できない個人にも「貢献」原則を求めることの問題性，③（(3)で述べる人間像との関連で）「自律的個人」を社会保障法の人間像として設定することは「強い個人」を想定していることにならないか等の批判がある。③に対する私見からの反論としては(3)参照。①については，一種の社会契約論的な説明として，菊池・将来構想29-31頁参照。この説明は，とりわけ強制性を伴う社会保険が日本の社会保障制度のあり方として排除されていないことのいわば消極的正当化であり，不確実に発生し得る社会的リスクの現実化に際して，個人の自由を過度に制約せず，むしろ実質的に促進する範囲での強制保険の仕組みを，憲法制定権者（究極的には国民）は排除していないものと想定され得る。ただし，手続的にはともかく実体的な意味での規範的指針（群）の妥当性が，その実際上の説得性（換言すれば市民による民主的支持）いかんにかかっていることは認めなければならない。しかしこのことは，メタ理論的な基礎付けを怠ってきた生存権にも同じく妥当することは，既に示唆した通りである。第1節第2款1(2)参照。②については，菊池・将来構想32-35頁参照。憲法27条1項（勤労の義務）との関連で憲法25条を解釈すべきとの通説的立場を支持した上で（したがって，立法論ないし政策論として，所得調査を必要とせず，就労義務とも切り離され，稼働能力ある成人も含めまったくの無条件で一律に金銭給付を行うという意味での本来的なベーシック・インカム〔BI〕の構想は支持で

(3) 社会保障法の人間像

社会保障法における人間は，労働法における「労働者」（労基９条，労組３条）や，消費者法における「消費者」（消費基２条１項）などと異なり，実定法上の文言として，一般的な概念としては存在しない。ただし，社会保障法上の理論的諸問題を展開するにあたっては，どのような人間像を措定するかが問題となることがある。

社会保障法において想定されるべき人間像は，近代法から現代法へ，そして市民法から社会法へという史的展開のなかで認識されるに至った現実具体的な個人（社会法的人間像）であると捉えられてきた。社会保障法において，人間像の議論を自覚的に展開したのは，荒木誠之による「生活主体」論である。それは，労働法との関係で社会保障法の相対的独自性を明らかにすることを念頭に置くものであった。すなわち荒木によれば，「労働法は，従属労働関係に登場する労働者を対象とするから，農漁民，中小零細事業主，独立労働者等の，広い範囲の経済的弱者の生存権を包摂することができない」，「社会保障法における法主体は，具体的生活手段によってではなく生活主体としてとらえられた国民である。労働者もここでは，労働関係に立ち現われる側面においてではなく，基本的には農漁民や小企業経営者と同一平面において，すなわち生活主体としての側面において把握される」と論じた[252)]。あるいは，社会保障法は，市民法が法的人格の抽象化の過程で捨象した，国民の生活主体としての側面を捉えているともいわれる[253)]。これらはいずれも具体的な人間像を念頭におくものであるということができる。

しかし他方，近代市民社会から現代市民社会への変容により，「市民法」の中核である民法の人間像も大きく転換し，市民社会の拡大現象と密接に関連しつつ，民法が扱う社会関係が大きく拡大してくる中で，「人間は，一方では生

きない），何らかの理由で就労の意欲や能力を欠く人などへの就労等の安直な「強制」につながらないよう（こうした人びとは一義的に継続的「支援」の対象である）十分留意しつつも，雇用労働や中間的就労に向けた取組みなどを含むという意味での一定の「貢献」を給付の前提条件とすることは，認められるものと考える。

社会保障の法理念としての連帯と自律につき，私見への言及を含め憲法学の立場から整理したものとして，植木淳「社会保障法と憲法」『社会保障法研究』６号（2016年）13-21頁参照。

252）荒木・法的構造66頁，76-77頁。

253）同書54頁。

産活動を中心とする経済活動に従事するが，それがすべてではなく，同時に具体的人間として多様な生活を送る」，「いうなれば，経済活動の外部に『生活世界』の人間関係がある」との把握がなされ[254)]，実際，社会福祉領域におけるサービス契約理論[255)]や，成年後見制度も含めた福祉受給者の権利擁護[256)]などをめぐる学際的検討が行われ，私法ないし民法であると社会保障法であるとを問わず，「具体的」人間を念頭に置いた法理論の展開が求められている状況にある。その意味では，人間像としての「生活主体」そのものの意味合いは，いわば相対化したとも言い得る側面がある。

本書が依って立つ自律基底的社会保障法理論では，現に存在する社会経済的な力関係の格差を踏まえた上で，かつ，それを補完するための諸方策を不可欠としながら，なおも自律的主体的な人間像が想定される[257)]。ただし，それは完全な自律能力を有する人間を現実の政策展開にあたって基準とすべき（逆に言えば，そうした基準に合致しない人間を保障対象としない）という趣旨の議論ではない。たとえば，認知症高齢者が自己同一性を失うまいとして生きる姿勢や，知的・発達障害者等が平均的な速度よりゆっくりとではあっても発達を遂げていく成長過程の中にも「自律」（指向）性を看取することができ，そうした「営み」に対するサポートを行うための法制度の整備・充実を規範的に求めるところに，この議論の大きな眼目がある[258)]。

---

254)　吉田克己「民法のなかの『人間』――総論――近代から現代へ」『法学セミナー』529号（1999年）35頁。

255)　岩村編・前掲書（注40）など。

256)　新井誠ほか編著『福祉契約と利用者の権利擁護』（日本加除出版，2006年）など。

257)　菊池・将来構想第2章。

258)　加えて，私見の措定する自律的人間像は，互恵性ないし相互性（reciprocity），共感（empathy）に開かれた人間像と両立し得るものである。また各人の善き生の構想は，批判的吟味と修正に常に開かれており，社会保障制度は，そうした批判的吟味を行っていくための機会の保障という側面も有する。菊池・前掲書（注196）51頁。

第3節　社会保障と社会保障法の展望

第1款　社会保障法の位置と固有性

1　社会保障への学問的アプローチ

社会保障は，直接的には国民の生活保障を目的とした給付の仕組みであるとしても，その前提としての負担が不可欠であることから，財政制約の中でどのように最適な資源配分を行うかに関心をもつ経済学・財政学の視点が重要である。また政治的社会的諸状況の相違にもかかわらず各国共通の政策課題となっている社会保障の比較制度分析には，政治学の視点が有益である。さらに様々な社会調査とその分析などを通じての社会学の視点も有用である。同一の対象への複数の学問分野にまたがった個々の研究者による分析[259)]や学際的共同研究[260)]も，今後ますます必要となろう。

これに対し法律学では，社会保障法と呼ばれる法分野が，3で述べるように社会保障制度の展開と相俟って発展を遂げてきた。

社会保障法の研究・分析手法としては，以下の3つが挙げられる。これらはいずれも実定法学共通の手法であり，社会保障法固有のものというわけではない。またいずれかが唯一重要というわけではなく，これらを重層的に積み重ねていくことにより，社会保障法学の学問的深化と社会的役割の増大が図られ得る。

①　比較法アプローチ（比較法制度研究）

他の多くの社会制度と同様，社会保障に関しても，日本は西欧諸国の制度を参考にして作り上げてきた面がある。現在でも，これらの国における取組みから学ぶことは多い。日本の社会保障制度を相対化し客観的に評価する視点を獲得する意味でも，こうしたアプローチは有用であり，とくに若手研究者にとっ

259)　社会保障法学の側から，経済学及び社会福祉学との架橋を試みる論稿として，岩村正彦「経済学と社会保障法学」『社会保障法研究』1号（2011年）273頁以下，秋元美世「社会保障法学と社会福祉学――社会福祉学の固有性をめぐって」同317頁以下。

260)　駒村康平＝菊池馨実編『希望の社会保障改革』（旬報社，2009年），菊池馨実＝田中聡一郎「生活困窮者自立支援から地域共生へ――証言から描く生活困窮者自立支援制度」『月刊福祉』2021年5月号60頁以下など。

ては必須の研究手法といわねばならない。もっとも，世界随一の超高齢社会となった現在では，他国（とりわけアジア各国）に先駆けたモデルとなり得るシステムを独自に作り上げていくことが求められている側面もある。諸外国の制度分析は法律学の専売特許というわけではないが，法学研究者による良質な比較法研究は，日本の法制度に対する十分な理解を前提とした上で，対象テーマに関する立法（法律）・行政（運用）・司法（裁判）の三権それぞれに目配りし，議会議事録や政府文書などの一次資料の分析まで踏み込んだ綿密な分析であり信頼性が高いという特徴がある。

② 法解釈アプローチ（実定法アプローチ）

社会保障法も実定法の一分野である以上，具体的紛争場面における法の適用と解釈のあり方が考察対象となる。その意味で社会保障法研究者には，判例研究のトレーニングを通じて獲得された法解釈学の素養が不可欠である。ただし社会保障法は多分に技術的性格をもち，社会状況の変化に合わせて頻繁に法制度改正がなされる法分野である。したがって，裁判とは別に立法論ないし政策論の展開場面において法制度改正を領導すべき規範的議論の構築も求められる。社会保障も日本の憲法体制下にある法制度の一部である以上，法制度改正も憲法や実定法体系との整合性を勘案しながら行われなければならない。つまり裁判上の争いにまで至らなくとも，法解釈学の方法論で制度のあり方を論じることが一定程度求められる。こうした視点は，法学研究者しか持ち得ないものである。

③ 法政策学アプローチ（基礎法学アプローチ）

②で述べたように，社会保障法の技術的性格からすれば，法律学固有の規範的議論は，裁判規範のレベルとともに，頻繁に改正される法制度を領導する立法論ないし政策論としての展開が期待され得る。こうした規範的議論を展開するにあたっては，実定法規範のみならず法哲学などの基礎法学の議論も有力な参照基盤となり得る。本書が依拠する自律基底的社会保障法理論（第2節第2款2(2)）も，こうした議論（とりわけリベラリズム）をその理論的土台に据えるものである。

2　実定法学の中の社会保障法

社会保障法は，他の多くの実定法分野と関連を有しており，社会保障制度自体，他の法分野における研究対象ともなっている。具体的には，社会保障の規範的基盤を論じる際には，生存権論をはじめとする憲法の議論を参照しなければならないし，国や地方公共団体などと国民とのあいだの給付等をめぐる法関係は，行政裁量・行政処分・行政立法など行政法固有の概念や法技術によって規律されている。また施設・事業者と利用者とのサービス提供関係が契約によって規律されており，生活保護など社会保障給付のあり方が民法上の扶養義務との兼ね合いで決まってくるなど，民法との関連性も深い。労働保険（労災保険・雇用保険）は労働法の適用関係と密接に関連性を有しており，社会保障拠出をめぐる法関係は租税法・財政法の対象領域にほかならない。

このように社会保障法を学んでいく上では，憲法・行政法・民法といった基本科目の基礎知識が必要であり，その意味で社会保障法は実定法の中でも応用科目のひとつとして位置づけられる。

3　社会保障法の歴史

日本で社会保障制度を法領域とする固有の分野が確立したのは，戦後しばらく経ってからのことであった[261]。既に戦前から，この分野の先駆者として菊池勇夫による一連の業績があったものの[262]，上述のように（第2節第1款**2**），1957（昭和32）年に刊行された法学者による初の『社会保障法』と題する教科書において，吾妻光俊は，「社会保障法なる統一的観念が成立し得るか否かについての確定的な解答を用意せず，また，その概念の内包についても，これを確定し得ない」[263]と述べている。

社会保障法の本格的展開は，1960年代半ば（昭和40年代）以降にみられた。高度経済成長とそれを基盤とした社会保障制度の充実を背景として，社会保障法学創始期の研究者による幾つかの研究書が発表され，法体系論などが本格的に論じられるに至った[264]。また従来の制度別体系論を批判し，その後の社会

261)　社会保障制度の展開と社会保障法学の発展を跡付けたものとして，岩村正彦「社会保障法と民法——社会保障法学の課題についての覚書」中嶋士元也先生還暦記念論集刊行委員会『労働関係法の現代的展開』（信山社，2004年）359頁以下。

262)　菊池勇夫『社会保障法の形成』（有斐閣，1970年）。

263)　吾妻14頁。

264)　角田豊『社会保障法の課題と展望』（法律文化社，1968年），佐藤進『社会保障の法体系（上）』（勁草書房，1969年）など。

保障法学の発展に大きな影響を与えた荒木誠之による給付別体系論も（第2節第1款**2**），この時期に発表された[265]。他方，朝日訴訟などの裁判闘争の理論的礎ともなった権利論も展開された[266]。

1970年代に入ると，籾井常喜による教科書が，憲法25条1項・2項の解釈（二重構造的把握）や，医療保障ないし健康保障に独自の位置づけを与えた点で注目された[267]。その後，単著あるいは有力研究者の編纂による総論・各論からなる教科書の出版が続くとともに[268]，1982（昭和57）年日本社会保障法学会が創設されるに至って，社会保障法は実定法分野としての体裁を一応整えるに至った。1980年代にかけて学界の主たる関心は，体系論などの総論分野よりも，財政危機などを背景として社会保障制度の再編へと大きく変貌を遂げつつあった各論分野へと移行した[269]。

1990年代半ば以降，再び総論分野に関わる研究業績がみられるようになった[270]。総論の理論構築に再び目が向けられるに至った背景には，社会経済状況の大きな変化や，これを踏まえた社会保障構造改革などの政策動向もあったとみられる[271]。学界を代表する単著による本格的教科書も，2000年代初頭に相次いで発刊された[272]。さらにこの時期，若手研究者を中心とした比較法研究の成果が次々に出版され，研究の道に入った当初から社会保障法を専攻する世代[273]が次第に厚みを増している[274]。しかしながら，超少子高齢社会の到来，

---

265)　荒木誠之「社会保障の法的構造――その法体系試論（1）（2・完）」熊本法学5号（1965年）1頁以下，同6号（1966年）1頁以下。荒木はその後，単著の教科書を出版した。同『社会保障法』（ミネルヴァ書房，1970年）。

266)　小川など参照。

267)　籾井参照。

268)　西原道雄編『社会保障法』（有斐閣，1972年），角田豊『社会保障法』（青林書院新社，1978年），園部逸夫ほか『社会保障行政法』（有斐閣，1980年），荒木誠之『社会保障法読本』（有斐閣，1983年）。

269)　河野・権利構造など。

270)　高藤昭『社会保障法の基本原理と構造』（法政大学出版局，1994年），堀勝洋『社会保障法総論』（東京大学出版会，1994年）（第2版は2004年），江口など。

271)　菊池・法理念，新田秀樹『社会保障改革の視座』（信山社，2000年），倉田・構造分析，菊池・将来構想など。

272)　岩村I，西村。また西村健一郎『社会保障法入門』（有斐閣，2008年）（第3版は2017年）は，定評のあった荒木・社会保障法読本の後継に位置付けられる入門書である。

273)　筆者がそのいわば第一世代である。岩村正彦＝菊池馨実「『社会保障法研究』創刊にあたっ

厳しい国家財政といった事情を背景として，社会保障が今後長期的にも重要政策課題であり続けると思われる中にあって，社会保障法の研究の深化はまだ十分とは言えず，今後益々の発展が望まれている状況にある[275]。

第2款　社会保障の持続可能性

1　最近の改革動向にみられる特徴

前章で歴史的展開をたどったように（第1章第2節第3款**2**(7)以下），超少子高齢社会の到来，国家財政の逼迫などを背景として，1990年代半ば以降，社会保障構造改革が重要な政策課題となり，いわゆる社会福祉基礎構造改革などがなされたのに引き続き，2000年代に入っても，年金・医療・福祉・介護などの各分野にわたって重要な法改正が相次いだ。さらに2009（平成21）年秋の政権交代により，いわゆる「社会保障・税一体改革」の旗印の下，消費税増税と一体的な形での抜本的な社会保障制度改革が企図され，子ども・子育て支援，年金，医療，介護の四分野のうち前二者につき一応の制度改革が実現した[276]。

て」岩村正彦＝菊池馨実責任編集『社会保障法研究』1号（2011年）i頁。

274）加藤・前掲書（注237），倉田・基本構造，菊池馨実『年金保険の基本構造』（北海道大学図書刊行会，1998年），中野妙子『疾病時所得保障制度の理念と構造』（有斐閣，2004年），嵩さやか『年金制度と国家の役割』（東京大学出版会，2006年），笠木映里『公的医療保険の給付範囲』（有斐閣，2008年），同『社会保障と私保険』（有斐閣，2012年），倉田賀世『子育て支援の理念と方法』（北海道大学出版会，2008年），島村暁代『高齢期の所得保障』（東京大学出版会，2015年），丸谷浩介『求職者支援と社会保障』（法律文化社，2015年），山下慎一『社会保障の権利救済』（法律文化社，2015年）など。

275）学界の最先端の研究の掲載を目指すものとして，岩村正彦＝菊池馨実責任編集『社会保障法研究』（信山社）があり，第1号が2011年に発刊された（2021年8月に14号刊行）。最近，複数の著者によるオムニバス形式での社会保障法のテキストの発刊が相次いでいる。本書初版はしがきでも述べているように，筆者は学問分野としての自立と成熟を図る物差しとなるのは，基本的には透徹した視点で描かれた単著の教科書や体系書であると考えている。最近のコンパクトな教科書として，島村暁代『プレップ社会保障法』（弘文堂，2021年）。その中で，笠木映里＝嵩さやか＝中野妙子＝渡邊絹子『社会保障法』（有斐閣，2018年）は，学界の先端レベルの議論が参照可能な良書であり，本書でも随時参照している。

276）2012（平成24）年8月，消費増税関連2法のほか，子育て支援関連2法，認定こども園法改正法，年金制度改革関連2法，社会保障制度改革推進法が成立した。その後同年11月，国年法等改正法，年金生活者給付金法が成立し，年金分野の改革が出揃った。

この改革は2012（平成24）年12月の自公政権発足後も引き継がれ，2013（平成25）年「持続可能な社会保障制度の確立を図るための改革の推進に関する法律」（社会保障改革プログラム法）により，前述した四分野の中でも医療及び介護分野を中心とした社会保障制度改革の全体像・進め方が明示され，2014（平成26）年医療・介護総合確保推進法，2015（平成27）年「持続可能な医療保険制度を構築するための国民健康保険法等の一部を改正する法律」として実現した。

戦後日本の社会保障制度改革の後ろ盾となったのが，内閣総理大臣の下におかれた社会保障制度審議会であった。1950（昭和25）年「社会保障制度に関する勧告」（50年勧告）は，現在に至る社会保障制度の基盤とデザインを形成した点できわめて重要であり，1995（平成7）年「社会保障体制の再構築（勧告）」も，戦後50年を経て21世紀に向けた新しい社会保障像を提示したという意味で重要である。2001（平成13）年に同審議会が廃止されて以降，政権の下に臨時的におかれ，有識者によって構成される会議体が，幾度となく社会保障施策を推進する上での基本的な考え方を示す文書をまとめてきた。2008（平成20）年11月に最終報告を行った社会保障国民会議，2009（平成21）年6月，「安心と活力の日本へ」と題する報告書を提出した安心社会実現会議，2010（平成22）年12月，「安心と活力への社会保障ビジョン」と題する報告書をまとめた「社会保障制度改革に関する有識者検討会」などがある。2013（平成25）年8月「社会保障制度改革国民会議」報告書は，2012（平成24）年社会保障制度改革推進法に法的根拠をおく時限的な有識者会議の報告書であり，2013（平成25）年社会保障改革プログラム法の基盤となり，医療及び介護分野を中心とした社会保障制度改革を推進する原動力となった。その後も2019（令和元）年に設置された全世代型社会保障検討会議が，2020（令和2）年12月，最終報告を閣議決定した。

他方，21世紀に入ってからの社会保障政策のあり方は，いわば社会保障制度外在的に，経済・財政政策の観点から構想されるとの側面が強くみられるようになった。その推進役として機能してきたのが，内閣府に設置され，従来の社会保障審議会の任務の一部を引き継いだとされる経済財政諮問会議である。

以下では，社会保障制度改革に向けた最近の政策動向にみられるいくつかの特徴を挙げておきたい[277]。

①　財政制約の下での制度改革

2000年代以降の社会保障制度改革は，「社会保障の持続可能性の確保」をひとつのキーワードとしている。ここでいう持続可能性とは，一義的には財政面における将来的な制度の持続可能性を意味している（第1章第1節第3款）。その端緒として，2008（平成20）年社会保障国民会議は社会保障のあり方を論ずるに際し公的年金財政や医療・介護費用の将来試算を行い，2010（平成22）年有識者検討会報告書では，社会保障改革とそれを支える消費税を含む税制改革の一体的実施など相当踏み込んだ議論を展開し，2012（平成24）年社会保障・税一体改革の端緒となった。2013（平成25）年社会保障改革国民会議報告書でも，給付の重点化・効率化と財政的負担の増大の抑制が基本的考え方として示され，その後の医療・介護分野の制度改革も，利用者負担の引上げなどこうした方向性に一定程度沿うものとなった。

先に述べたように，現在の社会保障政策のあり方は，経済財政諮問会議など経済・財政政策の枠組みの中で，首相官邸主導で論じられており，給付の必要性や支援ニーズの存在といった議論では済まされない状況にある。

②　子ども・子育て支援と世代間公平

日本の社会保障制度の特徴として，高齢者に大きく偏った給付構造となっていることが認識される一方[278]，少子化対策・次世代育成支援対策への取組みの遅れが指摘された（2008〔平成20〕年社会保障国民会議中間報告）。こうした中で，2010（平成22）年有識者検討会報告書にみられるように，少子化対策等の強化とは別に，子ども自身に着目し，子どもが育つことへの支援という視点も意識されるようになった。2012（平成24）年社会保障・税一体改革では，改革の対象となった社会保障四分野のうち，医療，介護，年金に先んじて，子ども・子育て支援の充実が挙げられるに至り，時限的ではあったものの子ども手当として実現をみた。

277）　本文で挙げた諸事項のほか，2019（令和元）年冬，中国・武漢から世界中に感染拡大した新型コロナウイルス感染症（COVID-19）が日本の経済社会に及ぼした甚大な影響を見逃すことはできない。このいわゆるコロナ危機により，社会保障制度の側での緊急対応がなされたことに加えて，中・長期的にも社会保障制度のあり方に少なくない影響があるものと考えられる。菊池馨実「新型コロナウイルスと社会保障」『社会福祉研究』139号（2020年）32頁以下参照。

278）　2018（平成30）年度現在，社会保障関係給付費のうち高齢者関係給付費の割合が66.5％を占めていた。編集委員会編『社会保障入門2021』（中央法規出版，2021年）38頁。

2013（平成25）年社会保障制度改革国民会議報告書では，給付と負担の両面にわたる「世代間の公平」に焦点が当てられ，給付は高齢世代中心，負担は現役世代中心という構造を見直して，給付・負担の両面で世代間の公平を確保することが謳われた。ここにおいて，「現役世代は雇用，高齢者世代は（年金・医療・介護中心の）社会保障」という意味での「1970年代モデル」から，現役世代の「雇用」や「子育て支援」，「低所得者・格差の問題」や「住まい」の問題も課題として捉える「全世代型社会保障」としての「21世紀（2025年）モデル」への転換という方向性が示された。同報告書では，同時に「年齢別」負担から「負担能力別」負担への転換を図り，「世代内の公平」にも配慮するものとされた。こうした基本的な考え方は，2019（令和元）年全世代型社会保障検討会議，2021（令和3）年全世代型社会保障構築会議に象徴されるように，その後も維持されていると言って差し支えない。

近時の改正動向をみると，「世代間の公平」の面では，現役世代との関係で，とりわけ待機児童解消など親（とくに女性）の就労との関わりでの子育て支援に重点が置かれている一方，家庭内保育を含めた子育て全般や，子どもの発達そのものに対する支援は十分とはいえない。他方，高齢世代に対しては，相次ぐ医療・介護保険制度改革により，高齢者にも応分の負担を求める制度改正が進行しつつあるものの，高齢者の負担能力に対する懸念などの反対論も根強く，未だ十分とはいえない。また「世代内の公平」の面では，現役世代においては2014（平成27）年改正による後期高齢者支援金への全面総報酬割の導入などがなされる一方，現役並み所得を有する高齢者への医療・介護保険の自己負担割合引上げが行われるなど，「負担能力別」負担の傾向が強まっている。

③　貧困・格差問題への対応

2008（平成20）年秋のリーマン・ショックは，日本経済に大きなダメージを与え，大幅な景気後退をもたらした。その影響は雇用分野にも及び，失業率は高止まりを続けた。その後，雇用情勢は持ち直したものの，2000年代以降顕著にみられるようになった不安定雇用従事者の増大，長期失業者・生活困窮者・貧困者の増大・滞留といった傾向は，直ちに抜本的解消が図られることはないと思われる。これらは日本における雇用社会の構造的な変化を反映しているからである[279)]。

こうした近時の動向を踏まえた社会保障制度における包括的な政策対応が切

実に求められる状況に立ち至っている。近時，社会保険・労働保険と生活保護の中間領域における第2のセーフティネット（求職者支援制度，生活困窮者自立支援制度を含む）の整備や，非正規雇用労働者・自営的就業者などへの被用者保険（健康保険・厚生年金保険）や労働保険（労災保険・雇用保険）の適用拡大が本格化している。

④　社会的包摂のための個別的・包括的相談支援

既に紹介したように（第1章第2節第1款1），イギリスのベヴァリッジ報告書（1942年）によれば，「『社会保障』とは，失業，疾病若しくは災害によって収入が中断された場合にこれに代わるための，また老齢による退職や本人以外の者の死亡による扶養の喪失に備えるための，さらにまた出生，死亡および結婚などに関連する特別の支出をまかなうための，所得の保障を意味する」[280]ものとされた。またベヴァリッジ報告書の影響を受けて，戦後日本の社会保障制度の発展に大きな役割を果たした1950（昭和25）年社会保障制度審議会勧告（50年勧告）では，「社会保障制度とは，疾病，負傷，廃疾，死亡，老齢，失業，多子その他困窮の原因に対し，保険的方法又は直接公の負担において経済保障の途を講じ，生活困窮に陥った者に対しては，国家扶助によって最低限度の生活を保障するとともに，公衆衛生及び社会福祉の向上を図り，もってすべての国民が文化的社会の成員たるに値する生活を営むことができるようにすることをいう」ものとされた。このように，歴史的に社会保障は，困窮の原因となるべき一定の要保障事由の発生に際しての「所得保障」ないし「経済保障」と捉えられてきた。そこで対処が必要と考えられたのは，資産や所得などの資源の欠如といった物質的・経済的な意味での「貧困」であった。これに対し，近時，社会の大多数の人々が享有している機会をもち得ないといった，個人の生活全

279)　1989（平成元）年に19.1％（817万人）であった非正規雇用労働者の割合は，1999（平成11）年に24.9％（1225万人），2009（平成21）年に33.7％（1727万人），2019（令和元）年に38.3％（2165万人）と増大しており，このうち不本意非正規雇用（正社員として働く機会がなく，非正規雇用で働いている者）が，2019（令和元）年平均で非正規雇用労働者全体の11.6％（236万人）を占めた（厚生労働省ウェブサイト https://www.mhlw.go.jp/content/000830221.pdf〔2021（令和3）年12月現在〕）。

280)　山田雄三監訳『ベヴァリジ報告　社会保険および関連サービス』（至誠堂，1969年）185頁。一圓光彌監訳『ベヴァリッジ報告　社会保険および関連サービス』（法律文化社，2014年）187頁参照。

体に影響し得るような「境遇」に関わる概念として，「社会的排除（social exclusion）」に焦点が当てられるようになった。そして福祉国家のありようがどうあれ[281]，共通して目指すべき方向性として，「社会的包摂（social inclusion）」に向けた取組みが求められるに至った。

貧困に対する経済的保障が目的であれば，金銭・現物・サービスといった実体的給付による生活の保障が図られれば事足りる。しかし，それにとどまらず社会への（再）統合による個人の自立が目指されるべきであるとするならば，自立のための主要な手段である就労（狭義においては賃金労働を意味するものの，広義においては中間的就労なども含む）や社会参加的意味合いをもつ活動に向けた支援策が欠かせない。このように「社会的包摂」の考え方は，社会的・経済的自立を支援するための施策の重視という規範的含意をもつ。このことは，社会的・経済的自立の支援という役割が社会保障制度に求められるに至ったということでもある。こうした方向性は，本書が志向する自律基底的社会保障法論（第２節第２款**2**(2)）とも親和的である。

経済的貧困をもたらす要保障事由に対する事前予防的（社会保険）・事後的（公的扶助）な対応のみならず，社会的包摂の側面に着目することで，個人の自立ないし自律[282]に向けた様々な支援を通じての包摂の重要性に焦点が当てられるようになった。このことは，第１に，金銭給付による経済的保障や医療・介護といった実体的なサービス保障のみでは足りず，必ずしも定量的な法定化になじまない相談支援の提供を通じての，各人の境遇に応じたきめ細かな個別的・包括的な支援が重要になることを意味する[283]。また第２に，雇用と社会

281）　宮本太郎『社会的包摂の政治学』（ミネルヴァ書房，2013年）7頁は，「20世紀福祉国家の縮小か拡大かで対立してきた保守主義，経済的自由主義，社会民主主義の幅広い立場が，社会的包摂という方向で政治的な収斂傾向を見せるのである」とする。

282）　筆者の整理によれば，自立（independence）とは，行為主体として独立できている状態をいい，自立支援とは，人びとが非「自立」状態にある場合，社会保障を含むさまざまな施策を通じて「自立」した状態に至るよう公的なサポートを行うこととして捉えられる。これに対し，自律（autonomy）とは，「個人が主体的に自らの生き方を追求できること」をいう。ただし自律は所与の前提ではなく，目指すべき目標として捉えられる。社会保障は，人間が生まれて自律的個人へと向かって成長し，不完全ながらも自律性を保持しながら，自らの人生の物語を紡いで行く上での条件整備のための制度である。菊池・前掲書（注196）27-28頁，34-35頁。

283）　相談支援を一種の給付に類したもの（手続的給付）と捉え，その法的保障のあり方について考えていく必要性につき，注196）参照。

保障を一体的・包括的に捉え，就労を軸にしてどのように生活保障を図るかという視点も同様に重要性を増すことになる[284]。

2　社会保障の持続可能性

先述したように（第1款1），社会保障分野では，頻繁に法制度改正がなされることから，実定法学の一分野としての社会保障法にとって，法制度改正を行う際，その政策判断を規範的に枠付ける拠りどころとなるべきもの，すなわち立法策定指針ないし政策策定指針の提示が重要な任務となる。さらに，そうした規範的指針は，個々の制度毎にとどまらず，制度横断的ないしマクロの視点からの社会保障制度の全体像ないしグランドデザインの提示を見据えたものであることが求められる[285]。

他方，一定の規範的指針が導かれ得るとしても，社会保障制度のあり方は，代表民主制（憲43条1項）の下，最終的には国民の代表機関である国会の政策決定プロセスに委ねられているといわねばならない。しかしながら，社会保障は国民の生活と密接に関わっているため，給付を引き下げたり，負担の増大をもたらすことになる法制度改正は，当事者である国民の反発を買う可能性がある。そうすると，現実問題として政治家は，その時々の有権者にとって「痛み」を伴わない政策選択をしがちとなる（いわゆる「ポピュリズム」の問題）。給付は最終的に国民の誰かが負担しなければならないのであるから，政治的な発言力の弱い若年世代やまだ生まれていない将来世代に意識的あるいは無自覚的に負担を付け回すことで，その場しのぎの選択を繰り返す可能性がある。こうした構造は，裁判などの司法システムを通じて是正することも容易ではない。社会保障に関わる施策は基本的に広範な立法裁量に委ねられるというのが判例の立場であることに加え[286]，まだ生まれていない将来世代が裁判という手段を利用すること自体不可能であるからである。

さらに，少子高齢化により，選挙権をもつ有権者に占める高齢者の割合が今

---

284)　菊池馨実「貧困と生活保障——社会保障法の観点から」『日本労働法学会誌』122号（2013年）109頁以下，同「雇用社会の変化とセーフティネット」荒木尚志ほか編『岩波講座現代法の動態第3巻　社会変化と法』（岩波書店，2014年）87頁以下。注227）参照。

285)　菊池・法理念248-251頁。

286)　最大判昭57・7・7・前掲（注24）。

後ますます増大することも忘れてはならない。若年世代より高齢者世代の投票率が高いという現在の投票行動の傾向が変わらないとすれば，高齢者の政治的発言力がさらに強化され，政治家はますます高齢者の意向に反する政策を打ち出すことが難しくなる（いわゆるシルバー民主主義）。

先述のように（1①），2000年代以降，社会保障をめぐる政策論議の中で，その持続可能性が財政面から問題とされてきた。ただし，社会保障の持続可能性とは，財政面にとどまるものではない（第1章第1節第3款）。将来的に財政負担が増えていくとしても，そうした負担を共に分かち合い，担っていくことについての社会的な合意が世代を超えて長期的に形成されていれば，社会保障の持続可能性はなおも失われないと言い得るからである。その意味では，財政的な観点から，公的年金や医療保険をはじめとする社会保障制度の将来について国民の不安感・不信感をことさらに煽るような言説は，財政的な意味合い以上に，社会保障の基盤自体をますます掘り崩す危険性がある[287]。

他方，家族形態が多様化し，地域社会の結びつきが希薄化し，先述のように非正規労働者の増大など「格差」の拡大・固定化が指摘される今日にあっては，持続可能な社会保障制度構築のための社会的・市民的基盤（あるいは「連帯」の基盤）が，脆弱化しつつあることもまた認めざるを得ない。

以上述べたような状況下にあって，社会保障を将来にわたって持続可能なものとしていくための手立てはあるのだろうか。大変困難な課題であるが，ここでは4点指摘しておきたい。

第1に，政治過程において，社会保障を必要以上に「政争の具」にしないための仕組みづくりが求められる[288]。社会保障は，各政党の主要な政治的争点となっているが，国民の日々の生活に密接に関わるものである以上，その時々の政治状況において場当たり的に個別の法制度改正を繰り返していたのでは，人びとの生活状況を不安定にするだけでなく，制度に対する信頼感・安心感を

287)　鈴木亘『年金は本当にもらえるのか？』（ちくま新書，2010年），同『社会保障の「不都合な真実」』（日本経済新聞出版社，2010年）など参照。もっとも，そうした社会的な合意（あるいは社会保障を基礎付ける互恵的な意識）を維持するためには，世代間公平の観点も踏まえて，社会保障の給付と負担のあり方を一定程度見直すことが不可欠の前提条件といえる。先述のように（1②），最近の政策論議でもこのことが意識されるようになった。

288)　この点で，2012（平成24）年社会保障制度改革推進法により社会保障制度改革の基本的考え方や基本方針が与野党合意の下で法定されたことは評価できる。

失わせ，持続可能な社会保障制度構築のための社会的・市民的基盤をますます掘り崩すことになりかねない。とくに超長期にわたる制度設計が必要な年金制度などの制度設計は，いったん大きく変更したならば短期間で再変更するのに馴染まない性格のものである。2001（平成13）年に廃止された社会保障制度審議会のように，党派の違いを超えて社会保障制度のビジョンを議論する恒常的な場の設定が必要である。

第２に，持続可能な社会保障制度構築のための社会的・市民的基盤を，新たな立法や法制度改正を通じて再構築していくことが求められる。具体的には，高齢者を別建てとしない世代融和的な仕組みを設けたり，実効的な障害者差別禁止法制の導入などが考えられる[289]。さらに，従来から審議会等を通じて政策に関与してきた事業者団体や専門職団体などとは別に，国民あるいは地域住民の直接的な意見反映の機会をどうつくっていくかも課題である。こうした「参加」の仕組みは，制度改革のみならず日常的な制度の実施・運営にあたっても十分に考慮されなければならない。こうした地道な取組みを通じて，代表民主制の下での国民あるいは住民による責任ある政策選択につながることが期待され，社会保障を支える社会的合意形成に向けた基盤整備も図られ得る。

第３に，第２の点に加えて，持続可能な社会保障制度構築のための社会的・市民的基盤を，地域（コミュニティ）の再生を通じて図ることである。社会保障と並んで人々の生活を支える基盤となり得ると同時に，社会保障それ自体を支える基盤となり得るものとしては，家族・企業・地域の３つを挙げることができる。このうち家族に関しては，家族による扶養の外部化ないし社会化としての社会保障（経済的扶養の社会化としての公的年金，身体的扶養の社会化としての介護保険など）という側面がある。しかし，単身世帯の増大に象徴されるように，家族のあり方や家族形態の多様化という傾向の中で，家族による扶養機能に過度な期待をすることはもはや困難である。企業に関しては，とりわけ大企業は，従来，家族政策的な側面（生活給体系や企業福祉制度など）において，社会保障制度の代替的機能を果たしてきた。しかし，グローバル経済下，企業による生活保障機能が揺らぎをみせており，今後に多くを期待することは難しい状況にある。これに対し，地域は，医療や介護といったサービス給付の提供に

289）菊池・将来構想 42-48 頁。

あたっての基盤として重要な役割を果たしてきた。それは単なるサービス提供のための人材供給源にとどまらず，見守り，声掛け等を含む地域社会やコミュニティでの支え合い等の活動を含んでいる。周知の通り，こうした地域での支え合いも脆弱化しつつあるのが現状ではある。ただし，この点に関しては再構築に向けた可能性が開かれており，これにより日本の社会保障制度を，超高齢社会，人口減少社会の下でなお持続可能なものにしていく一助となし得るのではないかと考えられる[290]。最近では，2014（平成26）年医療・介護総合確保推進法以降，「地域包括ケアシステム」構築という政策的方向性がより一層明確化し，高齢者のみならず，障害者や子ども，生活困窮者等を含む地域全体のシステムとしての広がりも図られつつある。また2017（平成29）年介護保険法等改正による共生型サービスの創設，2018（平成30）年生活困窮者自立支援法等改正による包括的支援体制の強化等，2020（令和2）年「地域共生社会の実現のための社会福祉法等の一部を改正する法律」による市町村の包括的支援体制構築の支援等が行われるなど，「地域共生社会」が近時の社会保障制度改革推進にあたっての理念として位置づけられている。医療・福祉サービス等の「ソフト」面からのアプローチのみで地域コミュニティそのものの再生が図れるほど容易な作業ではないとしても[291]，社会保障制度の再構築にあたってのひとつの可能性を切り開く作業であることはたしかであるように思われる。

第4に，社会保障教育の推進である。2015（平成27）年公職選挙法改正により，選挙権年齢が18歳以上に引き下げられた際，高校生等を対象にいわゆる主権者教育が行われた。2016（平成28）年参院選の際の10歳代の投票率は全国平均を下回ったものの，20歳代を上回った。こうした教育を受けた世代が年齢を重ねるにつれ，若者・現役世代の投票率が上昇し，先述したシルバー民主主義に一定の歯止めをかける可能性に期待したい。さらに進んで，中・高校生など若年世代に対する社会保障に特化した教育を充実させることで，社会保障制度構築のための社会的・市民的基盤を確保する一助となるのではないかとも考えられる[292]。

290）　菊池馨実「社会保障法と持続可能性――社会保障制度と社会保障法理論の新局面」『社会保障法研究』8号（2018年）115頁以下，同・前掲書（注196）22-24頁など。

291）　朝比奈＝菊池編・前掲書（注196）35頁。

292）　厚生労働省「社会保障の教育推進に関する検討会報告書」（2014〔平成26〕年）参照。

各論

第3章

年　金

年金[1]には，公的年金と私的年金があり，私的年金には個人年金や企業年金がある。このうち社会保障法の主たる関心は，政府が管掌する公的年金にある。公的年金は，老齢・障害・家計維持者の死亡といった要保障事由の発生に際し，重要な所得保障手段となっている。日本の公的年金は，社会保険方式を採用している。近年，少子高齢化の進展などに伴い，公的年金の将来に不安が広がっている。2004（平成16）年改正による保険料水準固定方式・マクロ経済スライドなどの措置が講じられたものの，将来的な給付水準の低下が懸念され，今後は私的年金の補完的な役割に期待される面も少なくない。

本章では，公的年金（年金保険）を中心に取り上げ，企業年金等の私的年金についても触れる。本章での記述の中心は，20歳以上60歳未満の国民のすべてに適用され，基礎年金の給付を行う国民年金法と，民間被用者や公務員などに適用され，報酬比例の厚生年金を支給する厚生年金保険法である。

年金は長期的な制度設計を必要とし，社会保障法のなかでも専門技術的な制度部門である。条文を一瞥すればわかるように，多くの法改正を経て，膨大な経過規定や特則が置かれており，その複雑な条文の全体構造を理解するのは容易でない。本章でも，基本的には本則に書かれた仕組みについて記述することにする。

1）　年金は，定期的かつ長期間支払われる金銭給付である。堀・年金〔4版〕7頁。

第1節　公的年金の変遷

本節では，公的年金の歴史的変遷につき，その概略をおさえておきたい。

第1款　戦前の動向

日本の年金制度の起源は，1923（大正12）年恩給法に遡ることができる[2]。これは政府職員や軍人に対する特別制度であった。民間被用者等については，1939（昭和14）年，海上労働者を対象とする船員保険法が制定されたのを皮切りに，1942（昭和17）年，従業員10名以上の工場等で働く男子労働者（ブルーカラー）を対象とする労働者年金保険法が施行された。同法は，1944（昭和19）年，対象者を職員（ホワイトカラー），女子，従業員5名以上の事業所に使用される者にまで拡大するとともに，名称も現在と同じ厚生年金保険法と改められた。

戦前の労働者年金保険法の目的としては，生産力の増強，民間購買力の吸収，戦費の調達といった要因が指摘されている[3]。

第2款　戦後の再建と国民皆年金

戦後，経済の混乱とインフレーションの急速な進行に伴い，厚生年金保険は危機に陥った。国民生活が窮乏化するなかにあって，保険料負担が困難になる一方，既に支給のはじまっていた障害年金・遺族年金は，その実質的価値を著しく低下させた。1948（昭和23）年，厚生年金保険法改正が行われ，保険料率が約3分の1（3%）に引き下げられ，公的年金は事実上の機能停止に陥った。その後，抜本的な改革として，1954（昭和29）年，厚生年金保険法の全面改正が行われ，①給付体系を定額部分と報酬比例部分の2本立てにする，②老齢年

2） 日本の公的年金制度の歴史については，横山和彦＝田多英範編著『日本社会保障の歴史』（学文社，1991年），矢野聡『日本公的年金政策史』（ミネルヴァ書房，2012年），吉原健二＝畑満『日本公的年金制度史――戦後70年・皆年金半世紀』（中央法規，2016年）など。

3） このうち戦費調達説に懐疑的なものとして，堀・年金〔4版〕101-104頁。

金支給開始年齢を男子60歳（従来55歳），女子55歳とする，③保険料率は3％と据え置き，5年毎に見直し（財政再計算）をして引き上げる（段階保険料方式），④国庫負担割合の引上げ（給付費の10％から15％へ），といった改正がなされた。③は，それまでの完全積立方式からいわゆる修正積立方式への移行という点で重要である。1954年改正は，1985（昭和60）年改正による年金制度の再編成に至るまでの制度の基盤を形成するものであった。

1950年代には，特定の職域グループが厚生年金保険から脱退し，共済組合を組織していった（1953〔昭和28〕年私立学校教職員共済組合法，1958〔昭和33〕年農林漁業団体職員共済組合法）。またこの時期，公務員の共済組合も整備されていった（1956〔昭和31〕年公共企業体職員共済組合法，1958〔昭和33〕年国家公務員共済組合法（全面改正），1962〔昭和37〕年地方公務員等共済組合法）。こうして，日本の年金制度は分立型の様相をみせていくことになった。

他方，依然として年金制度による保障の枠外に置かれていた自営業者等にも年金制度を適用すべきとの機運が，昭和30年代に入ると高まった。1959（昭和34）年国民年金法が制定され，ここにいわゆる国民皆年金体制が実現した。

第3款　制度の拡充

国民皆年金体制が実現したものの，当初の年金給付水準は非常に低いものであった。高度経済成長を背景として，1960年代後半になると給付水準の引上げが相次いで行われた。1966（昭和41）年改正では，給付改善に伴う保険料の引上げがなされず，修正積立方式の性格がさらに強まった。

1970年代に入ると，オイル・ショックに伴うインフレにより実質価値を低下させた年金制度につき，年金額の引上げが行われた。なかでも1973（昭和48）年改正が重要である。これにより，①厚生年金の給付水準につき，現役被保険者の標準報酬の一定割合（60％）を保障するという考え方を取り入れる，②5万円年金（国民年金も夫婦で5万円）とする，③賃金スライドの導入（年金額の計算の際，過去の標準報酬を現在の価値に再評価して計算する仕組み），④物価スライドの導入（消費者物価指数の上昇に応じて自動的に年金額を引き上げる仕組み）といった改正がなされた。この改正により，公的年金制度は国民の老後生活の柱としての地位を確立したものの，③・④は，財源の裏付けのない給付引上げをもたらし，今日に至る年金制度危機をもたらすきっかけをつくったと言い得る改正でもあった。

第4款　制度の再編

1970年代後半以降，不況に伴う政府財政危機，就業構造の変化（自営業者数の減少に伴う国民年金財政基盤の脆弱化），予想を上回る人口の高齢化，などを背景として，次第に成熟度を増した分立型制度の再編・統合問題を生じ，共済組合の統合などが開始された。他方，世代間の負担の不公平をめぐる議論も表面化し，1985（昭和60）年，従来の制度構造を抜本的に改める重要な法改正が行われた。その内容は，①自営業者等を対象としていた国民年金を全国民共通の基礎年金（1階部分）とする，②厚生年金などの被用者年金を基礎年金に上乗せする報酬比例年金（2階部分）とする，③被用者年金の給付水準の引下げ，④いわゆる専業主婦の年金権確立（第3号被保険者制度），⑤障害年金の充実，⑥国庫負担の基礎年金部分への集中，⑦船員保険職務外年金分の厚生年金への統合などであった。

1994（平成6）年には，年金制度の長期的な安定を図るとの見地から，①老齢厚生年金（定額部分）の支給開始年齢の60歳から65歳への段階的引上げ，②①に伴う60歳以降の部分年金の支給，③在職老齢年金の改正，④雇用保険との調整，⑤賞与等を対象とする特別保険料（1%）の徴収といった改正がなされた。2000（平成12）年には，①厚生年金給付水準（給付乗率）の5%引下げ，②裁定後の基礎年金・厚生年金につき賃金スライド等を行わず物価変動率とする，③老齢厚生年金（報酬比例部分）の支給開始年齢の60歳から65歳への段階的引上げ，④60歳代後半の在職老齢年金制度の導入などの改正が行われた。

さらに2004（平成16）年，社会経済と調和した持続可能な公的年金制度を構築し，公的年金に対する信頼を確保する等の見地から，大規模な法改正がなされた。その主な内容としては，給付と負担のあり方の見直しとして，①従来の給付水準維持方式を改め，保険料水準固定方式（最終的な保険料率の水準を法律で定め，その負担の範囲内で給付を行うことを基本に，情勢の変動に応じて給付水準が自動的に調整される仕組み）の導入（5年ごとに財政検証を行う），②基礎年金の国庫負担割合の2分の1への引上げ，③従来の永久均衡方式を改め，有限均衡方式（既に産まれている世代がおおむね年金受給を終えるまでの期間〔100年程度〕を設定し，この期間について給付と負担の均衡を図る方式）導入による積立金の活用，④従来の可処分所得スライド及び物価スライドによる給付水準の調整の仕方を修正する，マクロ経済スライドによる給付水準の調整のほか，⑤在職老齢年金制度の見直し，⑥配偶者間での厚生年金の離婚分割などの改正がなされた。同改正は，それまでの改正とは発想を異にし，保険料水準を将来的に固定する一方，それに応じて給付水準を調整するという意味で，将来の給付水準が確定していない拠出建て年金の発想を取り入れた点で，注目すべき改正であった。

2007（平成19）年，社会保険庁におけるずさんな年金記録の管理が，社会保険方式の根幹を揺るがしかねない問題として，政治問題となった（いわゆる年金記録問題）。同庁の廃止と日本年金機構の設立，年金時効特例法等の立法上の措置，年金記録確認第三者委員会の設置など，政府が対応に追われることとなった。

2009（平成21）年夏の総選挙では，公的年金改革が争点のひとつとなった。一本化した所得比例年金と税財源で賄われる最低保障年金を組み合わせた抜本的年金改革を提唱した民主党が政権に就き，新制度導入に向けた検討を進めたものの[4)]，2012（平成24）年末，再び政権交代が行われ，結局実現を見ずに終わった。ただし，2012（平成24）年には社会保障・税一体改革の一環として大規模な法改正がなされ，年金機能強化法（平24法62）により，①基礎年金国庫負担2分の1の恒久化，②受給資格期間の25年から10年への短縮，③産前産後休暇期間中の社会保険料免除，④短時間労働者への被用者保険の適用拡大などがなされ，被用者年金一元化法（平24法63）により，厚生年金・共済年金の統一がなされた。このほか同年，国年法等改正法（平24法99）により，消費税率が引き上げられるまでの2012（平成24）年度及び2013（平成25）年度の年金特例公債（つなぎ国債）による基礎年金国庫負担2分の1引上げ分の財源の手当と，老齢基礎年金等の年金額に係る特例水準（2.5%）の2013（平成25）年度から3年間（2015〔平成27〕年度にかけて）での解消，年金生活者支援給付金支給法（平24法102）による低所得高齢者・障害者等への福祉的給付の創設が行われた[5)]。

---

4)　新年金制度に関する検討会「新たな年金制度の基本的考え方について（中間まとめ）」（2010〔平成22〕年6月）。2012（平成24）年社会保障制度改革推進法5条参照。

5)　これらの法改正のうち，受給資格期間の25年から10年への短縮，年金生活者支援給付金の支

2013（平成25）年にも，前政権が積み残した課題として，財政的に厳しい状況に立ち至った厚生年金基金制度の大幅な見直しと，第3号被保険者の記録不整合問題への対応のための法律（健全性信頼性確保法）が成立した。

その後も年金制度改正が行われている。2014（平成26）年年金事業運営改善法では，①納付猶予制度対象者の30歳未満から50歳未満の被保険者への拡大等，②事務処理誤り等により国民年金保険料の納付機会を逸失した場合等における特例保険料納付の仕組みの創設，③新たな年金記録訂正手続の創設などが行われた。2016（平成28）年改正法では，①被用者年金のさらなる適用拡大，②国民年金第1号被保険者の産前産後期間保険料免除，③年金額の改定ルール見直し，④年金積立金管理運用独立行政法人（GPIF）の組織等見直しが行われた。2020（令和2）年改正法では，①被用者年金のさらなる適用拡大（事業所の規模要件の段階的引下げ，未適用業種への一部適用），②在職中の年金受給のあり方の見直し（65歳以上の在職老齢厚生年金額の定時改定，60歳代前半の在職老齢年金制度の見直し），受給開始時期の選択肢の拡大（60歳から75歳まで）などが行われた。

第2節　公的年金の基礎

次に本節では，公的年金の目的と体系のほか，財政方式や財源などに関わる基本事項をおさえておくことにする。

第1款　目　的

公的年金各法には目的規定がおかれている。すなわち「国民生活の安定がそこなわれることを……防止し，もつて健全な国民生活の維持及び向上に寄与すること」（国年1条），「生活の安定と福祉の向上に寄与すること」（厚年1条）が目的である。このうち国民年金法1条によれば，国民年金が憲法25条2項の理念に基づく制度である旨明記されている。ただし理論的には，国民年金（基

給は，消費税率の引上げ（8％から10％へ）延期に伴い延期された。このうち前者は，2016（平成28）年年金機能強化法改正法（平28法84）により，2017（平成29）年8月施行され，後者は，2019（令和元）年10月施行された。

図1　公的年金制度の体系

（数値は2020〔令和2〕年3月末）

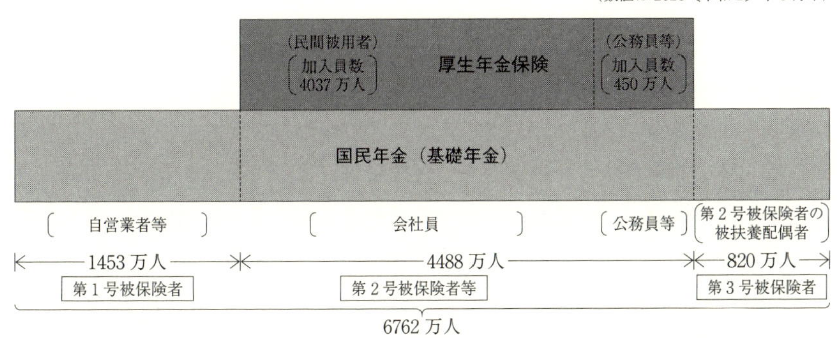

礎年金）は同条1項の趣旨（「健康で文化的な最低限度の生活」の保障）を実現するための制度でもある6)。

第2款　体　系

公的年金は2階建ての体系となっており，大まかに言って国民年金，厚生年金からなる（図1）。1985（昭和60）年改正以後，20歳以上60歳未満の国民が1階部分の国民年金（基礎年金）に加入し，厚生年金に加入する民間被用者・公務員などには報酬比例年金が2階部分として上乗せされるという基本構造になっている。2012（平成24）年被用者年金制度一元化法（法63）により，2015（平成27）年10月から厚生年金に公務員及び私学教職員も加入することとし，2階部分の年金は厚生年金に統一された7)。

6)　堀・総論〔2版〕141頁参照。

7)　従来，共済年金と厚生年金には制度間の差異（被保険者の年齢制限，未支給年金の給付範囲，老齢給付の在職支給停止，障害給付の支給要件，遺族年金の転給など）があり，これらの多くが共済年金加入者に有利だったことから，「官民格差」との批判がなされ，法改正へと結びついた。このいわゆる被用者年金一元化により，制度的な差異が解消され（たとえば，共済年金の側からみた場合，従来私学共済を除き年齢制限のなかった被保険者の年齢制限が70歳となる，保険料納付要件がなかった障害給付の支給要件に保険料納付要件が付される，遺族年金の先順位者が失権した場合，次順位者に転給される扱いをなくす），基本的に厚生年金に揃えられた。また共済年金の保険料率も厚生年金の18.3%に揃えて段階的に引き上げられることになった（公務員は2018〔平成30〕年，私学教職員は2027〔令和9〕年に統一）。従来存在した共済年金の3階部分（職域部分）は廃止され，新たに積立方式による退職等年金給付（民間企業

第3款　年金の財政方式

公的年金の財政方式は，一般に賦課方式と積立方式に大別される。このうち賦課方式とは，一定の短期間（各年度内）に支払うべき給付費を，当該期間（年度）内の保険料収入等により賄うように計画する財政方式をいい，積立方式とは，将来の年金給付費の原資を，保険料等により予め積み立てるように計画する財政方式をいう。日本の公的年金制度は，個人ごとの給付に必要な財源をすべて積み立てておく完全積立方式ではなく，一定の積立金を保有するにとどまることから，修正積立方式と呼ばれてきた。ここには世代間扶養の考え方が入り込んでいる。

ただし最近では，次に述べるように積立金が減少傾向にあり，実質的には賦課方式化している。さらに，2004（平成16）年改正による永久均衡方式から有限均衡方式への変更（国年4条の3第2項，厚年2条の4第2項参照）は，理念的にも，賦課方式化をもたらすものであったと評価することができる。

年金制度は超長期にわたる制度であるため，長期的な財政の均衡が欠かせない（国年4条の2，厚年2条の3）。このため政府は，少なくとも5年ごとに，財政の現況及び見通しを作成しなければならないとされており（財政検証。国年4条の3第1項，厚年2条の4第1項），それが制度改正の契機となることが一般的である。

第4款　積立金の運用

公的年金（国民年金・厚生年金）の積立金額は，近年減少傾向にあるとはいうものの[8]，その運用収入は依然として貴重な年金財源の一部となっている（国

の企業年金にあたる）を設ける一方，旧職域部分の未裁定者については同部分廃止に伴う不利益緩和のための経過的措置を設けた（被用者年金一元化法附則2条，3条参照）。

なお，効率的な事務処理を行う観点から，国家公務員共済組合，地方公務員共済組合等及び日本私立学校振興・共済事業団は，引き続き被保険者の記録管理，標準報酬の決定・改定，保険料の徴収，保険給付の裁定等を行う主体として，厚生労働大臣と並んで規定された（厚年2条の5第1項2号～4号）。

8）厚生年金保険及び国民年金の積立金（簿価ベース）は，2005（平成17）年度末約147兆2722億円だったのに対し，2019（令和元）年度末約120兆5074億円となった。厚生労働省編『令和

年75条，厚年79条の2参照）。

従前，厚生年金・国民年金積立金は，全額国の資金運用部に預託され，政府系金融機関や地方公共団体等を通じての財政投融資の原資や，年金福祉事業団や社会福祉・医療事業団などの特殊法人を通じての還元融資（事業主や被保険者・受給者に対する貸付け）にあてられていた。1986（昭和61）年以降，年金福祉事業団が資金運用部から資金を借り入れる形式での積立金の自主運用が一部取り入れられたのに続き，2000（平成12）年年金資金運用基金法（2004〔平成16〕年改正後，年金積立金管理運用独立行政法人法）により，運用は厚生労働大臣の自主運営に切り替わることとされた。これにより，自主運用分が次第に増大し，2008（平成20）年には全額自主運用となった。

2016（平成28）年国年法等改正により，年金積立金管理運用独立行政法人（GPIF）の組織等の見直しが行われ，従来の独任制から合議制による経営委員会の設置等に係る運用体制の整備が図られた。

第5款　共済組合

先に述べたように（第1節第4款），2012（平成24）年被用者年金制度一元化法により，2015（平成27）年10月から厚生年金に公務員及び私学教職員も加入することとし，2階部分の年金は厚生年金に統一された。統一後も，共済組合等は事務処理機関として位置づけられるとともに[9]，依然として医療給付を実施する役割が残される。

第3節　被保険者及び保険者

本節以降，国民年金（基礎年金）と厚生年金につき制度の概要をみていくことにする。

3年版厚生労働白書（資料編）』（11年金）249頁。

9）注7）参照。

第1款　被保険者

1　被保険者

国民年金の被保険者は3つの類型に分かれている（国年7条1項各号)。すなわち，第1号被保険者（日本国内に住所を有する20歳以上60歳未満の者であって第2号及び第3号のいずれにも該当しない者〔ただし，日本国内に住所を有する60歳以上65歳未満の者など一定の場合に任意加入が可能。国年附則3条，5条1項各号〕[10])，第2号被保険者（厚生年金保険の被保険者)，第3号被保険者（第2号被保険者の被扶養配偶者〔主として第2号被保険者の収入により生計を維持する配偶者〕のうち20歳以上60歳未満の者）である。第3号被保険者[11]とされる被扶養配偶者となるためには，原則として年間収入が130万円未満であり，かつ第2号被保険者の年間収入の2分の1未満であることを要する。

このように20歳以上60歳未満の者は，基本的にいずれかの被保険者類型に属することになる。日本が「国民皆年金」であるといわれる所以である。

これに対し，厚生年金については，「適用事業所に使用される70歳未満の者」（厚年9条）が被保険者となる（適用事業所以外の事業所に使用される70歳未満の者については，厚生労働大臣の認可を受けて被保険者となることができる〔同10条・11条〕)。被用者年金一元化により，第1号厚生年金被保険者（第2号から第4号までに規定する被保険者以外の厚生年金保険の被保険者)，第2号厚生年金被保険者（国家公務員共済組合の組合員)，第3号厚生年金被保険者（地方公務員共済組合の組合員)，第4号厚生年金被保険者（私立学校教職員共済制度の加入者）に類別された。ここにいう「使用される者」すなわち「使用関係」の存在が，被保険者性判断のメルクマールである（このメルクマールは，同じく被用者保険である健康保険でも共通である〔健保3条1項〕)。この点については，「専ら労働者及びその被扶養者又は遺族の生活の安定を図り，福祉の向上に寄与することを目的としている」との観点から，労働基準法及び労災保険法上の「労働者」概念と同一

10）さらに昭和40年4月1日までに生まれた65歳以上70歳未満の者に対する特例任意加入制度もある。平成6年改正法附則11条1項，平成16年改正法附則23条1項。

11）現実には99% が女性であるため，第3号被保険者のいる世帯を「専業主婦」世帯ということがある。ただし，本文で述べるように年収130万円未満等の性中立的基準であるため，文字通りの「専業主婦」だけではない。

のものとは捉えられておらず，たとえば，会社の代表取締役[12)]も被保険者として認められる[13)]。

従来，労働者であっても，所定労働時間及び所定労働日数が通常労働者の4分の3に満たなければ被保険者資格を取得できない（いわゆる4分の3要件）[14)]との扱いが行政実務上なされてきた[15)]。こうした短時間労働者の扱いは，2012（平成24）年の年金機能強化法（法62）により法律上明文化され（厚年12条5号），それに伴い一定の短時間労働者に厚生年金の適用が拡大された。ただし，適用拡大の対象となったのは，所定労働時間又は所定労働日数が通常の労働者の4分の3未満であって，（イ）1週間の所定労働時間が20時間以上，（ロ）当該事業所に継続して1年以上使用されることが見込まれること，（ハ）報酬月額が8.8万以上（年収106万円以上）であること[16)]，（ニ）学生でないことに加え，（ホ）労働者数501人以上の適用事業所であること（平24改正法附則17条1項）という要件を満たす者でなければならず，その効果は極めて限定的であった[17)]。

12）広島高岡山支判昭38・9・23高民集16巻7号514頁。行政実務上，「労務の対償として報酬を受けている者」は使用される者にあたる旨の通知が出されている。昭和24年保発74号。

13）これに対し，委任あるいは請負契約の形態は含まれない。福岡高判昭61・2・13判時1189号160頁（健保法），静岡地判昭35・11・11行集11巻11号3208頁。

14）この点のあり方が，近年の非正規雇用増大の状況の中で，同じ「労働者」であるにもかかわらず被用者保険の適用を受けられず（このことは，厚生年金の適用や健康保険傷病手当金の適用が受けられないことを意味する），労働条件上の不利益に加えて，社会保障法規の適用上も不利な状況におかれる点で問題視された。このほか，臨時的業務・季節的業務への従事者なども適用を除外される（厚年12条）。

15）被保険者資格を画する重要な基準であるにもかかわらず，法規命令でなく，法的効果が極めて不明確な「内簡」という形式がとられていた点も問題となった（昭和55年6月6日付内翰〔厚生省保険局保険課長，社会保険庁医療保険部健康保険課長，同年金保険部厚生年金保険課長から都道府県民政主管部（局）保険課（部）長宛〕〔当時〕）。裁判例はこの取扱いを違法ではないとしていた。京都地判平11・9・30判時1715号51頁。東京地判平28・6・17労判1142号5頁は，「厚年法の前身の労働者年金保険法の沿革や，一般に報酬の額は労働時間の長短に相関するといえることも踏まえると，厚年法は，労働力の対価として得た賃金を生計の基盤として生計を支えるといい得る程度の労働時間を有する労働者を被保険者とすることを想定しており，そのような労働者といえない短時間の労働時間を有する者……は，厚年法9条にいう『適用事業所に使用される70歳未満の者』に含まれない」とする。

16）報酬が8万8000円未満の者に厚生年金を適用すると，国民年金保険料より低い厚生年金保険料を納付しつつ，基礎年金のほか厚生年金が支給されることになり，国民年金第1号被保険者よりも有利になることから，この基準が設定された。堀・年金〔3版〕168頁。

2016（平成28）年国年法等改正により，500人以下の適用事業所にも，労使合意に基づき適用拡大を可能にする措置がとられた後（年金機能強化法附則17条5項），強制加入のさらなる拡大が検討課題とされ，2020（令和2）年改正により，労働者数501人以上という適用事業所の規模要件を，2022（令和4）年10月より101人以上，2024（令和6）年10月より51人以上と段階的に引き下げることとした。

こうした短時間労働者への適用拡大は，低所得・低年金者への所得保障確保策として重要であると同時に，年金財政の支え手を増やすとの側面からも促進する必要性が高い。

「適用事業所」とは，厚生年金保険法で列挙する事業[18]の個人事業所又は事業所で常時5人以上の従業員を使用するもの（厚年6条1項1号。5人未満事業所は任意加入で〔同条3項〕，認可を受けて適用事業所となるには，使用される者の2分の1以上の同意を要する〔同条4項〕）や，国・地方公共団体・法人の事業所又は事務所で常時従業員を使用するものなどをいう。法人であれば，1人でも常時従業員を使用していれば適用事業所となる。

このように公的年金は，社会保険としての性格上，基本的に強制加入となっている[19]。こうした取扱いについては，合憲であるとした下級審裁判例がある[20]。

被保険者資格の取得（国年8条，厚年13条）及び喪失（国年9条，厚年14条）

17）新たに適用対象となった者は約25万人にとどまるものと見込まれた。実際には，2019（平成31）年4月末時点で約43万人となった。第10回社会保障審議会年金部会（2019〔令和元〕年9月27日）参考資料1 15頁。

18）適用拡大策の一環として，厚生年金保険法で列挙されている事業以外の業種（第1次産業〔農林水産業等〕，接客娯楽業〔旅館等〕，サービス業〔飲食店等〕など）についても，1953（昭和28）年改正以降強制適用の対象外に据え置かれてきたこともあり，5人以上の者を使用する事業所への適用拡大が検討され，まず2020（令和2）年改正により，弁護士，公認会計士等の資格を有する者が行う法律又は会計に係る業務を行う事業が追加された（厚年6条1項1号レ。2022〔令和4〕年10月施行）。

19）裁判所が挙げる強制適用の理由として，①国民に保険の利益をもれなく与えること，②年金財政を安定化させること，③逆選択を防止すること，を指摘するものとして，堀・年金〔4版〕119頁。

20）京都地判平元・6・23判タ710号140頁（憲法14条及び13条，29条違反はないとした裁判例）。

事由とその時期について規定が設けられており，国民年金の場合，これらの事項（たとえば，被保険者資格の取得については，20歳になったときや日本国内に住所を有するに至ったときなど）につき第1号被保険者又はその者の属する世帯の世帯主に市町村長への届出義務が課されている（国年12条1項・2項）。ただし，被保険者資格の得喪の効果は法に定めた事由の発生により法律上当然に発生し，市町村長による届出の受理の効果としてではない[21]。20歳になったときなど，届出がなくとも職権適用がなされる場合がある。資格を証する事項等が附記された転入届等があった場合，届出があったとみなされる（同条3項）。

厚生年金については，被保険者資格の得喪につき厚生労働大臣の確認によってその効力を生ずる（厚年18条1項。ただし第1号被保険者に限り，第2号ないし第4号被保険者は確認を要しない。同条4項）。確認の法的性格については，「いわゆる強制適用事業に使用せられる者と政府との間に，被用のときから成立している抽象的保険関係に関し，公の権威をもってその存在と態様を具体的に確定するところの判断の表示たる確認行為」[22]とされ，確認がなされると，当事者は資格取得日に遡ってその効力を主張しうる[23]。

厚生年金の場合，先に述べたように「使用関係」の存在が前提となるため，実質的な使用関係の有無との関連で被保険者資格の喪失の有無が争われることがある[24]。また被保険者に届出義務が課されている国民年金と異なり，厚生年金では，被保険者資格の得喪等に関する厚生労働大臣への届出義務を事業主に対して課している（厚年27条）。被保険者又は被保険者であった者から，確認の請求をすることもできる（同31条1項）。事業主の届出義務との関連で，届出義務懈怠により得べかりし年金受給相当額の損害が生じたとして，（元）労

21）　東京地判昭57・9・22行集33巻9号1814頁。

22）　大阪高判昭37・10・26高民集15巻7号549頁。確認処分の相手方は，被保険者たる従業員のみならず，保険料負担義務を負う事業主でもある。大阪地判昭35・12・23行集11巻12号3429頁。

23）　最2判昭40・6・18判時418号35頁。保険料納付義務もそのときから発生することになる。東京地判平17・10・27労判907号84頁（アール・ティー・コーポレーション事件）。

24）　仙台高判平4・12・22訟月39巻10号2002頁（本山製作所事件。労働争議に伴う約14年にわたる就労拒否につき，「法律上の雇用関係が存在する場合であっても，就労拒否が長期間に及び，使用関係が事実上消滅したとみられる場合には，」被保険者資格喪失事由にあたるとした例）。

働者から事業主に対して損害賠償請求訴訟が提起される事例も少なくない[25)26)]。

いわゆる年金記録問題に関連して，2007（平成19）年「厚生年金保険の保険給付及び保険料の納付の特例等に関する法律」が制定され，厚生年金保険において事業主が被保険者の保険料を源泉控除した事実があるにもかかわらず，保険料を納付したことが明らかでない場合，保険給付に関する特例を設け，原則として未納保険料に係る期間を有する者の被保険者の資格の確認等を行い，年金記録の訂正等を行うこととした（1条）ほか，当該事業主が特例納付保険料を納付できるようにするとともに，保険料相当額を負担した国から当該事業主に対する損害賠償請求権に係る規定をおく等の措置を講じた（2条）。さらに，年金記録問題への従来の取組みを踏まえた上で，2014（平成26）年年金事業運営改善法により，国民年金と厚生年金保険双方にまたがる制度として，新たな年金記録の訂正手続を創設し，年金個人情報（国民年金及び厚生年金保険の原簿記録）について訂正請求権を被保険者等に付与するとともに（国年14条の2，厚年28条の2），事実関係をできる限り明らかにするため厚生労働大臣に関係機関への資料提供等を求める権限を付与し（国年108条，厚年100条の2），民間有識者からなる合議体が審議を行った上で，厚生労働大臣が決定を行うこととした（国年14条の4，109条の9，厚年28条の4，100条の9）。

2　標準報酬

後述するように，国民年金は基本的に定額拠出・定額給付であるのに対し，厚生年金は報酬比例の仕組みを採用している。厚生年金においては，拠出と給付の基礎となる報酬を算定するため，標準報酬月額及び標準賞与額という仕組

25）裁判例には，届出義務懈怠が労働契約上の債務不履行を構成するとするもの（奈良地判平18・9・5労判925号53頁〔豊国工業事件〕），雇用契約の付随義務としての信義則上の義務違反を認めるもの（大阪地判平18・1・26労判912号51頁〔大真実業事件〕，大阪高判平23・4・14賃社1538号17頁〔Y工業事件〕，東京地判平25・9・18判例集未登載〔LEX/DB文献番号25514715〕），信義則上の義務違反又は不法行為上の作為義務違反を認めるもの（大阪地判平28・5・26判例集未登載〔LEX/DB文献番号25543043。中央技建工業事件〕），東京地判平29・10・11労経速2332号30頁（マンボー事件）などがある。

26）2014（平成26）年改正では，事務処理誤り等の特定事由により，国民年金保険料の納付の機会を逸失した場合等について，特例保険料の納付等を可能とする制度を創設した（国年附則9条の4の7〜9条の4の12）。この制度の下で納付等をした場合，承認の申出を行った日に保険料の追納等があったものとみなし，受給権者については，将来にむけて年金額が改定される。

みが設けられている。

標準報酬月額は，被保険者の報酬月額を一定の等級毎に設定された標準報酬月額に格付けしたものである（厚年20条）。第1級から第31級までの等級区分にしたがい，報酬月額から標準報酬月額が算出される（たとえば，報酬月額19万5000円以上21万円未満の場合，第14級で標準報酬月額20万円）[27]。こうした標準報酬の考え方を採用した趣旨は，「多数の被保険者を対象とし，多量の事務を処理するうえに正確迅速を期するため」[28]である。標準報酬月額には上限があることから，逆進性があるともいわれる[29]。標準報酬月額は，被保険者が毎年7月1日現に使用される事業所において同日前3ヵ月間に受けた報酬総額（賞与は除外される。同3条1項3号）を月数で割った額を報酬月額として，これを基に決定される（定時決定。同21条1項）[30]。報酬月額に著しく高低を生じた場合で，厚生労働大臣が必要と認めるときは，標準報酬月額が改定され得る（随時改定。同23条）。育児支援策の一環として，3歳未満の子を養育する期間中の標準報酬月額が，子の養育を開始した月の前月の標準報酬月額（従前標準報酬月額）を下回る月について，従前標準報酬月額を標準報酬月額とみなす特例がある（同26条1項）。

標準報酬については，当初は賞与を算定対象外においていたが，月額報酬ではなくことさらに賞与を引き上げる潜脱的行為を防ぐ趣旨で，2003（平成15）

27）標準報酬月額の等級区分のうち最高等級は，毎年3月31日における厚生年金の全被保険者の標準報酬月額の平均額を2倍した額が標準報酬月額等級の最高等級の標準報酬月額を超える場合において，その状態が継続すると認められるとき，その年の9月1日から，健康保険法40条1項に規定する標準報酬月額の等級区分を参酌して，政令により，当該最高等級の上に更に等級が加えられる（同20条2項）。

28）『厚生年金保険法解説〔改訂版〕』（法研，2002年）526頁。東京地判平28・6・17・前掲（注15）も同旨。

29）厚生年金の標準報酬月額の上限は62万円（第31級）である。これに対し，同じく被用者保険である健康保険の上限額は139万円（第50級）と高い。これは，厚生年金が報酬比例の仕組みのため，あまりに高額な年金支給額となってしまうのを防ぐ必要があるのに対し，健康保険の中核である療養の給付は拠出額との対価関係が切断されていることによる。

30）標準報酬の等級変更の決定（厚年23条）の効力は，被保険者の報酬額の変動によって生じるものではなく，厚生労働大臣（当時，社会保険庁長官）の決定により生じる。東京地判昭60・3・4判例自治13号82頁。注27）に関連して，被保険者資格の届出義務解怠ではなく，標準報酬月額の虚偽申請が問題になった事案として，大阪高判平23・4・14・前掲（注25）（健康保険法上の傷病手当金の支給に係る事案）。

年度より，1000円未満の端数を切り捨てたもので150万円を超えない部分につき，標準賞与額として算定対象に加えることとし，総報酬制を採用するに至った。標準報酬月額の最高等級の上に更に等級が加えられる場合，標準賞与額の上限額も改定される（同24条の3第1項）。

総報酬制の下では，標準報酬月額と標準賞与額の合計額に保険料率を乗じた額が保険料額となり（同81条3項），保険料率は，毎年10月に0.354％ずつ引き上げられ，2017（平成29）年度以降18.3％となり，固定化された（同条4項）[31]。長期にわたる加入期間中における物価や賃金の上昇を反映させるため，標準報酬月額と標準賞与額の合計額に別表各号に定める再評価率を乗じた上で算定される平均標準報酬額が，年金額の基準となる（同43条1項）[32]。

3　国籍要件

1981（昭和56）年改正前の旧国民年金法は，「日本国内に住所を有する20歳以上60歳未満の日本国民は，国民年金の被保険者とする」と定めていた。この国籍要件の合憲性が，とりわけ永住資格を有する在日韓国人等との関係で問題となった。障害福祉年金（昭和60年改正前）に附された国籍要件に関する最高裁判例としていわゆる塩見訴訟があり，裁定却下処分を適法とした[33]。

現行法上，国年法上の国籍要件は削除され，厚年法上も国籍による特段の別扱いはなされない[34]。ただし，ある国との間で国際社会保障協定（第1章第2節第7款**2**(2)）が締結されている場合，当該国民は異なる適用関係の下に置かれる。

31）2012（平成24）年被用者年金一元化法（法63）の施行に伴い，公務員共済と私学教職員共済の保険料率も18.3％（公務員共済は2018〔平成30〕年，私学教職員共済は2027〔令和9〕年）に統一されることになった。注7）参照。

32）2003（平成15）年度より前については標準報酬月額のみを基礎として平均標準報酬月額が算定される（厚年附則17条の4第1項）。

33）最1判平元・3・2判時1363号68頁。

34）日本国籍を有せず，日本国内に住所を有しない等の要件を充足すれば，脱退一時金が支給される（国年附則9条の3の2第1項，厚年附則29条1項）。

第2款　保険者

国民年金及び厚生年金ともに，保険を管掌する主体は政府である（国年3条，厚年2条）。実際に事業を所管しているのは厚生労働省であり，その長である厚生労働大臣が権限を有している。ただし，その権限の一部は地方厚生局長に委任されており（国年109条の9，厚年100条の9），また権限の多くは日本年金機構[35]に委任されている（国年109条の10，厚年100条の10）。

第4節　給　付

第1款　通　則

1　裁　定

年金受給権は，法定の支給要件を充足することにより発生する。しかしながら，厚生労働大臣が行う裁定（国年16条，厚年33条）があってはじめて基本権たる受給権が具体化するものとされている[36]。この裁定は，「画一公平な処理により無用の紛争を防止し，給付の法的確実性を担保するため」[37]に行われ，その法的性質は形成行為ではなく確認的行政処分である[38]。ただし，裁定により受給に係る基本権が生じるとはいえ，「具体的には各月の到来によって当該月分の支分権が生じるというべきであって，未到来の月についての支分権は未発生であり，従って，未到来の月の支分権は財産権又は既得権とはならない」[39]とされている。

35）2007（平成19）年日本年金機構法等により，それまで厚生労働省の外局であった社会保険庁が，様々な不祥事に伴い廃止され，原則として日本年金機構が事務を引き継ぐことになった。従来，社会保険事務所が行っていた事務は，年金事務所が行う（日本年金機構法29条）。

36）最2判昭29・11・26民集8巻11号2075頁（労災保険法）を先例とし，公的年金についても最高裁判決がある。最3判平7・11・7民集49巻9号2829頁（本村訴訟）。

37）最3判平7・11・7・前掲（注36）。

38）同上。

39）広島高松江支判昭56・5・13訟月27巻8号1526頁。同旨，東京地判平3・1・23判タ777号121頁。

2　調整期間とマクロ経済スライド

年金額は，その実質水準を維持するため，物価や賃金等の変動率に応じて改定される。これを年金額のスライドという。概ね，新規裁定者については名目手取り賃金変動率に連動してスライド（可処分所得スライド）が行われ（国年27条の2，厚年43条の2），既裁定者については消費者物価指数の変動率によってスライドが行われる（国年27条の3，厚年43条の3）[40][41]。

2004（平成16）年改正では，保険料水準固定方式の導入に伴い，将来的に年金財政の均衡を図るため，マクロ経済スライドと呼ばれる新たな給付調整方式が導入された（国年16条の2，厚年34条）。これは，社会全体の年金制度を支える力の変化（被保険者数の減少）と平均余命の伸びという二つの要因による給付費の増加というマクロでみた給付と負担の変動に応じて自動的にスライド率を調整する仕組みである。この仕組みは，以下のような内容を有し，基礎年金・厚生年金を問わず適用される（国年27条の4，27条の5，厚年43条の4，43条の5）。

新規裁定者＝1人当たり名目手取り賃金の伸び率－スライド調整率

既裁定者＝消費者物価指数の伸び率－スライド調整率

スライド調整率＝公的年金全体の被保険者数の減少率＋平均余命の伸びを勘案した一定率（0.3％）

この方式は，段階的に引き上げた後の最終的な保険料水準によって調達される負担の範囲内で年金財政が安定する見通しが立つまでのあいだ（調整期間）適用される。賃金・物価の上昇が小さい場合，調整は名目額を下限とし[42]，マ

40）厳密には，65歳に達した年度から3年後の年度以降。なお，こうした自動スライドとともに，国民の生活水準，賃金その他の諸事情に著しい変動が生じた場合には，政策的な改定措置（政策スライド）が講じられねばならない旨の規定も置かれてきた（国年4条，厚年2条の2）。

41）2000（平成12）年ないし2002（平成14）年度の3年度にわたり，物価が下落したにもかかわらず，特例法を制定して1.7％分の物価スライドが行われないとの事態を生じた。このため，本来の年金額（本来水準）がこの額に達するまでスライドを行わず，物価が下落した場合マイナスのスライドを行う旨の特例措置が講じられた（物価スライド特例水準）。2004（平成16）年改正法附則7条。

42）名目下限額の設定は，現役世代の保険料負担能力とのバランスや給付水準の調整が高齢者の生活に与える影響，年金額を物価・賃金以外の要素で名目額以上に引き下げることについての憲法の財産権との関係等を勘案して導入されたとされている。第3回社会保障審議会年金部会（平成23年9月29日）資料2「マクロ経済スライドについて」6頁。

図2 マクロ経済スライドの仕組み

（賃金・物価が上昇した場合）

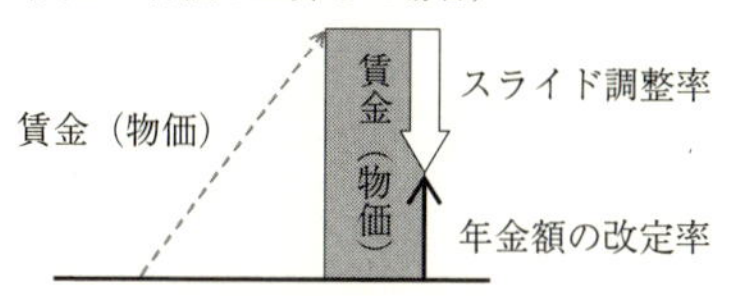

（賃金・物価の伸びが小さい又はマイナスの場合）

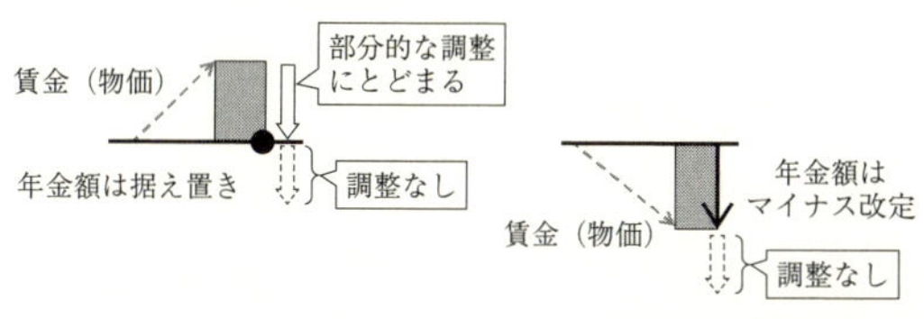

出典：厚生労働省資料

イナスの伸びである場合，賃金・物価下降分のみ引き下げる（図2）。

デフレ経済の状況下，物価上昇と下落が混在する局面にあったために物価スライド特例水準と本来水準との差がなかなか埋まらず（前者が高い状況が続いた），特例水準の解消が発動の条件であったマクロ経済スライドが発動できない事態が続いた。そこで，2012（平成24）年国年法等改正法（法99）により，特定水準を段階的に解消した上で[43]，2015（平成27）年度になってようやく初めて同スライドが発動された[44]。

ただし，同スライドの発動が遅れたことに加え，発動されない年度もあることにより，調整期間が長くなり，その分将来的な給付水準の一層の低下が見込まれる。そこで，名目下限額の設定自体の当否が問われ，2016（平成28）年改正により，名目下限額の措置を維持しつつ[45]，賃金・物価上昇の範囲内で前年

43） 特例水準（現在は2.5%）が2013（平成25）年10月以降，3年間（2015〔平成27〕年度まで）で段階的に解消された。特例水準の解消に伴う年金減額については，憲法29条等違反が争われた一連の裁判例があり，いずれも憲法違反ではないとされている。札幌地判平31・4・26訟月65巻8号1183頁，仙台高判令3・2・24判例集未登載（LEX/DB文献番号25569452）など。

44） その後，2019（令和元）年度，2020（令和2）年度にも発動された。

45） 名目下限額の措置が維持された一端は，年金受給権への配慮であるが（注42），既裁定年金の引下げも法的にまったく許されないわけではない。菊池・将来構想95-96頁，99-100頁。年金受給権の財産権保障は，事前の拠出に比例した年金給付を受給できるという受給権者間の

図3　キャリーオーバー

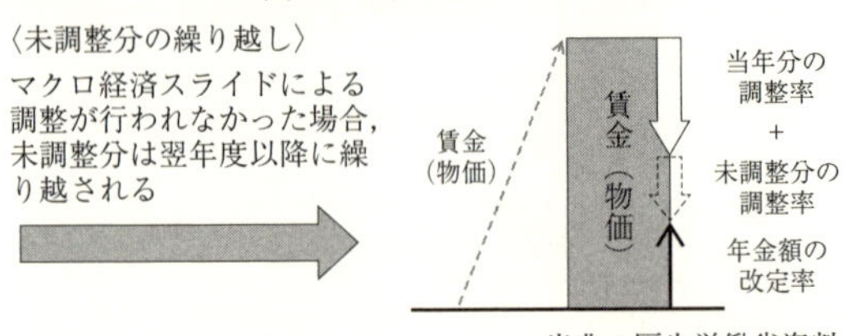

出典：厚生労働省資料

度までの未調整分を含めて調整することとした（図3。いわゆるキャリーオーバー。国年27条の4，27条の5，厚年43条の4，43条の5）[46]。

給付水準の下限を所得代替率（現役世代の平均的な賞与込みの手取り賃金に対する新規裁定時の年金額の割合）の50％とし，これを下回ることが見込まれるとき，所要の措置を講じる旨の規定が置かれている（2004〔平成16〕年改正法附則2条）。従来のように給付水準を固定し，保険料水準を引き上げていく方式ではなく，保険料水準を固定するという方式に転換したとされるにもかかわらず，こうした附則規定が置かれたことは矛盾する面があると言わざるを得ないが，マクロ経済スライド等の本格発動により，将来的な給付水準が相当程度低下することが見込まれる以上，所用の措置を講じておく必要性は高いと思われる（第9節第3款）。

3　支給期間・支給期月と未支給年金

年金の支給は，支給すべき事由が生じた月の翌月から始め，権利が消滅した月で終わる（国年18条1項，厚年36条1項）。偶数月に年6回，前月分までが支払われる（国年18条3項，厚年36条3項）。したがって，保険給付の受給権者が死亡した場合，死亡した者に支給すべき保険給付が未払いとなる事態が生じうる。そこでこうした未支給年金を一定の遺族に対して支給するための規定がお

相対的な地位の保障であり，年金の名目額の保障ではないとして，賃金や物価の伸びが低い年にもマクロ経済スライドを実施すべきとするものに，福島豪「公的老齢年金制度におけるスライド」『社会保障法』31号（2016年）41-42頁。

46）さらに同改正では，賃金変動が物価変動を下回る場合に賃金変動に合わせて年金額を改定する考え方を徹底する措置を講じた（国年27条の2第2項，27条の3第1項，27条の4第2項，27条の5第2項，厚年43条の2第1項，43条の3第1項，43条の4第3項，43条の5第4項。

かれている(国年19条, 厚年37条)。判例によれば, この支給請求に対する厚生労働大臣(当時は社会保険庁長官)の応答(裁定)を行政処分と解しており, これを経なければ請求権を確定的に取得したとはいえない47)。受給要件としては, 保険給付の受給権者「の死亡の当時その者と生計を同じくしていた」ことを要する(生計同一要件)48)。

未支給年金を受け得る遺族の範囲と順位は法律上定められている(国年19条1項・4項, 厚年37条1項・4項)。法所定の遺族がいない場合, 相続人が自己の名で未支給の給付を請求し得るかについては, 国家公務員共済組合法の例に倣って, 肯定的に解すべきとの学説が有力であったが49), いわゆる被用者年金一元化により, 厚生年金の規定に揃えることとなり, 解釈問題としては一応の決着が図られた(国公共済44条)。

4 併給調整その他の給付制限

同一人が複数の年金受給権を取得した場合, 年金が支給される事故が重なったとしても, 稼得能力の喪失又は減退の程度が必ずしも比例的に加重することにはならないとの見地から, 当然には併給を行わない趣旨のいわゆる併給調整規定がおかれている(国年20条, 厚年38条, 38条の2)。ただし, 同一の支給事由に基づいて支給されるもの(たとえば, 老齢基礎年金と老齢厚生年金)は, 併給が認められる。老齢基礎年金と遺族厚生年金も併給可能である。さらに, 2004(平成16)年改正により, 障害基礎年金と老齢厚生年金, 障害基礎年金と遺族厚生年金も併給を認められるに至った。したがって, 併給が認められないのは老齢基礎年金と障害厚生年金, 遺族基礎年金と老齢厚生年金, 遺族基礎年金と

47) 最3判平7・11・7・前掲(注36)。

48) 未支給年金の生計同一要件については, 年金受給権者が失踪宣告によって死亡したものとみなされた事案で, 死亡認定時を生計同一要件の判断時としながら同要件充足性を認めたものとして, 東京高判平22・8・25賃社1593号27頁。仙台高判平28・5・13判時2314号30頁は, 生計同一要件充足性の判断において, 現に消費生活上の家計を一つにしているか否かという事実的要素によってのみ判断することで常に足りるというものではなく, 婚姻費用分担義務の存否その他規範的要素を含めて判断すべき場合があるとして, 生計同一要件充足性を認めた。

49) 岩村Ⅰ67頁, 西村69-70頁。堀・年金〔4版〕362頁は, 現在は遺族の範囲が相当拡大されたので, 相続人に相続させる意義は薄れているとする。国家公務員共済組合法では, 従前, 法所定の遺族がいない場合, 相続人も明文で給付対象としていた。

障害厚生年金である。

併給調整をめぐっては，憲法14条1項の平等保護条項との関連で多くの裁判が提起されてきた。これまでに，老齢福祉年金における夫婦受給制限[50]，障害福祉年金と児童扶養手当[51]，老齢福祉年金と恩給[52]，老齢福祉年金と障害福祉年金[53]，障害年金と傷病補償年金[54]，障害福祉年金・障害基礎年金と老齢年金[55]などにつき争われているが，いくつかの下級審判決を除くと，結論的に違憲判断を下したものは数少ない[56]。

このほか，年金各法には「給付の制限」と題する規定がまとめておかれている（国年69条〜73条，厚年73条〜78条）。具体的には，故意に障害又はその直接の原因となった事故を生じさせた場合，当該障害を支給事由とする障害基礎年金は支給しない（国年69条。障害厚生年金又は障害手当金につき厚年73条）。自己の故意の犯罪行為若しくは重大な過失により，又は正当な理由がなく療養に関する指示に従わないことにより，障害若しくはその原因となった事故を生じさせ，又は障害の程度を増進させた者の当該障害については，これを支給事由とする給付は，その全部又は一部を行わないことができる。自己の故意の犯罪行為若しくは重大な過失により，又は正当な理由がなく療養に関する指示に従わないことにより，死亡又はその原因となった事故を生じさせた者の死亡についても同様である（国年70条。厚年73条の2，74条もほぼ同旨）。被保険者又は被保険者であった者を故意に死亡させた場合，遺族基礎年金，寡婦年金又は死亡一時金は支給しない。被保険者又は被保険者であった者の死亡前に，その者の死亡によって遺族基礎年金又は死亡一時金の受給権者となるべき者を死亡させた者についても同様である（国年71条1項，厚年76条1項）。このほか，受給権者が正当な理由なく，法所定（国年107条，厚年96条，97条）の調査命令に従わず，職員の質問に応じず，又は職員の診断を拒んだときなどの全部又は一部の

50）大阪高判昭51・12・17行集27巻11＝12号1836頁（松本訴訟）。

51）最大判昭57・7・7民集36巻7号1235頁（堀木訴訟）。

52）最2判昭57・12・17訟月29巻6号1074頁（岡田訴訟）。

53）最2判昭57・12・17訟月29巻6号1121頁（森井訴訟）。

54）札幌地判平元・12・27労民集40巻6号743頁。

55）東京地判平9・2・27判時1607号30頁（宮岸訴訟）。

56）違憲判決として，東京地判昭43・7・15行集19巻7号1196頁（牧野訴訟），神戸地判昭47・9・20民集36巻7号1444頁（堀木訴訟）がある。これらの判決後，規定自体は廃止された。

支給停止（国年72条，厚年77条），正当な理由なく法所定（国年105条3項，厚年98条3項）の届出をせず，又は書類その他の物件を提出しないときの給付支払の一時差し止め（国年73条，厚年78条）などの制限がある。

5　受給権の保護

年金受給権は，譲り渡し，担保に付し，又は差し押さえることができない（国年24条，厚年41条1項）。この規定は年金受給権の一身専属性を示すものであり，最高裁も未支給年金の相続財産性を否定している[57]。譲渡禁止との関連で，厚生年金（遺族年金）を第三者が管理する預金口座に振り込ませ，その一部を第三者に贈与することが厚年法41条の趣旨に反し，公序良俗違反（民90条）で無効とした裁判例がある[58]。担保付与禁止との関連で，福祉医療機構法など，法律で定めるところにより年金受給権を担保にする貸付が認められてきたものの，2020（令和2）年改正により2022（令和4）年3月をもって原則として新規申込受付を終了した（国年24条，厚年41条1項，恩給11条1項但書。第2章第1節第3款**3**参照）。金融機関による年金担保貸付は判例上認められてきた[59]。差押禁止との関連で，老齢年金受給権につき国税滞納処分による差押えが認められている（国年24条，厚年41条1項）。下級審では，年金預貯金債権の差押えは禁止されないとしつつも[60]，預貯金の原資が年金であることの識別・特定が可能である場合には差押えを認めないものがある[61]。

このほか，年金給付については租税その他の公課が禁止される（国年25条，厚年41条2項）。ただし，老齢基礎年金・付加年金，老齢厚生年金は徴税の対象となる。従来，税制上相当高額の控除額が設定され，多くの受給者は実質非課税となっていたものの，年金受給高齢者と現役世代との負担の公平などの観点から問題とされ，2004（平成16）年改正により大幅に控除額が縮小された[62]。

57）　最3判平7・11・7・前掲（注36）。

58）　名古屋高判昭60・4・30判時1168号76頁。

59）　東京高判昭63・1・25判時1276号49頁，最3判平10・2・10金判1056号6頁。

60）　東京高決平4・2・5判タ788号270頁。

61）　東京地判平15・5・28金判1190号54頁。

62）　老齢年金に対する課税は，もともと年金が貯蓄的性質を有することを立法理由とするものであり，実質的に賦課方式化した現在では十分な説得力をもつものではない。堀・年金〔4版〕293頁参照。ただし，賦課方式を前提とした場合，高齢世代と現役世代との負担の公平の観点

6 不正利得と過払い分の返還

偽りその他不正の手段により年金を受けた者から，厚生労働大臣は不正利得の徴収をすることができる（国年23条，厚年40条の2）。さらにこうした場合にあたらなくとも，法律上の原因がなく年金を受給した者に対し，保険者たる政府は不当利得返還請求権を取得する（民703条，704条）[63]。裁定処分が違法であった場合，当該処分を取り消すことになるが，裁判例においては，受給権者の信頼保護が図られるケースもみられる[64]。

第2款 種 類

年金給付は大別すると，老齢・障害・遺族給付の3類型があり，それぞれ要保障事由が異なる（国年15条，厚年32条）。老齢年金のみならず，障害年金，遺族年金も国民の生活保障にとって重要な役割を果たしている。

1 老齢給付

(1) 老齢基礎年金

老齢基礎年金の支給要件は，従来，保険料納付済期間（保険料を納付した期間）と保険料免除期間（低所得等のため保険料の免除が認められた期間）を合算した期間[65]が25年以上である者が65歳に達することであった（国年26条）。し

から，老齢年金に対する課税が正当化され得ると思われる。今後はさらなる控除額の縮小と併せて，遺族年金に対する課税も検討課題となろう。

63） 善意の場合の返還額につき，「利益の存する」（民703条）場合に，減少すべき財産がその減少を免れたような場合も含むか否かにつき，裁判例は分かれている。東京高判平16・9・7判時1905号68頁（肯定），東京地判平16・4・13訟月51巻9号2304頁（否定）。

64） 東京高判昭58・10・20行集34巻10号1777頁（外国人に被保険者資格が認められていなかった当時，外国人の資格取得届が受理され，必要な期間保険料を納付した例。これに対し，東京地判昭63・2・25訟月34巻10号2011頁は，受給資格を得るのに8ヵ月不足していた事案につき，原告の請求を棄却した）。東京地判平9・2・27判時1607号30頁は，誤った併給による国による過払い分の返還請求を認めなかった例である。原告の不正確な申告による年金額減額（再裁定）処分に信義則違反がないとした例として，東京高判平16・9・7・前掲（注63）。

65） このほか1986（昭和61）年3月以前に，国民年金に加入できる人が加入しなかった期間や，1991（平成3）年3月以前に，学生であるため国民年金に任意加入しなかった期間，1961（昭和36）年4月以降海外に居住していた期間など任意加入し得るのにしなかった期間は，合算対象

かし，受給資格を得るために25年もの保険料納付済期間等を要するとの扱いは長期に過ぎるとの批判が少なくなく，将来の無年金者の発生を抑えるとの観点から，2012（平成24）年改正で10年に短縮された。

本人の請求により65歳以降に支給開始を遅らせることができる。これを繰下げ支給といい（国年28条1項），2020（令和2）年改正により，受給開始時期の選択肢の拡大との観点から上限年齢が70歳から75歳に引き上げられた（同条2項）。この場合年金額に繰下げ1ヵ月ごとに月額0.7%の加算がなされる（同条4項，国年令4条の5第1項）。他方，経過措置として60歳以上65歳未満での繰上げ支給が可能であり（国年附則9条の2第1項），この場合年金額は1ヵ月ごとに月額0.4% 減額される（同条4項，国年令12条）。

年金額は，20歳から60歳に至るまで40年間加入した場合，満額の年金が支給される（2021〔令和3〕年4月現在，年額78万900円。国年27条）。保険料未納付期間分だけ年金額は減額される。ただし，保険料免除期間も国庫負担相当分が年金額に算定される。たとえば，保険料半額免除期間（同5条6項）の場合，年金額に算定されるのは，保険料納付相当分4分の1＋国庫負担相当分2分の1＝4分の3である（同27条4号）。

失権事由は，受給権者の死亡である（同29条）。

⑵　付加年金

付加年金は，第1号被保険者に対する独自給付である（国年43条～48条）。支給要件は，第1号被保険者で付加保険料（月額400円）に係る保険料納付済期間を有する者が老齢基礎年金の受給権を取得したことである（国年87条の2・43条）。年金の年額は，200円に保険料納付済期間の月数を乗じた額（同44条）となる。付加年金には，4分の1の国庫負担がなされる（昭和60年改正法附則34条1項1号）。

⑶　老齢厚生年金

老齢厚生年金の支給要件を充たすためには，従来，厚生年金の被保険者期間を有し，老齢基礎年金を受けるのに必要な資格期間を充たす者（保険料納付済期間と保険料免除期間を合算した期間が25年以上である者）が65歳に達することが必要とされてきた（厚年42条）。ただしこの受給資格期間としての老齢基礎年

期間（カラ期間）として受給資格期間に参入するものの，年金額には反映されない。

金の保険料納付済期間等も，老齢基礎年金と同様，現在では10年に短縮されている。また老齢基礎年金と同じく，本人の請求により75歳まで最長10年（従来は5年）の繰下げ支給が認められ（同44条の3第1項），この場合年金額は1ヵ月ごとに月額0.7％加算される（厚年令3条の5の2第1項）。

従来より，経過措置として，60歳から64歳までの間，1年以上の厚生年金の被保険者期間を有し，保険料納付済期間と保険料免除期間を合算した期間が25年以上ある者に対し，特別支給の老齢厚生年金（定額部分プラス報酬比例部分）が支給されていた。ただし，1994（平成6）年改正により定額部分の支給開始年齢が60歳から65歳へと段階的に引き上げられ，同部分は2013（平成25）年に65歳支給開始となった。また2000（平成12）年改正により，報酬比例部分についても，2013（平成25）年度から2025（令和7）年度にかけ，支給開始年齢を60歳から65歳に段階的に引き上げるとともに（厚年附則8条の2）[66]，本来支給の老齢厚生年金（報酬比例部分）に係る60歳からの繰上げ支給制度が設けられた（厚年附則7条の3第1項，13条の4第1項）。なお従来，女子の支給開始年齢は5歳低かったため，65歳支給となるのも男子より5年遅くなる。

老齢厚生年金の年金額は，平均標準報酬額の1000分の5.481相当額に被保険者期間の月数を乗じた額である（同43条1項）。2000（平成12）年改正以前は，平均標準報酬月額の7.5とされ，同改正で7.125に引き下げられ，賞与を算定基礎に含める総報酬制移行に伴いさらに乗率が引き下げられたものである（総報酬制移行前の期間は7.125で算定される。平成12年改正法附則20条1項）。受給権者が権利を取得した際に生計維持関係にあった65歳未満の配偶者又は子（18歳に達する日以後の最初の3月31日までの間にある子又は20歳未満で1級又は2級の障害の状態にある子）がいる場合，被保険者期間が20年間以上あれば，2021（令和3）年4月現在，配偶者並びに2人目までの子はそれぞれ22万4700円，3人目以降の子は7万4900円[67]の加給年金が支給される（同44条。特別加算あり，

66）特別支給の老齢厚生年金について，厚年法43条3項による年金額の改定（退職改定）がされるためには，被保険者である当該年金の受給権者が，その被保険者の資格を喪失し，かつ，被保険者となることなくして待期期間を経過した時点においても，当該年金の受給権者であることを要するとした判例として，最2判平29・4・21民集71巻4号726頁。

67）少子化対策が公的年金制度の安定に資するとの観点からは，低額に抑えられている第3子以降の加給年金額の増額が政策課題となろう。

昭和60年改正法附則60条2項)。

年金額は，高齢期の就労継続を早期に年金額に反映させるとの見地から，2020（令和2）年改正により，後述する65歳以上の在職老齢年金受給者につき，毎年定時に改定することとした（同43条2項）。

年金給付と就労による稼得収入の調整との見地から，老齢厚生年金受給権者が被保険者として一定額以上の賃金を得ている場合，賃金額に応じて老齢厚生年金の一部又は全部が支給停止される（在職支給停止）。一部支給停止される場合の老齢厚生年金を在職老齢年金という[68]。支給停止される額の算定方法は，現在，65歳未満での特別支給の在職老齢年金（低所得者在職老齢年金〔低在老〕）と65歳以上の場合（高年齢者在職老齢年金〔高在老〕）とも，総報酬月額相当額と老齢厚生年金の基本月額の合計額が47万円を超える場合，その超える額の2分の1が支給停止される（厚年附則11条，厚年46条）[69]。

60歳以降65歳未満の間，老齢厚生年金と雇用保険給付との調整も行われる（厚年附則7条の4第4項，7条の5第1項）。

失権事由は老齢基礎年金と同じく受給権者の死亡である（同45条）。

(4)　離婚時の年金分割

1985（昭和60）年改正による国民年金第3号被保険者制度の導入は，女性（いわゆる専業主婦）の定額部分に係る年金権の確立という点で有意義な改正であった。これにより，離婚時にも自らの基礎年金は保障されることとなった。しかしながら，2階部分の報酬比例年金については，依然として被保険者本人（夫）名義で支給されていた。他方，片働き世帯であっても，専業主婦の家事労働が夫の経済活動の基盤となっているとの評価もあり得，これを年金受給権に反映させるべきであるとの考え方にも一定の合理性がある。こうした観点から[70]，2004（平成16）年改正により，離婚時の年金分割について，標準報酬の

68)　在職老齢年金制度の評価は，老齢厚生年金の保険事故を「退職」と捉えるか，「老齢」と捉えるかにより異なる。すなわち前者であれば年金の支給停止は当然と考えられ，後者であれば所得要件を課すことが消極的に評価されることになる。嵩さやか「所得比例年金の課題」新講座1 222-225頁参照。

69)　低所得者在職老齢年金については，従来，支給停止が開始される基準額が28万円であったところ，在職中の年金受給のあり方を見直す観点から，2020（令和2）年改正により47万円に引き上げられ，高年齢者在職老齢年金と同じ仕組みとなった。

70)　このほか，堀・年金〔4版〕422頁は，離婚時の財産分与において年金を考慮することの困難

分割という形式による二つの仕組みが設けられた。

第1に，離婚等の場合における厚生年金（老齢厚生年金及び障害厚生年金。厚年78条の10，78条の18）の分割として，2007（平成19）年4月以降の離婚につき，離婚当事者の婚姻期間中の厚生年金の標準報酬総額を，離婚時に限って当事者間で分割（合意分割）することが認められる。分割割合は5割が上限で（同78条の3第1項），当事者間の協議で合意の上，厚生労働大臣に標準報酬の改定請求を行うことができ（同78条の2第1項），合意がまとまらない場合には，一方の求めにより家庭裁判所が分割割合を定める（同条第2項）[71]。

第2に，国民年金第3号被保険者期間についての厚生年金の分割（第3号分割）がなされる。すなわち夫婦別産制を定める民法762条1項に配慮して，被扶養配偶者を有する第2号被保険者が負担した保険料は，夫婦が共同して負担したものであることを基本的認識とする旨，法律上明記するとともに（厚年78条の13），2008（平成20）年4月以降の第3号被保険者期間につき，第3号被保険者による標準報酬の改定請求により，離婚した場合や分割を適用することが必要な事情がある場合（たとえば婚姻が取り消された場合や事実婚が解消された場合），2分の1の割合で標準報酬の改定による厚生年金の分割が行われる（同78条の14）[72]。

2　障害給付

(1)　障害基礎年金

障害基礎年金の支給要件としては，①疾病にかかり，又は負傷し，かつ，その疾病又は負傷及びこれらに起因する疾病（以下，傷病）についての初診日において，(a) 被保険者であるか，又は (b) 被保険者であった者で，日本国内

さ，離婚後に元夫が再婚した場合，再婚した妻に遺族厚生年金が全額支給される不合理の是正を指摘する。

71）特段の事情がない限り，その按分割合は0.5とされるべきとする名古屋高決平20・2・1家月61巻3号57頁をはじめとして，別居期間などがあっても按分割合を0.5とする審判例が多い。最近の審判例として，大阪高決令元・8・21判時2443号53頁（長期間の別居期間がある場合に按分割合を0.35と定めた原審を変更し0.5と定めた例）。

72）婚姻期間中に第3号被保険者であった期間があるとき，合意分割に係る標準報酬改定請求は原則として第3号分割に係る改定請求とみなされる（厚年78条の20第1項）。なお離婚時の年金分割に関しては，堀勝洋ほか『離婚時の年金分割と法』（日本加除出版，2008年）参照。

に住所を有し，かつ，60歳以上65歳未満であること，②当該初診日から起算して1年6ヵ月を経過した日（その期間内にその傷病が治った場合においてはその治った日。以下「障害認定日」）において，障害等級に該当する程度の障害の状態にあること，③初診日の前日において，その前々月までに被保険者期間があり，かつ，その被保険者期間の3分の2以上が保険料納付済期間又は保険料免除期間で満たされていること[73)]，以上①ないし③のすべてが必要となる（国年30条1項）。障害の程度は1級及び2級に分かれ，1級がより重い障害である（同条2項，国年令4条の6・同別表）[74)]。障害認定日に1級又は2級の障害の状態になかった者がその後に障害の状態となった場合も支給され（事後重症。国年30条の2），基準傷病による障害と他の障害を併せて1級又は2級の障害状態となった場合も支給される（同30条の3）。

障害等級の各級の障害の状態は，政令で定めるものとされ（国年30条2項），施行令別表に障害認定表が定められている（障害厚生年金も同じ。厚年47条2項）。ただし，同表で定められた障害の状態はなおも一義的に明確とはいえないことから，さらに具体的な状態については，通知で認定基準が定められている[75)]。機能障害（impairment）に着目した身体障害などに関しては，比較的明確である一方，精神の障害（知的障害・発達障害を含む）については総合的な判断とならざるを得ず，障害認定をめぐって裁判上争われることが少なくなかった[76)]。

73）ただし，直近1年間に保険料納付済期間及び保険料免除期間があれば特例的に③の要件は充足される（昭和60年改正法附則20条1項）。合算対象期間も含まれる。注65）参照。

74）障害基礎年金における障害の程度は，稼働能力ではなく日常生活の制限の度合いに着目し，さらに機能障害（impairment）に焦点をあてたものといわれる。障害厚生年金も同様である。百瀬優『障害年金の制度設計』（光生館，2010年）171頁。これに対し，障害厚生年金3級は，労働能力の制限という観点から制度設計されている。福島豪「障害年金の現代的課題」『年金と経済』35巻4号（2017年）4頁。政策論として，永野仁美『障害者の雇用と所得保障』（信山社，2013年）262頁は，障害年金を「就労所得の喪失」を保障する給付と位置づけ，就労インセンティブに配慮しつつ，拠出制であっても所得制限を設ける方向性を示唆する。福島豪「障害年金の権利保障と障害認定」『社会保障法』33号（2018年）129頁は，法律上の障害要件を稼得能力の制限とする選択肢と，政令上の障害等級表を稼得能力の制限度合いによって見直す選択肢を示したうえで，後者を支持する。

75）「国民年金・厚生年金保険障害認定基準について」（昭61・3・31庁保発15号）。

76）障害等級該当性が認められた例として（障害厚生年金の事案も含む），大津地判平22・1・19賃社1515号21頁（知的障害），東京地判平25・11・8判時2228号14頁（知的障害），東京地判平28・1・22裁判所ウェブサイト（LEX/DB文献番号25532943），東京地判平29・1・24

そこで，2016（平成28）年9月より等級判定ガイドラインが策定・実施されている[77]。

上述のように，障害基礎年金の支給要件である障害認定日として，「傷病が治った日」（治癒）が挙げられている。ただしこのことは，傷病前の健康な身体の状態に戻ること，すなわち完治することをいうのではなく，医学上それ以上の治癒効果が期待できない状態に至ったことを指すものである[78]。

障害基礎年金は，20歳未満に初診日がある傷病による障害の場合，保険料納付がないにもかかわらず，20歳に達した日又はそれ以後の障害認定日において1級又は2級の障害の状態にあれば支給される（同30条の4）。このいわゆる20歳前障害基礎年金は，無拠出制の制度であるため，所得制限があり，全額又は半額が支給停止される場合がある（同36条の3）。

1985（昭和60）年改正により基礎年金制度を導入し，いわゆる専業主婦を第3号被保険者とするなど，国民年金を普遍的な制度としたにもかかわらず，1989（平成元）年改正前の国民年金法は，20歳以上の学生を従前と同様，強制加入の対象からはずしていた。このため，任意加入もしておらず傷病等により障害の状態となった当時の学生が，年金の支給を受けられないのは憲法14条1項に反するなどとして全国各地で訴訟を提起するに至った（学生無年金障害者訴訟）。3つの地裁で原告の請求が認められたものの[79]，いずれも高裁段階で判断が覆り[80]，最高裁も合憲判断を下した[81]。このほか，前述した20歳前障害基礎年金が無拠出制であり，その支給要件の一つである「初診日」要件が充足

判例集未登載（LEX/DB文献番号25545672），東京地判平30・3・14判時2387号3頁（知的障害），東京地判平30・4・24判タ1465号119頁（発達障害），東京地判平30・12・14賃社1731号53頁（知的障害）。

77）「精神の障害に係る等級判定ガイドライン」（平28・7・15年管管発0715第1号別添1）。福島・前掲「障害年金の権利保障と障害認定」（注74）126-129頁。

78）大阪高判平2・11・20労判620号14頁（厚年法）。

79）東京地判平16・3・24判時1852号3頁，新潟地判平16・10・28賃社1382号46頁，広島地判平17・3・3判タ1187号165頁。

80）東京高判平17・3・25民集61巻6号2463頁（東京訴訟），東京高判平17・9・15裁判所ウェブサイト（LEX/DB文献番号28140804。新潟訴訟），広島高判平18・2・22判タ1208号104頁。

81）最2判平19・9・28民集61巻6号2345頁（東京訴訟），最2判平19・9・28判例集未登載（新潟訴訟），最3判平19・10・9裁時1445号4頁（広島訴訟）。

されれば支給を受けられることから，同要件の充足の有無が争われた裁判例もある[82]。憲法判断及び「初診日」要件の充足につき，いずれも最高裁は原告の請求を斥けたものの，2004（平成16）年「特定障害者に対する特別障害給付金の支給に関する法律」により，これらの無年金障害者に対し，1級相当の場合月額5万円（消費者物価指数の変動により改定され，2021〔令和3〕年4月現在5万2450円），2級相当の場合月額4万円（同じく4万1960円）の特別障害給付金を支給するとの立法上の手当が講じられた[83]。ただし，一般財源で賄われており，所得制限がある。

年金額は，2021（令和3）年4月現在，2級障害につき年額78万900円であり，1級障害の場合，同金額の1.25倍（同じく97万6125円）となる（国年33条）。障害基礎年金受給者に子（18歳に達する日以後の最初の3月31日までの間にある子又は20歳未満で1級又は2級の障害の状態にある子）がいる場合，老齢厚生年金の場合と同額の加給年金が支給される（同33条の2第1項）[84]。障害の程度が変わった場合，厚生労働大臣の職権により，又は受給権者の請求を契機として年金額の改定がなされる（同34条）。

失権事由は，受給権者の死亡，1級から3級の障害の状態にない者が65歳に達したとき，1級から3級の障害の状態に該当しなくなった日から3年を経過したとき[85]，である（同35条）。

82）精神疾患など，いつから発症したか明確でない疾患につき，「初診日」が20歳前であったと主張して，20歳前障害基礎年金（国年30条の4）の要件の充足が争われた。ただし，最高裁は文理に沿った解釈を行い，20歳前に医師の診察を受けたとは認められない事案につき同要件の充足を認めなかった。最2判平20・10・10判時2027号3頁。この平成20年最判を前提としながら，客観性の高い資料がない場合であっても総合判断の上，「初診日」が認定され得る旨述べるものに，大阪地判平26・7・31裁判所ウェブサイト（LEX/DB文献番号25504627）。このほか，初診日の認定ではなく，障害の程度の認定が争われた事案ではあるが，裁定の請求には医師の診断書の添付が求められているのに対し（国年則31条2項4号），裁定請求者の診療に実際に関与したことのない医師により作成された場合であっても，診断書の提出があったものとして取り扱うべき場合があり得るとし，20歳到達時に医師の診療を受けていなくても柔軟に認定することを認めた裁判例として，東京地判平25・11・8判時2228号14頁。

83）この制度にも「初診日」要件があるものの，個別の事情に応じて柔軟な認定がされている。東京地判平21・4・17判時2050号95頁。

84）2010（平成22）年改正により，障害基礎年金の受給権を取得した後に子を有するに至った場合にも加算される。同条2項。

85）3年経過後，受給権消滅の効果は，行政庁の処分を介さず実体要件の充足をもって発生する。

(2)　障害厚生年金

障害厚生年金の支給要件としては，①疾病にかかり，又は負傷し，かつ，その疾病又は負傷及びこれらに起因する疾病（以下，傷病）についての初診日において厚生年金の被保険者であること，②当該初診日から起算して1年6ヵ月を経過した日（その期間内にその傷病が治った場合においてはその治った日。以下「障害認定日」）において，障害等級に該当する程度の障害の状態にあること，③初診日の前日において，その前々月までに国民年金の被保険者期間があり，かつ，その被保険者期間の3分の2以上が保険料納付済期間又は保険料免除期間で満たされていること[86]，以上①ないし③のすべてが必要となる（厚年47条1項）。障害の程度は1級，2級及び3級に分かれる（同条2項，厚年令3条の8・同別表第1）。障害基礎年金と同様，障害認定日に法定の障害の状態になかった者がその後に障害の状態となった場合も支給され（事後重症。厚年47条の2），基準傷病による障害と他の障害を併せて法定の障害状態となった場合（ただし1級，2級の場合）も支給される（同47条の3）。

障害等級の各級の障害の状態は，政令で定めるものとされ（厚年47条2項），施行令別表に障害認定表が定められている（障害基礎年金も同じ。国年30条2項）。さらに具体的な状態は，通知で認定基準が定められている[87]。

「傷病が治った日」（治癒）の解釈も障害基礎年金と同様である。

年金額は，老齢厚生年金額の計算と同様である。ただし，加入期間が25年（300月）に満たない場合，300月とみなされる（厚年50条1項）。1級障害の場合，1.25倍に加算される（同条2項）。3級障害の場合，障害基礎年金がないことから，障害基礎年金の4分の3に相当する最低保障額（2021〔令和3〕年4月現在58万5700円）が設けられている（同条3項）。

1級又は2級の受給権者によって生計を維持している65歳未満の配偶者がいる場合，加給年金が支給される（2021〔令和3〕年4月現在22万4700円。同50条の2）[88]。障害の程度が変わった場合，厚生労働大臣の職権により，又は受給

東京地判平2・10・16訟月37巻1号144頁。

86）　障害基礎年金と同様の直近1年間の特例要件がある。注73）参照。

87）　注75）参照。精神の障害をめぐって障害認定をめぐる法的紛争が少なくなかった点も，障害基礎年金と同様である。注76），注77）参照。

88）　2010（平成22）年改正により，障害厚生年金の受給権を取得した後に婚姻した場合にも加算

権者の請求を契機として年金額の改定がなされる（同52条）。

失権事由は，受給権者の死亡，1級から3級の障害の状態にない者が65歳に達したとき，1級から3級の障害の状態に該当しなくなった日から3年を経過したとき，である（同53条）。

(3) 障害手当金

厚生年金保険の障害給付としては，3級障害よりもやや軽い障害の場合でも，一定の要件を満たせば，一時金としての障害手当金制度がある。その支給要件は，①疾病にかかり，又は負傷し，その傷病に係る初診日に被保険者であったこと，②初診日から5年を経過する日までの間の傷病の治った日において，法定の障害の状態にあること，③障害厚生年金と同一の保険料納付要件を満たしていること，である（厚年55条，厚年令別表第2）。年金額は，2級，3級の障害厚生年金の年額の100分の200であり，障害基礎年金の2倍に相当する最低保障額（2021〔令和3〕年4月現在117万1400円）が設定されている（厚年57条）。

3 遺族給付

(1) 遺族基礎年金

遺族基礎年金の支給要件としては，第1に，(a) 被保険者の死亡，(b) 被保険者であった者で，日本国内に住所を有し，かつ，60歳以上65歳未満である者の死亡，(c) 老齢基礎年金の受給権者（保険料納付済期間と保険料免除期間とを合算した期間が25年以上である者に限る）の死亡，(d) 保険料納付済期間と保険料免除期間とを合算した期間[89)]が25年に達した者の死亡，のいずれかに該当することが必要である。このうち (a) (b) の場合，死亡日の前日において，死亡日の属する月の前々月までに被保険者期間があり，かつ，その被保険者期間の3分の2以上[90)]が保険料納付済期間又は保険料免除期間で満たされていることが必要とされる（国年37条）。第2に，被保険者又は被保険者であった者の配偶者[91)]又は子であり，①被保険者又は被保険者であった者の死亡当時その

されることになった。同条3項。

89) 合算対象期間も含まれる。注65）参照。

90) 直近1年間の特例措置もある（昭和60年改正法附則20条1項）。注73）参照。

91) 従来，「妻」と規定されていたのを，2012（平成24）年年金財政強化法により「配偶者」と改め，父子家庭を対象に加えた。第9節第2款参照。

者によって生計を維持し（生計維持要件）[92]，かつ，②子については，18歳に達する日以後の最初の3月31日までの間にある子又は20歳未満で1級又は2級の障害の状態にある子で，かつ，婚姻していないこと，③配偶者については，②に掲げた子と生計を同じくすること，を要する（同37条の2）。子に対する遺族基礎年金は，配偶者が受給権を取得するとき，原則として支給停止される（同41条2項）。なお，生計維持要件としての収入は，遺族が実際に費消することができる金員であれば足り，その者が実際に提供した労務に見合うものであるか否かを問わない[93]。

年金額は，満額の老齢基礎年金と同額である（2021〔令和3〕年4月現在，年額78万900円。同38条）。受給権者たる配偶者に支給要件に該当する子がいる場合，加算がなされ，加算額は，2021（令和3）年4月現在，2人目までの子はそれぞれ22万4700円，3人目以降の子は7万4900円である（同39条1項）[94]。子に支給される場合，上記の額（加算額を含む）が均等に分けられる（同39条の2第1項）。失権事由として，受給権者の死亡・婚姻・養子縁組（直系血族・姻族との養子を除く）などが挙げられている（同40条）。

(2)　第1号被保険者に対する独自給付

国民年金法では，第1号被保険者に対する独自の給付をいくつか設けている。このうち付加年金（国年43条～48条）については既に述べた（**1**(2)）。

---

92)　国年37条の2第3項及び国年令6条の4に基づく「生計維持関係等の認定基準及び認定の取扱いについて」（昭和61年4月30日庁保険発第29号）によれば，前年の収入が年額850万円以上又は前年の所得が同655万5000円以上である場合，原則として生計維持認定の対象から外される。「生計維持」要件であるにもかかわらず，このように高額の年収基準とされているのは，この要件が保険事故発生時に受給権が発生するかを判断するための要件（権利発生要件）であり，受給権が発生しなかった場合は，たとえその後収入が下がっても，支給停止の解除と異なり，支給が開始されることがない性質のものであるからとされている。この基準自体，裁判例は適法としているものの（東京高判平15・10・23訟月50巻5号1613頁〔遺族厚生年金〕），不支給処分を違法とした裁判例もみられる。東京地判平30・4・18裁判所ウェブサイト（LEX/DB文献番号25553985。社外取締役の退任）。子の扶養に対する配慮（扶養子を含めた従前生活の一定水準の確保）は必要であるとしても，850万円という基準は高すぎるといわざるを得ず，相当程度引き下げる必要がある。菊池馨実「遺族年金制度の課題と展望」『社会保障研究』1巻2号（2016年）361-362頁。立法論としては，一定期間支給停止にとどめるといった扱いができないかが課題となろう。

93)　東京高判平15・10・23・前掲（注92）。

94)　老齢基礎年金と同様，第3子以降の加給年金額の増額が課題である。注67）参照。

寡婦年金は，夫が国民年金から給付を受けずに死亡し，かつ，夫の死亡による給付がなされない場合，妻に支給される。支給要件は，①死亡日の前日において，死亡日の属する月の前月までの第1号被保険者としての保険料納付済期間と保険料免除期間とを合算した期間が10年以上ある夫の死亡，②夫の死亡当時夫によって生計を維持し，かつ，夫との婚姻関係（事実上のものを含む）が10年以上継続した65歳未満の妻であること，③夫が障害基礎年金の受給権者であったことがなく，又は老齢基礎年金の支給を受けていなかったこと，である（同49条）[95]。年金額は，夫の老齢基礎年金額の4分の3相当額で（同50条），60歳から65歳まで支給される（同49条3項，51条）。

死亡一時金は，(1) 死亡日の前日において死亡日の属する月の前月までの第1号被保険者としての保険料納付済期間（及び保険料一部免除期間のうち保険料を免除されない分の期間）の月数が36月（3年）以上である者が死亡した場合において，その者に遺族があること，(2) 死亡した者が老齢基礎年金又は障害基礎年金の支給を受けたことがないこと（ただし，遺族基礎年金を受けることができる者がある場合を除く），を支給要件とする（同52条の2第1項・2項）。死亡一時金を受けることができる遺族の範囲及び順位は法定されており（同52条の3第1項），未支給年金の場合と同一である。支給額は，保険料納付済期間の長さに応じて6段階に分かれる（たとえば，35年以上で32万円となる。同52条の4第1項）。

(3)　遺族厚生年金

遺族厚生年金の支給要件は，第1に，被保険者又は被保険者であった者が次のいずれかに該当することである（厚年58条）。すなわち，(a) 被保険者の死亡，(b) 被保険者であった者の，被保険者の資格を喪失した後，被保険者であった間に初診日がある傷病により当該初診日から起算して5年経過前の死亡，(c) 1級又は2級の障害の状態にある障害厚生年金の受給権者の死亡，(d) 老齢厚生年金の受給権者（保険料納付済期間と保険料免除期間とを合算した期間が25年以上である者に限る）又は保険料納付済期間及び保険料免除期間とを合算した期間が25年に達した者の死亡，である。このうち (a) (b) の場合，死亡日の前日において，死亡日の属する月の前々月までに国民年金の被保険者期間が

95)　ただし，妻が自身の老齢基礎年金の支給を繰り上げていないことを要する（国年附則9条の2の3）。なお注91）参照。

あり，かつ，その被保険者期間の3分の2以上が保険料納付済期間又は保険料免除期間で満たされていることが必要とされる（厚年58条）[96]。後述するように，(a)(b)(c)の要件（短期要件）を充たす場合と(d)の要件（長期要件）を充たす場合とで異なる扱いがなされる場合がある。第2に，被保険者又は被保険者であった者の配偶者，子，父母，孫又は祖父母であって（父母，孫又は祖父母はそれぞれ先順位の者がいる場合，遺族にあたらない）[97]，被保険者又は被保険者であった者の死亡の当時，その者によって生計を維持し（生計維持要件）[98]，かつ，①夫，父母又は祖父母については，55歳以上であること，②子又は孫については，18歳に達する日以後の最初の3月31日までの間にある子又は20歳未満で1級又は2級の障害の状態にある子で，かつ，婚姻していないこと，を要する（同59条1項）。夫，父母又は祖父母に対する遺族厚生年金は，受給権者が60歳に達するまでの期間，その支給を停止する（ただし，夫に対する遺族厚生年金については，当該被保険者又は被保険者であった者の死亡について，夫が国民年金法による遺族基礎年金の受給権を有するときは，この限りでない。同65条の2）。子のいない妻なども含まれる点で，遺族の範囲は遺族基礎年金よりも広いのに対し，夫に関しては55歳以上の夫となっている点で遺族厚生年金の方が狭い[99]。2004（平成16）年改正により，被保険者等の死亡当時，妻が30歳未満で18歳に達する日以後の最初の3月31日までの間にある子又は20歳未満で1級又は2級の障害の状態にある子のいない場合，5年の有期支給となった。

年金額は，死亡した被保険者等の老齢厚生年金額の4分の3である。ただし，年金額の算定基礎となる被保険者期間の月数が300に満たない場合（上述の(a)(b)(c)の場合），300とみなされる（同60条1項1号）。老齢厚生年金の受給権を有する配偶者が遺族厚生年金の受給権を取得した場合，死亡した被保険者等の老齢厚生年金額の4分の3か，遺族厚生年金額の3分の2（つまり死亡し

96） 注73），注86）及び注90）の取扱いも同様に妥当する。

97） 妻が受給権を有する期間は，子に対する年金は原則として支給停止される（厚年66条1項）。夫に対する年金は，子が受給権を有する期間，支給停止される（同条3項）。

98） 生計維持要件の該当性は，通常，配偶者との関係で問題となる。(4)参照。母の同要件該当性が問われた事案として，東京地判平31・4・11判例集未登載（LEX/DB文献番号25581576〔消極〕），孫の同要件該当性が問われた事件として，東京地判平27・2・24裁判所ウェブサイト（LEX/DB文献番号25524151〔消極〕）。

99） こうした性別による別扱いの妥当性につき，第9節第2款参照。

た被保険者等の老齢厚生年金額の2分の1）プラス受給権者の老齢厚生年金額の2分の1の合計額のうち，いずれか多い額となる（同項2号）。遺族厚生年金の配偶者以外の受給権者が複数の場合，年金額は均等に分けられる（同条4項）。一般に老齢厚生年金額が低い女性の「かけ捨て感」を防ぐとの見地から，2004（平成16）年改正により，65歳以上の受給権者が老齢厚生年金の受給権を有する場合，当該老齢厚生年金が優先的に支給され，その額に相当する分の遺族厚生年金が支給停止される仕組みが導入された（同64条の2）。遺族厚生年金の受給権を取得した当時40歳以上65歳未満である妻か，又は，40歳に達した当時18歳に達する日以後の最初の3月31日までの間にある子又は20歳未満で1級又は2級の障害の状態にある子と生計を同じくし65歳未満である妻に対し，夫の被保険者期間が240月（20年）以上あれば，遺族基礎年金額の4分の3に相当する加算（中高齢寡婦加算）がなされる（同62条1項）。

失権事由は，受給権者の死亡，婚姻，養子縁組（直系血族・直系姻族との養子を除く），離縁による死亡した被保険者等との親族関係の終了などである（同63条）。

(4)「配偶者」該当性

年金各法では，民法と異なり遺族の生活保障を目的とすることから，配偶者には婚姻の届出をしていないが事実上婚姻関係と同様の事情にある者を含むとされている（国年5条8項，厚年3条2項）。ここにいう事実上の婚姻関係とは，いわゆる内縁関係が存在する場合の内縁関係上の当事者をいう[100]。ただし，この点をめぐっては，従来から裁判上の争いがある。

まず，いわゆる近親婚など反倫理的な内縁関係にあるものを含むか否かにつき，最高裁は，叔父と姪という傍系血族3親等の内縁につき，一般論としては

100）東京地判昭63・12・12行集39巻12号1498頁，東京地判平元・9・26訟月36巻6号1080頁。犯罪被害者給付金の不支給裁定の適法性が争われた事案で，同性の犯罪被害者と交際し共同生活を営む関係にあった者が，犯罪被害者等給付金の支給等による犯罪被害者等の支援に関する法律5条1項1号にいう「婚姻の届出をしていないが，事実上婚姻関係と同様の事情にあった者」にあたらないとされた裁判例として，名古屋地判令2・6・4判時2465＝2466号13頁。同様の規定をおく公的年金各法でも，今後同種の紛争が生じることも予想される。なお参照，東京高判令2・3・4判時2473号47頁（同性婚の関係にあった相手方の不貞行為について慰謝料請求が認められた例），札幌地判令3・3・17判時2487号3頁（同性婚を禁止している民法739条1項等が憲法14条1項に違反するとされた例）。

反倫理性，反公益性の観点から配偶者性を否定しながらも，例外的に特段の事情があるとして配偶者性を認める旨の判断を行った[101]。

次に，法律上の婚姻関係が解消されていない状態で事実上の婚姻関係が存在する，いわゆる重婚的内縁関係の事案についても多くの裁判例がある。この点につき，最高裁は，「戸籍上届出のある配偶者であっても，その婚姻関係が実体を失って形骸化し，かつ，その状態が固定化して近い将来解消される見込みのないとき，すなわち，事実上の離婚状態にある場合には，もはや右遺族給付を受けるべき配偶者に該当しない」[102]とし，戸籍上の妻との関係に着目した判断枠組みを示した。その後最高裁は，同様の判断枠組みを前提として，事実上の婚姻関係にあった者からの請求を認容している[103]。

配偶者性とは別に，支給要件としての「生計維持関係」の有無が争点となることがある。重婚的内縁に係る事案の場合，生活関係が希薄である戸籍上の妻との関係で問題になることがあるほか[104]，戸籍上の妻自らが別居の状況を作出した事案などでも問題になることがある[105]。

---

101)　最1判平19・3・8民集61巻2号518頁。本判決は，直系血族間，2親等の傍系血族間の内縁関係に配偶者性を認める余地を残しておらず，また本件事案からすると今日的には新たに同様の内縁関係が発生するとは考え難く，その射程は非常に狭いと解される。東京高判平27・4・16裁判所ウェブサイト（LEX/DB文献番号25447514。養子縁組の届出をする一方で，内縁関係にあった者の配偶者性を否定した例）参照。ただし，さいたま地判平23・3・23判例自治362号93頁は，実質的に最高裁が示した判断枠組みを超えて配偶者性を認定したものと解され，同日に出された厚生労働省通知（平23・3・23年発0323第1号）でもこれを意識した行政解釈の変更を行った。大阪地判令2・3・5判時2473号42頁は，養父と養子の内縁関係が開始当初から何ら反倫理性，反公益性が認められないなどとして特段の事情を認め，配偶者性を肯定した。このほか，夫の連れ子と同棲し，3人の子を設けた事案につき配偶者性を否定した原審をそのまま是認した事案として，最1判昭60・2・14訟月31巻9号2204頁（原審・東京高判昭59・7・19行集35巻7号956頁）。

102)　最1判昭58・4・14民集37巻3号270頁（農林漁業団体職員共済組合法）。

103)　最1判平17・4・21集民216号597頁（私立学校教職員共済法）。

104)　福岡地判平28・11・18判時2399号8頁（消極。ただし控訴審で生計維持関係を認めた。福岡高判平29・6・20判時2399号3頁），東京地判平27・3・17判例集未登載（LEX/DB文献番号25525346），東京地判平25・5・14判例集未登載（LEX/DB文献番号25512712）など。配偶者要件該当性の判断に先立ち，生計維持要件の具備について判断することが許されないと解すべき理由はないと判示した裁判例として，東京高判平26・3・13訟月61巻3号609頁。

105)　典型的にはDVが契機となった別居のケースである。肯定例として，東京地判令元・12・19判時2470号32頁，仙台高判平28・5・13判時2314号30頁，名古屋地判平27・3・19裁

4　年金生活者支援給付金

2012（平成24）年改正に際しては，年金制度の最低保障機能の強化との観点から，法律上規定されるに至った老齢基礎年金や老齢厚生年金等に係る受給資格期間の短縮（25年から10年へ）と並んで，低所得者への老齢基礎年金等の加算が法案に組み込まれた。この規定は法案審議の過程で削除されたものの，改正法（2012〔平成24〕年年金機能強化法〔法62〕）附則2条の2に基づく法制上の措置として，新たな給付を設けることとし，同年，年金生活者支援給付金支給法として実現をみた。消費税増税に合わせて，2015（平成27）年10月から実施されることになっていたものの，同税率の引上げ時期の二度にわたる延期に伴い，2019（令和元）年10月に実施された。

この給付金は，税財源に基づく給付である点で，社会手当的な性格を有する。しかしながら，一定の年金受給者を対象として2ヵ月ごとに支給され，日本年金機構が支払事務を行うほか，後述するように制度の仕組みとしても公的年金と一体的に実施される制度であることから，ここで触れておくことにする。

所得が一定の基準[106]を下回る老齢基礎年金の受給者に，国民年金の保険料納付済期間及び保険料免除期間を基礎とした老齢年金生活者支援給付金を支給する（年金生活者支援給付金2条）。給付金の額は，①基準額（月額5000円。同4条1項。消費者物価指数の変動に応じて調整され，2021〔令和3〕年4月現在5030円。同条2項）に保険料納付済期間（月数)/480を乗じて得た額と，②保険料免除期間に対応して老齢基礎年金の1/6相当を基本とする額を合算した額とする（同3条)。上記の所得基準を上回る一定範囲の者にも，上記①に準じ国民年金の保険料納付済期間を基礎とした補足的老齢年金生活者支援給付金を支給する（同9条)。また一定の障害基礎年金又は遺族基礎年金の受給者に，障害年金生活者支援給付金又は遺族年金生活者支援給付金を支給する（同15条，20条)。支給額は月額5000円（2021〔令和3〕年4月現在5030円）で，1級障害基礎年金受給者は6250円（同じく6288円）となる（同16条，21条)。

判所ウェブサイト（LEX/DB文献番号25447384），否定例として，大阪地判平30・6・21裁判所ウェブサイト（LEX/DB文献番号25449988）など。

106）　住民税が同一世帯全員非課税で，前年の公的年金等の収入金額（障害年金・遺族年金等の非課税収入を除く）とその他所得の合計額が老齢基礎年金額（令和3年度で78万900円）以下との基準が設けられている。

この給付金は，最低限，保険料免除手続を行っている者を対象にしている点で未納・未加入者に給付を行うことによるモラル・ハザードを避けるとともに，給付金を支給することにより拠出制年金受給者との所得の逆転を生じさせないよう配慮がなされている107)。こうした配慮から，低所得者への所得保障対策としてはなお十分とはいえず，マクロ経済スライドの本格実施を見据えた場合，さらなる低年金者対策が講じられる必要性は高い108)（第9節第3款参照）。

第5節　費　用

第1款　国民年金の費用

国民年金事業に要する費用は，積立金の運用による利子収入（国年75条以下）のほか，国庫負担，保険料及び基礎年金拠出金で賄われている。このうち国庫負担は，基本的に基礎年金の給付に要する費用の2分の1相当額をカバーする（国年85条1項1号）109)。この点は，2004（平成16）年改正により，2009（平成21）年度までに従来の3分の1から2分の1へと段階的に引き上げることとされたものである（平成16年改正法附則13条及び32条）。ただし，直ちに安定した財源を確保することができず，平成21年度・22年度分については，財政投融資特別会計財政融資資金勘定から一般会計への繰入金を活用して従前の国庫負担率（36.5%）との差額分の財源が確保され，平成23年度分については当初予定していた臨時財源が東日本大震災の復興費用に転用されたことから，

107）太田匡彦「日本の所得保障制度と世代間の連帯・衡平」『法律時報』91巻1号（2019年）21頁は，この点に加えて，免除を受けずに国民保険保険料を支払わなかった期間が支給額算定において減額をもたらす点を挙げ，拠出と給付との関連を思わせる対応であることに着目する。さらに倉田賀世「国民皆保険の今日的意義」『社会保障法研究』10号（2019年）44頁は，保険料納付と給付額とに一定の相関性が認められるこの制度に，構造上「けん連性」がないと断定する事は容易ではない旨指摘する。

108）嵩さやか「貧困・低所得化する高齢者」『論究ジュリスト』27号（2018年）59頁は，この給付金制度を年金制度とも生活保護とも異なった，高齢者に対する一種の社会手当として発展させる（ただし，制限的な給付要件〔資産要件など〕を課すなど，保険料納付者との公平性の確保が必要である）ことを提案する。

109）20歳前障害基礎年金の給付に要する費用については，10分の6が国庫負担となる（国年85条1項1号・3号）。

改めて復興債で差額分を補塡した。さらに平成24年度及び25年度分については，2012（平成24）年国年法等改正法（法99）により，消費税増税で得られる収入を償還財源とする年金特例公債（つなぎ国債）で差額負担することとし，2014（平成26）年度以降，消費税増税による安定財源がようやく確保された。

このほか国庫負担により事務費も賄われ，政令の定めるところにより[110)]，政府から市町村に対して交付される（同85条2項，86条）。ただし，2007（平成19）年国民年金事業等運用改善法により，事務費に保険料を充当できる措置が恒久化されている。

保険料は，2004（平成16）年度から毎年度280円ずつ引き上げられ，2017（平成29）年度から月額1万6900円となった後，国民年金第1号被保険者の産前産後期間の保険料免除の財源に充てるため，2019（令和元）年度以降1万7000円となり固定された（同87条3項）。ただし，実際の額は名目賃金変動率によって改定され（同条5項），2021（令和3）年度の保険料は，1万6610円である。保険料納付義務を負うのは基本的に被保険者であるが，世帯主に対しその世帯に属する被保険者の保険料を，また配偶者の一方に対し他方の保険料を連帯して納付する義務が負わされている（同88条）。

国民年金については，厚生年金と異なり無業者など保険料負担能力がない者も被保険者となっている。そこで，第1号被保険者の保険料免除に係る規定がおかれている。免除には法定免除と申請免除がある。法定免除は，障害基礎年金，障害厚生年金等の受給権者であるとき，生活保護法による生活扶助その他の援助を受けるときなどが該当する（国年89条）。申請免除には，前年の所得が扶養親族等の有無及び数に応じて政令で定める額以下であるとき（扶養親族等の数に1を加えた数を35万円に乗じて得た額に22万円を加算した額。国年令6条の7），被保険者等の属する世帯の他の世帯員が生活保護法による生活扶助以外の扶助を受けるとき，地方税法に定める障害者又は寡婦であって前年の所得が政令で定める額（125万円。同6条の8）以下であるときなどが該当する（国年90条1項各号）。申請免除は，従来，全額免除のみであったが，現在では，4分の1免除，半額免除，4分の3免除と併せて多段階免除の仕組みとなっており，応能負担的な要素がみられる（同90条の2）。また学生と30歳未満の若年者を

110）　国民年金法に基づき市町村に交付する事務費に関する政令（昭35・5・13政令122号）。

対象として，それぞれ所得制限額（学生納付特例につき，扶養親族等がいない場合前年所得118万円以下〔国年令6条の9〕。若年者納付特例につき，扶養親族等の数に1を加えた数を35万円に乗じて得た額に22万円を加算した額〔平成16年経過措置政令22条による国年令6条の7の準用〕）を設けた上で，10年以内の期間にわたって追納することを認める学生納付特例（同90条の3），若年者納付特例（ただし令和7年6月までの時限措置。平成16年改正法附則19条）の制度がある。さらに，非正規雇用労働者が中高年を含む幅広い年代で増加していること等を踏まえ，2014（平成26）年年金事業運営改善法により，30歳から50歳未満の被保険者に対しても，新たな納付特例（ただし令和7年6月までの時限措置。同附則14条）の制度が設けられた。保険料免除期間や納付特例期間の保険料については，時効消滅（2年。国年102条4項）していない限りで追納が可能である（同94条1項）。

これらの措置とは別に，将来の無年金・低年金の発生を予防し，国民の高齢期における所得の確保をより一層支援する観点から，2011（平成23）年年金確保支援法（平23法93）により，国民年金保険料の納付可能期間の延長（後納保険料の納付）に係る規定がおかれ，被保険者又は被保険者であった者（老齢基礎年金の受給権者を除く）は，保険料納付済期間及び保険料免除期間以外の期間で時効（2年）消滅した各月の保険料を，10年遡って納付することが可能となった。この取扱いは，法案提出当初，恒久的な措置とされたものの，将来のリスクに対処する社会保険の仕組みと本来的に矛盾するものであり[111]，結局衆議院での修正により3年間の時限措置（平成27年9月まで）とされた（年金確保支援法附則2条1項）[112]。

保険料納付義務を負わない国民年金第3号被保険者が，第2号被保険者である配偶者の離職などにより第3号被保険者たる資格を失った場合，本来であれば届出を行った上で第1号被保険者として保険料納付義務を負うにもかかわら

111）　倉田・構造分析184-185頁は，老齢年金保険では，納付期限にしたがってオン・タイムで保険料を納付しなければ，事前に保険のリスク分散に参加したことにならないから，65歳に近くなってから過去の保険料を追納することの容認は，納付期限を守ってリスク分散にまじめに参加していた他の被保険者の正当な行為を台無しにするアンフェアな行為と評価され，実定法によって規制すべきことが求められるとする。

112）　この措置は，2014（平成26）年年金事業運営改善法でも引き継がれ，過去5年間の保険料を納付することができる制度として，さらに3年間の時限措置（平成30年9月まで）とされた（同附則10条）。

ず，届出を行わなかったために年金記録上第3号被保険者のままとされている期間（不整合期間）を有する者が多数存在することが問題化した（いわゆる主婦年金問題）[113]。この点については，2013（平成25）年健全性信頼性確保法において，保険料納付実績に応じて給付するという社会保険の原則に則って[114]，①不整合記録を訂正した上で，追納期間終了後に本来の年金額に減額する（ただし減額の上限は訂正前年金額の10％とする。国年附則9条の4の5），②不整合期間を合算対象期間（カラ期間）とし（同9条の4の2第1項・2項），受給資格期間を充足せず無年金状態となることを防止する，③3年間の時限措置として，過去10年間の不整合期間の特例追納を可能とし（同9条の4の3），年金額を回復する機会を提供する旨の対応策が講じられた[115]。

保険料納付義務を負うのは国民年金第1号被保険者のみであり，第2号及び第3号被保険者については，政府は保険料を徴収せず，被保険者も保険料納付義務を負わない（同94条の6）。これらの者については，厚生年金保険の実施者たる政府，実施機関たる共済組合等が，毎年度，基礎年金の給付費に充てるため，第3号被保険者を含む加入者1人当たり均等な額で算定された基礎年金拠出金を負担する（同94条の2）。なお拠出金の算定基礎となる母数には，第1号被保険者の保険料全額免除者，学生納付特例者，未納・未加入者などは算入されておらず（同94条の3第2項，国年令11条の3），その結果として厚生年金の拠出金が高くなるので，実質的に基礎年金導入に伴い厚生年金が国民年金を財政支援する仕組みを講じたものといい得る側面がある。

育児支援策の一環として，2016（平成28）年国年法等改正により，後述する2012（平成24）年改正による厚生年金保険の取扱いに引き続き（第2款），国民年金第1号被保険者の産前産後期間の保険料免除措置を講じた（同88条の2。その財源として国民年金保険料を月額100円引き上げた。同87条3項）。

113）　2010（平成22）年，国民の権利義務関係に変動をもたらすにもかかわらず，法律ではなく課長通知で，不整合期間がある受給権者の年金額を減額しないこととし，被保険者の過去の不整合期間も保険料の時効が消滅していない過去2年間を除き第3号被保険者期間として扱うこととしたことから，こうした行政の取扱いがさらに批判の的となった（いわゆる「運用3号」問題）。

114）　第3号被保険者に対する届出義務を明文化した（国年12条の2第1項）。

115）　事務処理誤り等の特定事由による国民年金保険料の納付機会逸失に対する特例保険料の納付等に係る仕組みにつき，注26）参照。

第2款　厚生年金保険の費用

厚生年金保険の費用については，国庫負担，保険料及び積立金の運用収入で賄われている。このうち国庫は，基本的に基礎年金拠出金の額の2分の1相当額と，厚生年金保険事業に係る事務費を負担する（厚年80条）。

保険料は，標準報酬月額及び標準賞与額にそれぞれ保険料率を乗じた額である（同81条3項）。2004（平成16）年改正により，毎年9月に1000分の3.54ずつ引上げ，2017（平成29）年9月以後，1000分の183（18.3%）となり，固定された（同条4項）。保険料は労使が折半して負担し（同82条1項），事業主が保険料納付義務を負う（同条2項）。育児支援策の一環として，育児休業期間中の保険料の徴収の特例が設けられており，育児休業等をしている被保険者が使用される事業所の事業主が厚生労働大臣に申出をしたときは，当該育児休業期間等の期間に係る厚生年金保険の保険料が免除される（同81条の2）。1994（平成6）年に本人負担分が免除されたのに続き，2000（平成12）年改正により事業主負担分も免除された。さらに2012（平成24）年改正により，産前産後休業（労基65条）をしている被保険者が使用される事業所の事業主が厚生労働大臣に申出をしたときも，当該産前産後休業期間に係る厚生年金保険の保険料が免除されることになった（同81条の2の2）。

保険料の納付に関しては，事業主による源泉控除が認められている（同84条）。これは，被保険者が自己負担分を会社に納付すべき償還義務の履行を簡素化するため労働基準法24条の特則を定めたものである[116]。

第6節　不服申立手続など

第1款　不服申立て及び訴訟

不服申立てに関しては，一般法である行政不服審査法の特則が設けられており，社会保険審査官と社会保険審査会の2段階の仕組みが設けられている。国民年金法上，被保険者資格に関する処分，給付に関する処分，保険料その他徴

116）　東京地決昭41・12・13労民集17巻6号1361頁。

収金に関する処分に不服がある者は社会保険審査官に対して審査請求をし，その決定に不服がある者は社会保険審査会に対して再審査請求することができる（国年101条1項）。厚生年金保険法上，被保険者資格，標準報酬又は保険給付に関する処分に対する不服については，国民年金法と同様，社会保険審査官と社会保険審査会の2段階の仕組みがおかれ（厚年90条1項），保険料その他徴収金の賦課若しくは徴収の処分，滞納処分に不服がある者については社会保険審査会に対する審査請求の仕組みがおかれている（同91条）。審査請求をした日から2ヵ月以内に決定がないときは，審査請求人は審査官が審査請求を棄却したものとみなして，審査会に対して再審査請求をすることができる（国年101条2項，厚年90条3項）。

上記のような処分の取消しの訴えは，当該処分についての審査請求に対する決定を経た後でなければ提起することができない（国年101条の2，厚年91条の3。ただし，保険料その他徴収金の賦課若しくは徴収の収分，滞納収分についてはこの扱いは適用されない）とされ，行政事件訴訟法上の自由選択主義（同8条1項本文）の特例がおかれている。このいわゆる不服申立前置主義の扱いは，裁判例によれば，憲法32条に照らして合憲とされている[117]。

このほか，年金個人情報についての被保険者等による訂正請求にかかる決定への不服に関しては，上記の不服申立手続によらず，原処分を行う地方厚生局の上級庁である厚生労働大臣に対して審査請求を行うことができ，また直接，取消訴訟を提起することもできる（国年101条1項但書，厚年90条1項但書）。

第2款　時　効

年金各法では，時効に関して特則がおかれている。すなわち給付を受ける権利は5年，保険料その他の徴収金の徴収権などは2年で消滅するのが原則である（国年102条，厚年92条）[118]。前者のうち年金給付を受ける権利（基本権）の

117）　京都地判昭53・9・29訟月24巻12号2670頁（森井訴訟）。

118）　いわゆる「消えた年金」問題への対応策として，2007（平成19）年年金時効特例法が制定され，厚生年金，国民年金の受給権者，受給権者であった者について年金記録が訂正された場合，当該年金記録の訂正に係る受給権に基づいて年金額が増額された部分について，会計法30条の規定により5年の消滅時効が完成していた場合でも増額分の年金を給付することとした（1

時効の起算点は「支給すべき事由が生じた日」（給付要件を充足した日），基本権に基づき支払期日ごとに支払うものとされる保険給付を受ける権利（支分権）のそれは「支払期月の翌月の初日」である（国年102条1項，厚年92条1項）[119]。

第7節　年金給付の逸失利益性

年金給付と損害賠償との接点は，様々な場面で生じる。それらの争点は，既に総論的に論じたので（第2章第1節第4款），以下では，年金給付の逸失利益性の問題を中心に取り上げる。

第1款　年金受給権の逸失利益性

年金受給権は，受給権者の死亡により失権する。そこで，不法行為の被害者

条・2条。「訂正」の処分性を否定するものとして，東京地判平26・10・7判例集未登載〔LEX/DB文献番号25522443〕。ただし，訂正に基づく標準報酬月額の決定が処分であるとしても，事業主に原告適格はない。東京地判平27・7・21裁判所ウェブサイト〔LEX/DB文献番号25447665〕）。また各月毎のいわゆる支分権の時効についても，国に対する権利で金銭の給付を目的とするものは，時効の援用を要しないとする会計法31条の規定を適用除外とすることにより，今後年金を受給する者の年金支給についても自動的には時効消滅しないこととした（附則3条による厚年92条1項・4項，附則5条による国年102条1項・3項）。大阪高判平28・7・7賃社1675号24頁（年金時効特例法に基づく時効特例給付の不支給決定につき，国が消滅時効の主張を行うことは信義則に反し許されないとされた例），名古屋高判平29・11・30賃社1704号54頁（区役所担当職員の誤った言動によって年金裁定請求を断念したことにつき，国が消滅時効を援用することは信義則に反し許されないとされた例）。なお年金記録が回復された者に対し，5年の時効を超える分につき，2010（平成22）年遅延加算金法（「厚生年金保険の保険給付及び国民年金の給付の支払の遅延に係る加算金の支給に関する法律」）により，年金給付額が現在価値に見合う額となるようにするため，保険給付遅延特別加算金（厚年の場合。同法2条），給付遅延特別加算金（国年の場合。同法3条）が支給されることとなった。第2章第1節第3款**4**(2)。岩村正彦「公的年金給付をめぐる法的諸問題」新講座1 243-247頁参照。

119)　2020（令和2）年改正民法施行と同時に年金給付の消滅時効に係る規定が整備される以前の事案において，最高裁は，障害年金の支分権の消滅時効の起算点につき，裁定を受けた時ではなく，その本来の支払期（支給すべき事由が生じた日の属する日の翌月。国年18条1項，厚年36条1項）から進行するとの判断を示していた。最3判平29・10・17民集71巻8号1501頁。

の死亡に際し，当該死亡者が老齢・障害・遺族年金の受給者であった場合，相続権者は，加害者に対して死亡者の得べかりし年金額相当分を逸失利益として請求し得るかが問題となる。この点につき判例法理は，給付の類型ごとに異なった結論を導いている。

1　老齢（退職）年金

最高裁は，恩給法に基づく普通恩給につき，「当該恩給権者に対して損失補償ないし生活保障を与えることを目的とするものであるとともに，その者の収入に生計を依存している家族に対する関係においても，同一の機能を営むものと認められる」と判示し，逸失利益性を認めることを前提とする判断を行った[120)]。その後，地方公務員等共済組合法に基づく退職年金[121)]，国家公務員共済組合法に基づく退職給付[122)]，国民年金法（1985〔昭和60〕年改正前）上の老齢年金[123)]についても，逸失利益性を肯定している。このように，老齢（退職）年金につき最高裁は，差額説[124)]の立場に立ち，かつ相続構成[125)]をとった上で，基本的に逸失利益性を肯定する。厳密に言えば，1985（昭和60）年改正後の老齢基礎年金に係る判断を示した最高裁判決はないものの，障害基礎年金の逸失利益性が認められていることからすれば[126)]，同様の判断を示すことが予想される。ただし，受給権者が死亡した場合に失われる年金受給利益の享受は，遺族年金として制度的に図られていることや，年金受給権には一身専属性が認められることなどからすれば，そもそも年金受給権の喪失を逸失利益とみることは適切でない[127)]。

---

120)　最1判昭41・4・7民集20巻4号499頁。同旨，最3判昭59・10・9集民143号49頁，最3判平5・9・21集民169号793頁。

121)　最3判昭50・10・21集民116号307頁，最大判平5・3・24民集47巻4号3039頁。

122)　最2判昭50・10・24民集29巻9号1379頁。

123)　最3判平5・9・21・前掲（注120）参照。

124)　最2判昭42・11・10民集21巻9号2352頁。

125)　大判大15・2・16民集5巻150頁。

126)　最2判平11・10・22民集53巻7号1211頁。

127)　社会保障法学説の多くも否定説に立つ。岩村正彦「退職年金相当額の損害賠償からの遺族年金の控除」『ジュリスト』1027号（1993年）70-71頁，岩村Ⅰ81頁，西村103-104頁，堀・年金〔4版〕322頁，笠木ほか115頁。西村104頁は，逸失利益を否定することで，有責な第三者が不当に免責されるとの危惧が問題になるということであれば，社会保険者の求償権を認め

2　障害年金・遺族年金

障害年金についても，判例は，障害基礎年金及び障害厚生年金につき肯定説の立場をとる[128]。最高裁は，その理由として，保険料が拠出されたことに基づく給付としての性格を有すること（拠出と給付のけん連性）を挙げている。これに対し，子及び妻の加給分については，拠出と給付とのけん連関係がなく，社会保障的性格の強い給付であること，子の婚姻，養子縁組，配偶者の離婚など，本人の意思により決定し得る事由により加算の終了することが予定されていて，障害年金と同じ程度にその存続が確実なものということができないこと（存続の不確実性）から，逸失利益性が否定されている。

他方，最高裁は，遺族厚生年金の逸失利益性を否定している[129]。その理由としては，「受給権者が被保険者又は被保険者であった者の死亡当時その者によって生計を維持した者に限られており，妻以外の受給権者については一定の年齢や障害の状態にあることなどが必要とされていること，受給権者の婚姻，養子縁組といった一般的に生活状況の変更を生ずることが予想される事由の発生により受給権が消滅するとされていることなどから」，「専ら受給権者自身の生計の維持を目的とした給付という性格を有する」ことが挙げられ，それに加えて，受給権者自身が保険料を拠出しておらず給付と保険料とのけん連性が間接的であること（給付の社会保障的性格の強さ），障害年金に係る最高裁判決にいうところの存続の不確実性を指摘し，結局「遺族厚生年金は，受給権者自身の生存中その生活を安定させる必要を考慮して支給するものである」として，逸失利益性が否定された。また同日言い渡された軍人恩給としての扶助料（恩給法の一部を改正する法律〔昭28法155〕附則10条）の逸失利益性を否定する際にも，最高裁は，専ら受給権者自身の生計の維持を目的とした給付という性格を有すること，全額国庫負担であること（給付の社会保障的性格の強さ），存続の不確実性に照らして，「扶助料は，受給権者自身の生存中その生活を安定させる必要を考慮して支給するものである」として，逸失利益性を否定した[130]。

このように，平成5年大法廷判決の後に出された幾つかの最高裁判決は，専

ることで対応すべきとする。

128）　最2判平11・10・22・前掲（注126）。

129）　最3判平12・11・14民集54巻9号2683頁。

130）　最3判平12・11・14判時1732号83頁。

ら受給権者自身の生計維持を目的とするか否かにとどまらず，拠出と給付のけん連性や存続の不確実性をも踏まえて逸失利益性を判断している点が特徴的である。

第2款　年金相当額の控除

第三者の不法行為による被害者又はその遺族が，被害者の負傷又は死亡を原因として年金受給権を取得した場合，加害者の賠償すべき損害額の算定に当たり，当該年金相当額を控除する必要があるのか否か，控除する必要があるとして，既に受給した年金額のみ控除すれば足りるのか，将来受給し得る年金額をも控除しなければならないのか，という問題がある。

まず既給付分の控除につき，遺族年金によって受ける利益は死亡した者の得べかりし利益と実質的に同一同質のものであるとして，既払い分を控除すべきとするのが判例の立場である[131]。平成5年大法廷判決では[132]，こうした損害額からの控除を，「被害者が不法行為によって死亡し，その損害賠償請求権を取得した相続人が不法行為と同一の原因によって利益を受ける場合に」おける「損益相殺的な調整」の問題と捉えている。

これに対し，自らが受けるべき老齢年金については，事故に基づく民法上の損害賠償債権と補完関係になく，控除の対象とはならない。事故により受給することとなった障害年金との関連では，控除の対象となると解される[133]。

次に，過去分が控除される給付類型（遺族年金）であっても，将来給付分の控除については別異に捉えられている。最高裁は，前述の平成5年大法廷判決において，「被害者又はその相続人が取得した債権につき，損益相殺的な調整を図ることが許されるのは，当該債権が現実に履行された場合又はこれと同視し得る程度にその存続及び履行が確実であるということができる場合に限られる」と判示し，遺族年金については，給付義務を負う者が共済組合であること

131）　最1判昭41・4・7・前掲（注120），最3判昭50・10・21・前掲（注121），最2判昭50・10・24・前掲（注122）。

132）　最大判平5・3・24・前掲（注121）。

133）　最大判平5・3・24・前掲（注121）など判例を引用しつつ，実質的な理由付けを述べる最近の裁判例（肯定例）として，神戸地判令元・11・29自保ジャーナル2064号15頁など参照。

に照らせば，履行の不確実性を問題とすべき余地はないものの，受給者の婚姻あるいは死亡などによって遺族年金の受給権の喪失が予定されているのであるから，支給を受けることがいまだ確定していない遺族年金については，上記の程度にその存続が確実とはいえない旨判示し，口頭弁論終結時以降に発生する支分権は控除の対象とならない[134]と判示した[135]。

なお複数の遺族の加害者に対する損害賠償額の算定にあたり，遺族年金相当額は，遺族年金等の受給権者の損害賠償債権からのみ控除すべきものとされる[136]。

第3款　「同一の事由」にある損害賠償債権の範囲

受給権者が先に損害賠償を受けたとき，「同一の事由」については保険者が保険給付の義務を免れる（国年22条2項，厚年40条2項）。その趣旨が保険給付と損害賠償との二重塡補を排除することにあるとすれば，保険事故の発生に伴い一定の年金給付がなされた場合，第2款で述べた限度において年金相当額の控除がなされるとしても，保険給付と「同一の事由」の関係にあるものと認められる費目についてのみ損害賠償債権の範囲が縮減することになる。

この点については，従来，労災保険法の事案において，慰謝料や財産上の積極損害ではなく，財産上の消極損害（逸失利益）との関係でのみ控除を認めるとの最高裁判決が存在し[137]，その後，公的年金についても最高裁は同様の立場をとり，「遺族年金をもって損益相殺的調整を図ることのできる損害は，財産的損害のうちの逸失利益に限られるものであって，支給を受けることが確定した遺族年金の額がこれを上回る場合であっても，当該超過分を他の財産的損害や精神的損害との関係で控除することはできない」と判示した[138]。

134)　年金の支給は偶数月に年6回，前月分までが支払われるので，支分権が発生していながらなお未支給との事態が生じ得る（国年19条，厚年37条参照）。この部分は支給を受けることが確定した部分である。

135)　最大判平5・3・24・前掲（注121）。この部分は，遺族年金の将来分を控除した原審の認定判断を正当とした最3判昭50・10・21・前掲（注121）を変更したものである。

136)　最2判昭50・10・24・前掲（注122）。

137)　最2判昭62・7・10民集41巻5号1202頁。

138)　最2判平11・10・22・前掲（注126）。

第8節　企業年金等

以上，公的年金について国民年金と厚生年金保険を中心に概説した。次に，老後の所得保障手段としての補完的役割が期待される企業年金につき，概略をみておきたい。

第1款　企業年金等と社会保障

公的年金については，2004（平成16）年改正による保険料水準固定方式・マクロ経済スライドの導入などの措置が講じられてきた。マクロ経済スライドが，公的年金の将来的な持続可能性を高めたとはいえ，将来にわたる公的年金の実質的な給付水準の低下は避けられない。そうすると，今後，老後の所得保障手段として，私的年金とりわけ企業年金が公的年金を補完する役割を担うことが期待されるといわねばならない[139)]。この点に公的年金と並んで企業年金を取り上げ，考察する意義がある。公的年金の補完という意味では，企業従業員以外の者を対象とする個人年金等にも考察対象は拡がり得る。

社会保障法を，「憲法25条を直接的な根拠とし，国民等による主体的な生の追求を可能にするための前提条件の整備を目的として行われる給付やその前提となる負担等を規律する法」と捉える本書の立場からは，後述する（第2款3）厚生年金基金などを除くと，本節で取り上げる企業年金等のすべてを社会保障給付と捉えることができるわけではない。しかしながら，政府が直接運営責任を負い，公的関与の度合いが大きい年金制度と，民間保険会社の商品である個人年金のように市場取引下での保険法上の規制に委ねられているものを対極として，公的関与の度合いには様々なバリエーションがある[140)]。このことは，

139)　2001（平成13）年に制定された企業年金2法（確定給付企業年金法及び確定拠出年金法）の目的として，「公的年金の給付と相まって国民の生活の安定と福祉の向上に寄与すること」が挙げられている（確定給付1条，確定拠出1条）。2007（平成19）年7月，厚生労働省の企業年金研究会がまとめた「企業年金制度の施行状況の検証結果」では，今後の企業年金制度の方向性として，ア）労使合意を基本とした，企業や従業員の実情及びニーズを踏まえたできる限り自由な制度，イ）公的年金との関係を重視した，従業員の老後所得保障機能をより強化した制度，の二つを提示している。

企業年金法制に対する規制や助成のあり方を社会保障制度としての公的年金と連続的に捉える視点が必要であることを示すものである。

第2款　企業年金法制

1　企業年金の展開

後述する企業年金2法の制定に至るまで，企業年金は，①厚生年金基金（平成25年改正前厚年106条以下。3参照）のほか，法人税法を根拠とする税制優遇措置である②適格退職年金，こうした法的規制の下にない③自社年金などを包括する概念として用いられてきた[141]。日本の企業年金は，元々退職金制度に由来することもあり，一時金の形でも支給され得るものの，社外積立の制度である点で，使用者が内部留保から支給する退職一時金とは性格を異にするものであった。

かつて企業年金の主流であった厚生年金基金や適格退職年金の財政方式は，基本的に完全積立方式であった。積立方式の下では，積立金の運用収入が重要な財源となる。しかし，バブル経済崩壊後の積立金の運用環境の悪化により，運用実績が予定利率を下回る事態を生じ，年金資産が，年金給付に必要な積立額である責任準備金を下回り，積立不足が発生した。企業にとっては，不足分を解消するには追加的な掛金負担を行わねばならず，このことが企業にとって重い財政的重荷となった。さらに国際会計基準の見直しにより，2001（平成13）年3月期から，企業年金等の退職給付制度に係る開示が義務づけられ，積立不足額を退職給付引当金として貸借対照表に計上しなければならなくなり，企業格付けの低下ひいては資金調達コストの上昇を招きかねない要因となった。こうした状況の下，企業側から，適格退職年金廃止などの動きがみられるようになり，厚生年金基金の代行部分（老齢厚生年金の報酬比例部分）の国への返上（代行返上）を求める要求も強まった。他方，とくに適格退職年金については，基本的に事業主に対する税法上の優遇措置に過ぎず，加入者及び受給者の権利

140）　堀勝洋『社会保障・社会福祉の原理・法・政策』（ミネルヴァ書房，2009年）293-297頁。

141）　中小企業退職金共済制度（中退制度），特定退職金共済制度（特退共），勤労者財産形成年金貯蓄制度（財形）なども企業年金に含めるものとして，森戸英幸『企業年金の法と政策』（有斐閣，2003年）23頁以下。

保障という面ではきわめて不十分な制度であるという問題があった。

2　企業年金改革

こうした状況の下，2001（平成13）年，いわゆる企業年金2法が制定され，企業年金制度の枠組みが抜本的に改められた。すなわち，厚生年金保険法を根拠法とする厚生年金基金に加えて，新たに確定給付企業年金法を根拠とする2つ（基金型・規約型）の確定給付企業年金と，確定拠出年金法を根拠とする確定拠出型年金（企業型・個人型）が設けられた。さらに，従来の適格退職年金は，2002（平成14）年4月以降新規の契約は認められず，既存のものも2012（平成24）年3月までに廃止された。

確定給付企業年金法の制定により，給付・掛金・積立金などに係る新たな法的枠組みを導入し，基本的に事業主に対する税法上の優遇措置に過ぎず受給権保護の発想に乏しかった従来の適格退職年金や，企業から代行返上の強い要求のあった厚生年金基金からの移行を図った。また確定拠出年金法の制定により，従来の確定給付年金とは異なる形態の確定拠出年金を導入した。

2法については，その後もひんぱんに制度改正が行われている。2004（平成16）年改正では，厚生年金基金・確定給付企業年金相互の移動及び確定拠出年金への移動を可能とし，確定給付企業年金の中途脱退時及び制度終了時に企業年金連合会が年金として給付する途を拓いたほか，確定拠出年金の拠出限度額引上げと中途脱退の要件緩和などの改正が行われたのに続き，2011（平成23）年改正で，確定拠出年金における企業型年金加入者の資格喪失年齢引上げ，加入者による掛金のマッチング拠出，投資教育の継続的実施の明確化が図られた。2016（平成28）年改正では，⑴企業年金の普及・拡大策として，①中小企業（従業員100人以下）を対象とした「簡易型確定拠出年金制度」の創設，②企業型確定拠出年金及び確定給付企業年金を実施していない中小企業を対象とした「個人型確定拠出年金への小規模事業主掛金納付制度」の創設など，⑵ライフコースの多様化への対応として，①個人型確定拠出年金の対象につき，国民年金第3号被保険者，企業型確定拠出年金加入者及び公務員等共済加入者も加入対象として拡大する，②確定拠出年金から確定給付年金等への年金資産の移換の拡充などを含む大規模な改正が行われた。さらに2020（令和2）年改正では，①確定拠出年金の加入可能年齢を引き上げるとともに，受給開始時期等の選択肢を拡大する，②確定拠出年金における中小企業向けの「簡易型確定拠出年金制度」の対象範囲の拡大（従業員100人以下から300人以下），企業型加入者の個人型加入の要件緩和などが行われた。

こうした一連の改革動向は，企業年金の新たな枠組みの設定と統一的・包括的規制の導入に端を発し，一貫して企業年金・個人年金の普及・拡大を図るものである点で積極的に評価できる。

他方，厚生年金基金については，2001（平成13）年改革により大企業を中心とする多くの基金が代行返上し，確定給付企業年金などへの移行を果たした。ただし，代行部分に必要な積立金をもたず（いわゆる「代行割れ」），未積立債務を埋め合わせることもできない中小企業中心の総合型基金（後述）が数多く生じ，厚生年金基金制度そのものの存続が問われる状況に至り，後述する2013（平成25）年改正へと結びついた。

以下では，まず制度存続が焦点となった厚生年金基金を取り上げ，ついで現行制度の主軸である確定給付企業年金と確定拠出年金の概要を明らかにする。その後，自営業者等を対象とする制度として，国民年金法に根拠を有し公的性格の強い国民年金基金についても触れることにしたい。

3　厚生年金基金

厚生年金基金は，1965（昭和40）年厚生年金保険法改正により，事業主側の強い意向で創設された。同基金は加入員の老齢について給付を行い，加入員の生活の安定と福祉の向上を図ることを目的とする法人であった（平成25年改正前厚年106条，108条1項）。同基金が支給する老齢年金給付は，少なくとも，加入員又は加入員であった者が老齢厚生年金の受給権を取得したときに，その者に支給するものでなければならず（同131条1項1号）。その額は，加入員の標準給与及び加入員であった期間に基づいて算定され（同132条1項），老齢厚生年金の報酬比例部分の年金額（代行部分）を超えるものでなければならないものとされた（上乗せ部分。同条2項）。すなわち，少なくとも代行部分につき厚生年金基金は，厚生年金に準じた公的年金の性格を有するものであった[142]。財政方式は積立方式（同136条の2）で，年金給付等積立金の運用は，信託会社，

142）　なお，代行部分にはスライド部分を含まず，この部分は厚生年金の保険者たる政府が給付することとされた。

信託業務を営む金融機関，生命保険会社，農業協同組合連合会又は金融商品取引業者が行うものとされた（同130条の2，136条の3）。

厚生年金基金制度は，高度経済成長下にあって運用環境が良好であった時期は順調に拡大し，厚生年金基金が代行部分をもつことにもスケールメリットがあった。しかし，1で述べたように，バブル経済の崩壊後，経済・金融情勢が急速に悪化し，運用実績が予定利率を下回り利差損が発生し，代行部分の給付に必要な積立金（最低責任準備金）を保有していないとの事態（いわゆる「代行割れ」）を生ずるに至った。2001（平成13）年企業年金改革以降，確定拠出年金（企業型。確定拠出144条の5），規約型確定給付企業年金（確定給付111条），基金型確定給付企業年金（同112条）への移行が可能になったことで，代行部分返上の道筋がついたものの，代行部分は本来国が行うものであるため，事業主は返上にあたって未積立債務を埋め合わせる必要があった。企業体力のある大企業（単独の事業主が設立する単独設立と，グループ企業などによる連合設立）では代行返上が進んだ一方，中小企業が集まった総合設立では，母体企業の大半が不況業種ということもあって代行返上が進まず，現存する厚生年金基金の大半が総合設立という事態に陥った[143)]。

こうした状況変化に加えて，2012（平成24）年にいわゆるAIJ問題が発生し，基金の資産運用にあたる投資顧問会社が高率の運用利回りを約束して資金拠出を行わせておきながら運用資産の大半を消失させたことが社会問題化し[144)]，厚生年金基金制度そのものの見直しを含めた法改正の議論が本格化した。制度そのものの廃止も議論されたものの，最終的には，基金の新設を認めないほか，他の企業年金制度への移行を促進しつつ特例的な解散制度の導入等を行い，財政的に健全な基金に限って存続を認める[145)]方向での改正が，2013（平成25）年

143）　ピーク時に1888あった厚生年金基金の数は，2013（平成25）年5月1日現在555基金と減少し，このうち総合設立が486基金を占めた。

144）　AIJ問題とは異なるが，投資コンサルタント会社が，厚生年金基金との間で年金資産運用契約を，不動産ファンド会社との間で商品販売協力契約を締結し，利益相反行為により厚生年金基金の利益を著しく損なわせたことが債権侵害の不法行為にあたるとされた例として，東京高判平30・4・11判時2402号6頁，基金事務長の業務上横領が契機となった事案で，厚生年金基金の任意脱退についての代議員会議決無効確認請求につき，「やむを得ない事由」があるとして設立事業所でないことの確認がなされた例として，長野地判平24・8・24判時2167号62頁。

健全性信頼性確保法の一環として行われた。

この改正により，施行日以後，新たな厚生年金基金の設立は認めないこととし，厚生年金基金に関する規定を厚生年金保険法から削除するとともに，現に存する基金については存続厚生年金基金として限定的に存続を認めるものとした（健全性信頼性確保法〔平25注63〕附則4条）。その後も基金数は激減[146]し，日本の企業年金制度の中で厚生年金基金制度の果たす役割は終わったといってよい[147]。

4　確定給付企業年金法

厚生年金基金が解散に誘導される状況下にあって，確定給付型企業年金の受け皿となったのが2001（平成13）年確定給付企業年金法に基づく制度である。

厚生年金適用事業所の事業主は，確定給付企業年金を実施しようとするときは，第1号又は第4号厚生年金被保険者等の過半数で組織する労働組合があるときは当該労働組合，ないときは第1号又は第4号厚生年金被保険者の過半数を代表する者の同意を得て，規約を作成し，①当該規約について厚生労働大臣の承認を受けること，②企業年金基金の設立について厚生労働大臣の認可を受けること，のいずれかの手続を執らねばならない（確定給付3条1項）。①が規約型であり，労使が合意した年金規約に基づき，事業主が信託会社・生命保険会社・農業協同組合連合会と積立金の管理及び運用に関する契約（同65条1項）あるいは金融商品取引業者と投資一任契約（同条2項）を締結し，母体企

145）厚生労働省厚生年金基金制度に関する専門委員会「厚生年金基金制度の見直しについて」（2013〔平成25〕年2月）。

146）厚生年金基金の数は，2017（平成29）年12月1日現在49基金と激減し，2021（令和3）年4月1日現在わずか5基金を残すのみとなった。同日現在，厚生年金基金の加入者がわずか13万人であるのに対し，確定給付企業年金の加入者数940万人，確定拠出年金（企業型）の加入者数750万7000人となっている（出典：企業年金連合会ウェブサイト「企業年金の現況」）。

147）厚生年金基金の運営状況の悪化や解散などをめぐる裁判例として，東京乗用旅客自動車厚生年金基金事件（東京高判令2・3・25労経速2422号3頁。加入員数減少に伴う特別掛金の一括徴収が適法とされ，納入告知処分の取消請求が棄却された例。同旨：全国光学工業厚生年金基金事件〔東京高判平27・9・17裁判所ウェブサイト（LEX/DB文献番号25447802）〕），大塚商会厚生年金基金事件（東京地判平29・10・3判例集未登載〔LEX/DB文献番号25539620〕。代行返上後，厚生年金基金が支給していた年金支給を国に対して求めた訴えが不適法却下等された例）。

業の外で年金資金の管理・運用を行い，年金給付等を行うものである。②は基金型と呼ばれ，母体企業とは別に，事業主及びその実施事業所に使用される加入者の資格を取得した者をもって組織する法人たる企業年金基金を設立し（同8条，9条1項），同基金において①と同様の契約を締結して年金資金の管理・運用を行い（同66条1項），年金給付等を行うものである。②の基金は厚生年金基金と異なり，厚生年金部分の代行は行わない。

給付は，老齢給付金と脱退一時金があり，このほか障害給付金と遺族給付金を任意に給付することができる（同29条）。受給権は受給権者の請求に基づいて，事業主（規約型）又は基金が裁定する（同30条1項）。年金給付は，終身又は5年以上にわたり，毎年1回以上定期的に支給するものでなければならない（同33条但書）。中心的な給付である老齢給付金は，規約で定める要件を満たすこととなったときに支給され（同36条1項），支給開始要件（①60歳以上70歳以下の規約で定める年齢に達したときに支給するものであること〔同条2項1号〕，②50歳以上60歳未満の規約で定める年齢に達した日以後に退職したときに支給するものであること〔同条2項2号，3項，確定給付令28条〕）を満たすものであることを要する。規約において，20年を超える加入者期間を給付を受けるための要件としてはならない（同36条4項）。原則的に年金として支給されるが，規約でその全部又は一部を一時金として支給することができることを定めた場合には，政令で定める基準に従い規約で定めるところにより，一時金として支給することができる（同38条）。規約で定める老齢給付金を受けるための要件を満たさない者が退職したとき，脱退一時金が支給される（同41条，42条）。脱退一時金を受けるための要件として，3年を超える加入者期間を定めてはならない（同41条3項）。

掛金は事業主負担を原則とし，加入者の負担については政令で定める基準に従い規約で定めるところにより，加入者本人の同意を前提として可能とされている（同55条）。税制上の措置として，事業主負担は全額損金算入が認められ，加入者負担については生命保険料控除の対象となる。

受給権保護の措置として，積立水準の確保を図るため，事業主及び基金に対し積立義務を課すとともに（同59条），積立金の額が責任準備金の額及び最低積立基準額を下回らない額でなければならないこと（同60条1項），毎事業年度の決算における責任積立金の額及び最低積立基準額の財政検証（同61条），積立不足分の掛金の再計算（同62条）・積立不足に伴う掛金に係る事業主の拠出義務（同63条）に関する規定をおいている。他方，受託者責任についての定めもおき，事業主の行為準則としての忠実義務等（同69条1項），基金の理事の行為準則としての忠実義務等（同70条1項）のほか，資産管理運用機関（同71条）及び基金が締結した基金資産運用契約の相手方（同72条）の忠実義務などが課されている。

このほか，制度間の移行を図るための措置として，規約型企業年金から基金型への移行（同80条），基金型企業年金から規約型への移行（同81条），確定給付企業年金から企業型確定拠出年金への移行（同82条の2，82条の3），確定給付企業年金から個人型確定拠出年金への移行（同82条の4）などに係る規定がおかれている。

2013（平成25）年改正に伴う厚生年金基金制度の見直しと関連して，厚生年金保険法に根拠を置いていた企業年金連合会の規定が削除され，企業年金連合会は，確定給付企業年金法上，確定給付企業年金の中途脱退者及び終了制度加入者等に係る老齢給付金の支給を共同して行うとともに，積立金の移換を円滑に行うための組織として位置付けられた（同91条の2）。

5　確定拠出年金法

従来の年金の仕組みの主流は，公的・私的年金を問わず，給付額を約束するという意味で確定給付型年金の形態であった。他方，既存制度は，①中小零細企業や自営業者に十分普及していない，②転職時の年金資産の移管措置（ポータビリティー）が十分確保されておらず，労働者の企業間の移動への対応が困難である，といった問題を抱えていた。さらにあらかじめ給付額を約束するものであるため，経済不況，金利低下などによる運用環境の悪化の下では，大幅な積立不足を生じることとなった。さらに企業会計制度の改正による退職給付会計の導入は，こうした積立不足の開示を求めるものであり，不足分を埋め合わせるため，企業に大きな財政負担を強いることにもなった。こうした状況下，拠出された掛金が個人ごとに明確に区分され，掛金とその運用収益との合計額をもとに給付額が決定される年金として，確定拠出年金を導入する機運が高まり，2001（平成13）年確定拠出年金法として成立した。

確定拠出年金には，原則として事業主の拠出により賄われる企業型年金と，原則として加入者拠出により賄われる個人型年金がある。このうち企業年金としての性格をもつのは前者（企業型）であるが，後述するように後者（個人型）の加入要件緩和という方向性が顕著にみられる。

企業型年金を実施するためには，厚生年金適用事業所の事業主が，第1号又は第4号厚生年金被保険者の過半数で組織する労働組合があるときは当該組合，そうした組合がないときは当該第1号又は第4号厚生年金被保険者の過半数を代表する者の同意を得て，規約を作成し，厚生労働大臣の承認を受けなければならない（確定拠出3条1項）。事業主は，運営管理業務の全部又は一部を運営管理機関に委託することができる（同7条1項）。また事業主は，積立金について信託会社・生命保険会社・農業協同組合連合会・損害保険会社と資産管理契約を締結しなければならない（同8条1項）。制度を実施する事業所に使用される第1号又は第4号厚生年金被保険者は，企業型年金加入者となる（同9条1項，10条）。

掛金につき，事業主は，政令で定めるところにより，年1回以上，定期的に掛金を拠出する（同19条1項）。事業主は，事業主掛金を規約で定める日までに資産管理機関に納付する（同21条1項）。企業型年金については，当初事業主掛金のみで賄われていたが，従業員の掛金拠出（マッチング拠出）を認めるべきとの要望が強く，2011（平成23）年改正により，加入者も，規約で定めるところにより算定した掛金を拠出することが可能となった（同19条3項）。さらに2020（令和2）年改正により，企業型年金加入者は，企業型年金加入者掛金の拠出又は個人型年金の加入を選択できることとなった（同3条3項7号の3，62条1項2号）。

積立金のうち企業型年金加入者等の個人別管理資産の運用にあたっては，加入者等自身が運用指図を行う点にこの制度の特徴がある（確定拠出25条1項）。事業主は，運用の指図に資するため，資産の運用に関する基礎的な資料の提供その他の必要な措置を継続的に講ずるよう努めなければならない（同22条1項）。運営管理業務を行う運営管理機関等は，法23条1項に掲げる運用の方法のうち政令（確定拠出令15条）で定めるものを，適切な運用の方法の選択に資するための上限として政令で定める数以下で，かつ，3以上で選定し，加入者に提示しなければならない（確定拠出23条1項）。

企業型年金の給付には，老齢給付金のほか，障害給付金，死亡一時金があり

（同28条），受給権者の請求に基づいて記録関連業務を行う運営管理機関等の裁定により受給権が発生する（同29条1項）。老齢給付金は，年齢に応じた年数又は月数以上の通算加入者等期間（60歳以上61歳未満の者で10年，61歳以上62歳未満の者で8年，62歳以上63歳未満の者で6年，63歳以上64歳未満の者で4年，64歳以上65歳未満の者で2年，65歳以上の者で1月）を有するとき，加入者であった者が支給を請求でき（同33条1項），支給を請求することなく75歳に達したときは，記録関連業務を行う運営管理機関等の裁定に基づいて支給がなされる（同34条）。障害給付金は，傷病についての初診日から起算して1年6ヵ月を経過した日（その期間内にその傷病が治癒した場合においてはその治癒した日）から75歳に達する日の前日までの間において，その傷病により政令で定める程度の障害の状態に該当するに至ったとき，加入者の請求により支給される（同37条1項）。老齢給付金及び障害給付金は，年金として支給されるのが原則であるが（同35条1項，38条1項），規約で定めるところにより一時金として支給することもできる（同35条2項，38条2項）。失権事由として，受給権者が死亡したときなどと並んで，個人別管理資産がなくなったときが掲げられている点が確定拠出年金の特徴である（同36条3号，39条2号）。死亡一時金は，加入者又は加入者であった者が死亡したときに，法定の遺族に支給される（同40条，41条）。経過措置として，脱退一時金の仕組みがある（同附則2条の2第1項）。

このほか，企業型年金を実施している企業への個人別管理資産の移換（確定拠出80条1項），転職先企業が企業型年金を実施しておらず，厚生年金基金や確定給付企業年金なども実施していない場合や，自営業者（国民年金第1号被保険者）等になった場合における国民年金基金連合会への個人別管理資産の移換（同62条1項，81条1項）など，ポータビリティーを確保するための仕組みも設けられている。2016（平成28）年改正では，確定給付企業年金の加入者となった者の個人的管理資産の移換についても認められた（同54条の4，74条の4）。

また事業主（同43条）や資産管理機関（同44条），運営管理機関（同99条，100条）など制度関係者の忠実義務や行為準則を定め，加入者保護が図られている。

企業年金の普及・拡大策の一環として，2016（平成28）年改正により，事務負担等により企業年金の実施が困難な中小企業（従業員100人以下）を対象に，設立手続等を大幅に緩和した「簡易企業型年金」の仕組みが創設され，2020

(令和2) 年改正で従業員数300人以下へと対象企業を拡大した (同3条5項)。

以上の企業型年金とは別に，個人型年金 (iDeCo：イデコ) は，国民年金基金連合会が実施し，同連合会は，規約を作成し，厚生労働大臣の承認を受けなければならないとされている (同55条1項)。個人型年金加入者となることができるのは，保険料免除者を除く国民年金第1号被保険者 (第1号加入者) 及び企業年金等対象者 (企業型年金加入者など) を除く60歳未満の厚生年金保険の被保険者 (第2号加入者) であったところ，2016 (平成28) 年改正により，ライフコース多様化への対応として，第2号加入者の対象を企業型年金加入者等を除く60歳未満の厚生年金被保険者に拡大するとともに，国民年金第3号被保険者にも対象を拡げた (第3号加入者。同62条1項)。2020 (令和2) 年改正では，60歳未満の加入要件を削るとともに，企業型掛金拠出者等を除く国民年金第2号被保険者・任意加入被保険者も，個人型年金加入者となることができるものとした。こうした個人型年金の適用拡大により，後述する国民年金基金と並んで，企業年金の枠組みを超え個人年金も含めた私的老後所得保障の確保が図られつつある。

個人型年金加入者は，連合会に申し出た日に個人型年金加入者の資格を取得する (同条2項)。加入者は，政令で定めるところにより，年1回以上，定期的に掛金を拠出する (同68条1項)。掛金拠出は，国民年金法の保険料の納付が行われた月 (法定免除や第2号・第3号被保険者期間を含む。確定拠出令35条) についてのみ行うことができる点で，公的年金への加入及び拠出を前提としている。加入者掛金の額は，規約で定めるところにより，法定の限度額内で加入者が決定し，又は変更する (確定拠出68条2項，69条，確定拠出令36条)。第2号加入者は，掛金の納付をその使用される厚生年金適用事業所の事業主を介して行うことができる (確定拠出70条2項。源泉控除につき同71条1項)。

このほか，簡易企業型年金と並ぶ企業年金の普及・拡大策として，2016 (平成28) 年改正により，企業型確定拠出年金及び確定給付企業年金を実施していない中小企業 (従業員100人以下) に限り，個人型確定拠出年金に加入する従業員の拠出に追加して事業主の拠出を可能にする「個人型確定拠出年金への小規模事業主掛金納付制度」が創設され，2020 (令和2) 年改正で従業員数300人以下へと対象企業を拡大した (同3条5項2号)。

確定拠出年金の拠出限度額については，細分化されているため図4で示して

図4　拠出限度額の一覧

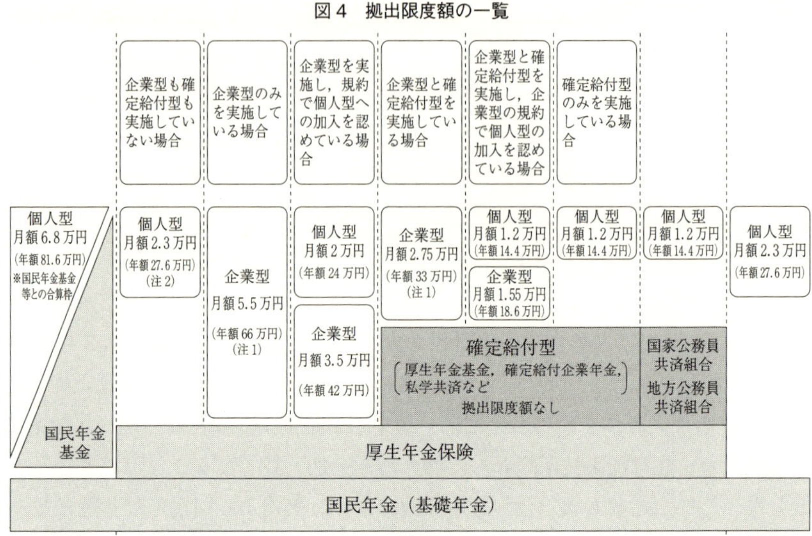

（注）1．事業主掛金を超えず，かつ，事業主掛金との合計が拠出限度額の範囲内で，事業主掛金に加え，加入者も拠出可能（マッチング拠出）。

（注）2．企業年金を実施していない従業員100人以下の事業主は，拠出限度額の範囲内で，加入者掛金に加え，事業主も拠出可能（中小事業主掛金納付制度）。

出典：厚生労働省編『令和3年版厚生労働白書（資料編）』（11 年金）より

おく。

6　国民年金基金

被用者には報酬比例年金が支給されるのに対し，国民年金第1号被保険者は基本的に基礎年金しか受給できない。このため，第1号被保険者（保険料の免除を受けている者や農業者年金被保険者を除く。国年116条1項）[148]を対象に老齢基礎年金の上乗せ部分にあたる年金給付を行い，国民年金法1条所定の目的を達するため，国民年金基金制度が設けられている。1969（昭和44）年国民年金法改正により制度化された後，1989（平成元）年改正で大幅に見直された。同制度は任意加入であり（同127条1項本文。ただし加入後，任意の脱退は認められていない。同条3項），財政方式は積立方式である（同131条の2，国年基金令29条）。

148)　2011（平成23）年年金確保支援法（法93）により，国民年金の任意加入被保険者（日本国内に居住する60歳以上65歳未満の者）も加入できることになった（国年附則5条12項）。

積立金の運用は，信託会社，信託業務を営む金融機関，生命保険会社，農業協同組合連合会若しくは共済水産業協同組合連合会又は金融商品取引業者が行う（国年128条3項〜5項，132条，国年基金令30条）。基金は，積立金の運用に関して，運用の目的その他厚生労働省令で定める事項を記載した基本方針を作成し，当該基本方針に沿って運用しなければならない（国年基金令30条の2）。

国民年金基金の種類としては，従来，都道府県ごとに設立される47の地域型基金と，同種の事業又は業務に従事する者をもって全国的に組織される25の職能型基金があった（国年116条，118条の2）。これに対し，2016（平成28）年確定拠出年金法等改正の一環として，国民年金基金の合併及び分割規定が整備され（同137の3〜137条の3の12），これにより47の地域型基金と22の職能型基金は合併契約を締結し，2019（平成31）年4月1日に全国国民年金基金が誕生した[149]。

既に基金の加入員であるときは，他の基金の加入員となることができない（同127条1項但書）。基金は，加入員又は加入員であった者に対し，年金の支給を行い，あわせて加入員又は加入員であった者の死亡に関し，一時金（遺族一時金）の支給を行う（同128条1項）。年金は，少なくとも，当該基金の加入員であった者が老齢基礎年金の受給権を取得したときに，その者に支給されるものでなければならない（同129条1項）。

国民年金基金は，国民年金の付加年金の代行という性格を有することから，年金額は，200円に納付された掛金に係る当該基金の加入員期間の月数を乗じた額を超えるものでなければならず（同130条2項），付加年金と同様の国庫負担（4分の1）がなされる（昭和60年改正法附則34条1項1号）。任意加入であるにもかかわらず，国庫負担が投入される点が特徴的な制度といえる。

年金の種類は，終身年金と，受給期間が定まっている確定年金の2種があり，口数制をとっている。1口目は終身年金であるA型・B型のいずれかを選択し（年金額は加入時の年齢によって異なる），2口目以降は終身年金と確定年金（I型からV型）の型から選択する（年金額は加入時の年齢によって異なる）。ただし，掛金上限の月額6万8000円を超えてはならず，確定年金の年金額が終身年金の年金額を超えてはならない。2口目以降は年1回の届出により口数を増減でき

149）　職能型のうち独立を維持したのは，歯科医師，司法書士，弁護士のみとなった。

る。掛金は，選択した年金と加入時の年齢，性別によって定まる。平均寿命に差異があるとはいえ，国庫負担が投入される制度に性別による差異を設けることが適切かについては，検討の余地があろう。なお掛金は，全額社会保険料控除の対象となり，税制面での優遇が受けられる。

国民年金基金は，中途脱退者及び解散基金加入員に係る年金及び死亡一時金の支給を共同して行うため，国民年金基金連合会（国年137条の4，137条の15第1項）を設置している。ここでの中途脱退者とは，基金の加入員の資格を喪失した者であって，加入期間が15年に満たない者をいい，基金は，当該加入期間に係る年金の原価に相当する額の交付を連合会に申し出ることができる（同137条の17第1項，国年基金令45条1項）。

第3款　受給権等の不利益変更

経済不況による運用環境の悪化やいわゆる団塊世代の大量退職などを背景として，21世紀に入り，企業年金の給付減額を行う企業が増大した。日本の企業年金には，2001（平成13）年企業年金改革にあたって参照されたアメリカの法制と異なり[150]，企業型確定拠出年金以外には，既に拠出がなされた部分（過去分）についての受給権付与ルールが存在しない。その意味では，受給権保護に薄い側面があるものの，他方，将来分であっても以下のように法的保護の対象となり得る。

自社年金（第2款1）のような内部留保型の企業年金の多くは，退職給付の一環として，基本的に就業規則や労働協約を通じて労働契約の内容となっている。したがって，加入者（労働者）との関係での受給権保護は，労働法的規制の観点から捉えられる。このうち就業規則で規律されている場合，労働条件の一方的不利益変更に関する法理が適用され[151]，「労働者の受ける不利益の程度，労働条件の変更の必要性，変更後の就業規則の内容の相当性，労働組合等との

150）　河合塁「アメリカの私的退職プランに関する法的考察（下）」『季刊労働法』196号（2001年）150-151頁。

151）　秋北バス事件（最大判昭43・12・25民集22巻13号3459頁），大曲市農協事件（最3判昭63・2・16民集42巻2号60頁），第四銀行事件（最2判平9・2・28民集51巻2号705頁）など。

交渉の状況その他の就業規則の変更に係る事情に照らして合理的なものである」かどうかを総合考慮して変更の適否が判断される（労働契約10条）。

このほか，個々の制度毎に，企業年金に係る給付水準等の加入者にとっての不利益変更は，法令等の規制の下におかれている。たとえば，規約型確定給付企業年金につき，規約の変更は，実施事業所に使用される被用者年金被保険者等の過半数で組織する労働組合があるときは当該労働組合の同意，ない場合には被用者年金被保険者等の過半数を代表する者の同意を得て，厚生労働大臣の承認を受けなければならず（確定給付6条），基金型の場合，代議員会の議決を経て，厚生労働大臣の認可を受けなければならない（同19条1項1号，16条1項）。さらに給付減額の場合の大臣の承認要件が定められており（同5条1項5号，12条1項7号，確定給付令4条2号，7条），実施事業所の経営の状況が悪化したことにより，給付の額を減額することがやむを得ないこと（確定給付則5条，12条）等の実体要件とともに，手続要件として，加入者の3分の1以上で組織する労働組合がある場合は当該労働組合の同意，及び全加入員の3分の2以上の同意（加入員の3分の2以上で組織する労働組合がある場合には当該労働組合の同意で代替できる）を得なければならない（同6条1項1号，13条）。企業型確定拠出年金における掛金の額の算定方法の変更は，規約型確定給付企業年金と同様，過半数組合若しくは過半数代表者の同意と厚生労働大臣の承認が必要である（確定拠出3条3項7号，5条1項・2項）。

これに対し，退職者（受給者）との関係でも，自社年金など内部留保型の制度の場合，年金規程等の解釈などを通じて，基本的には契約法理によってその限界が画されることになる。これまでに企業年金の給付減額・廃止をめぐる裁判が数多く提起されてきた[152)]。年金支給開始後の減額根拠となり得る改訂条項が年金規定等に存在しない場合，不利益変更の可否が厳格に判断される一方[153)]，そうした条項があるとしても自由に減額できるわけではなく，変更の

---

152)　幸福銀行（年金減額）事件（大阪地判平10・4・13労判744号54頁），幸福銀行（年金打切り）事件（大阪地判平12・12・20労判801号21頁）を皮切りに，松下電器産業事件（最1決平19・5・23労判937号194頁，大阪高判平18・11・28判時1973号62頁），早稲田大学事件（最2決平11・3・4判例集未登載，東京高判平21・10・29判時2071号129頁）など。最近の裁判例として，法政大学事件（東京地判平29・7・6判タ1464号135頁）。異なる事案ではあるが，株式会社明治事件（東京高判平26・10・23労判1111号73頁）は，企業年金受給方式に関する説明不足等を理由とする損害賠償請求を棄却した原審を維持した。

必要性，変更内容の相当性，変更手続の相当性といった観点を踏まえて判断される傾向にある[154]。

厚生年金基金の代行部分や企業型確定拠出年金については，受給者への給付減額・廃止はできない。確定給付企業年金については，厚生労働大臣の承認要件が定められており，実体要件（確定給付5条，12条）のほか，手続要件として，①給付の額の減額について，受給権者等の3分の2以上の同意を得ること，②受給権者等のうち希望する者に対し，規約変更日における最低積立基準額を一時金として支給すること等の措置を講じていること（同6条1項2号，13条）が求められる。こうした要件の未充足に基づく厚生労働大臣の規約変更不承認（不認可）処分は，取消訴訟等で争われ得る[155]。

第4款　企業年金の課題

2001（平成13）年の企業年金2法により，企業年金を取り巻く課題の相当部分につき立法的措置が講じられたものの，依然として課題は残されている[156]。たとえば，確定給付企業年金については，受給権保護が，積立義務（確定給付59条，60条，62条，63条），受託者責任の明確化や情報開示規定による行為準則の設定（同69条〜73条）といった形で法定されたものの，積立不足を補塡し年金受給権を確保するための支払保証制度については依然として導入に至っていない。確定拠出年金については，明確な受給権付与ルールが設けられていないほか，その本来的性格上，老後の給付額が不確定であることから，退職所得保障の中心的手段となり難い面がある。

企業の退職金制度に淵源を有し，企業福利制度の一環として発展してきた企

153）早稲田大学事件（東京地判平19・1・26判タ1264号327頁）参照。

154）松下電器産業事件（大阪高判平18・11・28）・前掲（注152）参照。渡邊絹子「老後所得保障における私的年金の意義と課題」新講座1 306頁では，①企業の経営状況，②受給者が被る不利益の内容・程度，③変更後の給付水準（世間相場との比較），④代償措置，⑤加入者（現役従業員）との均衡，⑥受給者への説明・意見聴取等の状況，⑦不利益を被る他の受給者の状況（同意の割合）等を挙げている。

155）NTTグループ企業事件（最3決平22・6・8判例集未登載〔LEX/DB文献番号25463912〕，東京高判平20・7・9労判964号5頁〔消極〕）。

156）菊池・将来構想114-118頁。

業年金制度の歴史的性格を重視すれば，今後の企業年金制度の方向性としても，労使自治を極力尊重すべきであり，過度の法規制は望ましくないとの立場に傾くことになる。これに対し，公的年金の制度目的でもある国民の老後所得保障の側面を重視すれば，受給権保護などを重視した相対的に強い法的保護ないし規制が望ましいとの立場に傾く。そしてこうした立場の違いが，具体的な制度設計のあり方にも影響を及ぼし得る。制度目的の重なりや，マクロ経済スライドの導入などにより公的年金の給付水準が将来的に相当程度低下することが見込まれることを勘案した場合，老後所得保障の側面を重視した制度設計をせざるを得ないように思われ，その意味で一時金ではなく年金化の促進などが課題となろう。さらに，公的年金の給付水準低下との兼ね合いでは，2016（平成28）年及び2020（令和2）年改正による個人型確定拠出年金適用対象者の拡大にみられるように，狭義の企業年金の普及促進を図るための取組みに加えて，個人年金まで含めた包括的な私的老後所得保障手段の確保という視角[157]が，今後ますます重要となろう[158]。企業年金の枠組みを超えた取組みとして，公的関与の度合いの高い国民年金基金の充実も課題であるものの，加入者数が減少傾向にある一方，純資産額に対し責任準備金不足を生じている状況にあり，注視する必要がある[159]。

157）国の審議会としては，従来，社会保障審議会年金部会で企業年金改革が議論されていたのに対し，2019（平成31）年2月から「企業年金・個人年金部会」が創設され，公的年金とは別個に議論されることになった。

158）このことに関連して，2016（平成28）年改正により，先述した「簡易企業型年金」や「個人型確定拠出年金への小規模事業主掛金納付制度」のほか，法律事項ではないものの，確定給付企業年金と確定拠出年金の双方の性格を併せもつ仕組み（リスク分担型企業年金）が導入された。こうしたハイブリッド型の仕組みとしては，既に企業年金2法施行に伴い，キャッシュバランス（CB）プランという形態も認められてきた。

159）2020（令和2）年度末現在，2003（平成15）年度末当時78万9178人であった加入者数は34万4343人まで減少した。他方，給付確保事業（基金1口目）で責任準備金2兆1869億円に対し3215億円の責任準備金不足を生じ，基金2口目以降で同じく2兆3009億円に対し，4243億円の責任準備金不足を生じている。国民年金基金連合会ウェブサイト参照。

第9節　年金制度を取り巻く課題

第1款　年金と雇用

老後所得保障という側面からは，雇用と年金の接続という視点が欠かせない。雇用を通じての賃金稼得か年金かを問わず，基本的な生活を支えるだけの収入が得られるか否かが重要だからである。この点については，2000（平成12）年改正による2013（平成25）年度以降の老齢厚生年金（報酬比例部分）支給開始年齢の60歳から65歳への段階的引上げと歩調を合わせる形で，2004（平成16）年高年齢者雇用安定法改正により，従来努力義務であった定年年齢の65歳への引上げが，継続雇用制度の導入あるいは定年の廃止という他の方策と選択的にではあるが事業主に義務づけられた（高年9条1項）。2012（平成24）年改正では，従来継続雇用制度の導入につき労使協定により基準を定めた場合は希望者全員を対象としない制度も認めていたのを改め，「現に雇用している高年齢者が希望するときは，当該高年齢者をその定年後も引き続いて雇用する制度」であることを要することとした。2020（令和2）年改正では，新たに65歳から70歳までの高年齢者就業確保措置（定年引上げ，継続雇用制度の導入，定年廃止，労使で同意した上での雇用以外の措置〔継続的に業務委託契約する制度，社会貢献活動に継続的に従事できる制度〕の導入のいずれか）を事業主の努力義務とした（同10条の2）。同年年金制度改正では，高齢期の就労継続を年金額に反映させるため，65歳以上で在職中の老齢厚生年金額を毎年定時に改正するとともに（厚年43条2項），従来70歳までであった年金受給開始時期の選択を75歳まで認めることとした（国年28条，厚年44条の3）。

このように，年金と雇用の接続の問題は，2025（令和7）年の支給開始年齢65歳への完全移行（女性は5年遅れ）を踏まえて，60歳代後半及びそれ以降へと焦点が移行したといい得る。ただし，現状で65歳以降まで支給開始時期を遅らせる高齢者がほとんどいない現状を前提とした場合[160)]，65歳以降の在職老齢年金（高年齢者在職老齢年金）の扱いや，上記の高年齢者就業確保措置の義務付けなど，さらなる制度改革に向けた検討が必要になると思われる。

160）　受給開始時期の選択を終了した70歳の受給権者の繰下げの利用率は約1％であった。第6回社会保障審議会年金部会（平成30年11月2日）資料1-12頁。

次に，終身雇用・年功序列型賃金といった従来の日本型雇用慣行に対する見直しの機運がみられ，雇用の流動化や雇用形態の多様化が進む今日の状況下にあって，公的年金の適用拡大が重要な検討課題となっている。なかでも全労働力の4割近くを占めるパート・アルバイト（短時間労働），派遣など，いわゆる非正規雇用に就く労働者への被用者保険（厚生年金保険及び健康保険）の適用拡大が問題となる[161]。

このうち短時間労働者については，既に述べたように（第3節第1款1），かつては通常労働者の所定労働時間及び所定労働日数のおおむね4分の3以上である者が，被保険者として扱われてきた。2012（平成24）年改正，2016（平成28）年改正により，適用対象が拡大されたものの，その効果は限定的であったため，2020（令和2）年改正により，労働者数501人以上という適用事業所の規模要件を，2022（令和4）年10月より101人以上，2024（令和6）年10月より51人以上と段階的に引き下げることとした。

公的年金が社会保険の仕組みを採用しており，そこでの負担のあり方として能力に応じた負担（応能負担）を重視すべきであるとすれば，少しでも収入があれば，保険料拠出という形で制度への一定の貢献を求める見返りに年金給付を行うべきとの考え方もあり得る。しかし，事務手続にかかるコストの問題や，標準報酬等級表における標準報酬月額の下限を大きく引き下げた場合，基礎年金拠出金相当額にも満たない保険料拠出しか行わない被保険者が，基礎年金に加えて厚生年金（報酬比例年金）も受給することになる（このことにつき国民年金第2号被保険者集団のあいだで納得が得られるか）といった問題があり，当然にすべての短時間労働者を被保険者とすべきとまでは言えない点に留意する必要がある。

国民年金第2号被保険者の被扶養配偶者（専業主婦）は，年間収入が130万円以上であれば，自営業者などと同様，国民年金第1号被保険者として毎月定額の国民年金保険料納付義務を負うのに対し，130万円未満である場合，第3号被保険者として直接的には同保険料納付義務を負わない。そこで，この年収130万円というラインで就労調整を行っている者がいるといわれている。130万円の壁が，労働者の就労に負のインセンティブを与えている側面があるとい

161）　菊池・将来構想第3章。

い得る[162]。このいわゆる第3号被保険者問題については第2款で取り上げる。

派遣労働者については，派遣元事業主が労働・社会保険加入義務を負い，加入させる必要がある労働者については原則として加入させてから労働者派遣を行うものとされている[163]。派遣元事業主は，健康保険，厚生年金保険及び雇用保険の被保険者資格の確認に関する事項を派遣先に通知しなければならず（労派遣35条1項3号），派遣先事業主は，労働・社会保険に加入している派遣労働者を受け入れるべきものとされる[164]。登録型派遣労働者の場合，雇用契約が終了した後でも，1ヵ月以内に同一の派遣元事業主の下での雇用契約が確実に見込まれる場合，被保険者資格を継続させる扱いがなされている[165]。

近時，クラウドワーカーやフリーランスといった雇用類似の働き方の増加に伴い，その法的保護の必要性が認識されつつある。労働法的規律の必要性と並んで，社会保険の適用など社会保障法の適用をめぐっても今後検討課題となると思われる[166]。

なお，雇用と年金の接続という視点は，障害者施策にとっても重要である。障害者の場合，しばしば若年期から長期にわたる経済的保障の見通しを立てる必要があることから，障害者総合支援法による福祉的就労の取組みや，障害者雇用促進法による雇用率制度・差別禁止アプローチの推進などを図る一方で，就労のみで生計を立てることが困難な障害者に対しては，就労による稼得と障害基礎年金を組み合わせた所得保障の重要性という視点が浮かび上がる[167]。

第2款　女性と年金

女性と年金をめぐっては幾つかの重要な論点がある。既に離婚時の年金分割については述べたので（第4節第2款**1**(4)），以下ではそれ以外の点につき，ま

162）このほか，所得税の扶養控除の適用上限額である103万円なども就労に負のインセンティブを与えているといわれてきた。

163）「派遣元事業主が講ずべき措置に関する指針」（平11・11・17労働省告示137号）第2-4 (1)。

164）「派遣先が講ずべき措置に関する指針」（平11・11・17労働省告示138号）第2-8。

165）「派遣労働者に対する社会保険適用の取扱いについて」（平14・4・24保保発0424001号）。

166）厚生労働省「雇用類似の働き方に関する検討会報告書」（2018〔平成30〕年3月）参照。

167）厚生労働省「障害者雇用・福祉政策の連携強化に関する検討会報告書」（2021〔令和3〕年6月）参照。

とめて触れておきたい。

第1に，年金制度の中には，法律上明確に女性に有利な扱いをしている給付がある[168)]。これらのうち遺族基礎年金については，2012（平成24）年改正により改められ，父子家庭も対象に加えられたものの，依然として性別による別個の取扱いが残存している[169)]。ライフスタイルや家族形態の多様化といった最近の社会状況を前提とした場合，社会保障立法が広範な立法裁量に委ねられているとの判例法理[170)]を前提としても，基本的にはこうした制度ないし条項を性中立的な仕組みに改める方向性が望ましい[171)]。

第2に，第1款で触れた短時間労働をめぐる問題とも関連して，国民年金第3号被保険者制度の取扱いが問題となってきた。そもそも同制度は，1985（昭和60）年改正により，それまで任意加入であった女性（専業主婦）の年金権の保障という観点から導入されたものであった。しかしながら，21世紀に入って以降，その見直しを求める機運が高まった[172)]。厚生年金保険に加入する被用者世帯の基礎年金に要する費用は，事業主が厚生年金保険料として，厚生年

168）　これに対し，国民年金第3号被保険者は，法律上女性に限定されているわけではない。

169）　具体的には，夫にのみ年齢要件が課される遺族厚生年金のほか，子のない妻にのみ支給される遺族厚生年金，中高齢寡婦加算，寡婦年金に残存する。遺族厚生年金の年齢要件を中心に，遺族年金における男女の処遇差を丹念に検討した論文として，中益陽子「遺族年金における男女の処遇差」『亜細亜法学』55巻1＝2合併号55頁以下。

170）　最大判昭57・7・7・前掲（注51）。最3判平29・3・21集民255号55頁は，地方公務員災害補償法に基づく遺族補償年金につき，夫のみ60歳以上との年齢要件を定める規定を憲法14条1項に違反する不合理な差別的取扱いであり違憲無効とした原原審（大阪地判平25・11・25判時2216号122頁）を覆した原審（大阪高判平27・6・19判時2280号21頁）を維持し，合憲とした。2012（平成24）年改正により父子家庭も対象に加えられた遺族基礎年金についても，改正前の規定は下級審により合憲との判断が示されていた。東京高判平25・10・2判例集未登載（判旨は，菊池・前掲論文（注92）363頁参照）。

171）　ただし，現実の政策選択としては労働市場の動向なども踏まえながら漸進的に改革を進めていく必要がある。さしあたり子が独り立ちするまでの扶養に関連した給付（子を扶養する男性に対する遺族厚生年金など）は男性の遺族にも行う一方，もっぱら生存配偶者の生活保障を目的とする給付については随時有期化し縮小を図る（子のない妻への有期支給の拡大など）ことなどが考えられる。菊池・前掲論文（注92）366-367頁。なお，2012（平成24）年改正に先立つ2010（平成22）年児童扶養手当法改正により，従来母子家庭を対象としていた児童扶養手当が父子家庭にも支給されることとなった。

172）　『女性と年金（女性のライフスタイルの変化等に対応した年金の在り方に関する検討会報告書）』（2002年，社会保険研究所）。

金の給付に充てる部分と併せて徴収し，保険者が基礎年金拠出金としてまとめて支払っている。その拠出金の算定の際，第3号被保険者として自らは保険料負担を負わない被扶養配偶者も算定基礎となる人数に入っている。つまり，第3号被保険者の基礎年金保険料相当分は，第2号被保険者（被用者）全体で負担していることになる。こうした仕組みの下で，第3号被保険者に対して基礎年金の支給がなされる取扱いが，いわゆる専業主婦（世帯）を優遇する不公平なものではないか，と疑問視されているのである。自ら保険料を納付している共働き世帯や単身世帯との不公平を指摘する見解や，自ら保険料を納付している勤労母子世帯の母との不公平，年収130万円未満で相応の収入がある短時間労働者など一定の第3号被保険者には負担能力があるとの指摘，夫婦は民法上（民760条）婚姻費用を分担して負担する義務があることから，配偶者に賃金がある以上負担能力があるとみなしてよいとの見解などがある。

この点については，2004（平成16）年改正をめぐる審議の中で，短時間労働者への厚生年金の適用拡大等により第3号被保険者を縮小するとの方向性が示され，2012（平成24）年改正をめぐる審議の際には，第2号被保険者が納付した保険料の半分はその被扶養配偶者（第3号被保険者）が負担したものとみなして年金分割する考え方（夫婦共同負担）が示された。これまでに示された諸見解にはそれぞれ一長一短があり，第3号被保険者制度の抜本的改革には困難を伴う。その意味で，当面は，短時間労働者への厚生年金の適用拡大等により，第3号被保険者を縮小するという方策が現実的である[173]。

第3に，育児の評価という論点がある。出産・育児に対しては，社会保障制度上，出産育児一時金（健保101条），出産手当金（同102条），育児休業給付金（雇保61条の4），児童手当といった制度がある。公的年金においても，育児休業期間中の被用者保険保険料の徴収が免除される（厚年81条の2，健保159条）。2012（平成24）年改正により，第2号被保険者の産前産後休暇（労基65条1項・2項）中も保険料免除の対象となった（厚年81条の2の2，健保159条の3）のに続き，2016（平成28）年国年法等改正により，第1号被保険者の産前産後期間についても保険料を免除することとした（国年88条の2）。子どもを生み育てやすい環境づくりの支援との観点からは，今後，年金制度の側でのさらなる追加

173）　私見は，もともと夫婦の婚姻期間中の賃金を分割する二分二乗方式を支持してきた。菊池・将来構想143頁注16。

的措置の導入の可否が検討対象となり得る[174)]。

第3款　年金改革をめぐる論議

少子高齢化の進展，経済成長の鈍化などに伴い，公的年金を将来にわたって安定的に維持していくことへの不安が高まっている。1990年代以降の公的年金改革は，1994（平成6）年及び2000（平成12）年改正による老齢厚生年金支給開始年齢の段階的引上げ（65歳支給へ），2000年改正による厚生年金支給乗率の引下げ（5%）など，将来的な給付の適正化を図るものであった。これに対し2004（平成16）年改正では，従来の給付水準維持方式を改め保険料水準固定方式を導入するとともに，マクロ経済スライドによる給付水準の調整を行うこととし，将来的に年金を受給する者にとどまらず，既に年金を受給している者の給付水準を抑制する仕組みが導入された。しかし，デフレ経済の下，実際にマクロ経済スライドが発動されたのは2015（平成27）年度であり，その後も調整は進まず，給付調整は遅れている。このことは，将来の受給世代の給付水準がさらに低下することを意味している。将来的な給付水準の低下は，企業年金・個人年金等と併せた老後所得保障法制の整備の必要性を浮き彫りにする一方，とりわけ基礎年金しかもたない低年金者に向けた（公的年金の制度内あるいは社会保障制度全体での）公的所得保障制度の整備という重要な課題を提起している[175)]。

---

174)　高畠淳子「社会保険料免除の意義」『社会保障法研究』2号（2013年）38-39頁は，第3号被保険者制度を，育児や介護に従事することを年金制度や社会に対する貢献と捉え，それを理由に保険料を免除し，一定の給付を保障する制度へ見直すべきことを提案する。他方，嵩さやか「共働き化社会における社会保障制度のあり方」『日本労働研究雑誌』689号（2017年）55頁は，育児・介護等の就労阻害要因に着目し，第1号被保険者も含め対象を普遍化し，財源を一般化した再分配の仕組みを示唆する。

175)　第86回社会保障審議会年金数理部会「厚生労働省追加提出資料（資料1）」（2020〔令和2〕年12月25日）によれば，①2004（平成16）年改正時の財政再計算においては一致していた基礎年金と厚生年金（報酬比例部分）のマクロ経済スライド調整期間の乖離が大きくなり（基礎年金の調整期間が長期化する），将来の基礎年金水準の低下要因となっているため，基礎年金と報酬比例との調整期間を一致させた場合に将来の給付水準がどのようになるか，試算を実施するとともに，②これに，2019（令和元）年財政検証のオプション試算において基礎年金水準の上昇に効果が大きいことを確認した，基礎年金の保険料拠出期間を現行の40年から延長し

こうした中で，年金制度の体系そのものを抜本的に改革することをねらいとする議論も提起されてきた。これまで論じられた改革案の中には，現在社会保険方式で行われている基礎年金の税方式化176)，現在強制加入とされている報酬比例年金の民営化（ないし積立方式化）177)，現在2階建てとなっている年金体系の報酬比例年金への一本化と税財源による最低保障年金の導入（いわゆるスウェーデン方式）178)などがある179)。21世紀に入り，基礎年金の税方式化が政府内部でも検討されたのに続き180)，2009（平成21）年秋に成立した民主党政権は，マニフェストでいわゆるスウェーデン方式に近い年金一元化に向けた改革を謳ったものの181)，結局実現をみないまま2012（平成24）年に政権の座を降り

45年加入とした場合の影響を加えた試算を実施した。いずれも所得代替率の上昇に大きく寄与する試算が示されており，これらは次期年金改革の有力な選択肢になるものと予想される。ただし，①については厚生年金の基礎年金拠出金算定方法をどのような考え方の下で変更するか（そもそも厚生年金加入者の理解を得られるか），②については拠出期間延長分の国庫負担増加をどのように賄うか（あるいは国庫負担を入れないことにするか），といった課題がある。

176)　日本労働組合総連合会『21世紀社会保障ビジョン』（2005年），橘木俊詔『消費税15%による年金改革』（東洋経済新報社，2005年）54頁以下，日本経済団体連合会『税・財政・社会保障制度の一体改革に関する提言』（2008年），山崎泰彦「基礎年金税方式論をめぐって」『年金と経済』27巻3号（2008年）42頁以下，八代尚宏「基礎年金の財源は年金目的消費税で」『週刊社会保障』2528号（2009年）42頁以下。

177)　小塩隆士『年金民営化の構想』（日本経済新聞社，1998年）157頁以下，八田達夫＝小口登良『年金改革論――積立方式に移行せよ』（日本経済新聞社，1999年）。

178)　駒村康平『年金はどうなる』（岩波書店，2003年）230頁，駒村康平＝菊池馨実編『希望の社会保障改革』（旬報社，2009年）86頁以下。

179)　社会保険を基礎とする現行の制度枠組みを支持する側からの反論として，堀勝洋『年金の誤解』（東洋経済新報社，2005年），同・前掲書（注140）331頁以下など。筆者はかねてから，アメリカ型の所得再分配効果の高い1階建ての年金制度を支持してきた。菊池・将来構想16頁注54参照。税方式化や最低保障年金に対する批判的検討として，中野妙子「基礎年金の課題」新講座1 208-213頁。

180)　従来，繰り返し社会保険方式を支持してきた政府関係報告書においても，2008（平成20）年社会保障国民会議中間報告が，基礎年金の財源方式につき社会保険方式と税方式の双方について，客観的・中立的な定量的シミュレーションを行い，「基礎年金の財政方式に関する議論がさらに深まることを期待する」態度をとるに至った。

181)　政府の「新年金制度に関する検討会（中間まとめ）」（2010年6月）では，新年金制度の基本原則として，①年金一元化の原則，②最低保障の原則，③負担と給付の明確化の原則，④持続可能の原則，⑤「消えない年金」の原則，⑥未納・未加入ゼロの原則，⑦国民的議論の原則を打ち出した。

た[182]。その後，抜本改革に向けた活発な議論は沈静化したようにみられる。

財政制約の下での将来的な給付水準の確保，国民年金第1号被保険者の未納・未加入者問題など，年金を取り巻く課題は少なくないとしても，本章の冒頭で述べたように，公的年金は超長期にわたる制度設計を不可欠とし，仮に抜本的な改革を行うとしても，受給権などに配慮し長期の移行期間の設定を余儀なくされるなど，その時々の政治状況に左右されるべきでない性格を強く有する。社会保障制度の各分野の中でも，とりわけ党派を超えた議論を要する制度であるといえよう。

182)　社会保障改革に関する有識者検討会「安心と活力への社会保障ビジョン（報告書）」(2010年12月）でも，社会保険方式の維持が前提となっており，明確な改革の方向性は打ち出されなかった。

第4章 社会手当

社会保障の伝統的な保障方法は，社会保険と公的扶助であった。理念的には，前者は拠出制で保険料を財源（の一部）とし，定型的給付を行うものであり，後者は無拠出制で公費を財源とし，最低生活を下回る部分を補う限度で非定型的給付を行うものである。

社会手当は，これらの保障方法のもつ特徴のうち，無拠出制で定型的給付を行う仕組みとして発展を遂げてきた制度である。

ただし，日本で社会手当は十分に発達してこなかった。2010（平成22）年に初めて普遍的な社会手当としての性格をもつ子ども手当が実施され，新たな展開がみられたものの，わずか2年で所得制限が復活した。

本章では，社会手当の意義を明確にした後で，児童手当などを中心とした諸制度につき概観するとともに，これらの制度が育児支援に対する経済的支援策として位置づけられ得ることに鑑み，育児支援の経済的側面に焦点を当てて，政策動向や改革提言の一端をみておきたい。

第1節　社会手当の意義

社会手当とは，理念的には，公費を中心的な財源とし，本人拠出を前提とせず，厳格な資産調査を行わず所定の要件を充たす場合に定型的給付を行う制度である。無拠出制でありながら定型的給付を行う点では，社会保険と公的扶助のいわば中間的形態である。拠出を要しないことから，拠出能力がないため受給できないという事態を防ぐことができる（すなわち排除原理が働かない）一方で，給付が定型的で厳格な資産調査がなく，受給者のプライバシーとの関連で深刻な問題を生じないという意味において，社会保険と公的扶助が有するそれぞれの短所を修正する保障方法であるとみることもできる。かつては社会保障法学においても，拠出制である社会保険はあくまで過渡的な形態であり，扶助原理の強化ひいては保険原理の解消（無拠出制）を，社会保障の向かうべき方向性であるとして積極的に支持する考え方もあった[1)]。

社会手当は，児童手当制度を中心として発展を遂げてきた。1926年ニュージーランドではじめての立法化がなされた後，現在では，フランスの家族手当など，社会保障制度の主要部門のひとつとして発展している国もある。日本では，1971（昭和46）年に制定された児童手当法などがこれにあたる。ただし，次節で取り上げる児童手当をはじめとする諸給付は，資産調査は課さないものの所得制限を課してきた。2009（平成21）年夏に誕生した民主党政権は，所得制限を付さない「子ども手当」の創設をマニフェストで謳い，2010年度に実現をみた。しかしながら，財源確保などの点で単年度の時限立法となり，その後も2回にわたり半年間の時限立法が制定された後，わずか2年間で廃止され，再び従前の児童手当の名称に戻った。

社会保障法学では，児童手当が所得保障給付の中で生活負担（支出保障）という特殊な性格を持つとする見解がある。それによれば，生活を阻害する要因として，収入の中断・減少などの外的要因（老齢・疾病・失業・障害などを要保障事由とするもの）と，家計負担の支出の増大といった内的要因があり，児童扶養はこのうち後者に属し，その「私事」性と社会性を併せ持つという性格から，給付の定型性が導かれるとする[2)]。

1）　西原道雄「社会保険における拠出」『契約法大系Ⅴ』（有斐閣，1963年）346頁，348頁。しかし最近，社会保険がもつ法的意義に積極的な評価が与えられている。第1章第2節第4款**1**(4)参照。

2）　山田晋「児童手当制度の展望」講座2 287頁，同「児童扶養と社会保障法」『季刊社会保障研究』29巻4号（1994年）392頁。

第2節　社会手当

以下では，有子の家庭を対象とした無拠出制の所得保障制度を取り上げる。短期間ではあったが，子ども手当の導入は日本の社会手当制度の展開過程において積極的な意義を有すると考えられることから，その歴史的経過をたどっておきたい。具体的には，第1款で，2010（平成22）年子ども手当導入前の児童手当制度の概要をみておく。子ども手当廃止後，再び児童手当の仕組みに戻ったため，現行法の展開過程の説明としても概ね有効である。次いで第2款において，子ども手当導入とそれ以後の改正経過をたどる。第3款では，ひとり親家庭を対象にした児童扶養手当，第4款では，要保障事由としての障害に着目した諸手当について取り上げる。

第1款　児童手当

子ども手当導入以前の児童手当の目的は，「家庭における生活の安定」と「次代の社会をになう児童の健全な育成と資質の向上」であった（平24法24による改正前児手1条。以下本款において同じ）[3)]。ここには所得保障と児童福祉の二つの観点が含まれていた[4)]。児童手当は金銭給付であり，児童の養育者に支給され，目的外使用の可能性があることから，受給者に対し，児童手当支給の趣旨にしたがって児童手当を用いなければならない旨，責務を課した（同2条）。ここにいう児童とは，18歳に達する日以後の最初の3月31日までの間にある者とされた（同3条1項）。

児童手当は，日本国内に住所を有する者であって，①3歳未満の児童又は3歳未満の児童を含む2人以上の児童（支給要件児童）を監護し，かつ，これと生計を同じくするその父又は母，②父母に監護されず又はこれと生計を同じくしない支給要件児童を監護し，かつ，その生計を維持する者，③支給要件児童を監護し，かつ，これと生計を同じくするその父又は母であって，父母に監護

3)　児童手当の沿革については，山田・前掲「児童手当制度の展望」（注2）273頁以下及び児童手当制度研究会監修『五訂　児童手当法の解説』（中央法規，2013年）参照。

4)　児童手当制度研究会監修・前掲書（注3）2頁。

されず又はこれと生計を同じくしない支給要件児童を監護し，かつ，その生計を維持する者に対して支給されるものとされた（同4条1項）[5]。2000（平成12）年改正により，当分の間，3歳以上義務教育就学前の児童にも特例給付（就学前特例給付）が行われることになった（同附則7条，8条）。同特例給付の給付対象は，その後漸次拡大され，2006（平成18）年改正により，12歳に達する日以後の最初の3月31日までの間にある者となった（小学校修了前特例給付）。このような給付対象の拡大は，社会保障の財源確保が困難になる中で，扶養に係る経済的支援の側面を有する税制上の扶養控除の見直しとセットで行われることもあった[6]。

支給額は，満3歳未満の児童1人につき月額1万円（同6条1項），3歳以上小学校修了前の児童が1人又は2人いる場合1人につき月額5000円，3人以上いる場合，1万円に当該3歳以上小学校修了前の児童の数を乗じた額から1万円を控除した額（同附則7条4項）であった。

児童手当には，支給要件児童の数に応じた所得制限が課され，前年における諸控除後の所得金額が一定以上の場合，支給されないものとされた（児手5条1項）。ただし，同附則6条に規定する特例給付によって，被用者及び公務員（以下，被用者等）については所得制限が緩和された[7]。

受給資格者は，児童手当の支給を受けようとするときは，受給資格及び額について，住所地の市町村長（特別区の区長を含む）の認定を受けなければならないものとされた（同7条1項）。この認定（処分）の法的性格は，権利創設的な面があることから形成的行為であり，現行法上も同様と解される[8]。市町村長

5）①又は③の場合において，父及び母がともに当該父及び母の子である児童を監護し，かつ，これと生計を同じくするときは，当該児童は，いずれか当該児童の生計を維持する程度の高い者によって監護され，かつ，これと生計を同じくするものとみなされた（同4条2項）。

6）2000（平成12）年改正による就学前特例給付導入の際，16歳未満の扶養親族に係る扶養控除の額（38万円）の加算（10万円）措置が廃止され，2004（平成16）年改正による小学校3学年修了前の引上げに際しては，配偶者特別控除が廃止された。また2010（平成22）年の子ども手当導入に際しては，上述の16歳未満の扶養親族に係る扶養控除が廃止された。

7）たとえば，2007（平成19）年4月以降の基準では，法5条1項の所得制限（自営業者等）は，扶養親族等の数が1人の場合498万円，2人の場合536万円とされた一方，附則6条の所得制限は，扶養親族等の数が1人の場合570万円。2人の場合608万円とされていた。

8）堀・総論〔2版〕228頁。京都地判平3・2・5判時1387号43頁（永井訴訟）。これに対し，西村431頁では，遡及を制限していることからこれを形成的行為という必要はなく，本質的には

は，この認定をした受給資格者に対し，児童手当を支給することとされた（同8条1項）。手当の支給は，受給資格者が7条の規定による認定の請求をした日の属する月の翌月から始め，支給すべき事由が消滅した日の属する月で終わり（同条2項），毎年2月，6月及び10月の3期に，それぞれの前月までの分を支払うものとされた（同条4項）。

費用負担の仕方は複雑であった。まず本則における被用者等に対する支給に要する費用は，事業主（公務員や私立学校教職員の場合，共済組合）から徴収される拠出金10分の7に加えて，国，都道府県及び市町村各1割の公費により賄われた（同18条1項，20条）。被用者等でない者に対する支給に要する費用は，国，都道府県及び市町村各3分の1の公費により賄われた（同18条2項）。これに対し，附則における小学校修了前特例給付については，被用者等であるか否かを問わず，国，都道府県及び市町村が各3分の1を負担し（同附則7条5項），本則の所得制限を超える被用者等の特例給付については全額事業主が負担するものとされた（同6条2項）。

このように，従来から児童手当は，公費のみを財源とするのではなく，一部ではあるが事業主拠出金が導入されていた点に留意する必要がある。この趣旨は，本制度が次代の社会を担う児童の健やかな成長に資することを通じ，将来の労働力の維持確保につながる効果が期待されるためと説明されている[9)]。この拠出金は，厚生年金保険法における標準報酬月額及び標準賞与額（共済各法も同様）に拠出金率を乗じて得た額の総額とされた（同22条1項）。この拠出金は，社会保険料徴収の法的枠組みを用いているものの，その拠出記録が個々の被用者の給付と結びつかないなど，従来の社会保険における事業主負担と異なる性格を有するものであった。国民による直接的拠出の必要性については，自営業者を中心にこれまでしばしば議論されてきたものの[10)]，現在に至るまで実現していない[11)]。

確認行為であるとする。

9)　児童手当制度研究会監修・前掲書（注3）7頁。

10)　高橋三男「児童手当の財源政策」社会保障研究所編『社会保障の財源政策』（東京大学出版会，1994年）278-281頁。

11)　2015（平成27）年4月の子ども・子育て支援法施行に伴い，児童手当に係る事業主拠出金の徴収規定は同法におかれた（子育て支援69条～71条）。第8章第4節第4款**8**参照。

このほか，受給権の譲渡・担保付保・差押禁止（同15条），公課禁止（同16条），支給を受ける権利等に係る時効（2年。同23条1項）などに関わる特則がおかれた。

第2款　子ども手当の実施と廃止

2009（平成21）年秋の政権交代により実現した民主党連立政権は，2010（平成22）年度に子ども手当を導入した[12]。ただし，初年度に関しては，財源（公費）の目処が立たず，当初民主党マニフェストに謳っていた1人月額2万6000円の半額である1万3000円の支給にとどまり，かつ1年限りの時限的色彩が強いものとなった。

「平成22年度等における子ども手当の支給に関する法律」は，同法の趣旨として「次代の社会を担う子どもの健やかな育ちを支援する」ことを掲げた（同法1条)。「子どもの健やかな育ち」それ自体が保護法益として正面から取り上げられた点で画期的であった。手当は父母等の監護者が受給資格者であるため，子ども手当の支給を受けた者に対し，「前条の支給の趣旨にかんがみ，これをその趣旨に従って用いなければならない」旨，児童手当と同様の責務を課した（同2条)。対象となる「子ども」は，15歳に達する日以後の最初の3月31日までの間にある者とされた（同3条1項)。

支給要件は，日本国内に住所を有する者であって，①子どもを監護し，かつ，これと生計を同じくするその父又は母，②父母に監護されず又はこれと生計を同じくしない子どもを監護し，かつ，その生計を維持する者，③子どもを監護し，かつ，これと生計を同じくするその父又は母であって，父母に監護されず又はこれと生計を同じくしない子どもを監護し，かつ，その生計を維持する者に対して支給されるものとされた（同4条1項)。

支給額は，上述の通り，子ども1人あたり月額1万3000円であった（同5条)。支給に要する費用は，原則として国が負担し（同17条1項)，公務員につ

12）子ども手当の立法過程については，小野太一「『平成22年度子ども手当』の政策形成過程について（上)(中)(下)」『社会保険旬報』2451号24頁以下，2452号34頁以下，2453号40頁以下（2011年）参照。長きにわたった児童手当創設のプロセスと比較して，制度に関する議論の不足と制度設計の不十分さが指摘されている。

いては所属庁が負担するものとされた（同条2項）。しかし，子ども手当の額のうち児童手当法の規定により支給する児童手当その他給付の額に相当する部分が同法の規定により支給する児童手当その他給付であるという基本的認識の下で（同19条），児童手当及び小学校修了前特例給付に相当する分の費用については，同手当等に係る負担割合が維持され（同20条），それに応じて国庫負担割合も縮減することとされた（同18条）。その一方で，平成22年度における児童手当等（同附則6条1項の特例給付を含む）の支給はなされないものとされた（同21条）[13]。

これらの諸規定からわかるように，子ども手当は，児童手当を廃止した上で実施されたものではなく，従来の児童手当の給付を活かしつつその財源構成を維持しながら，国費で給付を上乗せする形で実現したものであった。児童手当と異なり，先にも指摘したように「子どもの健やかな育ち」そのものを法目的とした点[14]，所得制限を付さない普遍主義的な手当が初めて日本に導入された点[15]に対して積極的な評価がなされた一方，制度設計の稚拙さ[16]や出生率の回復が期待できるとは考えにくいこと[17]など，批判的な評価もなされていた。

最大の問題は，1年の時限立法であったことに示されるように，公費による財源確保の目処が立たないことであった。2011（平成23）年度は，半年に限って支給を延長するつなぎ法案（国民生活等の混乱を回避するための平成22年度における子ども手当の支給に関する法律の一部を改正する法律）が国会で可決され，法律の名称も「平成22年度等における子ども手当の支給に関する法律」となった。さらに同年3月に発生した東日本大震災の復興財源を確保する必要性も加わり，政府は子ども手当の恒久的実現を断念するに至った。2012（平成24）年度以降の子どものための現金給付については，児童手当法に所定の改正を行うとの形式で，再度所得制限を導入することとし[18]，2011（平成23）年度後半について

13）このほか，受給資格者が手当を支給する市町村に対し，当該手当の支払を受ける前に，当該手当の額の全部又は一部を当該市町村に寄附する旨を申し出た場合，当該市町村が受給資格者に代わって当該寄附に係る部分を受け取ることができる旨の規定をおいた（同23条）。

14）菊池・将来構想172頁。

15）武川正吾「子ども手当の所得制限」『週刊社会保障』2620号（2011年）44頁以下。

16）福田素生「子ども手当制度の検討」『社会保険旬報』2430号（2010年）18頁。

17）江口隆裕『「子ども手当」と少子化対策』（法律文化社，2011年）163頁。ただし，子ども手当の趣旨が出生率の回復におかれたわけではない（法1条参照）。

は，「平成23年度における子ども手当の支給等に関する特別措置法」を制定した[19]。

時限立法ではあったものの，同特別措置法は，従前の児童手当法に内在しており，子ども手当になって顕在化した問題を修正した点，そしてそれが基本的に現行児童手当法に引き継がれた点では意義のあるものであったということができる（以下では現行児童手当法の該当条文も付記しておく）。すなわち特別措置法では，「子ども」（現行児童手当法では「児童」）を18歳に達する日以後の最初の3月31日までの間にある者であって，日本国内に住所を有するもの又は留学その他の厚生労働省令（同じく内閣府令）で定める理由により日本国内に住所を有しないものをいうとし（特別措置法3条1項〔児手3条1項〕），子どもに対しても国内居住要件を設けた。また，①児童福祉施設・障害者支援施設などに入所している子ども等（「施設入所等子ども」〔同条3項〔児手3条3項。同じく施設入所等児童〕）についても，施設の設置者等に支給する形で手当を支給する（同4条1項4号〔児手4条1項4号〕），②未成年後見人や父母指定者（父母等が国外にいる場合のみ）に対しても，父母と同様の要件（子ども〔同じく児童〕を監護し，かつ，これと生計を同じくする者〔監護・生計同一〕）の下で手当を支給することとし，父母等が国外居住の場合でも支給可能とする（同4条1項1号・2号〔児手4条1項1号・2号〕），③監護・生計同一要件を満たす者が複数いる場合は，子どもと同居している者に支給することとする（同4条3項〔児手4条3項〕），等の改正を行った。

特別措置法では支給額も変更し，3歳未満の子どもの場合，月額1万5000円，3歳以上小学校修了前の子どもの場合，第1子・第2子につき月額1万円，第3子以降につき月額1万5000円，小学校修了後中学校修了前の子どもにつき月額1万円となった（法5条）。さらに附則において，政府は，平成24年度以降の恒久的な子どものための金銭の給付の制度について，この法律に規定す

18）「子どもに対する手当の制度のあり方について」（平成23年8月4日民主党・自由民主党・公明党幹事長等による確認）。

19）特別措置法の趣旨は，「現下の子ども及び子育て家庭をめぐる状況に鑑み，平成24年度からの恒久的な子どものための金銭の給付の制度に円滑に移行できるよう」にするというものであった（同法1条）。当初の「子どもの健やかな育ち」の支援という趣旨は述べられておらず，手当の性格が不明確化した。

る子ども手当の手当額等を基に，児童手当法に所要の改正を行うことを基本として，法制上の措置を講ずるものとするとともに（同附則2条1項），法制上の措置を講ずるに当たっては，所得制限について，その基準について検討を加えた上で，平成24年6月分以降の給付から適用することとし，併せて当該制限を受ける者に対する税制上又は財政上の措置等について検討を加え，所要の措置を講ずるものとした（同条2項）。

このように，「子どもの健やかな育ち」に着目した子ども手当は，所得制限を排除した本人拠出に基づかない初めての手当制度の導入という意味で画期的であったものの，財源の制約を最大の要因としてわずか2年で児童手当へと立ち戻ったのである。

子ども手当が廃止された後の児童手当は，2012（平成24）年子ども・子育て支援法により，子ども・子育て支援給付（第8章第4節第4款3）のうち，教育・保育給付と並ぶ現金給付として位置づけられることになった（子育て支援9条）。法の目的としては，「父母その他の保護者が子育てについての第一義的責任を有するという基本的認識の下に，児童を養育している者に児童手当を支給することにより，家庭等における生活の安定に寄与するとともに，次代の社会を担う児童の健やかな成長に資すること」（児手1条）とされ，保護者の第一義的責任が挙げられた点が従前と異なる。ただし，「児童の健全な育成及び資質の向上」を挙げていた従前の児童手当と比較すると，「次代の社会を担う児童の健やかな成長」は，子ども自身の主体的な育ちに着目している点で，子ども手当の理念が残存しているとみることもできる。

支給要件については，特別措置法を踏襲している。また支給対象児童と支給額についても，特別措置法を踏襲し，従来の児童手当を拡充したものとなった。すなわち3歳未満の児童の場合，月額1万5000円，3歳以上小学校修了前の児童の場合，第1子・第2子につき月額1万円，第3子以降につき月額1万5000円，小学校修了後中学校修了前の児童につき月額1万円となった（児手6条）。この手当には所得制限が課され，政令で定める額（扶養親族等の数によって異なる。たとえば，税法上の控除対象配偶者及び扶養親族等が3人のモデル世帯の場合，所得額736万円〔収入額960万円〕）以上の所得である場合，支給されない（児手5条，児手令1条）。ただし，従来の児童手当にあった特例給付に代わる新たな特例給付として，本則によれば手当が支給されない中学校修了前の児童1人につき，月額 5000 円が支給された（児手附則２条）。

こうした特例給付は，附則に規定され，減額された水準であっても，従来児童手当の支給対象とならなかった高所得世帯に支給されたことで，子ども手当の理念が残存していると解する余地があった。しかしながら，2021（令和３）年改正により，上記のモデル世帯の場合，収入額 1200 万円以上であれば 2022（令和４）年 10 月分から廃止されることになった（児手附則２条）。児童手当法１条の目的規定の改正を伴わないものの，実質的には，子ども手当以来の「子どもの主体的な育ち」を理念とする制度からの変質がもたらされたと評価でき，将来を担う子どもの「育ち」の支援という理念からは明らかな後退である[20]。

財源については，被用者の３歳未満の児童については，事業主が 15 分の７，国が 45 分の 16，都道府県及び市町村が各 45 分の４を負担し（児手 18 条１項），３歳以上中学校修了前の児童については国が３分の２，都道府県及び市町村が各６分の１を負担する（同条２項）。被用者でない者の３歳未満の児童及び３歳以上中学校修了前の児童についても，国が３分の２，都道府県及び市町村が各６分の１を負担する（同条３項）。所得制限に係る特例給付についても同様である（児手附則２条１項）。公務員については，所属庁が全額を負担する（児手 18 条４項）。このように財源面でも，従来の児童手当より国の責任が重くなったといえる[21]。

このほか，受給権の譲渡・担保付保・差押禁止（同 15 条），公課禁止（同 16 条），支給を受ける権利に係る時効（２年。同 23 条１項）などの特則も引き続きおかれている[22]。

20）この改正は少子化対策の一環として行われ，2021（令和３）年度以降４年間で約 14 万人分の保育の受け皿を整備するための財源として見込まれた。2020（令和２）年 12 月 15 日閣議決定「全世代型社会保障改革の方針」参照。子育て世帯の支援のため，別の子育て世帯に支給される手当を廃止する施策は，子育て世帯の分断を招きかねず，社会保障制度の基礎となる相互支え合いの基盤を大きく損なうものである。菊池馨実「児童手当特例給付の見直し」『週刊社会保障』3112 号（2021 年）28-29 頁。

21）事業主拠出金の扱いについては，注 11）及び第８章第４節第４款 **8** 参照。

22）ただし，2014（平成 26）年行政不服審査法等改正により，それまで存在していた審査請求と不服申立前置の仕組みが廃止された。

第3款　児童扶養手当

児童扶養手当は，父又は母と生計を同じくしていない児童が育成される家庭の生活の安定と自立の促進に寄与するため，当該児童について手当を支給し，もって児童の福祉の増進を図ることを目的とするものである（児扶手1条）[23]。ひとり親家庭の生活の安定と自立の促進のほか，児童の福祉の増進も制度目的とされている。沿革的には，死別母子世帯を対象とする無拠出制の母子福祉年金制度が設けられたこととの均衡上，生別母子世帯についても配慮する必要性が認識され，生別母子世帯となるに至った原因は離婚など保険事故になじまないと考えられたことから，社会保険方式をとる年金とは別個の仕組みとして，1961（昭和36）年児童扶養手当法として立法化された。近時では，離婚母子世帯が受給世帯の大半を占め[24]，その財政負担の増大が問題となるに至った。他方，父子世帯における経済的安定の必要性も認識されるようになり，2010（平成22）年改正法（平22法40）によって，従来の母子世帯からひとり親世帯一般の手当制度となった。

児童扶養手当は，主に父と生計を同じくしない児童，すなわち①父母が婚姻を解消した児童，②父が死亡した児童，③父が政令で定める程度の障害の状態にある児童，④父の生死が明らかでない児童，⑤その他前各号に準ずる状態にある児童で政令で定めるもの，のいずれかに該当する児童の母がその児童を監護するとき，又は母がないか若しくは母が監護をしない場合において，当該児童の母以外の者がその児童を養育するとき，その母又は養育者に対して支給される（児扶手4条1項1号・3号）。母と生計を同じくしない児童の父の場合にも同様の支給要件がおかれている（同4条1項2号）。児童手当等と同様，受給者に対し，児童の心身の健やかな成長に寄与するとの趣旨に従って用いなければならない旨，責務を課している（同2条1項）。

上記⑤との関連で[25]，1998（平成10）年改正前施行令1条の2第3号が，「母

23）児童扶養手当の史的展開については，福田素生「児童扶養手当の現状と課題」講座2 299頁以下。

24）父子世帯が対象となる前の2009（平成21）年3月末現在，離婚母子世帯数が87.5%（84万5543世帯）を占めた。

25）2012（平成24）年以降，配偶者からの暴力（DV）で裁判所からの保護命令が出された場合が

が婚姻（婚姻の届出をしていないが事実上婚姻関係と同様の事情にある場合を含む。）によらないで懐胎した児童（父から認知された児童を除く。）」と定めていたため，認知された婚姻外の児童の監護者に手当が支給されないのは憲法14条1項に反するとして裁判上争われた[26]。最高裁は，違憲判断を回避しながら，手当の受給資格を認めない施行令の括弧書き部分のみを法による委任の範囲を超えた違法なものと判示した[27]。

児童扶養手当には，児童等が日本国内に住所を有しないときや里親に委託されているときなど，支給制限ないし支給調整がなされる場合がある（児扶手4条2項・3項）。また父又は母の死亡について支給される公的年金給付を受けることができるとき（全額が支給停止されている場合を除く）など，併給調整がなされる場合もある（同13条の2）。従来の裁判例では，児童扶養手当と障害福祉年金（1985〔昭和60〕年改正前）の併給調整規定の合憲性が争われた堀木訴訟が有名である[28]。児童扶養手当の支給の制限は，公的年金給付額が児童扶養手当額を下回る場合には，児童扶養手当のうち公的年金給付に相当する部分について行うものとする（児扶手令6条の3以下）。従来は，公的年金給付を受けることができる場合には，児童扶養手当は支給されなかったのに対し[29]，2014（平成26）年改正により，公的年金給付を受給していてもその額が児童扶養手当額より低い場合には，差額分の児童扶養手当を支給することとしたものである[30]。

加えられた（児扶手令1条の2第2号）。

26）　違憲とした下級審判決として，奈良地判平6・9・28行集46巻10＝11号1021頁，広島高判平12・11・16訟月48巻1号109頁。

27）　最1判平14・1・31民集56巻1号246頁（奈良事件），最1判平14・1・31賃社1322号47頁（広島事件），最2判平14・2・22判時1783号50頁（京都事件）。なお，その後施行令1条の2第3号から括弧書きが削除され，法令上は解決をみた。

28）　最大判昭57・7・7民集36巻7号1235頁。

29）　児童扶養手当より低額の遺族厚生年金の受給権が発生したことによる児童扶養手当の受給資格喪失処分が違憲・違法でないとした裁判例として，金沢地判平23・4・22賃社1560号55頁。

30）　2020（令和2）年改正により，障害基礎年金等の給付を受けるときは児童扶養手当をしないものとする対象を障害基礎年金等（子を有する者に係る加算部分）の額に相当する額に限ることとした（同13条の2第2項1号・3項）。同改正前の事案として，京都地判令3・4・16賃社1788号51頁（児童扶養手当と障害基礎年金は，稼得能力の低下等に対する所得補償という趣旨において基本的に同一の性格を有するとし，併給調整を行うことが違憲・違法とはいえないとされた例）。

児童扶養手当の受給資格及び手当の額について，受給資格者は都道府県知事，市長及び福祉事務所を管理する町村長の認定を受けなければならない（同6条1項）。手当の支給は，受給資格者が認定の請求をした日の属する月の翌月から手当を支給すべき事由が消滅した日の属する月までとされる（同7条1項）。こうした非遡及主義との関連で，制度の存在を知らなかったが故に一定期間分の手当を受給できないとの事態を生じ，行政の広報義務懈怠が争われた下級審裁判例がある[31]。

支給額は，子が1人の場合，月額4万1100円（同5条1項。ただし，物価スライドにより2021〔令和3〕年4月現在4万3160円，同5条の2，児扶手令2条の2）である。従来より子が2人の場合，5000円，3人以上の場合，1人につき3000円の加算がなされていたが，子が2人以上いるひとり親家庭がより経済的に厳しい状況にあるとの認識から，2016（平成28）年改正により，それぞれ1万円，6000円と倍増した（児扶手5条2項。2021〔令和3〕年4月現在1万190円，6110円）。従来，4月，8月，12月の年3回支給であったのを，2018（平成30）年改正により年6回支給（1月，3月，5月，7月，9月，11月）となった（同7条3項）。給付には所得制限が課され，所得額と子の数に応じて支給額が設定されており，たとえば，子が1人であれば，収入130万円（控除後所得57万円）未満の場合，全部支給され，130万円以上365万円未満（同57万円以上230万円未満）の場合，所得額に応じ4万3150円から1万180円まで10円きざみで支給額が逓減し，一部支給となる（同9条1項，児扶手令2条の4）。2016（平成28）年改正により，倍額になった加算分についても同様に支給額が逓減し，一部支給となる（令2条の4）。所得が限度額（上記の例で収入365万円〔控除後所得230万円〕）を超える場合，手当は全部支給停止される（児扶手9条1項，児扶手令2の4）。母が監護する児童が父から養育費を受けたときにも，政令の定めるところにより支給制限の対象となる（児扶手9条2項，児扶手令2条の4第6項）。このように，児童扶養手当は現実の所得保障ニーズに強く対応する性格を有している[32]。

31）第1審判決では，原告の請求が一部認容されたものの（京都地判平3・2・5判時1387号43頁），控訴審判決は，広報義務が法的義務とはいえないとして原審の判断を覆した（大阪高判平5・10・5訟月40巻8号1927頁）。

32）黒田有志弥「社会手当の意義と課題」『社会保障研究』1巻2号（2016年）379頁は，社会手当が，給付の普遍性を志向すればするほど，実際のニーズと解離し，財政制約の影響を受けや

2002（平成14）年改正により，支給期間が5年を超える者などについての一部の支給停止に係る規定が置かれ，現在では，2分の1を限度として支給停止となる旨規定されている（児扶手13条の3第1項）。就業，求職活動その他厚生労働省令で定める自立を図るための活動をしている場合，所定の障害の状態にある場合，厚生労働省令で定める自立を図るための活動をすることが困難である事由がある場合にはこの規定は適用されない（同13条の3第2項，児扶手令8条）。

児童扶養手当の支給に要する費用は，国が3分の1，都道府県が3分の2を負担する（児扶手21条）。その他，審査請求（同17条。知事のした手当の支給につき知事），再審査請求（同20条。知事の裁決につき厚生労働大臣），時効（2年。同22条），受給権保護（同24条），公課禁止（同25条）などに関する規定が置かれている。

第4款　特別児童扶養手当など

1964（昭和39）年特別児童扶養手当等の支給に関する法律（以下，特児扶手）は，精神又は身体に障害を有する児童に対し特別児童扶養手当を支給する。国は，障害児（20歳未満であって，1級及び2級の障害等級に該当する程度の障害の状態にある者。同法2条1項・5項）の父若しくは母がその障害児を監護するとき，又は父母がないか若しくは父母が監護しない場合において，当該障害児の父母以外の者がその障害児を養育するとき，その父若しくは母又はその養育者に対して特別児童扶養手当を支給する（特児扶手3条1項）。支給額（2021〔令和3〕年4月現在）は，1級の場合，5万2500円，2級の場合，3万4970円であり，消費者物価指数の変動に合わせて調整される（同4条，16条，児扶手5条の2）。障害児が日本国内に住所を有しないとき，障害を支給事由とする年金たる給付で政令で定めるもの（障害基礎年金・障害厚生年金など。特児扶手令1条の2）を受けることができるとき（その全額につきその支給が停止されているときを除く），手当は支給しない（特児扶手3条3項）。父若しくは母又は養育者にも国内居住要件

すいのに対し，個別のニーズに即した制度設計を行う場合，当該給付はその個別のニーズが実際に存在し，社会保障制度によって保障すべきものである限り，その制度は比較的頑健なものになるとする。

が課される（同条4項）とともに，手当を障害児の生活の向上への寄与という趣旨に従って用いなければならない旨責務が課される（同条5項）。手当は，毎年4月，8月及び12月の三期に，それぞれの前月までの分を支払う（同5条の2第3項）。同手当にも所得制限がある（同6条〜8条）。その他，時効，受給権保護，公課禁止などに関して児童扶養手当法が準用される（同16条）[33]。特別児童扶養手当の給付費は福祉年金にならって全額国庫負担とされた[34]。

特別児童扶養手当等の支給に関する法律では，このほかにも二つの手当制度を設けている。第1に，都道府県知事，市長（特別区長を含む。以下同じ）及び福祉事務所を管理する町村長は，その管理に属する福祉事務所の所管区域内に住所を有する重度障害児（障害児のうち，政令〔特児扶手令1条1項，別表第1〕で定める程度の重度の障害の状態にあるため，日常生活において常時の介護を必要とする者。特児扶手2条2項）に対し，障害児福祉手当を支給する（特児扶手17条）。障害を支給事由とする給付で政令で定めるもの（障害基礎年金・障害厚生年金など。特児扶手令6条），児童福祉法に規定する肢体不自由児施設その他これに類する施設で厚生労働省令[35]で定めるものに収容されているとき，手当は支給しない（特児扶手17条1号・2号）。支給額（2021〔令和3〕年4月現在）は，1万4880円であり（同18条，6条），所得制限がある（同20条，21条）。全額国負担の特別児童扶養手当と異なり，支給費用の4分の3を国，4分の1を都道府県，市又は福祉事務所を設置する町村が負担する（同25条）。

第2に，都道府県知事，市長及び福祉事務所を管理する町村長は，その管理に属する福祉事務所の所管区域内に住所を有する特別障害者（20歳以上であって，政令〔特児扶手令1条2項〕で定める程度の著しい重度の障害にあるため，日常生活において常時特別の介護を必要とする者。特児扶手2条3項）に対し，特別障害者手当を支給する（同26条の2）。障害者総合支援法に規定する障害者支援施設に入所しているとき（生活介護を受けている場合に限る），障害者支援施設（生活介

33）市の窓口職員の誤教示により特別児童扶養手当を受給できなかったことにつき，条理に基づく職務上の教示義務違反を認め，国家賠償請求を認容した裁判例として，大阪高判平26・11・27判時2247号32頁。

34）坂本達彦『児童扶養手当法・特別児童扶養手当等の支給に関する法律の解釈と運用』（中央法規，1987年）187頁。

35）障害児福祉手当及び特別障害者手当の支給に関する省令1条。

護を行うものに限る）に類する施設で厚生労働省令[36)]で定めるものに入所しているとき，病院又は診療所に継続して3月を超えて入院するに至ったとき，手当は支給しない（同26条の2第1号～3号）。支給額（2021〔令和3〕年4月現在）は，2万7350円である（同26条の3)。障害児福祉手当と同様の所得制限があり，財源配分も障害児福祉手当と同様である（同26条の5)。

これら二つの手当は，施設入所や病院への入院でなく，在宅生活をおくっている場合に支給される。とりわけ障害児福祉手当は，児童手当や児童扶養手当と異なり，障害児が給付の名宛人となっており，子どもを受給者とする給付も法技術的に可能であることを示している点で注目される。

第3節　社会手当をめぐる課題

第1款　児童手当の拡大

本章で述べてきたように，日本の社会手当の歴史は比較的浅く，その支給額や財政規模も決して大きくはない[37)]。そうした中でも，児童手当の拡大を求める提案が繰り返しなされ，2010（平成22）年4月には，所得制限を付さず，法の趣旨に「子どもの健やかな育ち」を据えた子ども手当が導入されたものの，わずか2年で従前の児童手当の枠組みに戻った。しかしながら，経済のグローバル化等の影響による賃金体系の変更といった状況下にあって，企業内福祉制度の縮小も予想され得る。そうだとすれば，今後は子ども支援策の一環として，国家による経済的支援策に期待される役割が大きくなるものと思われる。こうした側面に加えて，高齢者に偏った給付構造である日本の社会保障制度のあり方を見直し，現役世代への支援を手厚くしていくとの側面からも，児童手当等の拡大は将来的な課題であり続けると思われる[38)]。

36）　同省令14条。

37）　その背景として，日本における企業内福祉制度の発展を指摘できる。菊池・将来構想172頁。

38）　その意味でも，2021（令和3）年改正による児童手当特例給付の見直しは，あるべき制度の理念を大きく毀損するとの消極的評価をせざるを得ない。

第2款　社会手当の展開可能性

本章で取り上げた児童手当等とは別に，最近，社会手当としての性格をもつ仕組みが新たに導入されつつある。具体的には，2012（平成24）年年金生活者支援給付金支給法に基づき，年金生活者支援給付金制度が設けられた。消費税率引上げ延期の影響を受けたものの，ようやく2019（令和元）年10月に実施された（第3章第4節第2款**4**）。ただし，モラル・ハザードを避ける必要性等の制約から，低所得者への所得保障対策としてはなお十分とは言えない面があり，今後さらなる制度改善が課題となろう。

また，住宅政策が社会保障政策との関連で十分に意識され，展開されてこなかった日本において，住宅手当の導入も議論されつつある[39)]。すでに2013（平成25）年生活困窮者自立支援法により，生活困窮者住居確保給付金が法定化された（第5章第8節**3**）。離職等の事由を契機とし就職促進をねらいとして支給されるものであり，支給期間が限定される（原則3ヵ月，最長9ヵ月）など制限的ではあるものの，住宅手当としての性格をもつ仕組みということができる[40)]。

以上のように，日本の社会保障制度の中核である社会保険や公的扶助の仕組みを保管する制度として，社会手当の展開可能性が今後さらに検討される必要がある。

---

39)　常森裕介「低所得若年層の住宅保障」『論究ジュリスト』27号（2018年）83頁以下，片桐由喜「社会手当の発展可能性――住宅手当を中心として」『社会保障法研究』10号（2019年）51頁以下。

40)　新型コロナウイルス感染症の感染拡大を機に，住居確保給付金の適用対象者が拡大され，大幅に支給実績を伸ばした。このことは，恒久的な住宅手当としての性格をもつ仕組みの整備の必要性を示唆していると考えられる。菊池馨実「新型コロナウイルスと社会保障」『社会福祉研究』139号（2020年）37頁。

第5章

労働保険

多くの人は社会に出て，企業などの事業体に所属して仕事に就くことで，生計を立てていく。仕事は，単に生活の糧を得るだけでなく，人が人格的に成長し自己実現していく営みともいえよう。こうした職業生活を営んでいく上で妨げとなる典型的な要保障事由として，労働災害と失業が挙げられる。

仕事中の事故の多くは，事業主の支配下で発生するものである。こうした事故の基本的性格を反映して，業務上の災害については労災保険という社会保険の仕組みの下で，労働者保護が図られてきた。また失業についても，経済不況の影響で多くの人びとに発生し得る社会的リスクであり，雇用保険という社会保険制度が設けられている。

本章では，これらの労働保険（労災保険と雇用保険）を中心に取り上げる。また最近，雇用保険ではカバーし切れない長期失業への政策的対応が課題となっており，2011（平成23）年求職者支援法が制定されるに至った。こうした法制度についても取り上げることにしたい。

第1節　労災保険

第1款　労働者災害補償制度の形成と展開

1　労災補償制度の形成

市民法の建前では，労働災害が発生した場合，それが使用者の過失に基づくものであり，かつ当該過失と発生した損害との間に相当因果関係が認められれば，使用者は労働者に対し損害賠償責任を負う。しかし，こうした過失責任主義の下では，労働者側が立証責任の負担を負うことになる。そこでこの負担を軽減する必要性が認識され，欧米各国において使用者責任法として立法化された。さらに進んで各国では，無過失責任主義の下，労働者に対する補償制度を設けるに至った。こうした無過失責任や賠償額の定額化といった特徴をもつ労災補償制度は，責任保険としての性格をもつ労災保険制度として発展を遂げていった[1)]。

2　戦前までの動き

こうした国際的な動向とは別に，日本における制度展開に目を転じてみると，民間被災労働者への補償は，1911（明治44）年工場法（施行は1916〔大正5〕年の工場法施行令）により，全額事業主負担の「災害扶助」制度として行われた。保険給付の対象となったのは，1922（大正11）年健康保険法であった。同法により，疾病・負傷についての療養の給付（現物給付），傷病手当金の支給（報酬日額の60%）などが設けられた。戦前の健康保険法は，業務外のみならず業務上災害をも保険給付の対象としていたのである。次いで1941（昭和16）年労働者年金保険法（1944〔昭和19〕年厚生年金保険法）では，廃疾年金及び遺族年金が業務上外を問わず支給されることになった。またこれらの社会保険立法の強制適用の外に置かれた土木建築業等の屋外労働者に対しては，1931（昭和6）年労働者災害扶助法及び労働者災害扶助責任保険法が制定された。

3　労災保険法の制定

1947（昭和22）年に制定された労働基準法は，第8章に災害補償の諸規定をおき，労働者が業務上負傷し，疾病にかかり，又は死亡した場合，使用者に補償義務を課した。同法による補償は無過失責任であり，①療養補償（労基75条），②休業補償（同76条），③障害補償（同77条），④遺族補償（同79条），⑤葬祭料（同80条）からなり，さらに，療養開始後3年を経過しても負傷又は疾病がなおらない場合，使用者に対し，平均賃金の1200日分の⑥打切補償（同

1)　比較法的概観については，岩村正彦「労災保険給付の要件」林豊＝山川隆一編『新・裁判実務大系第17巻　労働関係訴訟法II』（青林書院，2001年）186-190頁など。

81条）を支払えば，以後の療養補償及び休業補償に係る義務を免責することとした[2]。

労働基準法制定と同時に，労働者災害補償保険法（労災保険法）が制定され，業務上災害に対し政府が管掌者となる保険制度が設けられた[3]。労基法上の災害補償との関係については，労災保険法に基づく給付が行われるべきものである場合，使用者は労基法の災害補償責任を免れるものとされた（労基84条1項）。労災保険法は，当初，責任保険（使用者の責任の代行）としての性格が強くみられ，保険給付の内容等も労基法上の災害補償と同一水準であった。1951（昭和26）年改正では，業種別と個別事業主別の2本立てからなるメリット制が導入され，災害発生率に応じた保険料率設定を行うこととなった。

4　労災保険法の発展

昭和30年代におけるけい肺等に関する特別保護がきっかけとなり，労災保険の「ひとり歩き現象」[4]とも言われる制度改正が進んだ。労基法上の災害補償よりも補償内容を充実させ，一時金中心の給付体系から年金による長期補償の給付体系へとその性格を変化させるに至ったのである。具体的には，1960（昭和35）年改正による3年経過後の打切補償の廃止，長期傷病者補償（傷病補償年金の前身）の創設，障害補償の一部（障害等級1級ないし3級）年金化，1965（昭和40）年改正による障害補償給付の拡大（1級ないし7級），遺族補償給付の創設，適用範囲の拡大（常時5人以上の労働者を使用する事業への適用拡大，特別加入制度の創設），1969（昭和44）年改正による適用範囲のさらなる拡大（政令で定める一定の事業を除く全事業を強制適用とする）などが行われた。また同年，「労働保険の保険料の徴収等に関する法律」が制定され，失業保険と併せて，労働保険共通の保険料徴収手続を定めるに至った。

その後も，労災保険法は拡大・充実を続け，1973（昭和48）年改正による通

2）労災保険法による療養補償給付を受ける労働者が，療養開始後3年を経過しても疾病等が治らない場合，労基法81条の規定による打切補償の支払いをすることにより，解雇制限の除外事由を定める同法19条1項但書の適用を受けることができる。学校法人専修大学事件＝最2判平27・6・8民集69巻4号1047頁（差戻審・東京高判平28・9・12労判1147号50頁）。

3）労災保険制度の沿革については，厚生労働省労働基準局労災補償部労災管理課編『7訂新版労働者災害補償保険法』（労務行政，2008年）28頁以下など。

4）西村326頁。

勤災害保護制度の創設，1974（昭和 49）年改正による給付水準引上げ，特別支給金制度の創設，1976（昭和 51）年改正による傷病補償年金の創設，1986（昭和 61）年改正による年金の給付基礎日額に関する最低限度額・最高限度額制度の創設，1995（平成 7）年改正による介護補償給付の創設など給付内容等の改善，2000（平成 12）年改正による二次健康診断等給付の創設，2005（平成 17）年改正による通勤災害の適用拡大（単身赴任者の週末帰宅への保護など），2007（平成 19）年改正による労働福祉事業の社会復帰促進等事業への改編，2020（令和 2）年改正による複数事業労働者に対する新たな給付の創設などがなされた。

5　労災保険の法的性格

このように，労災保険は一貫して拡大・充実を遂げてきた。その中で，労災保険が単なる労基法の災害補償責任の担保にとどまらない社会保障制度としての性格を強めているとの観点から，いわゆる社会保障化論争が繰り広げられた。

先述したように，年金化や給付のスライド制，特別加入制度など，労災保険の「ひとり歩き現象」とも言われる制度改正が進んだのは事実である[5)]。しかし，国庫補助が一部入っていることを除くと（労災 32 条），基本的には事業主の保険料負担で財源が賄われており，給付も他の社会保険給付と比較して高水準になっているのは，補償給付が損害塡補的な性格を有していることや，もともと使用者の災害補償責任を担保する責任保険としての性格を有することと無関係ではない[6)]。その意味では国民の生活保障を目的とする社会保障的性格を強めているとはいえ，なおも労災補償責任給付としての独自の法的性格は失われていないといえよう。ただし，こうした性格に照らしても，年金保険や医療保険などの社会保険制度につき，1990 年代以降少子高齢化の進展などの影響を受けて給付水準の引下げ等が重要な検討課題となっていることとの対比において，労災保険給付の適正化の可否につき議論が必要ではないかと思われる[7)]。

5）　この点を強調して，労災保険の「社会保障化」を主張し，将来的には労災保険法の廃止とともに，業務上外の区別によらない私生活関連災害と労働者生活関連災害とに区分した補償制度を構想するものとして，高藤昭『社会保障法の基本原理と構造』（法政大学出版局，1994 年）134-162 頁。

6）　西村 327-328 頁。

7）　学説の大勢は，他の社会保険給付や生活保護よりも労災保険給付の水準は高く設定されるべきであり，労災保険事業の財源はもっぱら使用者の負担とすべきであると解してきた。岩村正彦

第2款　労働基準法との関係

第1款3で述べたように，労災保険法に基づく給付が行われるべきものである場合，使用者は労基法の災害補償責任を免れるものとされ（労基84条1項），労災保険法が災害補償の大部分の機能を担っている。ただし現在でも，①労災保険法の対象とならない最初の3日間の休業補償（労災14条，労基76条），②業務上災害の定義（とりわけ業務上疾病の列挙。労基75条2項，労基則35条，別表第1の2），③暫定任意適用事業（個人経営の農林・畜産・水産業で小規模なもの。昭44法83による改正附則12条関係政令整備令17条）における労災補償といった点で，依然として労基法上の災害補償規定の存在意義は失われていない。

第3款　労災保険法の目的と対象

1　労災保険法の目的

労災保険は，業務上の事由，事業主が同一人でない2以上の事業に使用される労働者（複数事業労働者）の2以上の事業の業務を要因とする事由又は通勤による労働者の負傷，疾病，障害，死亡等に対して迅速かつ公正な保護をするため，必要な保険給付を行い，あわせて，業務上の事由，複数事業労働者の2以上の事業の業務を要因とする事由又は通勤により負傷し，又は疾病にかかった労働者の社会復帰の促進，当該労働者及びその遺族の援護，労働者の安全及び衛生の確保等を図り，もって労働者の福祉の増進に寄与することを目的とする（労災1条）。労災保険は，このうち前段の目的を達成するため，業務災害又は通勤災害に対する保険給付に加えて，2000（平成12）年改正により二次健康診断等給付を行うことになった（同2条の2，7条1項3号）。また2020（令和2）年改正では，複数事業労働者の概念を設けるとともに，複数就業者の給付基礎日額の算定や給付の対象範囲の拡充等を図った。さらに後段の目的を達成するため，社会復帰促進等事業（かつての労働福祉事業）が設けられている（同2条の2）。

「労災保険政策の課題」日本労働法学会編集『講座21世紀の労働法第7巻　健康・安全と家庭生活』（有斐閣，2000年）24-25頁参照。

2　管掌及び適用事業

労災保険は，政府がこれを管掌する（同2条）。すなわち政府が保険者である。これに対し，他の社会保険と異なり被保険者という概念は存在しない。このことは，事業主のみが保険料負担義務を負うことと関連する（第6款1参照）。ただし，「労働者を使用する事業」（同3条1項）が適用事業とされており，目的規定にみられるように保険給付の受給主体も労働者であることから，「労働者」が労災保険の適用を画する重要な概念となる。この点につき，判例は，労災保険法の「労働者」は労基法上の「労働者」（労基9条）[8]と同一の概念であるとの前提で，車持ち込み運転手[9]や大工[10]の労働者性を否定している[11]。法人・

---

8)　労基法9条は，労働者を，「職業の種類を問わず，事業又は事務所に使用される者で，賃金を支払われる者をいう」と規定している。行政実務や裁判例に影響を与えてきた1985（昭和60）年労働基準法研究会報告「労働基準法の『労働者』の判断基準について」は，「使用従属性」に関する判断基準として，①「指揮監督下の労働」に関する判断基準（イ　仕事の依頼，業務従事の指示等に対する諾否の自由の有無，ロ　業務遂行上の指揮監督の有無，ハ　拘束性の有無，ニ　代替性の有無〔指揮監督関係の判断を補強する要素〕），②報酬の労務対償性に関する判断基準を挙げるほか，「労働者性」の判断を補強する要素として，③事業者性の有無，④専属性の程度，⑤その他を挙げている。西村329-330頁は，労務遂行過程における実質的ないし事実上の使用従属関係の有無によって判断すべきであるとしながら，①仕事の依頼・業務に対する諾否の自由の有無，②勤務時間の拘束，勤務場所の指定の有無，③第三者による代行性の有無，④業務遂行過程での指揮命令の有無，⑤生産器具・道具等の所有（帰属）いかん，⑥報酬が労務の対償たる性格を持つか否か，⑦専属関係の有無，などを総合的に考慮して判断すべきとする。

9)　横浜南労基署長（旭紙業）事件＝最1判平8・11・28判時1589号136頁。

10)　藤沢労基署長事件＝最1判平19・6・28判時1979号158頁。

11)　下級審裁判例において，労働者性を肯定した例として，新宿労基署長事件＝東京高判平14・7・11労判832号13頁（映画撮影技師），大阪中央労基署長事件＝大阪地判平15・10・29労判866号58頁（専務取締役），千葉労基署長事件＝東京地判平20・2・28労判962号24頁（県民共済生協普及員），甲府労基署長事件＝甲府地判平22・1・12労判1001号19頁（同居の親族），西脇労基署長（加西市シルバー人材センター）事件＝神戸地判平22・9・17労判1015号34頁（センター会員），船橋労基署長（マルカキカイ）事件＝東京地判平23・5・19労判1034号62頁（執行役員），大阪地判令2・5・29労判1232号17頁（テストライダー）など，否定した例として，磐田労基署長事件＝東京高判平19・11・7労判955号32頁（モーターサイクルのレースライダー），さいたま労基署長（建設技術研究センター）事件＝東京地判平20・1・29労判965号90頁（代表取締役），さいたま労基署長事件＝東京地判平23・1・20労経速2104号15頁（登録手話通訳者），横浜南労基署長事件＝東京地判平23・11・7労経速2134号24頁（下請会社の代表取締役），川越労基署長事件＝大阪地判平28・11・21労判1157

団体の代表・役員の「労働者」性が争われる事案が少なくないが[12]，行政解釈では，「法人の取締役，理事，無限責任社員等の地位にある者であっても，法令，定款等の規定に基づいて業務執行権を有すると認められる者以外の者で，事実上，業務執行権を有する取締役，理事，代表社員等の指揮，監督を受けて労働に従事し，その対償として賃金を得ている者は，原則として労働者として取り扱うこと」[13]とされている。適用を除外されるのは，国の直営事業及び官公署の事業（労基法別表第1に掲げる事業を除く）であり（労災3条2項），国家公務員災害補償法，地方公務員災害補償法の適用が予定されている。先述したように（第2款），個人経営の農林・畜産・水産業で小規模なものについては，暫定任意適用事業とされる（昭44法83による改正附則12条関係政令整備令17条）。

労働者以外の者であっても，業務の実態，災害の発生状況などからみて，労働者に準じて労災保険による保護を行う必要があるとの見地から，特別加入制度が設けられている（労災33条）[14]。対象となるのは，中小事業主（金融業・保険業・不動産業・小売業は常用労働者50人以下，卸売業・サービス業は100人以下，その他300人以下。労災則46条の16）とその事業に従事する労働者以外の者（家族従事者など。労災33条1号・2号），個人タクシー業者や大工などのいわゆる一人親方とその事業に従事する労働者以外の者（労災33条3号・4号，労災則46条の17），厚生労働省令で定める種類の作業に従事する者（特定作業従事者〔特定農作業従事者・労働組合等常勤役員・介護作業従事者など〕。労災33条5号，労災則46条の18），海外派遣者[15]（労災33条6号・7号）である[16]。ただし，これらの者

号50頁（宮大工），苫小牧労基署長事件＝札幌高判平30・10・24判例集未登載（LEX/DB文献番号25561713）（自動車修理）など。菅野和夫『労働法〔第12版〕』（弘文堂，2019年）646頁は，立法論として，両者を分ける組立ても考慮に値するとする。これに対し西谷敏『労働法〔第3版〕』（日本評論社，2020年）53頁は，目的論的視点から労災保険法の「労働者」を労基法のそれと同一視する必然性はなく，労基法上の「労働者」より広く解することができるとする。

12）　注11）参照。

13）　昭34・1・26基発48号。

14）　特別加入制度に関する問題については，青野覚『労災保険法上の特別加入制度に関する諸問題の検討（社労士総研研究プロジェクト報告書〔平成23年〕）』（社会保険労務士総合研究機構，2012年），地神亮佑「労災保険における特別加入について――個人事業主と労災保険との関係」『日本労働研究雑誌』726号（2021年）24頁以下参照。

15）　海外現地法人の責任者であった者の死亡につき，特別加入手続をとっていなかったところ，

については，労働者と異なり，本来その業務は使用者の指揮命令により決まるものではなく，主観的に定まる要素が強いことや，労働者に近似する側面に対する労働者に準じた保護の付与という制度趣旨から，業務災害が認められるのは，特別加入者の行う業務のうち，労働者の行う業務に準じた業務に限定される[17)]。

第４款　労働保険関係の成立と消滅

労働保険の保険料の徴収等に関する法律は，労災保険と雇用保険の事業の効率的な運営を図るため，労働保険と総称されるこれらの社会保険の事務を一元的に処理することとし（労保徴２条１項），保険関係の成立及び消滅，保険料納

国内の事業場の使用者の指揮命令に従い勤務する海外出張者に当たるとして，原審を覆して遺族補償給付等不支給処分を取り消した裁判例として，中央労基署長（日本運搬社）事件＝東京高判平 28・4・27 労判 1146 号 46 頁。特別加入手続をとっていれば，海外派遣者として救済された事案と思われる。

16）2021（令和 3）年の法施行規則改正により，特別加入制度の適用範囲が相次いで拡大され，一人親方等が従事する事業として柔道整復師が行う事業（労災則 46 条の 17），特定作業従事者として俳優などの芸能従事者，アニメーション制作従事者（同 46 条の 18）が新たに対象となったのに続いて，一人親方等が従事する事業として原動機付自転車又は自転車を使用して行う貨物の運送の事業（同 46 条の 17），特定作業従事者として情報処理システムの設計等の情報処理に係る作業（IT フリーランス）も対象となった（同 46 条の 18）。さらに，2020（令和 2）年高年齢者雇用安定法改正により，60 歳代後半の高年齢者就業確保措置の一環として設けられた創業支援等措置（継続的な業務委託，継続的な社会貢献活動）に基づき高年齢者が行う事業も，一人親方等が従事する事業として追加された（同 46 条の 17）。

17）姫路労基署長（井口重機）事件＝最 1 判平 9・1・23 集民 181 号 25 頁では，土木工事及び重機賃貸を業とする事業主の特別加入につき，後者の業務に関連して発生した事故につき，労災保険の適用が否定された。広島中央労基署長（A 工業）事件＝最 2 判平 24・2・24 民集 66 巻 3 号 1185 頁では，使用する労働者に従事させていない営業等の事業（本件では工事予定地の下見）につき，事業主が特別加入の承認を受けることはできないとし，労災保険の適用が否定された。このほか下級審裁判例として，三好労基署長事件＝高松地判平 23・1・31 労判 1028 号 67 頁では，休業補償給付について，労働者の場合に一部労働不能を保護要件とし，特別加入者の場合に全部労働不能を保護要件とすることが平等原則に反しないとされた。金沢労基署長事件＝金沢地判平 31・1・11 判例集未登載（LEX/DB 文献番号 25562358）では，申請書の業務の内容欄に，所定労働時間として 8 時から 18 時と記載していた際，午前 2 時半頃から午前 5 時頃に行っていた本件配達業務に際しての交通事故による負傷につき，業務遂行性がないことを理由とする不支給決定が適法とされた。

付手続，労働保険事務組合等に関して定めている。保険料等に関しては後述するとして（第6款2参照），以下では，雇用保険と併せて保険関係の成立及び消滅についてみておく。

労災保険及び雇用保険に係る適用事業の事業主（労災3条1項，雇保5条1項）については，その事業が開始された日に保険関係が成立する（労保徴3条，4条）。事業主は，保険関係が成立した日から10日以内に，その成立した日，事業主の氏名又は住所，事業の種類，事業の行われる場所その他厚生労働省令で定める事項に係る届出を，保険関係成立届をもって所轄労働基準監督署長又は所轄公共職業安定所長に対して行わなければならない（同4条の2第1項，労保徴則4条）。これらの事項のうち厚生労働省令で定める事項に変更があったときには，名称，所在地等変更届を提出しなければならない（労保徴4条の2第2項，労保徴則5条）。保険関係が成立している事業が廃止され，又は終了したときは，その事業についての保険関係は，その翌日に消滅する（労保徴5条）。

第5款　保険給付

1　種　類

労災保険の保険給付としては，業務災害に関する給付と通勤災害に関する給付に加え，2000（平成12）年改正により，二次健康診断等給付が加わった（労災7条1項）。また2020（令和2）年改正により，複数業務要因災害に関する給付が創設された。以下では，労基法上の災害補償と直接関わる業務災害に関する給付を中心にみていく。

2　業務災害

(1)　業務災害の意義

「業務災害」とは，「労働者の業務上の負傷，疾病，障害又は死亡」をいう（労災7条1項1号）[18]。この業務上の傷病等の範囲は，労災保険法と労働基準法

18)　公務員については，国家公務員災害補償法又は地方公務員災害補償法の下，「公務災害」又は「公務起因性」の有無が問題となるが，基本的には同様の判断基準と考えてよい。なお国家公務員災害補償法では，労災保険法や地方公務員等災害補償法と異なり，業務（公務）上外認定という行政処分は介在しないと考えられており，直接民事上の給付請求を行うこととなる。国

で同一であると解されている（労災12条の8第2項，労基84条1項）[19]。ただし，「業務上」概念については労災保険法及び労基法には規定がなく，法解釈に委ねられている。このため，政府（労働基準監督署長）の業務上外認定をめぐってこれまで数多くの訴訟が提起されてきた。とはいえ，年間を通じて膨大な数の業務上外の認定判断が政府（労働基準監督署長）によって行われており[20]，典型的な事案については通常は法的紛争とならない。したがって，実務的には行政解釈（通達）が極めて重要な役割を果たしているということができる[21]。また裁判で争われる非典型的な事案についても，裁判所はこうした行政解釈を基本的に是認したうえで，法的判断を行うのが通例である。

ある傷病，障害又は死亡が業務上のものである（つまり労働災害に該当する）と言えるためには，「業務起因性」があることが必要である。行政解釈によれば，この「業務起因性」は業務と傷病等との間の因果関係の問題として捉えられ[22]，判例も業務による過重な精神的，身体的負荷と発症との間の「相当因果関係」の存否の問題として捉えている[23]。また行政解釈によれば，「業務起因性」の第一次的判断基準が「業務遂行性」であるとされる[24]。ここで「業務遂

立循環器病センター事件＝大阪高判平20・10・30労判977号42頁。

19）　西村339頁，保原喜志夫「労災認定の課題」日本労働法学会編集・前掲書（注7）62頁。

20）　業務災害につき，令和2年度における各保険給付の支払件数は合計で489万5387件（もっとも多いのが療養補償給付で306万9322件），うち新規受給者数が57万4318件となっている。「令和2年度労災保険事業の保険給付等支払状況」（厚生労働省ウェブサイト）3-4頁。

21）　行政解釈における「業務」概念の形成経緯と妥当性について論じたものとして，中益陽子「労災補償における『業務』の意義」荒木尚志ほか編『労働法学の展望　菅野和夫先生古稀記念論集』（有斐閣，2013年）399頁以下。

22）　厚生労働省労働基準局労災補償部労災管理課編・前掲書（注3）159頁。

23）　横浜南労基署長（東京海上横浜支店）事件＝最1判平12・7・17労判785号6頁。最2判昭50・10・24民集29巻9号1417頁によれば，相当因果関係の立証は，「一点の疑義も許されない自然科学的証明ではなく，経験則に照らして全証拠を総合検討し，特定の事実が特定の結果発生を招来した関係を是認しうる高度の蓋然性を証明することであり，その判定は通常人が疑いを差し挟まない程度に真実性の確信を持ちうるものであることを必要とし，かつ，それで足りる」とする。これに対し，岩村・前掲論文（注1）183頁は，不法行為や債務不履行でいわれる「相当因果関係」との混同を招くので，業務上外認定については「相当因果関係」という用法は避けるのが賢明であり，端的に「業務起因性」という表現を用いる方が適切であるとする。

24）　労務行政研究所編『業務災害及び通勤災害認定の理論と実際（上）』（労務行政，2009年）89頁。

行性」とは，労働者が事業主の支配下にあることを指し，「業務起因性」とは，業務又は業務行為を含めて「労働者が労働契約に基づき事業主の支配下にあること」に伴う危険が現実化したものと経験則上認められることをいう[25]。こうした捉え方からすると，業務遂行性がなければ業務起因性が成立しないものの，業務遂行性があっても当然には業務起因性があることにはならないことになる（ここではさしあたり下記のケース①を念頭においている）。

業務災害の認定枠組みは幾つかの類型に分けられる。以下では，図を元に説明していく。なお図1では，業務と傷病等との間に，多くの場合介在する「その発生状況が時間的に特定できる出来事」に着目し，これを「災害」と呼んでいる[26]。したがって，ここでいう「災害」は労災保険法7条にいう業務「災害」とは異なる用語法である点に留意されたい。

図1　業務上外の認定パターン

ケース①	業務――A――→災害――B――→負傷	（→障害・死亡）
ケース②	業務――A――→災害――C――→疾病（災害性疾病）	（→障害・死亡）
ケース③	業務――――D――――→疾病（職業性疾病）	（→障害・死亡）

ケース①は災害が介在しての典型的な業務上負傷のパターン（たとえば，工場での爆発事故による火傷），ケース②は災害が介在して発症した典型的な業務上疾病（災害性疾病）のパターン（たとえば，原子力発電所での放射能洩れ事故による白血病の発症）である。ケース③は特定の災害が介在しない業務上疾病（非災害性疾病）のパターン（たとえば，長期にわたる加重勤務による疲労が蓄積した状態での脳内出血の発症）である。これらの業務上の認定判断においては，上記AないしDの因果関係の有無を判断することになる。このうちB及びCは，規範的（法的）判断というより医学的な経験則による事実的な判断という側面が強い。したがって，ケース①及び②で主として問題になるのは，Aの法的評価である。これに対し，後述するように，ケース③の場合，特定の災害にあた

25）　菅野・前掲書（注11）649頁。判例でも，業務（公務員についての公務災害の場合，公務）に内在する危険が現実化したことによるものといえるかどうかという基準から判断されることが多い。地公災基金東京都支部長（町田高校）事件＝最3判平8・1・23集民178号83頁。

26）　保原・前掲論文（注19）65頁。

る事象が存在しないため，Dの法的因果関係の判断には相対的に困難を伴う。

注意すべきは，民事損害賠償の場合と異なり，予見可能性（災害の発生が事前に予想し得たこと）が必要でないことである。当該業務に災害発生の危険が潜在していたことが客観的に認められればよい。このことは，無過失責任主義を採用したことに伴う当然の帰結である。

ケース①にあたる災害型の負傷・死亡について，具体的な業務上外認定の基準をみておくと，(1) 事業場内（事業主の支配下）で，かつその管理下にあって業務に従事中の災害（業務に付随する準備・後始末行為などを含み，ストライキ中などは除く）については，業務遂行性が認められるとともに，原則として業務起因性の存在も推定される[27]。(2) 事業主の支配下で，かつその管理下にあるが業務に従事していない場合（休憩時間，始業前・就業後）の災害については，労働時間中と異なり当然には業務起因性の存在が推定されず，労働時間中であれば業務起因性が認められるもの（たとえば，用便・飲水等の生理的行為や歩行・移動行為）や，事業場施設の不備・欠陥（たとえば，階段手すりの未整備）によるものであれば認められる[28]。(3) 事業場外ではあるが，事業主の支配下で業務に従事していると認められる場合（出張中や外勤中）の災害については，業務遂行性に加えて，危険にさらされる範囲が広い一方，業務行為の細部についてまで使用者の指示を受けることなく，業務の執行につき包括的な責任を負っている

---

27) 当該職場に定型的に伴う危険でない場合は除かれる。倉敷労基署長事件＝最1判昭49・9・2民集28巻6号1135頁（工事現場でのけんかによる大工の私的逸脱行為につき業務災害にあたらないとされた例），島田労基署長事件＝東京高判昭54・3・28訟月25巻7号1882頁（飲酒の上勤務しようとしたことを注意され同僚と口論した後勤務に就いた会社守衛が，口論中「馬鹿野郎」と言ったため，同僚から呼び出しを受け喧嘩闘争中転倒死亡した事案につき業務起因性が否定された例）。競馬場のマークレディの女性に好意を抱いていた警備員が，逆恨みし，憎悪の念を抱くに至り，女性を職場で刺殺した事案につき，原審を覆して業務起因性を認めたものとして，尼崎労基署長（園田競馬場）事件＝大阪高判平24・12・25労判1079号98頁。

28) 休憩時間中における会社の小集団活動等については，その性格に応じて判断される。佐賀労基署長（ブリヂストンタイヤ）事件＝佐賀地判昭57・11・5労民集33巻6号937頁（ハンドボールを使用して行う簡易ゲーム参加中の負傷につき，拘束性の強いものであり業務と密接な関連性を有するとして業務起因性が認められた例），尼崎労基署長（神崎製紙）事件＝神戸地判昭63・3・24労判515号38頁（会社の健康づくり運動の一環としてのドッジボール大会での負傷につき，就業時間外の行事で参加が強制されていないこと等から，業務遂行性がないとされた例）。

ので，明確な業務離脱行為がない限り業務起因性も広く認められる[29)]。

運動会・社員旅行・忘年会等の会社行事への参加も，特別の業務命令があったり，事実上の参加強制が課されている場合，業務上となり得る[30)]。

(2)　業務上の疾病

ケース②とケース③にみられるように，業務上疾病には災害性のもの（災害性疾病）と職業性のもの（職業性疾病）がある。とりわけ後者については，明確な出来事（災害）が存在しない中で発生するものであり，業務との相当因果関係を判断するのに困難を伴う場合が少なくない。

労働基準法75条2項は，「業務上の疾病」の範囲を厚生労働省令で定めるも

---

29)　大分労基署長（大分放送）事件＝福岡高判平5・4・28労判648号82頁（出張先の宿泊施設で酔って階段から転倒した事案で，業務遂行から逸脱した行為により招来した事故とはいえないとして業務起因性が認められた例），徳島地判平14・1・25判タ1111号146頁（中国出張中のホテル内での強盗殺人による死亡につき，本件当時の状況では日本人が被害に遭う危険性があったといえ，業務に内在する危険性が現実化したものであるとして業務起因性が認められた例），渋谷労基署長（ホットスタッフ）事件＝東京地判平26・3・19判時2267号121頁（中国出張中の中国人参加者を交えた会合での大量の飲酒に伴う嘔吐による窒息死につき，業務の遂行に必要不可欠な飲酒であったとし，従事していたテレビ番組制作のためのロケに内在する危険性の発現であるとして，業務起因性が認められた例））。

30)　高崎労基署長事件＝前橋地判昭50・6・24訟月21巻8号1712頁（会社の取引先とのゴルフ・コンペに出席する途上における会社専務の交通事故死につき，業務遂行性が認められるには出席が事業運営上緊要なものと認められ，かつ事業主の積極的特命によってなされたと認められなければならないとして，業務外とされた例），福井労基署長（足羽道路企業）事件＝名古屋高金沢支判昭58・9・21労民集34巻5＝6号809頁（懇親会等の社外行事を行うことが事業運営上緊要なものと客観的に認められ，かつ労働者に対しこれへの参加が強制されているときに限り，労働者の右社外行事への参加が業務行為になるとして，忘年会終了後の交通事故につき業務遂行性が否定された例），多治見労基署長（日東製陶）事件＝岐阜地判平13・11・1労判818号17頁（「研修旅行」の名目で行われた旅行中の航空機事故死につき，主たる目的が観光及び慰安にあること，自己負担金があること，不参加者の占める割合が相当高いこと等から，業務遂行性が否定された例），品川労基署長事件＝東京地判平27・1・21労経速2241号3頁（社内で所定勤務時間中に行われた会社主催の納会での過度の飲酒による急性アルコール中毒死が，業務遂行性はあるものの，業務起因性がないとされた例），行橋労基署長（テイクロ九州）事件＝最2判平28・7・8集民253号47頁（歓送迎会終了後，業務のため職場に戻る途中，歓送迎会参加者をアパートまで送る際の交通事故死につき，原判決を取り消して業務起因性を認めた例）。このほか，非番の日に出社して同僚の夜食を買いに出かけた際の交通事故につき，夜食の手配作業に緊急性，必要性があり，合理的に期待された行為であったとして業務遂行性が認められた事案として，岐阜地判平20・2・14判タ1272号169頁。

のとし，同法施行規則35条を受けた別表第1の2がこれを具体的に定めている。この別表では，第1項で「業務上の負傷に起因する疾病」を挙げ，第2項から第7項に特定の種類の業務から発生しやすい特定の種類の疾病を挙げ[31]，当該業務に従事した労働者が当該疾病に罹患した場合には，反証がない限り，当該疾病が当該業務に起因したものとして，その業務起因性を推定することとしていた[32]。ただし，(3)及び(4)でみるように，この基準によっても疾病の業務起因性を判断するのは容易ではなく，実際の業務上外認定は多くの通達（認定基準）に依拠してなされている。また，これら具体的な疾病に該当しなくとも，「その他業務に起因することの明らかな疾病」（同表第11項）であれば業務上疾病として扱うとの一般条項をおいている（これを「混合主義」という）。

(3)以下でみるように，急性脳・心臓疾患などの「過労死」型労災に係る事案や心因性障害による「過労自殺」型の事案につき行政庁の認定判断を覆して業務災害と認めた裁判例の増加に伴い，2010（平成22）年労基則改正により，「長期間にわたる長時間の業務その他血管病変等を著しく増悪させる業務による脳出血，くも膜下出血，脳梗塞，高血圧性脳症，心筋梗塞，狭心症，心停止（心臓性突然死を含む。）若しくは解離性大動脈瘤又はこれらの疾病に付随する疾病」（第8項），「人の生命にかかわる事故への遭遇その他心理的に過度の負担を与える事象を伴う業務による精神及び行動の障害又はこれに付随する疾病」（第9項）が追加された[33]。

また石綿（アスベスト）曝露作業への従事についても，従来の「石綿にさらされる業務による肺がん又は中皮腫」（同表第7項8号）に加えて，同年労基則改正により，「石綿にさらされる業務による良性石綿胸水又はびまん性胸膜肥厚」（同表第4項7号）が加えられた[34]。2006（平成18）年「石綿による健康被害の救済に関する法律」（アスベスト救済法）により，認定（同法4条）を受けた者

31）　たとえば，第5項では，「粉じんを飛散する場所における業務によるじん肺症又はじん肺法に規定するじん肺と合併したじん肺法施行規則第1条各号に掲げる疾病」を挙げる。

32）　保原・前掲論文（注19）69頁。

33）　ただし，行政実務が認定基準に基づいて行われることに変わりはなく，条項上明記されたことが当然に行政実務や裁判実務に影響を及ぼすことはないと考えられる。次に述べる石綿（アスベスト）曝露についても同様である。

34）　石綿による疾病の労災認定基準として，2012（平成24）年通達（平24・3・29基発0329第2号）がある。

に対し，公費と事業主から拠出される基金を財源として，医療費のほか，療養手当，葬祭費，特別遺族弔慰金，特別葬祭料，救済給付調整金が支給されることになった[35]。

(3)　脳・心臓疾患（過労死）の業務起因性

脳血管疾患及び虚血性心疾患等（脳・心臓疾患）については，労働者の業務のほか，日常生活及び素因の3つの要因をもつ作業（職業）関連疾患であり，たまたま業務遂行中に発症したからといって，直ちに業務起因性を認められるわけではない[36]。

こうしたいわゆる「過労死」型の脳・心臓疾患については，事案の増大に伴い専門家による報告書に基づく認定基準が作成され，これに依拠した業務上外認定がなされるようになったものの，処分庁（労働基準監督署）の業務外認定を取り消す裁判例が相次いだことにより，随時認定基準の緩和がなされてきた。まず1987（昭和62）年当時の通達[37]では，業務によって，基礎疾患が加齢や日常生活の諸要因による自然的経過を超えて，急激に著しく増悪して発症したことが必要であるとし，そのための要件として，当該労働者が発症前に，業務に関連した異常な出来事又は特に過重な業務への従事という「過重負荷」を受けたことを前提としつつ，「過重負荷」が発症のせいぜい1週間前までに生じたものであることを必要とし，それより前の業務は発症前1週間の業務の過重性の付加事情にとどまるものとした。業務と基礎疾患との関係も，業務が相対的に有力な原因となっていれば相当因果関係の存在を肯定するものとしていた（相対的有力原因説）。これに対し，業務が共働原因となっていれば相当因果関係の存在を肯定できるものとし（共働原因説），より広く相当因果関係を認めるか

35）　こうした立法にもかかわらず，石綿曝露に係る法的紛争は増加傾向にある。労災認定が認められた裁判例として，相模原労基署長事件＝横浜地判平21・7・30労判992号11頁，木更津労基署長事件＝東京地判平24・2・23労判1048号85頁，足立労基署長事件＝東京地判平24・6・28労判1057号54頁，神戸東労基署長事件＝大阪高判平25・2・12判時2188号143頁，大田労基署長事件＝東京地判平26・1・22労判1092号83頁，神戸東労基署長事件＝大阪高判平28・1・28判時2304号110頁など。

36）　保原・前掲論文（注19）70頁。

37）「脳血管疾患及び虚血性心疾患等の認定基準について」（昭62・10・26基発620号）。それ以前は，「中枢神経及び循環器系疾患（脳卒中，急性心臓死等）の業務上外認定基準について」（昭36・2・13基発116号）が認定基準とされていた。

の如き表現を用いる裁判例もみられた[38]。さらに，通達が基準としていた発症前１週間における「過重負荷」にこだわらず，より広く過重な勤務態様などを総合勘案して業務起因性を認めるものもみられた[39]。

こうした状況の下，認定基準の緩和が行われた。1987（昭和 62）年基準の改正という形で発出された 1995（平成 7）年認定基準[40]によれば，発症前１週間より前（一義的には１ヵ月前）の業務をより積極的に考慮に入れて業務の過重性を総合判断することとした。しかし，こうした認定基準の緩和にもかかわらず，なおも長年にわたる業務上の疲労の蓄積による過労死を適切にカバーできないことが問題視された。最高裁判所[41]も，支店長付き運転手が早朝に支店長を迎えに行く途中でのくも膜下出血の発症に係る事案[42]で，「他に確たる増悪要因を見いだせない本件においては，X（原告・上告人）が右発症前に従事した業務による過重な精神的，身体的負荷が X の右基礎疾患をその自然の経過を超えて増悪させ，右発症に至った」ものとみて相当因果関係の存在を肯定し，従来の通達にみられたような「急激に」「著しく」増悪させ得ることといった負荷の顕著性を要しないかの如き判示を行った[43]。この判決は，基礎疾患や器質が

---

38)　三田労基署長事件＝東京高判昭 51・9・30 判時 843 号 39 頁，浦和労基署長事件＝東京高判昭 54・7・9 労民集 30 巻 4 号 741 頁，天満労基署長事件＝大阪高判平 2・9・19 労判 570 号 42 頁，向島労基署長事件＝東京高判平 3・2・4 労民集 42 巻 1 号 40 頁など。ただし，裁判例全体の傾向として，相対的有力原因説との使い分けを明確に意識して実質的な結論の差異をもたらしているわけではないとの分析がある。小畑史子「脳血管疾患・虚血性心疾患の業務上外認定に関する裁判例――『共働原因』と『相対的に有力な原因』」花見忠先生古稀記念論集刊行委員会編『労働関係法の国際的潮流』（信山社，2000 年）107 頁。

39)　新宿労基署長（大日本印刷）事件＝東京高判平 3・5・27 判時 1400 号 121 頁など。

40)　「脳血管疾患及び虚血性心疾患等（負傷に起因するものを除く。）の認定基準について」（平 7・2・1 基発 38 号）。

41)　これ以前に，「基礎疾患等が業務上遭遇した本件事故及びその後の業務の遂行によってその自然の経過を超えて急激に悪化したことによって発症したものとみるのが相当であ」るとして，相当因果関係の存在を認めたものとして，大館労基署長（四戸電気工事店）事件＝最 3 判平 9・4・25 訟月 44 巻 9 号 1505 頁。

42)　最 1 判平 12・7・17・前掲（注 23）。同日言い渡しの西宮労基署長（大阪淡路交通）事件＝最 1 判平 12・7・17 労判 786 号 14 頁も，観光バス運転手が運転中に高血圧性脳出血を発症した事案で，発症前 1 週間以内の業務の軽重にかかわらず発症前 1 週間以前の業務を含めた疲労の蓄積を考慮して相当因果関係を認めた原審判決を是認した。

43)　地公災基金鹿児島県支部長（内之浦町教委職員）事件＝最 2 判平 18・3・3 判時 1928 号 149 頁では，心筋梗塞の既往歴があった町教委職員がバレーボール大会参加中心筋梗塞死した事案

加重業務によって自然的経過を超えて増悪して発症したものとして相当因果関係を認めるその後の下級審裁判例のすう勢に影響を与えた。

こうした判例・裁判例の動向がみられた中で，新たな認定基準が出されるに至った。2001（平成13）年に出された新認定基準[44]によれば，①発症直前から前日までの間において，発症状態を時間的・場所的に明確にし得る異常な出来事に遭遇したこと，②発症に近接した時期（発症前おおむね1週間）においてとくに過重な業務に従事したこと，③発症前の長期間（おおむね6ヵ月間。発症前1ヵ月間におおむね100時間又は発症前2ヵ月間ないし6ヵ月間にわたって，1ヵ月当たりおおむね80時間を超える時間外労働が認められる場合は，業務と発症との関連性が強いと評価される）にわたって，著しい疲労の蓄積をもたらすとくに過重な業務に就労したこと，のいずれかの「業務上の加重負荷」を受けたことによって発症した脳・心臓疾患は業務上の疾病として扱うこととした。しかしながら，その後も現在に至るまで，新認定基準に依拠した行政庁の業務外認定が違法とされ，相当因果関係（業務起因性）を認める裁判例は少なくない。新認定基準が定める量的な水準に達していなくても相当因果関係を認める例[45]や，6ヵ月を超える長期にわたる長時間労働[46]や労働の質に着目して過重負荷が判断された例[47]なども あり注目された[48]。

につき，「心臓疾患が，確たる発症因子がなくてもその自然の経過により心筋こうそくを発症させる寸前にまでは増悪していなかったと認められる場合には，……バレーボールの試合に出場したことにより心臓疾患をその自然の経過を超えて増悪させ心筋こうそくを発症して死亡したものとみるのが相当であ」るとして原審を破棄差し戻した。差戻控訴審では，相当因果関係の存在を認めた。福岡高判平19・12・26労判966号78頁。

44)「脳血管疾患及び虚血性心疾患等（負傷に起因するものを除く。）の認定基準について」（平13・12・12基発1063号）。

45) 京都下労基署長（晃榮）事件＝大阪地判平18・9・6労判927号33頁，札幌東労基署長（北洋銀行）事件＝札幌高判平20・2・28労判968号136頁，常総労基署長（旧和光電気）事件＝東京地判平25・2・28判時2186号103頁，島田労基署長（生科検）事件＝東京高判平26・8・29判時2252号17頁，地公災基金熊本県支部長（小学校教員）事件＝福岡高判令2・9・25判時2494号3頁など。

46) 池袋労基署長（光通信グループ）事件＝大阪高判平27・9・25労判1126号33頁（発症前36ヵ月頃からの長時間労働による疲労蓄積），大阪中央労基署長（La Tortuga）事件＝大阪地判令元・5・15判時2433号85頁（発症前12ヵ月間にわたる月平均250時間の長時間労働による免疫力の異常）など。

47) 松本労基署長（セイコーエプソン）事件＝東京高判平20・5・22労判968号58頁（海外出張

業務の過重性ないし心身に対する負荷を判断するにあたり，どのような労働者を基準とするかという問題がある。この点につき1987（昭和62）年通達は，「同僚労働者又は同種労働者」にとっても過重であることが必要としていたのに対し，1995（平成7）年通達が，当該労働者の年齢と経験を考慮に入れて判断するものとし，さらに2001（平成13）年基準では，「当該労働者と同程度の年齢，経験等を有する健康な状態にある者のほか，基礎疾病を有していたとしても日常業務を支障なく遂行できる者」を基準とするに至った[49]。裁判例の中にも同様の立場をとるものが多い[50]。

このほか，「治療機会の喪失」と言われる類型が判例法理において認められており，労働者が，それ自体としては業務との相当因果関係が認められない傷病等を発症したにもかかわらず，労働者の勤務態様いかんによって，適時適切な医療処置を受けることができなかった場合，治療機会の喪失による傷病等の

業務），大阪高判平20・10・30・前掲（注18）（夜勤勤務・不規則労働），旭川労基署長（NTT東日本北海道支店）事件＝札幌高判平22・8・10労判1012号5頁（職種転換研修），地公災基金神奈川県支部長事件＝東京地判平25・4・25労判1075号32頁（被災地派遣），地公災基金三重県支部長事件＝名古屋高判平25・5・15労判1081号61頁（マスコミ対応等），中央労基署長（JFEスチール）事件＝東京地判平26・12・15労判1112号27頁（海外出張業務），地公災基金大阪府支部長事件＝大阪高判平29・12・26判時2373号75頁（被災地派遣）など。

48）2021（令和3）年7月「脳・心臓疾患の労災認定の基準に関する専門検討会」報告書によれば，業務による「長期間にわたる疲労の蓄積」と「発症に近接した急性の過重負荷」が発症に影響を及ぼすとする現行基準の考え方は妥当としつつ，新たに基準に取り入れることが適切と判断したものを明示した。具体的には，長期間の過重業務については，発症前1ヵ月に100時間に100時間または2ないし6ヵ月間平均で月80時間を超える時間外労働という水準に至らないがこれに近い時間外労働の場合でも，一定の労働時間以外の負荷があれば業務と発症との関連が強いと評価することとし，労働時間以外の負荷要因として，勤務間インターバルが短い勤務や身体的負荷を伴う業務などを評価対象として追加した。短期間の過重業務・異常な出来事については，業務と発症との関連性が強いと判断できる場合を明確化し，「発症前おおむね1週間に継続して深夜時間帯に及ぶ時間外労働を行うなど過度の長時間労働が認められる場合」等を例示した。

49）「脳・心臓疾患の労災認定の基準に関する専門検討会」報告書・前掲（注48）によれば，「当該労働者と職種，職場における立場や職責，年齢，経験等が類似する者をいい，基礎疾患を有していたとしても日常業務を支障なく遂行できるもの」が同種労働者の基準とされるに至った。

50）さらに進んで，身体障害者（慢性心不全）であることを前提として業務に従事させ，その障害とされている基礎疾患が悪化して災害が発生した場合，業務起因性の判断基準は当該労働者となる旨判示したものとして，豊橋労基署長（マツヤデンキ）事件＝名古屋高判平22・4・16判タ1329号121頁。

増悪が，場合により業務に内在する危険が現実化したものと捉えることができるとされている[51]。

(4)　精神障害（による自殺）と業務起因性

労災保険法12条の2の2第1項は，労働者の故意による傷病，障害若しくは死亡等については保険給付を行わない旨規定している。従来の行政実務も，労働者の自殺の事案については，業務による心理的負荷により心因性精神障害を発病した者が精神異常・心神喪失の状態に陥って自殺した場合に限り業務上としていた。しかしながら，次第に労働者の自殺につき業務起因性（公務起因性）を認める裁判例がみられるようになった[52]。こうした裁判例の動向を受けて，1999（平成11）年通達（判断指針）[53]では，「①対象疾病（原則としてICD-10〔国際疾病分類第10回修正〕第Ⅴ章『精神および行動の障害』に分類される精神障害）に該当する精神障害を発病していること，②対象疾病の発病前おおむね6ヵ月の間に，客観的に当該精神障害を発病させるおそれのある業務による強い心理的負荷が認められること，③業務以外の心理的負荷及び個体側要因により当該精神障害を発病したとは認められないこと」という3要件を満たせば，業務上疾病として取り扱うこととし，より広い範囲で業務起因性を認める途を拓いた。こうした行政解釈は，環境由来の心理的負荷（ストレス＝業務による心理的負荷と業務以外の心理的負荷）と個体側の反応性，脆弱性との関係で精神的破綻が生じるかどうかが決まり，心理的負荷が非常に強ければ，個体側の脆弱性が小さくても精神的破綻が起こり，逆に脆弱性が大きければ，心理的負担が小さくても破綻が生ずるとする「ストレス―脆弱性」理論に依拠するものであった。業務による心理的負荷の強度を評価する際の基準としては，「同種の労働者（職

---

51)　最3判平8・1・23・前掲（注25・積極），地公災基金愛知県支部長（瑞鳳小学校）事件＝最3判平8・3・5集民178号621頁（公務起因性を否定した原審を破棄差し戻すも，差戻審で再度公務起因性否定。最2判平12・4・21労判781号15頁）。このほか中央労基署長（永井製本）事件＝東京高判平12・8・9労判797号41頁（積極），尼崎労基署長（森永製菓塚口工場）事件＝大阪高判平12・11・21労判800号15頁（積極），北大阪労基署長事件＝東京地判平28・4・18判タ1427号156頁（消極），大阪高判平29・12・26・前掲（注47・積極）など。

52)　初期のものとして，加古川労基署長（神戸製鋼所）事件＝神戸地判平8・4・26労判695号31頁，大町労基署長（サンコー）事件＝長野地判平11・3・12労判764号43頁など。

53)「心理的負荷による精神障害等に係る業務上外の判断指針について」（平11・9・14基発544号）。

種，職場における立場や経験等が類似する者)」を基準とすべきものとされた。

精神障害の発症にかかる相当因果関係のほか，精神障害と自殺との間の相当因果関係も問題となり得る。この点につき1999（平成11）年判断指針は，「ICD-10のF0からF4に分類される多くの精神障害では，精神障害の病態としての自殺念慮が出現する蓋然性が高いと医学的に認められることから，業務による心理的負荷によってこれらの精神障害が発病したと認められる者が自殺を図った場合には，精神障害によって正常の認識，行為選択能力が著しく阻害され，又は自殺行為を思いとどまる精神的な抑制力が著しく阻害されている状態で自殺が行われたものと推定し，原則として業務起因性が認められる」ものとし，医学的な観点から相当因果関係の存在を推定した。労災保険法12条の2の2第1項の解釈についても，通達は「業務上の精神障害によって，正常の認識，行為選択能力が著しく阻害され，又は自殺行為を思いとどまる精神的な抑制力が著しく阻害されている状態で自殺が行われたと認められる場合には，結果の発生を意図した故意には該当しない」との判断を示した[54]。

1999（平成11）年判断指針を契機に，業務上災害として労災認定される事案が増大した[55]。また業務外認定された事案に係る取消訴訟において，業務起因性を認める判決も相次いだ。

他方，自殺という結果を招来するかどうかに関わらず，精神障害の事案は，審査に多くの事務量が費やされ効率化が課題となるとともに，審査の迅速化も喫緊の課題となった[56]。そこで2011（平成23）年12月，新たな通達が発出され，従来の判断指針に代わる認定基準が定められた[57]。認定基準における認定要件は，①対象疾病を発病していること，②対象疾病の発病前おおむね6ヵ月の間に，業務による強い心理的負荷が認められること，③業務以外の心理的負荷及び個体側要因により対象疾病を発病したとは認められないこととされ，従来の判断指針を基本的に踏襲している。対象疾病の発病に至る原因の考え方も，従

54) 「精神障害による自殺の取扱いについて」（平11・9・14基発545号）。

55) 1999（平成11）年判断指針は，その後2009（平成21）年に一部改正された（改正指針。平21・4・6基発0406001号）。

56) 理論的には，急性ストレスの評価が中心となり，慢性ストレスが十分に評価されない等の問題が指摘されていた。田中建一「ストレス関連疾患の労災認定」『日本労働法学会誌』120号(2012年) 191-192頁。

57) 「心理的負荷による精神障害の認定基準について」（平23・12・26基発1226第1号）。

来の「ストレス―脆弱性」理論に依拠している。心理的負荷についても，「精神障害を発病した労働者がその出来事及び出来事後の状況が持続する程度を主観的にどう受け止めたかではなく，同種の労働者が一般的にどう受け止めるかという観点から評価される」とし，個体要因と切り離す立場を踏襲した。「同種の労働者」は，「職種，職場における立場や職責，年齢，経験等が類似する者をいう」とし，「職責，年齢」が付加された。

認定基準により，業務による心理的負荷の評価方法の改善が図られた。具体的には，判断指針でも用いられていた「心理的負荷評価表」につき，「出来事」（たとえば，病気・ケガなど）と「出来事後の状況」について分けていた表をまとめ，心理的負荷の総合評価を一括して行えるようにしたうえで，心理的負荷の「強（III）」「中（II）」「弱（I）」の判断につき具体的な例を挙げて示し，総合評価が「強」と判断される場合に認定要件を満たすものとされた。

認定基準によれば，「特別な出来事」に該当する「出来事」がある場合（たとえば，発病前1ヵ月で160時間以上あるいは3週間で120時間程度以上の極度の長時間労働を行った場合），それだけで心理的評価の総合評価を「強」と判断することとした。「特別な出来事」がない場合，類型化[58]された「具体的出来事」に当てはめたうえで，出来事ごとの心理的負荷の総合評価を図るものとし，出来事が複数ある場合，いずれかの出来事が「強」である場合には総合評価が「強」となるほか，いずれの出来事も単独では「強」とならなくとも，総合評価として「強」となる余地を残している。

またおおむね6ヵ月とする心理的負荷の強度の評価期間についても，いじめやセクシュアルハラスメントのように出来事が繰り返されるものについては，発病の6ヵ月よりも前からそれが開始され，発病前6ヵ月以内にも継続してい

58）出来事の類型として，①事故や災害の体験，②仕事の失敗，過重な責任の発生等，③仕事の量・質，④役割・地位の変化等のほか，⑤対人関係，⑥セクシュアルハラスメントが掲げられた。このうち③では，発病直前の2ヵ月間連続で月120時間以上又は3ヵ月間連続で月100時間以上の時間外労働である場合を，「強」としている。また⑤では，従来から「（ひどい）嫌がらせ，いじめ，又は暴行を受けた」が具体的出来事として挙げられていたところ，2019（令和元）年労働施策総合推進法改正に基づき，事業主にパワハラ防止をとるべき措置義務が課されたのに伴い，⑤パワーハラスメント（上司等から，身体的攻撃，精神的攻撃等のパワーハラスメントを受けた）が独立して挙げられるに至った（従来の⑤は⑥，⑥は⑦に繰り下げ）（令2・5・29基発0529第1号）。

る場合には，開始時からのすべての行為を評価の対象とすることとした。

こうした認定基準の発出により，精神障害に係る労災認定は増加傾向にある[59]。

以上の認定基準等を踏まえ，裁判例も一般に，精神障害が業務に内在する危険が現実化したものであると評価し得るか否かにつき，基本的には上述の「ストレス―脆弱性」理論に依拠しつつ判断してきた[60]。ただし，認定基準に基づく運用がなされて以降も，業務外認定の取消訴訟が認容される例は後を絶たない[61]。最近，業務自体の加重性に起因する「過労」型の事案と異なり，職場での上司等によるハラスメントやいじめが重要な要素となってうつ病等を発症したものと認定され，業務災害と認められる事案が多くみられ[62]，認定基準にも

59）精神障害の労災請求件数は，2020（令和2）年度2051件（前年度比9件増），支給決定件数608件（同99件増）であるのに対し，脳・心臓疾患の請求件数は784件（同152件減），支給決定件数194件（同22件減）であり，現在では脳・心臓疾患よりも精神障害のほうが請求件数・支給決定件数とも多い状況にある。厚生労働省ウェブサイト参照。

60）菅野・前掲書（注11）658-659頁。

61）業務起因性（公務起因性）を否定し不支給とした原処分を適法とした原判決を覆して原告の請求を認容した近時の裁判例として，天満労基署長（CSK）事件＝大阪高判平25・3・14労判1075号48頁，地公災基金名古屋市支部長（市営バス運転士）事件＝名古屋高判平28・4・21判時2308号133頁，三田労基署長（シー・ヴイ・エス・ベイエリア）事件＝東京高判平28・9・1判時2342号75頁，半田労基署長（医療法人）事件＝名古屋高判平29・3・16労判1162号28頁など。このほか，特徴ある事案として，中央労基署長（旧旭硝子ビルウォール）事件＝東京地判平27・3・23労判1120号22頁（海外勤務従事から7ヵ月後の精神障害発症・自殺につき業務起因性が認められた例），京都上労基署長（島津エンジニアリング）事件＝大阪高判令2・7・3労判1231号92頁（契約社員の正社員登用にかかる社長面談が強い心理的負荷を与えたとして原審を覆し業務起因性が認められた例），札幌東労基署長（カレスサッポロ）事件＝札幌地判令2・10・14労判1240号47頁（きつ音の看護師の試用期間延長後の自殺の業務起因性が認められた例）など。

62）注59）で挙げた2020（令和2）年度の支給決定件数608件のうち，1ヵ月平均の時間外労働時間数20時間未満の事案が68件を占める。請求が認容された近時の裁判例として，京都下労基署長（セルバック）事件＝京都地判平27・9・18判時2302号125頁（1年近くにわたる代表取締役からの叱責と長時間労働），広島中央労基署長（中国新聞システム開発）事件＝広島高判平27・10・22労判1131号5頁（3ヵ月間仕事を与えないなどのパワハラ），神戸西労基署長（阪神高速パトロール）事件＝大阪高判平29・9・29労判1174号43頁（上司のいじめ，嫌がらせ），伊賀労基署長（東罐ロジテック）事件＝大阪地判平30・10・24労判1207号72頁（上司の叱責），札幌東労基署長（紀文フレッシュシステム）事件＝札幌地判令2・3・13労判1221号29頁（営業部長によるセクハラ），福岡中央労基署長（新日本グラウト工業）事件＝

反映されるようになってきている[63]。

基準となる労働者については，「通常想定される範囲の同種労働者の中でもっとも脆弱な者」[64]，「同種の公務に従事し，又は当該公務に従事することが一般的に許容される程度の心身の健康状態を有する職員」[65]，「同種の平均的労働者（何らかの個体的脆弱性を有しながらも勤務軽減を必要とせず通常の業務を遂行できる者）」[66]，「何らかの個体側の脆弱性を有しながらも，当該労働者と職種，職場における立場，経験等の点で同種の者であって，特段の勤務軽減を要することなく通常業務を遂行することができる平均的労働者」[67]とするなど，一定の幅をもたせた「平均的労働者」を基準として明言するものが少なくない。業務起因性判断にあたり，労働者の主観的事情（個体側要因）を考慮に入れることは，被災者側の救済につながる一方，この立場を極限まで推し進めていくと，基準となる労働者を被災労働者本人と捉えることにつながりかねない（本人基準説）。労災保険給付が，使用者の災害補償責任を担保する責任保険としての基本的性格を有することに鑑みれば，一定の限界は設けざるを得ない[68][69]。

福岡地判令3・3・12労判1243号27頁（入社前に不安障害と診断されていた社員への上司の嫌がらせ・いじめ等）など。

63）注58）参照。

64）豊田労基署長（トヨタ自動車）事件＝名古屋地判平13・6・18労判814号64頁。

65）地公災基金神戸市支部長（長田消防署）事件＝神戸地判平14・3・22労判827号107頁。

66）渋谷労基署長（小田急レストランシステム）事件＝東京地判平21・5・20労判990号119頁。

67）秋田労基署長（ネッツトヨタ秋田）事件＝秋田地判平27・3・6労判1119号35頁。岐阜労基署長（アピコ関連会社）事件＝名古屋地判平27・11・18労判1133号16頁，三田労基署長事件＝東京地判平27・12・17労経速2269号8頁なども ほぼ同旨。

68）注50）掲記の裁判例のように，当初から障害者枠で採用した場合などは，当該労働者を基準とすべきであろう。

69）精神障害に罹患したことを具体的に認識し又は容易に認識し得べきであったにもかかわらず，適切な配慮措置等を採らなかったため自殺に至ったような場合には，業務に内在する定型的な危険が現実化したものとみて，業務起因性を認める余地があると考えられる。地公災基金静岡県支部長（磐田市立小学校）事件＝東京高判平24・7・19労判1059号59頁参照。業務災害（じん肺）で長期療養中，その心理的負荷により精神障害を発症し自殺に至った事案も，業務災害と精神障害の発症との間に相当因果関係が認められる限り，自殺による死亡も業務災害となる。倉敷労基署長事件＝岡山地判平24・9・26労経速2160号3頁。

3　複数業務要因災害

複数事業者のそれぞれの事業における業務上の負荷が，それぞれ単独では疾病等とのあいだに相当因果関係が認められないとしても，総合的に評価すれば過重労働に起因して発病したと認められる場合があることから，2020（令和2）年改正により，複数業務要因災害の類型が認められることになった。

複数業務要因災害とは，複数事業労働者[70)]（事業主が同一人でない2以上の事業に使用される労働者）の2以上の事業の業務を要因とする負傷，疾病，障害又は死亡をいい（労災7条1項2号），ここにいう疾病には，脳・心臓疾患，精神障害その他2以上の事業の業務を要因とすることが明らかな疾病とされている（労災則18条の3の6，労基則別表第1の2第8号・9号）。

4　通勤災害

通勤災害とは，労働者の通勤による負傷，疾病，障害又は死亡である（労災7条1項2号）。都市化やモータリゼーションの進展によって交通事故が多発し，通勤途上の災害に対する救済制度の必要性が認識される中で，フランス法を範として1973（昭和48）年に実施された制度である[71)]。

通勤とは，「労働者が，就業に関し，次に掲げる移動を，合理的な経路及び方法により行うことをいい，業務の性質を有するものを除く」（同条2項本文）とされ，「次に掲げる移動」として，①住居と就業の場所との間の往復，②就業の場所から他の就業の場所への移動，③第1号に掲げる往復に先行し，又は後続する住居間の移動（同項1号～3号）が掲げられている。従来，住居と就業の場所との間の往復のみが規定されていたのに対し，2005（平成17）年改正により，単身赴任者の赴任先住居と家族のいる自宅との間の往復や，二重就職者の事業場間の移動にまで対象が広げられた[72)]。

労働者が，上記①ないし③に掲げる移動の経路を逸脱し，又は移動を中断し

---

70)　これに類する者も含まれるとされ，負傷，疾病，障害又は死亡の原因又は要因となる事由が生じた時点において事業主が同一人でない2以上の事業に同時に使用されていた労働者が規定されている（労災則5条）。

71)　保原・前掲論文（注19）76-77頁。

72)　法改正前，勤務日前日の家族が住む自宅からの単身赴任先への移動途中の事故につき通勤災害と認めた事案として，高山労基署長事件＝名古屋高判平18・3・15労判914号5頁，大阪西労基署長事件＝大阪地判平18・12・13労判934号20頁。

た場合においては，当該逸脱又は中断の間及びその後の移動は「通勤」としない。ただし，当該逸脱又は中断が，日常生活上必要な行為であって厚生労働省令で定めるもの〔i）日用品の購入その他これに準ずる行為，ii）職業訓練，学校教育法1条に規定する学校において行われる教育その他これらに準ずる教育訓練であって職業能力の開発向上に資するものを受ける行為，iii）選挙権の行使その他これに準ずる行為，iv）病院又は診療所において診察又は治療を受けることその他これに準ずる行為，v）要介護状態にある配偶者，子，父母，配偶者の父母並びに同居し，かつ，扶養している孫，祖父母及び兄弟姉妹の介護[73]（継続的に又は反復して行われるものに限る）〕をやむを得ない事由により行う場合は，当該逸脱又は中断の間を除き，「通勤」とされる（労災7条3項，労災則8条）。裁判例では，夕食の買い物のため帰路から40メートル逸脱した場所での交通事故につき，通勤災害と認めなかったもの[74]，帰宅途中の飲酒行為が通勤の中断にあたりその後の負傷が通勤災害にあたらないとしたもの[75]がある。

法7条1項2号にいう「通勤による」とは，災害が経験則上通勤と相当因果関係にあること，すなわち通勤に内在する危険（たとえば，交通事故，駅の階段からの転倒）の現実化とみなされること（通勤起因性）である[76]。また同条2項にいう「就業に関し」とは，往復行為と業務との密接な関連を要求する趣旨である。この点に関連して，裁判例では，管理者会の会合及び懇親会への参加後の帰途における事故につき，懇親会への参加が業務と認定され通勤災害と認められたもの[77]，業務終了後の食事会が業務とはいえず，その後の帰途における

73）　この項目は，退勤途中に身体障害者の義父を介護する行為が，「日用品の購入その他これに準ずる行為」に含まれるとした判決（羽曳野労基署長事件＝大阪高判平19・4・18労判937号14頁）の後，新たに設けられた。

74）　札幌中央労基署長（札幌市農業センター）事件＝札幌高判平元・5・8労判541号27頁。

75）　立川労基署長（エムシー・エレクトロニクス）事件＝東京地判平14・8・21労経速1814号22頁。

76）　大阪南労基署長事件＝大阪高判平12・6・28労判798号7頁（最2決平12・12・22労判798号5頁〔上告申立て不受理〕。オウム真理教信者による通勤途上の殺害が通勤災害にあたらないとされた例）。飲酒酩酊が大きくかかわった事故を通常の通勤に生じる危険の発現とみることはできないとした例として，中央労基署長事件＝東京高判平20・6・25判時2019号122頁（本判決では，帰宅行為が業務終了後相当時間が経過した後であって，帰宅行為が就業に関してされたといい難いとも述べられている）。

77）　大河原労基署長事件＝仙台地判平9・2・25判時1606号145頁。

事故につき通勤災害と認められなかったもの[78]，歓送迎会後，帰宅途中の集団暴行による負傷・死亡につき，私的懇親会である歓送迎会は発起人が部長であっても業務とはいえない等として通勤災害と認められなかったもの[79]，従業員会主催のバドミントン大会への参加後，帰宅途中の交通事故につき，大会への参加は業務といえず通勤災害にあたらないとされたもの[80]，送別会終了後の二次会後，病院に戻った後の帰宅途中の病院長の自転車事故死につき，二次会参加は業務ではなく，病院でも業務に従事したとはいえないとし，通勤災害と認められなかったもの[81]，忘年会後のラーメン店での飲食等が業務ではないとし，通勤災害と認められなかったもの[82]，休日の小学校教諭の地域防災訓練参加途中の児童宅訪問の際の負傷につき公務起因性を認めたもの[83]などがある。組合活動やサークル活動のため居残った後の帰路における被災は，社会通念上就業と帰宅との直接の関連性を失わせるほど長時間後でないかぎり通勤災害と認められる[84]。

「住居」とは労働者の居住場所をいい，本来の自宅のほか，早出残業用に賃借しているアパートなども含まれ得る（単身赴任者の週末帰省につき法改正がなされたことについては先述した）。「就業の場所」とは業務を開始又は終了する場所をいい，いわゆる直行直帰型の訪問販売員や訪問介護員の場合，用務先（顧客・利用者宅）が就業の場所であり，自宅から最初の用務先までと，最後の用務先から自宅までの間が通勤に当たる。「合理的な経路及び方法」とは，住居と就業場所との間を往復する場合に，一般に労働者が用いるものと認められる経路及び手段をいい，必ずしも会社へ申告している手段に限定されない[85]。

78）　砺波労基署長事件＝大阪地判平 20・4・30 労経速 2019 号 16 頁。

79）　中央労基署長事件＝東京地判平 21・1・16 労判 981 号 51 頁。

80）　米沢労基署長事件＝東京地判平 22・10・4 判タ 1344 号 145 頁。

81）　八重山労基署長事件＝東京地判平 26・3・24 労経速 2209 号 9 頁。

82）　中央労基署長事件＝東京地判平 26・6・23 労経速 2218 号 17 頁。

83）　地公災基金山梨県支部長事件＝東京高判平 30・2・28 判時 2396 号 60 頁。

84）　勤務終了後 3 ないし 4 時間の仮眠をとり，さらに組合活動を約 3 時間 40 分行った後の帰途における被災につき，「就業に関し」行われた帰宅ではないとしたものとして，川崎南労基署長事件＝東京地判平 19・12・18 労判（ダ）958 号 87 頁。

85）　飲食を重ねていったん帰社しての帰路につき「合理的な経路」を逸脱しているとしたものとして，中央労基署長（集英社）事件＝東京地判平 2・10・29 労民集 41 巻 5 号 886 頁。

5　保険給付の種類

(1)　業務災害に関する給付

業務災害に対する保険給付としては，①療養補償給付，②休業補償給付，③障害補償給付，④遺族補償給付，⑤葬祭料，⑥傷病補償年金，⑦介護補償給付の7種類がある（労災12条の8第1項）。所得の保障のみならず，医療・介護といったサービスの保障も単一の法律の下で包括的に図られている点が，業務外災害に対する保障との比較において特徴的である。

①療養補償給付は，医療保険と同様，療養の給付という形での現物給付が原則である（同13条1項・2項）。患者一部負担はない。

②休業補償給付は，労働者が業務上の傷病による療養のため労働することができないために賃金を受けない日の第4日目から支給される（同14条1項本文）。ここで「労働することができない」とは，労働者が傷病の直前に従事していた業務に従事できないという意味ではなく，一般的な労働不能を意味する[86)]。最初の3日間は待期期間であり，労基法上の休業補償（労基76条1項）の対象となる[87)]。

休業補償給付の額は，原則として給付基礎日額の100分の60相当額であり，所定労働時間の一部分についてのみ労働した場合，給付基礎日額から賃金額を控除した額の100分の60相当額となる（労災14条1項但書）。給付基礎日額とは，労基法12条の平均賃金相当額であり（労災8条1項），平均賃金とは，原則としてこれを算定すべき事由の発生した日以前3ヵ月間にその労働者に対し支払われた賃金の総額を，その期間の総日数で除した金額をいう（労基12条1項）[88)]。平均賃金相当額を給付基礎日額とすることが適当でないと認められるときは，厚生労働省令で定めるところによって政府が算定する額を給付基礎日額とするものとされ（労災8条2項），最低保障額が定められている（労災則9条1項）。休業補償給付に係る給付基礎日額は，一定の幅を超える平均給与額の上

86)　大田労基署長（第2次）事件＝東京高判平29・1・25労経速2313号3頁（航空会社に雇用された副操縦士の腰痛が労災保険法の補償対象となるとした例）。

87)　休業補償給付は賃金請求権が発生しない休日などについても行われる。浜松労基署長（雪島鉄工所）事件＝最1判昭58・10・13民集37巻8号1108頁。

88)　給付基礎日額に固定残業代を算入していない点に誤りがあるとして，遺族補償給付等の支給処分が取り消された例として，茂原労基署長事件＝東京地判平31・4・26判タ1468号153頁。

下動があった場合，調整される（賃金スライド。労災８条の２第１項）。被災直前の３ヵ月間を基礎にした平均賃金を給付の基礎とするため，日本的雇用慣行（年功賃金制）を前提とした場合，とりわけ中高年の労災事故につき高額の給付がなされることになる[89)]。そこで療養開始日から１年６ヵ月を経過した日以後の給付基礎日額につき年齢階層別の最低限度額及び最高限度額が設けられ，若年者の給付額を引き上げる一方で高年者の給付額を抑えることとされている（同条２項）[90)]。後述する社会復帰等促進事業（同29条）の一環として，原則として給付基礎日額の20％相当額が休業特別支給金として支給されるため，休業中の所得保障はさらに手厚くなっている（労働者災害補償保険特別支給金支給規則〔以下，支給則〕３条）。

従来，複数の会社に就労している労働者の給付基礎日額の算定にあたっては，労基法上の補償責任を負う使用者が支払った賃金を基礎に算定することとされていた[91)]。しかし，これでは兼業・副業によって生計を立てている労働者にとっては不十分な補償しか受けられないという問題があった。そこで，2020（令和２）年改正により，複数事業者に雇用されている労働者の賃金を合算し，その合算額に基づく給付を行うこととした。この場合の給付基礎日額は，複数事業労働者を使用する事業ごとに算定した給付基礎日額に相当する額を合算した額を基礎として算定される（労災８条３項）。

③障害補償給付は，業務災害による負傷・疾病が「治った場合」（労基77条），厚生労働省令で定める障害等級に応じ支給される（労災15条１項）。ここにいう「治ったとき（治癒）」とは，医学的に従前の状態に回復することを意味せず，症状が固定し改善の余地がない状況に至ることをいう[92)]。障害等級は14に分かれており，１級ないし７級は障害補償年金，８級ないし14級は障害補償一時金が，それぞれ所定額支給される（同15条２項，別表第１，別表第２）[93)]。障

89）　ここでは年齢階層別の不公平を扱っているが，被保険者期間中の平均標準報酬額を基礎として算定される公的年金の算定方法と比較した場合の優位性（給付水準の高さ）も指摘できる。

90）　年金たる保険給付額の算定の基礎として用いる年金給付基礎日額についても，賃金スライドや年齢階層別最低・最高限度額の規定がおかれている（労災８条の３第１項・２項）。

91）　王子労基署長（凸版城北印刷）事件＝最３判昭61・12・16労判489号６頁。

92）　治癒とは，具体的には，疾病にあっては急性症状が消退し，慢性症状は持続してもその症状が安定し，医療効果がそれ以上期待し得ない状態になったときをいう。中央労基署長事件＝東京地判平25・1・24労経速2183号３頁。

害補償年金については，障害等級に応じた一定日数限度内での一括前払いの制度がある（障害補償年金前払一時金制度。同59条）。受給権者が早期に死亡し，それまでの年金支給総額が前払い一時金の限度額に達しない場合，その差額が一時金として法定順位にしたがって一定の遺族に支給される（障害補償年金差額一時金制度。同58条）。また社会復帰促進等事業の一環として，障害等級に応じた障害特別支給金（支給則4条）による上乗せ給付を行うほか，給付基礎日額には賞与等３ヵ月を超える期間の賃金が算入されないため，これらの特別給与分を上乗せする趣旨で障害特別年金（同7条）及び障害特別一時金（同8条）も支給される。

④遺族補償給付は，遺族補償年金及び遺族補償一時金からなる（労災16条）。遺族補障年金を受け取ることができる遺族は，労働者の配偶者，子，父母，孫，祖父母及び兄弟姉妹であって，労働者の死亡の当時その収入によって生計を維持していたもののうち，妻（事実婚を含む）以外の者については，一定の要件（i夫〔事実婚を含む〕・父母・祖父母については，60歳以上であること[94]，ii子又は孫については，18歳に達する日以後の最初の3月31日までの間にあること，iii兄弟姉妹については，18歳に達する日以後の最初の3月31日までの間にあること又は60歳以上であること，iv前3号の要件に該当しない夫，子，父母，孫，祖父母又は兄弟姉妹については，厚生労働省令で定める障害の状態にあること）に該当した場合に限る（同16条の2第1項）。遺族補償年金を受けるべき遺族の順位は，配偶者，子，父母，孫，祖父母及び兄弟姉妹の順序とし（同条3項），別表第１に規定する額とする（同16条の3第1項）。遺族補償年金の給付額は，受給権者及びその者と生活を同じくしている受給権者となりうる者の人数に応じて定まる（同16条の3，別表第1）。遺族補償年金についても，給付基礎日額の1000日分までの前払い支給がなされ得る（遺族補償年金前払一時金制度。同60条）。社会復帰促進等事業の

93）障害等級表上の性別による差別的取扱いが憲法14条1項に違反するとされた例として，園部労基署長事件＝京都地判平22・5・27判時2093号72頁。同判決を受け，障害等級表上の性別による別扱いは解消された。ただし同判決は，性別による5級もの差が合理的理由なく性別による差別的取扱いである旨判示したにとどまる。同判決を引用しつつ秋田地判平22・12・14裁判所ウェブサイト（LEX/DB文献番号25443090）は，自賠法上の後遺障害別等級表上の性別による2級の違いを平等原則に反しないとした。

94）最3判平29・3・21集民255号55頁は，地方公務員災害補償法の事案であるが，夫にのみ設けられた年齢制限を憲法14条1項に反せず合憲であると判示した。

一環として，一律の遺族特別支給金（支給則5条）のほか，3ヵ月の期間を超える期間の賃金分を上乗せする趣旨の遺族特別年金（同9条）もある。

遺族補償一時金は，ⓘ労働者の死亡の当時遺族補償年金を受けることができる遺族がないとき（配偶者でありながら生計維持関係にない場合など），ⓘⓘ遺族補償年金を受ける権利を有する者の権利が消滅した場合において，他に当該遺族補償年金を受けることができる遺族がなく，かつ，当該労働者の死亡に関し支給された遺族補償年金の額の合計額が当該権利が消滅した日においてⓘに該当することとなるものとしたときに支給されることとなる遺族補償一時金の額に満たないときに支給される。ⓘの場合，給付基礎日額の1000日分が支給され，ⓘⓘの場合，1000日との差額分が支給される（労災16条の6第1項，16条の8）。対象となる遺族とは，ⓘ配偶者，ⓘⓘ労働者の死亡の当時その収入によって生計を維持していた子，父母，孫及び祖父母並びに兄弟姉妹，ⓘⓘⓘ前号に該当しない子，父母，孫及び祖父母並びに兄弟姉妹である（同16条の7第1項）。社会復帰促進等事業の一環として，3ヵ月の期間を超える期間の賃金分を上乗せする趣旨の遺族特別一時金（支給則10条）もある。

⑤葬祭料は，通常葬祭に要する費用を考慮して厚生労働大臣が定める金額を支給するとされ（労災17条），31万5000円に給付基礎日額の30日分を加えた額が支給される（最低額は給付基礎日額の60日分。労災則17条）。

⑥傷病補償年金は，業務上負傷し，又は疾病（傷病）にかかった労働者が，当該傷病に係る療養開始後1年6ヵ月を経過した日又は同日後において，当該傷病が治っておらず，かつ傷病による障害の程度が厚生労働省令に定める傷病等級（1級ないし3級）の程度に達している場合（労働不能の場合）に支給される（労災12条の8第3項，18条1項，別表第1）。傷病補償年金が支給される場合，休業補償給付は行われない（同18条2項）。社会復帰促進等事業として，傷病等級に応じた傷病特別支給金（支給則5条の2）及び同年金に3ヵ月の期間を超える期間分の賃金分を上乗せする傷病特別年金（同11条）の支給がなされる。

⑦介護補償給付は，障害補償年金又は傷病補償年金を受ける権利を有する労働者が，その受ける権利を有する障害補償年金又は傷病補償年金の支給事由となる障害であって厚生労働省令で定める程度のものにより，常時又は随時介護を要する状態にあり，かつ常時又は随時介護を受けているときに，当該介護を受けている間（障害者支援施設で生活介護を受けている間，これに準ずる施設として

厚生労働大臣が定めるものに入所している間，病院又は診療所に入院している間を除く），当該労働者の請求に基づいて行う（労災12条の8第4項）。支給額は，月を単位とし，常時又は随時介護を受ける場合に通常要する費用を考慮して厚生労働大臣が定める額とする（同19条の2）。

⑵　複数業務要因災害に関する給付

複数業務要因災害に関する保険給付としては，①複数事業労働者療養給付（労災20条の3，13条），②複数事業労働者休業給付（同20条の4，14条，14条の2），③複数事業労働者障害給付（同20条の5，15条2項，15条の2），④複数事業労働者遺族給付（同20条の6，16条の2〜16条の9），⑤複数事業労働者葬祭給付（同20条の7，17条），⑥複数事業労働者傷病年金（同20条の8，18条，18条の2），⑦複数事業労働者介護給付（同20条の9，19条の2）がある。複数業務要因災害では，どの事業場においても業務と疾病との間に相当因果関係が認められず，「補償」の語も用いられていないものの，業務災害に関する規定が準用されており，基本的には業務災害に関する給付と共通した内容である。給付基礎日額を算定する際，複数事業労働者を使用する全事業の賃金を合算した額を基礎に給付額が算定される。

⑶　通勤災害に関する給付

通勤災害に関する保険給付としては，①療養給付（労災22条，13条），②休業給付（同22条の2，14条・14条の2），③障害給付（同22条の3，15条2項，15条の2），④遺族給付（同22条の4，16条の2〜16条の9），⑤葬祭給付（同22条の5，17条），⑥傷病年金（同23条，18条・18条の2），⑦介護給付（同24条，19条の2）がある。使用者の補償責任に基づく給付とは性格を異にするため「補償」の語は用いられていないものの，業務災害に対する規定が準用されており，基本的には業務災害に関する給付と共通した内容である。ただし療養給付については，いわゆる第三者行為災害などの場合を除き（労災則44条の2第1項），200円を超えない範囲で一部負担金が課され得る（労災31条2項）。また休業給付に係る休業開始後3日間の待期期間については，休業補償給付の受給者のように使用者の休業補償（労基76条）の対象とならない。

⑷　二次健康診断等給付

二次健康診断等給付は，過労死型労災への社会的関心が高まる中で，その防止をねらいとして2000（平成12）年改正により導入されたものである。労働安全衛生法が義務付けている定期健康診断（労安衛66条）のうち，直近のもの（一次健康診断）において，血圧検査，血液検査その他業務上の事由による脳血管疾患及び心臓疾患の発生にかかわる身体の状態に関する検査であって，厚生労働省令で定めるもの（血圧の測定，コレステロール等の量の検査，血糖検査，腹囲の検査又はBMIの測定など〔労災則18条の16第1項〕）が行われた場合において，当該検査を受けた労働者がそのいずれの項目にも異常の所見があると診断されたときに，当該労働者に対し，その請求に基づき行われ（労災26条1項），二次健康診断と特定保健指導からなる（同条2項）。

6　社会復帰促進等事業

政府は，労災保険の適用事業に係る労働者及びその遺族について，社会復帰促進等事業として，①療養に関する施設及びリハビリテーションに関する施設の設置及び運営その他業務災害，複数業務要因災害及び通勤災害を被った労働者（被災労働者）の円滑な社会復帰を促進するために必要な事業，②被災労働者の療養生活の援護，被災労働者の受ける介護の援護，その遺族の就学の援護，被災労働者及びその遺族が必要とする資金の貸付けによる援護その他被災労働者及びその遺族の援護を図るために必要な事業，③業務災害の防止に関する活動に対する援助，健康診断に関する施設の設置及び運営その他労働者の安全及び衛生の確保，保険給付の適切な実施の確保並びに賃金の支払の確保を図るために必要な事業を行うことができる（労災2条の2，29条1項）。従来，労働福祉事業という名称であったものが，2009（平成21）年雇用保険法等改正法により名称変更と事業内容の縮小が図られたものである。

前述した特別支給金等は，②に基づく事業であり，支給の要件と手続が法律で定められておらず，法定の保険給付よりも権利性は弱いと考えられる[95)]。

95)　特別支給金は保険給付と一体で支給されるものではあるが，労働福祉事業（社会復帰促進等事業の前身）の一環として支給されるものであるので，保険給付とは法的性格を異にする旨判示したものとして，コック食品事件＝最2判平8・2・23民集50巻2号249頁。ただし同判決は，特別支給金が被災労働者の損害を塡補する性質を有しておらず，損害賠償額から控除することができないこととの関連でこのように判示したものである。

7　給付調整・制限，受給権保護

(1)　他の社会保険給付との調整

従来から，労災保険は業務上の負傷，疾病をカバーし，健康保険は業務外の事由に基づく負傷，疾病をカバーするとの制度的な役割分担がなされてきた。しかし，労災保険が業務外認定を行う一方，健康保険が業務上と認定し，どちらの給付も受けられない消極的競合の可能性が従前から指摘されていた[96)]。実際，請負の形式で業務を行うシルバー人材センターの会員の負傷や，学生のインターンシップでの負傷などの場合，どちらの給付もなされない事態があることが問題となり[97)]，健康保険における業務上・外の区分を廃止し，労災保険の給付が受けられない場合には健康保険の対象とすることとなった[98)]。具体的には，2013（平成25）年健康保険法改正により，保険給付の対象として従来の「業務外の事由」から「業務災害（〔労災保険法7条1項1号〕に規定する業務災害をいう。）以外の事由」と改めるとともに（健保1条），法人の役員の業務上の疾病（5人未満の法人を除く）[99)]については保険給付を行わない旨，明文で規定するに至った（同53条の2）。

年金保険との調整については，障害補償給付若しくは障害給付を受ける権利を有する者には障害手当金は不支給とされ（厚年56条），障害厚生年金・遺族厚生年金は，その受給権者が当該傷病について労基法上の障害補償・遺族補償を受ける権利を取得したときは，6年間支給を停止する（厚年54条1項，64条）。障害補償年金・傷病補償年金・遺族補償年金と障害厚生年金・障害基礎年金・遺族厚生年金・遺族基礎年金が（障害，死亡といった）同一の事由により支給される場合，労災保険給付が減額支給され（労災15条2項，16条の3第1項，18条

---

96)　西村381頁。

97)　奈良地判平27・2・26裁判所ウェブサイト（LEX/DB文献番号25447120。受注した庭木の剪定作業中の傷害が業務外の事由による負傷とは認められないとして，健保法上の高額療養費の不支給処分が適法とされた例）。

98)　第59回社会保障審議会医療保険部会（2012〔平成24〕年11月28日）資料4。

99)　5人未満の法人役員については，その事業の実態等を踏まえ，当面の措置として，従前と同様，健康保険の適用がなされる。「法人の代表者等に対する健康保険の適用について」（平15・7・1保発0701002号）。東京高判平28・5・25裁判所ウェブサイト（LEX/DB文献番号25448487。健康保険の被保険者である会社〔被保険者5名〕の代表取締役の作業従事中の負傷についての健保法上の療養の給付の不支給決定が適法とされた例）参照。

1項，別表第1)，厚生年金等は全額支給される[100]。

(2)　給付制限等

労働者が，故意に負傷，疾病，障害若しくは死亡又はその直接の原因となった事故を生じさせたときは，政府は，保険給付を行わない（労災12条の2の2第1項)。この規定が通達により，「業務上の精神障害によって，正常の認識，行為選択能力が著しく阻害され，又は自殺行為を思いとどまる精神的な抑制力が著しく阻害されている状態で自殺が行われたと認められる場合には，結果の発生を意図した故意には該当しない」と解釈されていることについては既に述べた[101]。

偽りその他不正の手段により保険給付を受けた者があるときは，政府は，その保険給付に要した費用に相当する金額の全部又は一部をその者から徴収することができる（同12条の3第1項)。その場合において，事業主が虚偽の報告又は証明をしたためその保険給付が行われたものであるときは，政府は，その事業主に対しても，保険給付を受けた者と連帯して前項の徴収金を納付すべきことを命ずることができる（同条2項)。

(3)　受給権保護

保険給付を受ける権利は，労働者の退職によって変更されることはない（労災12条の5第1項)。また保険給付を受ける権利は，譲り渡し，担保に供し，又は差し押さえることができない（同条2項)。租税その他の公課は，保険給付として支給を受けた金品を標準として課すことはできない（同12条の6)。

第6款　費用負担

1　労災保険の費用負担

政府が徴収する労災保険の保険料は他の社会保険とは異なり，事業主のみが負担義務を負う。このことは，元来労災保険が使用者の労基法上の災害補償責任に代わるものであったとの沿革に由来する。具体的には，労働保険の保険料

---

100)　これに対し，老齢を支給事由とする年金については，労災保険と厚生年金等の調整が行われておらず，定年後に従前所得を超えるような所得の保障を認めることが妥当かという問題がある。西村382頁，笠木ほか417頁。

101)　注54）参照。

の徴収等に関する法律（第4款参照）の定めるところによる（労災30条）。事業主が保険料を納付しなくても，労働災害に係る保険給付はなされる。ただし，保険給付に要した費用の徴収に関して，①事業主が故意又は重大な過失により保険関係成立に係る届出をしていない期間中の事故，②事業主が一般保険料（労保徴10条2項1号）を納付しない期間中の事故，③事業主が故意又は重大な過失により生じさせた業務災害の原因である事故について保険給付を行ったとき，政府は保険給付に要した費用に相当する金額の全部又は一部を事業主から徴収することができる（労災31条1項）。

このほか，国庫は，予算の範囲内において，労災保険事業に要する費用の一部を補助することができる（同32条）。

2　労働保険の保険料の徴収等に関する法律

(1)　労働保険料

政府は，労働保険の事業に要する費用にあてるため保険料を徴収する（労保徴10条1項）。この労働保険料の種類は，①一般保険料，②第一種特別加入保険料，③第二種特別加入保険料，④第三種特別加入保険料，⑤印紙保険料，⑥特例納付保険料からなる（同条2項）。

①は，事業主がその事業に使用するすべての労働者に支払う賃金の総額（賃金総額。同11条2項）を基礎として算定される保険料であり，賃金総額に一般保険料に係る保険料率（労災保険及び雇用保険に係る保険関係が成立している事業にあっては労災保険率と雇用保険率とを加えた率，労災保険に係る保険関係のみが成立している事業にあっては労災保険率，雇用保険に係る保険関係のみが成立している事業にあっては雇用保険率。同12条1項）を乗じた額である（同11条1項）。労災保険率には，基準労災保険率（同12条2項）とメリット労災保険率（同条3項）がある。前者は，労災保険の適用を受けるすべての事業の過去3年間の業務災害，複数業務要因災害及び通勤災害に係る災害率並びに二次健康診断等給付に要した費用の額，社会復帰促進等事業として行う事業の種類及び内容その他の事情を考慮して厚生労働大臣が定める（労保徴則16条1項，別表第1）。これは事業の種類ごとに決められるもので，労災事故発生の多少にもとづく事業間の不公平をなくすとの趣旨による。後者は，個別事業間の不公平をなくし，災害防止努力を促進するとの趣旨から，過去3年間の保険収支率が100分の85を超え，又

は100分の75以下である場合，一定の範囲内（基本的には40%）で，その事業の翌々保険年度の労災保険率を改定する仕組みである[102)]。

雇用保険率は，一般の事業については1000分の15.5，農林水産，清酒製造の事業などについては1000分の17.5，建設の事業については1000分の18.5とされている（労保徴12条4項）。ただし，雇用状況等に鑑み，雇用保険率は暫定的に引き下げられることが少なくなかった[103)]。また雇用保険財政は，その時々の雇用情勢で大きく変動し得ることから，これらの料率は保険財政が一定の状況に至った場合，一定の幅（一般の事業については1000分の11.5から19.5）で変更され得る（同12条5項）[104)]。この場合，厚生労働大臣は，一定の要件を満たす場合であって，必要があると認めるときは，労働政策審議会の意見を聴いて，1年以内の期間を定め，変更することができる[105)]。

②は，労災保険特別加入の中小事業主及びその事業主が行う事業に従事する者（第一種特別加入者）についての保険料（同13条，労災34条1項），③は，労災

102）過去3年間の保険収支率を基礎とするのは，1年間のメリット収支率だけでメリット労災保険率を決定すると，偶発的に生じた災害の影響に左右されるとの保険数理的要素を勘案したものである。同様の観点から，適用に際して一定以上の「規模」（労働者数）を要件とすることも定められている（労保徴12条3項，20条，労保徴則17条，35条1項）。レンゴー事件＝最1決平13・2・22判時1745号144頁は，労災不支給処分取消を求めた本案訴訟において，メリット制により次々年度以降の保険料が増額される可能性があるから，事業主は労働基準監督署長を補助するために本案訴訟に参加することが許されるとした。なお，メリット制の適用を受ける特定事業主は，業務災害支給処分の取消訴訟の原告適格を有するが，労働保険料認定処分の取消訴訟において業務災害支給処分の違法を主張することは許されないとした裁判例として，医療法人社団X事件＝東京地判平29・1・31訟月64巻10号1442頁（控訴審・東京高判平29・9・21訟月64巻10号1502頁も結論を維持）。後段部分の判示はともかくとして，事業主が業務災害支給処分の取消訴訟の原告適格を有するとの前段部分は，被災労働者への迅速・確実な補償という観点から疑問がある。

103）2020（令和2）年改正でも，2021（令和3）年度までの暫定措置として，それぞれ1000分の13.5, 1000分の15.5, 1000分の16.5とされた（同附則11条1項）。

104）これらの料率についても，2020（令和2）年改正により，2021（令和3）年度までの暫定措置として，1000分の9.5から17.5とされた（同附則11条2項）。なお，2020（令和2）年改正により失業等給付から育児休業給付が切り離されたことに伴い，変更に係る算定において，育児休業給付に係る分が除外された。

105）2021（令和3）年度の雇用保険料率（一般の事業）は，1000分の9（うち労働者負担〔失業等給付の保険料率のみ〕1000分の3，事業主負担1000分の6）である。なお，雇用保険の国庫負担については，第2節第5款参照。

保険特別加入の一人親方，個人運送業，特定作業従事者など（第二種特別加入者）についての保険料（労保徴14条，労災35条1項），④は，労災保険特別加入の海外派遣労働者（第三種特別加入者）についての保険料（労保徴14条の2，労災36条1項），⑤は，雇用保険の日雇労働被保険者について徴収される保険料（労保徴22条，雇保43条1項），⑥は，事業主が雇用保険の保険関係成立の届出を行わない中で失業等給付が支給された場合，当該事業主に対して保険料納付勧奨がなされ，それに基づき納付される保険料（労保徴26条，雇保14条2項2号，22条5項）である。

(2)　その他

労働保険事務についての中小事業主の負担を軽減するとの趣旨から，労働保険に関する事項を事業主に代わって処理する労働保険事務組合がおかれており，中小企業等協同組合法3条の事業協同組合又は協同組合連合会その他の事業主の団体又はその連合団体は，団体の構成員又は連合団体を構成する団体の構成員である事業主その他厚生労働省令（労保徴則62条）で定める事業主の委託を受けて，労働保険事務を処理することができるものとされている（労保徴33条）。

このほか，労働保険料その他この法律の規定による徴収金の徴収，又はその還付を受ける権利につき，2年の消滅時効が設けられている（同41条1項）。

第7款　不服申立て等

保険給付に関する決定に不服のある者は，労働者災害補償保険審査官（労災保険審査官）に対して審査請求をし，その決定に不服のある者は，労働保険審査会に対して再審査請求をすることができる（労災38条1項）。従来，明文規定がない中で，労災保険法による保険給付に関する決定に不服のある者は，労災保険審査官に対して審査請求をした日から3ヵ月を経過しても決定がないときには，審査請求に対する決定及び労働保険審査会に対する再審査請求の手続を経ないで，処分の取消しの訴えを提起することができる旨の最高裁判決が出された[106]。これを機に明文規定（同条2項）がおかれ，現行法上，前項の審査

106）　那覇労基署長事件＝最1判平7・7・6民集49巻7号1833頁。

請求をしている者は，審査請求をした日から3ヵ月を経過しても審査請求についての決定がないときは，労働者災害補償保険審査官が審査請求を棄却したものとみなすことができる旨，規定する。

不服申立てと訴訟の関係については，労災保険法38条1項に規定する処分の取消しの訴えは，当該処分についての審査請求に対する労働者災害補償保険審査官の決定を経た後でなければ提起することができないとする不服申立前置主義を採用している（同40条）。

このほか，消滅時効の特則がおかれ，療養補償給付，休業補償給付，葬祭料，介護補償給付，複数事業労働者療養給付，複数事業労働者休業給付，複数事業労働者葬祭給付，複数事業労働者介護給付，療養給付，休業給付，葬祭給付，介護給付及び二次健康診断等給付を受ける権利は，これらを行使できる時から2年を経過したとき，障害補償給付，遺族補償給付，複数事業労働者障害給付，複数事業労働者遺族給付，障害給付及び遺族給付を受ける権利は，これらを行使できる時から5年を経過したとき，時効によって消滅する（同42条）。

第8款　労災民訴

1　労災保険と損害賠償請求

労働基準法では，労災保険法その他同法の災害補償に相当する給付が行われるべきものである場合，使用者は労基法上の災害補償の責を免れるものとされており（労基84条1項），労災保険法等が災害補償の大部分の機能を担っている。他方，損害賠償請求との関連では，「同一の事由」につき災害補償や労災保険給付の価額を超える損害については，使用者は民法上の損害賠償責任を免れないものとされている（同条2項参照）。比較法的には，アメリカの多くの州やフランスなど，労災補償を優先し，原則として民法上の損害賠償請求を認めない立法例もみられるのに対し，日本では労災補償と損害賠償との二本立てを認めている（併存主義）。

実際，労災保険法に基づく保険給付がなされる事案においても，別途，数多くの損害賠償請求訴訟が提起されてきた。こうした訴訟は労災民訴（労災民事訴訟）と呼ばれている。

2　安全配慮義務

使用者の損害賠償責任を追及するための法律構成として，かつては不法行為責任（民709条・715条），工作物責任（同717条）の構成が一般的であった[107)]。その後，債務不履行構成をとる下級審裁判例が登場し[108)]，公務員の事案に係る1975（昭和50）年の最高裁判決により，「ある法律関係に基づいて特別な社会的接触の関係に入った当事者間において，当該法律関係の付随義務として当事者の一方又は双方が相手方に対して信義則上負う義務」[109)]としての安全配慮義務の法理が確立された。同法理は，その後の最高裁判決[110)]において，雇用契約上の義務として，使用者は「労働者が労務提供のため設置する場所，設備もしくは器具等を使用し又は使用者の指示のもとに労務を提供する過程において，労働者の生命及び身体等を危険から保護するよう配慮すべき義務」として認められた。これ以後，現在の労災民訴に係る事案では，安全配慮義務違反の有無が争点となる例が多くみられる[111)]。

安全配慮義務構成の意義につき，原則論としては，不法行為構成では過失をはじめとする要件事実を被災労働者側が主張・立証しなければならないのに対し，債務不履行構成では帰責事由の不存在を使用者側が主張・立証することになる点が挙げられる。もっとも最高裁は，「義務の内容を特定し，かつ，義務違反に該当する事実を主張・立証する責任は……原告にある」[112)]とし，安全配

---

107)　菅野・前掲書（注11）670頁。

108)　門司港運事件＝福岡地判昭47・11・24判時696号235頁など。

109)　自衛隊八戸車両整備工場事件＝最3判昭50・2・25民集29巻2号143頁。

110)　川義事件＝最3判昭59・4・10民集38巻6号557頁。

111)　このほか事故事案で安全配慮義務違反が裁判上認められてきた分野として，学校事故が挙げられる。安全配慮義務違反構成をとった上での認容例として，横浜地判平13・3・13判時1754号117頁，東京高判平13・9・26判例自治238号84頁，東京地判平17・9・28判タ1214号251頁など。近時，介護事故分野で安全配慮義務違反が問われるケースが多い。認容例として，横浜地判平17・3・22判時1895号91頁，大阪高判平18・8・29賃社1431号41頁，大阪高判平19・3・6賃社1447号55頁，水戸地判平23・6・16判時2122号109頁，東京地判平24・3・28判時2153号40頁，福岡地大牟田支判平24・4・24賃社1591＝1592号101頁，大阪高判平25・5・22判タ1395号160頁，東京地判平25・10・25判例集未登載（LEX/DB文献番号25515600），福岡地小倉支判平26・10・10判例集未登載（LEX/DB文献番号25504949），福岡地判平28・9・12裁判所ウェブサイト（LEX/DB文献番号25448353），大阪地判平29・2・2判時2346号92頁，さいたま地判平30・6・27判時2419号56頁，京都地判令元・5・31賃社1750号49頁など。

慮義務違反の内容の特定と，具体的な義務違反の事実の立証責任まで被災労働者側に負わせている。その意味では不法行為構成よりも特段に有利とは言えないとも言い得るし，さらに不法行為法上の注意義務を高度化すれば，法律構成による実質的違いはそれほどないとも言い得る[113]。時効についても，請求権競合となるにもかかわらず時効期間の違いが生ずるのは妥当でないとの観点から，2020（令和2）年の改正民法施行により，債権の消滅時効（民166条1項1号）[114]とともに，人の生命・身体を害する不法行為による損害賠償請求権の消滅時効（同724条の2）は，ともに権利を行使することができることを知ったときから5年間となった。ただし，遺族固有の慰謝料（不法行為についてのみ認められる〔同711条〕）[115]，遅延損害金の起算点（不法行為では損害の発生時であるのに対し，債務不履行の場合は債権者の請求〔同412条3項〕による[116]）など，なお違いも残されている。

労働契約法は，判例法上認められてきた安全配慮義務を明文化し，「使用者は，労働契約に伴い，労働者がその生命，身体等の安全を確保しつつ労働ができるよう，必要な配慮をするものとする」旨規定する（労契5条）。ただし，依然として抽象的な一般条項にとどまるため，その具体的内容については判例法の展開に依るべき面が大きい[117]。

112）航空自衛隊芦屋分遣隊事件＝最2判昭56・2・16民集35巻1号56頁。

113）新入社員の過労自殺に係る事案である電通事件＝最2判平12・3・24民集54巻3号1155頁は，安全配慮義務とは明言せず，「使用者は，その雇用する労働者に従事させる業務を定めてこれを管理するに際し，業務の遂行に伴う疲労や心理的負荷等が過度に蓄積して労働者の心身の健康を損なうことがないよう注意する義務を負う」と判示し，使用者責任（民715条）を認めた。

114）民法改正前の事案において，消滅時効の起算点は損害発生時であるが，職業性疾病の場合，最終の行政上の決定を受けた時から進行するとされた。日鉄鉱業事件＝最3判平6・2・22民集48巻2号441頁（じん肺）。ただし，じん肺によって死亡した場合の損害については，死亡の時から進行するとされる。筑豊じん肺訴訟（日鉄鉱業事件）＝最3判平16・4・27集民214号119頁。

115）債務不履行を理由とする遺族固有の慰謝料請求はできないとされる。大石塗装・鹿島建設事件＝最1判昭55・12・18民集34巻7号888頁。

116）最1判昭55・12・18・前掲（注115）。

117）この点に関し，水島郁子「障害・疾病労働者への配慮義務（労働法学の立場から）」『ジュリスト』1317号（2006年）239-240頁は，労働者の安全・健康に関する法規や安全配慮義務違反の有無が争われた裁判例を整理すると，安全配慮義務には，①作業環境整備義務，②安全衛生

労災民訴で争われる事案は多様であるが，労災保険給付をめぐる業務上外認定を争う取消訴訟と同様，労災民訴においても，近年，脳・心臓疾患[118]や精神障害[119]の発症につき，使用者の損害賠償責任が問われる事案が多くみられ，同様に，アスベスト曝露被害[120]をめぐる訴訟も増えている。

労災民訴と，労災保険給付をめぐる業務外認定を争う取消訴訟との違いとして，第1に，前者では使用者の過失（安全配慮義務違反あるいは注意義務違反）が必要とされるのに対し，後者は無過失責任であるという点[121]，第2に，前者

実施義務，③適正労働条件措置義務，④健康管理義務，⑤適正労働配置義務という内容が含まれるとする。

118)　令和以降の認容例として，フルカワ事件＝福岡高判令元・7・18労判1223号95頁，La Tortuga事件＝大阪地判令2・2・21判時2452号59頁，アルゴグラフィックス事件＝東京地判令2・3・25労判1228号63頁，サンセイほか事件＝東京高判令3・1・21労判1239号28頁，株式会社まつりほか事件＝東京地判令3・4・28労判1251号74頁など。

119)　令和以降の認容例のうち，過重労働による精神障害発症（による自殺）の事案として，Y歯科医院事件＝福岡地判平31・4・16労経速2412号17頁，岐阜県厚生農業協同組合連合会事件＝岐阜地判平31・4・19判時2436号96頁，福井県・若狭町（中学教員）事件＝福井地判令元・7・10判時2433号98頁，青森三菱ふそう自動車販売事件＝仙台高判令2・1・28労経速2411号3頁，豊和事件＝大阪地判令2・3・4労判1222号6頁，過重労働とパワハラ・いじめが重複する事案として，池一菜果園事件＝高知地判令2・2・28労判1225号25頁，パワハラ等が主な要因となった事案として，福生病院企業団事件＝東京地立川支判令2・7・1労判1230号5頁など。

120)　最近の認容例として，竹林塗装工業事件＝大阪地判平27・4・15労経速2246号18頁，ニチアス事件＝岐阜地判平27・9・14判時2301号112頁，住友ゴム工業事件＝大阪高判令元・7・19判時2448号5頁など。国の規制権限不行使が争われた判例として，最1判平26・10・9民集68巻8号799頁（労働基準法に基づく省令制定権限不行使が国家賠償法上違法となる余地を認めた例），最1判令3・5・17民集75巻5号1359頁（労働安全衛生法に基づく規制権限不行使が国家賠償法上違法とされた例）。建設作業従事者の石綿粉じんばく露による健康被害に関して全国各地で提起されたいわゆる建設アスベスト訴訟で，労働安全衛生法に基づく国の権限不行使が国賠法上違法とされた上記の令和3年最高裁判決を契機として，判決において国の責任が認められた者と同様の苦痛を受けている者について，その損害の迅速な賠償を図るため，「特定石綿被害建設業務労働者等に対する給付金等の支給に関する法律」（令3法74）が同年制定され，対象者に対し最大1300万円の給付金を支給することになった。

121)　小児科医のうつ病発症による自殺につき，業務上外認定につき業務起因性を認める一方，損害賠償請求につき相当因果関係は肯定しつつも安全配慮義務違反を否定した事案として，新宿労基署長（佼成病院）事件＝東京地判平19・3・14労判941号57頁，立正佼成会事件＝東京高判平20・10・22労経速2023号7頁。うつ病に係る事案で，同様の結論に至った裁判例として，江戸川労基署長（四国化工機工業）事件＝高松高判平21・12・25労判999号93頁，四国

では労災事故の発生に際しての労働者の落ち度，基礎疾患など寄与原因，家族側の事情などにより，民法722条2項ないし民法418条（過失相殺）の（類推）適用がなされ得る[122]点が挙げられる。他方，相当因果関係については，業務起因性判断が困難な疾病等につき争われるケースが少なくない[123]。損害額（逸失利益）の算定につき，不法就労外国人の労災事故をめぐる事案で，予想される日本での就労可能期間（3年）は日本での収入等を基礎とし，その後は想定される出国先での収入等を基礎として算定すべきとした最高裁判決がある[124]。

前述したように，安全配慮義務は，判例上，特別な社会的接触関係に入った当事者間に認められたものである。したがって，厳密な意味での労働契約関係の存在がなくとも安全配慮義務が肯定され得る。もっとも，労働契約関係にお

化工機ほか事件＝高松高判平27・10・30労判1133号47頁があり，労災保険の給付決定を得ていながら損害賠償責任が否定された裁判例として，佐川急便・羽田タートルサービス事件＝仙台高判平22・12・8労経速2096号3頁，ヤマダ電機事件＝前橋地高崎支判平28・5・19労判1141号5頁，マツヤデンキほか事件＝大阪高判令2・11・13労判1242号33頁。

122)　NTT東日本北海道支店事件＝最1判平20・3・27労判958号5頁（民法722条2項の過失相殺につき，裁判所の職権で行い得るとした上で，同項を類推適用しなかった原審の判断に違法があるとした例）。8割もの減額がなされた例（いずれも精神障害罹患による自殺）として，東加古川幼児園事件＝大阪高判平10・8・27労判744号17頁（上告不受理：最3決平12・6・27労判795号13頁），三洋電機サービス事件＝東京高判平14・7・23労判852号73頁。ただし，最2判平12・3・24・前掲（注113）によれば，「ある業務に従事する特定の労働者の性格が同種の業務に従事する労働者の個性の多様さとして通常想定される範囲を外れるものでない」場合には，「その性格及びこれに基づく業務遂行の態様等を，心因的要因としてしんしゃくすることはできない」と判示し，さらに東芝事件＝最2判平26・3・24判時2297号107頁は，自らのメンタルヘルスに関する情報を使用者に申告しなかった事案において，「労働者にとって，自己のプライバシーに属する情報であり，人事考課等に影響し得る事柄として通常は職場において知られることなく就労を継続しようとすることが想定される性質の情報であったといえる」中で，使用者としては，欠勤の繰り返し，業務軽減の申出などが「過重な業務によって生じていることを認識し得る状況にあり，その状態の悪化を防ぐために上告人の業務の軽減をするなどの措置を執ることは可能であった」として，2割の過失相殺をした原審を破棄差し戻した（差戻審・東京高判平28・8・31労判1147号62頁）。

123)　横浜市立保育園事件＝最3判平9・11・28集民186号269頁（保育園保母の頸肩腕症候群につき，業務との間に因果関係が認められた例）。最2判平24・2・24集民240号111頁は，弁護士費用につき「事案の難易，請求額，認容された額その他諸般の事情を斟酌して相当と認められる額の範囲内のものに限り」安全配慮義務違反と相当因果関係に立つ損害であるとする。

124)　改進社事件＝最3判平9・1・28民集51巻1号78頁。

いては，労働者が使用者の指揮命令下で労働すること自体に労働者の生命・健康に対する危険を内在しており，そこから労働者の健康管理等の積極的作為義務も導き出され得る。したがって，労働契約と同視し得るような関係の存在が前提条件として必要となる[125]。

第9款　労災をめぐる課題

近時，労働災害をめぐる訴訟の多くは，脳・心疾患，精神疾患による過労死・過労自殺などをめぐって争われており，業務上外認定を争う取消訴訟，損害賠償請求訴訟ともに，被災労働者側が勝訴する事案も少なくない。こうした法的紛争を防止するためには，基本的には労働者の働き方そのものの抜本的な見直しが必要である。2014（平成26）年には，過労死等防止対策推進法が制定され，政府に対し，過労死等の防止のための対策を効果的に推進するため，過労死等の防止のための対策に関する大綱を定めることを義務づけるとともに（同法7条1項），厚生労働省に，この大綱を定めるに際して意見を聴く（同条3項）ための，当事者等，労・使代表者及び専門的知識を有する者のうちから大臣によって任命される過労死等防止対策推進協議会を置くものとした（同法12条，13条）。

最近では，必ずしも過重な業務を前提としないパワハラ・いじめに起因する精神疾患発症の事案も増えている。2019（令和元）年改正により，ハラスメント対策の強化が図られ，パワーハラスメント防止対策として，事業主に対するパワハラ防止のための雇用管理上の措置義務と不利益取扱いの禁止（労働施策

---

125)　土田道夫『労働契約法〔第2版〕』（有斐閣，2016年）551頁。下請労働者の労災事故につき元請人の損害賠償責任を認めるにあたって，「雇傭契約ないしこれに準ずる法律関係上の債務不履行」に言及したものとして，最1判昭55・12・18・前掲（注115）。三菱重工業事件＝最1判平3・4・11集民162号295頁では，元請企業は下請企業の労働者に対し，信義則上，安全配慮義務を負うとした原審を是認した。同様に元請企業の安全配慮義務違反を認めたものとして，日鉄鉱業松尾採石所事件＝最3判平6・3・22労判652号6頁。ティー・エム・イーほか事件＝東京高判平27・2・26労判1117号5頁は，派遣元会社と派遣先会社の安全配慮義務違反を認め，日本総合住生活事件＝東京高判平30・4・26判時2436号32頁は，二次下請業者を含む安全配慮義務違反を認めた。なお，安全配慮義務そのものではないが，最1判令3・5・17・前掲（注120）は，建材メーカーらに対し，大工らへの民法719条1項後段（共同不法行為）の類推適用による損害賠償責任を認めた。

推進30条の2）などを規定するとともに，セクシュアルハラスメント等の防止対策として，労働者が事業主にセクハラ等の相談をしたこと等を理由とする事業主による不利益取扱いの禁止（雇均11条）等を規定した。今後は，政府によるメンタルヘルス対策の整備とともに，企業の対応がいっそう求められる状況にある[126)]。

また最近，多様な働き方に対する法的保護のあり方が議論され，その中で労災保険制度の側での対応が課題となっている。その一環として，2021（令和3）年省令（労災則）改正において特別加入制度の対象範囲が拡大された。就労に伴って発生する災害時の補償の必要性は，労基法の適用対象となる労働者のみならず，障害者の福祉的就労の場面などでも同様に認められる。特別加入制度の拡大という政策的方向性がみられるとはいうものの，責任保険的な性格をなおも失っていない労災保険としての対応に限界はないのかなど，それ以外の法的枠組みの創設も含め，今後さらなる立法論的検討が求められる。

労災保険の年金給付は，特別給付金制度，給付基礎日額の算定方法などから，業務外の災害に際して支給される年金給付よりも相当手厚い給付水準となっている。また年金保険との調整については，障害・遺族年金との関係で調整がなされるのに対し，老齢年金との調整が行われないという問題がある[127)]。使用者の損失補償という本来的性格を勘案しても，稼働期を過ぎて老齢期（定年後）になった後までこうした優遇措置を継続する合理性があるかなど，他の制度との整合性も今後検証される必要があるように思われる。

126）医療保障の概念の中に，予防―治療―リハビリテーションという一連の流れを包括的に捉える視点が含まれているのと同様，労災に関しても，予防―補償―職場復帰支援という一連の流れを包括的に捉え，労働者の労災補償に対する権利保障を行うとの視点が有益であるように思われる。労働安全衛生法令と労災保険法を「労災の防止と補償の結びつきの法理」によって統合する見方を提示するものとして，有田謙司「安全衛生・労災補償の法政策と法理論」日本労働法学会編『講座労働法の再生第3巻　労働条件論の課題』（日本評論社，2017年）212-216頁。

127）注100）参照。

第2節　雇用保険

第1款　失業（雇用）保険制度の展開

1　失業保険法の成立

国際的にみると，イギリスの1911年国民保険法により初めての強制失業保険制度が設けられたのに対し[128]，日本では，戦前まで失業保険制度は存在しなかった。本格的な検討が開始されたのは，GHQの指導の下，戦後社会政策立法制定に向けての動きが活発化してからである[129]。

失業保険法は1947（昭和22）年に制定された[130]。被保険者につき（イ）製造業，鉱業，運輸業，サービス業，卸売業及び小売業の事業所であって常時5人以上の従業員を雇用するもの，（ロ）法人の事務所であって，常時5人以上の従業員を雇用するもの，（ハ）（イ）（ロ）に該当しない官公署[131]に雇用される者を当然被保険者とし，当然被保険者に該当しない労働者であっても一事業主のもとに雇用されている労働者数の2分の1以上の者が加入を希望し，労働大臣の認可を受けた場合，任意包括被保険者とした。そして保険給付は，被保険者が離職し，労働の意思と能力がありながら就職できない場合，離職の日以前1年間に通算して6ヵ月以上被保険者期間があれば，180日分の失業保険金を離職後1年間に受けることができるものとされた[132]。

128）諸外国における失業保険制度の沿革については，労務行政研究所編『新版雇用保険法』（労務行政，2004年）25-44頁。

129）雇用保険の歴史的沿革については，菊池馨実「雇用保険法」島田陽一＝菊池馨実＝竹内（奥野）寿編著『戦後労働立法史』（旬報社，2018年）521頁以下。

130）争点となったのは，公務員と女子労働者への強制適用の可否であった。結局，公務員は民間労働者に比べて失業のおそれが少ないことを理由として原則適用除外とされた。女子については結婚退職など失業とは認め難い離職が多いので任意適用とすべき旨，政府の起草委員会で結論付けたものの，憲法に明記された男女同権の立場から女子も強制適用すべきとのGHQの反対で，結局強制適用とされた。横山和彦＝田多英範編著『日本社会保障の歴史』（学文社，1991年）108-109頁。

131）ただし，注130）で述べたように，国，都道府県，市町村その他これらに準ずるものの事業に雇用される者のうち，離職した場合に，他の法令，条例，規則等に基づいて支給を受けるべき恩給等の内容が，本法に規定する保険給付の内容を超えると認められる場合，これを被保険者としない旨の規定がおかれた。

失業保険法制定と同じく1947（昭和22）年，職業紹介など失業保険と密接に関連する職業安定法も制定された。

その後，1949（昭和24）年改正では，緊縮経済による大量失業者の発生という事態への対処策として，日雇失業保険制度が創設された。1955（昭和30）年改正では，季節的労働者等による濫給への対処策として，それまで一律の給付日数であったのを改め，被保険者期間の長短により給付日数を4段階化した（270日，210日，180日，90日）。

2　就職促進施策の充実

1960（昭和35）年改正では，産炭地離職者対策として，公共職業訓練等受講中の給付日数延長制度，広域職業紹介活動命令地域に係る給付日数延長制度の導入（90日），早期就職促進策として，就職支度金制度の導入，国庫負担率の引下げ（3分の1から4分の1へ）などが行われた。さらに1963（昭和38）年改正では，給付充実策として，一般失業保険金日額の最高限度額引上げ，自発的離職者・中高年離職者への対応策として資格期間通算制度の導入，職業訓練のための技能習得手当・寄宿手当制度の導入などが行われた。1969（昭和44）年改正では，5人未満事業所等の一部への適用範囲の拡大，20年以上長期被保険者の給付日数引上げ（270日から300日へ）などがなされた。また同年，失業保険料と労災保険料の一元的徴収を図るため，労働保険の保険料の徴収等に関する法律が制定された。

3　雇用保険法の制定

戦後まもなくの失業保険法制定以来，労働力過剰から（とくに若年）労働力不足へ，産業構造の変革に伴う雇用への影響，高齢化社会への移行に伴う中高年齢者の雇用問題，その他失業保険制度における種々の問題の顕在化（たとえば，若年女子受給者・季節受給者問題，就職支度金制度の濫用）などの状況変化がみられた。そこで1974（昭和49）年，失業保険法に代わって雇用保険法が制定されるに至った。旧法との比較でいえば，原則的に全ての規模の事業所を強制適用とした点，失業給付日数に年齢別の段階制を設けた点，基本手当給付額を，

132）　このほか失業保険法と同時に，多数の失業者の発生が予想された社会情勢に対処するため，失業保険の受給資格を備えるまでの間の暫定的・経過的立法として，失業手当法が制定された。

中間の賃金等級の100分の60を標準とし，それ以下は100分の70，それ以上は100分の50まで段階的に増減した点，季節的労働者を短期雇用特例被保険者とし，保険料率を引き上げ，給付は30日分の特例一時金とした点，就職促進給付制度の廃止，いわゆる雇用三事業を設けた点（雇用改善事業，能力開発事業，雇用福祉事業）などに特徴がみられる。雇用保険法の制定に伴い，それまでの「失業」リスクの発生への対処策から，雇用改善事業・能力開発事業による雇用の維持・促進といった雇用保障的機能をもつに至った。

4　雇用保険制度の展開

雇用保険法制定後も，法改正がしばしば行われてきた。主な改正としては，1977（昭和52）年改正による雇用安定事業の創設，1979（昭和54）年改正による雇用開発事業（雇用安定事業に包含される事業）の創設，1984（昭和59）年改正による基本手当日額の引上げ，所定給付日数の変更（年齢別に加え被保険者期間別の段階制を加える），給付制限（自己都合退職）期間の延長（2ヵ月から3ヵ月へ），再就職手当の創設といった給付引き締め策の一方で，高年齢求職者給付金制度の創設，1989（平成元）年改正による短時間労働被保険者の創設，雇用安定事業と雇用改善事業の統合，1994（平成6）年改正による雇用継続給付制度（高年齢雇用継続給付，育児休業給付）の創設，1998（平成10）年改正による教育訓練給付制度・介護休業給付制度の創設，高年齢求職者給付金の額等の改正などがなされた。

21世紀に入っても，経済情勢の変化に伴う保険財政の悪化，雇用慣行・雇用形態の変化，少子高齢化の進展などを背景として，2000（平成12）年改正による求職者給付の倒産，解雇等による離職者（特定受給資格者）への重点化，再就職手当の見直し，2003（平成15）年改正による求職者給付給付率，上・下限額の見直し，就職促進手当の創設，2007（平成19）年改正による短時間労働被保険者の区分廃止，雇用福祉事業の廃止をはじめとして，ほぼ毎年といってよいほど頻繁に法改正がなされており，なかでも2020（令和2）年改正では，65歳までの雇用確保措置の進展等を踏まえた高年齢雇用継続給付の縮小，複数事業主に雇用される65歳以上の労働者に対する保険適用，育児休業給付の失業等給付からの分離・独立といった雇用政策をめぐる多様な課題に対応した改正が行われた。

第2款　目的と保険者・被保険者

1　目　的

制定当初の失業保険法1条は，法目的を「被保険者が失業した場合に，失業保険金を支給して，その生活の安定を図ること」としていた。失業に際しての生活の安定という非常にシンプルな法律であったことが窺える。これに対し，雇用保険法と名称を変えた現在，保険事故ないし給付事由として，労働者の「失業」，「雇用の継続が困難となる事由が生じた場合」，「労働者が自ら職業に関する教育訓練を受けた場合」に加え，2020（令和2）年改正により「労働者が子を養育するための休業をした場合」が掲げられている。その意味では，単に失業の発生を保険事故とする「失業」保険の範疇に収まり切らない広がりを有している。また法目的としても，「労働者の生活及び雇用の安定」のほか，「失業の予防，雇用状態の是正及び雇用機会の増大，労働者の能力の開発及び向上その他労働者の福祉の増進を図ること」（雇保1条）が掲げられており，広く労働市場政策一般との関わりをもつ。その意味で，国民の生活保障を目的として捉えてきた従来の社会保障法とは異なる性格を帯有しているということができる[133)]。ただし，社会保障法の「国民等による主体的な生の追求を可能にするための前提条件の整備」との側面に着目する本書の立場からは，雇用保険法の守備範囲の多くを社会保障法の一環として取り込むことに違和感はないと言わねばならない。なぜなら，雇用保険は，失業時の生活保障という消極的な仕組みにとどまらず，労働者が自ら雇用を維持・促進し，能力を開発することにより，雇用を通じての自律が図られ得るよう支援するための積極的な仕組みとして位置づけられるからである[134)]。

2　保険者及び被保険者

雇用保険の保険者は政府である（雇保2条1項）。実際には，雇用保険法に基づく厚生労働大臣の権限は，都道府県労働局長に委任され，さらに公共職業安

133）　西村386頁，荒木・読本〔3版〕153頁。労働法では労働市場法の重要な一分野をなしている。

134）　基本手当の文脈であるものの，高畠淳子「失業による労働生活の中断と所得保障」『社会保障法』27号（2012年）152-153頁参照。

定所長に再委任されている（同81条1項・2項）。

これに対して，被保険者は適用事業に雇用される労働者であって，6条各号の適用除外者（後述）以外のものをいう（同4条1項）。適用事業とは，労働者が雇用される事業をいう（同5条）[135]。したがって，「労働者」性の有無が問題となるが[136]，基本的には労基法9条の「労働者」と同様の判断基準で判断される[137]。

被保険者の種類としては，①一般被保険者（②ないし④の被保険者以外の者），②高年齢被保険者（65歳以上の被保険者で，③及び④に該当する者を除く。雇保37条の2第1項），③短期雇用特例被保険者（季節的に雇用されるもののうち，i）4ヵ月以内の期間を定めて雇用される者[138]，ii）1週間の所定労働時間が20時間以上厚生労働大臣の定める時間数〔30時間〕未満である者，のいずれにも該当しない者〔④に該当する者を除く〕。同38条1項），④日雇労働被保険者（被保険者である日雇労働者

135）　農林事業及び畜産・養蚕・水産の事業のうち労働者が常時5人未満の個人経営の事業（法人を除く）は，当分の間，任意適用事業とされる（暫定任意適用事業。雇保附則2条1項，雇保令附則2条）。

136）「労働者」性を否定した裁判例として，所沢職安所長事件＝東京高判昭59・2・29労民集35巻1号15頁（経営コンサルタント），アンカー工業事件＝東京地判平16・7・15労判880号100頁（アンカー職人）。肯定例として，大阪西職安所長（日本インシュアランスサービス）事件＝福岡高判平25・2・28判時2214号111頁（支店の専門職スタッフ）。

137）　西村390頁。東京地判平16・7・15・前掲（注136）は，雇用保険法における労働者というためには，事業者との間に雇用関係が存することが必要であるところ，この雇用関係とは，民法623条による雇用契約が締結されている場合にとどまらず，指揮監督下の労働があり，その労務対償性が認められる関係をいうとする。福岡高判平25・2・28・前掲（注136）は，雇用保険法上の労働者というためには，事業主に対し，労務を提供し，賃金，給料，手当，賞与その他名称のいかんを問わず，その対償の支払を受ける関係があることを必要とするということができ，民法623条による雇用契約が締結されている場合にとどまらず，仕事の依頼や業務に従事すべき旨の指示等に対する諾否の自由の有無，業務遂行上の指揮命令の有無，場所的・時間的拘束性の有無，代替性の有無，報酬の性格，当該労務提供者の事業者性の有無，専属性の程度，その他の事情をも総合考慮して，雇用保険法上の保護を与えるに相当な関係が存すれば足りる旨のより詳細な判示を行っている。これに対し，中益陽子「本件判批」『ジュリスト』1480号（2015年）123頁以下は，労基法と異なる判断を示したかのような本判決の説示に疑問を呈し，労基法上の労働者と同一に考えるべきことを主張する。

138）　日本企業防衛保障事件＝東京高判昭54・6・13判時945号136頁（試用期間3ヵ月と定めて雇用された労働者を適用除外者にあたらないとする取扱いが不合理とはいえないとされた例〔資格取得届出義務を懈怠した事業主の詐欺被告事件〕）。

〔日々雇用される者又は30日以内の期間を定めて雇用される者であって，前2ヵ月の各月において18日以上同一の事業主の適用事業に雇用された者及び同一の事業主の適用事業に継続して31日以上雇用された者を除く〕であって，i)「適用区域」に居住し，適用事業に雇用される者，ii) 適用区域外の地域に居住し，適用区域内にある適用事業に雇用される者，iii) 適用区域外の地域に居住し，適用区域外の地域にある適用事業であって，厚生労働大臣が指定したものに雇用される者，iv) 厚生労働省令で定めるところにより公共職業安定所長の認可を受けた者，のいずれかに該当する者。同42条，43条1項）がある。

複数就業者に対するセーフティネットの整備の一環として，2020（令和2）年改正により，上述した②高年齢被保険者の特例という形で，2以上の事業主の適用事業に雇用される65歳以上の者であり，1つの事業の適用事業における1週間の所定労働時間が20時間未満であっても，2以上の事業所合算で1週間の所定労働時間の合計が20時間以上である場合，厚生労働大臣への申出を行った日から高年齢被保険者となることができることとなった（雇保37条の5第1項）。

適用除外とされる者[139]としては，(1) 1週間の所定労働時間が20時間未満である者（日雇労働被保険者を除く），(2) 同一の事業主の適用事業に継続して31日以上雇用されることが見込まれない者（前2ヵ月の各月において18日以上同一の事業主の適用事業に雇用された者及び日雇労働被保険者を除く）[140]，(3) 季節的に雇用される者であって，①4ヵ月以内の期間を定めて雇用される者，②1週間の所定労働時間が20時間以上厚生労働大臣の定める時間数（30時間）未満である者のいずれかに該当するもの，(4) 学校教育法1条，124条又は134条1項の学校の学生又は生徒であって，前各号に掲げる者に準ずるものとして厚生労働省令で定める者，(5) 船員法1条に規定する船員であって，漁船に乗り組むために雇用される者（1年を通じて船員として適用事業に雇用される場合を除

139）従来，65歳に達した日以後に雇用される者を適用除外としていたのに対し，高齢者の雇用を一層推進するとの観点から，2016（平成28）年改正により，適用対象となった（高年齢被保険者〔同37条の2第1項〕）。

140）(2) の適用除外に関しては，いわゆるリーマン・ショック以来の不況を背景として，2009（平成21）年法改正により，従来の1年以上雇用見込みを6ヵ月以上雇用見込みに緩和したのに続き，2010（平成22）年改正により31日以上雇用見込みとし，大幅に緩和するとともに法律上明文で規定するに至った。

く)，(6) 国，都道府県，市町村その他これらに準ずるものの事業に雇用される者のうち，離職した場合に，他の法令，条例，規則等に基づいて支給を受けるべき諸給与の内容が，求職者給付及び就職促進給付の内容を超えると認められる者であって厚生労働省令で定めるもの，が掲げられている（同6条）。これらのうち，(1) でみられるように，週の所定労働時間が20時間未満である者が適用を除外されている点に，雇用保険の生活保障機能のひとつの限界がある。

3　保険関係の成立と消滅

保険関係の成立及び消滅については，先述したように（第1節第4款），労働保険の保険料の徴収等に関する法律の定めるところによる（雇保5条2項）。事業主は，その雇用する労働者に関し，被保険者となったこと等に係る事項の届出義務が課される（同7条）[141]。厚生労働大臣は，この届出若しくは8条の規定による請求により，又は職権で，労働者が被保険者となったこと又は被保険者でなくなったことの確認を行うものとする（同9条）[142]。被保険者又は被保険者であった者は，いつでもこの確認を請求することができる（同8条）[143]。離職した者は，従前の事業主等に対して，求職者給付の支給を受けるために必要な証明書の交付を請求することができ，当該事業主等はその請求に係る証明書を交付しなければならない（同76条3項）[144]。

---

141) 被保険者資格を取得する基準日は，適用事業に雇い入れられた日であり，届出は既に生じている被保険者資格の得喪の事実を保険者に認識させ，保険関係が成立していることを把握させるための手続的行為にすぎない。西村394-395頁。なお，事業主の届出義務懈怠により雇用保険給付が受給できなかったことにつき，損害賠償請求訴訟が提起された例として，角兵衛寿し事件＝大阪地判平元・8・22労判546号27頁（労働者が被保険者資格の得喪に関し確認の請求を行うことができ，基本手当相当額の損害が生じたとはいえないとされた例），大真実業事件＝大阪地判平18・1・26労判912号51頁（離職証明書の「短時間」の欄に丸を付して公共職業安定所に提出したことと失業等給付を受給できなかったこととの間に因果関係がないとされた例），グローバルアイ事件＝東京地判平18・11・1労判（ダ）926号93頁（手続懈怠がなければ教育訓練給付金の支給を受ける可能性があったとして，慰謝料15万円が認められた例），医療法人一心会事件＝大阪地判平27・1・29労判1116号5頁（労働契約の付随義務としての資格取得届出義務懈怠を認め，給付金と同額の賠償を命じた例）。

142) 確認の行政処分性を認めた裁判例として，池袋職安所長事件＝東京地判平5・3・8労民集44巻2号300頁。

143) 大阪地判平元・8・22・前掲（注141）参照。

144) 基本手当の受給資格者は，失業の認定に先立ち，公共職業安定所長から離職票の交付を受け

第3款　保険給付

1　失業等給付

失業等給付は，その目的，性格により求職者給付，就職促進給付，教育訓練給付，雇用継続給付に分けられる（雇保10条1項）。

求職者給付は，失業した場合の生活の安定を図り求職活動を容易にすることを目的とする給付であり，一般被保険者には基本手当，技能習得手当，寄宿手当，傷病手当（同条2項），高年齢被保険者には高年齢求職者給付金（同37条の2第1項），短期雇用特例被保険者には特例一時金（同38条1項），日雇労働被保険者には日雇労働求職者給付金（同43条1項）がそれぞれ支給される（同10条3項）。また就職促進給付は就業促進手当・移転費・就職活動支援費（同条4項），教育訓練給付は教育訓練給付金（同条5項），雇用継続給付は高年齢雇用継続給付（高年齢雇用継続基本給付金・高年齢再就職給付金）・介護休業給付金（同条6項）からなる（図2参照）。

このほか通則として，失業等給付の支給を受けることができる者が死亡した場合において，生計を同じくしていた一定の家族がいる場合の給付請求（同10条の3，31条），不正受給等の場合における政府による一部又は全部の返還命令及び給付額の2倍相当額以下の納付命令（同10条の4），失業等給付を受ける権利の譲渡，担保付保，差押えの禁止（同11条），公租公課の禁止（同12条）につき規定している。

2　求職者給付

(1)　基本手当

以下では，求職者給付の中でもっとも中心的な基本手当につきみていくことにする。

基本手当は一般被保険者が失業した場合に支給される。この「失業」とは，

なければならず，離職票の交付を請求するためには，原則として離職証明書の添付が必要であるものの（雇保則17条1項），その者を雇用していた事業主の所在が明らかでないことその他やむを得ない理由があるときは添付を要しない（同条3項）。藤京作業事件＝横浜地判昭59・4・27判タ530号186頁，日本航測事件＝大阪地判昭63・5・25労判530号94頁，大阪地判平元・8・22・前掲（注141）。

図2　失業等給付等の体系

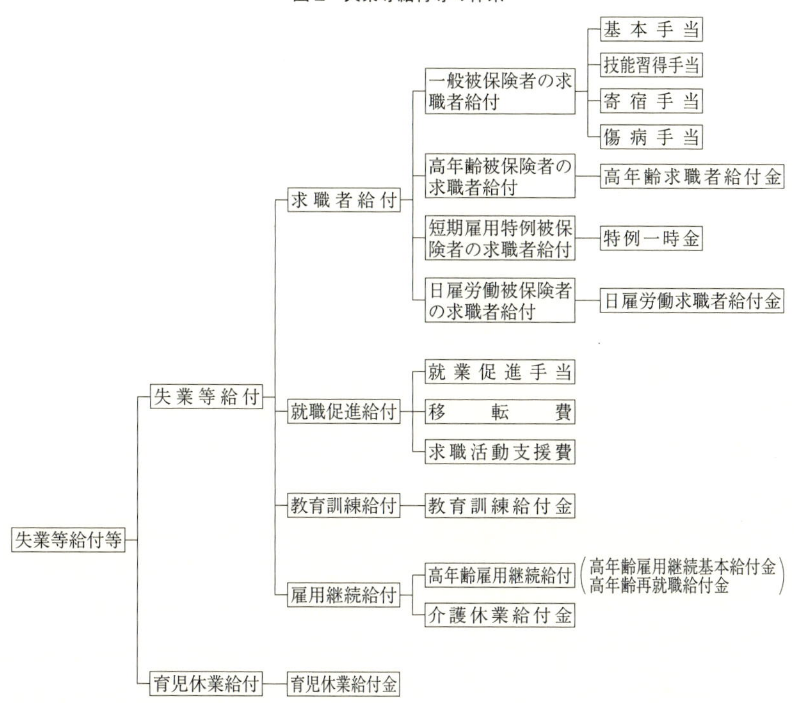

被保険者が離職（被保険者について，事業主との雇用関係が終了すること〔同4条2項〕）し，労働の意思及び能力を有するにもかかわらず，職業に就くことができない状態にあることをいう（同条3項）。労働の「意思及び能力」が要件となるため，たとえば，妊娠・出産・育児・介護・大学院進学のための離職や，疾病・負傷等を理由とする離職は原則として給付対象とならない。「職業に就く」とは，自ら営業を営みあるいは他人に雇用される場合のほか，その名目いかんを問わず実質上会社と委任関係に立つ場合を含み，労務等の対価として報酬等の経済的利益の取得を期待しうる地位にあれば現実にその支払を受けることを条件としないとされる[145]。

基本手当の支給を受けるための受給資格として，原則として被保険者が失業

145）　別府職安所長事件＝大分地判昭36・9・29労民集12巻5号905頁（代表取締役への就任が就職にあたるとした例）。

した場合において，離職の日以前2年間（算定対象期間という）に被保険者期間が通算12ヵ月以上であったこと（雇保13条1項）が挙げられている。ただし，特定理由離職者（期間の定めのある労働契約の期間が満了し，かつ当該労働契約の更新がないこと〔その者が更新を希望したにもかかわらず更新についての合意が成立に至らなかったいわゆる雇止めの場合に限る〕その他のやむを得ない理由〔同33条1項の正当な理由。雇保則19条の2第2号〕により離職した者）及び特定受給資格者（離職が倒産又は適用事業の縮小・廃止に伴うものである者，解雇等の理由により離職した者）[146]については，離職の日以前1年間に被保険者期間が6ヵ月あれば受給資格を充足するものとされている（雇保13条2項・3項）。被保険者期間の算定については，被保険者でなくなった日の前日から1ヵ月毎に区切り（その日に応当する日がない月においてはその月の末日。以下，喪失応当日），1ヵ月に賃金の支払の基礎となった日数が11日以上あるとき，被保険者期間1ヵ月として計算する（同14条1項本文）。被保険者になった日からその日後における最初の喪失応当日の前日までの期間の日数が15日以上あり，かつ，当該期間内における賃金の支払の基礎となった日数が11日以上であるときは，被保険者期間2分の1ヵ月として計算する（同項但書。同項の適用にあっては，被保険者期間が12ヵ月〔特定理由離職者及び特定受給資格者については6ヵ月〕に満たない場合，最低11日という日数だけでなく賃金の支払の基礎となった時間数が80時間以上であるものも1ヵ月として計算する。同条3項）。最後に被保険者となった日前に，当該被保険者が受給資格を取得したことがある場合には，当該受給資格に係る離職の日以前における被保険者であった期間は被保険者期間に含めない（同条2項1号）[147]。

146）解雇が無効である場合や後に撤回された場合，雇用関係が遡及的に復活するため，その間は賃金請求権の問題として扱われる。金沢地判昭48・4・27労民集24巻6号535頁（解雇後に会社と組合との間で解雇撤回の合意がなされたことにより，失業保険法〔当時〕にいう失業状態は遡及的に消滅したとして国から従業員に対する不当利得返還請求が認容された例）。西村399頁は，立法論として，基本手当が支払われた場合，労働者の賃金請求権が保険者に移行するとして使用者に対する求償の問題として処理する方が適切であるとする。

147）草加職安所長事件＝最2判昭62・4・26労判509号84頁（原審・東京高判昭61・9・26行集37巻9号1170頁）（受給資格を有していた者が就職して被保険者となり，かつ6ヵ月間経過しないうちに離職した場合，後の離職は基本手当の受給資格に係る離職に当たらないとして，当初の離職の日の翌日から起算して1年間の日を基本手当の受給期間の満了日とし，その翌日以降基本手当を支給しない旨の処分が適法とされた例），出雲職安所長事件＝広島高松江支判平元・5・31労判548号87頁（原審・松江地判昭63・4・27労判519号97頁）（受給資格取得

基本手当は，受給資格を有する者が失業している日について支給する（同15条1項）。この失業の認定を受けようとする受給資格者は，離職後，公共職業安定所に出頭し，離職票に本人確認書類を添えて提出し，求職の申込みをしなければならない（同条2項，雇保則19条）。失業の認定は，求職の申込みを受けた公共職業安定所において，受給資格者が離職後最初に出頭した日から起算して4週間に1回ずつ直前の28日の各日について行うのが原則である（雇保15条3項）。失業の認定は出頭し，求職申込みをした日以降の各日においてなされ，それ以前について失業の認定を行うことはできない[148]。認定日に出頭できなかった場合の正当化事由として，疾病又は負傷（出頭できない期間が15日未満），公共職業安定所の紹介による求人者との面接，公共職業安定所長の指示した公共職業訓練等，天災地変が挙げられており，この場合，出頭することができなかった理由を記載した証明書を提出することによって，失業の認定を受けることができる（同15条4項）[149]。失業の認定は，受給資格者が求人者に面接したこと，公共職業安定所その他の職業安定機関若しくは職業紹介事業者等から職業を紹介され，又は職業指導を受けたことその他求職活動を行ったことを確認して行う（同15条5項）。この規定は，受給者の求職活動努力義務を定めた法10条の2とともに，不正受給を防ぐ趣旨で2003（平成15）年改正により挿入された。

基本手当の日額は，賃金日額（被保険者期間として計算された最後の6ヵ月間に支払われた賃金〔臨時に支払われる賃金及び3ヵ月を超える期間ごとに支払われる賃金を除く〕総額を180で除した額〔同17条1項〕で，上下限〔同条4項〕，賃金スライド〔同18条〕がある）の50%から80%（60歳以上65歳未満の受給資格者の場合，45%から80%）の範囲で，賃金日額が低いほど給付率が高くなる（同16条）。受給資格者が，失業の認定に係る期間中に自己の労働によって収入を得た場合，その収入の基礎となった日数分の基本手当が所定の定めに従って減額される

後新たに被保険者となった場合に前職の被保険者期間を通算しないとする規定は，大量に発生する離職者を一律に処理する必要がある以上やむを得ないものであるとし，被保険者期間の通算を認めずになされた受給資格否認処分が適法とされた例）。

148)　松田職安所長事件＝横浜地判昭57・6・16労判392号35頁。

149)　堺職安所長事件＝大阪地堺支判平4・7・29労判621号61頁（所定時刻への10分遅刻を理由として失業認定しなかったことが適法とされた例）。

(同19条1項1号～3号)。基本手当は，原則として離職の日の翌日から起算して1年（当該期間内に妊娠，出産，育児その他厚生労働省令で定める理由〔疾病又は負傷，その他管轄公共職業安定所長がやむを得ないと認めるもの。雇保則30条〕[150]により引き続き30日以上職業に就くことができない者が公共職業安定所長にその旨を申し出た場合には，当該理由により職業に就くことができない日数を加算するものとし，4年を上限とする）の支給期間内の失業している日について，一定の日数分（所定給付日数）を限度として支給される（雇保20条1項)。所定給付日数は，従来，受給資格者の年齢と算定基礎期間（被保険者であった期間）に応じて異なっていたところ，2000（平成12）年改正により，中高年層を中心に倒産，解雇等により離職した前述の特定受給資格者[151]に手厚くなるようにする一方（同23条1項)，離職前からあらかじめ再就職の準備ができるとの趣旨から特定受給資格者以外の離職者に対する所定給付日数を圧縮し，さらに年齢による区分をなくした(同22条1項)。ただし，障害者雇用促進法に規定する障害者などの就職困難者に対しては，より長期の所定給付日数が別途定められている（同22条2項)(表1)。

基本手当は，受給資格者が当該手当の受給資格に係る離職後最初に公共職業安定所に求職の申込みをした日以後において，失業している日が通算して7日に満たない間は支給されない（同21条)。この7日間の待期期間は，濫給を防止するとの趣旨から設けられたものである。また給付制限として，受給資格者が公共職業安定所の紹介する職業に就くこと又は公共職業安定所長の指示した公共職業訓練等を受けることを法所定の事由（同32条1項1号～4号）その他正当な理由（同項5号）なく拒んだときは，その拒んだ日から1ヵ月間，基本手当を支給しない（同条1項柱書)。被保険者が自己の責めに帰すべき重大な理由によって解雇され，又は正当な理由がなく自己の都合によって退職した場合には，待期期間満了後1ヵ月以上3ヵ月以内の間で公共職業安定所長の定める期間（同33条1項)[152]，偽りその他不正の行為により給付を受け，又は受けよう

150）　三鷹職安所長事件＝最3判昭59・7・17判例自治11号85頁（原原審・東京地判昭58・1・31労判402号22頁。受刑期間を延長事由と認めなかった例)。

151）　滑川職安所長事件＝東京地判平29・12・15判例集未登載（LEX/DB文献番号25549354）（原告が主張する特定受給資格者には該当せず「正当な理由のない自己都合退職」であるとされた例)。

表1　基本手当の所定給付日数

1　特定受給資格者及び特定理由離職者（3. 就職困難者を除く）

<table>
<tr><th>被保険者であった期間
区分</th><th>1年
未満</th><th>1年以上
5年未満</th><th>5年以上
10年未満</th><th>10年以上
20年未満</th><th>20年
以上</th></tr>
<tr><td>30歳未満</td><td rowspan="5">90日</td><td>90日</td><td>120日</td><td>180日</td><td>—</td></tr>
<tr><td>30歳以上35歳未満</td><td>120日</td><td rowspan="2">180日</td><td>210日</td><td>240日</td></tr>
<tr><td>35歳以上45歳未満</td><td>150日</td><td>240日</td><td>270日</td></tr>
<tr><td>45歳以上60歳未満</td><td>180日</td><td>240日</td><td>270日</td><td>330日</td></tr>
<tr><td>60歳以上65歳未満</td><td>150日</td><td>180日</td><td>210日</td><td>240日</td></tr>
</table>

2　特定受給資格者及び特定理由離職者以外の離職者（3. 就職困難者を除く）

<table>
<tr><th>被保険者であった期間
区分</th><th>1年
未満</th><th>1年以上
5年未満</th><th>5年以上
10年未満</th><th>10年以上
20年未満</th><th>20年
以上</th></tr>
<tr><td>全年齢</td><td>—</td><td colspan="2">90日</td><td>120日</td><td>150日</td></tr>
</table>

3　就職困難者

<table>
<tr><th>被保険者であった期間
区分</th><th>1年
未満</th><th>1年以上
5年未満</th><th>5年以上
10年未満</th><th>10年以上
20年未満</th><th>20年
以上</th></tr>
<tr><td>45歳未満</td><td rowspan="2">150日</td><td colspan="4">300日</td></tr>
<tr><td>45歳以上65歳未満</td><td colspan="4">360日</td></tr>
</table>

とした者[153]には，給付の支給を受け，又は受けようとした日以後（同34条1項。ただし，やむを得ない理由がある場合には，全部又は一部を支給することができる），基本手当を支給しないこととされている。

このほか，基本手当所定給付日数の延長制度が設けられており，①受給資格者が公共職業安定所長の指示した公共職業訓練等を受ける場合に，当該公共職業訓練等を受ける期間内の失業している日について所定給付日数を超えてなさ

152)　正当な理由のない自己都合退職については，実務上，3ヵ月の給付制限が課されてきたが，2020（令和2）年10月より2ヵ月に短縮された。

153)　岡山職安所長事件＝広島高岡山支判昭63・10・13労判528号25頁（代表取締役につき，職業に就いたものとして給付を受け得ないとされた例），立川職安所長事件＝東京地判昭54・2・27訟月25巻6号1642頁（コンサルティング業務の開始が不正の行為にあたるとされた例）。

れる訓練延長給付（同24条），②厚生労働大臣が認めた失業多発地域において，広域職業紹介活動により就職のあっせんを受けることが適当であると認められる受給資格者につき所定給付日数を超えてなされる広域延長給付（同25条），③失業の状況が全国的に著しく悪化した場合に厚生労働大臣が必要と認めたとき，所定給付日数を超えてなされる全国延長給付（同27条）の仕組みがある。これらに加えて，2017（平成29）年改正により，個別延長給付が創設され，特定理由離職者（厚生労働省令で定める者に限る）又は特定受給資格者であって，心身の状況が厚生労働省令で定める基準に該当する者や，災害により離職した者の給付日数を原則60日（最大120日）延長できることとなった（同24条の2）。

以上述べた基本手当以外に，一般被保険者への求職者給付として，①技能習得手当（同36条1項），②寄宿手当（同条2項），③傷病手当（同37条）がある。①は，受給資格者が公共職業安定所長の指示した公共職業訓練等を受ける場合に，その公共職業訓練等を受ける期間について支給し，②は，受給資格者が，公共職業安定所長の指示した公共職業訓練等を受けるため，その者により生計を維持されている同居の親族と別居して寄宿する場合に支給し，③は，受給資格者が離職後公共職業安定所に出頭し，求職の申込みをした後において，疾病又は負傷のために職業に就くことができず基本手当の支給を受けることができない日について支給する。

(2)　その他

一般被保険者以外の求職者給付としては，①高年齢被保険者が失業した場合，高年齢受給資格（原則として離職の日以前1年間に被保険者期間が6ヵ月以上あったとき）を有するものに対し，30日間（算定基礎期間〔被保険者であった期間〕が1年未満の場合）又は50日間（同じく1年以上の場合）一時金として支給される高年齢求職者給付金（雇保37条の4。2以上の適用事業に雇用される特例高年齢被保険者〔同37条の5第1項〕についても同様の給付が行われる〔同37条の6〕），②短期雇用特例被保険者が失業した場合，30日分一時金として支給される特例一時金（同40条），③被保険者である日雇労働者が失業した場合，失業の日の属する月の前2ヵ月間に26日以上印紙保険料が納付されている場合に支給される日雇労働求職者給付金（同45条）がある。

3　就職促進給付・教育訓練給付

先述したように，雇用保険は失業中の生活保障を目的とした給付にとどまらない多様な給付を設けている。

就職促進給付は，失業者が再就職するのを援助，促進することを目的とする給付である。このうち，①就業促進手当は，基本手当の支給日数を残して早期に職業に就いたとき，就業形態に応じ支給される（雇保56条の3）。②移転費は，受給資格者等が公共職業安定所等の紹介した職業に就くため，又は公共職業安定所長の指示した公共職業訓練等を受けるため，その住所又は居所を変更する場合に支給される（同58条）。③求職活動支援費は，受給資格者等が公共職業安定所の紹介により広範囲の地域にわたる求職活動，公共職業安定所の職業指導に従って行う職業に関する教育訓練の受講その他の活動，求職活動を容易にするための役務の利用[154]をする場合に支給される（同59条）。

教育訓練給付は，労働者の主体的な能力開発の取組みを支援し，雇用の安定と再就職の促進を図ることを目的とする給付である。被保険者等が厚生労働省令（雇保則101条の2の2以下）で定めるところにより厚生労働大臣の指定する教育訓練を受け，当該訓練を修了した場合，支給要件期間（基準日までの間に同一の事業主の適用事業に引き続いて被保険者として雇用された期間）が3年以上（当分の間，1年以上。雇保附則11条）であるときに支給される教育訓練給付金がある（雇保60条の2）[155]。

4　雇用継続給付

雇用継続給付は，高齢，介護といった雇用の継続に困難をもたらす事由を保

154）③は，2016（平成28）年改正により，従来の広域求職活動費を拡充し，就職面接のための子の一時預かり費用などをカバーすることとしたものである。

155）従来，受講に要した費用の20%（上限10万円）の支給にとどまっていたのを，2014（平成26）年改正により，専門的・実践的な教育訓練として厚生労働大臣が指定する講座を受ける場合に，給付率を引き上げ最大60%まで支給することとし，この給付率は2017（平成29）年改正により上限70%に引き上げられた（給付上限額144万円〔年額48万円〕）。また，2014（平成26）年改正では教育訓練支援給付金を創設し（雇保附則11条の2），45歳未満の離職者が上記の教育訓練を受講する場合，訓練中に離職前賃金に基づき算出した額（基本手当の80%）を支給することとした（2022〔令和4〕年度までの暫定措置）。2014（平成26）年改正は，職業教育の機会とその間の所得を保障し，労働者のエンプロイアビリティを高めるためのものであった。高畠淳子「失業・求職者支援・不安定雇用」『論究ジュリスト』11号（2014年）64頁。

険事故とし，職業生活の円滑な継続を援助，促進するための給付である。

⑴　高年齢雇用継続給付

高年齢雇用継続給付は，高年齢雇用継続基本給付金（雇保61条）と高年齢再就職給付金（同61条の2）からなる。このうち前者は，60歳以上65歳未満の被保険者（短期雇用特例被保険者及び日雇労働被保険者を除く）につき，被保険者期間が5年以上ある場合，賃金額が60歳到達時の75%を下回るに至った場合に毎月支給され[156]，賃金額が34万3200円（同61条7項により平均定期給与額の増減に応じて変更される）[157]を超える場合支給しないものとされてきた。

高年齢再就職給付金は，算定基礎期間が5年以上あり，60歳に達した後で求職者給付の基本手当の支給を受け，その支給残日数が100日以上ある受給資格者が，60歳に達した日以後安定した職業に就くことにより被保険者（短期雇用特例被保険者及び日雇労働被保険者を除く）となった場合において，再就職後の賃金額が当該基本手当の算定基礎となった賃金の75%を下回る場合に毎月支給されるものとされてきた。支給期間は，支給残日数200日以上の場合，再就職後2年間，100日以上200日未満の場合，同1年間であり，65歳まで支給される。

2020（令和2）年改正により，65歳までの雇用確保措置の進展を踏まえ，2025（令和7）年度から高年齢雇用継続給付金及び高年齢再就職給付金の給付率を縮小し，これまでの賃金額の15%（満額の場合）から10%（同）とすることになった（同61条5項，61条の2第3項）。

⑵　介護休業給付

介護休業給付としては，介護休業給付金（同61条の6）が支給される。これは一般被保険者が対象家族を介護するための介護休業をした場合，支給単位期間（3ヵ月が限度）につき支給するものである。給付額は，原則として介護休業開始時賃金日額の40%相当額であるが，当分の間67%（2016〔平成28〕年改正）に引き上げられている（同附則12条の2）。休業開始日前2年間に被保険者期間に相当する期間が12ヵ月以上あることが必要である。支給単位期間が3ヵ月

156)　高齢者雇用継続基本給付不支給処分取消請求が棄却された例として，飯田橋職安所長事件＝東京地判平24・4・24判例集未登載（LEX/DB文献番号25493489），宇都宮職安所長事件＝東京地判平25・1・28判例集未登載（LEX/DB文献番号25510038）。

157)　2021（令和3）年2月以降，36万5055円となった。

という比較的短期に限定されているのは，ここでの介護休業が，家族による介護がやむを得ない場合，すなわち，介護保険制度等による外部介護サービスを導入することによって，長期的に介護をする必要があるか否か等，介護に関する長期的方針を定めるまでのいわば「見極め期間」として取得されるものとして想定されていることによるものである[158]。2016（平成28）年改正では，介護離職防止の観点から，育児・介護休業法の改正に合わせて，介護休業の分割取得（3回まで，計93日）への対応を行った。

5　育児休業給付

育児休業給付は，雇用継続給付の一環として創設され，当初，育児休業基本給付金と育児休業者職場復帰給付金の二種類からなっていた。このうち後者は，育児休業を終了してすぐに退職するのを防ぐ（モラル・ハザードの防止）との趣旨から[159]，育児休業基本給付金の支給を受けることができる被保険者が，休業前から雇用されていた事業主に，休業を終了した後引き続き6ヵ月間雇用されたときに支給されるものであった。しかし，2009（平成21）年改正によりこれらは前者に一本化され，育児休業給付金（同61条の4）となった。被保険者（高年齢継続被保険者，短期雇用特例被保険者及び日雇労働被保険者を除く）が1歳（保育所等の入所申込みを行っているが，入れない場合など雇用の継続のために特に必要と認められる場合にあっては，1歳6ヵ月。2017（平成29）年改正により，2歳までの再延長が可能）に満たない子を養育するための休業をした場合に支給され，原則として休業開始日前2年間に被保険者期間に相当する期間が12ヵ月以上あることが必要である。給付額は，原則として休業開始時賃金日額の40％であるが，当分の間50％（2014〔平成26〕年改正により，休業開始後6ヵ月につき67％）に引き上げられた（雇保附則12条）。賃金と給付額の合計が休業開始時賃金日額の80％を超える場合，超えた額を減じた分が支給される[160]。

158）労務行政研究所編・前掲書（注128）772頁。

159）労務行政研究所編・前掲書（注128）765頁。

160）2009（平成21）年改正での給付の一本化により，就労継続の支援という当初の趣旨から，少子化対策の色彩が強まったといわれる。嵩さやか「共働き化社会における社会保障制度のあり方」『日本労働研究雑誌』689号（2017年）58頁。その後の改正で，産前産後休業中の出産手当金（健保102条）と同水準まで給付水準が引き上げられたことから，同手当金の制度趣旨でもある休業期間中の所得保障という性格も強まったとみることができる。菊池馨実「育児休業

2020（令和２）年改正では，目的規定に「労働者が子を養育するための休業をした場合に必要な給付を行うことにより，労働者の生活及び雇用の安定を図る」ことを追加し（雇保１条），育児休業給付金を雇用継続給付から削除して失業等給付とは別立ての育児休業給付を新設した（同61条の６以下）。また財政面でも，雇用保険率のうち0.4％分を育児休業給付率とした（同68条２項）。給付内容は変わらないものの，法律上の位置づけが大きく変わった点で重要な改正といえる。

第４款　雇用安定事業及び能力開発事業

従来，雇用福祉事業と併せて雇用３事業と呼ばれていた雇用保険事業は，2007（平成19）年改正による雇用福祉事業の廃止に伴い，雇用安定事業及び能力開発事業の２つの事業となった。被保険者のみならず，被保険者であった者及び被保険者になろうとする者（被保険者等）を対象として行われる。とりわけ同年改正で，被保険者になろうとする者に対象が拡げられ，雇用保険の役割に変化がみられるようになった点が注目される（第７款参照）。

雇用安定事業は，失業の予防，雇用状態の是正，雇用機会の増大その他雇用の安定を図ることを目的として被保険者等に関し行われる（雇保62条）。事業主に対する助成金[161]がその中核であり，雇用調整助成金（雇保則102条の３），労働移動支援助成金（同102条の５），65歳超雇用推進助成金（同104条），特定求職者雇用開発助成金（同110条），トライアル雇用助成金（同110条の３），中途採用等支援助成金（同110条の４），地域雇用開発助成金（同112条），通年雇用助成金（同113条），両立支援等助成金（同116条），人材確保等支援助成金（同118条），キャリアアップ助成金（同118条の２）がある。このように，法律改正によらず省令等の時代状況に応じた改正により，様々な助成金制度の改廃

給付の見直し」『週刊社会保障』3121号（2021年）26頁。

161）　これら助成金の支給・不支給決定の処分性が問題となり得る。この点につき，肯定例として，広島地判昭60・6・4労判455号51頁（雇用調整助成金），最１判昭60・12・5労判467号11頁（高年齢者雇用確保助成金）。否定例として，福岡高那覇支判平5・12・9判時1508号120頁（地域雇用特別奨励金），千葉地判平13・5・25裁判所ウェブサイト（LEX/DB文献番号25410186。特定求職者雇用開発助成金），東京地判平22・12・10訟月58巻7号2735頁（育児・介護雇用安定助成金）。なお助成金以外の事業につき，雇保則115条参照。

を行い，事業主等を誘導することを通じて，上記の法目的を達成することが意図されている。とりわけ雇用調整助成金は，企業内での雇用確保を図り，失業者の増加を抑えるという意味で，不況時においてきわめて重要な役割を果たしてきた[162]。高年齢者の雇用延長を促進することをねらいとした65歳超雇用推進助成金やトライアル雇用助成金など就労困難者を対象とする制度なども重要性を増している。

能力開発事業は，職業生活の全期間を通じて，被保険者等の能力を開発し，及び向上させることを促進することを目的として行われる（雇保63条）。内容は多岐にわたるが，広域団体認定訓練助成金（雇保則122条），認定訓練助成事業費補助金（同123条），人材開発支援助成金（同125条），両立支援等助成金（同139条）といった助成金等のほか，職業能力開発のための援助，公共職業能力開発施設等の設置・運営，再就職を促進するための職場適応訓練などを行っている（同125条の2〜130条）。その役割等については，雇用安定事業と同様のことがあてはまる[163]。

2017（平成29）年改正により，雇用保険2事業の理念として，「労働生産性の向上に資するものになるよう留意しつつ，行われるものとする」旨，明記された（雇保64条の2）。

これらの2事業に要する費用は，雇用保険料のうち，事業主のみが負担する部分によって賄われる（労保徴31条4項）。

第5款　費用負担

雇用保険も社会保険の一種であることから，2事業に要する費用を除き労使折半で負担される保険料が財源の主要部分を占めている。保険料については，先述したように徴収法の定めるところにより料率が設定されている（雇保68条1項。第1節第6款**2**(1)）。

162）2020（令和2）年改正による新型コロナウイルス感染症拡大への緊急対応については，第7款参照。

163）時代状況に応じた臨機応変な助成金等の改廃を行い得る一方，基本的に年度単位での仕組みなので，事業等継続の不確実性ひいては専門性を要する担い手等の雇用の不安定性といった課題もある。

このほか雇用保険には国庫負担が導入されており，日雇労働求職者給付金以外の求職者給付については給付費の4分の1，日雇労働求職者給付金については同じく3分の1，雇用継続給付，育児休業給付については同じく8分の1を国庫が負担するのが原則となっている（同66条1項）。高年齢求職者給付，高年齢雇用継続給付については国庫負担はなされない。雇用保険事業の事務費についても国庫負担がなされる（同条6項）。

第6款　不服申立てなど

不服申立てについては，被保険者資格に係る確認，失業等給付及び育児休業給付に関する処分又は偽りその他不正行為があった場合の返還命令等に係る処分に不服のある者は，雇用保険審査官に対して審査請求をし，さらにその決定に不服のある者は，労働保険審査会に対して再審査請求をすることができる（雇保69条1項）。審査請求した日の翌日から3ヵ月経過後も決定がないときは，雇用保険審査官が審査請求を棄却したものとみなすことができる（同条2項）。法69条1項に規定する処分の取消しの訴えは，当該処分についての審査請求に対する雇用保険審査官の決定を経た後でなければ提起することができない（審査請求前置主義。同71条）。

このほか雑則として，雇用保険法の施行に関する重要事項について厚生労働大臣の諮問に応ずる機関としての労働政策審議会（同72条），法8条の規定による確認の請求等をしたことを理由とする事業主による不利益取扱いの禁止（同73条），失業等給付等の支給を受け，又はその返還を受ける権利及び偽りその他不正行為があった場合の返還命令による金額を徴収する権利についての2年の短期消滅時効（同74条），行政庁の報告・文書提出・出頭命令や立入検査に係る権限の付与（同76条～79条）等に関する規定がおかれている。

第7款　長期失業と求職者支援

1990年代以降，非正規雇用従事者の増大によるワーキング・プアの顕在化など，雇用により生活保障を十全に図れない労働者の増大・固定化という現象が社会問題化した。また近年，「失業者」像にも変容がみられ，長期失業や

（ニートなどを含む）潜在的失業が増大する中で，受給資格要件の充足を必要とし所定給付日数が制限される雇用保険では十分に対応できないとの事態が生じるとともに，公的職業訓練による能力開発や公的職業紹介だけでは労働市場への参加・復帰が困難な（とりわけ若年）失業者における就労意欲の低下が表面化するに至った[164]。他方，生活困窮状態に陥っている場合，生活保護制度が存在するものの，補足性原理の下，受給要件として資産・能力（＝稼働能力）の活用（生活保護4条1項）が求められるなど，「健康で文化的な最低限度の生活」以下に落ち込んだ場合にはじめて適用が可能となるいわば最後のセーフティネットとしての位置づけであった。雇用保険の支給対象とならない（あるいは受給し終わった）潜在的長期失業者の生活保障を行いながら，就労に向けた支援を行う本格的な制度（いわゆる第2のセーフティネット）が，これまで存在してこなかったのである。2011（平成23）年職業訓練の実施等による特定求職者の就職の支援に関する法律（求職者支援法）が制定されるに至り，はじめてこの間隙を埋める恒常的な仕組みが設けられた[165]。

求職者支援法は，特定求職者（公共職業安定所に求職の申込みをしている者〔雇用保険法4条1項の被保険者及び同法15条1項の受給資格者を除く〕のうち，労働の意思及び能力を有している者であって，職業訓練その他の支援措置を行う必要があるものと公共職業安定所長が認めたもの〔求職者支援2条〕）に対し，職業訓練の実施，当該職業訓練を受けることを可能にするための給付金の支給その他の就職に関する支援措置を講ずることにより，特定求職者の就職を促進し，もって特定求職者の職業及び生活の安定に資することを目的とする（同1条）。職業訓練の実施と職業訓練受講給付金の支給を主な支援内容とする同法が，特定求職者の就職促進を第一義的な目的とする点に留意する必要がある。その限りでは国民の生活保障を目的とする従来の社会保障法の捉え方では収まりきらない性格を有するといえよう。

164）　菊池馨実「貧困と生活保障――社会保障法の視点から」『日本労働法学会誌』122号（2013年）111頁，同「雇用社会の変化とセーフティネット」荒木尚志ほか編『岩波講座　現代法の動態第3巻　社会変化と法』（岩波書店，2014年）95-96頁。

165）　求職者支援法に関しては，水島郁子「長期失業・貧困と社会保険」菊池馨実編『社会保険の法原理』（法律文化社，2012年）222-228頁，丸谷浩介「長期失業者に対する雇用政策と社会保障法」新講座3 267-268頁，同「第二のセーフティネットとしての特定求職者支援法」『日本労働研究雑誌』726号（2020年）47頁など参照。

特定求職者に対する職業訓練については，厚生労働大臣が職業訓練実施計画を策定するとともに（同3条），就職に必要な技能及びこれに関する知識を十分に有していない者の職業能力の開発及び向上を図るために効果的なものであること等の基準に適合する職業訓練を認定し（認定職業訓練。同4条），国は，認定職業訓練が円滑かつ効果的に行われることを奨励するため，認定職業訓練を行う者に対して，予算の範囲内において，必要な助成及び援助を行う（同5条）。公共職業安定所長は，特定求職者の就職を容易にするため，就職支援計画を作成し（同11条），特定求職者に対して，当該計画に基づき職業指導及び職業紹介，認定職業訓練又は公共職業訓練等その他の就職支援措置を受けることを指示する（同12条）。認定職業訓練は，通信の方法によっても行うことができ，訓練期間は基礎訓練（専ら就職に必要な基礎的な技能及びこれに関する知識を付与するための認定職業訓練）につき2ヵ月以上4ヵ月以下，実践訓練（実践的な技能及びこれに関する知識を付与するための認定職業訓練）につき3ヵ月以上6ヵ月以下，訓練時間は1ヵ月につき100時間以上であり，かつ1日につき原則として5時間以上6時間以下，受講者数は申請職業訓練（職業訓練の認定を受けようとする職業訓練）を行う一単位につきおおむね10人から30人とし，1ヵ月に少なくとも1回，知識・技能などに関する習得度評価を行い，これをジョブカード（能開15条の4第1項）に記載し，訓練期間内に3回以上キャリア・コンサルティングを実施するとともに，職業相談・求人情報の提供等就職の支援のための必要な措置を行う（求職者支援則2条）。認定職業訓練を行う者に対する助成としては，認定職業訓練実施奨励金（認定職業訓練実施基本奨励金及び認定職業訓練実施付加奨励金からなる）が支給される（同7条・8条）。

給付金につき，国は，公共職業安定所長が指示した認定職業訓練又は公共職業訓練等を特定求職者が受けることを容易にするため，当該特定求職者に対して，職業訓練受講給付金を支給することができる（求職者支援7条1項）。同給付金は，職業訓練受講手当，通所手当及び寄宿手当からなる（求職者支援則10条）。これらのうち職業訓練受講手当は生活費にあてられることが予定されるものであり，①認定職業訓練等を受ける特定求職者の収入の額が8万円以下であること，②本人並びに同居の又は生計を一にする別居の配偶者，子及び父母（配偶者等）の収入合算額が25万円以下であること，③本人並びに配偶者等の所有する金融資産合計額が300万円以下であること，④本人が現に居住している土地及び建物以外に，土地及び建物を所有していないこと，⑤認定職業訓練等の全ての実施日に当該認定職業訓練等を受講していること（ただしやむを得ない理由により受講しなかった日がある場合，受講日が8割以上であること），⑥配偶者等が職業訓練受講手当の支給を受けた認定職業訓練等を受講していないこと，⑦過去3年以内に偽りその他不正の行為により雇用保険法等の給付金の支給を受けたことがないこと，が支給要件となる（同11条1項）。社会保険料を財源とした給付でありながら低所得世帯に限定したのは，受給者が「被保険者であった者及び被保険者になろうとする者」（雇保64条）であり，拠出と給付のけん連関係が認められない制度構造であるからこそ可能となったものとみられる。職業訓練受講手当の額は，原則として月額10万円で，12ヵ月（公共職業安定所長が特に必要があると認める場合は24ヵ月）を限度として支給される（求職者支援則11条2項・3項）。通所手当は，訓練等施設への通所のためにかかる交通費相当額を支給するものであり（同12条），寄宿手当は，訓練等を受けるため，同居の配偶者等と別居して寄宿している場合に支給される（同12条の2）[166)]。

雇用保険法との関連では，求職者支援法に基づく事業（就職支援法事業）を能力開発事業に位置づける一方（雇保64条），特定求職者に対する職業訓練受講給付金につき他の求職者給付よりも割合的に高い2分の1の国庫負担を導入するとともに（同66条1項4号），求職者給付と同様，被保険者と事業主双方の保険料を財源とした（同68条2項）。ただし，前述のように，そもそも「被保険者であった者及び被保険者になろうとする者」を社会保険の仕組みの下に取り込むこと自体に無理があると言わざるを得ず，本来的には雇用保険料を財源とするのではなく，公費で賄う仕組みにするのが適切であろう[167)]。

第8款　雇用保険及び求職者支援の課題

雇用保険は，「失業」「雇用の継続が困難となる事由」などを保険事故とする

166)　求職者支援訓練受講者数は，2012（平成24）年度9万8541人から2019（令和元）年度2万1020人へと大きく減少した。

167)　菊池・前掲「貧困と生活保障」（注164）115頁。水島・前掲論文（注165）228頁も，保険料を財源とすることに疑問を呈し，労使の保険料，とりわけ労働者の保険料を財源とすることについては見直しの方向で検討されるべきであるとする。

ことから明らかなように，雇用や景気の動向と密接な関連を有しており，経済状況に応じて頻繁に法制度改正が行われてきた。保険給付のみならず雇用2事業まで併せ考えれば，逆に雇用保険のあり方の見直しを通じて雇用動向や経済状況の悪化を食い止めることに資する側面もある。直近では，2020（令和2）年「新型コロナウイルス感染症等の影響に対応するための雇用保険法の臨時特例等に関する法律」により，緊急的に雇用保険法の特例措置等が講じられた[168]。

労災保険の適用とも共通する近時の課題として（第1節第9款），新型コロナウイルス感染症の蔓延をひとつの契機として[169]，フリーランスとして働く人びとなどへの雇用保険の適用可能性（あるいは代替的な所得保障制度の構想）が議論される必要がある[170]。2020（令和2）年改正で創設された65歳以上の高年齢被保険者の特例よりも踏み込んだ複数就業者への対応の必要性についても同様である[171]。

超高齢社会の到来を迎え，ますます増大する高齢者の生活保障をどのように図っていくかが大きな課題となっている。持続可能な公的年金制度を構築していくため，マクロ経済スライドの導入による給付水準の適正化が図られたものの，将来的な給付水準の低下を，公的年金・社会手当等の所得保障制度や企業年金・私的年金などを組み合わせて補完するための施策の展開が課題となっている。同時に，とりわけ就労意欲が高いといわれる日本においては，高齢者雇用のさらなる進展も図っていく必要性も高い。その際，雇用保険制度を通じた

168）概要としては，1. 基本手当の給付日数の60日（一部30日）延長（法3条），2. 休業手当（労基26条）を受けることができない労働者に関する新たな給付として，①事業主が休業させ，休業期間中に休業手当を受けることができなかった被保険者に対し，雇用安定事業の特例として新型コロナウイルス感染症対応休業支援金の支給（法4条），②被保険者でない労働者に対し，同支援金に準じた給付金の支給（同5条），3. 雇用保険の安定的な財政運営の確保のため，令和3年度までの措置として，①求職者給付等に要する経費について一般会計からの繰り入れることができる（雇保則14条の2第1項），②新型コロナウイルス感染症対応休業支援金，雇用調整助成金等に要する費用の一部として一般会計から繰り入れる（同条2項），③育児休業給付に要する経費の積立金からの借入れ（特別会計に関する法律附則20条の3），④雇用安定事業に要する経費の積立金からの借入れ（同19条の3），などであった。

169）菊池馨実「新型コロナウイルスと社会保障」『社会福祉研究』139号（2020年）35頁。

170）丸谷浩介「フリーランスへの失業保険」『法律時報』92巻12号（2020年）74頁以下。

171）林健太郎「兼業・副業を行う労働者と雇用保険法の課題」『季刊労働法』269号（2020年）32頁以下。

高齢者の雇用継続支援のあり方が検討課題となり，2016（平成28）年改正による高年齢被保険者の創設や，2020（令和2）年改正による高年齢雇用継続給付の縮小と雇用安定事業における60歳代後半の高年齢者就業確保措置の導入も，この観点から積極的に評価される。

就労継続の支援や休業期間中の所得保障の観点のほか，公的年金をはじめとする社会保障制度の支え手の確保という観点からも，育児休業・介護休業に係る制度の充実も引き続き検討課題である。この点で，2020（令和2）年改正による育児休業給付の失業等給付からの分離と保険料率の独自の設定は，給付内容こそ変わらないものの，給付の位置づけが大きく変わった点で重要な改正である。ただし，所得保障目的に加えて，育児休業給付が間接的であれ支え手の確保とも関連づけられているとすれば，そうした政策目的を，雇用関係に基礎をおく雇用保険の枠組みの中で達成すること自体の限界も議論する必要がある[172)]。

高度経済成長の下，日本の失業率は欧米各国と比べてかなり低く抑えられてきた。このことに加えて，自発的に保険事故を発生させ，給付日数がある限り就労に向けた積極的な活動を行わないなど，保険事故としての失業特有のモラル・ハザードや，これによる莫大な財政負担の発生を防ぐ等の観点から，失業等給付は比較的短期（原則1年以内）に限定されてきた。失業等給付を受給し終えた後，なおも再就職が困難な者に対しては，最後のセーフティネットである生活保護制度が存在したものの，そこに陥るまでの間の生活保障システム（いわゆる第2のセーフティネット）が欠如していたと言い得る状況であった。この間隙を埋めるために制定されたのが前款で取り上げた2011（平成23）年求職者支援法である。しかしながら，訓練受講者数は制度創設以来，減少傾向にあった[173)]。ただし，このことを雇用情勢の改善に起因するものと直ちにみるべきではないだろう。長期失業・若年失業をはじめとする今日的諸問題の多くは構造的なものであるとみられる以上，政策的な取組みの必要性が減じたとみるべきではない。その際，これらの就労支援を軸とした生活保障の取組みを，生活困窮者自立支援制度などと一体的に捉える視点がきわめて重要といわねばな

172）　高畠淳子「育児休業給付の位置づけと財源のあり方」『社会保障研究』5巻1号（2020年）9-15頁。育児支援策の制度構想につき，第8章第4節第9款参照。

173）　注166）参照。

らない（第6章第8節）。

第6章
公的扶助

公的扶助は，社会保険とともに，社会保障の主要部門の一つをなしており，日本では憲法25条1項の「健康で文化的な最低限度の生活」を直接具現化するための制度である。

公的扶助は，他の社会保障制度との関係で補完的な位置づけが与えられており，国民の生活保障の最終的な拠りどころとなっている。こうした性格から，最後のセーフティネットといわれることもある。

本章では，生活保護法を中心とした公的扶助についてみていく。また，いわゆる第2のセーフティネットの一環をなし，次第にその重要性を増している生活困窮者自立支援法についても取り上げる。

第1節　公的扶助の意義

公的扶助は，拠出を要件とせず，生活困窮に陥った原因を問わず，最低生活水準を下回る事態に際し，その不足分を補う限度において行われる給付である。憲法25条1項にいう「健康で文化的な最低限度の生活を営む権利」に密接に関連し，生活保護法が代表的立法である。上記の定義からも示唆されるように，とくに社会保険との対比での制度的特徴として挙げられるのは，①給付内容における個別性（必要即応の原則），②資産・所得調査，③貧困に対する事後的対応，④一般歳入（租税）を財源とすること，などである。

第2節　公的扶助の変遷と現況

本節では，明治期以来の公的扶助の歴史的変遷をたどるとともに，次節以下の叙述の前提として，生活保護を取り巻く現況について概略を述べる。

第1款　公的扶助の変遷

1　救貧法

国家的ないし社会的な貧困者への生活援助は，古くは治安対策的なものとして行われた。それが組織的・計画的な形で行われるようになったのは，中世末期以降における資本主義経済の進展後である。

このうちもっとも早くから法制度が整備されたイギリスでは，1601年エリザベス救貧法，1834年新救貧法といった立法がなされた。ただし当時の一般的捉え方によれば，貧困に陥るのは個人の責任であり（個人責任的貧困観），したがって救済は応急的なものに限定され，就労可能者は強制的に労働に就かせ，就労不能者はもっとも生活レベルの低い自立生活者の生活レベルをさらに下回るべきものとされた（劣等処遇〔less eligibility〕の原則）。さらに救済には，市民権の剥奪などのスティグマを伴い，救済を受けるのも権利ではなく単なる恩恵的な措置とされた。

2　日本における変遷

日本において公的扶助に相当する制度としては，1874（明治7）年の恤救規則に遡ることができる。そこでは，極貧の単身生活者で障害又は疾病により就労できない者（ただし例外的に，単身でなくとも家人が70歳以上か15歳以下で障害又は疾病により急迫している場合，救済の対象となった。以下同様），単身の70歳以上で，重病又は老衰により就労能力のない者，単身で13歳以下の者が限定的に対象とされた。1929（昭和4）年に成立した救護法は，対象を，貧困のために生活することのできない65歳以上の老衰者，13歳以下の幼者，妊産婦，「不具廃疾，疾病，傷痍其ノ他精神又ハ身体ノ障碍」により労務を行うに支障のある者のうち，扶養義務者が扶養することのできない者とされた。ただし，「性行著シク不良ナルトキ」などの欠格条項を設け，失業による困窮を救済対象とせず，救護における国家責任が明確でないなど，未だ近代的公的扶助制度としての十分な属性を欠くものであった。

第二次世界大戦後，国内の経済・社会情勢は悪化し，救済を必要とする生活困窮者が急増した。そこで政府は，1945（昭和20）年12月，応急処置として生活困窮者緊急生活援護要綱を策定し，さらにGHQ（連合国軍最高司令官総指令部）に「救済福祉ニ関スル件」を提出した。その回答としての指令第775号などの指導を受け，1946（昭和21）年生活保護法が制定された。同法は，国家責任による要保護者の保護を明文で謳い，保護費の8割を国庫が負担する措置をとることとした。ただし，依然として保護受給権を認めないとの解釈がとられ，「能力があるにもかかわらず，勤労の意思のない者」「素行不良な者」を除外する欠格条項を設ける等の問題を有するものであった。1949（昭和24）年社会保障制度審議会勧告「生活保護制度の強化に関する件」を受けて，同法は1950（昭和25）年に全面改正された。これ以後，公的扶助の中核をなす生活保護法に対しては，大きな法改正がなされることなく21世紀に至ったものの，後述するように保護受給者・生活困窮者の増大や不正受給の社会問題化などを背景として法改正に向けた議論がなされ，就労による自立の促進，不正受給対策の強化，医療扶助の適正化等をねらいとした改正法が，2013（平成25）年第185国会で生活困窮者自立支援法とともに成立した。

第2款　現　況

1950（昭和25）年全面改正後，法の枠組み自体に大きな変化がみられなかった一方で，生活保護を取り巻く環境は大きく変化してきた。とりわけ生活保護受給者数は，経済動向及び雇用情勢と密接に関連し，大幅な増減がみられる。

保護率及び被保護人員は，戦後の混乱期以降，高度経済成長期を通じてほぼ一貫して減少傾向にあった。その後，第1次・第2次石油危機（1973〔昭和48〕年度以降）に際して保護率の減少傾向に歯止めがかかり，被保護人員の増加がみられたものの，1984（昭和59）年以降再び減少へと向かった。しかしながら，1995（平成7）年度に底を打って以降（保護率0.72%，被保護人員88万2229人），一転して保護率及び被保護人員は上昇に転じた。2000年代以降，貧困・格差の拡大・固定化が社会問題化し，とりわけ2008（平成20）年秋のリーマン・ショック（世界金融危機）以降，保護率及び被保護人員が急増し，2012（平成24）年には戦後の混乱期の被保護人員を超え，210万人を突破するに至った。2015（平成27）年3月をピークに被保護人員は若干減少傾向に転じたものの[1)]，高齢単身世帯の増加などにより，被保護世帯数は増加傾向にある[2)]。世帯類型別にみると高齢者世帯の割合が増加傾向にあり，半数以上を占めている。近時のもう一つの傾向として，高齢者，母子，傷病・障害者のいずれの類型でもなく稼働年齢層と考えられる「その他の世帯」の割合がリーマン・ショック以降目立って増大した[3)]。

生活保護行政の変遷をみた場合，暴力団関係者の不正受給など「濫給」に対する批判と，生活保護基準を下回る生活水準を余儀なくされている国民が多数存在し，保護受給に至らない「漏給」（捕捉率の低さ）に対する批判とのせめぎ合いの歴史ということもできる[4)]。

第3節　生活保護法の目的と原理

本節では，生活保護法の目的と3つの基本原理，4つの実施上の諸原則についてみていく。

第1款　目　的

生活保護法1条は，法目的として，最低限度の生活の保障を掲げている。こ

1）2015（平成27）年3月の216万5895人から，2021（令和3）年9月には203万8210人と減少した。被保護者調査による（厚生労働省ウェブサイト）。

2）2015（平成27）年3月の161万2340世帯から，2017（平成29）年12月には164万1536世帯と増加した。同上。

3）2020（令和2）年春以降の新型コロナウイルス感染拡大は，経済活動の大幅縮小と雇用の縮減をもたらし，生活保護受給者の増加が懸念されたものの，2021（令和3）年末時点でその兆候はそれほどみられなかった。雇用調整助成金その他の事業者支援のための諸施策や，生活困窮者自立支援制度上の住居確保給付金，生活福祉資金の特例貸付（緊急小口資金・総合支援資金）といったいわゆる第2のセーフティネット策が相当大きな役割を果たしたことなどによるものと考えられる。菊池馨実「新型コロナウイルスと社会保障」『社会福祉研究』139号（2020年）33-35頁，同「社会保障制度の課題と将来――コロナ後を見据えて」『週刊社会保障』3132号（2021年）158-160頁。注144）参照。

4）大山典宏『生活保護vs子どもの貧困』（PHP新書，2013年）参照。

れは，同法が憲法25条の規定する生存権理念を直接体現した制度であることを意味している。ただし，生活保護の目的はこれにとどまらない。生活保護法1条には，自立の助長という目的も掲げられている。ここでいう「自立」とは，稼働能力がある限りにおいて経済的自立が目指される5)。ただし現在では，たとえば労働市場における有償労働を当然には期待できない重度障害者であっても，生活保護を活用することによって生活上の独立を獲得するという意味で，いわば「人格的」な自立をも法目的に含んでいるとの解釈が有力である6)。こうした解釈を行うことで，「保護を受けながらの自立」という捉え方も可能となる。生活保護法の目的は，本書の立場からは，直接的には憲法25条に基づくものであるとしても，根源的には憲法13条に規範的根拠を置くものである。こうした見地からは，上述の意味での自立の助長が本質的要素と位置づけられ，自立助長の要請は，最低生活保障の要請と同等に尊重されなければならない。それゆえ，憲法25条に淵源をもつ最低生活保障の要請も，就労インセンティブなどとの関連で一定程度弾力的に捉える余地があり，またそうすることが望ましい7)。

2004（平成16）年社会保障審議会福祉部会「生活保護制度のあり方に関する専門委員会報告書」の提言に基づき，2005（平成17）年から各自治体で，被保護者を対象とする国庫補助事業である自立支援プログラム8)が開始された。そこでの「自立支援」とは，就労による経済的自立のための支援のみならず，日常生活において自立した生活を送るための支援（日常生活自立支援）や，社会生

5)　立法担当者の解説書（小山進次郎『改定増補　生活保護法の解釈と運用』〔中央社会福祉協議会，1951年〕94頁）では，「公私の扶助を受けず自分の力で社会生活に適応した生活を営むことのできるように助け育てていくことである」とする。

6)　名古屋高金沢支判平12・9・11判タ1056号175頁（高訴訟）。古賀昭典編著『新版現代公的扶助法論』（法律文化社，1997年）118頁〔片岡直執筆〕参照。

7)　菊池・将来構想186-187頁。自立を「就労自立」（公的支援を受けずに自らの就労により自活すること）に限定しない考え方は，生活保護受給者の大半を高齢者・障害者が占める日本の現状に適合的である一方で，稼働能力があると認められる場合には，人格的自立は，基本的には就労による可能な範囲内での経済的自立（ここでいう「経済的自立」とは，「就労自立」を指すのではなく，稼働能力を活用しながらも，不足分につき生活保護から給付を受け，独立した行為主体として生活を営んでいくことを含む）を通じて実現されるべきである。

8)　平19・7・24発社援0724001号「セーフティネット支援対策等事業費補助金の国庫補助について」。

活における自立の支援（社会生活自立支援）をも含むものと捉えられた[9]。

自立を助長し援助するという観点から，生活保護法は，単なる機械的な金銭の支給にとどまらない，ソーシャルワークあるいはケースワークの果たすべき役割を予定している。保護実施機関の指導及び指示（生活保護27条）を通じて保護の変更，停廃止（同62条3項）に至り得るという側面に鑑みれば，権力的契機と結びつきかねず慎重さが求められるものの，自立助長のための相談及び助言の果たすべき役割は大きいと言わねばならない（同27条の2）[10]。上述の自立支援プログラムも，こうしたソーシャルワークの制度化という側面がある[11]。

なお本法において「被保護者」とは現に保護を受けている者をいい，「要保護者」とは，現に保護を受けているといないとにかかわらず，保護を必要とする状態にある者をいう（同6条1項・2項）。

第2款　無差別平等の原理

生活保護法の基本原理として，次の3つが挙げられる。①無差別平等の原理（同法2条），②最低生活の原理（同3条），③補足性の原理（同4条）である。

第1に，無差別平等の原理（同2条）は，法律の定める要件を満たす限り，保護を受ける機会が平等であることを意味すると同時に，生活困窮に陥った原

9）自立支援プログラム開始時における先進的な自治体の取組みとして，布川日佐史編著『生活保護自立支援プログラムの活用1 策定と援助』（山吹書店，2006年）など参照。とりわけ就労支援に向けた取組みとして，池谷秀登編著『生活保護と就労支援』（山吹書店，2013年）。

10）生活保護法27条の2は，1999（平成11）年改正により自治事務として明文化された。

11）自立支援プログラムの法的根拠としては，保護の停廃止を背景とした指導・指示の根拠規定である生活保護法27条に求めるもの（菊池馨実「社会保障の規範的基礎付けと憲法」『季刊社会保障研究』41巻4号〔2006年〕311頁，石橋敏郎「生活保護法と自立――就労自立支援プログラムを中心として」『社会保障法』22号〔2007年〕52頁）と，相談・助言の根拠規定である同法27条の2に求めるもの（丸谷浩介「長期失業者に対する雇用政策と社会保障法」新講座3 265-266頁）がある。後者の見地から，相談・助言の法的性格を行政契約とする見解として，同「生活保護ケースワークの法的意義と限界」『季刊社会保障研究』50巻4号（2015年）429頁。前田雅子「個人の自立を支援する行政の法的統制」『法と政治』67巻3号（2016年）9頁では，法的根拠を27条の2に求めるとしても，保護実施機関が別途，27条に基づく指導・指示を行うことを否定する法解釈上の論拠としては十分でないとする。相談支援の法的理解については，第9節参照。

因を問わないこと（旧法上の欠格条項の廃止）を意味する。同条により，国民が無差別平等に受けることができる保護は，旧法下での理解のように単なる国の恩恵や社会政策の実施に伴う反射的利益ではなく，法的権利であることが明確化された。

同法1条が，保護の対象を「生活に困窮するすべての国民」と規定するのに加えて，2条も「すべて国民は」と定めていることから，こうした権利としての保護を受けることができるのは，基本的には日本国籍を有する者であると解されてきた。これに対し行政実務では，かつて人道的見地から生活保護法の準用を認めていた[12)]。1981（昭和56）年に「難民の地位に関する条約」を批准し，国民年金法，児童扶養手当法等の国籍要件が撤廃されたものの，生活保護に関しては取扱いの変更はなされなかった[13)]。1990（平成2）年には運用方針が変更され，準用措置の対象を永住者や定住者等の外国人（出入国管理及び難民認定法別表第2に掲げる在留資格を有する外国人）に限定する旨の運用方針の変更が行われた[14)]。

準用を受ける外国人には保護請求権はなく，不服申立てもできないというのが行政解釈の立場であった[15)]。これに対し，これらの者による生活保護申請は，生活保護法上の保護を求める趣旨であり，これを否定する却下処分は処分性を有する上，行政不服審査法上の審査請求適格もあるとして，却下決定に係る審査請求に対する却下裁決取消請求を認容した判決が出された[16)]。さらに永住外

12）昭29・5・8社発382号厚生省社会局長通知「生活に困窮する外国人に対する生活保護の措置について」。本通知については，新たな在留管理制度において従来の外国人登録証明書に代わって在留カード（中長期在留者）及び特別永住者証明書（特別永住者）が導入されたことに伴う改正が行われた（平24・7・4社援発0704第4号）。

13）古賀編著・前掲書（注6）65頁〔良永彌太郎執筆〕。

14）同書124頁〔片岡執筆〕。

15）同書123頁〔片岡執筆〕。ただし従来から，外国人に対する保護廃止の処分性を前提とした裁判例は存在した。東京地判昭53・3・31行集29巻3号473頁。

16）大分地判平22・9・30判時2113号100頁。なおこの点については，既に東京地判平8・5・29判タ916号78頁が，保護申請廃止処分についての審査請求適格を認めた先例として存在する。大分地裁判決を受けて，厚生労働省は，生活保護法の適用を求めての外国人からの保護申請は同法に基づく処分であるから，不服申立てできる旨教示すべき旨，取扱いを変更した。「生活保護に係る外国籍の方からの不服申立ての取扱いについて」（平22・10・22社援保発1022第1号）。

国人による却下処分取消請求に対し，生活保護法あるいは本件通知の文言にかかわらず，一定範囲の外国人も生活保護法の準用による法的保護の対象になると判示した高裁判決が出されたものの[17]，最高裁は，「外国人は，行政庁の通達等に基づく行政措置により事実上の保護の対象となり得るにとどまり，生活保護法に基づく保護の対象となるものではなく，同法に基づく受給権を有しない」と判示した[18]。

このほか最高裁は，不法残留者が緊急に治療を要する場合について，立法府は医師法19条1項の規定があること等を考慮して保護の対象とするかどうかの判断をすることができるものというべきであり，同法が不法残留者を保護の対象としていないことは憲法25条・14条に反しないと判示している[19]。判例と同様，生活保護法が外国人に適用されないと解するのが通説とされているのに対し[20]，緊急医療的な医療扶助については人道主義の見地から外国人を排除すべきでないとする学説もある[21]。実態として，こうした外国人は生活困難者のための無料定額診療事業（社福2条3項9号）の対象となり得る[22]。自治体の中には，民間医療機関を対象とする未払医療費補助制度を行ってきたところがある[23]。また国においても医療提供体制推進事業費補助金制度（救急救命センター運営事業）の中で，救急救命センターにおける救命医療の一部につき補助

17）福岡高判平23・11・15訟月61巻2号377頁。

18）最2判平26・7・18訟月61巻2号356頁。本判決にもかかわらず，生活保護の「準用」による行政措置それ自体の法的性格については，依然として判断されていないとみられる。ただし，大阪地判平28・8・26判例自治426号86頁は，外国人に対する生活保護の実施が，通知に基づく行政措置による事実上の保護にすぎず，その法的性質は民法上の贈与契約であるとし，贈与契約の成立が擬制される場合を定める法令の規定が存在しない以上，実施機関の承諾なしに当該外国人と実施主体との間に贈与契約が成立すると解する余地はないとした。なお，行政措置として外国人に生活保護扶助費を支出することが違法ではないとし，県知事に対する不当利得返還請求（住民訴訟）が却下された事案として，東京高判平23・3・24賃社1622号36頁がある。

19）最3判平13・9・25訟月49巻4号1273頁。

20）堀勝洋「社会保障法判例」『季刊社会保障研究』32巻3号（1996年）344頁。

21）倉田聡「外国人の社会保障」『ジュリスト』1101号（1996年）49頁，西村498頁。

22）同事業では，通達により不法滞在者を治療しても出入国管理法違反とはならず，通報義務もないとされている。平17・3・8社援総発0308001号，同0308002号。

23）たとえば，公益財団法人東京都福祉保健財団では，「外国人未払医療費補てん事務」を東京都から受託し実施している。

がなされる[24]。非定住外国人であっても医師は診療を拒否できない（医師19条1項）ので医療サービスそれ自体は提供され得ることなどから，憲法25条違反の問題は基本的には生じないと解される。他方，生活保護の対象は，基本的には国民に限定せざるを得ないとすると，問題は非定住外国人の緊急時の医療費をどのように保障するかである。この点につき，通常医療と緊急・救命医療を明確に区別できないことを勘案すると，緊急・救命医療だけを例外的に医療扶助の対象とすることはできず，やはり生活保護とは別建てで救命医療費の保障システムを設け対応せざるを得ないと思われる。

第3款　最低生活の原理

第2に，最低生活の原理（生活保護3条）は，同法1条が「最低限度の生活」の保障を目的としたことを受け，それが憲法25条1項において国民に保障された「健康で文化的な生活水準」でなければならないことを規定したものである。ここにいう「健康で文化的な生活水準」の具体的内容は，厚生労働大臣が定める基準（保護基準）によって示されている（同8条）。その基準（それは憲法25条1項にいう「健康で文化的な最低限度の生活」水準でもある）の設定は，朝日訴訟最高裁判決によれば，行政庁の広範な裁量に委ねられるものとされた[25]。ただし，同訴訟は原告の死亡に伴い訴訟承継が認められず終了したため，上記の判示はあくまで傍論として述べられたに過ぎなかった。

その後最高裁は，2004（平成16）年度以降段階的に老齢加算が減額・廃止されたことに伴う生活扶助支給額の減額を内容とする保護基準改定（保護変更決定）につき，憲法25条にいう「健康で文化的な最低限度の生活」の立法措置に係る広範な立法裁量を認めた堀木訴訟最高裁判決を引用し，判断過程審査の手法を用いながらも，生活保護法3条又は8条2項に違反しないと判示した[26]。

24）民間の救急救命センターにおいて，無保険者である重篤な外国人に対して救急医療を行った際に未収金が発生し，その回収について努力したにもかかわらず回収できないという特別な場合に，その未収金につき20万円を超える部分を，救命救急センター運営事業の補助基準額に加算する扱いとなっている。「医療提供体制推進事業費の交付について（別紙　医療提供体制推進事業費補助金交付要綱）」（平22・5・31発医政0531第12号）。

25）最大判昭42・5・24民集21巻5号1043頁（朝日訴訟）。

26）最3判平24・2・28民集66巻3号1240頁。同判決は，保護基準の改定が法3条等に反しな

生活保護法により保障される「最低限度の生活」は，「健康で文化的な」ものでなければならず，その水準は社会経済等の進展に伴ってより豊かな内容をもつものとなり得る[27]。

第4款　補足性の原理

第3に，補足性の原理が挙げられる。このことを規定した生活保護法4条については，その解釈をめぐって多くの裁判例が積み重ねられてきた。

1　資産・能力の活用

(1)　資産の活用

生活保護法4条1項は，資産・能力等[28]の活用を規定する。資本主義社会の下では生活自助あるいは生活自己責任が原則である以上，収入以外の資産は，最低限度の生活維持のために必要である場合にのみ保有が認められ，その限度を超える場合は原則的に処分して生活費に当てなければならない。また稼働能力がある場合，これを活用しなければならないことも当然である。資産・能力等の活用についての詳細は，保護の実施要領に係る通達において定められている[29]。

いのみならず，憲法25条違反でもないと判示しており，憲法25条が広範な行政裁量の下にあることを（傍論ではなく）本論で認めた初の最高裁判決と言うことができる。同旨，最1判平26・10・6判例集未登載（LEX/DB文献番号25504782），最1判平26・10・6賃社1622号40頁。

27)　東京地判平20・6・26判時2014号48頁（老齢加算廃止東京訴訟）は「憲法25条及び〔生活保護〕法3条において，健康で文化的な最低限度の生活というとき，衣食住等を始めとする生存・健康を維持するための必要不可欠の要素に加え，人間性の発露として，親族・友人との交際や地域社会への参加その他の社会的活動を行うことや，趣味その他の形態で種々の精神的・肉体的・文化的活動を行うこともまたその構成要素に含まれる」とする。

28)　法文上は，「利用し得る資産，能力その他あらゆるものを」と規定する。「その他あらゆるもの」とは，立法担当者によれば，「現実には資産になっていないが一挙手一投足の労で資産となし得るもの，たとえば，確認を受けていない恩給権」を言う。小山・前掲書（注5）121頁。裁定を受けていない年金受給権なども含まれる。大阪高判平25・12・13賃社1613号49頁（障害基礎年金の受給権が資産に当たるとした例）。

29)　「生活保護法による保護の実施要領について」（昭36・4・1発社123号），「生活保護法による保護の実施要領について」（昭38・4・1社発246号），「生活保護法による保護の実施要領の取

このうち資産の活用[30]につき，土地・家屋については，居住用家屋及びこれに付属した土地などは保有を認められるものの，処分価値が利用価値に比して著しく大きい場合は認められない[31]。要保護世帯向け不動産担保型生活資金貸付制度（いわゆるリバースモーゲージ）の利用が可能なもの（評価額500万円以上の不動産で，他の債権の担保になっていないもの）については，当該制度を活用させることとしている[32]。生活保護受給中における年金担保貸付の利用は，生活保護法の趣旨に反するものと整理され，同貸付の利用が制限されてきた[33]。過去に同貸付を利用するとともに生活保護を受給していたことがある者が再度借り入れをし，保護申請を行う場合も，最低生活維持のために利用可能な資産（月々の年金支給）の活用を恣意的に忌避しており，原則として生活保護を適用しないものとされた[34]。家電製品・家具什器等の生活用品は，当該世帯の人員，構成等から判断して利用の必要性があり，かつ保有を認めても当該地域の一般世帯との均衡を失することにならないと認められるものは保有が認められ，具体的には当該地域の全世帯の70％程度（利用の必要性において同様の状態にある世帯に限ってみた場合には90％程度）の普及率で判断されてきた。かつてはルームエアコンの保有を認めない自治体の実務が問題とされたことがあったものの，

扱いについて」（昭38・4・1社保34号）。

30）「資産の活用」の対象となる「資産」には所有のほか借用の場合も含み得る。福岡地判平10・5・26判時1678号72頁（自動車の借用）。

31）東京高判平28・3・16賃社1662号62頁（保有が認められていた居住用不動産についての買換えに基づく居住用不動産の取得が補足性の原則に反しないとされた例）。

32）こうした行政実務の扱いにつき，学説では，一律に申請却下または保護廃止を行うのは最低生活保障原理に反するおそれがある（加藤ほか〔7版〕378頁〔前田雅子執筆。以下本章において同じ〕），現に居住して最低限度の生活維持のために既に活用している家屋・宅地について，さらにそれを担保に借金することまでを保護実施要件として求められる「活用」といえるのか疑問である（笠木ほか467頁）といった批判が多い。

33）2020（令和2）年改正により，年金担保貸付は2022（令和4）年3月をもって原則として新規申込受付を終了した（国年24条，厚年41条1項，恩給11条1項但書）。

34）大分地判平22・9・13裁判所ウェブサイト（LEX/DB文献番号25442955）。ただし，裁判例の中には生活保護の適用を認めたものもみられた。大阪地判平25・6・13消費者法ニュース97号334頁。福岡高那覇支決平22・3・19判タ1324号84頁（生活保護開始仮の義務付け決定に対する即時抗告棄却）参照。「資産の活用」要件該当性とは別に，急迫保護（生活保護4条3項）の適用可能性は残される。嵩さやか「補足性原則の諸相――資産の活用と扶養義務」『季刊社会保障研究』50巻2号（2015年）406頁参照。

現在では「社会通念上処分させることを適当としないもの」として保有が認められている。

自動車の保有は，障害者や公共交通機関の利用が著しく困難な地域につき，相当限定的な条件の下でのみ認められるに過ぎず，裁判上争われることが少なくない[35]。処分価値がなく，維持費がかかっても保有を認めたほうが最低限度の生活維持や自立助長に資すると認められる場合，保有は認められるべきものと解される。

保護費は，後述する各扶助ごとに使途が予定され毎月支給されるものであり（生活保護12条～18条），基本的には貯蓄を予定するものではない。しかし，各世帯において，その一定額を自主的に貯蓄等に回すことがある。これをすべて収入として認定し，保護費を減額する扱いをしていたのでは，法の目的である自立助長を阻害することとなりかねない。この点につき最高裁も，子どもの高校就学費用に当てる目的で，保護費を原資として加入した学資保険の返戻金を収入認定し，保護費を減額した処分の取消しを求めた事案につき，「生活保護法の趣旨目的にかなった目的と態様[36]で保護金品等を原資としてされた貯蓄等は，収入認定の対象とすべき資産には当たらない」[37]と判示して，保護費を原資とする預貯金等の余地を認めた[38]。このほか，夫婦が将来の付き添い看護費

35）自動車の保有をめぐって争われた裁判例として，福岡地判平10・5・26・前掲（注30）（自動車の借用等を禁止した指示は適法なものであるとしたものの，直ちに保護廃止処分を行ったことを違法とし同処分を取り消した例），福岡地判平21・5・29賃社1499号28頁（通院等を行うため所有を容認すべきであったとして自動車所有禁止指示が違法とされ，同指示違反を理由とする保護停止決定処分が取り消された例），神戸地判平23・9・16賃社1558号44頁（自動車を処分すること等の指示に違反したとしてなされた停止処分が，書面による指導指示を欠くものとして違法とされ，取り消された例），大阪地判平25・4・19判時2226号3頁（障害の状況により自動車による以外に通院等を行うことは極めて困難であったとし，保護開始申請却下処分が取り消された例）。最1判平26・10・23集民248号1頁は，自動車を保有するための条件としての月額11万円の増収指示を違法でないとした原審を覆し，処分行政庁が口頭で指導していた事項が指示の内容に含まれると解することはできないとして破棄差し戻した（差戻控訴審・大阪高判平27・7・17賃社1646号25頁）。

36）大阪高判平30・9・27裁判所ウェブサイト（LEX/DB文献番号25571408）（証券会社の証券口座において保有していた金融商品を資産として申告していなかったことによる保護費徴収決定が適法とされた例）参照。

37）最3判平16・3・16民集58巻3号647頁（中嶋訴訟）。

38）その後の行政実務によれば，保護費のやりくりによって生じた預貯金等を子どもの大学等へ

用のために貯えた預貯金を収入認定し，保護費を減額した処分が違法とされた例[39]などがある。

収入認定に関しては，社会事業団体等から臨時的に恵与された慈善的性質を有する金銭であって，社会通念上収入認定することが適当でないものや，出産，就職，結婚，葬祭等に際して贈与される金銭であって，社会通念上収入認定することが適当でないもの等[40]，収入認定しない扱いとされているものがある[41]。行政実務では，保護開始時において当該世帯の最低生活費の5割以下の手持金の保有を認めてきた。

(2)　能力の活用

次に，能力の活用にいう「能力」とは，稼働能力を意味する。裁判例では，ホームレスへの生活保護不支給（形式的には保護開始決定だが，実質的には医療扶助以外の扶助の不支給決定）の違法が争われた事案（林訴訟）において，地裁判決[42]が「法4条1項に規定する『利用し得る能力を活用する』との補足性の要件は，申請者が稼働能力を有する場合であっても，その具体的な稼働能力を活用する意思があるかどうか，申請者の具体的な生活環境の中で実際にその稼働能力を活用できる場があるかどうかにより判断すべきであ」るとし，「申請者がその稼働能力を活用する意思を有しており，かつ，活用しようとしても，実際に活用できる場がなければ，『利用し得る能力を活用していない』とは言えない」と判示し，決定を違法として取り消したのに対し，控訴審判決[43]は，原

の進学のために必要な入学金に充てることを認めている。

39)　秋田地判平5・4・23判時1459号48頁（加藤訴訟）。

40)　東日本大震災の被災者が受ける義捐金等も，「当該被保護世帯の自立更生のために当てられる額」を収入認定しないこととされた。「東日本大震災による被災者の生活保護の取扱いについて（その3）」平23・5・2社援保発0502第2号。このほか，鹿児島地判平27・4・7判例集未登載（LEX/DB文献番号25541277。水俣病特措法に基づく一時金を収入認定した上での保護廃止処分を適法とした例），福島地判平30・1・16判タ1451号172頁（給付型奨学金を収入認定した保護費の減額につき，国賠請求を認めた例）参照。

41)　名古屋高金沢支判平12・9・11・前掲（注6）（県心身障害者扶養共済制度に基づく月額2万円の年金の収入認定をめぐって，同年金が法4条1項の資産等及び法8条1項の金銭等にあたらないとされた例）。このほか，自営業者の収入申告資料に係る誤った指導が国家賠償法上違法とされた事案として，大阪高判平27・2・26賃社1636号58頁。

42)　名古屋地判平8・10・30判時1605号34頁。

43)　名古屋高判平9・8・8判時1653号71頁。

審と同様の判断枠組みに依拠しながらも，「X（一審原告）には，同人の有する程度の稼働能力を活用する機会ないしは活用する場が存在したと認めることができる」「本件申請には法4条1項の補足性の要件を充足していないものというほかなく，したがって，生活保護の受給資格を欠く」とし，原判決を取り消した。申請者の具体的な状態を踏まえて判断した地裁とは異なり，一般的な求人状況に依拠して，抽象的な就労可能性を判断すれば足りるとしたものとみられ，問題があるものであった[44)]。

行政実務では，上述した裁判例の判断枠組みと同様，①稼働能力があるか否か，②その具体的な稼働能力を前提として，その能力を活用する意思があるか否か，③実際に稼働能力を活用する就労の場を得ることができるか否か，により判断することとされている。このうち①は，年齢や医学的な面からの評価だけでなく，その者の有する資格，生活歴・職歴等を把握・分析し，それらを客観的かつ総合的に勘案して行うこととされ，③は，地域における有効求人倍率や求人内容等の客観的な情報のみならず，育児や介護の必要性などその者の就労を阻害する要因をふまえて行うこととされている。

こうした裁判例と異なる傾向として，林訴訟と同じくホームレスへの生活保護申請却下決定の違法が争われ，稼働能力の活用が問題となった事案において，「当該生活困窮者が，その具体的な稼働能力を前提として，それを活用する意思を有しているときには，当該生活困窮者の具体的な環境の下において，その意思のみに基づいて直ちにその稼働能力を活用する就労の場を得ることができると認めることができない限り，なお当該生活困窮者はその利用し得る能力を，その最低限度の生活の維持のために活用しているものであって，稼働能力の活用要件を充足するということができる」とし，却下決定を取り消すとともに保護開始決定の義務付けを認めた裁判例があり，個別事情を考慮しつつ具体的な就労の場があったかに着目した判断として注目される[45)]。

44）　西村502頁，加藤ほか〔7版〕382頁。地裁判決が述べるように，「申請者の具体的な生活環境の中で」就労の場を得ることができるかという基準で考えなければ，元々「資産」の活用と比べて「能力」の活用という基準自体が抽象的であり，福祉事務所担当者の裁量に委ねられざるを得ない面が大きいことから，生活保護受給のためのハードルが殊更に高くなってしまう危険性がある。菊池・将来構想217-218頁。なお本件では，上告段階で原告が死亡したため，取消請求訴訟は終了とされたが，国家賠償請求との関係で本件処分が適法であるとの判断は維持された。最3判平13・2・13賃社1298号67頁。

これらの事案で保護申請の当事者であったホームレスに関しては，2002（平成14）年，ホームレスの自立の支援等に関する特別措置法（ホームレス自立支援法）が10年間の時限立法として成立した[46]。同法の成立に伴い，通知[47]により「住居がないことを理由に，保護の拒否をしてはならない」旨が確認され，この趣旨は同通知の後継の通知においても再確認されている[48]。同法は，2012（平成24）年改正により5年間延長された。その後，2013（平成25）年生活困窮者自立支援法の成立に伴い，任意事業として生活困窮者一時生活支援事業が設けられたことに加え，調査によるホームレスの減少傾向が明らかになったもの の[49]，ホームレス自立支援法は2017（平成29）年改正により，さらに10年間延長された。

これに対し，求職・就労指示の適法性判断との関連において，利用しうる能力があったにもかかわらずこれを活用していなかったと判断された裁判例もみられる[50]。

45）東京地判平23・11・8賃社1553＝1554号63頁。控訴審である東京高判平24・7・18賃社1570号42頁も原審の結論を維持した。ただし高裁判決は，判断枠組みを共通にしながらも原告の性格障害の疑いや人間関係能力の不足に着目している点で，原審と異なる。菊池馨実・本件評釈『季刊社会保障研究』49巻2号（2013年）236-237頁。本件と同様，従来よりも緩やかな基準で生活保護開始の義務付けを認めた裁判例として，大津地判平24・3・6賃社1567＝1568号35頁。同様に保護申請却下処分取消請求とともに国家賠償請求を認容した裁判例として，大阪地判平25・10・31賃社1603＝1604号81頁があり，保護停止処分を取り消した裁判例として，東京高判平27・7・30賃社1648号27頁がある。

46）菊池・将来構想第9章参照。

47）平14・8・7社援保発0807001号通知「ホームレスに対する生活保護の適用について」。

48）平15・7・31社援保発0731001号通知「ホームレスに対する生活保護の適用について」。

49）初めて全国調査を実施した2003（平成15）年に2万5296人であったホームレス数は，2021（令和3）年に3824人となった。ただし，ここにいうホームレスとは，法2条に規定する「都市公園，河川，道路，駅舎その他の施設を故なく起居の場所とし，日常生活を営んでいる者」（いわゆる路上生活者）であり，特定の住居をもたない「ネットカフェ難民」ともいわれるインターネットカフェ・漫画喫茶等に滞在するのを常態とする者などを含まない点に留意する必要がある。2018（平成30）年1月東京都福祉保健局「住居喪失不安定就労者等の実態に関する調査」によれば，東京都内でインターネットカフェ等をオールナイトで利用する「住居喪失者」を1日約4000人と推計している。

50）福岡地判平21・3・17判タ1299号147頁。このほか，警察の情報にのみ依拠して暴力団構成員であると認定したことを理由に保護要件を充たさないとして生活保護申請を却下した事案につき，処分を取り消した例として，宮崎地判平23・10・3判タ1368号77頁（ただし，控訴審

稼働能力と就学との関係につき，かつて稼働能力があるにもかかわらず高校就学することは能力を活用しないものとされていた時期もあったが，その後，奨学金などによって就学費用がまかなわれ，世帯の自立助長に効果的である場合，稼働能力の活用を求めることなく高校あるいは夜間大学等で就学しながら保護を受けることができる扱いとなった。さらに，進学率が90％を超える状況下，高校進学については保護費で就学費用を保障すべきとの要求が高まり，生業扶助の技能習得費（高等学校等就学費）として給付対象となるに至った[51)]。これに対し，大学等への就学については，その者を世帯分離（生活保護10条但書）する扱いにとどまってきたものの，貧困の連鎖からの脱却[52)]といった観点から，さらなる公的な支援が求められ，2018（平成30）年改正において，大学等進学の際の新生活立ち上げの費用として，進学準備給付金を一時金として支給することになった（生活保護55条の5）[53)]。

総じて生活保護の目的のうち自立助長に根源的意義を認める本書の視角からは，資産の活用を自立助長目的との関連で柔軟に認める余地が相当程度存在し，また能力の活用を保護の消極要件としてあまり厳格に求めるべきではないと考える[54)]。

である福岡高宮崎支判平24・4・27賃社1569号43頁は原判決を破棄し，処分を適法とした），暴力団を脱退した者に対し，暴力団員であるから稼働能力活用の要件等を充たさないとしてなされた保護申請却下処分が取り消された例として，静岡地判平30・4・26賃社1716号48頁。

51）　ただし，課外活動費等まですべて賄われたわけではなかった。横浜地判平27・3・11判例自治408号34頁（高校生の娘のアルバイト収入を申告せずに保護費を受給し続けたことを理由とする費用徴収決定〔生活保護78条〕が修学旅行費を捻出する目的であった等の事情の下，違法とされた例）。現在では，高校生のアルバイト収入につき，私立高校における授業料の不足分，修学旅行費，クラブ活動費（学習支援費を活用しても不足する分に限る），学習塾費等にあてられる費用については，必要最小限度の額を収入として認定しない扱いとなっている。

52）　生活保護世帯の子どもの大学等進学率は33.1％であり，全世帯の進学率73.2％と比較して著しく低い。「社会保障審議会生活困窮者自立支援及び生活保護部会報告書」（2017〔平成29〕年12月15日）32-33頁。

53）　注52）掲記の報告書では，生活保護制度特有の事情が障壁になることがないよう制度見直しを求めるとともに，大学等進学時の支援にとどまらない中学，高校在学中における進路等についての相談先の確保や扶助費の範囲などを含めた総合的支援などを求めている。

54）　菊池・将来構想189頁。

2　私的扶養優先

生活保護法4条2項は，扶養義務者による私的扶養の優先を規定する。旧法がこれを保護を受ける資格に関連させて規定した（つまり扶養義務者の存在を欠格事由としていた）のに対し，現行法においてはこれを避け，単に民法上の扶養が生活保護に優先して行われるべきであるという建前を規定するにとどめたものとされている[55)]。行政解釈では，要保護者に扶養義務者がある場合，扶養義務者に扶養及びその他の支援を求めるよう，要保護者を指導することとされ，従来しばしば，この「指導」が保護の申請を事実上妨げているのではないかが問題とされてきた[56)]。ここにいう「扶養義務者」は民法877条等の定めによるものであるが，とくに同条2項に規定する相対的扶養義務者（特別な事情がある場合，家庭裁判所の審判によって扶養義務を負わされる3親等内の親族）[57)]まで私的扶養優先の原則を適用するのは広すぎるとの批判があり，生活保持義務（夫婦間や親の未成熟子に対する扶養）[58)]の範囲に限定すべきであるとの考え方が有力である[59)]。保護実施機関は，保護実施費用の全部又は一部を，扶養義務者から徴収することができ[60)]，協議が整わない場合等に係る負担額は，保護実施機関の申

---

55)　小山・前掲書（注5）119頁。したがって，現実に扶養義務者による扶養が行われれば，その限度で保護実施義務が縮減する。ただし，2013（平成25）年改正により，知れたる扶養義務者が民法の規定による扶養義務を履行していないと認められる場合において，保護の開始の決定をしようとするときは，厚生労働省令で定めるところにより，あらかじめ，当該扶養義務者に対して書面をもって厚生労働省令で定める事項を通知しなければならない旨の規定がおかれた（生活保護24条8項）。申請保護に係る手続の整備の一環としておかれた規定であるが，4条2項の解釈に変更はなく，機械的に通知することにより保護申請を委縮させることのないような運用が図られるべきである。

56)　岡山地判平4・5・20判例自治106号80頁（扶養義務者が扶養を申し出ているにもかかわらず，申請者が扶養を受けるための自己努力をしていないとしてなされた保護申請却下処分が適法とされた例）。

57)　これに対し，配偶者（民752条），直系血族及び兄弟姉妹（同877条1項）を絶対的扶養義務者ということがある。

58)　それ以外の扶養は生活扶助義務（相手方が生活難に陥った場合，自己に余力があれば援助すべき義務）とされる。

59)　加藤ほか〔7版〕386頁，菊池・将来構想189頁など。

60)　この法的根拠につき，次順位者が先順位者に代わって扶養を履行した場合と同様，一種の事務管理が成立し，事務管理者の償還請求権にあたる（民697条1項，702条）との理解がなされている。西村505頁，小山・前掲書（注5）820頁。

立てにより家庭裁判所が定めることとされている（生活保護77条）。

3　他法優先

法4条2項は，他の法律に定める扶助が生活保護に優先して行われる他法優先適用の原則をも規定する。この他法優先は，まさに生活保護法が社会保障制度の最後の拠りどころ（最後のセーフティネット）であることを示すものである。他の「法律」に定める扶助である以上，法律に直接の根拠をもたない施策には基本的にこの原則は適用されない[61]。

4　急迫保護

法4条3項は，急迫した事由がある場合に，必要な保護（急迫保護）を行うことを妨げるものではないとして，補足性の原理が排除される場合があることを規定している。ここにいう急迫した事由とは，単に生活に困窮しているだけでなく，生存が危うくされるとか，その他社会通念上放置し難いと認められる程度に状況が切迫している場合をいうとされ[62]，厳格に判断されている[63]。この規定に対応して，申請主義の例外として，保護実施機関に職権保護義務が課される（生活保護25条1項）。

急迫保護を受けた場合等で，後に資力があることが判明した場合，保護の範

61）ホームレス自立支援法に基づく施策も，実施要領において定められている限りにおいて「他の法律に定める扶助」にはあたらないと解される。菊池・将来構想219頁。東京高判平24・7・18・前掲（注45）は，ホームレス支援策としての自立支援システムやTOKYOチャレンジネットは「他法他施策」にあたらないとする。

62）那覇地判平23・8・17賃社1551号62頁，小山・前掲書（注5）123頁。静岡地判平26・10・2賃社1623号39頁では，「住居や食料，ライフラインが途絶するなど，そのまま放置した場合には生命に危険が及び得るような状況」とされ，本件ではこうした状況になかったとした。他方，大阪高判平25・6・11賃社1593号61頁では，「近い将来，住居から撤去を求められたりライフラインが止まったりすることが容易に予想され」「降圧剤の投与を受けることができず，高血圧症を再び悪化させることも十分に予想できる」状況下，「急迫した事由」があったとした。

63）これに対し，加藤ほか〔7版〕387頁は，要保護者に対する迅速な保護の実施という要請に照らすと，生活困窮の程度にかんがみ，利用し得る資産を活用して生活費に充当し，または申請とこれに対する保護の決定を待つ時間的余裕がない場合を含むとして，より広く解すべきとする。

囲内で保護実施機関に対する費用返還義務が発生する（同63条)。この点に関して，交通事故による負傷に際し急迫保護による医療扶助を受給した被害者の損害賠償請求権が「利用し得る資産」（同4条1項）にあたるかが争われた事案がある。最高裁は，「交通事故による被害者は，加害者に対して損害賠償請求権を有するとしても，加害者との間において損害賠償の責任や範囲等について争いがあり，賠償を直ちに受けることができない場合には，」例外的に急迫保護を受けることができるのであり，「のちに損害賠償の責任範囲等について争いがやみ賠償を受けることができるに至ったときは，その資力を現実に活用することができる状態になったのであるから，同法63条により費用返還義務が課せられるべきもの」と解した[64)]。従来から，立法論として社会保険給付（健保57条1項，国保64条1項など）と同様，保護実施機関はその給付の価額の限度で，被保護者が第三者に対して有する損害賠償債権を取得する旨の代位取得ないし第三者求償規定をおくべきであるとの学説があったところ[65)]，2013（平成25）年改正で医療扶助及び介護扶助に係る同趣旨の規定がおかれるに至った（生活保護76条の2)。

第5款　実施上の原則

生活保護法7条ないし10条は，生活保護実施上の諸原則について規定している。

1　申請保護の原則

生活保護法7条は申請保護の原則を規定する。すなわち保護は，要保護者，その扶養義務者又は同居の親族の申請に基づいて開始される[66)]。ただし，急迫した事情にあるときは職権保護が求められる場合もある（同条但書，25条1項)。

申請を契機として保護手続が開始されることとの関連で，申請前の面接段階で申請書が交付されず，申請に至らない場合があるといわれ，申請の要式行為

64）　最3判昭46・6・29民集25巻4号650頁。

65）　西村504頁，加藤ほか〔5版〕375-376頁。

66）　この原則を採用したのは，保護の開始を保護請求権の行使に基づいて行われるとする方がより合目的的となるからとされる。小山・前掲書（注5）162頁。

性[67]と絡んで訴訟になったケースがある[68]。

2　基準及び程度の原則

保護は，厚生労働大臣の定める基準により測定した要保護者の需要を基とし，そのうち，その者の金銭又は物品で満たすことのできない不足分を補う程度において行うものとする（生活保護8条1項）。すなわち資産・収入と保護基準によって測定された生活需要を対比して，不足分があると認定されれば，その分を補う程度において保護を行うこととなる。

厚生労働大臣が定める保護基準は，告示の形式で定められている[69]。告示も法規命令の性格を有するものの，保護基準が憲法25条1項にいう「健康で文化的な最低限度の生活」を具現化し，他の低所得者等施策（たとえば，地域別最低賃金〔最賃9条3項〕，国税徴収に係る差押禁止〔国税徴収76条1項4号〕など）の指標・基準としての役割も有することからすれば，法律の別表か少なくとも省令で定めるべきものと解される[70]。この基準は，要保護者の年齢別，性別，世帯構成別，所在地域別その他保護の種類に応じて必要な事情を考慮した最低限度の生活需要を満たすに十分なものであって，かつ，これをこえないものでなければならない（生活保護8条2項）。保護基準は漸次改定されてきており[71]，

67）立法担当者である小山は，法律上要式行為性を要求する条項がなく，かつ法律の趣旨からみても非要式行為であるとしていた。同書164頁。非要式行為説をとるものに，西村515頁，古賀編著・前掲書（注6）140頁。2013（平成25）年改正では，申請書提出による要式性をより明確に求めるに至った。第4節第1款参照。

68）申請書が交付されず生活保護費が受給できなかったとしてなされた国家賠償請求につき，要式行為性を認めず申請があったとして請求を認容した例として，大阪地判平13・3・29訟月49巻4号1297頁（ただし控訴審では，口頭による申請の余地を認めながらも，「申請の表示行為を行う必要があり」これを行ったものと認められないとして原判決が破棄された。大阪高判平13・10・19訟月49巻4号1280頁）。福岡地小倉支判平23・3・29賃社1547号42頁は，生活保護の相談につき，保護実施機関における助言・教示義務，申請意思確認義務，申請援助義務の存在を認めたものの，この点に関する国家賠償請求は棄却した。さいたま地判平25・2・20判時2196号88頁は，申請行為が認められないときでも，故意又は過失により申請権を侵害する行為をした場合には，職務上の義務違反として，これによって生じた損害を賠償する責任を負うとし，申請権の侵害に加えて，口頭による申請への審査・応答義務違反を認めた。

69）「生活保護法による保護の基準」（昭38・4・1厚生省告示158号）。

70）加藤ほか〔7版〕390頁。

71）老齢加算の廃止に係る保護基準の改定が，生活保護法3条又は8条2項の規定に違反するも

保護の要否の判定基準であると同時に，支給基準でもある。

3　必要即応の原則

法は，保護は，要保護者の年齢別，性別，健康状態等その個人又は世帯の実際の必要の相違を考慮して，有効かつ適切に行うものと規定する（生活保護9条）。本条は，無差別平等原理（同2条）の画一的・機械的運用の弊害を除去するとの趣旨によるものである。保護基準の設定に当たっても，要保護者に特別の事由がある場合，厚生労働大臣が特別基準を設定するものとされ，個別事情に応じた保護が予定されている（第5節第2款）。

4　世帯単位の原則

保護は，世帯を単位としてその要否及び程度を定めるものとする（生活保護10条）。世帯員の需要及び収入を一括して，世帯としての最低生活費及び収入の認定を行い，それに基づいて保護の要否及び程度が定められることになる。ここにいう「世帯」とは，原則として「同一の住居に居住し，生計を一にしている者の集まり」であり，法律上の扶養義務がない場合でも同一世帯となり得る[72]。生計の同一性が本来的基準であり，居住を一にしていない場合であっても，出稼ぎ，子の就学のための寄宿，単身赴任，入院などの場合，同一世帯と

のではないとした判例として，最3判平24・2・28・前掲（注26）。近時の改定は，社会保障審議会生活保護基準部会での検証を踏まえて行われている。第5節第2款参照。

72）　東京地判昭38・4・26行集14巻4号910頁（法律上は協議離婚しながら同一の住居に起居し，生計を一にしていた事案で，同一世帯を構成していたものと認められた例），大阪高判平28・7・22賃社1673＝1674号98頁（別居中の夫を世帯から除外せず同一世帯として生活保護を適用した処分が，生計の同一性が失われたことを理由に取り消された例），東京地判平28・9・13判タ1450号169頁（要保護者と親族関係にない三味線の師弟関係にある者と3年を超えて同一の住居に居住していた事案で，世帯の同一性が認められた例），名古屋高判平30・12・12賃社1727号46頁（被保護者の女性が知人男性と生活を共にしているとして保護廃止処分を受けた事案で，被保護者の世帯の収入状況に関する検討を怠った過失があるとして国賠請求が認容された例。同じ事案で保護廃止処分の執行停止の申立てが認容されたものとして，名古屋高決平27・5・15賃社1642号61頁がある）。西村514頁は，世帯員のなかに生活保持義務を負う者以外の者が含まれる場合，生活扶助義務を負うにすぎない者に生活保持義務を強制する結果となり得ることから，生活扶助義務の範囲で需要の充足を判断し，個人単位で保護を実施すべきとする。

認定される。

世帯単位の原則によりがたい場合（子どもの大学進学など），例外的に世帯分離が認められる（同条但書）。

第4節　生活保護の実施

第1款　保護決定・実施手続

先述したように（第3節第5款1），保護は要保護者等の申請に基づいて開始されるのが原則である（生活保護7条）。保護の開始を申請する者は，厚生労働省令で定めるところにより，法定の諸事項を記載した申請書を保護の実施機関（第2款参照）に提出しなければならない（同24条1項）[73]。申請書には，要保護者の保護の要否，種類，程度及び方法を決定するために必要な書類を添付しなければならない（同24条2項）[74]。保護の開始の申請があった場合，保護の実施機関は，保護の要否，種類，程度及び方法を決定し，申請のあった日から14日以内に書面をもって申請者に通知しなければならない（同24条3項・5項）。この決定の法的性格は行政処分であり[75]，申請の時点に遡って保護が開始される[76]。通知には決定の理由を付さなければならず（同条4項・6項），申請から30日以内に通知がない場合，申請者は保護の実施機関が申請を却下したもの

73）ただし，当該申請書を作成することができない特別の事情があるときはこの限りではないとされ（同項但書），要式行為性が貫徹されているわけではない。2013（平成25）年改正により，申請書提出による要式性がより明確に求められるに至ったものであるが，最後のセーフティネットとしての本法の性格からすれば，「特別の事情」を狭く解するべきでない。注67）参照。なお，保護の実施機関は，生活保護法24条1項の規定による保護の開始の申請について，申請者が申請する意思を表明しているときは，当該申請が速やかに行われるよう必要な援助を行わなければならない旨の規定がおかれている（生活保護則1条2項）。

74）ただし，当該書類を添付することができない特別の事情があるときはこの限りではない（生活保護24条2項但書）。

75）従来，この決定（生活保護開始申請却下決定）の取消しを求める抗告訴訟が一般的な争い方であったのに対し，最近，直裁に保護開始決定を義務付ける判決などもみられる。那覇地判平23・8・17・前掲（注62），東京高判平24・7・18・前掲（注45），大津地判平24・3・6・前掲（注45）。

76）西村520-521頁。

とみなすことができる（みなし却下処分。同条7項）。こうした具体的な手続を設けたのは，生活保護の支給の可否が個人の生活や生存に重大な関係を有することによる[77]。とくに理由付記を求める趣旨は，「保護実施機関の判断の適正を確保するとともに，決定を受ける被保護者の不服申立て等の便宜を図ることにある」[78]。

保護は，要保護者が急迫した状況にあるときは，保護実施機関が職権で行う（同25条1項）。福祉事務所をもたない町村長も，要保護者が特に急迫した事由により放置することができない状況にあるときは，すみやかに職権での保護を行わねばならない（同条3項）。

保護の実施機関は，保護の決定，実施等のために必要があると認めるときは，要保護者の資産及び収入の状況，健康状態等について調査を行う（同28条1項）。資産・収入についての調査をミーンズ・テスト（資力調査）という[79]。保護の実施機関及び福祉事務所長は，保護の決定，実施等のため必要があると認めるときは，官公署，日本年金機構若しくは共済組合等に対し，①要保護者又は被保護者であった者に係る氏名，住所又は居所，資産及び収入の状況，健康状態等，②①に掲げる者の扶養義務者に係る氏名，住所又は居所，資産及び収入の状況等につき，必要な書類の閲覧若しくは資料の提供を求め，又は銀行，信託会社，①②に掲げる者の雇主等に報告を求めることができる（同29条1項）。これらの調査に係る規定は2013（平成25）年改正に伴い従来よりも詳細に規定されるに至ったものであるが，こうした調査が過度にわたる場合，要保護者等のプライバシーとの兼ね合いで問題が生じ得る点に十分留意する必要があり[80]，要保護者の留守宅への立入調査や有形力の行使が許されるわけでもない[81]。保護実施機関は，求められた報告をしないこと・虚偽報告，立入調査の

77）小山・前掲書（注5）390頁。

78）京都地判平5・10・25判時1497号112頁（「傷病治ゆ」「居住実態不明」を理由とする廃止決定が違法とされた例）。

79）報告を求める対象者は，要保護者本人に加えて，2013（平成25）年改正により扶養義務者等にまで拡大された（生活保護28条2項）。

80）かつて，暴力団関係者等による不正受給が社会問題化したことを契機としていわゆる123号通知（「生活保護の適正実施の推進について」〔昭56・11・17社保123号通知〕）が出され，包括的な同意書の提出を求める等の対応が問題となった。

81）西村517頁。

拒否・妨害・忌避又は医師等の検診を受けるべき旨の命令の拒否につき，保護の開始若しくは変更の申請を却下し，又は保護の変更，停止若しくは廃止をすることができる（生活保護28条5項）。資産・収入等の調査は支給開始後も行われ，補足性の原理（同4条1項）の下，収入増に応じて保護費が減額される。

保護実施機関は，被保護者に対して，生活の維持・向上その他保護の目的達成に必要な指導又は指示をすることができる（同27条1項）[82)]。被保護者はこの指示に従う義務を負い（同62条1項），この義務に違反したときは，保護の変更，停止又は廃止事由となる（同条3項）[83)84)]。ただし，保護に関する処分は，被保護者の権利利益に重大な影響を及ぼし得るものであるから，指示違反があれば裁量によりいかなる処分をもなし得るものと解すべきではなく，具体的事案において当該処分が著しく相当性を欠く場合には，裁量権の逸脱・濫用として違法となり得る[85)]。

---

82)　この指導・指示の処分性を肯定した裁判例として，秋田地判平5・4・23・前掲（注39）（加藤訴訟）。法27条の指導・指示を行政行為とみて取消訴訟で争うことを肯定する有力説として，太田匡彦「生活保護法27条に関する一考察」小早川光郎＝宇賀克也編『行政法の発展と変革 下巻　塩野宏先生古稀記念』（有斐閣，2001年）614-615頁。ただし，多くの裁判例では，違法な指導・指示に基づく保護の停止・廃止処分の取消請求という形式で争われている。注83）参照。問題となる場面により，行政処分と行政指導の複合的性格をもつものと捉えられると思われる。

83)　指導又は指示の内容が客観的に実現不可能又は著しく実現困難である場合には，当該指導又は指示に従わなかったことを理由に法62条3項に基づく保護の廃止等をすることは違法となる。最1判平26・10・23・前掲（注35）。一定期間内に就労を開始せよとの指示が違法とされた裁判例として，東京高判平27・7・30・前掲（注45）。

84)　生活保護則19条は，法62条3項に規定する保護の実施機関の権限は，法27条1項の規定により保護の実施機関が書面によって行った指導又は指示に，被保護者が従わなかった場合でなければ行使してはならない旨規定する。最1判平26・10・23・前掲（注35）は，この書面による指導又は指示の内容は，当該書面自体において指導又は指示の内容として記載されていなければならず，当該書面に指導又は指示の内容として記載されていない事項まで指導又は指示の内容に含まれると解することはできない旨判示した。

85)　福岡高判平22・5・25賃社1524号59頁。同判決は，保護の廃止に係る判断につき，「処分の根拠となった指示の内容の相当性・適切性，指示違反に至る経緯，指示違反の重大性・悪質性，将来において指示事項が履行される可能性，保護の変更や停止を経ることなく直ちに保護を廃止する必要性・緊急性，保護廃止がもたらす被保護世帯の生活の困窮の程度等を総合考慮すべきである」との判断枠組みを示した上で廃止処分を違法とした。名古屋高判平30・10・11賃社1723号36頁もほぼ同旨。

1999（平成11）年改正により，保護実施機関は，要保護者から求めがあったときは，要保護者の自立を助長するために，要保護者からの相談に応じ，必要な助言をすることができる旨の規定がおかれた（同27条の2）。相談支援（ソーシャルワーク）業務の根拠規定と解されている。

指導・指示義務違反（同62条3項）の場合のほか，被保護者の生活状態を調査し，保護の変更を必要と認めるとき，職権による保護の変更がなされ得る（同25条2項）。また被保護者が保護を必要としなくなった場合，保護の停止・廃止事由となり（同26条），先述したように，求められた報告をしないこと・虚偽報告，立入調査の拒否・妨害・忌避，検診命令拒否の場合にも，保護の変更・停止・廃止事由となる（同28条5項）。制裁的な保護の廃止決定は，指導・指示義務違反と立入調査の拒否等の場合に限定するのが生活保護法の趣旨であり，これら2つの場合以外に，しかも，行政手続的な制約もないまま，制裁的な廃止決定が許容される場合があると解することはできない[86]。職権による保護の変更の場合，書面による理由の付記が義務付けられている（同25条2項）。指導・指示義務違反の場合にも同様の規定を置くべきであろう。

第2款　運営実施体制

生活保護の事務は，本来国が行うべき事務であり，これを都道府県知事，市長及び福祉事務所を管理する町村長に処理させるという意味で，機関委任事務とされてきた。その後，1986（昭和61）年のいわゆる福祉8法改正により，社会福祉に関わる事務の多くが機関委任事務から団体委任事務化されたにもかかわらず，生活保護事務は機関委任事務として残された。このことは，同事務が憲法25条にいう国の生存権保障に直接関わる事務であることによる。1999（平成11）年のいわゆる地方分権一括法による事務区分の変更以後も，社会福祉関係の事務の多くが自治事務とされたのに対し，同事務は法定受託事務とされた（自治2条9項，別表第1）[87]。

保護実施にあたる機関は，都道府県知事（指定都市の市長を含む），市長（特別区の区長を含む），及び福祉事務所を管理する町村長である（生活保護19条1項，

86）京都地判平5・10・25・前掲（注78）。
87）ただし，相談・助言（生活保護27条の2）は自治事務とされている。

84条の2第1項)。居住地主義が原則であり（同19条1項1号），居住地がないか，又は明らかでない要保護者の場合（同項2号），居住地が明らかである要保護者であっても，その者が急迫した事情にある場合，例外的に現在地主義がとられる（同19条1項・2項)。ここでいう「居住地」とは，「客観的な人の居住事実の継続性および期待性が備わっている場所，すなわち，人が現に日常の起居を行なっており，将来にわたり起居を継続するであろうことが社会通念上期待できる場所」[88]をいい，「現在地」とは，「保護を必要とする状態の現に発生して所在している場所」[89]をいう。被保護者を救護施設，更生施設等の施設に入所させたり，介護老人福祉施設や特定施設入居者生活介護及び介護予防特定施設入居者生活介護を行う者（有料老人ホーム）などに委託して行う場合においては，入所又は委託前の居住地又は現在地によって実施責任が定まる（同条3項)。

保護実施機関の権限は，通常，福祉事務所長に委任されている（同条4項)。福祉事務所を設置しない町村長も，急迫した状況にある要保護者に対して，応急的処置として必要な保護を行うこととされているほか（同条6項)，保護実施機関又は福祉事務所長が行う保護事務の執行を適正ならしめるための職務を行う（同条7項)。保護の開始又は変更の申請は，町村長を経由してすることもできる（同24条6項)。

2018（平成30）年改正により，都道府県知事は，市町村長に対し，保護等の支給に関する事務の適正な実施のため，必要な助言その他の援助を行うことができる旨の規定が置かれた（同81条の2)。

補助機関として社会福祉主事（ケースワーカー。同21条)，協力機関として民生委員（同22条）が規定されている。後者は，旧法下で補助機関であったものが，1950（昭和25）年制定の新法により社会福祉主事の協力機関とされた。

88）東京地判昭47・12・25行集23巻12号946頁（藤木訴訟)。最1判平20・2・28集民227号313頁は，国外に現在している要保護者であっても，その生活の本拠が依然として国内の居住地にあるものと解される場合には，当該居住地を所管する福祉事務所を管理する実施機関が保護の決定及び実施責任を負うものとした。

89）小山・前掲書（注5）309頁。

第5節　生活保護の種類・方法・保護施設

第1款　保護の種類

生活保護法にいう「保護」としては，金銭及び物品の給与又は貸与が予定されている（生活保護6条3項）。これは，金銭の給与又は貸与による金銭給付と，金銭給付以外の方法による現物給付に分けられる（生活保護6条4項・5項）。

保護の種類として，生活扶助（生活保護12条），教育扶助（同13条），住宅扶助（同14条），医療扶助（同15条），介護扶助（同15条の2），出産扶助（同16条），生業扶助（同17条），葬祭扶助（同18条）の8種類があり，要保護者の必要に応じ，単給又は併給として行われる（同11条1項・2項）。日常生活費は自力で賄えるけれども医療費が賄えない場合，医療扶助の単給がなされる場合が少なくない。

これらの各扶助は例示列挙ではなく制限列挙であると解される[90]。

第2款　保護基準

各扶助については，厚生労働大臣が定める告示をもって保護基準（生活保護8条1項）が定められている[91]。なかでも中心となるのが生活扶助で，要保護者の年齢別，世帯構成別，所在地域別にその内容が定められている（同条2項）[92]。基本的に各人の年齢区分毎に設定される第1類費（食費・被服費など個人的経費）と，世帯毎に設定される第2類費（光熱費・家具什器等の世帯共通経費）

90）東京地判昭54・4・11行集30巻4号714頁（弁護士費用は生活保護の対象とならないとされた例。第二次藤木訴訟）。西村522頁。これに対し，加藤ほか〔7版〕401頁は，必要即応の原則に照らすと，保護の種類ないし内容を法定のものに限定せず柔軟に解する余地があるとし，阿部和光『生活保護の法的課題』（成文堂，2012年）10-12頁は，8つの扶助があくまでも原則的な例示と解した上で，福祉扶助及び裁判扶助の法定化を主張する。この見解に対し，ソーシャルワークで提供されるサービスは現物及び金銭で支給される最低生活保障とは異なる性格を有するとして反対するものに，丸谷・前掲論文（注11）266-267頁，菊池・将来構想190頁。

91）「生活保護法による保護の基準」（昭38・4・1厚生省告示158号）。

92）生活保護法8条2項には「性別」との文言があり，法制定当時，第1類費は男女別に設定されていたが，1985（昭和60）年度以降統一されている。

とを合算したものが基準生活費となる。地域別には，地域における生活様式や物価差による生活水準の差がみられる実態を踏まえ，全国市町村を6区分（1級地－1，1級地－2，2級地－1，2級地－2，3級地－1，3級地－2）に分類し，それぞれの較差を4.5％ずつとして設定し，給付額に差を設けている。

基準生活費だけでは充足できないニーズを補うため，妊産婦・障害者・介護施設入所者・在宅患者・放射線障害者などに対する加算制度が設けられている。従来，70歳以上の高齢者に対する老齢加算が設けられていたが，2003（平成15）年厚生労働省「生活保護制度の在り方に関する専門委員会中間取りまとめ」が特別な需要は認められないとしたことを契機に，2004（平成16）年から3年間かけて段階的に廃止された。同加算廃止の生活保護法及び憲法適合性を争う訴訟が全国各地で提起され，高裁段階で判断が分かれたものの[93]，最高裁は適法・合憲判断を示した[94]。母子加算についても，2004（平成16）年「生活保護制度の在り方に関する専門委員会報告書」を契機に段階的に廃止されることとなり，2008年度末に打ち切られたものの[95]，2009（平成21）年秋の政権交代後，復活されるに至った。

その後，2011（平成23）年に常設部会として社会保障審議会生活保護基準部会が設置され，全国消費実態調査のデータを用いて生活保護基準の検証を定期的に行い，保護基準の見直しを行っている。2013（平成25）年8月の保護基準改定では，平成27年度まで3年間で段階的に保護基準の見直しを行い，総額670億円に及ぶ削減が行われた。2008（平成20）年度以降のデフレ等を勘案したもので，高齢単身世帯等わずかに増額となる一部を除き，多くの世帯が絶対額で引下げになることが見込まれた[96]。この見直しは加算制度ではなく保護基準の本体部分の引下げであり，憲法等への適合性がより強く問われ得る場面であり，全国各地で訴訟が提起されている[97]。

93）東京高判平22・5・27判時2085号43頁（適法），福岡高判平22・6・14判時2085号76頁（違法）。

94）最3判平24・2・28・前掲（注26）（東京訴訟），最2判平24・4・2民集66巻6号2367頁（福岡訴訟），最1判平26・10・6賃社1622号40頁（京都訴訟）。

95）裁判例では母子加算廃止を適法としたものがある。広島地判平20・12・25賃社1485号49頁・1486号52頁。

96）ただし，2014（平成26）年4月の消費税引上げ（5％から8％へ）に伴い，給付額の改定がなされた。

2015（平成27）年度は，家賃に対応する住宅扶助基準につき，近年下落傾向にある家賃物価の動向等を踏まえて適正化するとともに，世帯人数区分の細分化，地域区分の細分化等の見直しを行った。また冬季に増加する費用に対応する冬季加算につき，光熱費支出の実態等を踏まえ，適切な水準となるよう見直しを行った[98]。

それぞれの扶助については，経常的経費にかかる上記の一般基準のほか，臨時的経費にかかる特別基準が設定されている。具体的には，厚生労働省告示である保護基準において，要保護者に特別の事由があって，各扶助の基準によりがたいときは，厚生労働大臣が特別の基準を定めるとされている。実際には，通達で支給事由・支給費目・上限額が定められている。この特別基準の法的性格は，行政内部の基準にとどまり，基本的には厚生労働大臣の裁量に委ねられるものの[99]，その裁量権の行使には最低生活の保障と密接に関わるものである

97）下級審では，引下げを違法とした裁判例もみられる一方（大阪地判令3・2・22判タ1490号121頁〔保護変更決定が法3条及び8条2項に違反するとして取り消された一方，国賠法上の違法はないとされた例〕），適法とする裁判例が多い（名古屋地判令2・6・25訟月67巻3号275頁〔法3条及び8条2項違反はないとして国賠請求を棄却した例〕，札幌地判令3・3・29裁判所ウェブサイト〔LEX/DB文献番号25571549。法3条及び8条2項違反，憲法25条違反はないとして保護決定処分取消請求を棄却した例〕，福岡地判令3・5・12裁判所ウェブサイト〔LEX/DB文献番号25571526。法3条及び8条2項違反，憲法25条違反はないとして保護変更処分取消請求と国賠請求が棄却された例〕）。

98）「社会保障審議会生活保護基準部会報告書」（2017〔平成29〕年12月14日）では，直近の基準見直しによる影響の検証を行うともに，生活扶助基準や有子世帯の扶助・加算の検証を行った。同部会による検証自体は，経済学者等による科学的な分析と評価できるが，適切な扶助基準を考えるにあたっての限界としては，データとなる全国消費実態調査のサンプルの偏りや，前提においている水準均衡方式（後述）自体の適否などを指摘することができる。同報告書を踏まえた2018（平成30）年基準改定（必ずしも同報告書をそのまま具現化したものではない）は，①生活扶助基準につき，一般低所得世帯の消費実態との均衡を図るための増減額（ただし，多人数世帯や都市部の単身高齢世帯等への減額影響が大きくならないよう，世帯合計の減額幅を5%以内にとどめる），②有子世帯の扶助・加算につき，i）児童養育加算を児童手当と同額とする扱いを改め，高校生まで子ども1人につき月額1万円とする，ii）母子加算を平均月額約1.7万円とする，iii）教育扶助及び高等学校等就学費のうち，学習支援費を毎月金銭給付する扱いを改め，年額上限を設けクラブ活動費の実費支給を行うとともに，入学準備金の増額や高校受験料の支給回数の拡大（原則2回）等の見直しを行う（②につき，減額の場合，3年間段階的に実施し，激変緩和措置を講じる），といった内容であった。

99）名古屋高金沢支判平12・9・11・前掲（注6）では，他人介護費特別基準の設定が厚生大臣の合目的的裁量に委ねられているとされた。

以上自ずと制約があり，実際，世帯員外介護費申請却下処分取消請求が一部認容された裁判例もみられる[100)][101)]。

同様に，保護基準が「健康で文化的な最低限度の生活」を具体化する重要な基準であることからすれば，法律の別表か少なくとも省令で定めるのが望ましい[102)]。

日常生活費を賄う生活扶助の基準の改定方式は，①マーケット・バスケット方式（最低生活を営むのに必要な個々の品目の価格を積み上げて基準額を計算する方式（1948〔昭和 23〕年～1960〔昭和 35〕年）），②エンゲル方式（消費における飲食物費を積み上げ，その他の生活費についてはこれと同程度の飲食物費を支出している一般所得階層のエンゲル係数を用いて消費支出総額を求めこれをもとに計算する方式（1961〔昭和 36〕年～1964〔昭和 39〕年）），③格差縮小方式（一般国民の生活水準の伸びを基礎とし〔具体的には政府経済見通しによる個人消費支出の伸び率をベースとし〕，これに一般国民と被保護世帯との消費水準の是正分を見込んで算定する方式（1965〔昭和 40〕年～1983〔昭和 58〕年），④水準均衡方式（現行生活扶助の水準を妥当と評価した上で，一般国民の生活水準の伸びと均衡させる形で算定する方式（1984〔昭和 59〕年以後））と変遷してきた[103)]。①及び②は，最低生活（ないし貧困）を固定的・絶対的なものとして捉えるものであったのに対し，③はこれを相対的なものとして捉えるものであった[104)]。その反面，こうした相対的な捉え方により，生活扶助基準

---

100)　東京地判平 8・7・31 判時 1597 号 47 頁では，介護者において，相応の工夫と努力をしても被介護者の介護をすることができなかったものとして世帯員外介護費の給付の要否を検討すべきものとして，処分を取り消した。

101)　加藤ほか〔7 版〕392 頁は，生活保護法 8 条は，保護実施機関が，一般基準に定められていない（とくに臨時的）生活需要を認定して保護決定とする権限を有しており，通知を審査基準（行手 5 条）ないし裁量基準として用いるとしても，ケースによってはこの水準を上回る保護決定を行う義務を負うことを前提にしているとする。福岡地判平 26・3・11 賃社 1615＝1616 号 112 頁（特別基準額を超える家賃を必要とする住居への転居につき，敷金相当額を一切支給しないとした不支給処分が違法とされた例）参照。

102)　加藤ほか〔7 版〕389-390 頁。豊島明子「生活保護基準と行政裁量」『社会保障法』33 号（2018 年）56 頁は，学説が提示していた立法論を，①基準設定の際の要考慮事項の法定化，②基準設定手続の基本事項の法定化，③保護基準の法律事項化，④手続過程の公開，に整理し，①と②を支持した上で，③については，専門性と民主性という法的価値の整序という論点を指摘する。

103)　保護基準や実施要領の展開過程をたどったものとして，岩永理恵『生活保護は最低生活をどう構想したか』（ミネルヴァ書房，2011 年）が詳しい。

額の客観的根拠が必ずしも明確でなくなった面がある。

保護費は，補足性の原理（生活保護4条1項）の下，収入に応じて減額される。ただし，就労インセンティブを付与するため，勤労控除（基礎控除・特別控除・新規就労控除・未成年者控除）の仕組みを設け，勤労収入の全額が控除されることのないよう配慮されている[105)]。

第3款　保護の方法

生活扶助は，衣食その他日常生活の需要を満たすために必要なもの，及び移送に対して行われる（生活保護12条）。被保護者の居宅において行う居宅保護が原則であり，これによることができないとき，これによっては保護の目的を達しがたいとき，又は被保護者が希望したときは，救護施設，更生施設等における入所保護がなされる（同30条1項）。2018（平成30）年改正により，第2種社会福祉事業（社会福祉2条3項8号）に属する無料低額宿泊施設のうち，居宅では日常生活を営むことが困難であるが，社会福祉施設等に入所の対象とはならない者が，必要な支援を受けながら生活を送る場として，日常生活支援住居施設が追加された[106)]。居宅保護か入所保護かの判断は一定の行政裁量に委ねられるものの，行政庁の判断が違法とされた裁判例もある[107)]。

104）ただし，水準均衡方式による基準額が最低生活費である根拠は，いまだにマーケット・バスケット方式以来の，無業の成人からなる世帯の栄養所要量にある。同書257頁。このことは第1類費（基準額①）の年齢区分毎の生活扶助基準額に示されている（従来，12歳～19歳の基準額が最も高かった）。

105）就労自立給付金につき，第5款参照。

106）いわゆる貧困ビジネスが問題視され，受給者の居住環境の改善が課題となっていた。さいたま地判平29・3・1判時2359号65頁（無届宿泊所事業者と入所者との契約が公序良俗に反して無効とされた例）参照。

107）大阪地判昭63・2・25行集39巻1＝2号132頁は，居宅保護の収容保護（入所保護）への変更決定につき，居宅保護によって「保護の目的を達しがたいとき」の該当性判断につき広範な行政裁量を認めた上で，裁量権の逸脱・濫用はないとした。他方，大阪地判平14・3・22賃社1321号10頁は，難聴により周囲とのコミュニケーションが困難な事情にある原告につき，保護の内容につき一定の行政裁量を認めた上で，現に住居を有しないとの一事をもって居宅保護を行うことができないと解すべきでなく，収容保護決定を違法として取り消した。さらに東京高判平24・7・18・前掲（注45）は，同じくホームレスの事案につき，居宅保護を行わないことが保護実施機関に与えられた裁量権の逸脱・濫用にあたるとして，生活扶助及び住宅扶助を

教育扶助は，義務教育に伴って必要な教科書その他の学用品，通学用品，学校給食等に対する給付である（同13条）。高等学校等就学費は，2005（平成17）年度から生業扶助の一環として支給されているが，高等教育化の流れの中では，さらに本書の重視する自立助長目的に資することからも，教育扶助として支給することに十分合理的な理由がある[108]。

住宅扶助は，住居及び補修その他住宅の維持のために必要なものに対する給付である（同14条）。家賃等の基準額は低く定められているため（2021〔令和3〕年現在，1・2級地で月額1万3000円），厚生労働大臣が別に上限額を定め（同じく東京都で5万3700円〔1級地の単身世帯〕），車椅子使用者がいる場合など，その世帯人員数に応じて1.3～1.8倍まで特別基準の設定を認めている。保護開始時において安定した住居のない要保護者であっても，居宅生活ができる者と認められる限り，敷金等を支給する扱いがなされている[109]。

生業扶助は，困窮のため最低限度の生活を維持することのできない者のみならず，そのおそれのある者に対しても支給される（同17条）。生業に必要な資金，器具又は資料（生業費），生業に必要な技能の習得（技能習得費〔先述の高等学校等就学費を含む〕），就労のために必要なもの（就職支度費）が対象となる。本来「生業」とは「専ら生計の維持のみを目的として営まれることを建前とする小規模な事業であ」るとされ[110]，限定的な意味合いをもつ。今日的には就業扶助と文言を改め[111]，高等学校等就学費は教育扶助の下におくべきであろう。

出産扶助としては，分娩の介助，分娩前及び分娩後の処置，脱脂綿，ガーゼその他の衛生材料が給付され（同16条），葬祭扶助としては，検案，死体の運搬，火葬又は埋葬，納骨その他葬祭のために必要なものが給付される（同18条）。

行うべきことを命ずる義務付け判決を行った。

108）　生業扶助として位置付けた場合，将来の就労自立に向けた扶助内容に限定される可能性があるのに対し，教育扶助として位置付けた場合，（「教育」の意義をどう捉えるかにもよるが）本人の広い意味での人格形成に資するものを含めた幅広い扶助内容を含み得ることから，教育扶助として位置付けるべきものと思われる。

109）　福岡地判平26・3・11・前掲（注101）参照。

110）　小山・前掲書（注5）276頁。

111）　菊池・将来構想193頁。

以上の各扶助は，金銭給付が原則であり，例外的に現物給付によっても行われる（同31条1項，32条1項，33条1項，35条1項，36条1項，37条1項）。

これに対し，医療扶助は現物給付が原則である（同34条1項）。このうち医療扶助の診療方針及び診療報酬は，国民健康保険の例に準ずるものとされ（同52条1項），給付内容は基本的に医療保険と同様であるものの，保険外併用療養費の支給などに関する制約が課されている（同条2項）[112]。

受給者は，指定医療機関（同49条）から医療を受ける際，基本的にその都度保護実施機関から医療券の発行を受けなければならず，医療へのアクセスの点で医療保険加入者と異なった状況におかれている（国保6条9号，高齢医療51条1号）[113]。ただし，一部負担金がないため，出来高払い制の下では指定医療機関及び被保護者双方にとって給付を抑制する方向へのインセンティブが働かない点に留意する必要がある[114]。保護費総額の約半分を医療扶助が占め，医療扶助費の伸びの抑制が課題となり，2013（平成25）年改正による改革の対象となった。

同改正では第1に，医療扶助の方法につき，医師等が医学的知見に基づき後発医薬品を使用することができると認めたものについては，被保護者に対し，可能な限り後発医薬品の使用を促すことによりその給付を行うよう努めるものとし，安価な後発医薬品への誘導を行うこととした。第2に，指定医療機関に対する規制を強化し，指定に係る要件を具体的に定める（同49条の2），指定を6年間の更新制とする（同49条の3），都道府県知事のみならず厚生労働大臣に対しても指定医療機関の指導権限を付与する（同50条2項），指定取消に係る要件をより具体的に定める（同51条2項）等の改正を行った。

さらに2018（平成30）年改正では，後発医薬品への誘導をさらに進める観点から，2013（平成25）年改正により医師等の努力義務としていたのを，後発医

112）「生活保護法第52条第2項の規定による診療方針及び診療報酬」（昭34・5・6厚生省告示125号）。

113）この点にも鑑み，本来的には，生活保護受給者も第1号被保険者とする介護保険と同様，国民健康保険等に加入させるべきではないかと思われる。菊池・将来構想145頁・191頁。

114）たとえば，一部負担金相当額（の一部）を負担し，後に償還払いとする方法なども議論されてきた。2017（平成29）年12月の「社会保障審議会生活困窮者自立支援及び生活保護部会報告書」では，不適切な頻回受診を抑制するため窓口負担を求めるべきという考え方については，反対する意見が多数であったと記された。

薬品の使用を原則化するに至った（生活保護34条3項）。

医療扶助のみを受ける者（単給）も存在する[115]。その際，一部負担金相当額を被保護者が負担する場合がある。この一部負担金の法的根拠については，指定医療機関と被保護者との私法上の債権債務関係に基づくものとされる[116]。厚生労働大臣による医療機関の指定の法的性格は，第三者（保護実施機関）のためにする準委任契約であるとする説が通説とされてきたが[117]，指定取消が行政処分であると解される以上，指定自体も行政処分と捉え，その効果として生じる法律関係が契約であると理解すべきである。また診療報酬額の決定権者は，支払事務にあたり自己の名において支払義務を負う社会保険診療報酬支払基金（同53条4項）ではなく都道府県知事であり，医療保険の場合と異なり，診療報酬のいわゆる減点査定は知事の診療報酬額の決定を行政処分と捉えて争うこととされている（同53条1項・2項）[118]。

介護扶助も現物給付が原則である（同34条の2第1項）。介護保険法の給付対象となる介護サービスに相当し，65歳未満の被保護者にはこのサービスが介護扶助として現物支給される。これに対し，65歳以上の被保護者は介護保険の第1号被保険者となるため，保険料相当額が生活扶助に加算して給付され，自己負担分1割が介護扶助として支給される。

第4款　保護施設

保護施設として，救護施設，更生施設，医療保護施設，授産施設，宿所提供施設が規定されている（生活保護38条1項）。都道府県，市町村及び地方独立行政法人のほか，保護施設は社会福祉法人及び日本赤十字社でなければ設置することができない（同41条1項）。都道府県は，保護施設の設備及び運営について，条例で基準を定めなければならない（同39条1項）。条例を定めるにあた

115）　2016（平成28）年度現在，医療扶助受給者約177万人のうち，入院4万3998人，入院外2万1581人が単給である（年度1ヵ月の平均）。国立社会保障・人口問題研究所『社会保障統計年報（平成31年版）』（2019年）第268表。

116）　岡山地判昭45・3・18判時613号42頁。

117）　西村533頁。

118）　大阪高判平9・5・9判タ969号181頁。第7章第4節第2款**3**参照。

っては，配置する職員及びその員数，居室床面積等については厚生労働省令に定める基準に従い，利用定員については同省令に定める基準を標準とし，その他の事項については同省令に定める基準を参酌するものとする（同条2項）[119]。これらのうち「従うべき基準」は，施設入所に際しての「健康で文化的な最低限度の生活水準」（憲25条1項）を具体化したものといえるが，その水準が問題となる余地がある[120]。

第5款　給付金及び支援事業

従来の生活保護法では，保護からの脱却を支援し「自立の助長」を図る仕組みに乏しかった。2005（平成17）年から各地方自治体で自立支援プログラムが開始されたものの，国の補助金施策にとどまっていた。これに対し最近，新たな動きがみられる。

2013（平成25）年改正では，就労による自立の促進を図るための給付である就労自立給付金が創設されるとともに，相談及び助言（生活保護27条の2）の一環として，被保護者就労支援事業が法定化された。

都道府県知事，市長及び福祉事務所を管理する町村長は，被保護者の自立の助長を図るため，安定した職業に就いたこと等により保護を必要としなくなったと認めたものに対して，就労自立給付金を支給する（同55条の4。2年の時効にかかる）。この制度は，生活保護を脱却するためのインセンティブを強化するとともに，脱却直後の不安定な生活を支え，再度保護にいたることを防止するとの観点から，保護受給中の就労収入のうち，収入認定された金額の範囲内で一定額を仮想的に積み立て，保護廃止に至ったときに支給するものである（上限は単身世帯10万円，多人数世帯15万円。同則18条の5）。

保護の実施機関は，就労の支援に関する問題につき，被保護者からの相談に応じ，必要な情報の提供及び助言を行う被保護者就労支援事業を実施するものとする（生活保護55条の7）。先に述べたように，この事業は保護実施機関が相

119）「救護施設，更生施設，授産施設及び宿所提供施設の設備及び運営に関する基準」（昭41・7・1厚生省令18号）。

120）たとえば，入所者一人当たりの床面積は，収納設備等を除き3.3平方メートル以上（同基準10条5項1号），一の居室に入所させる人員は，原則として4人以下（同12条）とされる。

談・助言（同27条の2）の一環として，就労支援との関連で実施するものであり，事務の全部又は一部を当該保護実施機関以外の第三者に委託することができるとした点，また保護実施機関の相談・助言のうち，就労支援との関連で実施するものにつき，その費用の4分の3を国が負担することとした（同75条1項3号・4号）点に意義がある[121]。同事業の事務の全部又は一部は，厚生労働省令で定める者（社会福祉法人，NPOなど）に委託することができる（同条2項）。

2018（平成30）年改正では，生活保護世帯の子どもの貧困の連鎖を断ち切るため，大学等への進学を支援するとの観点から，進学の際の私生活立ち上げの費用として進学準備給付金を一時金として給付する仕組みを設けた（同55条の5。転居する者は30万円，その他の者は10万円。同則18条の10）。高等教育につながる生活保護による支援がなされることになったことの意義は小さくない。

このほか同年改正では，保護からの脱却を図るための支援としての性格をもつ上記の給付金・支援事業とやや異なる取組みとして，データに基づいた生活習慣病の予防等，健康管理支援の取組みを推進するとの観点から，被保護者に対する必要な情報の提供，保健指導，医療の受診の勧奨その他の被保護者の健康の保持及び増進を図るための健康管理支援事業が創設された（生活保護55条の8）。被保護者の受診率の高さや医療扶助費の増加といった背景があることに留意する必要がある。

第6節　被保護者の権利，義務及び手続的保障

第1款　被保護者の権利保護

国民の最低生活を保障するためのいわば最後の砦としての性格から，生活保護法は被保護者に対する特別の権利保護規定を設けている。

被保護者は，正当な理由がなければ，既に決定された保護を不利益に変更されることがない（生活保護56条）。ここにいう「正当な理由」にあたるのは，要保護性が消滅した場合（同26条），求められた報告をしないこと・虚偽報告，立入調査の拒否・妨害・忌避及び検診命令不服従の場合（同28条5項），指導・

121）笠木映里「関連諸法との関係からみる生活保護法」『季刊社会保障研究』50巻4号（2015年）382頁。

指示に従わない場合（同62条3項）である。保護基準の減額改定に伴う保護の減額決定につき，本条が適用されるかにつき，最高裁は消極に解している[122)]。このほか保護の変更の際の書面による通知等（同24条97項，25条2項），保護の停止及び廃止の際の書面による通知（同26条），保護の変更，停止又は廃止の際の被保護者への弁明の機会の付与（同62条4項）など，変更手続等の適正さの確保のための規定も置かれている。被保護者に対する保護実施機関またはケースワーカーの働きかけによる保護辞退届の提出に基づく保護廃止処分がなされ，裁判所により違法とされた事例が少なくない[123)]。

手続保障の観点からいえば，聴聞や弁明の機会の付与に係る行政手続法第3章（不利益処分）の規定（12条～14条を除く）が適用されないという問題がある（同29条の2，62条5項）。上述のように，生活保護法では指導・指示義務違反等に係る保護変更・停止・廃止処分に際しての弁明の機会の付与にとどまり（同62条4項），事前手続の保障の充実が望まれる[124)]。

なお，保護の廃止に際しては，2018（平成30）年改正により，当該保護を廃止される者が生活困窮者自立支援法に規定する生活困窮者に該当する場合，当該者に対し，同法に基づく事業又は給付金についての情報の提供，助言その他適切な措置を講ずるよう努める旨の努力義務規定がおかれ（同81条の3），保護廃止後の支援についても配慮されることとなった。

このほか，保護金品等に係る公課禁止（同57条）や差押禁止（同58条）に関する規定が置かれている。また保護受給権の一身専属的性格から，譲渡の禁止（同59条）も定められており，こうした性格から，相続の対象ともならない[125)]。

---

122)　最3判平24・2・28・前掲（注26）。

123)　辞退届の提出による保護廃止が違法とされた事案として，京都地判平17・4・28判時1897号88頁，広島高判平18・9・27賃社1432号49頁，大分地判平21・12・17裁判所ウェブサイト（LEX/DB文献番号25441856），福岡地小倉支判平23・3・29・前掲（注68）。このほか，書面による手続を履践しなかったことの違法が認められた事案として，福岡地判平21・3・17・前掲（注50）。

124)　加藤ほか〔7版〕416頁。

125)　最大判昭42・5・24・前掲（注25）（朝日訴訟），最3判昭63・4・19判タ669号119頁（第二次藤木訴訟）。

第2款　被保護者の義務

生活保護法はその性格上，被保護者の権利保障に手厚い反面，税を財源とする制度であることもあり，被保護者に対し一定の義務を課している。

被保護者は，常に，能力に応じて勤労に励み，自ら，健康の保持及び増進に努め，収入，支出その他生計の状況を適切に把握するとともに支出の節約を図り，その他生活の維持及び向上に努めなければならない（生活上の義務。生活保護60条)。法4条1項にいう能力の活用と呼応する規定であり，2013（平成25）年改正により，健康の保持・増進，生計状況の把握が義務内容として付加された。程度を超えて怠る者に対しては法27条の指導・指示に従わないものとして法62条3項の規定により保護の変更，停止又は廃止をすることができるとされるものの[126]，被保護者の生活への過干渉となるおそれがあることから[127]，法60条自体は法的効力のない訓示規定と解される。

被保護者は，収入，支出その他生計の状況について変動があったとき，又は居住地若しくは世帯の構成に異動があったときは，すみやかに，保護の実施機関又は福祉事務所長に届け出なければならない（同61条)。こうした届出は，生活保護を適正に実施する上で欠かせないものであるから，被保護者は本条に基づく法的義務を負うものと解される。他方，不実の申請その他不正な手段により保護を受け，又は他人をして受けさせた者は，その費用の額の全部又は一部を徴収されるほかその徴収額（返還金）に100分の40以下の上乗せがなされ得る（同78条)[128]。また3年以下の懲役又は100万円以下の罰金に処する（同

126）小山・前掲書（注5）640頁，西村536頁。

127）保護者の自由の制約につき，遠藤美奈「生活保護と自由の制約――憲法学からの検討」『摂南法学』23号（2000年）33頁以下。

128）東京地判平25・2・28判例自治375号71頁（転居先の賃貸借契約を締結する意思がないにもかかわらず，その意思があるかのように装って住宅扶助の支給を受けたとしてなした全額徴収決定が適法とされた例），横浜地判平27・3・11・前掲（注51）（高校生のアルバイト収入を申告しなかったとしてなした費用徴収決定が違法とされた例），さいたま地判平27・5・27判例自治411号69頁（高校生のアルバイト収入を申告しなかったとしてなした費用徴収決定が適法とされた例），さいたま地判平28・9・21判例自治425号81頁（預貯金口座への入金を申告しなかったとしてなした費用徴収決定が適法とされた例），神戸地判平30・2・9賃社1740号17頁（ボランティアの対価が申告すべき収入に当たるとしながら，未申告の収入があるとしてなした法78条1項に基づく費用徴収決定が違法とされた例），大阪高判平30・9・27・前

85条1項)[129]。偽りその他不正な手段により就労自立給付金若しくは進学準備給付金の支給を受け，又は他人をして受けさせた者も同様である（同条2項)。刑法に正条があるときは同法による（同条1項・2項但書)。国又は地方公共団体も財産権の主体となり得ることから詐欺罪が成立し得る[130]。

このほか，保護実施機関が被保護者を施設に入所させ，若しくは入所を委託し，若しくは私人の家庭に養護を委託して保護を行うことを決定したとき，又は法27条の規定により，被保護者に対し，必要な指導又は指示をしたときは，これに従わなければならない（同62条1項)。

被保護者が，急迫の場合等において資力があるにもかかわらず，保護を受けたときは，保護に要する費用を支弁した都道府県又は市町村に対して，すみやかに，その受けた保護金品に相当する金額の範囲内において保護実施機関の定める額を返還しなければならない（同63条)[131]。返還額の決定は，保護実施機関に一定の裁量があるものの，自立助長という法目的に照らして，裁量権の行使が違法とされることもある。なお，同条にいう「資力」とは法4条1項の「利用し得る資産，……その他あらゆるもの」と同義である[132]。

収入申告が過少であったり申告を怠ったため扶助費の不当な受給が行われた場合，法63条による返還として取り扱う場合と法78条による徴収として取り

掲（注36)（証券口座の金融商品を資産として申告しなかったことによる保護費徴収決定が適法とされた例)，名古屋高判令元・12・6判例自治468号79頁（保護費徴収決定の記載につき行政手続法14条1項に照らし不十分で違法とする一方，預金口座への入金未申告に基づく保護費徴収決定は適法とされた例)，東京高判令2・11・19賃社1785号34頁（未分割遺産の性質を有する金員が入金されたことを理由とする費用徴収決定等が違法とされた例）など。最3判平30・12・18民集72巻6号1158頁は，勤労収入についての適正な届出をせずに不正に保護を受けた者に対する法78条に基づく費用徴収額決定に対応する基礎控除の額に相当する額を控除しないことが違法とはいえないとして，原審を破棄して差し戻した。

129)　2013（平成25）年改正により，徴収額に係る100分の40以下の上乗せが設けられたほか，本人の事前申出を前提に保護費と相殺する仕組みを設けた（同78条の2)。また罰金も30万円から100万円へと引き上げられた。その意味で制裁的な色合いが強まったということができよう。

130)　東京高判昭49・12・3高刑集27巻7号687頁。

131)　医療扶助費用の損害賠償額からの控除の可否につき，最高裁は非控除説を採る。最3判昭46・6・29・前掲（注64)。ただし，その後も控除説に立つ下級審裁判例がみられた。高松高判昭58・5・19判タ500号171頁，東京高判昭48・7・23東高民報24巻7号138頁。

132)　大阪高判平25・12・13賃社1613号49頁。

扱う場合の二通りが考えられる。いわゆる不正受給とされるのは後者であり，行政解釈によれば，本来，法63条は，実施機関が，受給者に資力があることを認識しながら扶助費を支給した場合の事後調整についての規定であるものの，受給者に不正受給の意図があったことの立証が困難な場合等については返還額についての裁量が可能であることもあって法63条が適用されているとの理解を示している[133]。しかしながら，両条のいずれを適用すべきかについては明確とは言い難く，とりわけ法63条が事後的な費用調整の機能を包括的に果たしていることにより，同条に基づく費用返還決定が争点となる裁判例が少なくない[134]。

この点に関連して，2018（平成30）年改正により，急迫の場合等において資力があるにもかかわらず，保護を受けたとき（徴収することが適当でないときとして厚生労働省令で定めるときを除く）は，保護に要する費用を支弁した都道府県または市町村の長は，保護の実施機関の定める額の全部又は一部を徴収することができるとの徴収規定がおかれた（同77条の2）。この場合，被保護者が保護金品（金銭給付に限る）の交付を受ける前に，厚生労働省令で定めるところにより，当該保護金品の一部を徴収金の納入に充てる旨を申し出た場合，当該被保護者の生活の維持に支障がないと認めたときは，保護金品を交付する際に当該申出に係る徴収金を徴収することができるものとし，先述した同78条に基づく徴収（2013〔平成25〕年改正により国税滞納処分の例による強制徴収を可能とした）と同様の扱いとした（同78条の2）[135]。

133）『生活保護手帳別冊問答集（2021年度版）』（中央法規，2021年）417頁。

134）　この返還（63条返還）が違法とされた最近の裁判例として，福岡地判平26・2・28賃社1615＝1616号95頁（生命共済入院給付金を受けた場合に係る保護返還金決定が違法とされた例），福岡地判平26・3・11・前掲（注101）（保護費過誤払分の保護返還金決定が違法とされた例），神戸地判平28・4・13賃社1663＝1664号30頁（障害者加算を削除する保護変更決定に伴う同加算相当支給額の返還請求が違法とされた例），東京地判平29・2・1賃社1680号33頁（保護費過支給分の全額返還決定が違法とされた例），東京地判平29・4・27判タ1456号150頁（海外渡航費用についての返還決定が違法とされた例），大阪高判令元・10・29賃社1751号25頁（治療費返戻金を収入認定した保護費減額処分が過誤処分として取り消されたこと等につき国賠法上の違法を認めた例），東京高判令元・11・6判例自治470号49頁（障害者加算の額の返還処分が違法であるとした原審の判断が維持された例），東京高判令2・6・8判タ1478号31頁（後期高齢者医療の被保険者であれば負担を要しなかった部分を含め，医療扶助費の全額の返還を求める処分が違法とされた例）など。

第3款　不服申立て等

保護の決定及び実施に関する処分に不服がある者は，行政不服審査法により審査請求を行うことができる。ただし特則がおかれ，市町村長が保護の決定及び実施に関する事務，就労自立支援金又は進学準備給付金の支給に関する事務の全部又は一部をその管理に属する行政庁に委任した場合における当該事務に関する処分についての審査請求は都道府県に対してするものとする（生活保護64条）。また厚生労働大臣又は都道府県知事は，上記の審査請求がされたときは，当該審査請求がされた日から，行政不服審査法43条1項の規定により，審査庁が審理員意見書の提出を受け行政不服審査会等に諮問をする場合70日，それ以外の場合50日の期間内に，当該審査請求に対する裁決をしなければならない（同65条1項）。審査請求をした日から法定の期間内（当該審査請求をした日から50日以内に行政不服審査法43条3項の規定により，審理関係人に当該諮問をした旨通知を受けた場合70日以内，それ以外の場合50日以内）に裁決がないときは，当該審査請求を棄却したものとみなすことができる（同条2項）[136]。また都道府県知事の裁決にかかる厚生労働大臣への再審査請求の途もある（同66条）。生活保護法に基づき保護実施機関等がした処分の取消しの訴えは，当該処分についての審査請求に対する裁決を経た後でなければ提起することができないとされ，審査請求前置主義がとられている（同69条）。

2004（平成16）年行政事件訴訟法改正により，義務付け訴訟（行訴37条の3），仮の義務付け（同37条の5）が法定されたのに伴い，生活保護分野でも活用されている[137]。

135）　この点で2018（平成30）年改正の問題点を指摘するものとして，前田雅子「生活保護法第63条に基づく費用返還」『法と政治』69巻3号（2018年）37-42頁。

136）　みなし裁決自体は処分ではない。東京地判昭39・11・25行集15巻11号2188頁。

137）　注75）参照。

第7節　生活保護の費用

第1款　費用負担

生活保護の事務は，憲法25条1項に規定する「健康で文化的な最低限度の生活」保障責任を負う国が本来果たすべき役割を，法定受託事務として地方公共団体に委ねたものである。したがって，財源面でも国の負担割合が大きくなっている。すなわち保護実施機関である市町村及び都道府県が費用全額の支弁を行った後（生活保護70条，71条），国が保護費，保護施設事務費及び委託事務費の4分の3，就労自立給付金費及び進学準備給付金費の4分の3をそれぞれ負担する（同75条1項1号・2号）。保護実施機関の保護費負担は4分の1にとどまるものの，保護受給者の増加が市町村財政の圧迫要因となり得る。また国は，市町村及び都道府県が支弁した被保護者就労支援事業及び被保護者健康管理支援事業に係る費用のうち，人口，被保護者の数その他の事情を勘案して政令で定めるところにより算定した額の4分の3を負担する（同項3号・4号）[138]。都道府県も，居住地がないか又は明らかでない被保護者につき市町村が支弁した保護費等や，宿所提供施設又は母子生活支援施設にある被保護者につきこれらの施設の所在する市町村が支弁した保護費等の4分の1を負担する（同73条）。

第2款　費用徴収等

既述のとおり（第3節第4款**2**），補足性の原理（生活保護4条）により私的扶養が優先するため，扶養義務者に対する費用徴収の規定がある（同77条）。このほか，保護実施機関による遺留金品の処分（同76条），不正受給に対する費用徴収（第6節第2款参照。同78条）[139]，前渡保護金品の返還免除（同80条）などに係る規定が置かれている。

損害賠償請求権との関係につき，2013（平成25）年改正により，被保護者の

138）　保護実施機関の相談・助言（生活保護27条の2）の一環として，費用の4分の3を国が負担することに意義がある。笠木・前掲論文（注121）382頁。

139）　注128）参照。詐欺罪の適用につき，東京高判昭49・12・3・前掲（注130）。

医療扶助又は介護扶助を受けた事由が第三者の行為によって生じた場合，支弁した保護費の限度において，市町村等は被保護者が当該第三者に対して有する損害賠償の請求権を取得する旨の規定がおかれた（同76条の2）[140]。

第8節　生活困窮者自立支援法

前章でも取り上げたように（第5章第2節第7款），長期失業・潜在的失業が増大する中で，短期失業に対処するための雇用保険では対応できない事態が生じ，長期失業等に対処するためのいわゆる第2のセーフティネット対策として，2011（平成23）年求職者支援法が制定された。しかしながら，同法は比較的短期の職業訓練による就労自立を目指すものであり，就職活動を行う前段階として様々な生活上の困難を抱えた生活困窮者に対しては，最終的に生活保護が受け皿となるまで，恒久的な支援策が存在しない状況であった。そこで，2013（平成25）年1月社会保障審議会「生活困窮者の生活支援の在り方に関する特別部会」報告書を基盤として，生活保護法改正と並んで，増加する生活困窮者に対し，生活保護受給にまで至らない段階で早期に支援することをねらいとして同年成立したのが，生活困窮者自立支援法である。これにより，求職者支援法と並んで，社会保険・労働保険と生活保護の間隙を埋める第2のセーフティネットがさらに整備されることになった。

生活困窮者自立支援法は，後述するように（第9款），従来，金銭・現物・サービスなどの実体的「給付」により経済的困窮の解消に取り組んできた社会保障制度において，個別的な「相談支援」というアプローチを通じて，社会的孤立の課題に取り組もうとする試みということができ，その意味で日本の社会保障制度に画期をなす取り組みである。

以下では，生活困窮者自立支援法の概略を制定後の改正動向も織り交ぜながらみていきたい。

140）　従来の判例では，生活保護法4条1項にいう「利用し得る資産」には交通事故による損害賠償請求権を含むから，その場合の医療扶助は同法4条3項（急迫保護）に基づくものであり，したがって後に賠償を受けたときには同法63条により費用返還義務を負うものとされた（最3判昭46・6・29民集25巻4号650頁）。

1　目　的

同法は，生活困窮者の自立の促進を図ることを目的とする（生活困窮者自立支援1条）。法文上は明記されていなかったものの，生活困窮者への生活支援が地域における多様なサービスの連携の上で一括して提供されること，「地域づくりの視点が重要であることが，当初から意識され」，**2**で述べる通り2018（平成30）年改正において明文化された[141]。

2　基本理念

同法の対象となる「生活困窮者」は，法制定当初，「現に経済的に困窮し，最低限度の生活を維持することができなくなるおそれのある者をいう」と定義されていた。ただし，生活上の困難を抱える人びとは必ずしも経済的困窮者に限定されないことから（いわゆる「引きこもり」など），対象者の拡大が課題として認識されていた。2018（平成30）年改正により，「就労の状況，心身の状況，地域社会との関係性その他の事情により，現に経済的に困窮し，最低限度の生活を維持することができなくなるおそれのある者」（同3条1項。下線筆者）と定義し直された。この定義は，新たに設けられた基本理念，すなわち「生活困窮者に対する自立の支援は，生活困窮者の尊厳の保持を図りつつ，生活困窮者の就労の状況，心身の状況，地域社会からの孤立の状況その他の状況に応じて，包括的かつ早期に行われなければならない」（同2条1項）との規定と併せて，経済的困窮に陥る可能性のある状況を広く同法の支援対象に含み得るとの解釈を可能にしたものと解される。

また同年改正では，基本理念として，「生活困窮者に対する自立の支援は，地域における福祉，就労，教育，住宅その他の生活困窮者に対する支援に関する業務を行う関係機関……及び民間団体との緊密な連携その他必要な支援体制の整備に配慮して行われなければならない」との規定もおかれた（同条2項）。この規定により，「地域づくり」の視点が明文化されたものと理解される[142]。

141）2013（平成25）年1月社会保障審議会「生活困窮者の生活支援の在り方に関する特別部会」報告書6頁・10頁。

142）菊池・社会保障再考105-106頁。

3　生活困窮者自立相談支援事業

本法の中心をなす事業として，生活困窮者自立支援事業がある。都道府県等（都道府県及び市等〔市及び福祉事務所を設置する町村〕）は，生活困窮者自立相談支援事業を行うものとされ（生活困窮者自立支援5条1項），必須事業となっている。ただし，同事業の事務の全部又は一部は，当該都道府県等以外の厚生労働省令で定める者（社会福祉法人，一般社団法人若しくは一般財団法人又はNPO法人等。生活困窮者自立支援則9条）に委託することができる（生活困窮者自立支援5条2項）。同事業は，①就労の支援その他の自立に関する問題につき，生活困窮者からの相談に応じ，必要な情報の提供及び助言を行う事業，②生活困窮者に対し，認定生活困窮者就労訓練事業の利用についてのあっせんを行う事業，③生活困窮者に対し，当該生活困窮者に対する支援の種類及び内容その他の厚生労働省令で定める事項（生活困窮者の生活に対する意向，当該生活困窮者の生活全般の解決すべき課題，提供される生活困窮者に対する支援の目標及びその達成時期，生活困窮者に対する支援の種類及び内容並びに支援を提供する上での留意事項。生活困窮者自立支援則1条）を記載した計画（自立支援計画）の作成その他の生活困窮者の自立の促進を図るための支援が一体的かつ計画的に行われるための援助として同省令で定めるもの（訪問等の方法による生活困窮者に係る状態把握，自立支援計画の作成，同計画に基づき支援を行う者との連絡調整，支援の実施状況及び当該生活困窮者の状態を定期的に確認し，当該状態を踏まえ，当該生活困窮者に係る自立支援計画の見直しを行うことその他の生活困窮者の自立の促進を図るための支援が一体的かつ計画的に行われるために必要な援助。同2条）を行う事業をいう（生活困窮者自立支援3条2項）。包括的な相談支援を行うため，一人ひとりの状況に応じた自立支援計画を作成するところに，自立相談支援事業の特徴がある。

4　生活困窮者住居確保給付金

自立生活支援事業と並んで都道府県等が必ず実施しなければならないのが，生活困窮者住居確保給付金である。同法が基本的に各事業の実施に対する国の負担・補助を規定している中で，唯一の給付である。

都道府県等は，その設置する福祉事務所の所管区域内に居住地を有する生活困窮者のうち，離職又はこれに準ずるものとして厚生労働省令で定める事由（①事業を行う個人が当該事業を廃止した場合，②就業している個人の給与その他の業務上の収入を得る機会が当該個人の責めに帰すべき理由又は当該個人の都合によらないで減少し，当該個人の就労の状況が離職又は前号の場合と同等程度の状況にある場合。生活困窮者自立支援則3条）により経済的に困窮し，居住する住宅の所有権若しくは使用及び収益を目的とする権利を失い，又は現に賃借して住宅の家賃を支払うことが困難となったものであって，就職を容易にするため住居を確保する必要があると認められるものに対し（生活困窮者自立支援3条3項），生活困窮者住居確保給付金を支給するものとする（同6条）。この給付金は，住宅手当としての性格をもつ従来の補助事業を法定化したものであり，原則として3ヵ月（就職の促進に必要と認められるときは9ヵ月まで），生活保護の住宅扶助基準額を上限として支給される（生活困窮者自立支援則11条・12条）。

5　その他の任意事業

3の事業と4の給付金の支給が義務的であるのに対し，任意事業として，都道府県等は以下の事業を行うことができる143)。

①生活困窮者就労準備支援事業（雇用による就業が著しく困難な生活困窮者に対し，原則として1年以内に限り〔同則5条〕，就労に必要な知識及び能力の向上のために必要な訓練を行う事業〔生活困窮者自立支援3条4項，5条〕）

②生活困窮者家計改善支援事業（生活困窮者に対し，収入，支出その他家計の状況を適切に把握すること及び家計の改善の意欲を高めることを支援するとともに，生活に必要な資金の貸付けのあっせんを行う事業〔同条5項〕）

③生活困窮者一時生活支援事業（i　一定の住居を持たない所定の生活困窮者に対し，厚生労働省令で定める期間にわたり，宿泊場所の供与，食事の提供その他当該宿泊場所において日常生活を営むのに必要な便宜として厚生労働省令で定める便宜〔衣類その他の日常生活を営むのに必要となる物資の貸与又は提供。同則8条〕を供与する事業，ii　iの事業を利用していた生活困窮者であって，現に一定の住居を有するものに対しては原則として3ヵ月〔上限6ヵ月〕以内，現在の住居を失うおそれのある生活困窮者であって，地域社会から孤立しているものに対しては1年以内に限り〔生活困窮者自立支

---

143)　任意事業の実施（予定）状況は，2020（令和2）年度現在，就労準備支援事業542自治体，家計相談支援事業559自治体，一時生活支援事業304自治体，子どもの学習支援事業576自治体となっている（令和2年度事業実績調査〔厚生労働省社会・援護局地域福祉課生活困窮者自立支援室〕)。

援則7条，8条の2〕，訪問による必要な情報の提供及び助言その他の現在の住居において日常生活を営むのに必要な便宜を供与する事業〔生活困窮者自立支援3条6項〕）

④子どもの学習・生活支援事業（生活困窮者である子どもに対し，学習の援助を行う事業，生活困窮者である子ども及び当該子どもの保護者に対し，当該子どもの生活習慣及び育成環境の改善に関する助言を行う事業，生活困窮者である子どもの進路選択その他の教育及び就労に関する問題につき，当該子ども及び当該子どもの保護者からの相談に応じ，必要な情報の提供及び助言をし，並びに関係機関との連絡調整を行う事業〔同3条7項〕）

⑤その他の生活困窮者の自立の促進を図るために必要な事業（同7条2項3号）

これらのうち，①は，一般就労に向けた日常生活自立・社会生活自立・就労自立に向けた訓練を行うことをねらいとするものである。その一方で，直ちに一般就労が困難な者に対する支援付きの就労の場の育成のため，都道府県知事の認定を受けた上で生活困窮者就労訓練事業（雇用による就業を継続して行うことが困難な生活困窮者に対し，就労の機会を提供するとともに，就労に必要な知識及び能力の向上のために必要な訓練等を行う事業）を設け（同17条），いわゆる「中間的就労」の機会を提供することとした。②は，法制定時，家計相談支援事業として開始されたものが，2018（平成30）年改正により名称を変えたものである。

①及び②は，その重要性に鑑み，当初から必須事業化が課題とされていた。2018（平成30）年改正では，必須事業とはならなかったものの，実施を努力義務とするとともに（同7条1項），両事業を効果的・効率的に実施した場合の家計改善支援事業の国庫補助率を2分の1から3分の2に引き上げ（同15条4項），自立相談支援事業を含めた一体的実施の促進が図られた。

③は，ホームレス支援を念頭においたもので，同年改正により，単に一時的な生活の場を提供するにとどまらず，施設退所者や地域社会から孤立している者に対する訪問等による見守りや生活支援まで射程を広げたものである。④は，当初子どもに対する学習支援のみを念頭においたのに対し，同年改正により，子どもの生活習慣及び育成環境の改善にまで射程を広げ，保護者を含めた支援を行うこととしたものである。

これらの任意事業等についても，社会福祉法人やNPO法人など民間事業者の果たす役割が期待されている。

6　国の負担及び補助

国は，①生活困窮者自立相談支援事業の実施に要する費用のうち当該市等又は当該都道府県の設置する福祉事務所の所管区域内の町村における人口，被保護者の数等を勘案して政令（生活困窮者自立支援令1条）で定めるところにより算定した額と，②生活困窮者住居確保給付金の支給に要する費用のそれぞれ4分の3を負担し（生活困窮者自立支援15条1項），生活困窮者就労準備支援事業及び生活困窮者一時生活支援事業の実施に要する費用の3分の2以内（ただし，同条4項），生活困窮者家計改善支援事業，生活困窮者である子どもに対し学習の援助を行う事業及びその他生活困窮者の自立の促進を図るために必要な事業の実施に要する費用の2分の1以内を補助することができる（同条2項）。

必須事業である自立相談支援事業の実施費用が，生活保護費と同様，国の4分の3負担となっている点が注目されてよい。財政面からいえば，国の責任が前面に出た事業といえる。

7　その他

生活困窮者に対する包括的な支援体制の強化の一環として，2018（平成30）年改正により，先に述べた自立相談支援事業・就労準備支援事業・家計改善支援事業の一体的実施の促進（同7条1項，15条4項）に加えて，都道府県等の各部局で把握した生活困窮者に対し，自立相談支援事業等の利用勧奨を行う努力義務を設けるとともに（同8条），都道府県による市等に対する研修等の支援を行う事業を創設した（同11条1項）。

支援にあたっての関係者間での情報共有の重要性という観点から，都道府県等は，関係機関等により構成される支援会議を組織することができることとし（同9条1項），支援会議の事務に従事する者又は従事していた者は，正当な理由がなく，支援会議の事務に関して知り得た秘密を漏らしてはならないとの守秘義務規定をおいた（同条5項）。

国及び地方公共団体は，生活困窮者の雇用の機会の確保を図るため，職業訓練の実施，就職のあっせんその他の必要な措置を講ずるように努めるとともに（生活困窮者自立支援17条1項），相互に連絡協力するものとしたほか（同条2項），公共職業安定所に対しても，同様の趣旨で求人に関する情報の収集及び提供，生活困窮者を雇用する事業主に対する援助その他必要な措置を講ずるように努めるものとする（同条3項）旨の規定がおかれている。

生活困窮者自立支援法は，従来国の補助事業として先進的な自治体等が行ってきた取組みを参考にしながら，事業を法定化することを目指して制定された。その取組みは，これまで短期失業対策と生活保護の狭間にあって，政策展開がなされてこなかった生活困窮者の人びとに，新たな相談支援体制の構築など一定の効果を発揮してきたものと積極的に評価できる[144]。ただし，同法は生活困窮者支援に向けた法的枠組みを設定したに過ぎず，本格的な取組みにあたっては今後の自治体等の努力に委ねられる部分が大きいといわねばならない[145]。

第9節　生活保護及び生活困窮者支援の課題

先述したように（第2節第2款），生活保護受給者数は1995（平成7）年以降大幅な増加をみせた。そして受給者数は，中長期的にみて今後も大幅な減少に向かうことはないものと予想される。というのも，人口の高齢化が進むにつれて，貧困・低年金である高齢受給者のさらなる増加が見込まれ，また家族機能の低下により，貧困リスクの高い単身世帯の増加が受給者の増大につながる可能性があるからである。

生活保護のあり方は，貧困・格差が社会問題化した2000年代に入り，本格的に問われるに至った。なかでも自立をどう捉えるか，社会的包摂をどう図るかという視点から取組みがなされるようになった。2004（平成16）年12月，社

144）　2020（令和2）年春以降の新型コロナウイルス感染症の感染者数拡大に伴い，自立相談支援事業等による支援の必要性が急激に高まった。朝比奈ミカ＝菊池馨実編著『地域を変えるソーシャルワーカー』（岩波ブックレット，2021年）参照。新規決定件数は，2019（令和元）年度3972件から2020（令和2）年度13万4946件と約34倍になった。厚生労働省「生活困窮者自立支援のあり方等に関する論点整理のための検討会（第1回）」（令和3年10月25日）資料4。また住居確保給付金の利用も，特例的な支給要件緩和・支給期間延長などにより大幅に増大し自立相談支援事業の新規相談受付件数は，2019（令和元）年度24万8398件から2020（令和2）年度78万6195件と約3.2倍になった。

145）　生活困窮者に対しては包括的・個別的な対応が求められることから，多彩な任意事業が存在することが望ましく，その意味で各地方自治体における任意事業のメニューのさらなる充実が課題となる旨指摘するものとして，菊池馨実「生活困窮者支援と社会保障――貧困・生活困窮者法制の展開と生活困窮者自立支援法」『社会福祉研究』124号（2015年）11頁。

会保障審議会福祉部会「生活保護制度の在り方に関する専門委員会」が，最低生活保障を行うだけでなく，生活困窮者の自立・就労を支援する観点から見直すことが重要であるとの視点を示した報告書を提出したことが契機となって，2005（平成17）年度より，厚生労働省がハローワークにおける生活保護受給者等就労支援事業を実施するとともに，各自治体でいわゆる自立支援プログラムを策定するに至った。同報告書における自立支援は，就労自立支援のみならず，日常生活において自立した生活を送るための支援（日常生活自立支援）や，社会的なつながりを回復・維持するなど社会生活における自立の支援（社会生活自立支援）をも含むものとして捉えられた[146]。ただし自立支援プログラムは，法律上の事業ないし給付としての位置づけではなかった点に留意する必要がある[147]。

同プログラムから，拠出に基づかない公的扶助給付であっても，受給者側には，稼働能力の存在を前提として（生活保護4条1項），法的に強制可能な義務ではなく，心身の状況に応じてではあるものの，上述した多様な意味合いでの自立に向けた積極的な取組みが規範的に要請されるのではないかという論点が生起する（同27条1項，60条参照）。こうした理解は，これまで一方向的な垂直・上下関係として捉えられがちであった受給者とケースワーカー・保護実施機関の関係を，双方向的な水平・対等関係として捉える契機ともなり得るのではないかと考えられる。この点で現行法は，所得調査を必要とせず，就労義務とも切り離され，稼働能力ある成人も含めまったくの無条件で一律に給付を行うという意味でのベーシック・インカム（BI）[148]の発想に立っていないことは明らかである。立法論としても，所得保障給付を求職活動・職業訓練などの就労プログラムと規範的に関連付けることを消極的に評価すべきではなく，国や自治体が稼働能力に応じた社会的「包摂」に向けたサポートに向けて関与して

146）注9）参照。

147）「セーフティネット支援対策等事業の実施について」（平17・3・31社援発0331021号）。

148）ベーシック・インカムに関しては，トニー・フィッツパトリック（武川正吾＝菊地英明訳）『自由と保障』（勁草書房，2005年），武川正吾編著『シティズンシップとベーシック・インカムの可能性』（法律文化社，2008年），P. ヴァン・パリース（後藤玲子＝斉藤拓訳）『ベーシック・インカムの哲学』（勁草書房，2009年）など参照。ベーシック・インカム論への疑問を提起し，ベーシック・アセット論を提起する注目すべき著書として，宮本太郎『貧困・介護・育児の政治――ベーシックアセットの福祉国家へ』（朝日新聞出版，2021年）。

いくことに十分合理的理由がある点などにおいて，ベーシック・インカムの構想は支持できない（憲27条1項参照）149)。

ただし，稼働能力の活用に至らない受給者には，精神的・家庭的・社会的な問題を抱えているがゆえの就労意欲の喪失・低下のケースが少なくない。そこで機械的に保護の停廃止に至るのではなく（同27条2項参照），丁寧な日常生活支援・社会生活支援を前提とした上での適切な就労支援（職業訓練や就労指導など）を行っていくことが求められる。そこでの就労とは，次に述べる近時の政策的取組みの中でも意識されているように，必ずしも雇用労働に限定されず，公共就労・中間的就労のような活動も含まれ得る。他方，就労による稼得につながらなくとも，社会とのつながりをもつための社会参加そのものの意義も評価される必要がある150)。

自立を経済的自立よりも広く捉え，社会的包摂を重視する政策動向はその後も継続し，2010（平成22）年厚生労働省「ナショナルミニマム研究会」では，憲法25条1項の規定に基づくナショナルミニマム保障を考えるにあたって，「ナショナルミニマムの基準には，最低生活費に代表される量的側面だけでなく，一定の社会的な生活習慣や人間関係，社会活動への参加等を保障するという質的側面も反映されていることが必要である」とされた。さらに社会保障審議会「生活困窮者の生活支援の在り方に関する特別部会」では，2012（平成24）年7月「生活支援戦略」中間まとめにおいて，生活困窮者支援体系の確立と生活保護制度の見直しに総合的に取り組み，就労可能な人が生活保護に頼る必要がないようにするとともに，生活困窮から早期脱却できるよう，重層的なセーフティネットを構築するとの方向性が示された。

こうした政策動向は，最後のセーフティネットである生活保護の受給者のみならず，保護受給に至らない生活困窮者・長期失業者等を広く射程に入れた「生活保障システム」構築に向けた新たな取組みと評価することができる151)。

---

149)　菊池・将来構想31-35頁・198-200頁。

150)　一般的にも引退・年金受給世代となる65歳以上の高齢受給者は，現在でも稼働能力の活用を前提とした運用はなされていない。ただし，社会参加を促し，支援するための仕組みは，生活保護制度内あるいは生活困窮者自立支援制度の活用という形で，こうした高齢者に対しても設ける必要があるのではないかと考えられる。介護などの分野で展開されている地域包括ケアの一環として，社会的包摂を図る方向性も十分考えられる。

151)　菊池馨実「貧困と生活保障――社会保障法の観点から」『日本労働法学会誌』122号（2013

その際，公的職業訓練・職業紹介などの就労支援策と有機的に結びついた制度の整備が課題となる。しかし従来，生活保護法においてこうした対策が十分にとられてきたとは言い難く，雇用保険も短期失業を対象とするにとどまってきた。長期失業者や若年就職困難者の増大という現実を前にして，雇用保険法制と生活保護法制とのあいだに政策の一貫性や給付の連続性がみられなかったのである。

この点につき，ホームレス自立支援法（2002〔平成14〕年），自立支援プログラム（2005〔平成17〕年）などの対応が図られた後，2008（平成20）年リーマン・ショックによる経済不況を契機として，生活保護受給者等就労支援事業（2010〔平成22〕年度まで）・「福祉から就労」支援事業（2011〔平成23〕年度以降），生活福祉資金貸付（総合支援資金）制度見直し（2009〔平成21〕年），住宅手当（2012〔平成24〕年度まで。2013〔平成25〕年度住宅支援給付）などの措置がとられた。また雇用保険においても，2007（平成19）年雇用保険法改正において，雇用保険二事業の対象として「被保険者になろうとする者」が明確化され（雇保62条・64条），トライアル雇用奨励金などの助成金事業が講じられるに至った。さらに2011（平成23）年求職者支援法（職業訓練の実施等による特定求職者の求職の支援に関する法律）の施行により，雇用保険の受給を終えた者や受給できない者に対して，職業訓練を受けながら給付金を受給できる「第2のセーフティネット」対策が法定化された（第6章第2節第7款）。加えて生活保護受給に至らない生活困窮者に対しても，先の「生活支援戦略」中間まとめを機に新たな制度の立法化が図られることになった。具体的には，2013（平成25）年1月「生活困窮者の生活支援の在り方に関する特別部会」報告書により，生活困窮者支援制度導入と生活保護制度改革の一体的実施による新たな生活支援体系の実現を目指すこととなった。

いうまでもなく憲法25条1項の「健康で文化的な最低限度の生活」水準の具体化が，生活保護基準である[152]。しかしこの基準の科学的客観的検証作業

年）109頁以下，同「雇用社会の変化とセーフティネット」荒木尚志ほか編『岩波講座現代法の動態第3巻　社会変化と法』（岩波書店，2014年）87頁以下。

152）　雇用との関連では，2008（平成20）年最低賃金法改正により，地域別最低賃金の設定に際して「労働者が健康で文化的な最低限度の生活を営むことができるよう，生活保護に係る施策との整合性に配慮する」（9条3項）ものとされた。

は，従来十分行われてきたとは言い難い状況であった。この点につき，先述した2004（平成16）年「生活保護制度の在り方に関する専門委員会」報告書が生活扶助基準の定期的検証の必要性を指摘したのに続き，2007（平成19）年「生活扶助基準に関する検討会」報告書が，一般世帯の消費水準と比較した生活扶助基準額の水準の検証を行い，単身世帯（60歳以上の場合）の年間収入階級第1・十分位における生活扶助相当支出額よりも，平均生活扶助基準額が高めであること等を指摘したほか，第1類費と第2類費の区分の撤廃，級地制にみられる地域差の縮小，勤労控除の見直しなど，従来の制度を大きく見直す方向性が示唆された。さらに2011（平成23）年社会保障審議会生活保護基準部会では，これまでの検証において指摘のあった項目も含め生活保護基準のあり方について検討を開始し，2013（平成25）年1月の報告書で，生活扶助基準額による指数と第1・十分位の消費実態による指数を比べると，年齢階級別・世帯人員別・級地別の基準額に乖離があることを示した[153]。2013（平成25）年度予算では，同部会の検証結果を踏まえた年齢・世帯人員・地域差による影響の調整を行うとともに（財政効果90億円），前回見直し（平成20年）以降の物価（デフレ）動向を勘案し（財政効果580億円），2013（平成25）年8月から3年間での生活保護基準の段階的引下げを行った。先に実施した老齢加算廃止などと異なり，生活扶助基準本体の引下げであった[154]。

2013（平成25）年1月「生活困窮者の生活支援の在り方に関する特別部会」報告書は，「近年の生活保護受給者が急増する等の状況にあって，現在の生活保護受給者の自立を助長する仕組みが必ずしも十分とは言い難い状況にある」との基本的考え方の下，就労促進のための取組み（就労活動に取り組む者への手当の支給，勤労控除の見直し，就労収入積立制度の導入など）と併せた不正・不適正支給対策の強化，医療扶助の適正化などを課題として挙げた。これを基盤として成立した2013（平成25）年改正法は，生活保護制度につき①不正・不適正受給対策の強化にかかわる福祉事務所の調査権限の拡大，罰則の引上げ及び不正受給に係る返還金の上乗せ，扶養義務者に対する報告の求め等，②医療扶助の

153）具体的には，夫婦と子ども2人の4人世帯で14.2％生活保護基準額が高く，高齢単身世帯（60歳以上）で4.5％同基準額が低いことが示された。

154）引下げの合憲性，適法性が争われた裁判例として，注97）参照。2015（平成27）年度には，家賃に対応する住宅扶助基準の適正化，冬季加算の見直しを行った。

適正化，③就労自立促進のための就労自立給付金及び被保護者就労支援事業の創設，④受給者の責務の明確化といった内容を含むものであった。

先に述べたように（第2節第2款），生活保護制度は，不正受給など「濫給」に対する批判と，生活保護基準を下回りながらも保護受給に至らない「漏給」に対する批判とのせめぎ合いの歴史といって過言ではない。2013（平成25）年改正でも，保護受給者の継続的増大という近年の状況を背景として，不正受給などに対する取組みの強化，医療扶助費が保護費の約半額を占めている中での，出来高払い制で一部負担金がない医療扶助費の抑制といった引き締め策が目立つ[155]一方で，就労支援の取組みに向けた仕組みの法定化がなされた[156]。

こうした医療扶助費の抑制，就労支援に向けた取組みといった方向性は，受給者の健康管理支援や，生活困窮者自立支援と相俟っての就労支援の促進といった形で，依然として検討課題とされた。さらに，いわゆる貧困ビジネスの問題とも関連して，受給者の「住まい」の問題にも焦点が当てられた[157]。こうした現代的諸課題に直面して，審議会での恒常的な議論の場が設けられ[158]，本章でも取り上げた2018（平成30）年改正に結びついた。

長期的な制度論としては，公的扶助の枠組みを高齢者と現役世代で分離し，前者につき給付事務に特化し，相談・援助（ケースワークないしソーシャルワー

155）札幌地判平25・3・27裁判所ウェブサイト（LEX/DB文献番号25445649）（北海道滝川市の住民である原告らが，同市が生活保護費を不正受給させ，市に2億3886万円の損害を与えた件につき，当時の市長らに対して損害賠償の請求をすることを命じた例）。

156）就労可能者に対する就労促進を念頭において，法定事項である就労自立給付金制度のほか，2013（平成25）年8月保護基準改定に合わせて，就労活動促進費の創設（自ら積極的に就労活動に取り組んでいる者に対する月額5000円の支給〔最長1年〕），勤労控除の見直し（基礎控除のうち全額控除額の引上げ及び控除率の定率化）などを行った。

157）最近，受給者に限定されない住宅確保要配慮者（高齢者，子育て世帯，低額所得者，障害者，被災者など住宅の確保に特に配慮を要する者）に対する住宅供給促進策が進展をみせている。2017（平成29）年「住宅確保要配慮者に対する賃貸住宅の供給の促進に関する法律〔住宅セーフティネット法〕の一部を改正する法律」は，①空き家等を住宅確保要配慮者の入居を拒まない賃貸住宅として賃貸人が都道府県等に登録する制度の創設と，登録住宅の改修・入居への経済的支援，住宅確保要配慮者のマッチング・入居支援，②都道府県による居住支援法人の指定，同法人による入居相談・援助，家賃債務保証の円滑化，生活保護受給者の住宅扶助費等についての代理納付の推進，といった入居円滑化に関する措置を講じた。

158）2017（平成29）年5月，社会保障審議会の下に「生活困窮者自立支援及び生活保護部会」が設置された。

ク）は地域福祉あるいは地域包括ケアの一環として捉える一方，後者との関係では引き続き相談・援助とセットで給付事務を行っていく方向性や，医療保障制度全体の中での医療扶助の見直し（国民健康保険への組込みと一部負担金の導入など）についても，検討していくことが望まれる。

他方，2015（平成27）年度から施行された生活困窮者自立支援制度は，社会保険と生活保護の間隙を埋める第2のセーフティネット対策として，求職者支援制度とともに生活困窮者の自立支援に向けた個別的な継続的・包括的支援の法的枠組みを創設したものとして高く評価できる。注目されるのは，法制定当初も意識されながら[159]，法律上明確でなかった「生活困窮者自立支援を通じた地域づくり」の視点が，2018（平成30）年改正において，法の理念として掲げられるようになった点である。この視点は，「地域共生社会」という包括的な政策構想の一環として，高齢者医療・保健・介護分野での地域包括ケアシステムや，障害児者の地域での共生社会の構築に向けた取組みなどを広く含んだ包括的な地域での支援体制の整備の一翼を担うものとして位置づけられる[160]。

このように，生活困窮者・貧困者の包括的支援と，地域における様々な住民の包括的な支援体制の整備という，支援の枠組みの二面性は，生活困窮者支援の重要性を一層増すことになるであろう。

さらに，生活困窮者支援をはじめとする相談支援の充実・発展は，社会保障制度における中核であった（金銭・現物・サービスなどの）実体的給付とは異なる，相談支援という非実体的・プロセス的な援助手法（いわゆる「手続的給付」。社会福祉領域でいえば「ソーシャルワーク」）が重要な役割を果たしていることを意味している。このことは，これらの相談支援の権利性とその（憲）法的根拠をどう捉えるか，どこまで法令で規律することが適切か，といった新たな法的視点を，社会保障法学に問いかけている[161]。

159）菊池・前掲論文（注145）9頁。

160）厚生労働省「『地域共生社会』の実現に向けて（当面の改革工程）」（2017〔平成29〕年2月）参照。2017（平成29）年社会福祉法改正による「我が事・丸ごと」の地域福祉推進の理念の規定や同年介護保険法改正による共生型サービスの位置づけ（高齢者と障害児者が同一の事業所でサービスを受けやすくする）なども，こうした地域共生社会の実現に向けた取組みの一環として位置づけられる。

161）菊池・社会保障再考第5章。飯島淳子＝井手英策＝菊池馨実＝西村淳＝山本龍彦＝笠木映里「〔座談会〕地域共生社会におけるソーシャルワークと法」『法律時報』94巻1号（2022年）7

頁以下参照。

第7章 医療保障

社会保障法学では，社会保障法の一領域として，医療保障を含める見解が一般的である。この医療保障という概念には，二つの意味合いがある。第1に，傷病の治療にとどまらない，予防—治療—リハビリテーションという一連のプロセスを包括的に捉える視点である（医療1条の2第1項）。第2に，要保障事由としての傷病の発生に際しての費用の保障にとどまらない，医療サービス供給主体の規制を含めて包括的に捉える視点である。これらは，金銭給付の形式をとる年金等にはみられない視点と言える。

医療技術の進歩・高度化や人口の高齢化は，年々わが国の医療費の高騰をもたらしている。他方，医療は国民の生命・健康という重要な価値に直接関わることから，利用者の資力に関わりなく平等なアクセスの保障が求められる度合いが相対的に高い分野でもある[1)]。

本章では，医療保障の分野につき，医療従事者や医療機関などの供給体制に係る法規制について触れた後，公的医療保険についてみていく。このほか，医療保険以外の公費負担医療などについても取り上げ，日本の医療保障制度の全体像を明らかにする。

1）本書が依って立つ自律基底的社会保障法理論では，各個人の「実質的機会平等」という規範的価値の実現が目指され（第2章第2節第2款**2**(2)），この「実質的機会平等」の理念を実現するためには，基本的に平等な医療サービスへのアクセスが保障される必要がある。菊池・将来構想144頁。

第１節　医療供給制度

本節では，医療供給体制に関わる法規制につき，医療従事者と医療機関に分けてみていく。

第１款　医療従事者に関する法規制

1　医療従事者の資格

医療従事者のうち，中核となるのが医師（及び歯科医師）である。後述するように，医師免許はあらゆる医業を行うことを可能にする点で包括的である。ただし，医療技術の進展や医療内容の多様化などに伴い，医師（及び歯科医師）以外にも，多くの医療従事者（コメディカル・スタッフ）に係る資格が法定化されている。こうした法律上の根拠を有する職種として，保健師・助産師・看護師（保健師助産師看護師法），薬剤師（薬剤師法）のほか，診療放射線技師（診療放射線技師法），臨床検査技師（臨床検査技師等に関する法律），歯科衛生士（歯科衛生士法），歯科技工士（歯科技工士法），理学療法士・作業療法士（理学療法士及び作業療法士法），視能訓練士（視能訓練士法），救急救命士（救急救命士法），言語聴覚士（言語聴覚士法）などがある。このほか，精神保健分野（精神保健福祉士）を除き国家資格化されておらず，医療サービスの提供に直接携わるわけではないものの，医療ソーシャルワーカー（MSW）も重要な役割を果たしている。臨床心理士といった心理職も，医療・教育分野などで一定の役割を果たしており，2015（平成 27）年公認心理師法により国家資格化された。

以下では，これらのうち医療の提供にあたって中心的な役割を果たす国家資格を規律する法律として，医師法と保健師助産師看護師法を中心に取り上げる。

2　医師法

⑴　資　格

医師の資格や業務などについては，1948（昭和 23）年に制定された医師法が規定している。同法は，憲法 25 条の趣旨を受けて，「医師は，医療及び保健指導を掌ることによつて公衆衛生の向上及び増進に寄与し，もつて国民の健康な生活を確保するものとする」と規定する（医師1条）[2]。

医師の資格は免許制をとっている（同2条）[3]。絶対的欠格事由（同3条）と相対的欠格事由（同4条）が法定されており，それぞれ絶対的免許取消事由（同7条1項），相対的免許取消事由（同条2項3号）となる。処分事由としては，同法4条各号のいずれかに該当し，又は「医師としての品位を損するような行為のあったとき」が掲げられ，上記の免許取消のほか，戒告・3年以内の医業の停止（同7条2項1号・2号）が法定されている。処分事由に該当する非違行為を繰り返すリピーター医師への対応のため，2006（平成18）年改正により，厚生労働大臣は行政処分を受けた医師又は再免許（同7条3項）を受けようとする者に対し再教育研修を命ずることができることとされた。

医師国家試験（同9条～16条）に合格し，診療に従事しようとする医師は，2年以上，医学を履修する課程を置く大学に附属する病院又は厚生労働大臣の指定する病院において，臨床研修を受けなければならない（同16条の2第1項）。この規定は，従来から努力義務規定として存在していたところ，大学医学部の特定の診療科（医局）での研修に偏重し，処遇が不十分で多くの研修医がアルバイトせざるを得なかった従来の研修状況を改めるため，1999（平成11）年改正に伴い2004（平成16）年度から，プライマリケアの基本的な診療能力を修得するとともに，研修に専念できる環境を整備することを基本的な考え方として必修化されたものである[4]。

2018（平成30）年改正では，総則において，医師の資質向上のための国その他関係者の協力に向けた努力義務を新たに規定するとともに（同1条の2），地域間の医師偏在の解消等を通じ，地域における医療提供体制を確保するため，

---

2)　1942（昭和17）年国民医療法における「医師及歯科医師ハ医療及保健指導ヲ掌リ国民体力ノ向上ニ寄与スルヲ以テ本分トス」（同3条）との規定を修正したものである。野田寛『医事法（上巻）』（青林書院，1984年）13-14頁。

3)　免許の法的性格は，業務の実施を一般的に禁止した上で資格保持者のみに禁止を解除するものであり，講学上の許可にあたる。米村滋人『医事法講義』（日本評論社，2016年）35頁。

4)　従来，医師の卒後教育には大学病院の医局制度が重要な役割を果たしてきた。同制度は関連病院を通じた医局員の生活の保障のみならず地域医療に不可欠な医師人材の確保にも影響力を有していた。新たな卒後教育制度の必修化により医局中心の医師派遣システムが脆弱化したと言われた。このため2010（平成22）年度から，都道府県ごとの研修医の募集定員の上限設定が行われるなどの措置が講じられた。

医療法改正と並んで，臨床研修病院の指定権限を国から都道府県に移譲し（医師16条の2），臨床研修病院ごとの研修医の募集定員の設定権限を都道府県に付与する（同16条の3第3項）などの改正を行った。2021（令和3）年改正では，医師の養成課程を見直し，大学が行う教養試験合格を医師国家試験の受験資格要件とするとともに（2023〔令和5〕年4月施行。同11条1項），同試験に合格した学生が臨床実習として医療を行うことができる旨を明確化した（2025〔令和7〕年4月施行。同17条の2）。

(2)　業　務

医師でなければ医業をなしてはならないとされ，業務独占の下におかれている（同17条。同31条による罰則あり）[5]。その趣旨は，国民の保健衛生上の危害を防止するという公共の福祉のためであり，医師の権利として設定されたものではない[6]。ここでいう「医業」とは，医行為を業とすることである。「業」とは反復継続の意思をもって行うことをいい，利益を得る目的を要しない[7]。また「医行為」とは，医師の医学的判断及び技術をもってするのでなければ保健衛生上危害を生ずるおそれのある行為であると解されてきた[8]。これに対し近時，最高裁判所は，彫り師によるタトゥー施術行為の医行為該当性が問題となった事案において，「医行為とは，医療及び保健指導に属する行為のうち，医師が行うのでなければ保健衛生上危害を生ずるおそれのある行為をいうと解するのが相当である」と判示し，医行為にあたらないと判示した[9]。罰則の適

5）医師の業務独占を憲法22条の職業選択の自由との関連で合憲とした裁判例として，東京高判昭36・12・13下刑集3巻11＝12号1016頁。

6）野田・前掲書（注2）57頁。

7）大判大5・2・5刑録22輯109頁，最2決昭28・11・20刑集7巻11号2249頁。

8）野田・前掲書（注2）60頁。行政解釈も同旨。「医師法第17条，歯科医師法第17条及び保健師助産師看護師法第31条の解釈について（通知）」平17・7・26医政発0726005号。ここでの危険は，行為自体から直接生じる直接的・積極的危険のみならず，間接的・消極的危険を含むと解される。佐伯仁志「『医業』の意義」『医療法判例百選　別冊ジュリスト』183号（2006年）5頁。

9）最2決令2・9・16刑集74巻6号581頁。本決定は，医師法17条の趣旨を，「医師の職分である医療及び保健指導を，医師ではない無資格者が行うことによって生ずる保健衛生上の危険を防止しようとする」点に求めた上で，「ある行為が医行為に当たるか否かについては，当該行為の方法や作用のみならず，その目的，行為者と相手方との関係，当該行為が行われる際の具体的な状況，実情や社会における受け止め方等をも考慮した上で，社会通念に照らして判断す

用を前提として，医行為の範囲を限定的に捉えたものと解される。

医行為は，絶対的医行為（医師の指示があっても医師以外の者が行うことが許されない医行為。たとえば診断行為，手術の執刀行為）と相対的医行為（医師の指示の下に医師以外の者によって行うことが許される医行為。看護師による筋肉注射・静脈注射[10]など）に分かれる[11]。それぞれの範囲は，医学・医療機器の進歩などによる保健衛生上の危険性の低下・消失等により変化しうる。

このように，医師（及び歯科医師）は，包括的に医業を行うことができる。他方，医師は名称独占の下にもおかれ，医師でなければ，医師又はこれに紛らわしい名称を用いてはならない（同18条）。医療従事者の資格については，医師と同様に業務独占及び名称独占であるもの（歯科医師，薬剤師，助産師，看護師，准看護師，診療放射線技師，歯科衛生士など）が多いが，業務独占にとどまるもの（柔道整復師），名称独占にとどまるもの（保健師，救急救命士）もある。

医師が行う業務の包括性とも関連して，医師は診察治療の求めがあった場合には，正当な事由[12]がなければこれを拒んではならないとされ，診療義務（応

るのが相当である」との判断を示している。

10）静脈注射に関しては，行政解釈により，長い間医師自ら行うべき業務とされていたが（昭26・9・15医収517号），看護教育水準の向上や医療用器材の進歩，医療現場における実体の乖離等の状況を踏まえて，保助看法5条にいう「診療の補助」に含まれるとされるに至った。平14・9・30医政発0930002号。

11）一定の危険性を有する医行為であっても，本人や家族がそれを行う場合には，医師法17条違反とならないとされてきた。辰井聡子「歯科医師による気管挿管研修」『医療法判例百選　別冊ジュリスト』183号（2006年）7頁。宇津木伸＝平林勝政編集『フォーラム医事法学』（尚学社，1994年）132-133頁（平林勝政執筆）は，患者自身が行う自己医療のみならず，それに類推し得る限りでの患者の家族による特定のその患者に対する医療は社会性を欠き，同法の規制の範囲外であるとする。同旨，磯部哲「医師の行為に対する行政法的規制」宇都木伸＝塚本泰司編集『現代医療のスペクトル――フォーラム医事法学Ⅰ』（尚学社，2001年）62頁。米村・前掲書（注3）44-45頁は，立法論として，(i)抽象的危険性が比較的低い医行為に関しては一般的行為規制を重視し，(i-1)行為の具体的危険性も低ければ主体を問わず実施可能とし，(i-2)具体的危険性が高ければ一定の教育・訓練プログラムを受けた患者・家族や医療・介護資格を有しない者に（医師等の指示の下で）解禁する，(ii)抽象的危険性が比較的高い医行為に関しては原則として医療従事者以外の実施を認めないとの3類型の規制を提案する。

12）救急告示医療機関や初期・二次・三次からなる階層的救急医療体制が整備されている現状にあっては，救急病院等への受診を指示することが直ちに診療義務違反となるわけではない。米村・前掲書（注3）47頁は，救急医療の充実は当番制や患者配分システムの構築など地域全体の取組みによるべきであり，応招義務規定は歴史的役割を終えたと評価され，少なくとも，地

招義務ともいう。同19条1項）が課されている[13]。この義務の法的性質は，第一義的には医師が国に対して負う公法上の義務であり，処分事由となり得る（同7条2項）。ただし，診療拒否が患者の状態悪化・死亡等と結びつく場合には，民事責任上も正当事由のない診療拒否につき医師及び医療機関の過失が推定され得ると解される[14]。

先述したように，医師の業務は包括的かつ医療関係職種の中で中核的なものであり，診療義務のほかにも，診断書等の交付義務（同19条2項），無診察診療等の禁止（同20条）[15]，異状死体等の届出義務（同21条），処方せんの交付義務（同22条），療養方法等の指導義務（同23条），診療録の記載・保存義務（24条）などが課されている。

3　保健師助産師看護師法（保助看法）

医師以外のコメディカル・スタッフのうち，人数的にもっとも多く，実務上重要な役割を果たしているのが看護師である[16]。保健師助産師看護師法によれ

域の救急医療体制が整備されている場合には，「正当な事由」が存在するものとして，応招義務が解除される場面を広く肯定すべきとする。ただし，その場合でもなお応急措置の実施が必要とされる場合がある。救急病院等を定める省令（昭39・2・20厚生省令8号）1条但書参照。

13）医療機関も病院の目的規定（現行医療法1条の5第1項）を根拠にして同様の診療義務を負うとする裁判例がある。神戸地判平4・6・30判時1458号127頁。

14）前田達明ほか『医事法』（有斐閣，2000年）73-74頁〔塚田敬之執筆〕，神戸地判平4・6・30・前掲（注13）。

15）本人に病識のない精神疾患や遠隔医療などの場面で本条との関係が問題になり得る。千葉地判平12・6・30判時1741号113頁参照（統合失調症と考えられる者に対し，家族の相談に乗ってその訴えを聞き，水薬を処方したことにつき，同条違反及び不法行為の成立を否定した例）。医師が前回の診察に基づき患者の病状が推知できる場合には本条違反とならない。大判大3・3・26刑録20輯411頁。最近，IT技術の進展や新型コロナウイルス感染症の感染拡大を契機に，オンライン診療の普及が課題となっている。法的には本条とも関連するが，政策的には診療報酬上の取扱いの観点から検討がなされている。笠木ほか208頁参照。なお，IT・インターネットの普及との関連で，原則としてインターネットを介した医薬品販売を一律に禁止し対面販売を義務付ける旧薬事法（現在の医薬品，医療機器等の品質，有効性及び安全性の確保等に関する法律〔薬機法〕）施行規則の規定が同法の委任の範囲を逸脱した違法なものであるとした最2判平25・1・11民集67巻1号1頁，同判決を踏まえた薬機法36条の6第1項・第3項が，要指導医薬品について薬剤師が対面により販売又は授与をしなければならないとすることが憲法22条1項に反しないとした最1判令3・3・18民集75巻3号552頁がある。

16）2018（平成30）年末現在，医師31万1963人に対し，看護師127万2024人，准看護師30万

ば，同法で規定されている保健師及び助産師も看護師資格を有することが前提となっており（保助看7条1項・2項），その意味では看護師が基幹的な資格として位置付けられる。

看護師は，厚生労働大臣の免許を受けて，傷病者若しくはじょく婦に対する療養上の世話又は診療の補助を行うことを業とする者をいう（同5条）。名称独占（同42条の3第3項。罰則として45条の2）及び業務独占（同31条1項。罰則として同43条1項1号）の下におかれている。なお准看護師は，都道府県知事の免許を受けて，医師，歯科医師又は看護師の指示を受けて，5条に規定することを行うことを業とする者をいう（同6条）。国家資格ではなく，看護師の指示の下にもおかれている点で，看護師とは法的位置づけを異にしている。

看護師が行う看護業務は，上記の通り，①「療養上の世話」と②「診療の補助」である。このうち①は，狭義の看護ともいうべき看護師の本来的業務である。原則として医師の指示がなくとも行い得るのは，衛生上危害を生ずるおそれがないことによる（同37条参照）。ただし，医師法23条が「医師は，診療をしたときは，本人又はその保護者に対し，療養の方法その他保健の向上に必要な事項の指導をしなければならない」と規定していることとの関係で，一定の制約を受け得る（保健師の業務との関係で同35条参照）。他方，②は，原則として医師の指示がなければ行い得ない業務である（例外として，臨時応急の手当につき同37条但書）。医師の指示がなければ衛生上危害を生ずるおそれがあることによる。

疾病構造の変化（慢性疾患の拡大など），「施設から在宅へ」の政策的な誘導，医学及び医療技術の進歩，患者等の重度化などに伴い，在宅の現場において，医師や看護師等の免許を有しない者が医行為を行うことを求められる場面が増えている。このことは，これらの業務が業務独占の下にあることや，患者等の生命・身体に関わる事故が生じた場合の賠償責任主体との関連で，問題となり得る。

具体的にはまず，看護師に「診療の補助」業務が認められているとしても，医師の指示がどの程度具体的であるべきかが問題となる。医療機関内と異なり，在宅医療・介護の現場では医師が常駐していない以上，医師の指示書が出され

5820人となっている。厚生労働省編『令和3年版厚生労働白書（資料編）』（I-2保健医療）44頁。

ているとしても，看護師の裁量権ないし判断権をどこまで認め，それとの関連でどの程度具体的な指示が必要かが問題となる。2015（平成27）年には，在宅医療の推進を図るとの見地から，医師の判断を待たずに，手順書により，一定の「診療の補助」（たとえば，脱水時の点滴，褥瘡の処置など）を行う看護師を養成する研修制度（特定行為に係る看護師の研修制度）が創設された（同37条の2）。在宅医療の場面では，こうした医師と看護師の関係にとどまらず，関係専門職種間での情報共有と十分な連携も不可欠である。

同様に，看護師資格のない介護従事者等による看護業務とりわけ「診療の補助」にあたる医行為の実施も問題となる。無資格者による看護業務の適法性については，医師であれば，5条に規定する業を行うことができることから（同31条1項但書），こうした医師の補助者であること，換言すれば医師の手足同然に使用されるところに求められてきた（いわゆる手足論）[17]。ただし，専門的教育訓練を受け，高度の医学知識を有する看護師に比べ，その範囲は当然制限的に解されねばならない。従来，家族以外の者が行う痰の吸引が問題となり，通知による対応がなされた後[18]，2011（平成23）年社会福祉士及び介護福祉士法改正により，保助看法の規定にかかわらず，診療の補助として喀痰吸引等を行うことを介護福祉士の業務に含めるとともに（同法48条の2第1項），介護福祉士でなくとも認定特定行為業務従事者認定証の交付を受けた者に限り，喀痰吸引等のうち特定行為を行うことを業とすることができるようになった（同附則3条1項）[19]。

また看護業務としての「療養上の世話」に当たる行為を外形的に捉えた場合，介護職が行う介護行為（たとえば，入浴，排泄，食事などに係る身体介助）と重複するようにもみられる。看護業務が業務独占にかかっていることから，両者の関係が問題となる[20]。

17） 東京高判平元・2・23判タ691号152頁（富士見産婦人科病院事件）。

18） まずALS（筋萎縮性側索硬化症）患者につき一定の条件を満たした場合，「当面のやむを得ない措置として」許容する通知（平15・7・17医政発0717001号）が出され，次いでALS以外の療養患者・障害者に対する痰の吸引も同様の条件の下で許容されるに至った（平17・3・24医政発0324006号）。

19） 通知により，介護現場において判断に疑義が生じることが多い行為について，医行為でないと考えられる行為（たとえば，体温測定，血圧測定，軽微な切り傷等の処置など）が列挙されている（平17・7・26医政発0726005号〔注8〕）。

第2款　医療機関に関する法規制

1　医療法

医師などの医療専門職を配置し，医療サービスを提供する医療提供施設に関する規制等を行っているのが，医療法である。同法は，1948（昭和23）年に制定された後，1985（昭和60）年，1992（平成4）年，1997（平成9）年，2000（平成12）年，2006年（平成18）年，2014（平成26）年，2015（平成27）年に比較的大きな改正がなされ，その後も2017（平成29）年，2018（平成30）年，2021（令和3）年と頻繁に改正されている。医療提供体制に関わるさまざまな課題への対応の必要性に鑑みて，最近の改正内容も医療保障法制の枠組みの見直しというより，多分に技術的かつ細目にわたるものが多くなっているとの印象を受ける[21)]。

医療法の目的規定等の変遷を通じて，日本の医療保障をめぐる考え方の変化と到達点を窺い知ることができる。すなわち，1992（平成4）年改正では，医療提供の基本理念を定め，①生命の尊重と個人の尊厳の保持，②医療の担い手と医療を受ける者との信頼関係，③治療のみならず，予防及びリハビリテーションを含む良質かつ適切な医療を規定した（医療1条の2）[22)]。1997（平成9）年改正では，インフォームド・コンセントの考え方を取り込むに至った（同1条の4第2項）。2006（平成18）年改正では，医療に関する選択の支援（同6条の2以下），医療の安全の確保（同6条の9以下）に係る規定が整備された。2014（平成26）年改正では，医療の安全の確保のための措置として，医療事故・調査支援センターを設置し，病院等の管理者は，死亡又は死産を予期しなかった医療事

---

20)　この点については，医学的観点を踏まえて行う必要のある行為かどうかによって区別すべきである。江口129-130頁。たとえば，訪問入浴介護につき，要介護高齢者の状態が安定していれば介護職の判断で入浴介護を行うことが認められるのに対し，微熱があるような場合の判断については，看護職等に委ねるべきことになろう。

21)　最近の法律改正の概要をみても，検体検査の制度の確保，特定機能病院におけるガバナンス体制の強化，広告規制の見直し（2017〔平成29〕年改正），医師少数区域等で勤務した医師を評価する制度の創設，都道府県における医師確保対策の実施体制の強化，地域の外来医療機能の偏在・不足等への対応（2018〔平成30〕年改正），長時間労働の医師の労働時間短縮及び健康確保のための措置の整備等，新興感染症等の感染拡大時における医療提供体制の確保に関する事項の医療計画への位置づけ，外来医療の機能の明確化・連携（2021〔令和3〕年改正）と多岐にわたっている。

22)　同改正では，居宅が医療提供の場として明示されるに至った（医療1条の2第2項）。

故が発生した場合，必要な調査等を行い，その結果を同センターに報告するとともに，遺族に対して説明しなければならないものとするとともに（同6条の10，6条の11），同センターも遺族から依頼があったときは，必要な調査等を行い，その結果を管理者及び遺族に対して報告しなければならないこととした（同6条の17）。2018（平成30）年改正では，地域間の医師偏在（とりわけ医療の過疎化）を見据えて，医師少数区域等における医療の提供に関する知見を有するために必要な経験を有する医師の認定に関する事項を規定した（同5条の2）。

現在，法目的としては，医療を受ける者の利益の保護，良質かつ適切な医療を効率的に提供する体制の確保，国民の健康保持への寄与が挙げられている（同1条）。効率性（同1条の2第2項）や質（同1条の3，1条の4第1項）[23]といった視点も織り込まれており，医療保障あるいは医療政策に関する目標の多様性を見て取ることができる。

医療サービスの提供に際しては，経済学的観点から，「不確実性」と「情報の非対称性」という他の財・サービスにみられない特徴があるといわれる[24]。このうち前者は，患者（消費者）にとって自分の健康状態について不確実であり，将来医療をどれだけ必要とするかについても不確実であること，医師にとっても医師自身が自分の決定した治療の結果を確実に予想することが困難であること[25]を意味し，後者は，医師は患者と比べて医療に関する情報を相対的に多く保有していることを意味する。後者との関連で，医療に関する患者の選択を実効的なものとするため，情報の患者への提供や広告規制についての規定が順次整備されてきた。このうち情報提供については，管理者による一定事項の院内掲示義務（同14条の2）に加え，2006（平成18）年（第5次）改正により，病院等の情報を閲覧に供する義務（同6条の3），入退院時の書面の作成交付義務（同6条の4）を課した。広告規制については，1992（平成4）年（第2次）改正以後，診療や治療行為といった医療そのものについては内容の評価に困難が

23）医療提供体制と医療保険を中心とした医療保障における質の確保に焦点を合わせた最近の論稿として，田中伸至「医療の質の確保と医療保障法(1)～(3・完)」『法政理論』52巻2号27頁以下，3号15頁以下（以上，2019年），53巻1号1頁以下（2020年）。

24）漆博雄編『医療経済学』（東京大学出版会，1998年）11-14頁。

25）したがって，診療契約の法的性格は，準委任契約か無名契約かの争いはあるものの，少なくとも「仕事の結果に対してその報酬を支払うことを約する」請負契約とは解されていない（民632条）。第4節第2款1参照。

伴うことから慎重に対応しつつも，客観性・正確性を確保し得る事項については，広告事項として認める方向での規制緩和が進められてきた（同6条の5以下など）[26]。

2　医療提供施設

病院，診療所，介護老人保健施設，介護医療院，調剤を実施する薬局その他の医療を提供する施設（医療提供施設）は，医療法の規制の下に置かれている（医療1条の2第2項）[27]。医療提供施設の中核として位置付けられるのが病院である。

病院とは，医師又は歯科医師が，公衆又は特定多数人のため医業又は歯科医業を行う場所であって，20人以上の患者を入院させるための施設を有するものをいう（同1条の5第1項）。医療施設機能の体系化の観点から，1992（平成4）年改正により，高度医療の担い手を確保するため，厚生労働大臣の承認を要件として特定機能病院（同4条の2第1項）が設けられた。その管理者の任務として，高度の医療を提供すること，高度の医療技術の開発及び評価を行うこと，高度の医療に関する研修を行わせること，医療の高度の安全を確保すること，他の病院又は診療所から紹介された患者に対し，医療を提供することなどが挙げられている（同16条の3第1項各号）。1997（平成9）年改正により，第一線のかかりつけ医等を支援し地域医療の充実を図ることをねらいとして，都道府県知事の承認を要件として地域医療支援病院（同4条1項）が法定化された。その管理者の任務として，病院の建物，設備，器械又は器具を当該病院に勤務しない医療従事者の診療，研究又は研修のために利用させること，救急医療を提供すること，地域の医療従事者の資質の向上を図るための研修を行わせること，他の病院又は診療所から紹介された患者に対し，医療を提供することなどが挙げられている（同16条の2第1項各号）。さらに2014（平成26）年改正により，

26）　こうした流れに対して，2017（平成29）年改正では，美容医療サービスに関する消費者トラブルの相談件数の増加等を踏まえ，医療機関のウェブサイト等を適正化するため，広告その他の医療を受ける者を誘引するための手段としての表示（広告）をする場合における虚偽の広告の禁止（同6条の5第1項），他の病院等と比較して優良である旨の広告，誇大な広告，公序良俗に反する内容の広告といった不適切な内容の広告の禁止（同2項）を定めるに至った。

27）　医療法には助産所（医療2条など）についても規定がおかれているが，本書では扱わず，病院及び診療所を中心に取り上げる。

日本発の革新的医薬品・医療機器等の開発を推進するため，国際水準の臨床研究等の中心的役割を担う病院を臨床研究中核病院として位置付けた（同4条の3・16条の4）。

次に診療所とは，医師又は歯科医師が，公衆又は特定多数人のため医業又は歯科医業を行う場所であって，患者を入院させるための施設を有しないもの又は19人以下の患者を入院させるための施設を有するものをいう（同1条の5第2項）。かつては原則48時間以内という収容時間の制限規定がおかれていたが，2006（平成18）年改正により，入院施設を有する診療所の他の病院等との連携の確保に係る規定に改めた（同13条）。こうした収容時間の制限撤廃により，「本格的な入院は病院で」という観点からの区分ではなくなった。

病院を開設しようとするとき，原則として開設地の都道府県知事の許可を受けなければならない（同7条1項）。臨床研修等修了医師及び臨床研修等修了歯科医師でない者が診療所を開設する場合や（同項），病院を開設した者が，病床数や後に述べる「病床の種別」等を変更しようとするとき（同条2項），診療所に病床を設けようとするとき（同条3項）なども基本的に同様である。知事は，これらの許可の申請があった場合において，その申請に係る施設の構造設備及びその有する人員が後述する開設要件に適合するときは，許可を与えなければならない（同条4項）[28]。ただし，営利[29]を目的として，病院，診療所等を開設しようとする者に対しては，許可を与えないことができる（同条6項）。また知事は，公的医療機関（自治体や日本赤十字社・済生会などが開設する医療機関。同31条）その他共済組合・健康保険組合・国民健康保険組合などの保険者等が病院の開設の許可又は病床数の増加若しくは病床の種別の変更の許可を申請した場合，後述する医療計画において定める基準病床数に既に達しているか，又は当該申請に係る病院の開設等によってこれを超えることになると認めるときは，許可を与えないことができる（同7条の2）。他方，診療所については，臨床研修等修了医師及び臨床研修等修了歯科医師が診療所を開設したときは，開

28）　したがって，この許可の行政行為としての性格は，基本的には命令的行為としての許可と解される。これに対し，2014（平成26）年改正により，地域医療構想の単位となる構想区域における一定の条件を付すことができることとなった（医療7条5項）。

29）　ここにいう「営利」とは，収益活動によって得た利益を構成員に分配することを意味する。石田道彦「医療法人制度の機能と課題」社会保障法研究4号（2014年）15頁。

設後10日以内に，所在地の都道府県知事への届出をなすことで足りる（同8条）。病院又は診療所の開設者が臨床研修等修了医師等でなくとも，管理者はこれらの者である必要がある（同10条）。

医療提供施設のうち，とくに病院については法定人員及び施設，諸記録等に係る開設要件を充足することが求められる（同21条）。このうち医師・看護師等の法定人員は，病床の種別に応じて異なる（同条1項1号）[30)]。病床の種別は，2000（平成12）年改正により，精神病床・感染症病床・結核病床に加えて，従来の「その他病床」が長期療養を念頭におく療養病床と，一般病床に区分された（同7条2項）[31)]。診療所の療養病床についても法定人員及び施設に係る規制がある（同21条2項）。先に挙げた地域医療支援病院（同22条）については，人員以外の法定施設に係る規定がおかれ，特定機能病院（同22条の2），臨床研究中核病院（同22条の3）については，人員も含めた独自の法定人員及び施設，諸記録等に係る規定がおかれている[32)]。開設後におけるこれらの基準違反等に対しては，都道府県知事による人員増員命令・業務停止命令（同23条の2），都道府県知事による施設使用制限・禁止及び修繕・改築命令（同24条），知事，保健所設置市の市長又は特別区の区長による報告徴収・立入検査，物件提出命令等（同25条），都道府県知事による管理者の変更命令（同28条）などが規定されている。開設者に犯罪又は医事に関する不正行為があったとき（同29条1

30）たとえば，医師数は病床の種別毎の入院患者数や外来患者数などを基礎として算出され（最低3名），看護師及び准看護師数も同様である（医療則19条1項1号・2項2号）。

31）2000（平成12）年改正前，当時の法21条1項但書に基づき，「主として老人慢性疾患患者を収容する病室を有する病院」（特例許可老人病棟，昭58・1・20発医11号通知〔当時〕）というカテゴリーが設けられていたが，介護保険実施とともに社会的役割を終えたとして，新規許可は廃止された。ただしその後も，いわゆる「社会的入院」自体がなくなったわけではない。2012（平成24）年3月末をもって，介護保険施設である介護療養型医療施設の廃止が予定されたものの，老人保健施設や特別養護老人ホームへの転換が進まず，2012（平成24）年介護保険法等改正により廃止期限が2018（平成30）年3月末まで延長された。2017（平成29）年介護保険法等改正により，日常的な医学管理や看取り・ターミナル等の機能と，生活施設としての機能を兼ね備えた，新たな介護保険施設として，介護医療院が創設された。ただし，介護療養病床の経過措置期間はさらに6年間延長された。

32）医療則21条の5（地域医療支援病院），同22条の2（特定機能病院），同22条の6（臨床研究中核病院）参照。法定人員のうち，看護師，准看護師及び看護補助者の数と比率については，医療保険における診療報酬単価の設定との関連でも制約を受ける。

項4号）など，都道府県知事による病院開設許可の取消権限等（同29条）も規定されている。

このほか介護老人保健施設と介護医療院（同1条の6）も医療提供施設として位置づけられている。ただし，開設許可等にかかる規定は介護保険法におかれている（介保94条以下，107条以下）。

3　医療計画

日本では国民皆保険政策の下，国民が基本的にいずれかの公的医療保障制度の適用下におかれる一方，いわゆる自由開業医制がとられ，医療サービスの供給を基本的に民間医療提供機関の手に委ねてきた[33]。とはいえ，高齢社会の進展の中で国民に適正な医療を確保するため，医療資源の効率的活用に配慮しつつ医療供給体制のシステム化を図るとの趣旨から，1985（昭和60）年医療法改正により，厚生労働大臣が医療提供体制の確保を図るための基本方針を定めるものとし（同30条の3第1項）[34]，併せて都道府県に対し医療計画（基本方針に即して，かつ地域の実情に応じて定める，当該都道府県における医療提供体制の確保を図るための計画）の策定義務を負わせている（同30条の4第1項）。医療計画の必要的記載事項は，医療法30条の4第2項各号に列挙されており，生活習慣病等の治療又は予防に係る事業に関する事項（4号），救急医療等確保事業に関する事項（5号）[35]，都道府県において達成すべき4号及び5号の事業並びに居宅等における医療の確保の目標に関する事項（1号），4号及び5号の事業並びに居宅等における医療の確保に係る医療連携体制に関する事項（2号），医療連携体制における医療提供施設の機能に関する情報の提供の推進に関する事項（3

33）公的医療機関については，地域医療対策の実施等に係る協力義務（医療31条），厚生労働大臣による設置命令（同34条），大臣又は知事による一定事項に係る命令・指示（同35条）について規定がおかれている。

34）2014（平成26）年医療法改正（第6次改正）により，この基本指針は，地域医療介護総合確保法（地域における医療及び介護の総合的な確保の促進に関する法律）3条1項に規定する総合確保方針に即して定めるものとされた。

35）法30条の4第2項4号及び5号に係る疾病・事業は，従来5疾病・5事業といわれ，それぞれ，がん・脳卒中・急性心筋梗塞・糖尿病・精神疾患（医療則30条の28），救急医療・災害時における医療・へき地の医療・周産期医療・小児医療（小児救急医療を含む）が含まれていたところ，新型コロナウイルス感染症の感染拡大を機に，2020（令和2）年12月より新興感染症等の感染拡大時における医療が追加され，5疾病・6事業となった。

号），居宅等における医療の確保に関する事項（6号），地域医療構想に関する事項（7号），地域医療構想の達成に向けた病床の機能の分化及び連携の推進に関する事項（8号），病床の機能に関する情報の提供の推進に関する事項（9号），外来医療に係る医療提供体制の確保に関する事項（10号），医師の確保の方針や確保すべき医師の数の目標に関する事項（11号），医療従事者（医師を除く）の確保に関する事項（12号），医療の安全の確保に関する事項（13号）などが規定されている。最近の改正では，この医療計画への記載事項の追加を通じて，医療提供体制の確保を図ろうとする姿勢がみえる[36]。

従来，争点となってきた問題として，いわゆる病床規制[37]がある。すなわち医療計画の必要的記載事項として，上記のほか，主として病院の病床（15号に規定する病床並びに精神病床，感染症病床及び結核病床を除く）及び診療所の病床の整備を図るべき地域的単位として区分する区域（二次医療圏，同条2項14号，医療則30条の29第1号）の設定に関する事項，基本的に都道府県ごとの省令で定める特殊な医療を提供する病院の療養病床又は一般病床であって当該医療に係るものの整備を図るべき地域的単位として区分する区域（三次医療圏，同項15号，医療則30条の29第2号）の設定に関する事項，6項及び7項の区域の設定に関する事項（同項16号）とともに，二次医療圏の区域ごとに設定される療養病床及び一般病床に係る基準病床数，都道府県の区域ごとに設定される精神病床，感染症病床，結核病床に係る基準病床数に関する事項（同項17号，医療則30条の30）が規定された点が重要である。

こうした病床規制については，既存病床数が基準病床数を上回る地域での病院開設若しくは病院の病床数の増加若しくは病床の種別の変更又は診療所の病床の設置若しくは診療所の病床数の増加の申請があった場合，知事は都道府県医療審議会の意見を聴いて，開設等のとりやめの勧告ができ（医療30条の11），これに従わない場合，開設は許可するものの保険医療機関の指定申請を拒否す

36）2014（平成26）年改正で地域医療構想に関わる事項が追加されたのに続き，2018（平成30）年改正で医師の確保に関わる事項が追加された。2021（令和3）年改正では，新興感染症等への対応に関する事項が追加される（2項5号関連。2024〔令和6〕年4月施行）。

37）病床規制の理論的根拠は，医師誘発需要仮説ないし供給誘発需要仮説（医療においては供給が需要を誘発するという仮説）にある。ただし，現在でもその妥当性について研究論文での結論は一致しないといわれる。島崎謙治『日本の医療――制度と政策〔増補改訂版〕』（東京大学出版会，2020年）469頁。

るとの実務上の取扱いがなされてきた。この点につき学説の中には，医療提供者側の営業の自由や患者側の病院選択の自由などとの関係で，病床規制の合憲性に疑問を呈するものがみられた[38]。これに対し最高裁判所は，知事による病院開設中止の勧告が，医療法上は当該勧告を受けた者が任意にこれに従うことを期待してなされる行政指導であることを認めながらも，これに従わない場合には相当程度の確実さをもって，保険医療機関の指定を受けられなくなること，国民皆保険制度の下，保険医療機関の指定を受けられない場合，実際上病院の開設自体を断念せざるを得ないことから，行政事件訴訟法3条2項にいう「行政庁の処分その他公権力の行使に当たる行為」にあたるとし，勧告の処分性を認めた[39]。他方，最高裁は，保険医療機関の指定拒否処分の効力を抗告訴訟により争う途も否定しておらず[40]，医療法に基づく病院開設中止勧告に従わないことを理由とする健康保険法（平成10年改正前）43条の3第2項に基づく保険医療機関指定拒否処分が憲法22条1項に反せず適法とした[41]。現在では，従来のように通達による取扱いではなく法律上明文化され，医療法30条の11の規定による知事の勧告を受けてこれに従わない場合には，その申請に係る病床の全部又は一部を除いて保険医療機関の指定を行うことができる旨の規定をおき，一部指定も可能としている（健保65条4項2号）[42]。

4　地域医療構想

2014（平成26）年医療介護総合確保推進法（地域における医療及び介護の総合的

38）阿部泰隆「地域医療計画に基づく医療機関の新規参入規制の違憲・違法性と救済方法（上）（下）」『自治研究』76巻2号（2000年）3頁，76巻3号（2000年）3頁，加藤ほか〔7版〕149頁〔倉田聡執筆〕。

39）最2判平17・7・15民集59巻6号1661頁，最3判平17・10・25集民218号91頁。なお最2判平17・7・15の差戻審では，知事の行政手続法7条違反を認め，手続的瑕疵が勧告の取消原因になるとして請求を認容した。名古屋高金沢支判平20・7・23判タ1281号181頁。

40）注39）掲記の2判決は，「後に保険医療機関の指定拒否処分の効力を抗告訴訟によって争うことができるとしても，そのことは上記の結論を左右するものではない」と判示した。ただし，最3判平17・10・25における藤田裁判官の補足意見参照。

41）最1判平17・9・8判時1920号29頁。

42）このほか病院の開設許可をめぐっては，新たな病院の開設地の市又はその付近の医療法人などが同許可の取消を求めた事案において原告適格を否定した最高裁判決として，最2判平19・10・19集民226号141頁がある。

な確保を推進するための関係法律の整備等に関する法律）の一環としての医療法改正により，地域における効率的かつ効果的な医療提供体制の確保を図るとの観点から，①医療機関が都道府県知事に病床の医療機能等を報告し，都道府県は，それをもとに地域医療構想を医療計画において策定するとともに，②医師確保支援を行う地域医療支援センターの機能を法律上位置づけた。

このうち，①の病床機能報告制度につき，一般病床又は療養病床を有する病院又は診療所の管理者は，病床の機能区分（高度急性期機能・急性期機能・回復期機能・慢性期機能。医療則30条の33の2）に従い，基準日における病床の機能（基準日病床機能），基準日から厚生労働省令で定める期間が経過した日（令和7年6月30日。同30条の33の4）における病床の機能（基準日後病床機能）の予定，入院患者に提供する医療の内容等の情報を都道府県知事に報告しなければならないこととし（医療30条の13第1項），都道府県は，医療計画において，地域医療構想（構想区域における病床の機能区分ごとの将来の病床の必要量等に基づく，当該構想区域における将来の医療提供体制に関する構想）に関する事項，地域医療構想の達成に向けた病床の機能の分化及び連携の推進に関する事項，病床の機能に関する情報の提供の推進に関する事項を定めるものとした（同30条の4第2項7号～9号）[43]。

地域医療構想は，戦後生まれのベビーブーム世代であるいわゆる「団塊の世代」が後期高齢者になる2025（令和7）年を見据えて，病院完結型から地域完結型の医療に改めるため，急性期医療に人的・物的資源を集中投入して入院期間を短縮する一方で，退院後の在宅の受け皿として地域包括ケアシステム（第9節第2款参照）を構築する政策展開の一環として，病床の機能分化等を行うこととした取組みと位置づけられ[44]，その後も都道府県知事の権限の追加や医療

43）構想区域の設定については，二次医療圏を想定し，都道府県は，医療関係者，医療保険者その他の関係者との協議の場を設け，これら関係者との連携を図りつつ，医療計画において定める将来の病床数の必要量を達成するための方策等について協議を行う（医療30条の14第1項）。また，都道府県知事に対し，基準日病床機能と基準日後病床機能とが異なる場合等における，基準日病床機能を基準日後病床機能に変更しないこと等の要請（同30条の15第7項），地域医療構想の達成の推進に必要な事項についての措置をとることの要請（同30条の16第2項），これらの要請に従わない場合における勧告及び公表（同30条の17，30条の18），地域医療支援病院又は特定機能病院の承認取消（同29条3項・4項），といった権限を付与する規定を設け，病床規制とは別個の観点から病床数のコントロールを行うこととした。

機関取組みの支援など取組みの強化が図られている[45]。

②は，地域における医療体制の確保を進めていくためには，医療従事者を確保し，その勤務環境を改善していくことが重要であるとの観点から，勤務環境改善についての関係者の役割を明らかにするとともに，従前，補助事業にとどまっていた地域医療支援センターの機能についての規定の整備等を行ったものである。具体的には，病院又は診療所の管理者に対し，医療従事者の勤務環境の改善等の措置を講ずるよう努めなければならないものとし（同30条の19），都道府県は，医療従事者の勤務環境の改善に関する相談，必要な情報の提供，助言その他の援助，調査及び啓発活動，その他の医療従事者の勤務環境の改善のために必要な支援に関する事務を実施するよう努めるものとする（同30条の21第1項）一方，都道府県知事は，特定機能病院，地域医療支援病院及び公的医療機関等の開設者又は管理者その他の関係者に対し，医師の派遣，研修体制の整備その他の医師が不足している地域の病院又は診療所における医師の確保に関し必要な協力を要請することができるものとし（同30条の24），都道府県は，協議が整った事項に基づき，地域において必要とされる医療を確保するため，医師の確保に関する調査及び分析，相談，情報の提供等の援助その他の医師の確保を図るために必要な支援に関する事務を実施するよう努めるものとした（同30条の25第1項）[46]。

5　医療法人

医療法は，医療事業の非営利性との観点から，会社法上の会社が病院等の経営主体となることを期待しておらず，知事もこのような営利を目的とする経営

44）池上直己「地域医療構想の現状と課題」『社会保険旬報』2620号（2015年）8頁。

45）2018（平成30）年改正では，病院の開設又は病床数の増加に関する都道府県の権限として，構想区域における療養病床及び一般病床数の合計が，将来の病床数の必要量の合計に達し又はこれを超えることになると認められるとき，都道府県知事に対し，一定のプロセスを経て最終的には開設等の許可を与えないことができる旨の権限を付与した（同7条の3）。2021（令和3）年改正では，医療介護総合確保推進法改正の形で，地域医療構想に積極的に取り組む医療機関に対する支援のため，病床機能再編支援事業を消費税財源を活用した地域医療介護総合確保基金に位置づけ，全額国負担の事業として恒久化した（同法6条）。

46）医師確保対策としては，その後2018（平成30）年改正により，医療計画への医師の確保に関する策定事項の追加（同30条の4第2項），地域医療対策協議会の機能強化（同30条の23）等が図られた。

主体に対しては病院等の開設許可を与えない方針をとってきた（医療７条６項参照）。他方，全ての病院等が積極的な公益性を必要とする公益法人たる資格を取得することも期待し難く（公益法人１条，５条参照），病院等の経営主体が法人格を取得することが困難であったため，容易に法人格を取得できる制度として 1950（昭和 25）年改正により設けられたのが，医療法人である。

病院，医師若しくは歯科医師が常時勤務する診療所又は介護老人保健施設を開設しようとする社団又は財団は，同法の規定によりこれを医療法人とすることができる（医療 39 条）。このように，医療法人には社団医療法人と財団医療法人の類型がある（同条１項）。医療法人の設立には一定の資産を有し，定款又は寄付行為において一定の事項を定めた上で（同 41 条１項，44 条２項以下），都道府県知事の認可を受けなければならない（同 44 条１項）。近時，医療法人の付帯業務の範囲が次第に拡大され，在宅介護サービスなどのほか（同 42 条７号），2006（平成 18）年改正により，有料老人ホームの設置も可能となった（同条８号）[47]。

このほか，同年改正により，従来公的医療機関で実施することが多かった救急医療等確保事業を行う公益性の高い医療法人として，社会医療法人の類型が設けられた（同 42 条の２）。一定の要件を備え，知事の認定を受けた地域住民参加型の医療法人については，社会医療法人として位置づけ，収益を自らが開設する病院，診療所又は介護老人保健施設の経営に充てることを目的として，厚生労働大臣が定める業務（収益業務）を行うことを認めるとともに（同条１項本文），債券（社会医療法人債）発行を可能とした（同 54 条の２以下）[48]。

いわゆる規制緩和の一環として，病院経営を株式会社にも認めるべきことが政策課題となり，いわゆる構造改革特区において一部認められるに至った。ただし，保険診療は認められず自由診療のみ認められているにとどまる。

47）2015（平成 27）年医療法改正により，医療法人の経営の透明性の確保及びガバナンスの強化を図るため，一定規模以上の医療法人に対する貸借対照表及び損益計算書の作成，公認会計士等の監査，公告の実施（同 51 条２項・５項，51 条の３），医療法人に対する理事の忠実義務等（同 46 条の６の４），任務懈怠時の損害賠償責任（同 47 条以下）等の規定をおくなどの改正を行うとともに，医療法人の分割等に係る規定を整備した。

48）2011（平成 23）年介護保険法等改正により，社会医療法人について，特別養護老人ホーム及び養護老人ホームの設置が可能となった（老福 15 条４項）。

6　地域医療連携推進法人

4で取り上げた地域医療構想を達成するための手段として，2015（平成27）年医療法改正により，地域医療連携推進法人という新たな法人制度が設けられた。

地域において良質かつ適切な医療を効率的に提供するため，病院，診療所又は介護老人保健施設（病院等）に係る業務の連携を推進するための方針を定め，医療連携推進業務を行う一般法人は，定款において定める当該連携を推進する区域（医療連携推進区域）の属する都道府県知事の認定（医療連携推進認定）を受けることができる（医療70条1項）。参加法人は，病院等の医療機関を開設する医療法人等の非営利法人で，介護事業等の地域包括ケアシステムの構築に資する事業を行う非営利法人を加えることができる（同項1号・2号）。知事は，医療連携推進認定をするに当たっては，都道府県医療計画において定める地域医療構想との整合性に配慮するとともに，あらかじめ，都道府県医療審議会の意見を聴かなければならない（同70条の3第2項）。この法人により，病院等相互間の機能の分担及び業務の連携の推進（介護事業等も含めた連携も加えることができる），医療従事者の研修，医薬品等の供給，資金貸付等の医療連携推進業務が予定されており（同70条2項），グループ病院等の特長を生かした地域医療・地域包括ケアの推進が図られようとしている[49]。

7　医師の働き方改革

日本の医療が，医師の長時間労働により支えられてきており，今後，医療ニーズの変化や医療の高度化，少子化に伴う医療の担い手の減少が医師の負担をますます増加させるとの問題意識から，政府の一般施策である働き方改革を医師に特化して進めるための措置が，2021（令和3）年改正により講じられた。

具体的には，医師に対する時間外労働の上限規制が行われるのに合わせて（2024〔令和6〕年4月施行。労基141条），勤務する医師が長時間労働となる医療機関（特定労務管理対象機関）における医師労働時間短縮計画の作成（医療114条，118条2項，119条2項，120条2項），地域医療の確保や集中的な研修実施の観点から，救急医療等によりやむを得ず高い上限時間を適用する医療機関を都道府県知事が指定する制度の創設（同113条1項），当該医療機関における健康確保

49）2021（令和3）年10月1日現在，全国で29の法人が認定を受けている（厚生労働省ウェブサイトによる）。

措置（面接指導〔同108条〕，連続勤務時間制限〔同110条〕，勤務間インターバル規制〔同123条〕等）の実施等の措置が講じられることになった。また併せて，タスクシフト/シェアの推進との観点から，医師以外の医療関係職種の業務範囲の拡大等を行った（診療放射線技師法2条2項，26条2項，臨床検査技師等に関する法律20条の2第1項，臨床工学技士法37条1項，救急救命士法2条1項，44条2項）。

医療の質・安全や担い手の確保といった医療提供体制の根幹にかかわる改正ではあるものの，医師の健康確保等に関わる（本来的には雇用法制としての規制であるべき）事項が，「医療を受ける者の利益の保護及び良質かつ適切な医療を効率的に提供する体制の確保を図り，もつて国民の健康の保持に寄与すること」（医療1条）を直接の目的とする医療法の中で規定することについては，やや疑問がある[50]。

第2節　医療保険の展開と体系

第1節では，医療供給体制に関する法制度を概観した。本節以下では，医療費保障のための法システムにつきみていくことにする。日本の医療サービスは，イギリスなどのように公費で財源を賄う方式ではなく社会保険の仕組みを通じて提供されてきた。まず本節では，医療保険の史的展開過程の概略をたどるとともに，次節以下の考察の前提として，現在における制度体系や法目的についておさえておきたい。

第1款　医療保険の展開

1　戦前の動向

日本の医療保険の発端は，1922（大正11）年制定の健康保険法にまで遡るこ

50）この他の近時の改正として，医療機関の外来機能につき，2018（平成30）年改正では，外来医療機能の偏在・不足等の情報を可視化するため，二次医療圏を基本とする区域ごとに外来医療関係者による協議の場を創設した（同30条の18の2）のに続き，2021（令和3）年改正では，かかりつけ機能を担う医療機関に対して「医療資源を重点的に活用する外来」を地域で基幹的に担う医療機関（紹介中心型の医療機関）を明確化することをねらいとした外来機能報告制度が創設された（同30条の28の2）。

とができる[51]。同法は，第一次世界大戦後の産業構造の高度化等に伴う労働争議や労働運動の高揚への対応の必要性が直接的な契機となったもので，労働立法としての性格を有するものであった。いわゆるブルーカラーを対象とし，業務災害も保険給付の対象となった[52]。1939（昭和14）年には船員保険法及び職員健康保険法が制定され，海上労働者やいわゆるホワイトカラーに適用範囲を広げるとともに，健康保険法改正により家族給付を創設した。健康保険法及び職員健康保険法は，1942（昭和17）年に統合され健康保険法に一本化された。他方，農民の救済を主たる目的としながら，戦時体制への移行に伴う健兵健民政策をも背景として，1938（昭和13）年に国民健康保険法が制定され，5人未満事業所の労働者や農民がカバーされた。同法は，市町村ではなく組合が運営主体であり，かつ強制加入ではなかったものの，1942（昭和17）年改正により，地方長官の権限による国保組合の強制設立・強制加入が規定され，1943（昭和18）年度末には全市町村の95％に国保組合が設立されるに至った。既に戦前において「国民皆保険」がほぼ達成されていたという意味で特筆に価するものの，給付期間の制限がある（制限診療）など給付内容は不十分なものであった。

2　戦後の混乱から国民皆保険へ

戦後の混乱期にあって医療保険は，被保険者数の激減など大きな打撃を受けた。しかし，相次ぐ保険診療単価の引上げ，1948（昭和23）年社会保険診療報酬支払基金法による診療報酬支払制度の確立，同年国民健康保険法改正による任意設立強制加入制[53]の導入などにより，1948（昭和23）年には医療保険の受診率が急増した。

51）医療保険を含む医療保障制度の史的展開については，横山和彦＝田多英範編著『日本社会保障の歴史』（学文社，1991年），佐口卓『国民健康保険――形成と展開』（光生館，1995年），新田秀樹『国民健康保険の保険者』（信山社，2009年），吉原健二＝和田勝『日本医療保険制度史〔第3版〕』（東洋経済新報社，2020年），島崎謙治「わが国の医療保険制度の歴史と展開」（遠藤久夫＝池上直己編著『医療保険・診療報酬制度』〔勁草書房，2005年〕所収），同・前掲書（注37）I（歴史），など参照。

52）業務上の事由に基づく傷病等は，1947（昭和22）年労働者災害補償保険法の制定に伴い同法によりカバーされることとなった。第5章第1節第5款**6**(1)及び本節第2款**2**参照。

53）ただし，強制加入はあくまで原則であり，貧困のため地方税の免除を受ける者など，条例により適用除外することが可能であった。島崎・前掲書（注37）64頁。

他方，政府管掌健康保険の赤字問題を契機に医療保険の抜本的改革論が展開される中で未適用者問題への注目が集まり，また国民健康保険の療養給付費に対する定率助成金の法定化（1955〔昭和30〕年）に伴い国保実施市町村が急増し，適用の不公平が顕在化した。これらが国民皆保険化に向けての契機になったといわれる[54]。戦後の経済復興と傷病に起因する貧困の社会問題化という背景事情もあった[55]。

こうした流れの中で，1958（昭和33）年，国民健康保険法の全面改正により国民皆保険体制が実現するに至った（実施は1961〔昭和36〕年4月）[56]。

3　医療保険の拡充

国民皆保険が実現した後も，国保の給付率が5割にとどまるなど，給付内容は十分とは言えなかった。そこで高度経済成長の進展に伴い，給付内容の改善が図られた。国保法については，1963（昭和38）年改正で世帯主につき7割給付（3割自己負担）となり，1966（昭和41）年改正で世帯員についても7割給付となった。1973（昭和48）年改正では，健康保険についても家族給付率が5割から7割に引き上げられるとともに，高額療養費制度（国民健康保険は1975〔昭和50〕年から）が設けられた[57]。

ただし，5ないし7割の給付率では，当時まだ年金の成熟度が低く負担能力の乏しかった高齢者に対する医療保障としては不十分であると考えられた。そこで，1969（昭和44）年頃から東京都など革新自治体を中心として，独自に老人医療費保障制度を実施するところがあらわれた。この制度を国レベルでも実施すべきとの要請が高まり，1972（昭和47）年老人福祉法改正により，老人医療費支給制度が設けられるに至った。これにより，70歳以上の老人で被用者

54）　横山＝田多編著・前掲書（注51）132-133頁。

55）　島崎・前掲書（注37）66-67頁。

56）　国民皆保険の理念は，生存権保障の観点のみならず，平等な医療サービスへのアクセス保障という本書が重視する観点からも積極的に評価できる。菊池・将来構想144頁。本章注1）参照。ただし，今日的にみた場合，国民皆保険の理念は，単に医療保険制度の対象者にとどまらず，国民に提供されるべき医療保障水準の問題として捉えられる局面に至っているといえる。中益陽子「国民皆保険および医療の機会均等の今日的課題」『社会保障法研究』10号（2019年）4頁参照。

57）　このほか1963（昭和38）年には，給付期間の制限（制限診療）が撤廃された。

医療保険の被扶養者，国保の被保険者であるものに対し，医療費の自己負担分を国・地方自治体が負担することとし，老人医療費無料化が実現した。

他方，国民皆保険が実現した時期において，既に政府管掌健康保険が赤字基調に転ずるなど医療費問題が存在していた。1973（昭和48）年改正では，上述のように給付の改善を図る一方，財政健全化を図るため，一般会計からの国庫負担による政管健保の累積赤字の解消と10％国庫負担の導入，保険料率引上げなどが行われた。1977（昭和52）年改正では，健康保険における賞与への特別保険料の賦課，国保における国庫負担率（定率分）の40％への引上げなどが行われた。

4　医療保険改革

1980年代になると，低成長に移行した経済基調の変化に伴う財政問題の深刻化のほか，人口高齢化の影響（とりわけ退職高齢者など被用者保険に属しない者を受け入れる国保財政の圧迫），産業構造の変化に伴う国保適用の農林水産業・自営業従事者の減少[58]などを背景として，医療保険改革に向けた機運が高まっていった。

まず老人医療に目を向けてみると，1972（昭和47）年老人福祉法改正で導入された老人医療費支給制度により，老人の受診率が高まった一方で，過剰診療により医療費が著しく増加した。この財政問題が，老人医療をめぐる新たな対応策を促すこととなった。他方，同制度は老人福祉法に基づく措置であったことから，今後予想される高齢化社会の進展を背景として，疾病治療中心で医療費の保障に偏った制度ではなく，予防や健康づくりを念頭においた包括的な保健医療対策という意味での医療保障の必要性が認識されるようになった。こうした状況下，1982（昭和57）年老人保健法が制定され，各医療保険制度に加入する原則70歳以上の者を対象とする医療（老人医療費支給制度を廃止し一部定額負担を導入する）[59]と，市町村が40歳以上の住民を対象に行う保健事業とを含

58）　市町村国民健康保険に占める農林水産業・自営業従事者（世帯主）の割合は，1965（昭和40）年67.5％，1985（昭和60）年43.6％，2005（平成17）年19.3％と急減した。この間の無職者と老人の加入割合は，それぞれ6.6％・5.0％，23.7％・12.4％，53.8％・29.7％であった。島崎・前掲書（注37）90頁表3-1。

59）　老人保健制度の下では，70歳以上の対象者は独立した保険者に加入するのではなく，依然と

む新たな仕組みを導入した。このうち前者の医療給付事業は，各保険者の共同事業としての性格を有し，各保険者が老人保健拠出金を拠出するというものであった。1986（昭和61）年老人保健法改正により，拠出金負担に係る加入者按分率が段階的に引き上げられ，1990（平成2）年度以降100％となった。拠出金は保険者に老人が全国平均並みに加入しているとみなして算定することとなり，老人加入率の低い健康保険組合の負担の急増を招いた。また同改正により，新たな医療提供施設として老人保健施設を設けた。同施設は，施設と在宅の中間，医療と福祉の中間，という二つの意味で「中間施設」と呼ばれた。1991（平成3）年改正では，在宅ケアの推進との趣旨から老人訪問看護制度を設けるとともに，老人医療の介護的要素に着目した公費負担割合の引上げ（3割から5割へ），一部負担の段階的引上げがなされた。

老人保健法制定後も，被用者保険加入者の定年等での退職による国保加入に伴う老人保健法適用までの医療保障をどうするかという問題が残された[60)]。そこで，1984（昭和59）年健康保険法等改正により，退職者医療制度を設け，20年以上被用者年金加入期間がある等の要件を充たし，被用者保険から国保に移行した60歳以上70歳未満の退職被保険者に対し，入院・外来給付率を7割から8割に引き上げる一方で，その費用を国保保険者と被用者保険者が報酬総額で按分して共同負担する拠出金で賄うこととした。

その他にも，80年代以降，医療費の抑制をねらいとした法改正が繰り返し行われた。その傾向は，とりわけ90年代後半以降，強くみられるようになった。具体的には，1984（昭和59）年健康保険法等改正において，被用者保険の本人給付率を10割から9割に引き下げ，定率自己負担（1割）を導入したほか，国保の国庫負担の実質引下げ（自己負担を含む医療費の45％から保険給付費の50％へ），従業員5人未満の法人事業所への適用拡大，特定療養費制度の導入などが行われた[61)]。1988（昭和63）年国民健康保険法改正は，国保救済策の一環と

して従前の健保組合・政管健保・国保などに所属した点で，独立した保険者を設置した2006（平成18）年改正による後期高齢者医療制度とは異なることに留意する必要がある。

60）　退職に伴い低所得となり保険料負担能力が低下する一方，高齢となり疾病リスクが高まり，国保への加重な財政負担をもたらした。

61）　1992（平成4）年健保法改正は，84年改正により財政が安定化した政管健保の保険料率引下げ，国庫負担率引下げ（老人保健拠出金分を除き16.4％から13.0％へ）というこの時期の法改正の基調とは異なる趣旨の改正であった。また1994（平成6）年改正では，在宅医療の「療養の

して行われたもので，①高額医療費市町村を指定し，安定化計画を作成させるとともに，基準超過費用額につき保険料のほか国・都道府県・当該市町村が共同負担する制度を設け，②低所得者の保険料軽減分につき国及び都道府県が負担する保険基盤安定制度を創設し，③国民健康保険団体連合会（国保連）が行う高額医療費共同事業を強化し，国及び都道府県がその費用の一部を補助することができることとした[62]。1997（平成9）年健康保険法等改正では，被用者保険の本人給付率が8割に引き下げられた（自己負担2割）ほか，薬剤一部負担金の導入，政管健保保険料率の引上げが行われた。

2000（平成12）年改正も，老人に係る1割定率負担の導入（ただし月額上限あり），高額療養費に係る自己負担限度額引上げ，入院時食事療養費に係る標準負担額の設定など，全体として患者負担を重くする方向での改正であった。続く2002（平成14）年改正は，3歳未満乳幼児に係る一部負担金の2割への引下げ，高齢者医療対象年齢（70歳から75歳へ）と公費負担割合（3割から5割へ）の段階的引上げなども行われたものの，全体としては負担強化の色彩が濃く，被用者保険本人給付率の8割から7割への引下げ（自己負担3割），老人に係る1割定率負担導入と一定以上所得の高齢者負担の2割への引上げ，高額療養費制度につき上位所得者と一般の自己負担限度額，高齢者の自己負担限度額の引上げ，保険料に係る総報酬制導入（政府管掌健康保険の保険料率引上げ），国保財政基盤強化のための諸施策（市町村国民健康保険の広域化等を支援する基金の創設，高額医療費共同事業の拡充，低所得者を多く抱える保険者を支援する制度の創設）などが行われた。

こうした度重なる改正の中でも，直接的には2005（平成17）年10月医療制度構造改革試案公表（厚生労働省）に端を発する[63]2006（平成18）年健康保険法等改正は，戦後屈指の大規模な法改正として位置づけられる。その改革の柱とし

給付」への明示的位置づけ，訪問看護制度の導入，食事療養費の導入，付添看護療養費の廃止など保険給付の内容が見直された。

62）これらの国保財政基盤強化策は，その後さらに拡充され，後述する2015（平成27）年改正による国民健康保険の財政安定化政策へと結びついた。

63）その淵源は，国民に負担を求める法改正に対し，医療保険制度の抜本改革を求める動きが強まったことを背景として，1997（平成9）年8月，厚生省から与党医療保険制度改革協議会に提示された「21世紀の医療保険制度」にまで遡ることができる。本章第9節及び菊池・将来構想122頁以下参照。

て，①医療費適正化の総合的な推進（医療費適正化計画の策定，保険者に対する一定の予防検診等の義務付け，保険給付の内容・範囲の見直し等，介護療養型医療施設の廃止〔介護保険法改正〕）を謳う一方で，②新たな高齢者医療制度の創設（後期高齢者医療制度，前期高齢者の医療費に係る財政調整制度）を行い，③概ね都道府県単位での保険者の再編・統合（国民健康保険の財政基盤強化，政府管掌健康保険の公法人化，地域型健康保険組合の創設）を図るというものであった。

2015（平成27）年改正（「持続可能な医療保険制度を構築するための国民健康保険法等の一部を改正する法律」）では，持続可能な医療保険制度の構築という観点から，①国民健康保険の安定化（国保への財政支援の拡充，都道府県が財政運営の責任主体となる），②後期高齢者支援金への全面総報酬割の段階的導入，③負担の公平化等（入院時食事代の段階的引上げ，紹介状なしの大病院受診時の定額負担導入，標準報酬月額上限額の引上げ），④新たな保険外併用療養費として患者申出療養の創設などが行われた。これらのうち，都道府県が市町村とともに国保の保険者となった点が特筆される。

その後，政策の焦点が給付は高齢者中心，負担は現役世代中心という構造を見直す全世代型社会保障改革へと移行したのを機に，2021（令和3）年改正では，後期高齢者医療の被保険者のうち，現役並み所得者（従来から３割負担）以外の被保険者であって，一定所得以上であるものについて，自己負担割合を１割から２割に引き上げる等の改正が行われた。

第２款　医療保険の体系

1　医療保険の体系

日本の医療保険は，職域保険たる性格を有する被用者保険と，地域保険たる性格を有する国民健康保険の２本建ての体系となっている。このうち被用者保険には，民間被用者を対象とする健康保険（これはさらに中小企業中心の協会健康保険[64]と，大企業中心の組合健康保険に分かれる）と，公務員・私立学校教職員を

64）　戦前から，船員を対象とする船員保険がある。船員保険法を根拠法とし，当初，総合保険（医療・年金・失業・労災）としてスタートしたものの，次第に一般制度への統合が進み，2010（平成22）年１月以降，職務外疾病部門（医療保険）と職務上疾病・年金部門（労災保険）の独自給付についてのみ，全国健康保険協会が管掌者となっている。

図１　医療保険をめぐる事務処理の流れ

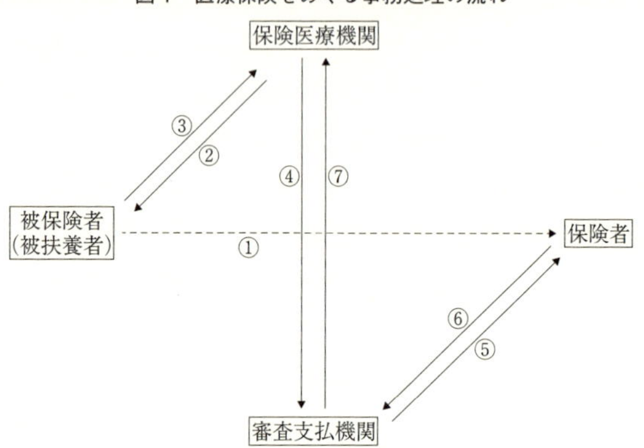

対象とする共済組合の短期給付がある。ただし，掛金や給付の一部などに差異があるものの，基本的な給付等には共通性があるため，第4節以降では，被用者保険の代表として健康保険を取り上げ，国民健康保険とともにみていくことにしたい。このほか，75歳以上の者及び65歳以上75歳未満の寝たきり等の状態にある者は，後期高齢者医療制度に加入する。このため同制度については，第7節で別途検討の対象とする。

保険診療をめぐる法律関係の詳細については後述するとして（第4款**2**），ここでは保険給付をめぐる基本的な仕組みを見ておくことにしよう。図1にみられるように，①医療保険に加入している被保険者は保険者に対し保険料を支払う。②被保険者又は被扶養者が負傷し，又は病気にかかった際には，オンライン資格確認（後述）の場合を除き被保険者証を保険医療機関の窓口に提示して受診する。③受診の際に④の基準等に基づいて算定された医療費につき，原則として一定割合（定率）に相当する一部負担金を窓口で支払う[65)]。④保険医療機関では，診療報酬点数表及び薬価基準に基づき診療報酬を算定し，審査支払機関（社会保険診療報酬支払基金又は国民健康保険団体連合会）に請求する。⑤審査

65)　日本の医療保険は，医療サービスそのものを保険給付（「療養の給付」）の対象とする現物給付方式を原則としている。これに対し，療養に要した費用を後に保険で払い戻す方式を償還払い方式という。後述するように，日本でも家族療養費等，法律上償還払い方式を採用しているものもあるが，事実上は一部負担金のみを支払えばよく（健保110条4項・5項など），一部を除き現物給付化している。

支払機関では，保険医療機関及び保険医療養担当規則（健保72条1項）に則った診療であるか否かにつき審査を行い，適正と認めた額を保険者に請求する。⑥再審査の申立てがなされる場合を除き[66]，保険者から審査支払機関に対し請求金額が支払われる。⑦審査支払機関から保険医療機関に対し診療報酬が支払われる。

2　目的及び保険事故

健康保険法1条は，労働者又はその被扶養者の業務災害（労災保険法7条1項1号に規定する業務災害をいう）以外の事由による疾病，負傷若しくは死亡又は出産及びその被扶養者の疾病，負傷若しくは死亡又は出産に関して保険給付を行い，もって国民の生活の安定と福祉の向上に寄与することを法の目的として定めている。このことは，労働者の業務災害による傷病等が労災保険でカバーされるのに対し，健康保険がそれ以外の傷病等をカバーすることを示すものであると同時に，「疾病」「負傷」「死亡」「出産」という4つの保険事故を給付対象とすることを示している[67]。後者の点については，国民健康保険も同様であ

66)　保険者と保険医療機関の双方から再審査の申立てをなし得る（社会保険診療報酬支払基金法15条1項3号，国保則30条）。ただし，後述する減点査定の処分性が否定されることと関連して，この再審査は裁判外の自主的かつ迅速な紛争解決の手続にすぎず，再審査の判断について特別の法的効果は発生しない。岩村正彦「社会保障法入門　第53講」『自治実務セミナー』42巻9号（2003年）7頁。

67)　従来，被保険者が副業として行う請負業務中に負傷した場合や，被扶養者が請負業務やインターンシップ中に負傷した場合など，健康保険と労災保険のどちらの給付も受けられないケースを生じていたことから，2013（平成25）年改正により法1条を改正し，労災保険の給付が受けられない場合には原則として健康保険の対象とすることを明確化した。ただし改正後も，法人の役員である被保険者又はその被扶養者が法人の役員であるときは，当該被保険者又はその被扶養者のその法人の役員としての業務（被保険者の数が5人未満である適用事業所に使用される法人の役員としての業務であって厚生労働省令で定めるもの〔当該法人における従業員が従事する業務と同一であると認められるもの。健保令52条の2〕を除く）に起因する疾病，負傷又は死亡に関して保険給付は行われないとの明文規定をおいた（健保53条の2）。いずれも法改正前の事案として，前橋地判平18・12・20労判（ダ）929号80頁（取締役の業務上の負傷につき，健康保険法上の療養給付不支給決定が適法とされた例），奈良地判平27・2・26裁判所ウェブサイト（LEX/DB文献番号25447120。シルバー人材センターの紹介で庭木剪定作業を行っていた際の事故に係る療養に要した費用について，高額療養費等不支給処分が適法とされた例），東京地判平27・12・15裁判所ウェブサイト（LEX/DB文献番号25533251。法人取締役が業務中に負傷したため健康保険法の療養の給付を受けていたところ，保険者からな

る（国保1条）。

健保法2条では，基本的理念として，給付の内容や医療の質の向上に着目しており，国民が受ける医療そのものに対する積極的な配慮がなされている。他方，運営の効率化や，費用の負担の適正化にも着目しており，資源の適正配分や医療費の抑制も視野に入っている点に留意する必要がある。

第3節　医療保険の被保険者・保険者

次に，保険関係の基本的当事者である被保険者及び保険者を取り上げる。以下述べるように，健康保険と国民健康保険ではそれぞれ異なった扱いがなされている。

第1款　健康保険の被保険者

健康保険の被保険者は，適用事業所に使用される者及び任意継続被保険者である（健保3条1項）。適用事業所とは，健保法3条3項1号掲記の各事業であって常時5人以上の従業員を使用する事業所をいい[68]，同号掲記のもののほか，国，地方公共団体又は法人の事業所の場合，1人でも常時従業員を使用する事業所であれば適用事業所となる（同項2号）。同時に複数の事業者に雇用される場合，被保険者は保険者を選択しなければならない（同7条，健保則1条1項）。ただし報酬月額は合算され（健保44条3項），保険料は報酬額に応じて按分した額を各事業所の事業主が支払う（同161条4項，健保令47条）。適用事業所以外の事業所にも，厚生労働大臣の認可を受けて適用事業所となる道が開かれており（任意包括被保険者。健保31条1項），この認可を受けようとするときは，当該事業所の事業主は，当該事業所に使用される者（被保険者となるべき者に限る）の2分の1以上の同意を得て，厚生労働大臣に申請しなければならない（同条2項）。

された同給付の不支給決定が適法とされた例）参照。

68)　被用者保険の適用拡大策の一環として，5人以上の者を使用する事業所への適用拡大が検討され，2020（令和2）年改正により，弁護士，公認会計士等の資格を有する者が行う法律又は会計に係る業務を行う事業が追加された（健保3条3項1号レ。2022〔令和4〕年10月施行）。

厚生年金保険と共通する論点として，適用事業所に「使用される者」（使用関係）は，労働基準法上の「労働者」（労基9条）とは必ずしも一致しないと考えられており，たとえば代表取締役や取締役も「使用される者」にあたるとした裁判例がある[69]。国民の生活の安定と福祉の向上に寄与するという法の目的からすれば（健保1条），使用従属関係ないし指揮命令関係にある「労働者」に限定すべき必然性はないといえよう[70]。他方，「労働者」であっても，船員保険の被保険者や後期高齢者医療の被保険者，国民健康保険組合の事業所に使用される者等，他制度の適用がある者や，日々雇用（1ヵ月を超えるに至った場合を除く）や2ヵ月以内の期間雇用（2ヵ月を超えるに至った場合を除く），季節的業務に使用される者（継続して4ヵ月を超えて使用されるべき場合を除く），臨時的事業の事業所に使用される者（継続して6ヵ月を超えて使用されるべき場合を除く）等臨時に使用される者，事業所又は事務所で所在地が一定しないものに使用される者などを適用除外とする規定がおかれている（同3条1項各号）。また行政実務上，「常用的使用関係にあるか否かは，当該就労者の労働日数，労働時間，就労形態，職務内容等を総合的に勘案して認定すべきもの」としながらも，所定労働時間及び所定労働日数が当該事業所において同種の業務に従事する通常の就労者のおおむね4分の3以上である就労者については，原則として健康保険の被保険者として取り扱うべきものとされてきた（いわゆる4分の3要件）[71]。この基準を充たさない就労者については，後述する被扶養者と認定されれば健康保険から給付を受けることができ，被扶養者に該当しなければ基本的に国民健康保険の被保険者となる。なおこの基準は，2012（平成24）年の年金機能強化法（平24法62）により，週20時間以上で賃金月額8万8000円以上（従来9万8000円以上），雇用期間1年以上の者へと拡大されたものの，従業員数501人以上の企業に限定され，学生を除外するなど，限定的なものにとどまった（健保3条1項9号）[72]。そこで，2016（平成28）年国年法等改正により，500人以

69）広島高岡山支判昭38・9・23高民集16巻7号514頁（代表取締役），大阪高判昭55・11・21行集31巻11号2441頁（取締役）。この判断は，厚生年金保険法にも共通して妥当する。

70）倉田聡「短期・断続的雇用者の労働保険・社会保険」日本労働法学会編『講座21世紀の労働法2巻　労働市場の機構とルール』（有斐閣，2000年）270-271頁。

71）昭和55年6月6日付，厚生省保険局保険課長，社会保険庁医療保険部健康保険課長，同厚生年金保険課長から都道府県民政主管部（局）保険課（部）長宛内簡。

72）注71）に掲げたように，従来，内簡という曖昧な法的根拠であった点が条文化された点は評

下の適用事業所にも，労使合意に基づき適用拡大を可能にする措置がとられた後（年金機能強化法附則46条5項），強制加入のさらなる拡大が検討課題とされ，2020（令和2）年改正により，労働者数501人以上という適用事業所の規模要件を，2022（令和4）年10月より101人以上，2024（令和6）年10月より51人以上と段階的に引き下げることとした。

健康保険の被保険者は，上述のように常用的な使用関係が前提とされ，日々雇用，期間雇用，季節的雇用，臨時的雇用などは適用対象から外されている。これらの適用除外者の医療保障ニーズに対応するため，日雇特例被保険者制度が設けられている。ここで日雇特例被保険者とは，適用事業所に使用される日雇労働者をいう（健保3条2項）。日雇労働者とは，日々雇用（1ヵ月を超えるに至った場合を除く）や2ヵ月以内の期間雇用（2ヵ月を超えるに至った場合を除く），季節的業務に使用される者（継続して4ヵ月を超えて使用されるべき場合を除く），臨時的事業の事業所に使用される者（継続して6ヵ月を超えて使用されるべき場合を除く）等臨時に使用される者をいう（同条8項）。ただし，後期高齢者医療の被保険者等である者又は特定の者（適用事業所において，引き続く2ヵ月間に通算して26日以上使用される見込みのないことが明らかであるときや，任意継続被保険者であるとき，その他特別の理由[73]があるとき）で厚生労働大臣の承認を受けたものについては，日雇特例被保険者とならないことができる（同条2項但書）。日雇特例被保険者の保険者は，全国健康保険協会である（同123条1項）。その他，標準賃金日額，保険給付，保険料などに関する特例がおかれている（同124条以下・168条以下）。

このほか任意継続被保険者という類型がある。これは，退職等の事由によって被保険者資格を喪失し，喪失の日の前日まで継続して2月以上被保険者であった場合，資格を喪失した日から20日以内に保険者に申し出て，継続して当該保険者の被保険者となった者をいう（健保3条4項，37条1項）。20日の期間

価できる。菊池・将来構想第3章参照。

73）（昼間学生が休暇期間中にアルバイトとして日雇い労働者に従事する場合や，家庭の主婦その他の家事専従者が余暇を利用して内職に類する日雇い労働に従事する場合など）被扶養者が適用事業所において短期間日雇労働者として使用される場合，その就労に基づいて得ることのできる収入の程度からみて，その者が当該被扶養者である地位を失うことがないと認められる場合，特別の事由にあたるとする通知がある（昭35・8・18保発59号）。

を経過した後の申出であっても，正当な理由があると認めるときは受理することができる（同37条1項但書）[74]。任意継続被保険者は，既に事業主との使用関係が終了しているため，労使折半である健康保険の保険料を全額自ら負担する義務を負う（同161条1項但書・3項）。資格喪失事由は，2年を経過したとき，死亡したとき，正当な理由なく保険料（初めて納付すべき保険料を除く）を納付期日（各月の10日〔同164条1項但書〕）までに納付しなかったとき，被保険者となったとき，船員保険の被保険者となったとき，後期高齢者医療の被保険者等となったときに加えて，2021（令和3）年改正により被保険者からの申出による資格喪失を可能とするに至った（同38条1号〜7号）。

任意継続被保険者制度は，健康保険よりも国民健康保険の一部負担金負担割合が高かった時代には，大きなメリットを有していた。現在では健保・国保ともに原則3割負担であるため，同制度の利用と国民健康保険加入のいずれが有利かは，保険料額の高低に依ることとなり，国保加入に伴い保険料が相当高額になるような場合，激変緩和措置としての意義がある[75]。このことと関連して，従来，制度の利用者は主として定年退職者であり，健保から国保に移行する際に利用されてきたといわれるが，最近若年層の割合が増加している[76]。

被保険者（任意継続被保険者を除く）は，適用事業所に使用されるに至った日若しくはその使用される事業所が適用事業所となった日又は原則として上述の法3条1項各号の適用除外事由に該当しなくなった日から，被保険者の資格を取得する（健保35条）。被保険者資格の取得は，任意継続被保険者を除き，保険者等（協会管掌健康保険の場合，厚生労働大臣，組合管掌健康保険の場合，健康保険組合）の確認によって効力を生ずる（健保39条1項）[77]。確認の基準日は，資格

74）規定の不知は「正当な理由」にあたらない。最2判昭36・2・24民集15巻2号314頁。同判決によれば，このことは，申請期間を限定した趣旨が逆選択の防止にあることによる。

75）任意継続被保険者の保険料算定の前提となる標準報酬月額は，①従前の標準報酬月額又は②当該保険者の全被保険者の平均の標準報酬月額のうち，いずれか低い額とされていた（同47条1項）。このため，全被保険者の平均標準報酬月額を下回り，保険者内部での連帯の仕組みとして適当ではないのではないかが問題となり，2021（令和3）年改正により，健保組合の規約により，従前の標準報酬月額とすることもできるようになった（同条2項）。

76）協会健保では，60歳以上75歳未満の割合が平成25年度に71％であったのに対し，平成29年度に55％となった。第127回社会保障審議会医療保険部会（2020〔令和2〕年3月26日）資料2参照。

77）保険料の一部を負担すべき義務を負うことから，確認処分を争う訴えの利益は事業主にもあ

取得の日すなわち原則として適用事業所に使用されるに至った日である[78]。

健康保険には，被保険者のほか被扶養者という概念がある。すなわち①被保険者の直系尊属，配偶者（事実婚を含む），子，孫及び弟妹であって，主としてその被保険者により生計を維持するもの，②被保険者の三親等内の親族で①に掲げる者以外の者であって，その被保険者と同一の世帯に属し，主としてその被保険者により生計を維持するもの，③被保険者の配偶者で届出をしていないが事実上婚姻関係と同様の事情にあるものの父母及び子であって，その被保険者と同一の世帯に属し，主としてその被保険者により生計を維持するもの，④③の配偶者の死亡後におけるその父母及び子であって，引き続きその被保険者と同一の世帯に属し，主としてその被保険者により生計を維持するものは，被扶養者として保険給付の対象になる（健保３条７項各号）[79]。これらはいずれも生計維持関係の存在を要件とし，加えて②ないし④では同一世帯に属することも要件となっている。生計維持関係の基準は，通達によれば，被保険者と同一世帯の場合，年間収入 130 万円未満（60 歳以上又は障害厚生年金の受給要件に該当する程度の障害の状態にある者の場合 180 万円未満）であって，かつ被保険者の年収の半分未満であることであり，被保険者と同一世帯でない場合，原則として年間収入 130 万円未満（60 歳以上又は障害者の場合 180 万円未満）であって，かつ被保険者からの援助による収入額より少ないことである[80]。被扶養者は，家族

る。大阪地判昭 35・12・23 行集 11 巻 12 号 3429 頁。

78) 最２判昭 40・6・18 判時 418 号 35 頁。

79) ただし，被保険者資格の得喪の確認（健保 39 条１項）などと異なり，被扶養者の認定は法律上明確な規定がない。この点につき，認定の処分性を一応認めた裁判例として，東京高決平 25・8・15 賃社 1638 号 48 頁（日本に帰化した健保組合の外国籍の母親の被扶養者としての権利を有することの確認を求めた仮処分命令申立てが不適法却下された例）。被扶養者から外す処分の取消を認容した例として，注 80）参照。

80) 「収入がある者の被扶養者の認定について」（昭 52・4・6 保発９号・庁保発９号）。夫婦とも被用者保険の被保険者の場合は，年間収入の多いほうの被扶養者とすることを原則とし，夫婦双方の年間収入の差額が年間収入の多い方の１割以内である場合は，被扶養者の地位の安定を図るため，届出により，主として生計を維持する者の被扶養者とする。「夫婦共同扶養の場合における被扶養者の認定について」（令 3・4・30 保保発 0430 第２号・保国発 0430 第１号）。札幌地判平 30・9・11 裁判所ウェブサイト（LEX/DB 文献番号 25449746）は，健保法３条７項１号は，「被扶養者」について被保険者との生計維持関係のほかに考慮すべき要素を何ら規定していないから，元夫婦である父母がその子の養育費を共に負担している場合に当該子がいずれの被扶養者に該当するのかを判断するに当たっては，家計の実態や社会通念等を踏まえ，

療養費（健保110条）の支給対象となり，家族療養費の受給主体は，法的にはあくまで被保険者である[81]。しかしながら，被扶養者は，自ら保険料を拠出することなく，実際にはいわゆる代理受領方式の下（同条4項・5項），被保険者と事実上同様の医療サービス（現物給付）が受けられる。このように，年間収入130万円という基準は，これを境に被扶養者の扱いを受けられるか否かが決まるという点で（130万円以上の場合，自ら健康保険の被保険者とならなければ〔同3条1項9号〕，国民健康保険の被保険者となり，保険料拠出義務を負う），いわゆる国民年金第3号被保険者問題と同様，就労を抑制するインセンティブが働く可能性がある。

被扶養者に関しては，生活の拠点が国外にある親族が保険給付を受け得るという問題が指摘され，2019（令和元）年改正により，原則として国内居住要件が課されることになった（同3条7項）[82]。

被保険者資格の喪失事由としては，被保険者の死亡のほか，使用関係の終了（「その事業所に使用されなくなったとき」）などが挙げられており，これらの事由に該当するに至った日の翌日（資格取得の事由〔健保35条〕に該当するに至ったときは，その日）から，被保険者の資格を喪失する（同36条1号～4号）。一般的には，使用関係の終了に伴い，国民健康保険の加入義務が生じることになる（国保5条，6条1号）。

使用関係の終了に関しては，形式的に雇用契約が存在しても実質的には就労実態がない場合に問題となり得る。裁判例の中には，会社のロックアウトによる就労拒否[83]や，事実上の倒産[84]により就労実態がない場合，実質的に使用関係の有無を判断し，被保険者資格を否定したものがある。

主として当該子の生活を経済的に支えているのが父母のいずれであるのかを専ら考慮すべきであり，単に被保険者からのDVのおそれがあることや種々の不都合が生じるというのみでは，生計維持関係を否定することはできないとして，原告（元夫）及び参加人（元妻）の子であるAを原告の被扶養者から外す処分を取り消した。

81）　東京地判昭58・1・26判タ497号139頁（被扶養者は被保険者資格の取得の確認について法律上の利益はないとされた例）。

82）　留学生など国内に生活の基礎があると認められる場合は要件を満たすものとし，他方いわゆる医療滞在ビザなどで来日し国内に居住する者は除外されることとなった（健保則37条の2，37条の3）。

83）　仙台高判平4・12・22訟月39巻10号2002頁。

84）　名古屋地判昭60・9・4判時1176号79頁。

第2款　国民健康保険の被保険者

従来，国民健康保険の保険者は市町村（特別区を含む）とされ，市町村の区域内に住所を有する者は，当該市町村が行う国民健康保険の被保険者とされてきた。これに対し，2015（平成27）年改正（「持続可能な医療保険制度を構築するための国民健康保険法等の一部を改正する法律」）により，国民健康保険の財政の安定化を図る趣旨から，2018（平成30）年4月より，「都道府県の区域内に住所を有する者」が，当該都道府県が当該都道府県内の市町村とともに行う国民健康保険の被保険者となった（国保5条）。後述するように，都道府県が財政面を中心にした運営責任を行うことになった点で，非常に大きな改正ということができる。

健康保険・船員保険・各共済組合などの被保険者及び被扶養者，高齢者医療確保法上の被保険者，生活保護を受けている世帯に属する者，国民健康保険組合の被保険者などは適用除外とされる（同6条1号～11号）。その意味で，他の公的医療保険制度等によってカバーされない住民が自動的に，都道府県が財政運営責任を負う国民健康保険の適用を受ける仕組みとなっている[85)]。ここにいう「住所」とは，基本的には民法22条が定める「生活の本拠」を指し，客観的な居住の事実とそれを補足する主観的な定住の意思によって判断されるべき

85）1984（昭和59）年改正により，定年退職等で健康保険等の被保険者資格を喪失し市町村国保の被保険者に移行することで生じていた市町村国保の財政圧迫等の問題を解決するための仕組みとして，退職者医療制度が設けられた。これにより，老齢厚生年金等の受給資格があり，かつ被用者年金の被保険者期間が20年以上あるか又は40歳以降の被保険者期間が10年以上ある場合，同制度の適用対象となり，国民健康保険料を納付するものの医療費は被用者保険の保険者からの拠出金で賄うことになった。ただしこの制度は，2006（平成18）年医療保険改革により，2014（平成26）年度までの間における65歳未満の退職被保険者が65歳に達するまでの間の経過的な措置とされた。なお，退職者医療制度を導入した際，特定健康保険組合の退職被保険者を対象とする特例退職被保険者制度も導入された。この制度は現在も存続しており，所定の要件を充たし，厚生労働大臣の認可を受けた特定健康保険組合の組合員であった一定の者について，後期高齢者医療制度に加入する75歳まで引き続き健康保険組合に加入し続けることが可能となっている（健保附則3条）。ただし，特定健康保険組合の組合数は，2019（令和元）年度末で61組合，加入者数は約33万8000人，うち70歳以上が占める割合は39.0％となっている。「健康保険・船員保険事業年報令和元年度」統計表第2-3表（厚生労働省ウェブサイト）。

もので[86]，住民基本台帳上の住所から推定されるとしても，それと必ず一致するわけではない。

外国人の被保険者資格につき，かつての行政解釈によれば，外国人登録法に基づく登録を行っており入国当初の在留期間が1年以上であるものか，入国当初の在留期間が1年未満であっても外国人登録法に基づく登録を行っており，1年以上日本に滞在すると認められるものを5条にいう「住所を有する者」と限定的に解してきた。これに対し，在留資格を有しない外国人の被保険者資格が認められる場合があるか否かにつき，従来の下級審裁判例では結論が分かれていたところ[87]，在留資格を要するとした厚生省通知は妥当性を欠くとしながら国家賠償法上の違法性を否定し請求を棄却した原審[88]を覆し，外国人については一定の在留資格があることをその概念に当然内包しているとして，不法残留外国人は何らの在留資格も有しないとし控訴を棄却した高裁判決が出された[89]。これに対し最高裁は，結論的には国家賠償請求を否定したものの，「法5条が，日本の国籍を有しない者のうち在留資格を有しないものを被保険者から一律に除外する趣旨を定めた規定であると解することはできない」とした上で，諸般の事情に照らして，当該市町村の区域内で安定した生活を継続的に営み，将来にわたってこれを維持し続ける蓋然性が高いと認められる場合に「住所を有する者」に該当し得るとの判断を示した[90]。

86)　大阪地判昭44・4・19行集20巻4号568頁。

87)　東京地判平10・7・16判時1649号3頁（積極），東京地判平7・9・27判時1562号41頁（消極）。

88)　横浜地判平13・1・26判時1791号68頁。

89)　東京高判平14・2・6判時1791号63頁。

90)　最1判平16・1・15民集58巻1号226頁。ただし，最高裁が括弧書きの傍論部分で，「社会保障制度を外国人に適用する場合には，その対象者を国内に適法な居住関係を有する者に限定することに合理的な理由があることは上述のとおりであるから，国民健康保険法施行規則又は各市町村の条例において，在留資格を有しない外国人を適用除外者として規定することが許される」と説示したことから，厚生労働省は2004（平成16）年国保法施行規則改正を行い，入管法上の在留資格がない者を新たに国保法6条に基づく適用除外と明定した（国保則1条1号）。このため，最高裁が示したような実質判断がなされ得る事案は今後は生じる余地がなくなったと言える。なお，2009（平成21）年出入国管理法及び住民基本台帳法改正により，外国人登録法を廃止して在留管理は出入国管理法に一元化するとともに，住民サービスのための外国人の把握は住民基本台帳法で行うこととなった。国保法上の扱いは従来と同様である（国保則1条1号）。

国民健康保険の被保険者資格の取得は，都道府県の区域内に住所を有するに至った日又は６条各号の適用除外事由に該当しなくなった日（国保７条），資格喪失は，都道府県の区域内に住所を有しなくなった日の翌日又は６条各号のいずれかに該当するに至った日の翌日（都道府県の区域内に住所を有しなくなった日に他の都道府県の区域内に住所を有するに至ったときや，生活保護の受給世帯や国民健康保険組合の被保険者となった場合，その日）をもって画される（同８条）。事業主に届出義務が課されている健康保険と異なり（健保48条），国民健康保険の場合，世帯主に市町村への所定の届出義務が課されている（国保９条１項）。

本来加入資格を有しない外国人が，不正な在留資格により，国保に加入し給付を受けている可能性があるという課題に対処するため，2019（令和元）年改正により，国保被保険者の資格管理等の観点から，市町村が日本語学校や企業の取引先等の関係者に報告を求めること等ができる対象として，被保険者の資格の得喪に関する情報を追加し，市町村における調査対象として明確化した（同113条の２第１項）。

被保険者の資格を証するものとして，被保険者証がある。国保９条２項は，世帯主に対し，その世帯に属するすべての被保険者に係る被保険者証の交付請求権を付与している[91]。それを提出してはじめて保険診療としての取扱いがなされる[92]点で，被保険者証は法的に重要な役割を果たしてきた。被保険者証は，従来，世帯毎（健康保険の場合，被保険者）に発行されていたため，家庭内不和・DVなどにより家族員（健康保険の場合，被扶養者）の医療アクセスを妨げる等の問題が指摘されていた。この点は，個人毎のカード化が進んでいるものの，なお国保法上の世帯員や，健保法上の被扶養者に法律上明文で交付請求権が認められていないという問題が残されている（健保則47条参照）。

健康保険法や高齢者医療確保法などにも共通する課題として，2019（令和元）年改正により，いわゆるオンライン資格確認（電子資格確認）が導入された。

91）被保険者証不交付の行政処分性につき，大阪地判平３・12・10判時1419号53頁（積極）。

92）交通事故による救急医療の場面など，緊急その他やむを得ない事由により被保険者証を提出できない事情があり，かつ保険給付を受ける資格のあることが明らかな患者については，診療開始当初に被保険者証の提出がなくとも患者は保険診療を受けることができるが，これらの事由がやんだのちには，遅滞なく被保険者証を提出しなければならない。大阪地判昭60・6・28判タ565号170頁。注100）参照。他人名義の被保険者証を用いて保険診療を受けた場合，詐欺利得罪（刑246条２項）が成立する。東京地判平27・6・2判タ1426号292頁。

これにより，被保険者証の提示がなくとも，保険医療機関等から療養を受けようとする者が，保険者に対し，個人番号カードに記録された利用者証明用電子証明書を送信する方法により，被保険者又は被扶養者の資格に係る情報の照会を行い，情報通信の技術を利用する方法により，保険者から回答を受けて当該情報を当該保険医療機関等に提供し，当該保険医療機関等から被保険者又は被扶養者であることの確認を受けることが可能になった（健保３条13項，国保36条３項）。ただし，この仕組みの利用の可否は，保険医療機関等での通信機器の整備状況と，被保険者等への個人番号カード（マイナンバーカード）の普及いかんにかかっている。

国保の場合，被用者保険のように事業主による保険料の天引きがなされないこと，そもそも低所得者が多く加入していること等により，保険料の滞納という問題が発生する。その対策として，国保法は，市町村に対し，保険料を滞納している世帯主が，当該保険料の納期限から厚生労働省令で定める期間（１年間。国保則５条の６）が経過するまでの間に当該保険料を納付しない場合においては，当該保険料の滞納につき災害その他の政令で定める特別の事情があると認められる場合（世帯主がその財産につき災害を受け，又は盗難にかかったこと，世帯主又はその者と生計を一にする親族が病気にかかり，又は負傷したこと，世帯主がその事業を廃止し，又は休止したこと，世帯主がその事業につき著しい損失を受けたことなど。国保令１条１号～５号）を除き，当該世帯主に対する被保険者証返還請求権を認めている（国保９条３項～５項）。この場合，市町村は，当該世帯主に対し，被保険者証に代わって被保険者資格証明書を交付する（同条６項）。ただし被保険者資格証明書の交付を受けた場合，保険給付は特別療養費（国保54条の３）として，いったん窓口で全額自己負担した後の療養費払いの形式となり，その給付も未払い保険料に充当されるなど，滞納者に対するサンクションとなっており，これらの者の医療へのアクセスが損なわれる危険性が指摘されている。この点に関連して，18歳に達する日以後の最初の３月31日までの間にある若年被保険者は，依然として被保険者証による受療が可能となっている（同９条６項）。

国民健康保険組合の組合員及び組合員の世帯に属する者は，原則として当該組合が行う国民健康保険の被保険者となる（同19条１項）。ただし，規約の定めるところにより，組合員の世帯に属する者を包括して被保険者としないことができる（同条２項）。

第３款　健康保険の保険者

健康保険の保険者は，全国健康保険協会及び健康保険組合である（健保４条）。同時に２以上の事業所に使用される被保険者の保険を管掌する者は，厚生労働省令の定めるところによるとされ（同７条），保険者は被保険者の選択によって定まり（健保則１条１項），この選択は，同時に２以上の事業所に使用されるに至った日から10日以内に，所定の事項を記載した届書を，全国健康保険協会を選択しようとするときは厚生労働大臣に，健康保険組合を選択しようとするときは健康保険組合に提出することによって行うものとする（同２条１項）。

全国健康保険協会は，健康保険組合の組合員でない被保険者（日雇特例被保険者を除き，中小企業被用者が中心となる）の保険（いわゆる協会健保）を管掌する（同５条１項）。協会は，2006年（平成18）年改正により，従来の政府管掌健康保険を引き継ぐ公法人（同７条の3）として設立された。保険給付，保健事業及び福祉事業に関する業務のほか，協会が管掌する健康保険の事業に関する業務であって５条２項の規定により厚生労働大臣が行う業務（被保険者の資格の得喪の確認及び標準報酬月額及び標準賞与額の決定並びに保険料の徴収〔任意継続被保険者に係るものを除く〕並びにこれらに付帯する業務）以外のものなどを行う（同７条の２第２項３号）。このほか，船員保険法による船員保険事業に関する業務，高齢者医療確保法による前期高齢者納付金等及び後期高齢者支援金等並びに介護保険法による介護納付金の納付に関する業務も行う（同条３項）。

協会は，主たる事務所を東京都に，従たる事務所（支部）を各都道府県に設置する（同７条の4）。協会には，協会を代表し，その業務を執行する理事長のほか，理事６人以内及び監事２人の役員が置かれる（同７条の9，７条の10第１項）。理事長及び監事は，厚生労働大臣が任命し，理事は，理事長が任命する（同７条の11第１項・３項）。事業主及び被保険者の意見を反映させ，協会の業務の適正な運営を図るため，事業主・被保険者・学識経験者の同数（9人以内）からなる運営委員会がおかれる（同７条の18第１項・２項）。厚生労働大臣は理事長を任命しようとするとき，あらかじめ運営委員会の意見を聴かなければならない（同７条の11第２項）。各支部には，都道府県ごとの実情に応じた業務の適正な運営に資するため，事業主・被保険者・学識経験者からなる評議会をおき，協会は，当該支部における業務の実施について，評議会の意見を聴くものとする（同7条の21第1項）。このように，運営委員会及び評議会は，その実際の運営のあり方によっては，保険者としての独自の機能を発揮し得る機関であるものの，十分に自主性を発揮できているとは必ずしも言い難い状況にある[93]。後述するように，健康保険組合の組合会のような被保険者の参加手続も保障されていない。

健康保険組合は，その組合員である被保険者の保険を管掌する（同6条）。この組合管掌健康保険は，主として大企業被用者を対象とし，適用事業所の事業主，被保険者及び任意継続被保険者によって組織される公法人である（同8条・9条）。1又は2以上の適用事業所について常時政令で定める数（700人。健保令1条の2第1項）以上の被保険者を使用する事業主は，健康保険組合を設立することができる（健保11条1項）。ただし，適用事業所の事業主は，共同して健康保険組合を設立することもでき，この場合，被保険者数は，合算して常時政令で定める数（3000人。健保令1条の2第2項）以上でなければならない。2006（平成18）年改正により，同一都道府県内における健保組合の統合を促進するため，企業・業種を超えた地域型健康保険組合の設立が認められた。任意設立の場合，事業主は，健康保険組合を設立しようとする適用事業所に使用される被保険者の2分の1以上の同意を得て，規約を作り，厚生労働大臣の認可を受けなければならない（健保12条1項）。これに対し，厚生労働大臣は，1又は2以上の適用事業所について常時政令で定める数以上の被保険者を使用する事業主に対し，健康保険組合の設立を命じることができる（強制設立。同14条1項）。ただし，強制設立の例はない。

健康保険組合が設立された適用事業所（設立事業所）の事業主及びその設立事業所に使用される被保険者は，当該健康保険組合の組合員とする（同17条1項）。議決機関である組合会は，偶数の定数からなる組合会議員をもって組織

93）協会健保の保険料率は，都道府県（各支部）ごとにそれぞれの医療費を反映しているものの（健保160条3項1号），都道府県間の保険料率の差をそのまま反映させるのではなく，年齢調整・所得調整（同条4項）を行った後，激変緩和措置がとられてきた。しかし，この措置は2019（令和元）年度末で終了した。その結果，2021（令和3）年度現在，最低9.50％（新潟県）から最高10.68％（佐賀県）と1％以上に差が拡がっている。

され，その半数は設立事業所の事業主において事業主及び設立事業所に使用される者のうちから選定し，他の半数は，被保険者である組合員において互選される（同18条）。このほか，健康保険組合には，役員として理事及び監事が置かれ（同21条1項），執行機関である理事の半数は被保険者である組合員の互選した組合会議員において互選されること（同条2項），業務の執行及び財産の状況を監査する監事の1名は，組合会において被保険者である組合員の互選した組合会議員のうちから選挙されること（同条4項）など，法律上，被保険者の参加による自治的な運営を可能とする仕組みを設けており，医療保険の保険者のなかで，もっとも保険者自治が制度的に保障されている。これに対し，先述した全国健康保険協会における運営委員会及び評議会（同7条の18，7条の21）や，国民健康保険における都道府県・市町村国民健康保険運営協議会（国保11条1項・2項）には，組合会のような被保険者の参加手続が法定されていない[94]。

老人医療費拠出金の負担などに伴う健康保険組合の財政悪化に対処するため，2000（平成12）年改正により導入されたのが指定健康保険組合制度である。健康保険事業の収支が均衡しない健康保険組合であって，政令（健保令29条）で定める要件に該当するものとして厚生労働大臣の指定を受けたもの（指定健康保険組合）は，事業及び財産の現状，財政の健全化の目標，この目標を達成するために必要な具体的措置及びこれに伴う収入支出の増減の見込額を記載した3ヵ年の健全化計画を定め（健保令30条），厚生労働大臣の承認を受けなければならない（健保28条1項）。

健康保険組合の解散事由として，①組合会議員の定数の4分の3以上の多数による組合会の議決，②健康保険組合の事業の継続の不能，③法29条1項による厚生労働大臣の解散命令が挙げられている（同26条1項各号）。①及び②の場合，厚生労働大臣の認可を受けなければならない（同条2項）。解散する場合，その財産をもって債務を完済することができないときは，健康保険組合は設立

94）加藤智章『社会保険核論』（旬報社，2016年）134頁は，全国健康保険協会における運営委員会及び協議会の委員構成が被保険者や事業主など保険料を負担する代表の組織として妥当なのか，委員構成に正当性が認められるのか，都道府県単位保険料率を変更することはいかなる手続で正当化されるのか，その根拠は何かなど，手続的な参加が保障されているかは大いに疑問であるとする。

事業所の事業主に対し，政令で定めるところにより，当該債務を完済するために要する費用の全部又は一部を負担することを求めることができる（同条3項）。解散により消滅した健康保険組合の権利義務を承継するのは，全国健康保険協会である（同条4項）。

第4款　国民健康保険の保険者

先に述べたように（第2款），国民健康保険の保険者は，従来，市町村（特別区を含む）とされてきた。これに対し，2015（平成27）年改正により，都道府県が，当該都道府県内の市町村とともに，国民健康保険の保険者とされるに至った（国保3条1項）。財政運営主体を市町村から都道府県に移管しつつ，依然として市町村も保険者として位置付けた点で，非常に大きな改正ということができる。

都道府県と市町村の責務としては，都道府県につき，安定的な財政運営，市町村の国民健康保険事業の効率的な実施の確保その他の都道府県及び当該都道府県内の市町村の国民健康保険事業の健全な運営について中心的な役割を果たすものとされ（同4条2項），市町村につき，被保険者の資格の取得及び喪失に関する事項，国民健康保険の保険料（保険税を含む）の徴収，保健事業の実施その他の国民健康保険事業を適切に実施すること（同条3項）が掲げられた[95]。

その上で，国民健康保険の運営に関する重要事項を審議させるため，都道府

95）条文上，「都道府県は，……市町村……とともに」国民健康保険を行うとされ（国保3条1項），都道府県が「国民健康保険事業の健全な運営について中心的な役割を果たす」（同4条2項）とされていることにも示されるように，都道府県がとくに財政運営において主導的役割を果たすことが期待される。こうした観点から，都道府県は，国民健康保険の安定的な財政運営並びに当該都道府県内の市町村の国民健康保険事業の広域的及び効率的な運営の推進を図るため，都道府県国民健康保険運営方針を定めることとされた（同82条の2第1項）。ただし，その責務ないし所掌事務からみると，市町村は，被保険者資格の管理（同9条），保険給付（同36条・52条～54条の4・57条の2～57条の3）及び保健事業（同82条）の実施，保険料の賦課・徴収・減免（同76条1項，76条の3・77条）といった国保事業の実施に関する事務を引き続いて担うなど，全体としては，保険者たる都道府県と市町村の「共同運営」と呼ぶべき制度変更といえる。新田秀樹「国保の都道府県『移管』で果たして何が変わるのか？」『都市問題』106巻9号（2015年）60頁，笠木映里「国民健康保険の『都道府県単位化』」『法律時報』89巻3号（2017年）31頁。

県及び市町村にそれぞれ国民健康保険の運営に関する協議会を置くこととした（同11条1項・2項）。

都道府県及び市町村のほか，国民健康保険組合も，従来から引き続いて保険者とされている（同3条2項）。

国民健康保険組合は，同種の事業又は業務に従事するもので当該組合の地区内に住所を有するものを組合員として組織する公法人である（同13条1項，14条），組合の地区とは，特別の理由があるときを除き，1又は2以上の市町村の区域によるものとする（同13条2項）。2021（令和3）年4月現在，162組合があり，273万人が加入している。比較的全国にわたって地域毎の組合が存在しているのが医師・歯科医師・薬剤師・土木建築業の組合であり，このほか税理士・理容・美容・弁護士などの組合もある。

組合を設立しようとするときは，主たる事務所の所在地の都道府県知事の認可を受けなければならない（同17条1項）。この認可の申請は，15人以上の発起人が規約を作成し，組合員となるべき者300人以上の同意を得て行うものとする（同条2項）。都道府県知事は，第1項の認可の申請があった場合においては，当該組合の設立により都道府県及び当該都道府県内の市町村の国民健康保険事業の運営に支障を及ぼさないと認めるときでなければ，同項の認可をしてはならない（同条3項）。現在，新規の設立は認められていない[96]。組合には，役員として理事及び監事を置き，理事の定数は5人以上，監事の定数は2人以上とし，それぞれ規約で定める（同23条1項・2項）。執行機関である理事及び監事は，原則として組合員のうちから組合会で選任されるほか（同条3項），組合員が選挙する組合会議員をもって組織される組合会がおかれ（同26条1項～3項），規約の変更，予算，決算等に係る議決機関（同27条）となるなど，健保組合と同様，被保険者による一定の運営参加の途が開かれている。

国民健康保険の保険者が行った保険給付等に関する処分に不服がある者は，国民健康保険審査会に審査請求することができ（同91条1項），これに対する採決を経た後でなければ原処分の取消訴訟を提起できない（審査請求前置主義。同103条）。保険者が上記の裁決を争うことができるかにつき，最高裁は「審査会と保険者とは，一般的な上級行政庁とその指揮監督に服する下級行政庁の場

96）最後の組合設立認可は，1974（昭和49）年，沖縄の本土復帰に伴い沖縄県医師国保組合が設立された時点まで遡る。

合と同様の関係に立ち，右処分の適否については審査会の裁決に優越的効力が認められ，保険者はこれによって拘束されるべきことが制度上予定されている」として原告適格を否定した[97]。この趣旨は，社会保険審査会等にも及ぶと考えられる。

第4節　保険診療

日本の医療保険の中心的給付は医療そのものの給付であるが，実際にはその他にも幅広い給付を行っている。第1款では，健康保険・国民健康保険に基づく給付の内容について概観する。保険診療の実施にあたっては金銭給付と異なり医療サービスの提供主体の存在が不可欠であることから，保険者と被保険者等（患者）という二当事者にとどまらない多数当事者が関わり，法律関係も複雑化する。第2款ではこの点に絞って裁判例などを手がかりに整理する。

第1款　保険給付

1　療養の給付

医療保険において給付の中心をなすのが，療養の給付である（健保63条1項，国保36条1項）[98]。①診察，②薬剤又は治療材料の支給，③処置，手術その他の治療，④居宅における療養上の管理及びその療養に伴う世話その他の看護，⑤病院又は診療所への入院及びその療養に伴う世話その他の看護という現物給付の形式をとる[99]。この給付を受けようとする者は，保険医療機関（厚生労働

97）最1判昭49・5・30民集28巻4号594頁。

98）医療保険は，療養の給付について，保険者による支給決定処分を介在させず，保険医療機関等が担当する現物の給付としており，療養の給付の要否や給付内容の判断も当該保険医療機関に委ねている。したがって，療養の給付については，被保険者の資格の取得確認があることを前提として，被保険者と保険医療機関等との間で診療契約が成立した時点において，具体的な受給権が発生する。東京地判平27・12・15裁判所ウェブサイト（LEX/DB文献番号25533251）。

99）療養の給付の範囲に関連して，急性期及び回復期のリハビリテーションは療養の給付の対象である（療養担当規則20条6号）のに対し，疾病の発生を防止する1次予防は療養の給付の対象ではなく，保健事業の対象である。稲森公嘉「公的医療保険の給付」新講座1　107-109頁。大阪地判平16・12・21判タ1181号193頁は，「療養の給付……の対象となるのは，被保険者の疾病又は負傷の治療上必要な範囲内のものに限られ，単に疾病又は負傷の予防や美容を

大臣の指定を受けた病院若しくは診療所）又は保険薬局（同じく大臣の指定を受けた薬局）などのうち，自己の選定するものから，電子資格確認その他厚生労働省令で定める方法（保険医療機関等から療養を受ける場合は被保険者証[100]，保険薬局等から療養を受ける場合は被保険者証又は処方せん。健保則53条）により被保険者であることの確認を受け，給付を受けるものとする（健保63条3項，国保36条3項）。これらの給付を受ける際，給付を受ける者は，厚生労働大臣が定めるところにより算定した額（診療報酬の算定方法及び使用薬剤の薬価〔薬価基準〕[101]により規定された診療報酬点数表及び薬価基準により算定した額。第2款**2**）の原則3割（健保では70歳以上2割，70歳以上で一定以上の収入の者3割。国保では6歳未満及び70歳以上2割，70歳以上で一定以上の収入の者3割）を一部負担金として，当該保険医療機関等に対して支払う義務を負う（健保74条1項，国保42条1項）[102]。この支払義務は，被保険者と保険医療機関の間に成立する私法上の診療契約の債務を構成する[103]。一部負担金は，5円未満の端数があるときはこれを切り捨て，5円以上10円未満の端数があるときはこれを10円に切り上げる（健保

目的とするにすぎない診療等は，その対象とはなり得ないものと解するのが相当である」とする。

100）　2020（令和2）年改正前の健保則は，被保険者証の提示につき，やむを得ない理由があるときは，この限りでないものの（健保則53条1項但書），その理由がなくなったときは，遅滞なく，被保険者証を当該保険医療機関等に提出しなければならない旨の規定をおいていた（同条2項）。この規定がなくとも，保険医療機関及び保険医療養担当規則3条が，電子資格確認，患者の提出する被保険者証による受給資格の確認が緊急やむを得ない事由によってできない患者であって，療養の給付を受ける資格が明らかなものについてはこの限りではない旨規定し，「患者はこれらの事由がやんでのちには，遅滞なく，被保険者証を」提出しなければならないと判示する大阪地判昭60・6・28・前掲（注92）の趣旨からすれば，法の解釈として変更はないと解すべきであろう。

101）　平20・3・5厚生労働省告示59号及び平20・3・5厚生労働省告示60号。

102）　70歳以上75歳未満の者については，本則の規定にもかかわらず軽減特例措置が要綱で設けられ，経過的に1割とされていた。2012（平成24）4月から2割負担になる予定であったが延期され，2014（平成26）年4月に新たに70歳になる者から，段階的に法定負担割合（2割）とし，既に70歳に達している者にのみ継続とされた。「『70歳代前半の被保険者等に係る一部負担金等の軽減特例措置実施要綱』の一部改正等について」（平26・3・20保発0320第5号）。2019（平成31）年3月31日までの間に保険医療機関等から療養を受けた者を対象とするため，現在，新たに軽減特例の対象となる者はいない。

103）　西村172頁。これに対し，稲森・前掲論文（注99）104頁は，公法上特別に課された義務であるとする。この議論は保険医療機関が独自の減免を認め得るかという議論とも関連し得る。

75条，国保42条の2)。健保法75条の2は，災害その他厚生労働省令で定める特別の事情がある場合における減免規定をおき，国保法44条も，「特別の理由」がある場合における減免規定をおいている[104]。実際，震災などに際してこの規定が活用されてきた。このほか国民健康保険には低所得者が多く加入しているため，財政の健全性をそこなうおそれがないと認められる場合に限り，一部負担金の割合を減ずることができるものとされている（国保43条，国保令28条)。その意味で国民健康保険の方が保険者の裁量が広いということができる[105]。

健康保険では，被保険者の扶養家族等は被扶養者として位置づけられている（健保3条7項)。被扶養者が保険医療機関等のうち自己の選定するものから療養を受けたときは，この者に対する療養の給付ではなく，被保険者に対し，その療養に要した費用について家族療養費が支給される（健保110条1項)[106]。法律上，被保険者に対する金銭給付となっているが，実際には保険者が，被扶養者が支払うべき療養に要した費用について，家族療養費として被保険者に対し支給すべき限度において，被保険者に代わり，保険医療機関等に支払うことにより（これを代理受領方式という)，事実上現物給付化している（同条4項～6項)。家族療養費の額（給付率）は，6歳以上70歳未満7割，6歳未満及び70歳以上75歳未満8割（70歳以上75歳未満で一定以上の収入の者7割）である[107]。

---

104)　生活保護を受給し得るほど恒常的な経済的困窮に陥っている場合，国民健康保険制度の対象者としては予定されておらず，「特別の理由」がある場合には当たらないと解すべきである。こうした考え方に立った上でなお，市町村の裁量判断を違法とした裁判例として，仙台高秋田支判平23・1・19賃社1545号40頁，札幌高判平30・8・22賃社1721＝1722号95頁。

105)　「犯罪被害者等給付金の支給等による犯罪被害者等の支援に関する法律」の改正論議の際，一部負担金の支払が困難となった原因が犯罪被害である場合，減免規定の対象となる余地がないか，議論となり，国保については，減免の具体的な要件の設定は保険者たる市町村等の判断に委ねられているのに対し，健保については，「震災，風水害，火災その他これらに類する災害」に係る規定（健保則56条の2）の解釈から，犯罪行為は含まない（同規定の改正も困難である）との判断が示された。犯罪被害給付制度に関する有識者検討会「提言」(2017〔平成29〕年7月）9-10頁。

106)　家族療養費は，1939（昭和14）年健保法改正により，補給金という名称で導入された。この名称は，被保険者の家族の傷病に際し，被保険者の経済的負担を幾分なりとも軽減するという意味で用いられた。『健康保険法の解釈と運用〔平成29年度版〕』（法研，2017年）834頁。西村166頁参照。

107)　給付されない部分が一部負担金に相当する。70歳以上75歳未満の扱いにつき注102）参照。

2　各療養費

家族療養費のほかにも，各種の療養費が規定されている。これらの多くは，家族療養費と同様，法律上の建前は金銭給付の形をとるものの，実際には現物給付化している。

このうち入院時食事療養費は，食費は在宅でも入院中でもかかり，在宅医療と入院治療のバランスを図る必要があるとの観点から，入院中の食費を一部自己負担させる趣旨で1994（平成6）年改正により導入された。被保険者が，療養の給付と併せて受けた食事療養に要した費用について支給するもので，厚生労働大臣の算出基準による食事療養費から，平均的な家計における食費を勘案して厚生労働大臣が定める額（食事療養標準負担額）を控除した額が，入院時食事療養費として支給される（健保85条1項・2項，国保52条1項・2項）。食事療養標準負担額は，1食単位で課されており（原則として1食につき460円。3食まで），住民税非課税世帯や入院日数に応じた軽減措置がある。被扶養者の入院の際にも，同様の取扱いがなされる（健保110条2項2号）。

入院時生活療養費は，療養病床（医療7条2項4号）に入院する65歳以上の者（特定長期入院被保険者）の生活療養（食事療養並びに温度，照明及び給水に関する適切な療養環境の形成である療養）に要した費用につき支給されるもので，生活療養に要する平均的な費用の額を勘案して厚生労働大臣が定める基準により算定した費用の額から，平均的な家計の食費及び光熱水費の状況等を勘案して厚生労働大臣が定める額（生活療養標準負担額）を控除した額が，入院時生活療養費として支給される（健保85条の2第1項・2項，国保52条の2第1項・2項）。2006（平成18）年改正により，介護保険適用の療養病床に入所する高齢者との負担の均衡を図り，長期入院高齢者に食費・居住費（ホテルコスト）の負担を求めるとの趣旨で創設された。一般の対象者（入院時生活療養（I）を算定する保険医療機関に入院している場合）の食費1食につき460円，居住費1日につき370円が生活療養標準負担額となり，低所得者に軽減措置がなされる。被扶養者の入院の際にも，同様の取扱いがなされる（健保110条2項3号）。

被保険者が居宅において継続して療養を受ける状態にある者で，主治医の指示の下，厚生労働大臣が指定する者（指定訪問看護事業者）から訪問看護（指定訪問看護）を受けた場合，その指定訪問看護に要した費用について，訪問看護療養費が支給される（健保88条1項，国保54条の2第1項）。在宅療養推進の観点から，1994（平成6）年改正により設けられた。このほか，健保法上，被保険者の被扶養者が指定訪問看護を受けた場合，家族訪問看護療養費（健保111条1項）が支給される。訪問看護の基本利用料は，被保険者及び被扶養者ともに，指定訪問看護に要する平均的な費用の額を勘案して厚生労働大臣が定めた額の原則3割である（健保88条4項，国保54条の2第4項）。

これらの各療養費と異なり，療養の給付等を行うことが困難であると認めるとき，又は保険医療機関等以外の病院等から診療等を受けた場合において，保険者がやむを得ないものと認めるときは，文字通り金銭給付としての療養費の支給がなされる（健保87条1項，国保54条1項）[108]。たとえば，事業主が資格取得届の手続き中で被保険者証が未交付のため保険診療が受けられなかった場合や，旅行中に保険医療機関となっていない病院で自費診察を受けたとき（ただし，やむを得ない理由があるときに限る）などがこれにあたる。保険者が当該療養について算定した費用の額から，一部負担割合を乗じた額を控除した額が支給される。

療養費制度の一環として，海外勤務の増加に伴い1981（昭和56）年健保法に，さらに海外渡航の一般化に伴い2000（平成12）年国保法に，それぞれ海外療養費制度が導入された。支給対象となるのは，日本国内で保険診療として認められている医療行為に限られ，療養の目的で海外へ渡航し診療を受けた場合は支給対象とならない[109]。

柔道整復，はり・きゅう，あん摩・マッサージ・指圧に係る療養費も療養費の支給対象となる。支給対象となる傷病等は決まっているものの，柔道整復師の施術の適正化が問題になったことに加え[110]，近年，はり・きゅう，あん

108）　国保法では，保険医療機関等で電子資格確認等を受けなかったことが緊急その他やむを得ない理由によるものと認めるときは，療養の給付等に代えて，療養費を支給するものとする旨，明文で規定する（同法54条2項）。

109）　東京地判平30・2・27判例自治446号79頁（国民健康保険の被保険者が，日本の保険医療機関等において診療等を受けることが可能であったにもかかわらず，保険医療機関等に当たらない海外の病院で診療等を受ける等した場合，処分行政庁が，療養費の支給申請に対し，国保法54条1項の「やむを得ないもの」に当たらないとして不支給決定をしたことが適法とされた例）。

110）「柔道整復師の施術の療養費の適正化への取組について」（平24・3・12保医発0312第1号）。柔道整復に係る療養費についても，明文の規定はないものの，受領委任の取扱いにより事実上現物給付化されている。大阪高判平29・3・28判例集未登載（D1-Law.com判例体系判例ID

摩・マッサージ・指圧に係る療養費の支出についても，国民医療費の伸びを上回って伸びており，その適正化が課題となっている[111)]。

療養の給付等を受けるため，病院等に移送されたとき，移送費（健保97条1項，国保54条の4第1項）が金銭給付として支給される（被扶養者については，家族移送費が被保険者に対して支給される〔健保112条1項〕）。

このほか，国保法上，特別療養費という制度がある（国保54条の3）。世帯主がその世帯に属する被保険者に係る被保険者資格証明書の交付を受けている場合，すなわち保険料を滞納し被保険者証の返還を余儀なくされた場合，医療費を窓口で全額自己負担した後，特別療養費として金銭給付を受けることとなる。滞納者の医療へのアクセスが損なわれる危険性があることについては，既に指摘した通りである（第3節第2款）。

3　保険外併用療養費と高額療養費

(1)　保険外併用療養費

保険診療として認められていない診療を行った場合，すなわち診療報酬点数表で点数化されていない医療行為を行った場合や，薬価基準に収載されていない医薬品を使用した場合，保険診療として認められた部分も含め，全ての診療が保険給付の対象外となるのが原則である。つまり保険診療と保険外診療（自由診療）の重複を認めないとの取扱いがなされてきた。これを「混合診療の禁止」という。その趣旨は，差別診療を防ぐ（資力のある患者が優先的に診療を受けることになり格差が生じるのを防ぐ）ことや，安全性及び有効性が確認されていない医療の助長を防ぐことなどにある[112)]といわれてきた[113)]。

28252329。柔道整復師の施術の適正化に関連し，保険者による施術者との間の過誤調整の合意の存在を否定し，支給決定額と実際の支給額との差額につき，被保険者による未支給療養費の請求が認められた例）参照。

111)　東京地判令2・2・7判例集未登載（LEX/DB文献番号25585299。健康保険の被保険者の資格を喪失したにもかかわらず，被保険者証を整骨院等において提出して使用し，全国健康保険協会をして費用の支払をさせた事案において，結果，同額を不当に利得したとして，同協会による不当利得返還請求が認容された例）。

112)　最3判平23・10・25民集65巻7号2923頁は，「保険医療における安全性及び有効性の確保，患者と医療機関との間の情報の非対称性によって生ずる患者側の不当な負担の防止，所得等による医療アクセスの格差の防止，保険財源の限界による保険診療の範囲の縮小の防止等の要請」を挙げている。

こうした「混合診療の禁止」の例外として，「国民の生活水準の向上や価値観の多様化にともなう医療に対する国民のニーズの多様化，医学医術のめざましい進歩にともなう医療サービスの高度化に対応して，必要な医療の確保を図るための保険給付と患者の選択によることが適当な医療サービスとの間の適切な調整を図る」ため[114]，1984（昭和59）年改正により設けられたのが，特定療養費制度であった[115]。同制度の下では，高度先進医療（特定承認保険医療機関〔大学病院その他高度医療を行う病院等で厚生労働大臣の承認を受けたもの〕での療養）と，選定療養（被保険者の選定に係る特別の病室の提供，前歯部の歯科治療に金合金などを使用した場合，厚生労働大臣が指定した紹介外来型病院・特定機能病院における初診〔紹介外来・緊急以外〕，時間外診察，予約診察など）を対象として，通常の診療の範囲に係る部分は特定療養費という形式で保険給付を行い，これを超える部分は全額自己負担としていた。これに対し，いわゆる規制改革をめぐる議論の一環として，混合診療の解禁が争点となり，激しい議論の応酬がなされた[116]。その結果，政治的な決着が図られ[117]，従来の特定療養費制度を再編成し，保険診療と保険外診療の並存を認める範囲を拡大する方向での新制度が導入された。これが保険外併用療養費である（健保86条，国保53条）。

新制度の下では，従来の高度先進医療における医療機関及び医療技術の個別承認制を廃止するとともに，将来的な保険導入のための評価を行うものか，保険導入を前提としないものかという観点から，①評価療養（先進医療，医薬品・

113）介護保険では特に在宅サービスについて保険給付に自費でサービスを上乗せして受けることが可能である。その意味で，いわゆる「混合介護」は禁止されていない。新田秀樹『社会保障改革の視座』（信山社，2001年）214-215頁は，混合介護を可能にするため現物給付ではなくサービス費の支給という形式にした旨述べる。混合介護が認められているのは，本質的には医療と異なり介護は分割可能なサービスだからであるとするものに，島崎・前掲書（注37）287頁注102）。

114）『健康保険法の解釈と運用（平成29年度版）』（法研，2017年）652頁。

115）現物給付構成ではなく療養費構成を採ることで，立法技術的に差額徴収等を行えるようにすることにした面があるといわれる。島崎・前掲書（注37）287頁。

116）積極論として，八代尚宏『規制改革』（有斐閣，2003年）143-145頁，消極論として，池上直己「混合診療はなぜ難しいか」『社会保険旬報』2172号（2003年）14-17頁，島崎・前掲書（注37）290-293頁参照。

117）「いわゆる『混合診療』問題に係る基本的合意」（2004〔平成16〕年12月15日厚生労働大臣・内閣府特命担当大臣間合意文書）。

医療機器・再生医療等製品の治験に係る診療，医薬品医療機器法承認後で保険収載前の医薬品・医療機器・再生医療等製品の使用，薬価基準収載医薬品の適応外使用，保険適用医療機器，再生医療等製品の適応外使用），②選定療養（特別の療養環境〔差額ベッド〕，歯科の金合金等，金属床総義歯，予約診療，時間外診療，大病院の初診，小児う蝕の指導管理，大病院の再診，180日以上の入院，制限回数を超える医療行為）を対象とするに至った[118)]。さらに2015（平成27）年改正により，評価療養と同様，保険導入のための評価を行う新たな類型として，③患者申出療養が創設された。これは，患者からの申出に基づき厚生労働大臣が定める高度の医療技術を用いた療養を支給対象としたものである。患者の思いに応えるための仕組みだとしても，安全性・有効性という面で慎重な運用が求められよう[119)]。

混合診療については，明文の禁止規定がおかれているわけではない[120)]。ただし，特定療養費の事案に係る従来の下級審裁判例の中には，混合診療の禁止を原則とする行政解釈が健康保険法並びに保険医及び保険医療機関療養担当規則の解釈として正当なものであると判示するものがあった[121)]。これに対し，保険外併用療養費の事案として，インターフェロン療法（保険診療）に活性化自己リンパ球移入療法（自由診療）を併用する療養を受けた場合，前者につき

---

118)　保険外併用療養費は，医療本体と異なり自己選択を認めてよいと判断されたアメニティ部分（差額ベッドや歯科の金合金など）にとどまらず，大病院への患者集中を防ぐために紹介状のない初診に定額自己負担を求めるといった政策的な患者誘導のための手段として用いられる傾向が強くなっている。第138回社会保障審議会医療保険部会（2020〔令和2〕年12月23日）資料1「議論の整理（案）」21-23頁（大病院への患者集中を防ぎかかりつけ医機能の強化を図るための定額負担の拡大）参照。笠木ほか215頁は，選定療養につき，告示による範囲の拡大につき明確な限界が設定されていないとして，混合診療禁止の原則の趣旨を踏まえて，選定療養の本来の性格，制度趣旨を改めて明確化し，法律上も明記する必要性を指摘する。

119)　混合診療は，被保険者の「選択」の幅を広げることになるとしても，医療分野においては「平等」の契機が強く要請される以上，資産・所得水準の違いによって医療サービスの（いわゆるアメニティ部分でない）本体部分において受給に事実上の格差が設けられることになる混合診療は，差別診療を招く危険がある点で問題であると考えられる。菊池・将来構想141頁，145頁。

120)　健保法86条1項は，「被保険者が，厚生労働省令で定めるところにより，第63条第3項各号に掲げる病院若しくは診療所又は薬局……のうち自己の選定するものから，評価療養，患者申出療養又は選定療養を受けたときは，その療養に要した費用について，保険外併用療養費を支給する」（下線筆者）と規定するにとどまる。

121)　東京地判平元・2・23訟月36巻12号2179頁。

健康保険法に基づく療養の給付を受ける権利を有することの確認請求を認容し，従来の行政解釈及び運用を否定した地裁判決が出され，注目を集めた[122]。しかし，控訴審で逆転判決が出された後[123]，最高裁も，「立法の趣旨及び目的並びにその経緯や健康保険法の法体系全体の整合性，療養全体中の診療部分の切り分けの困難性等の観点から」控訴審の結論を維持し[124]，混合診療の禁止原則（最高裁は「混合診療保険給付外の原則」という）が判例上も認められるに至った。

保険外併用療養費として支給されるのは，通常の治療と共通する部分である。その部分は一般の保険診療と同様に扱われ，通常の治療に要した費用から一部負担割合を乗じた額を控除した額が支給される（健保86条2項，国保53条2項）。被扶養者に対しても家族療養費として給付がなされる（健保110条1項～3項）。

(2)　高額療養費

療養の給付やその他の療養（食事療養及び生活療養を除く）に要した費用につき支払った一部負担金等の額が著しく高額であるとき，高額療養費が支給される（健保115条，国保57条の2）。この制度は，長期入院や長期療養により患者の自己負担額があまりに大きくなり過ぎるのを防ぎ，医療保険の機能を適切に果たすために重要な役割を担ってきた。1973（昭和48）年の導入当初は，1人当たり1ヵ月の自己負担額が一定額を超える部分につき支給されたのに対し，その後度重なる制度改正により複雑化している。70歳未満では，所得区分に応じて，表1のように自己負担限度額が設定されており，限度額を超える額が高額療養費として支給される。世帯合算の仕組みもあり，さらに多数該当（同一世帯で1年間に3回以上高額療養費の支給を受けている場合，4回目から該当となる）についても，より低額の限度額が設定されている。70歳以上の高齢者については，段階的に上限額の引上げがなされ，2018（平成30）年8月以降，表2のように自己負担限度額が設定されている[125]。

高額療養費については，限度額適用認定証の交付を受けることにより，かつ

122）　東京地判平19・11・7判時1996号3頁。

123）　東京高判平21・9・29訟月56巻7号1947頁。

124）　最3判平23・10・25・前掲（注112）。

125）　法所定の療養給付に該当しない診療については，高額療養費の対象とはならない。最2判昭61・10・17判時1219号58頁。

表１　70 歳未満の高額療養費自己負担限度額

適用区分		ひと月の自己負担限度額（世帯ごと）
ア	年収約 1160 万円～	252,600 円＋（医療費－842,000）×1% 〈多数該当　140,100 円〉
イ	年収約 770 万～約 1160 万円	167,400 円＋（医療費－558,000）×1% 〈多数該当　93,000 円〉
ウ	年収約 370 万～約 770 万円	80,100 円＋（医療費－267,000）×1% 〈多数該当　44,400 円〉
エ	～年収約 370 万円	57,600 円 〈多数該当　44,400 円〉
オ	住民税非課税者	35,400 円 〈多数該当　24,600 円〉

表２　70 歳以上の高額療養費自己負担限度額

<table>
<tr><th colspan="2">適用区分</th><th>外来（個人ごと）</th><th>ひと月の自己負担限度額（世帯ごと）</th></tr>
<tr><td rowspan="3">現役並み</td><td>年収約 1160 万円～</td><td colspan="2">252,600 円＋（医療費－842,000）×1%
〈多数該当　140,100 円〉</td></tr>
<tr><td>年収約 770 万～約 1160 万円</td><td colspan="2">167,400 円＋（医療費－558,000）×1%
〈多数該当　93,000 円〉</td></tr>
<tr><td>年収約 370 万～約 770 万円</td><td colspan="2">80,100 円＋（医療費－267,000）×1%
〈多数該当　44,400 円〉</td></tr>
<tr><td>一般</td><td>年収 156 万～約 370 万円</td><td>18,000 円
（年間上限
144,000 円）</td><td>57,600 円
〈多数該当　44,400 円〉</td></tr>
<tr><td rowspan="2">低所得者</td><td>Ⅱ　住民税非課税世帯</td><td rowspan="2">8,000 円</td><td>24,600 円</td></tr>
<tr><td>Ⅰ　住民税非課税世帯
（年金収入 80 万円以下など）</td><td>15,000 円</td></tr>
</table>

てのような償還払いの扱いではなく保険医療機関等の窓口で自己負担限度額まで支払えばよく，事実上現物給付化されている。

近時，医療技術の高度化に伴い効果的な治療法や新薬が開発される一方，高額な治療薬の服用など長期療養を余儀なくされ，高額療養費制度を利用してもなお自己負担額が過度にわたる患者が増大しており，とりわけ低所得者等に係る高額療養費制度の改善が課題である[126]。

126）　高額長期疾病（特定疾病）に係る高額療養費の特例が設けられ，著しく高額な治療を長期（ほとんど一生の間）にわたって必要とする疾病にかかった患者について，自己負担限度額を

2006（平成18）年改正により，高額介護合算療養費制度が創設された（健保115条の2，国保57条の3）。これは，医療保険各制度の高額療養費（高額医療費）の算定対象世帯で，介護保険受給者が存在する場合，各医療保険者が被保険者からの申請に基づき，医療と介護の自己負担限度額を合算して設定する限度額を超える額を支給するものである。

4　出産育児に関する給付

日本の医療保険において，出産は，療養給付のように現物給付ではなく，出産育児一時金という金銭給付の形態をとっている（健保101条，国保58条1項）[127]。現物化していない理由として，保険事故としての性格があまりないこと（出産は一定月数以前から予測でき，費用を準備することが可能である）と，出産については相当地域差や病院間の差があり，また個人の選択の幅が大きいことが挙げられている[128]。出産育児一時金は，「出産したとき」に支払われること

通常の場合より引き下げ，原則月額1万円とする扱いがなされている（健保令41条9項，42条9項，国保令29条の2第8項，29条の3第9項）。現在，人工腎臓を実施する慢性腎不全，一定の血友病，血液製剤の投与に起因する一定のHIV感染症の3疾病のみが対象となっている（「健康保険法施行令第41条第9項の規定に基づき厚生労働大臣が定める治療及び疾病」昭59・9・28厚生省告示156号）。約33万人で1人1ヵ月当たり約40万円かかり，年間1兆6000億円に達するともいわれる人工透析患者の医療費のあり方が今後問われる可能性がある。その他の長期高額医療への対応策として，従来，特定疾患治療研究事業実施要綱（昭48・4・17衛発242号）に基づくいわゆる難病患者に対する自己負担分への公的助成（難病指定）と，児童福祉法に根拠をおく小児慢性特定疾患治療研究事業に基づく小児の慢性特定疾患に対する自己負担への公的助成が設けられてきた。これに対し，2014（平成26）年，「難病の患者に対する医療等に関する法律」「児童福祉法の一部を改正する法律」が成立し，従来予算事業で行われてきた指定難病患者や小児慢性特定疾病患者に対する医療費助成を法定化し，特定医療費（難病）・小児慢性特定疾病医療費（小児慢性特定疾病）の対象疾患を従来より大幅に拡大する一方，自己負担限度額を従来（3割）より引き下げる（2割）とともに，所得に応じた自己負担限度額を設定することとした。2019（令和元）年7月現在，333の難病が指定されるとともに，小児慢性特定疾病についても16の対象疾患群ごとに数多くの疾病が助成対象とされている。対象患者及びその家族の医療費負担の軽減に役立っている一方，対象とならない難病等との格差が問題となっている。

127）現物給付化については従来から議論がある。稲森公嘉「医療保険と出産給付」『週刊社会保障』2612号（2011年）42頁以下。

128）厚生省保険局保険課監修『事務担当者のための新健康保険法のあらまし』（法研，1994年）12-13頁。

から，死産でも支給される。金額は，従来30万円であったのが，少子化対策の観点から徐々に引き上げられてきた[129]。双子以上の多胎分娩の場合，人数分の一時金が支給される。支払方法は，被保険者が保険医療機関等を受取代理人として事前に申請することにより，保険者が直接当該医療機関に支払うことを可能とする仕組み（受取代理制度）が設けられているほか，保険医療機関等の選択により，請求と受け取りを保険医療機関等が行う直接支払制度の仕組みもある。1年以上被保険者であった者が被保険者資格喪失後6月以内に出産したときも，出産育児一時金の支給対象となる（健保106条）。また健康保険法上の被扶養者にも，同額の家族出産育児一時金（健保114条）が支給される。

被用者保険である健保法では，被保険者が出産したとき，出産の日（出産の日が出産の予定日後であるときは，出産の予定日）以前42日（多胎妊娠の場合98日）から出産の日後56日までの間において労務に服さなかった期間，1日につき，標準報酬日額の3分の2に相当する額の出産手当金が支給される（健保102条）。この手当は，後述する傷病手当金と同様，所得保障給付としての性格を有する。報酬が支払われる場合，当該報酬が出産手当金の額を下回る場合に限って，その差額が支給される（同108条2項但書）。

5　休業に関する給付

健康保険法では，出産手当金のほかにも，所得保障を目的とする給付として，傷病手当金制度が規定されている[130]。すなわち被保険者が療養のため労務に服することができなくなった日から起算して4日目以降[131]，標準報酬日額の3分の2相当額が支給される（健保99条1項・2項）。傷病手当金の支給期間は，

129）2006（平成18）年改正により35万円に引き上げられ，2009（平成21）年1月からは，産科医療補償制度の導入に伴い，同制度に加入する分娩機関での出産の場合，掛金相当額にあたる3万円が上乗せされた。さらに国の緊急少子化対策として，同年10月より4万円の引上げがなされ，42万円となった（健保令36条，平21・5・22保発0522004号，国保条例参考例8条）。なお，産科医療補償制度の見直しに伴い，掛金が1.6万円に引き下げられたものの，42万円の支給額は変わっていない。

130）疾病時所得保障制度については，日本とスウェーデンの比較法的検討を行った中野妙子『疾病時所得保障制度の理念と構造』（有斐閣，2003年）が詳しい。

131）支給がなされない3日間を待期期間という。虚病防止がその趣旨とされる。前掲書（注114）748頁。

同一の疾病又は負傷及びこれにより発した疾病に関しては1年6ヵ月を限度とし（同99条4項），その後の所得保障は障害年金によって図られることとなる（国年30条1項，厚年47条1項）[132]。労務に服することができるか否かは，必ずしも医学的基準によらず，その被保険者の従事する業務の種別を考え，その本来の業務に堪えうるか否かを標準として社会通念に基づき認定するとの通達がある[133]。国保法にも傷病手当金の規定がおかれているものの（国保58条2項），市町村が給付主体となる国保の場合，恒常的に実施している自治体はない[134]。

傷病手当金は，出産手当金と同様，報酬が支払われる場合，当該報酬が同手当金の額を下回る場合に限って，その差額が支給される（健保108条1項但書）。二重の報酬補償を行う必要性がないことによる。また障害厚生年金や障害手当金の支給を受けることができる場合，当該支給額が傷病手当金を下回る場合に限って，その差額が支給される（同条3項・4項）[135]。さらに2000（平成12）年改正により，退職後，老齢厚生年金等を受給している者（任意継続被保険者等）についても，傷病手当金との併給調整規定をおき，支給される老齢厚生年金等の額が傷病手当金の額を下回る場合に限って，その差額を傷病手当金として支給することとした（同条5項）。

132）　従来，「支給を始めた日から起算して」1年6ヵ月を限度としていたところ，出勤に伴い不支給となった期間がある場合，その部分の期間を延長して支給期間の通算化を行うとの趣旨から，2021（令和3）年改正により「支給を始めた日から通算して」1年6ヵ月を限度とする改正を行った。

133）「一部労務不能について」昭31・1・19保文発340号（「傷病手当金の支給に係る産業医の意見の取扱いについて」〔平26・9・1事務連絡〕により引用）。被保険者が本来の職場における労務に就くことが不可能な場合でも，現に職場転換その他の措置により就労可能な程度の他の比較的軽微な労務に服し，これによって相当額の報酬を得ているような場合，傷病手当金の受給要件には該当しないとした判例として，最1判昭49・5・30民集28巻4号551頁。

134）　2020（令和2）年1月以降，新型コロナウイルス感染症の感染拡大に係る特例として，国民健康保険の保険者が，被用者のうち新型コロナウイルス感染症に感染した者，又は発熱等の症状があり感染が疑われる者に傷病手当金を支給する場合，国が特別調整交付金により財政支援を実施するとの措置を講じた。同時期に，健康保険法上の傷病手当金についても，発熱などの症状があるため自宅療養を行った期間も対象とするなどの特例措置が講じられた。

135）　傷病手当金と障害厚生年金の併給調整規定（健保108条3項。平成27年改正前同条2項）の違憲・違法を争ったものの，傷病手当金支給決定の義務付け等の請求が退けられた裁判例として，富山地判令3・3・24賃社1789号51頁。

6　その他の給付

医療保険では被保険者等の死亡に際しても給付がなされる。健保法によれば，被保険者が死亡したとき，その者により生計を維持していた者であって，埋葬を行うものに対し，5万円の埋葬料が支給される（健保100条1項，健保令35条）。被扶養者が死亡した場合，同額の家族埋葬料が支給される（健保113条）。国保法でも葬祭費が，条例又は規約の定めるところにより支給される（国保58条1項）。

保険者が健康保険組合である場合，規約に定めるところにより，付加給付を行うことができる（健保53条）。たとえば，一部負担金の軽減など，一般に法定給付に上積みする形で行われる。

健康保険法では，日雇特例被保険者に係る特例が定められている（健保123条以下。第3款**1**）。ただし，日雇特例被保険者が療養の給付等の保険給付を受けようとする場合，はじめて療養の給付等を受ける日の属する月の前2ヵ月間に通算して26日以上又は前6ヵ月間に78日以上保険料を納付することが必要とされる（同129条2項1号）。このため，健康保険の被保険者が資格を喪失し，かつ日雇特例被保険者又はその配偶者となった場合，任意継続被保険者として従来の保険者から引き続き療養の給付等を受給できることとし（同3条2項2号，128条），日雇特例被保険者に係る療養給付等を受けられないという間隙をカバーすることとしている。

7　給付に関する通則

保険給付に係る通則として，日雇特例被保険者に係る保険給付の優先（健保54条），他の法令による保険給付の優先（健保55条，国保56条），故意の犯罪行為により，又は故意に給付事由を生じさせた場合，闘争，泥酔又は著しい不行跡により給付事由を生じさせた場合，少年院・刑事施設等への収容・拘禁，正当な理由のない療養に関する指示への不服従，偽りその他不正の行為による保険給付の受給，正当な理由のない受診命令等への不服従などに際しての給付制限（健保116条～122条，国保59条～63条）[136]，国保保険料滞納の場合における

136）　交通事故での受傷については，運転中止義務の求められる酒酔運転，暴走運転等を原因として発生した自損事故などを除き，原則として過失に基づくものであっても「泥酔又は著しい不行跡」（健保117条，国保61条）には当たらない。大阪地判昭60・6・28判タ565号170頁。

保険給付の一時差止め等（国保63条の2），保険給付を行った場合における保険者による損害賠償請求権の取得と第三者が損害賠償を行った場合における給付免責（健保57条，国保64条），不正受給の場合の費用徴収（健保58条，国保65条），保険者による文書提出命令等（健保59条，国保66条），厚生労働大臣による診療録の提示命令等（健保60条），受給権の譲渡及び差押の禁止（健保61条，国保67条）及び公課の禁止（健保62条，国保68条）について規定がおかれている。

第2款 保険診療担当者と法律関係

医療保険では，中核となるのが療養の給付という専門技術的な現物給付であることもあり，保険者が直接サービスを提供することは少ない。このため法学的には，保険診療を担当する主体を含め，多数の関係当事者が存在し，その間の法律関係をどう理解するかが重要な問題となる[137)]。

1 保険診療担当者と診療契約

療養の給付は，厚生労働大臣[138)]の指定を受けた病院若しくは診療所（保険医療機関）又は薬局（保険薬局）のうち，自己の選定するものから受けることができる（健保63条3項）。この保険医療機関及び保険薬局の指定は，病院若しくは診療所又は薬局の開設者の申請により行われる（同65条1項）[139)]。指定を行おうとするとき，厚生労働大臣は，政令で定めるところにより[140)]，地方厚生局長が地方社会保険医療協議会に諮問するものとする（同82条2項）。指定拒否若しくは一部拒否にあたっては，弁明の機会を付与しなければならない（同

137) この点に関しては，笠木映里『公的医療保険の給付範囲――比較法を手がかりとした基礎的考察』（有斐閣，2008年）37頁以下，原田啓一郎「療養担当規則に関する一考察」『駒澤法学』5巻1号（2005年）15頁以下，加藤智章「医療保険法における減点査定の手続と判例法理」『山形大学紀要（社会科学）』18巻1号（1987年）75頁以下など参照。

138) 実際には，この権限は地方厚生局長に委任されている（保険医療機関及び保険薬局の指定並びに保険医及び保険薬剤師の登録に関する省令〔昭32・4・30厚生省令13号〕4条）。

139) 保険医療機関又は保険薬局，保険医又は保険薬剤師は，国保法などの療養の給付等をも担当する（健保70条2項，72条2項）。

140) 注138）参照。

83条)。保険診療に従事する医師を保険医，保険調剤に従事する薬剤師を保険薬剤師といい，厚生労働大臣の登録を受けなければならない（同64条)。この指定及び登録という方式を二重指定方式という[141]。

保険医療機関で保険医によって行われる保険診療は，電子資格確認その他被保険者証などによる被保険者資格の確認によって患者（被保険者等）との間に締結される診療契約を根拠として提供されるものと理解される。通説的理解によれば，診療契約は，基本的には準委任契約たる性格を有するものとされてきた[142]。かつて，医療過誤訴訟において，保険医療機関は保険者による療養の給付の履行補助者に過ぎず，診療契約の相手方は保険者であるとして争われたことがあった。しかし現在では，①被保険者らは自ら医療機関を選定できること，②当該医療機関に対し一部負担金の支払義務を負うこと，③保険診療開始後，いわゆる自由診療への切り替えが可能なことなどから，保険医療機関等が契約当事者であると理解されている[143]。

ただし，保険医療機関等が療養の給付を行うにあたっては後述する療養担当規則などに従うべき義務を負い（健保70条1項，72条，国保40条1項)，療養の給付を受ける者は厚生労働大臣が定めるところにより算定した額の原則3割を一部負担金として保険医療機関等に対して支払う義務を負う（健保74条1項，国保42条1項）など，その契約内容は相当程度定型的なものである。被保険者の求めに応じて保険診療が開始される以上，その際，こうした保険診療を規律する諸規定等の内容に沿った包括的な合意がなされるものと理解すべきであろう[144]。

---

141)　この趣旨は，医療機関たる病院若しくは診療所に療養の給付を担当させ，医療機関における医師個人に一定の診療方針を守って診療に当たることを承諾せしめるとともに，診療行為につき医師個人の責任を明確にすることにあるとされる。加藤・前掲論文（注137）87頁。

142)　前田達明ほか・前掲書（注14）216頁〔前田達明執筆〕など。米村・前掲書（注3）30頁は，大半のサービス提供契約を準委任契約として取り扱う現行民法の運用を維持する限り，医療契約も準委任契約と一応性質決定しつつ，医療の特殊性を適正に定式化した権利義務関係を具体的に論ずるのが建設的であるとする。岩村正彦「社会保障法入門　第38講」『自治実務セミナー』41巻4号（2002年）11頁も，医薬品や治療材料の提供，病室の利用といった法律関係も含まれるため，純粋の準委任契約ではなく，準委任を核とした無名契約と解すべき場合も少なくないとする。

143)　東京高判昭52・3・28判タ355号308頁。

144)　本書では，保険医療機関と被保険者との間に設定される個別的な保険診療契約と，後述する

保険診療を担当する保険医療機関及び保険医は，「保険医療機関及び保険医療養担当規則」（療養担当規則）[145]に従って診療に当たらなければならない（保険薬局及び保険薬剤師についても同様である[146]。健保70条1項，72条1項）。同規則は，「保険医療機関は，懇切丁寧に療養の給付を担当しなければならない」（2条1項），「保険医療機関が担当する療養の給付は，被保険者及び被保険者であった者並びにこれらの者の被扶養者である患者の療養上妥当適切なものでなければならない」（同条2項）といった療養の給付の担当方針を定めるほか，「保険医の診療は，一般に医師又は歯科医師としての診療の必要があると認められる疾病又は負傷に対して，適確な診断をもととし，患者の健康の保持増進上妥当適切に行われなければならない」（12条）と診療の一般的方針を示し，その他厚生労働大臣の定める特殊な療法又は新しい療法等以外の禁止（18条），厚生労働大臣の定める医薬品以外の薬物の施用・処方の禁止（19条）など，療養を担当する際に従うべき準則を定めている。

後述するように，診療報酬請求に係る審査支払機関の審査は，基本的には療養担当規則に適合しているかどうかについての実体的観点からなされる[147]。同規則に適合しない診療を行った場合などに備えて，健保法は厚生労働大臣[148]に対し，保険医療機関及び保険医の指定（健保80条）及び登録（同81条）の取消権限を付与している（保険薬局及び保険薬剤師についても同様である）。

保険者と保険医療機関との間の包括的な契約関係が併存するものという理解に立っている。原田・前掲論文（注137）25-27頁は，保険者と保険医療機関との間に第三者のためにする公法上の契約が成立していることを前提に，保険医療機関と被保険者との保険診療契約の内容に第三者のためにする公法上の契約の内容が含まれる一方，保険医療機関は「療養の給付の担当方針に従って療養の給付を行う債務」を履行した場合に，公法上の契約に基づき保険者に対する診療報酬請求権を取得し，公法上の受益者たる被保険者からは公法上の受益者の負担として一部負担金の支払を受けるとの統一的理解を示す。医療過誤における過失判断において医師等の義務内容を画する「医療水準」論との関係で，米村滋人「公的社会保障給付と私法契約」水野紀子編『社会法制・家族法制における国家の介入』（有斐閣，2013年）111頁は，医療保険関係法令とその運用によって，検査・治療用につき上限設定や実施医療機関の限定などがされ，それが合理的な理由を有する規制である場合には，これらの規制が「医療水準」の内容に組み込まれることを通じて私法上の医療契約の内容ともなるとの見解を示す。

145）　昭32・4・30厚生省令15号。

146）　「保険薬局及び保険薬剤師療養担当規則」（昭32・4・30厚生省令16号）。

147）　東京高判昭54・7・19判タ397号75頁。

148）　指定と同様，権限は地方厚生局長に委任されている。（注138）。

2　指定の法的性格

保険診療をめぐって登場する多数の法主体間の法律関係については，判例理論の展開による一定の議論の蓄積がみられる。

この点についてはまず，厚生労働大臣による保険医療機関の指定の法的性質をめぐる理解が重要なポイントとなる。下級審裁判例の中には，（開設者の）「申請及び指定の法的性質は，国の機関としての知事〔当時―筆者注〕が第三者である被保険者のために保険者に代わって療養の給付，診療方針，診療報酬など健保法に規定されている各条項（いわゆる法的約款）を契約内容として医療機関との間で締結する公法上の双務的付従的契約であり，右契約により，保険医療機関は被保険者に対して前記療養の給付の担当方針に従って療養の給付を行う債務を負い，保険者は保険医療機関が行った療養の給付について診療報酬を支払う債務を負う」としたものがある[149]。ここでは，申請と指定という双方向の行為を捉えて，契約の成立を認めているようにもみられる。しかし，指定の取消[150]及び指定の拒否[151]が行政処分と捉えられていることからしても，指定の行政処分性を認めることが妥当である[152]。近時，「保険医療機関又は保険薬局の指定は，厚生労働大臣が，病院若しくは診療所又は薬局の開設者の申請により，当該申請に係る病院若しくは診療所又は薬局と全ての健康保険の保険者との間に当該保険者が管掌する被保険者に対する療養の給付に係る契約関係を包括的に成立させる形成的な行政行為であ」ると判示する裁判例が現れた[153]。適切な判断であると思われる。

このように，契約の成立に係る契機についての理解はともかくとして，保険者と保険医療機関との間に設定される契約関係（基本的には公法上の準委任契約）

149）　大阪地判昭 56・3・23 判時 998 号 11 頁。同旨，大阪高判昭 58・5・27 判時 1084 号 25 頁。

150）　東京高決昭 54・7・31 判時 938 号 25 頁，大阪高決昭 57・2・23 判タ 470 号 187 頁，東京高判平 3・9・25 判例自治 96 号 44 頁。

151）　最 1 判平 17・9・8 判時 1920 号 29 頁。

152）　従来から，学説には指定を行政処分と捉えるものが多かった。田村和之「保険医療機関の指定の法的性格」百選〔4 版〕51 頁，岩村正彦「社会保障法入門　第 40 講」『自治実務セミナー』41 巻 6 号（2002 年）13 頁など。

153）　東京地判平 24・11・1 判時 2225 号 47 頁。控訴審である東京高判平 25・6・26 判時 2225 号 43 頁も同旨。なお本件は，保険薬局指定拒否処分の取消が認められるとともに，同指定の義務付けが命じられた事案である。

が，保険診療をめぐる法律関係の基本に置かれる。

3　診療報酬

こうした契約の下で，保険医療機関は，保険者に対し，療養担当規則に則った診療を行うべき債務を負う一方で，療養の給付に要する費用から一部負担金を除いた額に係る診療報酬債権を取得することになる（健保76条1項，国保45条1項）。その費用の額の算定は，厚生労働省告示[154]の形式で，「診療報酬の算定方法」（別表に診療報酬点数表が掲げられている。平20・3・5厚生労働省告示59号）[155]，「使用薬剤の薬価（薬価基準）」（別表に薬価が掲げられている。平20・3・5厚生労働省告示60号）[156]に基づいて行われる（同条2項）[157]。

保険医療機関等による費用の請求に対する保険者の審査・支払事務は，実際には社会保険診療報酬支払基金（健康保険及び国民健康保険）又は国民健康保険団体連合会（国民健康保険）といった審査支払機関に委託して行っている（健保76条5項，国保45条5項）[158]。これらの機関が，保険医療機関等ごとに作成される診療報酬請求書や，被保険者ごとに作成される診療報酬明細書（レセプト）

154）これらの告示は，価格の設定づけを通じて，診療報酬請求の対象となる診療行為の範囲を決定するのみならず，療養の給付の範囲を決定する規範としての機能を有する。岩村正彦「社会保障法入門　第49講」『自治実務セミナー』42巻4号（2003年）16頁，笠木・前掲書（注137）17頁，田中伸至「医療の質の確保と医療保障法(3・完)」『法政理論』53巻1号（2020年）11頁参照。田中・同論文46頁は，告示を受けた通達においてさえ，不確定概念による具体性に欠ける定めが少なくなく，裁量基準のあり方として疑問であるとする。

155）診療報酬制度の沿革，構造，決定過程などにつき，田中伸至「診療報酬制度の構造と診療報酬決定過程──日本とドイツを例に〔増補〕」『法政理論』48巻2＝3号（2015年）31-47頁，加藤智章編『世界の診療報酬』（法律文化社，2016年）第5章〔島崎謙治執筆〕。

156）薬価基準制度の沿革などにつき，土井純雄「薬価基準制度の沿革と制度の法的考察（上）」『修道法学』28巻1号（2005年）504頁以下。薬機法（医薬品，医療機器等の品質，有効性及び安全性の確保等に関する法律）に基づく薬事承認（同法14条の2）と保険収載の関係につき，基本的には薬事承認を受けた医薬品がほぼ保険収載されるといわれている。島村暁代「医学研究に関わる法規制と公的医療保険」『社会保障法研究』10号（2019年）157頁。

157）告示の処分性を認めたものとして，東京地決昭40・4・22行集16巻4号708頁（ただし，東京高決昭40・5・31訟月11巻5号756頁は，処分性を前提としつつも，緊急の必要を認めず〔行訴25条2項〕，原決定を取り消した）。

158）支払基金ないし国保連が保険者から診療報酬の支払委託を受ける法律関係は公法上の契約である。最1判昭48・12・20民集27巻11号1594頁。支払基金への委託については法律上「契約」の文言がある（社会保険診療報酬支払基金法15条4項）。

による毎月の請求に対し，療養担当規則や診療報酬点数表などに照らして審査の上，費用の支払を行う（健保76条4項）。この支払は，審査支払機関が自ら審査したところに従い，自己の名において支払をすべき法律上の義務である[159]。したがって，支払委託がなされた場合の診療報酬をめぐる法律関係は，直接的には保険医療機関と（保険者ではなく）審査支払機関との間に生じる。ただし，第一次的な支払義務者は審査支払機関であるとしても，支払委託をした保険者はなお支払義務を免れるものではない旨の下級審判決がある[160]。保険者は，保険医療機関と同様，審査支払機関の審査結果（一次審査）に対し，診療報酬明細書（レセプト）の再点検を行い，審査に不服がある場合，審査支払機関に再審査等請求を行うことができる（社会保険診療報酬支払基金法15条1項3号，国保則41条）。

審査支払機関における審査は，診療の内容・程度の妥当性に係る医学的評価に及ぶものであるため，最終的には医師等有資格者が行うことになる。ただし，社会保険診療報酬支払基金と国民健康保険団体連合会の審査のあり方に相当な差異がみられ，同時にそれぞれの審査体制が組まれている都道府県単位でも差異がみられることから，審査結果の「不合理な差異」（臨床現場の多様性や審査委員の臨床経験・専門的知識等を考慮しても，なお，医学的な判断として，説明が困難な審査結果が不合理な差異）の解消を図るための取り組みが行われている[161]。

159）　最1判昭48・12・20・前掲（注158）。この点は，将来の診療報酬債権の差押えの問題と密接に関連する。将来の診療報酬債権の譲渡性を認めた判例として，最3判平11・1・29民集53巻1号151頁。最3決平17・12・6民集59巻10号2629頁参照（診療報酬債権が差押え対象になることを認めた例）。

160）　神戸地判昭56・6・30判時1011号20頁（保険医療機関が支払基金に対して診療報酬の請求をしてその支払を拒絶されたために保険者に対して直接その請求をするときは，保険者が支払基金に対する委託関係の存在を理由に保険者に対する請求を拒絶することはできないとされた例）。これに対し，支払基金等への審査・支払事務の委託により，保険者は保険医療機関等への直接支払義務を免れるとするものに，岩村正彦「社会保障法入門　第54講」『自治実務セミナー』42巻10号（2003年）17-18頁。

161）　厚生労働省保険局「審査支払機能の在り方に関する検討会報告書」（2021〔令和3〕年3月29日）。この検討に先立ち，2019（令和元）年改正では，①社会保険診療報酬支払基金の本部の調整機能強化のため，支部を廃止し本部に集約する（社会保険診療報酬支払基金法3条），②医療保険情報に係るデータ分析等に関する業務を追加する（同15条1項8号・5項，国保85条の3），③医療の質の向上に向け公正かつ中立な審査を実施する等，審査支払機関の審査の基本理念を創設する（支払基金1条の2，国保85条の2）等の改正を行った。

診療報酬点数表に点数化された基準は，1点単価10円で計算される[162]。基本的には個々の診療行為に係る該当点数を加算する出来高払い方式を採用しているものの，2003（平成15）年度から急性期病院の入院を対象としたDPC（診断群分類：Diagnosis Procedure Combination）と呼ばれる包括払い方式が導入されるなど，包括払いの割合が増大しており[163]，もはや出来高払い方式と包括払い方式の混合形態であるとの評価もみられる[164]。なお診療報酬等は法定事項ではなく，先述したように厚生労働省告示により定められ，その民主的契機としては中央社会保険医療協議会（中医協）への諮問が求められるにとどまる（健保82条1項）[165]。診療報酬体系と薬価基準の改定は[166]，原則として2年に

162）診療報酬もかつては地域差があった。島崎・前掲書（注37）81頁。これに対し，介護保険における介護報酬には地域差が設けられている。

163）2020（令和2）年4月時点では，1757病院の48万3180床がDPC対象病床とされている。平成30年医療施設調査によれば，病院数5809，一般病床数89万712であり，DPC対象病床が優に50%を超えている。中央社会保険医療協議会総会（第462回）（2020〔令和2〕年6月17日）資料総-3-3。

164）島崎・前掲書（注37）453頁。出来高払い方式では，保険医療機関側に過剰診療のインセンティブが働きやすく，その意味で本文で述べる減点査定の意義は大きい。これに対し包括払い方式では，過少診療のインセンティブが働く。しかし過少診療についてのチェックは相対的に難しく，質の評価をいかに行うかが課題とされる。同467頁。

165）中医協に諮問しない，あるいは諮問してもその答申を得ない診療報酬改定は原則として違法とするものに，東京地決昭40・4・22行集16巻4号708頁。笠木・前掲書（注137）25頁は，こうした中での中医協への諮問が，給付提供者である医師の代表と，費用を支払う保険者の代表との間で展開する契約交渉類似の交渉・妥協・合意といったプロセスを基礎として実施されることが予定されている旨述べる。中医協の委員構成は，従来，支払側委員8名：診療側委員8名：公益委員4名であったのが，2006（平成18）年社会保険医療協議会法改正により，7：7：6とするとともに（同法3条1項），支払側及び診療側の関係団体の推薦制が廃止された。公益委員の任命は国会の両議院の同意を得る必要がある（同条6項）。支払側と診療側の当事者性を弱め，公益的性格を強める方向での改正であった。ただし，これで被保険者や患者の意見が十分に反映されているかについてはなお検討の余地がある。民主性の担保という観点からも，保険収載の基準につき，法令によるいっそうの明確化が必要である。島村・前掲論文（注156）158-159頁参照。なお，笠木ほか201頁は，診療報酬点数表の①価格決定，②保険の給付範囲の決定という二つの役割のうち，①については当事者代表による価格交渉類似の手続を経ることで内容の適切性がある程度担保される一方，②については異なる規範と異なる決定手続に切り離すことも理論的には考え得る旨述べる。

166）介護保険における介護報酬は3年に1度改定されることから，6年に1度は診療報酬との同時改定が行われる。医療と介護の連携・機能分担を図る意味で重要な改定の機会であり，地域

1度行われてきたものの[167]，薬価基準については，市場実勢価格を適時に薬価に反映して国民負担を抑制する観点から，2021（令和3）年以降，中間年においても（つまり毎年）薬価改定を行うことになった[168]。

診療報酬改定は，直接的には保険診療に要した医療サービス費の補塡を目的とするものの，その時点での日本の医療保障制度をめぐる諸課題への対応のための政策誘導的な面[169]が強く，医療供給体制のあり方に大きな影響を与えている[170]。診療報酬等の改定は，同時に患者の一部負担金（原則3割負担）の額の変更をもたらすことにも留意する必要がある。

保険診療をめぐる各当事者の法律関係が，保険医療機関の指定を契機に，保険者と保険医療機関との間に締結される公法上の契約を中核として理解されることと関連して，診療報酬請求権については，療養担当規則に定められた診療方針に従った診療が行われる都度，その範囲で発生することとなる[171]。審査

包括ケアシステム，地域医療構想といった医療・介護の連携強化が図られている状況下，その重要性は高まっている。直近では2018（平成30）年が同時改定の年であった。

167） 2019（令和元）年10月の消費税率引上げ（8%から10%）の際には，臨時の診療報酬改定が行われた。

168） 薬価については，診療報酬改定の際，毎回引き下げられ，その引下げ分が診療報酬本体の上乗せに充てられてきた。こうした措置は，薬価基準に従い保険者から償還される価格と保険医療機関が購入する市場での実勢価格との間に差があり，これが保険医療機関の必ずしも正当とは言えない利益になっている（いわゆる薬価差益）との判断から，この差益を縮小させることを意図して行われるものである。

169） 島崎・前掲書（注37）444-445頁，455-456頁では，診療報酬の機能として，①医療費のマクロ管理機能，②医療費のセクター間の配分調整機能，③医療供給制度の政策誘導機能を挙げる。また，医療提供制度を改革する政策手法として，①診療報酬のほか，②医療計画，③補助金及び地方交付税を挙げている。

170） 2020（令和2）年診療報酬改定は，診療報酬本体が＋0.55%（このうち消費税財源を活用した救急病院における勤務医の働き方改革への特例的な対応として＋0.08%），薬価が－0.99%，材料が－0.02%であった。改革の基本的視点としては，①医療従事者の負担軽減，医師等の働き方改革の推進，②患者・国民にとって身近であって，安心・安全で質の高い医療の実現，③医療機能の分化・強化，連携と地域包括ケアシステムの推進，④効率化・適正化を通じた制度の安定性・持続可能性の向上，が掲げられた。①のように，医療従事者の負担軽減や医師等の働き方改革の推進が筆頭に挙げられている点が，この時期の政策的特徴をよく表している。具体的には，地域の救急医療体制において重要な機能を担う医療機関を評価するため，地域医療体制確保加算の新設，医師等の従事者の常勤配置及び専従要件に関する要件の緩和などを行った。出来高払いから包括払い（老人診療報酬やDPCなど）への移行という医療費支払方式の変更も，診療報酬改定によって行われてきた。注163）参照。

支払機関によってなされる診療報酬の審査は，先述のように療養担当規則に定められた診療方針に従った診療であったか否かに係る実質審査であるものの，既発生の診療報酬請求権の存否を点検，確認する措置にとどまり，これにより請求権を確定する性格のものではない[172]。したがって審査支払機関が行う診療報酬の減額措置（減点査定）[173]も，それにより権利義務関係に変動を及ぼす行政処分とはされておらず[174]，保険医療機関側がこの措置を訴訟上争うにあたっても，訴訟実務上，取消訴訟ではなく民事訴訟法上の給付の訴えにより争うとの方途が確立している[175]。

診療報酬請求権の要件事実については，保険医療機関側に主張・立証責任が存する[176]。このこともあって，減点査定を契機とする減額分の診療報酬請求が認容された裁判例は多くない[177]。

減点査定がなされた場合，適正な保険診療が行われていれば支払を要しなかったはずの患者側の一部負担金の過払いという問題が発生する。この点につい

171）　大阪地判昭56・3・23判時998号11頁。

172）　東京高判昭54・7・19判タ397号75頁。

173）　保険医療機関及び保険者から審査支払機関に対して行われる不服申立て（社会保険診療報酬支払基金法15条1項3号，国保則41条）に対する裁決も行政処分性が否定される。東京高判昭57・9・16行集33巻9号1791頁。

174）　最3判昭53・4・4訟月24巻5号981頁（健保法），最1判昭57・6・21判例自治60号45頁（国保法）。このこともあり，審査を経ていない報酬請求権の代位行使も認められる。札幌高判平26・12・11判タ1413号166頁（保険薬局の調剤報酬請求権の事案）。

175）　ただし，本来は公法上の当事者訴訟（行訴4条）で争われるべきとする学説もある。加藤ほか〔7版〕173頁〔倉田聡執筆〕。

176）　大阪高判昭58・5・27・前掲（注149）。神戸地判昭56・6・30判時1011号20頁は，保険医療機関側が，①一般に，医師として診療の必要があると認められる傷病等が存在したこと，②右傷病等に対し，保険医が当時の医療水準に鑑みて適確な診断を行ったこと，③右傷病等に対する保険医の治療が，当時の医療水準に鑑みて患者の健康の保持増進上，妥当適切に行われたものであること，の3点を主張立証しなければならないとする。これに対し，診療報酬請求権の発生の要件事実は，保険医療機関等が，①療養担当規則等に従った療養の給付等を提供したこと，②診療報酬点数表等にもとづいて算定した額を，法令所定の手続に従って審査支払機関に請求したことであるとするものに，岩村・前掲論文（注160）18頁，笠木・前掲書（注137）38頁。

177）　東京地判昭58・12・20判タ533号182頁，京都地判平7・2・3判タ884号145頁，大阪高判平9・5・9判タ969号181頁（以上2判決は生活保護法上の医療扶助の事案），横浜地判平15・2・26判時1828号81頁。

ては，保険者から保険医療機関に対して減点査定に係る自己負担金の返還を求めることはできず，患者が保険医療機関に対して返還請求すべきものとされている[178]。この過払い分は保険医療機関の不当利得（民703条）にあたる[179]。このことは，先に述べたように，保険医療機関と被保険者等ないし患者との診療契約の内容が療養担当規則などによって定型的包括的に規律されているとの理解が前提となる。

なお，療養の給付に関する費用の支払が保険医療機関の「偽りその他不正の行為」による不正請求に基づく場合，保険者は当該保険医療機関に対し，支払った額を返還させるほか，100分の40を乗じた加算金を徴収することができる（健保58条3項，国保65条3項）[180]。不正請求の態様によっては，保険医療機関の指定取消事由ともなり得る（健保80条）。

4　交通事故と自由診療

日本では国民皆保険の理念の下，ほとんどの傷病の治療が保険診療で行われている。ただし，保険の適用とならない美容整形などは保険外診療ないし自由診療で行わざるを得ないし，交通事故被害者の受傷の場合も，自由診療によることが多い[181]。交通事故の場合，被害者側にとっては，治療費用は損害賠償（積極損害）の範囲に含まれるので，一部負担金のある医療保険よりも有利な場合が多い[182]。加害者にとっても，損害が自賠責保険や任意保険でカバーされ

178）最２判昭61・10・17判時1219号58頁は，法所定の給付に該当しない診療につき，「被保険者が一部負担金の名目でその費用の一部を療養取扱機関〔現在は保険医療機関〕に支払っているとしても，これについて〔国民健康保険〕法57条の２所定の高額療養費の支給を受け得る余地はない」旨判示する。

179）岩村正彦「社会保障法入門　第67講」『自治実務セミナー』44巻4号（2005年）9頁，10頁。

180）過払金の返還請求権及び加算金の支払請求権の消滅時効期間は，いずれも民法（平成29年法律第44号による改正前）167条１項により10年であるとした裁判例として，名古屋高判平30・5・10判例自治460号54頁。

181）交通事故に関連して，日本の救急医療体制は，1963（昭和38）年消防法改正で救急業務が消防の任務とされて以来（同法２条９項），整備されてきた。救急病院等を定める省令（昭39・2・20厚生省令８号）１条１項参照。

182）ただし，加害者を特定できなかったり資力が不確定な場合，被害者の過失が大きい場合など，医療保険を利用したほうがよい場合もあり得る。

ている限り，追加的な出費は生じない。他方，医療機関にとっては，救急医療体制を確保するための人的・物的コストを維持するためには1点＝10円で計算される医療保険の診療報酬単価では不十分であるという事情がある。

交通事故をめぐる自由診療にあたっては，診療報酬に係る明確な合意が存在しない場合，その算定方法をどうすべきかが問題となる。被害者から加害者に対して提起される損害賠償訴訟において，かつて，裁判所は，保険診療の診療報酬体系を基準とした上で，保険診療の単価の1.5倍から2.5倍（1点単価15円ないし25円）の範囲で診療報酬を算定することを認めていた[183)]。ただし，例外的に単価を低く抑えた裁判例もみられた[184)]。

第5節　医療保険財政

第1款　保険料

1　健康保険の保険料

社会保険の仕組みを採用している日本において，医療保険の主たる財源として挙げられるのが保険料である。保険料の徴収主体は，原則として保険者である（健保155条，国保76条）。政府が保険者である年金保険・雇用保険・労災保険と異なり，保険者は多数分立し，保険料徴収の仕組みも各制度毎に異なっている。

このうち被用者保険である健康保険の保険料額は，各月につき，以下の区分に応じて算出される額である。第1に，介護保険第2号被保険者（介保9条2号）である被保険者については，一般保険料額（各被保険者の標準報酬月額と標準

183）1989（平成元）年に策定された日本医師会と日本損害保険協会との自賠責診療報酬基準の基本合意により，全ての都道府県でこの基準に従って実施されるに至った。同基準案は，労災保険診療費算定基準に準拠し，薬剤等については1点単価12円，その他技術料についてはさらに20%加算した額を上限と定めている。

184）東京地判平元・3・14判時1301号21頁では，自由診療において診療報酬に関する合意を欠く場合において，薬剤料については1点単価10円，その余の診療報酬部分については診療報酬に対する課税を考慮して1点10円50銭として診療報酬額を算定した。ただし，この訴訟は保険会社から相当高額の治療費の請求を行っている医療機関に対して提起された不当利得返還請求訴訟である点に留意する必要がある。

賞与額にそれぞれ一般保険料率〔基本保険料率と特定保険料率を合算した率〕を乗じた額）と介護保険料額（各被保険者の標準報酬月額と標準賞与額にそれぞれ介護保険料率を乗じた額）との合算額，第2に，介護保険第2号被保険者以外の被保険者については，一般保険料額である（健保156条1項2号）。標準報酬月額は，被保険者の報酬月額に基づき標準報酬月額等級毎に定められ，上下限が設定されている（同40条）[185]。とくに上限額が設定されている点については，逆進性があり，社会保障において重視されるべき応能負担の考え方と相反する面があるものの，裁判例によれば，「受益（保険給付）の程度からかけ離れた応能負担に一定の限界を設けるため，保険料に最高限度額を定めることには，合理的な理由がある」として，憲法14条・25条違反ではないとしている[186]。標準報酬月額の決定は，原則として4月から6月の3ヵ月間に受けた報酬の総額を月数で除して得た額を報酬月額として，この報酬月額を基準としてなされる（定時決定。健保41条1項）。標準報酬月額の適用期間は9月から1年間であるが（同条2項），この間，報酬に著しく高低を生じた場合，報酬月額及び標準報酬月額の改定がなされ得る（随時改定。同43条1項）。育児休業等を終了した被保険者が，当該育児休業等を終了した日において，当該育児休暇等に係る3歳に満たない子を養育する場合，被保険者の申出により，育児休業等終了月以後3ヵ月間に受けた報酬の総額を月数で除して得た額を報酬月額として，標準報酬月額の改定がなされる（同43条の2第1項）。産前産後休業（労基65条）の場合も同様である（健保43条の3第1項）。標準賞与額は，被保険者が賞与を受けた月において，年間総額573万円を上限として決定される（同45条）。

健康保険の被保険者に関する一般保険料率は，かつて，政府管掌健康保険に

185）標準報酬月額等級は，従来9万8000円ないし98万円の39等級であったのを，2006（平成18）年改正により，所得の二極化や賃金の実態に鑑み，5万8000円ないし121万円の47等級とし，上下限の幅を拡大したのに続き，2015（平成27）年改正により3等級追加して50等級とし，上限額を139万円に引き上げた。賃金水準の変動に弾力的に対応するため，毎年3月31日における標準報酬月額等級の最高等級に該当する被保険者数の被保険者総数に占める割合が1.5%を超える場合において，その状態が継続すると認められるときは，社会保障審議会の意見を聴いた上で，その年の9月1日から政令で，当該最高等級の上に更に等級を加える等級区分の改定を行うことができる（ただし，最高等級に該当する被保険者の割合が0.5%を下回ってはならない。健保40条2項・3項）との規定をおいている。

186）横浜地判平2・11・26判時1395号57頁。

つき，健保法上8.2％と定めるとともに，5年間の財政均衡が図られない場合に6.6％から9.1％の範囲内で厚生労働大臣が変更することを認めていた。他方，組合管掌健康保険では，3.0％から9.5％の範囲内で，組合が保険料率を自主的に決定し，厚生労働大臣の認可を受けることとしていた。2006（平成18）年改正による政府管掌健康保険の協会管掌健康保険への移行（公法人化）に伴い，協会健保も組合健保も同様に，3.0％から12.0％（現在は上限13.0％）までの範囲内で自主的に設定できることになった（同160条1項・13項）。全国一律であった政管健保と異なり，協会健保の一般保険料率（基本保険料率）は，医療費の格差を反映させるため都道府県毎に設定される点が特徴的である（同条1項・2項）[187]。一般保険料率の一部をなす特定保険料率は，各年度において保険者が納付すべき前期高齢者納付金及び後期高齢者支援金等の合算額を基準として徴収され（同条14項），介護保険料率は，各年度において保険者が介護保険第2号被保険者に関して納付すべき介護納付金の額を基準として徴収される（同条16項）。

健康保険料は，原則として被保険者及び被保険者を使用する事業主が2分の1ずつを負担し（同161条1項），事業主に納付義務が課される（同条2項）。被保険者が同時に2以上の事業所に使用される場合，保険料はそれぞれの報酬額に応じて按分して負担する（同条4項，健保則47条）。既に退職している任意継続被保険者は全額を負担し，自ら納付する義務を負う（同条1項但書・3項）。健保組合は規約で定めるところにより，事業主の負担すべき一般保険料額又は介護保険料額の負担割合を増加することができる（同162条）[188]。事業主は，報酬及び賞与から保険料の源泉控除を行うことができる（同167条1項・2項）。これは直接払い原則を定めた労基法24条の特則規定である。

育児支援策の一環として，育児休業等や産前産後休業をしている被保険者の保険料は，事業主の保険者に対する申出により免除される（同159条，159条の3）[189]。

187）2021（令和3）年度現在，全国平均の保険料率は10.0％であるが，都道府県毎の一般保険料率の差違につき，注93）参照。

188）被用者負担分の事業主による代替負担分は，実質上賃金の増給であり，労基法所定の割増賃金算定の基礎となる。東京高判昭58・4・20労民集34巻2号250頁。

189）従来，育児休業等に係る免除要件として，育児休業等を開始した日の属する月からその育児

2　国民健康保険の保険料

国民健康保険では，都道府県と並んで保険者とされる市町村（国保３条１項）が，国民健康保険事業納付金に要する費用（前期高齢者納付金等及び後期高齢者支援金等並びに介護納付金の納付に要する費用を含む），財政安定化基金拠出金の納付に要する費用その他の国民健康保険事業に要する費用に充てるため，被保険者の属する世帯の世帯主から保険料を徴収しなければならない（国保 76 条１項）。国民健康保険組合も，療養の給付等に要する費用その他の国民健康保険事業に要する費用に充てるため，組合員から保険料を徴収しなければならない（同条２項）。このうち介護納付金の納付に要する費用は介護保険第２号被保険者について賦課するものとする（同条３項）。世帯内の被保険者全員が 65 歳以上 75 歳未満の世帯の世帯主であって年額 18 万円以上の老齢等年金給付受給者については，特別徴収の対象となり，年金から天引きされる（同 76 条の 3，国保令 29 条の 9）[190]。

国民健康保険料は，地方税法の規定により国民健康保険税という形式で課することもできる（国保 76 条１項但書，地税 703 条の 4）。徴収の便宜上[191]，保険税の形式をとる自治体が大部分を占めるものの，大都市では保険料の形式を採るところが多い[192]。国民健康保険料（税）の賦課及び徴収等に関する事項は，

休業等が終了する日の翌日が属する月の前月までの期間とされていた。2021（令和 3）年改正により，育児休業取得促進の観点から，月末時点の取得状況に加えて，月中に２週間以上育児休業等を取得した場合も育児休業の保険料免除の対象に加えるとともに，賞与保険料の免除を目的として育児取得月を選択する誘因となるのを防ぐため，連続して１ヵ月超の育休取得者に限り，賞与保険料の免除対象者とした（同 159 条１項）。

190)　年金が年額 18 万円未満の場合，介護保険料と国保料の合算額が年金受給額２分の１を超える場合，世帯主の介護保険料が年金から特別徴収されていない場合，天引きによらず普通徴収となる。特別徴収の対象となる年金には，国民年金法・厚生年金保険法に基づく老齢・障害・遺族給付等を含み，厚生年金基金などの企業年金は含まない（国保 76 条の３第２項，国保令 29 条の 10，介保 131 条，介保令 40 条１項・２項）。

191)　元来，国民健康保険税（1951〔昭和 26〕年地方税法改正による）は，国民健康保険の財政的困難の解決策として創設された。木代一男『逐条解説国民健康保険法』（帝国地方行政学会，1959 年）217 頁。

192)　2011（平成 23）年度末現在，保険料の形式をとる保険者数 227（13.3%），被保険者数 1610 万人（46.4%）に対し，保険税の形式をとる保険者数 1476（86.7%），被保険者数 1863（53.6%）となっている。第２回社会保障審議会年金部会年金保険料の徴収体制強化等に関する専門委員会（平成 25 年 10 月 25 日）資料１ 8 頁。

国民健康保険法施行令で定める基準に従って条例により（保険料の場合。国保81条・国保令29条の7），又は地方税法の定める基準により（保険税の場合。地税703条の4）定められている。

国民健康保険は，被用者保険である健康保険と異なり自営業者などを含むため，所得把握が難しい。このため，保険料（税）額の算定は，応益割（受益に応じた負担分。被保険者均等割〔被保険者1人当たりの額〕と世帯別平等割〔1世帯当たりの額〕からなる）と応能割（負担能力に応じた負担分。所得割〔所得に応じた額〕と資産割〔固定資産税に応じた額〕からなる）の組み合わせによって行われる。具体的には，当該年度において必要な費用の見込額から公費負担分などの収入の見込額を控除した賦課（課税）総額を賦課（課税）基準によって被保険者に割り付けることによって行われる。保険料（税）の賦課（課税）基準は，①所得割100分の40，資産割100分の10，均等割100分の35，平等割100分の15，②所得割100分の50，均等割100分の35，平等割100分の15，③所得割100分の50，均等割100分の50のいずれかの方式によるものとする（国保令29条の7第2項2号・地税703条の4第4項）。

国保料（税）については，賦課（課税）限度額が設定されている。この額は，中間所得層の負担軽減を図るため近年頻繁に引き上げられる傾向にある[193]。また負担能力に乏しい場合にも応益割の保険料を賦課されることから，政令で定める基準に従い市町村の条例で定めるところにより（国保令29条の7第5項，地税703条の5，地税令56条の89第2項），被保険者均等割額又は世帯別平等割額の減額（7割から2割の定率）も認められている。他方，災害等により生活が著しく困難となった場合などを念頭において，市町村及び組合は，条例の定めるところにより，特別の理由がある者に対し，保険料を減免し，又はその徴収を猶予することができる（国保77条）[194]。国保税の場合も同様に，条例の定めるところにより，市町村長は税を減免することができる（地税717条）[195]。

193）2021（令和3）年度現在，医療分（基礎賦課〔課税〕額63万円，後期高齢者支援金等賦課〔課税〕額19万円）と介護納付金賦課（課税）額17万円を合わせて99万円となっている。

194）最大判平18・3・1民集60巻2号587頁は，恒常的に生活が困窮している状態にある者を保険料減免の対象としない条例の規定も，国保法77条の委任の範囲を超えるものではなく，憲法25条及び14条1項にも反しないとした。

195）国保税の減免申請について，申請者の家計状態が最低生活費に達せず，他に担税力を増加させる事情も認められないとして不承認処分を取り消した例として，秋田地判平23・3・4賃社

子ども・子育て支援策の一環として，2021（令和3）年改正により，市町村が，子ども（未就学児）に係る被保険者均等割額を減額し，その費用を一般会計から繰り入れる一方，国が繰入金の2分の1を負担する制度を創設した（国保72条の3の2）。

年金からの天引き（特別徴収）以外の普通徴収の方法による以上，保険料の滞納という事態が生じ得る。そこで国保法は，保険料滞納者に対し，被保険者証の返還と被保険者資格証明書の発行（同9条3項以下）のほか，保険給付の全部又は一部の差し止め（同63条の2）という厳しい措置を設けている。被保険者資格証明書による受診は，窓口での全額自己負担が必要となるため，医療へのアクセスを妨げる危険性があるとの批判がある（第3節第2款参照）。

国民健康保険料と憲法84条のいわゆる租税法律主義（ないし租税条例主義）との関係につき，最高裁は，保険料は保険給付を受け得ることに対する反対給付として徴収されるものであること，国民健康保険の強制加入及び強制徴収という性格は，社会保険としての国保の目的及び性質に由来するものであることから，憲法84条の規定が直接適用されることはない（ただし，賦課徴収の度合いにおいて租税に類似する性格を有するから，同条の趣旨は及ぶ）旨判示した[196]。

市町村による国民健康保険料の賦課期日は，当該年度の初日とされている（国保76条の2）。ただし，保険料率や賦課額を年度当初から確定することは，単年度主義の下，保険事業のために要する費用の総額が不確定である以上，困難な側面を内包している。このため，保険料賦課基準の遡及適用も憲法84条の趣旨に反しないとされている[197]。

第2款　公費負担など

保険料のほか，公費負担も医療保険の重要な財源となっている。ただし，各

1556号12頁。

196)　最大判平18・3・1・前掲（注194）。これに対し，同判決によれば，国民健康保険税は，目的税であって特別の給付に対する反対給付として徴収されるものであるが，形式が税である以上は憲法84条の適用がある。

197)　最大判平18・3・1・前掲（注194），東京高判昭49・4・30行集25巻4号330頁（年度途中での保険料賦課基準の引上げ〔条例改正〕が合憲とされた例）。

保険者の財政力の相違に応じて，負担割合も異なっている。とりわけ国民健康保険については，公費負担による財政格差の調整にとどまらず，後述のように2015（平成27）年改正により，保険者の枠組みの変更を伴う大きな改革が行われた。

健康保険では，国庫は毎年度，予算の範囲内において，事務費を負担するものとされている（健保151条）。給付費についても，健保組合につき各健保組合における被保険者数を基準として厚生労働大臣が算定した国庫負担（同152条）[198]，協会健保につき定率の補助（同153条）がなされる。後者については，本則では13.0％から20.0％までの範囲内において政令で定める割合を乗じて得た額とされ（同条），附則において，当分の間16.4％とする旨の規定をおいている（健保附則5条）[199]。

国民健康保険では，組合に対する事務費全額のほか（国保69条），都道府県等が行う国保の財政の安定化を図るため，都道府県に対し，当該都道府県内の市町村による療養の給付等に要する費用，前期高齢者納付金・後期高齢者支援金・介護納付金の納付に要する費用の32％を国庫が負担する（同70条1項）。ただし，保険料徴収を促進するため，都道府県又は当該都道府県内の市町村が確保すべき収入を不当に確保しなかった場合，国は国庫負担を減額することができる（同71条1項）[200]。

従来，市町村国保は，市町村を保険者単位とすることから，地域差，規模などにより大きな財政格差が生じていた。また被用者保険の適用を受けない者の受け皿となっている結果，国民健康保険の加入者には低所得層が多く，財政的に厳しい状況に置かれていた。2015（平成27）年改正により，都道府県が市町

198）2016（平成28）年度における組合管掌保険に対する国庫支出金は約419億円（うち国庫補助金約392億円）であった。国立社会保障・人口問題研究所『社会保障統計年報（平成31年版）』（2019年）第43表。

199）これに対し，協会健保の準備金が法定準備金を超えて積み立てられた場合，国庫補助額の特例的な減額措置を採ることとした（健保附則5条の5～5条の7）。

200）国民健康保険組合の療養の給付等に要する費用等に対する国庫補助の割合については，従来32％であったが，財政力の豊かな同業者からなる国保組合への同率の補助が問題視され，2015（平成27）年改正により，組合の財政力を勘案して13％から32％までの範囲内において政令で定める割合とするとともに，これに加えて行うことができる国庫補助の額の上限を引き上げることとした（同73条1項・4項）。

村とともに国民健康保険の保険者となった背景には，こうした財政的事情があった。

新たな保険者の枠組みの下では，都道府県が，「都道府県及び当該都道府県内の市町村の国民健康保険事業の運営に関する方針」（都道府県国民健康保険運営方針）を定めるものとする（国保 82 条の 2 第 1 項）。具体的には，国民健康保険の医療に要する費用及び財政の見通し，市町村における保険料の標準的な算定方法に関する事項，市町村における保険料の徴収の適正な実施に関する事項，市町村における保険給付の適正な実施に関する事項（同条 2 項）などを定めるものとされている。同運営方針は，都道府県医療費適正化計画（高齢医療 9 条 1 項）との整合性の確保が図られるものとされる（国保 82 条の 2 第 5 項）。都道府県は，同運営方針を定め，又はこれを変更しようとするときは，あらかじめ，当該都道府県内の市町村の意見を聴かなければならず（同条 6 項），市町村は，運営方針を踏まえた国民健康保険の事務の実施に努めるものとする（同条 8 項）[201]。

国保財政の運営方法として，都道府県と市町村に，国民健康保険に関する収入及び支出について，それぞれ特別会計を設けることとした上で（同 10 条），従来どおり保険料ないし保険税の納付権限を有する市町村に対し（同 76 条 1 項），都道府県に対する国民健康保険事業費納付金[202]の納付義務を負わせる一方（同 75 条の 7 第 2 項），都道府県は，市町村の国民健康保険に関する特別会計において負担する療養の給付等に要する費用その他の国民健康保険事業に要する費用について，政令で定めるところにより，条例で，国民健康保険保険給付費等交付金[203]を交付することとした（同 75 条の 2 第 1 項）。同交付金の財源は，市町村が徴収した納付金のほか，給付費等に係る 32% の国庫負担（同 70 条 1

201）「都道府県国民健康保険運営方針の策定等について」（平 28・4・28 保発 0428 第 16 号）。

202）納付金については，各市町村の医療費水準による調整（年齢構成の差異を調整する）と，所得水準の調整（所得水準が高い市町村には納付金を多く配分する）が行われる。また，納付金の配分にあたっては，応益割と応能割の比率につき，都道府県平均の所得水準が全国平均より高い場合には後者の割合が高く設定され，全国平均より低い場合には後者の割合が低く設定される。「『国民健康保険における納付金及び標準保険料率の算定方法について（ガイドライン）』の改定について」（平 29・6・5 保発 0605 第 1 号）。

203）「『国民健康保険保険給付費等交付金ガイドライン』の改定について」（令 2・5・8 保発 0508 第 10 号）。

項），9％の国による調整交付金[204)]（同72条1項・2項），9％の都道府県による特別会計への繰入れ（同72条の2第1項）である。こうして，都道府県は，市町村ごとの納付金の額を決定するとともに，保険給付に必要な費用を全額市町村に対して支払うことにより，国保財政の「入り」と「出」を管理することになった。

また財政支援策として，都道府県は，国民健康保険の財政の安定化を図るため財政安定化基金を設け，保険料収納不足市町村に対し，不足分を貸し付ける事業を行うとともに，不足につき特別の事情があると認められる市町村には2分の1以内の額の資金を交付する事業を行うこととした（同81条の2第1項）[205)]。同基金の財源として，市町村は財政安定化基金拠出金を都道府県に納付し（同条5項），都道府県はその3倍の額を基金に繰り入れ（同条6項），国も繰り入れた額の3分の1の負担を行う（同条7項）とされ，基本的に国・都道府県・市町村が各3分の1を負担する。

調整交付金のほか，国から都道府県に対する交付金として，保険者努力支援制度が設けられ，被保険者の健康の保持増進，医療の効率的な提供の推進その他医療に要する医療費適正化等に係る都道府県及び市町村の取組を支援することとされた（同72条3項）。また，従来から存在した保険者支援制度も残された[206)]。すなわち市町村は，低所得者のために行う保険料の減額賦課又は保険税の減額などにつき，市町村特別会計への繰入れが義務付けられ，都道府県は，政令で定めるところにより繰入金の4分の3に相当する額を負担する（同72条の3）。さらに市町村は，政令の定めるところにより，所得の少ない者の数に応じて国民健康保険の財政状況等を勘案して算定した額を市町村特別会計に繰り入れなければならず，この場合，政令の定めるところにより，国がその繰入金の2分の1，都道府県が4分の1をそれぞれ負担する（同72条の4）。

さらに都道府県単位の共同事業として，1件80万円超の高額医療費につい

204）国による調整交付金は，各都道府県の所得水準の調整を行うものであり，都道府県内の市町村間における所得水準の調整は，国民健康保険事業費納付金において行われる。

205）2021（令和3）年改正により，財政安定化基金を，都道府県が国民健康保険事業費納付金の著しい上昇抑制等のために充てることを可能にした（同81条の2第4項）。

206）この仕組みは，2012（平成24）年国保法改正により暫定措置として導入され，2015（平成27）年度から本則で恒久化したものである。

ての高額医療費共同事業（同70条3項，72条の2第2項）[207]が，国4分の1負担と都道府県の4分の1拠出による事業として継続したことに加えて，1件400万円超の高額医療費についての特別高額医療費共同事業（同81条の3）が新設され，県の拠出金と国の負担により指定法人によって行われることとされた。

このように，国民健康保険の財政運営は，2018（平成30）年度以降，都道府県が主導する形に大きく切り替わった。その構造は，上述のように複雑なものとなっている。ただし，こうした都道府県単位での保険運営を推進する方向性は，従前の改正から強くみられた点である。その意味では，従来の改正の延長線上に位置付けることができる。そして，こうした都道府県を単位とする方向性は，被用者保険である協会管掌健康保険でも，医療費の差を反映した保険料格差など一定程度みられるものである。

第6節　不服申立手続など

第1款　不服申立て及び訴訟

不服申立てに関しては，行政不服審査法の特則が設けられている。健康保険法では，被保険者資格，標準報酬又は保険給付に関する処分に不服がある者は，社会保険審査官に対して審査請求をし，その決定に不服がある者は，社会保険審査会に対して再審査請求をすることができる（健保189条1項）。審査請求をした日から2ヵ月以内に決定がないときは，審査請求人は，社会保険審査官が審査請求を棄却したものとみなすことができる（同条2項）。保険料等の賦課若しくは徴収の処分又は健保法180条の規定による処分（保険料等の督促及び滞納処分）に不服がある者は，社会保険審査会に対して審査請求をすることができる（同190条）。他方，国民健康保険法では，保険給付に関する処分（被保険者証の交付の請求又は返還に関する処分を含む）又は保険料その他同法の規定による徴収金に関する処分に不服がある者は，各都道府県（国保92条）に設置された国民健康保険審査会に審査請求をすることができる（同91条1項）。

健保法189条1項に規定する処分の取消しの訴えは，当該処分についての審

207）この仕組みも，2012（平成24）年国保法改正により暫定措置として導入され，2015（平成27）年度から本則で恒久化したものである。

査請求に対する社会保険審査官の決定を経た後でなければ提起することができず，また国保法91条1項に規定する処分の取消しの訴えは，当該処分についての審査請求に対する国民健康保険審査会の裁決を経た後でなければ提起することができない（健保192条，国保103条）。いわゆる不服申立前置主義が採用されている。

第2款　時効その他

時効に関しても特則がおかれている。すなわち保険料その他法律の規定による徴収金を徴収し，又はその還付を受ける権利及び保険給付を受ける権利は，これらを行使することができる時から2年で時効により消滅する（健保193条1項，国保110条1項）。保険料その他この法律の規定による徴収金の告知又は督促は，時効の更新の効力を有する（健保193条2項，国保110条2項）。

このほか，国保法では，基本的に「住所」概念が被保険者資格を画することとの関連で，特例が設けられており，修学のため一の市町村の区域内に住所を有する被保険者であって，修学していないとすれば他の市町村の区域内に住所を有する他人と同一の世帯に属するものと認められるものは，当該他の市町村の行う国民健康保険の被保険者とし，かつ，同法の適用については当該世帯に属するものとみなされる（国保116条）。さらに病院や各種社会福祉施設等に入院，入所又は入居中の被保険者であって，当該病院等に入院等をした際に他の市町村の区域内に住所を有していたと認められるものは，同法の適用については，当該他の市町村の区域内に住所を有するものとみなす（同116条の2）。

第7節　高齢者医療

日本では現在，高齢者を対象とする独自の医療保障システムが存在する。そこで節を改めて，その内容をみておきたい。

第1款　高齢者医療の展開

高齢者の医療保障に関する国レベルでの特別な対応は，1972（昭和47）年老人福祉法改正による70歳以上（寝たきり等の場合65歳以上）の高齢者に対する老人医療費支給制度の導入に遡ることができる。この制度は，1969（昭和44）年に秋田市と東京都が老人医療費を無料化したことを契機に，各自治体が同様の動きを加速させ，1972（昭和47）年には２県を残して全国で老人医療費の無料化が実現したことを受けて，1973（昭和48）年に導入されたものであった。当時は年金等による高齢者への所得保障がまだ不十分だったこともあり，この施策は画期的な意義を有していた。ところがその直後から，高齢者の受診率が高まるとともに，老人医療費が著しく増加し，医療保険財政を圧迫する事態を生じた[208]。この財政問題が，高齢者医療をめぐる新たな対応策を促し，1982（昭和57）年老人保健法が制定され，定額ではあったが自己負担が設けられるに至った。ただし，同法の背景には，医療保険財政の問題への対応だけでなく，高齢者の特質に適応した医療保障のあり方を，予防事業（保健事業）なども含めて包括的に行う必要性に対する認識の高まりなどがあったことも見逃せない。同法により，各医療保険制度に加入する70歳（その後75歳に引上げ）以上の者（及び65歳以上の寝たきりの者）を対象とする医療と，市町村が40歳以上の住民を対象に行う保健事業からなる仕組みが導入された。老人保健法の対象となる高齢者は，各医療保険制度に加入する一方で，医療は市町村長が実施することとされ，その費用は患者一部負担のほか，公費（5割）と保険者拠出金（5割）で賄われていた。拠出金の額は，各保険者の老人加入率が全制度平均の老人加入率であると仮定して，高齢者の老人医療費に加入者調整率（全制度平均の老人加入率を各保険者の老人加入率で除して得た率）を乗じて得た額であった。

第２款　高齢者医療確保法

従来の老人保健制度には，老人医療費が増大する中で，①公費と並んで主要な財源である保険者からの拠出金のうち，現役世代の保険料と高齢者の保険料が区分されておらず，現役世代と高齢者の費用負担関係が不明確である，②高

208）　老人医療費の総額は，1973（昭和48）年に約4300億円であったものが，1974（昭和49）年には6600億円（対前年比55％増），1975（昭和50）年には8600億円（同30％増）となり，同時期の国民医療費全体の伸び（1974年36.2％，1975年20.4％）を大きく上回った。吉原＝和田・前掲書（注51）278頁。

齢者に対する医療の給付を市町村が行う一方，その財源を公費と保険者からの拠出金により賄う仕組みは，老人医療費にかかった費用がそのまま保険者の負担として請求されることを意味し，保険者が保険料の決定や給付を行う国民健康保険や被用者保険と比較して財政運営の責任が不明確である，といった問題点が指摘されていた[209]。また被用者保険の高齢退職者が国保に流入し，給付及び費用負担の面で国保の財政悪化を招くとの不合理な事態が生じていたのを是正するために1984（昭和59）年に設けられた退職者医療制度についても，①被用者年金の加入期間が短い者（同制度の下では，加入期間が20年以上若しくは40歳以降10年以上あることを要件としていた）や年金受給権が未発生の者（同制度では年金受給権が発生した者を対象としていた）が対象外である，②被用者保険の被扶養者は申請主義であったため（2008〔平成20〕年度からは職権適用），一部負担金の負担割合が国保と同じく3割である退職者医療制度に移行しようとする対象者が増えなかった，といった問題があった[210]。

こうした事情を背景として，2006（平成18）年医療保険制度改革の一環として，老人保健法が全面改正され，2008（平成20）年4月「高齢者の医療の確保に関する法律」（高齢者医療確保法）が施行された。同法は，国民の高齢期における適切な医療の確保を図るため，医療費適正化計画の作成及び保険者による健康診査等の実施といった医療費の抑制（適正化）のための措置を講じるとともに，65歳から74歳までの前期高齢者に係る保険者間の費用負担の調整，75歳以上の後期高齢者を対象とする制度の創設を行うものであり（高齢医療1条），とりわけ後期高齢者医療制度の創設は，従来，各医療保険制度の被保険者若しくは被扶養者であった後期高齢者を独立した制度の下でカバーすることとした点で，日本の医療保険の枠組みを大きく変更するものであった。

以下の各款では，高齢者医療確保法の主要な内容をみていく。

第3款　医療費適正化計画

先述したように，老人医療費の伸びは国民医療費の伸びを上回って推移し，1人当たり医療費でも75歳以上と75歳未満では4倍以上[211]の開きがみられ

209）　土佐和男編著『高齢者の医療の確保に関する法律の解説』（法研，2008年）28頁。

210）　同書30-31頁。

た。このこともあり，老人医療費の適正化が重要課題であった。

そこで，老人保健法の下での老人医療費適正化指針を発展させた形で，医療費適正化計画に関する規定がおかれた。厚生労働大臣は，国民の高齢期における適切な医療の確保を図る観点から，医療費適正化基本方針を定めるとともに，6年ごとに，6年を1期として，全国医療費適正化計画を定めるものとする（高齢医療8条1項）。そこには，国民の健康の保持の推進や医療の効率的な提供の推進に関し国が達成すべき目標に関する事項や，医療の効率的な提供の推進に関し，国が達成すべき目標に関する事項などを定めるべきものとする（同条4項）。この基本方針は，医療法30条の3第1項に規定する基本方針，介護保険法116条1項に規定する基本指針及び健康増進法7条1項に規定する基本方針と調和が保たれたものでなければならない（同条3項）。また都道府県も，基本指針に即して，6年ごとに，6年を1期として，都道府県医療費適正化計画を定めるものとする（同9条1項）。この期間は，全国医療費適正化計画と同様，従来，5年とされていたのが，2015（平成27）年改正で6年に改められたものである。この点に，介護，医療供給体制，国保運営を都道府県レベルで一貫性のあるものとして行おうとする姿勢が窺われる[212]。

第4款　特定健康診査等

高齢化の進展に伴い疾病構造も変化し，がん，虚血性心疾患，脳血管疾患が三大死因とされるようになった。また，こうした疾患の発症に至る重要な危険因子である高血圧症，高脂血症，糖尿病などの生活習慣病罹患者も増加し，その発症前の段階であるメタボリックシンドローム（内臓脂肪症候群）が強く疑わ

211）2006（平成18）年度時点で，75歳以上803,965円，75歳未満174,482円であり，2019（令和元）年度時点でも，75歳以上941,528円，75歳未満222,454円と，割合的にはほとんど変わっていない。厚生労働省保険局調査課『医療保険に関する基礎資料（平成18年度）（平成30年度）』（2009年）52頁，（2021年）49頁。

212）介護保険（支援）事業計画の策定期間は，3年を1期（介保117条，118条），医療計画の対象期間も，3年若しくは6年（医療30条の6第1項・2項）とされている。国が示した国保運営方針策定要領にも，「平成30年度からの3年間とする」「少なくとも3年ごとに検証を行い，必要がある場合には，これを見直すことが望ましい」といった記載がみられる（平28・4・28保発0428第16号）。

れる者とその予備軍と捉えられる者は，40歳以上75歳未満の男性2人に1人，女性で5人に1人の割合に達した。そこで，国民の健康の保持を推進するとともに，医療費の適正化を図るため，老人保健法に基づく40歳以上の者を対象とする保健事業を発展させる形で，予防に重点を置く仕組みを導入した。

厚生労働大臣は，特定健康診査（生活習慣病〔高血圧症，脂質異常症，糖尿病その他の生活習慣病であって，内臓脂肪の蓄積に起因するもの。高齢医療令1条の3〕に関する健康診査）及び特定保健指導（特定健康診査の結果，健康の保持に努める必要がある者とされた一定の者に対し，厚生労働省令で定めるものが行う保健指導）の適切かつ有効な実施を図るための基本的な指針（特定健康診査等基本指針）を定めるものとする（高齢医療18条1項）。この基本方針は，健康増進法9条1項に規定する健康診査等指針と調和が保たれたものでなければならない（同条3項）。保険者は，基本指針に即して，6年ごとに，6年を1期として，特定健康診査等の実施に関する計画（特定健康診査等実施計画）を定めるものとする（同19条1項）。

保険者は，実施計画に基づき，40歳以上の加入者に対し，特定健康診査を行う（同20条）。ただし，加入者が特定健康診査に相当する健康診査を受け，その結果を証明する書面の提出を受けたときや，労働安全衛生法その他の法令に基づき行われる特定健康診査に相当する健康診断を受けた場合等は，特定健康診査の全部又は一部を行ったものとする（同条但書，21条1項）。また保険者は，実施計画に基づき，特定健康診査の結果により健康の保持に努める必要のある者[213]に対して，省令で定めるところにより特定保健指導を行う（同24条）。

2018（平成30）年度からの第3期全国医療費適正化計画（同8条1項）の下，国民の健康の保持の推進に関する達成目標として，特定保健指導実施対象者（メタボリックシンドローム該当者及び予備軍）を2023（令和5）年度に2008（平成20）年比で25%減少させることとし，2023（令和5）年度における目標を，特定健康診査実施率70%以上（平成30年度54.7%），特定保健指導実施率45%以上（平成30年度23.2%）に設定した[214]。後述するように（第6款），特定健康診

213）腹囲が85センチメートル以上である男性若しくは腹囲が90センチメートル以上である女性等であって，血圧測定の結果が一定以上の基準に該当する者等をいう。「特定健康診査及び特定保健指導の実施に関する基準」（平19・12・28厚生労働省令157号）4条1項。

214）平31・3・20厚生労働省告示79号。

査等の実施及びその成果にかかる目標の達成状況により，後期高齢者医療制度に対する支援金の負担が増減される。このように，特定健康診査等は，被保険者等に対して直接的な強制を課すものではないが，保険者への財政的インセンティブの付与により，間接的に被保険者等の行動を規制することとなり得，国家による個人生活への介入という緊張関係をはらむ側面を否定できない[215]。

第5款　前期高齢者の財政調整

高齢者医療制度は，従来の老人保健制度と退職者医療制度の仕組みを改め，前期高齢者と後期高齢者それぞれにつき新たな仕組みを設けるものであった。

このうち65歳以上75歳未満の前期高齢者については，従来の被用者保険及び国保に加入したまま，前期高齢者の偏在による保険者間の負担の不均衡を，各保険者の65歳以上75歳未満の加入者数に応じて調整する仕組みを創設した。社会保険診療報酬支払基金は，各保険者に係る加入者数に占める前期高齢者である加入者数の割合に係る負担の不均衡を調整するため，政令で定めるところにより，保険者に対して，前期高齢者交付金を交付する（高齢医療32条1項）。前期高齢者交付金は，支払基金が保険者から徴収する前期高齢者納付金をもって充てる（同条2項）。保険者間の調整額は，原則として以下の数式により算定される。

調整金＝各保険者の前期高齢者1人当たり給付費×（各保険者の前期高齢者加入率－全国平均の前期高齢者加入率）×各保険者の加入者数

すなわち，財政調整の方法として，どの保険者も全国平均の加入率で前期高齢者が加入しているものと仮定して給付費を負担することとし，前期高齢者加入率が全国平均を下回っている場合，前期高齢者納付金を拠出し，全国平均を上回っている場合，前期高齢者交付金を受給することとなる。これは，改正前

215）　菊池・将来構想17頁。堤修三『社会保障改革の立法政策的批判――2005/2006年介護・福祉・医療改革を巡って』（社会保険研究所，2007年）89-91頁参照。こうした危惧は，とりわけ疾病の発現防止を目的とした一次予防の取り組みについて当てはまる。これに対し，既に疾病を保有する者を対象とする早期治療・重症化防止等の二次予防の取り組みについては，より積極的に是認される余地がある。石田道彦「医療保険・介護保険と予防」『社会保障法研究』10号（2019年）205頁。

の老人保健制度の下での老人保健拠出金と同様の仕組みと言える。相対的に前期高齢者の加入率が低い健康保険組合や協会健保の負担が重くなる仕組みということができる。

一部負担金については，70歳未満の者は65歳未満の者と同様3割であり，70歳から74歳の者については経過的に1割とされていたのが2割負担（現役並みの所得を有する者は3割負担）となった（健保74条1項2号・3号，国保42条1項3号・4号）[216]。

第6款　後期高齢者医療制度

従来，被用者保険及び国保に加入しながら老人保健制度に基づく医療等を受給していた75歳以上の後期高齢者は，高齢者医療確保法の制定により，都道府県の区域ごとの広域連合と呼ばれる公法人が運営主体となる独立した制度に加入することとなった。仕組みとしては，後期高齢者のみを被保険者とする新たな医療保険制度ということができる。

市町村は，後期高齢者医療の事務を処理するため，都道府県の区域ごとに当該区域内のすべての市町村が加入する広域連合（後期高齢者医療広域連合）を設けるものとする（高齢医療48条）。被保険者は，(1) 後期高齢者医療広域連合の区域内に住所を有する75歳以上の者，(2) 後期高齢者医療広域連合の区域内に住所を有する65歳以上75歳未満の者であって，寝たきり等政令で定める程度の障害の状態にある旨の認定を受けたものである（50条。ただし生活保護受給世帯等を除く。同51条）。保険者に係る規定は特段おかれていないものの，財政責任を有する運営主体である広域連合が保険者である。

給付の種類については被用者保険及び国保と基本的に共通であり，①療養の給付並びに入院時食事療養費，入院時生活療養費，保険外併用療養費，療養費，訪問看護療養費，特別療養費及び移送費の支給，②高額療養費及び高額介護合算療養費の支給（同56条1号・2号）のほか，広域連合の条例で定めるところにより独自の給付を行うことができる（同条3号）。診療報酬体系については，当初，後期高齢者の心身の特性等にふさわしい医療を提供するという趣旨・目

216)　過去の経過措置につき，注102）参照。

的から，独自の診療報酬点数として，後期高齢者診療料や後期高齢者終末期相談支援料など17項目が設けられたものの（同71条），高齢者等からの批判が強く，行政の周知不足もあり廃止され，被用者保険及び国保の診療報酬体系が用いられている[217]。

療養の給付に係る一部負担金の割合は1割で，現役並みの所得を有する者は3割とされてきたところ，「高齢者中心型社会保障から全世代型社会保障へ」という政策展開の中で，前期高齢者と同様2割負担への引上げが論点となった。2021（令和3）年改正では，議論の末，一定所得以上である者につき2割とする旨の折衷的な対応が図られるにとどまり，今後さらなる対応が課題として残されることとなった（同67条1項）[218]。広域連合は，災害その他の厚生労働省令で定める特別の事情[219]がある被保険者であって一部負担金を支払うことが困難であると認められる場合，一部負担金の減免を行うことができる（同69条1項）。入院時食事療養費（同74条），入院時生活療養費（同75条）についても所得水準に応じた負担額が設定されている。高額療養費については，現役並み所得者は現役世代と同一の基準である一方，低所得者には軽減された自己負担限度額が設定されているほか（同84条。第4節第1款**3**(2)の表1・表2参照），医療保険と介護保険の双方の自己負担がある場合，これらを合算した自己負担限度額の設定もなされている（高額介護合算療養費。同85条）[220]。

217）しかしながら，高齢者の心身の特性に応じた医療のあり方に合わせた診療報酬体系の必要性は，単に医療費適正化の観点のみならず，終末期医療のあり方など医療倫理の観点からも，改めて真剣に議論されるべきものと考えられる。笠木ほか162頁も，高齢者のニーズを十分に考慮した診療報酬体系は理論的には望ましいとする。

218）2022（令和4）年10月より，課税所得が28万円以上かつ年収200万円以上（単身世帯の場合。複数世帯の場合は後期高齢者の年収合計が320万円以上）が2割負担となり，23%（現役並み所得で3割負担者と合わせると30%）が対象となるものと見込まれている。ただし，長期頻回受診患者等に対する配慮として，外来受診において施行後3年間，1ヵ月の負担増を最大でも3,000円とする旨の経過措置が講じられる。

219）健保が規定する「被保険者が，震災，風水害，火災その他これらに類する災害により，住宅，家財又はその他の財産について著しい損害を受けたこと」（健保則56条の2）に加えて，「被保険者の属する世帯の世帯主が死亡し，若しくは心身に重大な障害を受け，又は長期間入院したこと」（高齢医療則33条1項）等を挙げ，後期高齢者世帯に配慮した減免の余地を広く認めている。注104）及び注105）参照。

220）高額療養費及び高額介護合算療養費の自己負担限度額は，70歳以上75歳未満の前期高齢者も同一である。

給付に係る費用負担については，国が負担対象額の12分の3（同93条1項）のほか，調整交付金として12分の1（同95条）を負担し，都道府県が12分の1（同96条1項），市町村が12分の1（同98条）をそれぞれ負担する。すなわち全体の5割が公費負担となる。国保と類似した制度として，高額医療費の発生による広域連合の財政リスクを緩和するため，1件80万円以上の高額な医療に対して国及び都道府県による高額医療費負担対象額の各4分の1の負担を行う制度が設けられている（同93条2項，96条2項）。また，国保と同様，1件400万円超の高額医療費につき広域連合の拠出金によって賄う特別高額医療費共同事業（同117条）も設けられている。このほか市町村は，一般会計から低所得者に係る保険料減額相当額について市町村の特別会計に繰り入れなければならず，その4分の3は都道府県が負担する（同99条）。

被保険者の負担割合を示す後期高齢者負担率は，平成20年度及び平成21年度は100分の10（同100条2項）とし，その後は，現役世代人口の減少に伴う影響を後期高齢者も分担するとの趣旨から，高齢者医療確保法100条3項の基準に従い現役世代の人口減少率の2分の1の割合で2年ごとに引き上げられる[221)]。

公費負担及び後期高齢者負担を除いた部分は，支払基金が広域連合に対して交付する後期高齢者交付金をもって充てる（同100条1項）。同交付金は，支払基金が徴収する後期高齢者支援金をもって充てる（同条4項）。後期高齢者交付金の財源となる後期高齢者支援金は，年度ごとに保険者が支払基金に対し納付義務を負う（同118条）。この支援金は，被用者保険及び国保の各保険者が被保険者から徴収する保険料によって賄われ，当初，被用者保険及び国保の保険者が0歳〜74歳の加入者数に応じて負担することとしていたが，協会管掌健康保険への財政支援措置の一環として，被用者保険者が負担する後期高齢者支援金の3分の1を，被用者保険者の総報酬に応じた負担（総報酬割）とする措置を2010（平成22）年に導入したのに引き続き，2015（平成27）年改正により，総報酬割の割合を段階的に引き上げ，2017（平成29）年度以降，全面的に総報酬割へと移行した。これにより，1人あたり報酬額の高い健康保険組合加入者の負担が相対的に高まることとなった。

---

221)　2020（令和2）年度及び2021（令和3）年度は11.41％となった。

先述したように，後期高齢者交付金は，後期高齢者負担率の割合が人口構成に占める現役世代の人口減少に伴い高くなるのに合わせて変動する仕組みとなっている。また第４款で述べたことと関連して，後期高齢者支援金の額は，後期高齢者支援金調整率（特定健康診査等の実施及びその成果にかかる目標の達成状況等を勘案して100分の90から100分の110の範囲内で政令の定めるところにより算定する）により調整される（同120条3項）。これは，医療費適正化対策の取り組み努力を評価する趣旨から設けられた規定である[222]。

保険料は市町村が徴収するものの（同104条1項），広域連合の条例で定めることとされており（同条2項），賦課主体（財政責任主体）は広域連合である。保険料の算定は，国保と同様，被保険者一人ひとりに課される点が特徴的である。応益割（被保険者均等割）と応能割（所得割）とで算定され，賦課限度額（2021〔令和3〕年現在64万円）がある。低所得者については，予算による特例措置が講じられてきたものの，現在では応益割分につき本則の７割・５割・２割軽減が設けられている（同104条2項，同令18条4項）。保険料の徴収は，国保や介護保険と同様，年額18万円以上の年金受給者を対象にした天引きによる特別徴収のほか，普通徴収の方法による（同107条）。

先述した高額医療費の負担緩和のための仕組みに加えて，財政の安定化に資するため，都道府県は財政安定化基金を設け，保険料の未納，給付の見込み違い等に対し貸付け等を行っている（同116条）。その費用としては，国・都道府県・広域連合が３分の１ずつ拠出する。

このほか，後期高齢者の保健事業が広域連合の努力義務とされている（同125条）。

第８節　その他の医療保障

以上述べてきた医療保険以外にも，国民に対して医療の提供を図るための仕組みが存在する。以下ではそれらにつき概観しておく。その際，疾病予防や健康増進に関わる法制度にまで対象を広げることとしたい。

222）注215）参照。

第1款　精神保健（精神医療）

1　精神医療の歩み

精神障害者に対する医療については，その性格に鑑み，歴史的に特別な取扱いがなされてきた。

戦後の精神科医療は，1950（昭和25）年精神衛生法によって提供された。同法は，患者の人権侵害が宇都宮事件[223]により社会問題化したことなどをきっかけとして改正され，1987（昭和62）年精神保健法となった。この改正は，第1に，それまでの入院中心の精神科医療体制から地域中心の精神科医療体制を確立すること，第2に，精神障害者の人権保護の強化をねらいとするものであった。

精神保健法は，1993（平成5）年改正により，精神障害者の社会復帰の一層の促進が図られた。同年に制定された障害者基本法では，精神障害者が同法にいう「障害者」として明確に位置付けられ，これまでの保健医療対策に加え，福祉施策の対象となることが求められるに至った。こうした流れの中で，1995（平成7）年改正では，精神保健法から「精神保健及び精神障害者福祉に関する法律」（精神保健福祉法）へと名称を改め，「医療及び保護」の章（第5章）に加え，「保健及び福祉」の章（第6章）を設け，医療にとどまらず福祉も重要な柱とされるに至った。

さらに，2005（平成17）年障害者自立支援法により，通院医療が同法に移行し，居宅・在宅の福祉サービスとともに障害者福祉法制の中での位置づけを与えられた。

このように，精神障害者に対する施策は，医療を軸としながら次第に福祉的施策の充実・強化を図る方向で展開してきた。2016（平成28）年7月に発生した障害者支援施設での多数の入居者の殺傷事件（やまゆり園事件）を契機として議論がなされ[224]，精神障害にも対応した地域包括ケアシステムの構築を図るための取り組みがなされている[225]。

223）1984（昭和59）年，栃木県宇都宮市の宇都宮病院で，入院患者に対する虐待（2名死亡）や無資格診療などの人権侵害が明らかになった事件。

224）厚生労働省障害保健福祉部「これからの精神保健医療福祉のあり方に関する検討会報告書」（2017〔平成29〕年2月）参照。

以下では，障害者自立支援法（2012〔平成 24〕年改正により，「障害者の日常生活及び社会生活を総合的に支援するための法律」〔障害者総合支援法〕と改称）制定後も残された精神保健福祉法上の障害者医療・福祉に係る施策を中心に概略を述べておく[226]。

2　精神保健福祉法上の機関等

精神科医療においては，患者の意思に反して入院治療や一定の行動制限を行うことが少なくないことから，人権の制限を伴う医療及び保護の要否等を判定する権限を有するものとして（精神 19 条の 4），精神保健指定医の制度を設けている。その指定は，一定の要件を充たす者の申請に基づき厚生労働大臣が行う（同 18 条）[227]。

精神科病院は，主として精神障害者（この定義については **4** 参照）を収容する病院であり，原則として都道府県が設置義務を負う（同 19 条の 7 第 1 項）。ただし都道府県知事は，国や都道府県など以外の者が設置した精神科病院を，都道府県が設置する精神科病院に代わる施設として指定することができる（指定病

225）　同上「精神障害にも対応した地域包括ケアシステムの構築に係る検討会報告書」（2021〔令和 3〕年 3 月）参照。

226）　障害者総合支援法制定後，同法に規定された自立支援医療については，第 8 章第 3 節第 3 款 **1** 参照。

227）　精神保健指定医の指定申請にあたり，虚偽の内容の書面に確認の証明文を付す指導医としての署名につき，指定医指定取消処分と医業停止処分が適法とされた事案として，東京高判平 29・1・26 訟月 63 巻 8 号 1945 頁。この事案で問題になった聖マリアンナ医科大学病院での精神保健指定医の指定の不正取得事件の再発防止を図り，その資質を担保するとの観点から，2017（平成 29）年廃案となった精神保健福祉法改正法案では，指定医の資質確保のための指定要件としての実務経験に係る指導や指定又は指定更新に係る参加研修の充実，指導医の位置付けの明確化，処分対象者等への対応としての再教育研修の仕組みの導入などの規定をおいていた。他方，指定医指定申請にあたり提出したケースレポートは，原告が自ら担当として診断又は治療に十分な関わりを持ったと認められる症例について作成されたものであると認定し，指定取消処分の取消請求を認容する裁判例も目立っている。東京地判令元・9・12 判時 2456 号 15 頁，高松高判令 2・3・27 判例集未登載（LEX/DB 文献番号 25565457），大阪地判平 2・6・4 裁判所ウェブサイト（LEX/DB 文献番号 25571174）。東京高判平 2・2・6 判例集未登載（LEX/DB 文献番号 25565694）は，指定後 4 年 4 ヵ月経過後，指定申請時における行為のみをもって指定取消処分を行ったことを重視し，裁量権の逸脱又は濫用であるとして同様の結論を示す。

院。同19条の8)。

このほか，精神保健福祉活動を担当する機関として，都道府県が設置する精神保健福祉センター（同6条)，厚生労働大臣が指定する精神障害者社会復帰促進センター（同51条の2以下）のほか，保健所（地域保健6条10号）などがある。

3　医療及び保護

精神障害者については，従来，原則として後見人又は保佐人，配偶者，親権を行う者及び扶養義務者が保護者となり，治療を受けさせ，財産上の利益を保護しなければならないものとされていた。しかし，家族の高齢化等に伴い負担が大きくなっている等の理由から，この保護者制度は2013（平成25）年改正により廃止された。

入院医療にはいくつかの類型が定められている。このうち原則となるのが，本人の同意に基づく任意入院であり，精神科病院の管理者は，精神障害者を入院させる場合においては，本人の同意に基づいて入院が行われるように努めなければならない（精神20条)。本人の同意に基づく入院であることから，任意入院者から退院の申出があった場合には原則としてその者を退院させなければならない（同21条2項。ただし一時的措置として同条3項・4項参照)。

これに対し，非任意入院の形態としては，強制力の強い順に，①措置入院（同29条1項)，②医療保護入院（同33条1項)，③応急入院（同33条の7第1項）がある。

このうち①は，指定医による診察の結果，その診察を受けた者が精神障害者であり，かつ，医療及び保護のために入院させなければその精神障害のために自傷他害のおそれがあると認めたとき，都道府県知事に精神科病院又は指定病院に入院させる権限を付与したものである[228]。さらに都道府県知事は，精神障害者又はその疑いのある者について，急速を要し，所定の手続（同27条～29

228）本人の同意に基づかず，強制的な契機をもつ入院であることから，その適法性が裁判上争われることがある。最近の裁判例として，東京地判平31・1・15判例集未登載（LEX/DB文献番号25557730)，東京高判平29・7・5裁判所ウェブサイト（LEX/DB文献番号25449953)，東京地判平27・3・20判例集未登載（LEX/DB文献番号25525404)，東京地判平25・3・22判例集未登載（LEX/DB文献番号25511961)（いずれも患者側の請求棄却)。東京地判平29・2・7判例自治431号36頁（前掲・東京高判平29・7・5の原審）は，入院措置が解除された後においても，当該措置入院決定の取消を求める訴えの利益を肯定する。

条）を採ることができない場合において，指定医の診察の結果，自傷他害のおそれが著しいと認めたときは，72時間以内に限り精神科病院又は指定病院に入院させることができる（緊急措置入院。同29条の2)。措置入院及び緊急措置入院の費用は国が4分の3，都道府県が4分の1を負担し（同30条)，健康保険法，労災保険法，介護保険法等による医療に関する給付が行われ得る場合，当該給付が優先される（同30条の2)。

②は，指定医による診察の結果，精神障害者であり，かつ，医療及び保護のため入院の必要があると認めた者につき，その家族等のうちいずれかの者（配偶者，親権を行う者，扶養義務者及び後見人又は保佐人。同33条2項）の同意（家族等がない場合等においては，その者の居住地を管轄する市町村長。同条3項）があれば，精神科病院の管理者が本人の同意がなくてもその者を入院させることができるとするものである。2013（平成25）年改正により，精神科病院の管理者に対し，医療保護入院者の退院後の生活環境に関する相談及び指導を行う者の設置（同33条の4)，地域援助事業者（入院者本人や家族からの相談に応じ必要な情報提供等を行う相談支援事業者等）との連携（同33条の5)，退院促進のための体制整備（同33条の6）を義務付け，退院による地域生活移行促進を図るための措置を講じた。

③は，知事が指定する精神科病院の管理者に対し，医療及び保護の依頼があった者について，急速を要し，保護者の同意を得ることができない場合において，指定医の診察の結果，その者が精神障害者であり，かつ，直ちに入院させなければその者の医療及び保護を図る上で著しく支障がある者であると認めた場合，本人の同意がなくとも72時間以内に限りその者を入院させる権限を与えたものである。

精神科病院では，行動制限など特に入院患者の人権に配慮する必要性があることから，処遇への規制や，知事への報告義務，大臣及び知事による報告徴収・改善命令などに係る詳細な規定をおいている（同36条以下)。

4　保健及び福祉

精神障害者とは，統合失調症，精神作用物質による急性中毒又はその依存症，知的障害，精神病質その他の精神疾患を有する者をいうと定義される（同5条)。精神障害者は，知的障害者を除き，都道府県知事に精神障害者保健福祉手帳の交付を申請することができる（同45条，精神令6条）[229]。現在，保健福祉施策の多くは障害者総合支援法に基づき展開されており，精神保健福祉法では，相談指導等（精神47条），精神保健福祉相談員（同48条），事業の利用の調整等（同49条）に係る規定がおかれている。

第2款　公費負担医療

第1款で取り上げた措置入院制度と同様，通常の保険診療と異なり公費で賄われる医療が存在する。既に高額長期疾病（特定疾病）に係る高額療養費の特例や難病患者に対する医療費助成などについては触れたので[230]，以下では，その他のいくつかにつき触れておく。

1　医療扶助

資力がなく医療保険に加入できない世帯については，生活保護法上の医療扶助が支給される（生活保護15条・34条）。医療扶助のみを受給している（いわゆる単給）世帯も少なくない（第6章第5節第3款）。

2　福祉医療・自立支援医療

従来，身体に障害のある児童に対し生活の能力を得るために必要な医療の給付である育成医療，身体障害者が更生するために必要な医療の給付である更生医療につき，それぞれ児童福祉法，身体障害者福祉法に規定がおかれ，これらを総称して福祉医療と呼んでいた。しかし，これらの制度は，2005（平成17）年障害者自立支援法（2012〔平成24〕年改正により障害者総合支援法と改称）の下，自立支援医療という形で整理された（第8章第3節第3款1）。

ただし現在でも，福祉各法上，養育のため入院を必要とする未熟児に対する

229）　精神障害者保健福祉手帳の交付は，通院医療に係る医師の診断書が不要とされるなどの法律効果と結びついているため，行政処分性が認められると解される。これに対し，その目的が，所持者が一定の精神障害の状態にあることを示すことにより各種の支援を受けやすくすることにあるとし，療育手帳と同様，処分性を消極的に解することもできるとするものに，笠木ほか321頁。

230）　注126）参照。

養育医療（母子保健20条），骨関節結核その他の結核にかかっている児童に対し，療養に併せて学習の援助を行うため，これを病院に入院させて行う療育の給付（児福20条）に係る規定は残されている。

3　原爆医療

第二次世界大戦末期に投下された原子爆弾による被爆者の健康被害等に対しては，特別な立法による配慮がなされてきた。まず1957（昭和32）年原子爆弾被爆者の医療等に関する法律（原爆医療法）では，被爆者への被爆者健康手帳の交付に加えて，健康管理，国庫負担による医療給付がなされた。次いで1968（昭和43）年には，原子爆弾被爆者に対する特別措置に関する法律（原爆特別措置法）が制定され，被爆者への諸手当の支給が行われることになった。これらのいわゆる原爆2法は，1994（平成6）年「原子爆弾被爆者に対する援護に関する法律」（被爆者援護法）に一本化された。

最高裁によれば，旧原爆医療法は，被爆者の健康面に着目して公費により必要な医療の給付を行うという社会保障法としての性格と，原子爆弾の被爆による健康上の障害が戦争という国の行為によってもたらされたものである点で実質的に国家補償的配慮が制度の根底にあるとの複合的性格を有するものと捉えられている[231]。同判決では，不法入国した韓国人被爆者に対して同法の適用が認められた。

原爆医療に係る医療の給付に際しては，①原子爆弾の傷害作用に起因して負傷し，又は疾病にかかったこと（放射線起因性）[232]と，②現に医療を要する状態にあること（要医療性）[233]の要件の充足が必要とされ（被爆者10条1項），この点をめぐって非常に多くの訴訟が提起されており，原告の請求を認容し，原爆症認定申請却下処分の取消し等を認める裁判例も少なくない[234]。

231）　最1判昭53・3・30民集32巻2号435頁。

232）　①について，「特定の事実が特定の結果発生を招来した関係を是認し得る高度の蓋然性を証明する」必要があるとしたものに，最3判平12・7・18集民198号529頁。

233）　②に関連して，経過観察につき，「経過観察自体が，当該疾病を治療するために必要不可欠な行為であり，かつ，積極的治療行為（治療適応時期を見極めるための行為や疾病に対する一般的な予防行為を超える治療行為をいう。……）の一環と評価できる特別の事情があることを要する」としたものに，最3判令2・2・25民集74巻2号19頁。

234）　ごく最近の裁判例に限っても，一部認容を含む認容例として，広島高判令2・6・22裁判所

医療の給付以外になされる健康管理手当の支給に関しては，国内に居住する日本国民への適用を意図した政府解釈[235]が違法であることを前提として，いったん日本国内で受給権を取得した被爆者が国外に出国した場合や[236]，被爆者健康手帳の交付を受けて国外に居住する外国人被爆者につき[237]，援護法上の支給義務を認めた判決がある[238]。

4　感染症医療

感染症の予防とともに感染症の患者に対する医療に関し必要な措置を定めるものとして，旧結核予防法を引き継いだ「感染症の予防及び感染症の患者に対する医療に関する法律」（感染症予防法）がある。同法により，都道府県に対し，感染症入院患者の医療費負担を義務付けるとともに（感染症37条），結核患者

ウェブサイト（LEX/DB 文献番号 25566456），長崎地判令元・5・27 判例集未登載（LEX/DB 文献番号 25563559），大阪地判令元・5・23 裁判所ウェブサイト（LEX/DB 文献番号 25570818），大阪地判平 31・2・28 裁判所ウェブサイト（LEX/DB 文献番号 25570205），大阪地判平 30・1・23 判タ 1450 号 128 頁などがある。広島地判令 2・7・29 判時 2488＝2489 号 16 頁は，健康診断受診者証交付申請却下処分の取消と被爆者健康手帳の交付義務付けを認め，控訴審でも結論が維持された。広島高判令 3・7・14 裁判所ウェブサイト（LEX/DB 文献番号 25590503）。

235）「原子爆弾被爆者の医療等に関する法律及び原子爆弾被爆者に対する特別措置に関する法律の一部を改正する法律等の施行について」（昭 49・7・22 衛発 402 号。いわゆる 402 号通達）。大阪高判平 30・12・20 判時 2411 号 15 頁（国の職員が違法な通達〔402 号通達〕を発したことによる損害賠償請求権は，遅くとも被害者が死亡した日から 20 年の経過により除斥期間により消滅するとされた例）参照。

236）最 3 判平 18・6・13 訟月 53 巻 10 号 2802 頁。ただし本判決では，支給義務を負うのは従前支給義務を負っていた最後の居住地の都道府県であり，国ではないとして，国に対する請求を棄却した。このほか，最 3 判平 19・2・6 民集 61 巻 1 号 122 頁（知事による消滅時効の主張が信義則に反し許されないとした例），最 1 判平 19・11・1 民集 61 巻 8 号 2733 頁（違法な 402 号通達に従った失権取扱いが違法であるとし国家賠償請求が認められた例），最 1 判平 29・12・18 民集 71 巻 10 号 2364 頁（健康管理手当認定申請却下処分等の取消等を求める訴訟につき，訴訟の係属中に申請者が死亡した場合，受給権の相続財産性を認め，訴訟承継を認めた例）参照。

237）福岡高判平 17・9・26 判タ 1214 号 168 頁（在韓被爆者の健康管理手当認定申請につき，被爆者援護法 27 条 2 項の「都道府県知事」は「居住地の都道府県知事」に限定されないとした例）。

238）在外被爆者が一般疾病医療費（被爆者 18 条 1 項）の支給を受けられるかについても，判例は積極に解している。最 3 判平 27・9・8 民集 69 巻 6 号 1607 頁。

の医療費負担を行う権限を付与している（公費負担割合は95%。同37条の2）。ただし，いずれの場合も，医療保険や介護保険の医療に関する給付が優先される（同39条1項）。

この法律は，2020（令和2）年2月以降の新型コロナウイルス感染症の蔓延に伴い，2021（令和3）年に改正され，新型コロナウイルス感染症と再興型コロナウイルス感染症を「新型インフルエンザ等感染症」の中に位置づけた（同6条7項3号・4号）[239]。

5　子どもの医療費助成

都道府県及び市町村などの地方公共団体は，子育て支援策の一環として，医療保険制度へのいわば上乗せとして，独自に子どもの医療費助成を行っている。対象年齢や所得制限・一部負担金の有無など，内容は地方公共団体によって多様であるが，最近，急速に普及し，内容も充実してきた[240]。

こうした国に先んじた施策の充実は，1970年代に行われた老人医療費無料化を想起させる。しかし，貧困・低所得世帯等における子どもの助成であればともかく，子育て世帯全体への助成は，モラル・ハザード（必ずしも必要とは言えない受診等を招く）の懸念のほか，助成が自治体の公費で賄われることからしても，一定の歯止めがかけられる必要があると思われる。

第3款　保健事業・疾病予防

1　地域保健

地域保健対策は，医療そのものの提供とは異なるものの，地域住民の健康の保持及び増進に寄与することを目的とすることから，医療保障と密接な関わり

239）国や地方自治体間の情報連携，都道府県知事による入院調整，宿泊療養・自宅療養の法的位置づけ，入院勧告・措置の見直し，などに係る改正がなされた。

240）厚生労働省の調査によれば，乳幼児等医療費に対する援助の実施状況（令和2年4月1日現在）として，47都道府県（通院・入院とも），1741市区町村（通院・入院とも）すべての自治体が，何らかの援助策を導入しており，都道府県では就学前までの児童が最も多く，市区町村では通院，入院ともに15歳年度末（中学生まで）が最も多かったとされている。「令和2年度『乳幼児等に係る医療費の援助についての調査』について」（令和3年9月7日報道発表資料〔厚生労働省ウェブサイト〕）。

を有する。地域保健サービスの重要な担い手となるのが保健所である。1947（昭和22）年保健所法により規律されていたものが，1994（平成6）年「地域保健対策強化のための関係法律の整備に関する法律」により地域保健法と改称された。

地域保健法の下で，都道府県，中核市その他の政令で定める市又は特別区が設置する保健所に関する規定が整備され（地域保健5条以下），母子保健をはじめとして地域保健の広域的・専門的拠点としての機能が強化された。さらに，住民に対し健康相談，保健指導及び健康診査その他地域保健に関し必要な事業を行うことを目的とする施設として，市町村が市町村保健センターを設置することができるものとし（同18条），その整備を促進するための国庫補助規定を設けた（同19条）。

2　疾病予防・健康増進

高齢化の進展や生活習慣病など疾病構造の変化に伴い，国民の健康増進の重要性が著しく増大しているとの基本認識から，2002（平成14）年健康増進法が制定された。同法で健康増進事業実施者と位置づけられる医療保険及び介護保険の保険者など（健康増進6条）は，健康教育，健康相談その他国民の健康の増進のために必要な事業（健康増進事業）の積極的推進に努めなければならない（同4条）。他方，厚生労働大臣は，国民の健康の増進の総合的な推進を図るための基本的な指針（基本指針）を定め（同7条），都道府県は，基本方針を勘案して，当該都道府県の住民の健康の増進の推進に関する施策についての基本的な計画（都道府県健康増進計画）を定めるものとする（同8条）。具体的な施策としては，市町村による生活習慣相談等の実施（同17条）及び健康増進事業の実施（同19条の2），都道府県による専門的な栄養指導その他の保健指導の実施（同18条）などが掲げられている。このほか，受動喫煙の防止に係る多数の者が利用する施設を管理する者に対する努力義務（同25条）なども規定されている。

同法による健康増進事業の推進は，住民の健康の保持の推進を掲げた2006（平成18）年医療保険制度改革における疾病予防への関心の高まりとも軌を一にしている。高齢者医療確保法では，各医療保険者が40歳以上75歳未満の加入者を対象に，生活習慣病の発症・重症化を予防するために，特定健康診査・

特定保健指導を行うものとする旨定めている（高齢医療20条，24条。第７節第４款参照）。

第９節　医療保障を取り巻く課題

医療保障を取り巻く課題は山積している。以下では，このうち医療保険改革をめぐる議論のうち，主として保険者のあり方をめぐる議論の変遷をたどったうえで，いくつかの今日的課題に触れておきたい。

第１款　医療保険改革をめぐる論議

国民皆保険の整備，老人医療費無料化，高額療養費制度の導入などの諸施策を通じて，日本の医療保険制度は給付の充実が図られてきた。しかしながら，人口の高齢化や医療の高度化などを背景として，医療費は増大を続ける一方，経済基調の変化に伴い，医療費の伸びと経済成長率との不均衡が拡大した。こうした状況下で，医療保険制度改革が政策課題となっていった。

かつて，医療保険をめぐる公平の問題は，主として職域保険（健保・共済）と地域保険（国保）との間での一部負担金や保険料などの格差の調整（世代内公平）という観点から論じられてきた。しかし次第に，公平の問題は，老人保健制度の下，現役世代よりも低い費用負担に留め置かれる一方，１人当たり医療費が現役世代の５倍ともいわれた高齢者の医療費問題を軸に据え，世代間公平の観点から活発に議論されるに至った。

1997（平成9）年改正に端を発する改革論議の中で[241]，新たな高齢者医療制度のあり方をめぐる議論は，①独立保険方式（すべての高齢者を対象として，各医療保険制度から独立した高齢者医療保険制度を設ける），②突き抜け方式（被用者OBを対象とする新たな保険者を創設し，その医療費を被用者保険グループ全体で支える仕組みを設ける），③年齢リスク構造調整方式（現行の保険者を前提とし，保険者の責によらない加入者の年齢構成の違いによって生じる各保険者の医療費支出の相違を調整し，保険者間の負担の不均衡を調整する），④一本化方式（現行の医療保険制度を

241）　菊池・将来構想122頁以下。

一本化し，被用者保険か否か，高齢者か若年者かで区別せず，すべての者を対象とする新たな医療保障制度を設ける）の4案をめぐって展開された[242]。2002（平成14）年改正では，高齢者一部負担の完全定率化（原則1割，上位所得者は2割），老人医療対象年齢の70歳から75歳への引上げ，被用者本人自己負担の3割への引上げ，保険料賦課に係る総報酬制の導入など重要な改正がなされたものの，依然として抜本改革には至らなかった。ただし同改正法附則2条2項では，保険者の統合及び再編を含む医療保険制度の体系のあり方や新しい高齢者医療制度の創設などにつき，政府が基本方針を策定するものとし，当該基本方針に基づいてできるだけ速やかに所要の措置を講ずるものと規定された。そこで同年12月，厚生労働省は試案「『医療保険制度の体系の在り方』『診療報酬体系の見直し』について」を公表し，「制度を通じた給付の平等・負担の公平を推進することによって，医療保険制度の一元化を目指す」としたうえで，保険者の再編・統合につき，基本的には都道府県単位を軸として行うことが望ましいとし，市町村単位であった国保の保険者単位の都道府県への拡大，全国一本であった政管健保の都道府県単位での財政運営などを提案した。この基本的方向性は，2006（平成18）年改革で一部実現をみた。また高齢者医療制度改革については，老人保健制度を廃止したうえで，（A）制度を通じた年齢構成や所得に着目した財政調整を行う案と，（B）後期高齢者に着目した保険制度を創設する案を提示した。結果的には，65歳以上75歳未満の前期高齢者については（A）案，75歳以上の後期高齢者については（B）案を取り入れた折衷的な制度改革として実現をみた。つまり従来の老人保健法を全面改正し，名称もいわゆる高齢者医療確保法と変更したうえで，前期高齢者につき各医療保険制度の下で財政調整を行う一方，後期高齢者については別建ての医療保険の仕組み（後期高齢者医療制度）を設けたのである。

2006（平成18）年改革により明確となった都道府県単位での保険者の再編成という方向性は，2015（平成27）年改正により，都道府県が当該都道府県内の市町村とともに国保の保険者となることで，大きく進展が図られた。こうした都道府県単位での医療保険の運営枠組みは，一定の規模の確保による安定的な

242）　厚生労働省高齢者医療制度等改革推進本部事務局編『医療制度改革の課題と視点』（ぎょうせい，2001年）34-35頁。これらの案は，医療制度改革のあり方を考えるうえでいまでも参考になる，集約化された4つの考え方であると言ってよい。

財政運営の必要性，都道府県単位での医療計画など医療供給体制の整備（医療30条の4以下），都道府県内でほぼ完結している医療サービス提供の実態などからすると，積極的に評価し得る面がある。ただし，地域包括ケアや地域共生社会など，地域における医療・保健・介護等の連携や，タテ割りの制度を超えた地域単位での包括的支援体制の整備が政策課題となる中にあって，将来的に，財政運営を超えた保険者の役割を，より広域の都道府県単位で行わせることが適切かについては，改めて検討する必要がある。

他方，職域保険においても，中小・零細企業を対象とする全国健康保険協会の運営につき，支部での評議会の設置や支部毎の保険料率の設定など，都道府県単位の運営がなされつつあり，この方向性を今後さらに強めていくことが考えられる[243)]。非正規雇用労働者の割合の増大（労働者の4割近くを占める）や，国保加入者における第1次産業従事者・自営業者の激減といった状況を勘案した場合，その延長線上には，職域保険と地域保険という枠組み自体の妥当性が問われる事態も予想される[244)]。大企業を中心とする健康保険組合（それは労使による運営の自主性が相対的に高く，保険者としての適格性の高い組織とも言い得る）の存在意義をどう評価するかという問題があるものの，既に2006（平成18）年改正により，同一都道府県内における健保組合の統合を促進するため，企業・業種を超えた地域型健康保険組合の設立が認められた。後期高齢者医療制度への総報酬割による高額の拠出金負担が，将来ますます過重になれば，相対的に重い負担を負っている健保組合の多くが解散せざるを得ない事態に追い込まれることも十分予想され得る。

これに対し，後期高齢者については，有病率・罹患率の高さなど現役世代と異なる面が指摘され，別建ての制度としたことにも一定の合理性がある。従来，被用者保険（健保・共済）の被扶養者となることが多かった後期高齢者を被保険者として位置づけ，独自の保険料負担を負わせたことも，高齢者医療におけ

243）　笠木ほか248頁は，こうした都道府県単位での保険者単位の収斂傾向を捉えて，これが規模の利益による保険の安定という観点や，医療費抑制に向けた都道府県行政との連携という観点から生じているのであれば，そもそも社会保険の仕組みを採用し続けることに理論的にどのような意味があるのかを疑う余地がある旨述べる。

244）　菊池・将来構想150頁は，都道府県を基本的単位とする地域保険への統合・一本化を主張する。

る負担と給付の公平という観点から積極的に評価できる面がある。他方，現役世代とは別建ての制度とし，5割の公費負担のほか，4割近い現役世代からの支援金（それ自体の根拠が不明確あるいは薄弱でないかとの批判がなされている）[245]で財源を賄うことに対しては，後期高齢者をほぼ一方的に「保護されるべき客体」とみなすことになるのではないか，世代間対立を助長しかねないのではないか，そもそも被保険者の保険料負担が約1割というのでは，社会保険の本来的意義としての民主的参加機能を重視する規範的立場からは[246]同機能の実効的な発揮にとって不十分ではないか，といった問題がある[247]。既に制度が軌道に乗っているとしても，少なくとも理念的には，前期高齢者と同様，後期高齢者も，現役世代と同一の保険者の下で被保険者として位置づける方向性が妥当ではないかとの議論があり得る[248]。

第2款　今後の改革に向けて

2012（平成24）年の社会保障・税一体改革では，公的年金と子ども・子育て支援を中心とした法改正がなされ，医療に関しては，介護保険とともに課題として残された。同年末の政権交代後，自民・公明・民主3党の合意の枠組みの下に検討を進めた社会保障制度改革国民会議は，2013（平成25）年8月の報告書において，医療保険制度改革の課題として，①国民健康保険の保険者の都道府県への移行などの財政基盤の安定化，低所得者への保険料軽減措置の拡充や後期高齢者支援金に対する総報酬割の全面適用などの保険料負担の公平の確保，

245）　堤・前掲書（注215）63-64頁，加藤智章「医療保険制度の変容と保険者のあり方」『社会保障法』26号（2011年）114頁。この支援金は，碓井・精義275頁では「限りなく租税に近い性質を有する」ものと解し，江口隆裕『変貌する世界と日本の年金』（法律文化社，2008年）201頁は，「準公共財としての後期高齢者医療に係る負担金」との見解を示している。このほか，新田秀樹「財政調整の根拠と法的性格」『社会保障法研究』2号（2013年）72-73頁，加藤・前掲書（注94）207-208頁参照。

246）　太田匡彦「社会保険における保険性の在処をめぐって」『社会保障法』13号（1998年）83頁参照。

247）　菊池・将来構想41-44頁，149頁。

248）　菊池・将来構想150頁。その場合，現行健保法における被扶養者の仕組みも（健保と国保の将来的統合を視野に入れるとすればなおさら），保険料賦課の対象とする方向性が考えられる。同書143頁。

②紹介状のない患者の一定病床数以上の病院の外来受診に係る定額自己負担，中低所得層の負担が重くなっている高額療養費制度の限度額の見直し等の医療給付の重点化・効率化（療養の範囲の適正化等）などを指摘した。同年成立した「持続可能な社会保障制度の確立を図るための改革の推進に関する法律」（いわゆるプログラム法）は，社会保障制度改革国民会議の審議の結果等を踏まえ，改革の全体像・進め方を明示するに至った。上記の諸課題については，2015（平成27）年改正をもって，概ね実施されたものと評価できる。

「団塊の世代」といわれる戦後生まれのベビーブーム世代がすべて75歳以上となる2025（令和7）年を控えて，超高齢社会を乗り切る医療・介護対策の展開が求められている（いわゆる2025年問題）。そのひとつの対策として，取り組まれているのが，「地域包括ケアシステムの構築」である（第8章第2節第1款参照）。上述の2015（平成27）年プログラム法によれば，地域包括システムは「地域の実情に応じて，高齢者が，可能な限り，住み慣れた地域でその有する能力に応じ自立した日常生活を営むことができるよう，医療，介護，介護予防……，住まい及び自立した日常生活の支援が包括的に確保される体制」と定義される（同4条4項。地域における医療及び介護の総合的な確保の促進に関する法律2条1項も同じ）。本章で取り上げた2014（平成26）年改正法（「地域における医療及び介護の総合的な確保を推進するための関係法律の整備等に関する法律」）による地域医療構想の策定，地域医療支援センターによる医師確保支援等もこの政策枠組みの中で捉えられる。高齢者が住まう地域を基盤として，医療・介護といったタテ割りの政策体系を超えた発想が求められるとともに，さらに進んで，高齢者のみならず生活困窮者や障害者・子どもなども含む広範かつ包括的な「地域共生社会」構想の下での支援体制の整備（第6章第9節）も視野に入れる必要がある。

戦後，公衆衛生の増進，所得水準の上昇，医学の発展，医療保険制度の整備等の要因により，国民の寿命は大きく伸びた。しかし，それが高齢者人口の増加による医療費の増嵩をもたらす要因となったことも事実である。医療費の増大は，新しい治療技術・薬剤等の開発によってもたらされる面も大きい。上述の2025年問題を控えて，医療費の増大[249]をいかにして抑制するかが重要な政

249）　国民医療費は，2004（平成16）年度32兆1111億円，2009（平成21）年度36兆67億円，2014（平成26）年度40兆8071億円，2019（令和元）年度44兆3895億円と増大している。「令

策課題となっている。こうした観点から，2006（平成18）年改革による医療費適正化計画の策定など，長期にわたる医療費の適正化が政策課題となっている。近時，膨大な健康・医療・介護のデータを整理・分析するとの観点からデータヘルスの推進が注目を集め，2019（令和元）年改正でも，医療保険レセプト情報等のデータベース（NDB）と介護保険レセプト情報等のデータベース（介護DB）について，各DBの連結解析を可能とするとともに，公益目的での利用促進のため，研究機関等への提供に関する規定の整備（審議会による事前審査，情報管理義務，国による検査等）を行うための法整備が行われた。これらは，国民に対する最適な健康管理・診療・ケアの実現といった目的を有しながらも，保険者機能の強化，予防医療の促進や生活習慣病対策などを通じた医療費適正化とも無縁ではない。

こうして様々な効率化・適正化策を講じる一方，費用負担とも連動した医療保険でカバーすべき給付の範囲の見直し（高齢者に対する独自の診療報酬体系の導入などを含む）をめぐる議論[250]や，国民の医療へのアクセスをめぐる議論（かかりつけ医機能の一層の推進などを含む）[251]を，本格的に行うべき時期にきている。医療は，人の生命・健康という至高の価値に関わる以上，経済的観点のみならず，医療倫理，人権といった観点にも十分留意する必要はあるものの，議論すること自体を避けて通ることはもはや許されない[252]。

和元年度国民医療費の概況」（厚生労働省ウェブサイト）。

250）論点は多岐にわたるが，たとえば，薬事承認と保険収載がほぼ連動している現状（注〔156〕参照）をどうみるかという問題がある。この点につき，保険償還の可否の判断に用いるのではなく，保険収載したうえで価格調整に用いるとはいえ，2019（平成31）年4月より，市場規模が大きい，または著しく単価が高い医薬品・医療機器を対象とした費用対効果評価制度が開始された点が注目される（2021〔令和3〕年12月現在28品目が対象）。保険収載されない医薬品の扱いにつき，保険外併用療養費の新カテゴリーとする考え方として，印南一路「保険給付の哲学について」『週刊社会保障』3002号（2018年）27頁。基本的な考え方としては，平等の契機が重視される医療給付において，画期的な治療効果のある新薬などが，高額であるがゆえに保険の対象外となることは適切ではないと思われる。菊池・社会保障再考81頁。

251）かかりつけ医には情報の非対称性という状況下に置かれている患者の支援主体としての役割も期待され得るという見地から，かかりつけ医による診療を義務化するのではなく（いわゆるゲートキーパーとしてのかかりつけ医），これを診療報酬上反映させ，政策的誘導を行うこと自体，積極的に評価してもよいと考えられる。菊池・将来構想140頁。大病院への集中を防ぐための紹介状のない受診に対する定額自己負担の拡大（保険外併用療養費制度の選定療養への位置づけ）なども，基本的には肯定的に捉えられる。

252）　菊池・法理念第６章。

第8章
社会サービス保障

年金・医療と並んで日本の社会保障制度の一領域を構成してきたのが社会福祉の領域である。社会福祉は，歴史的には公的扶助と結びついた貧困・低所得者施策としての色合いが濃かったものの，現在では，所得のいかんに関わらない普遍的な給付としての性格をもつようになった。社会福祉の領域は，年金・医療分野と比べると相対的に発展が遅れてきた分野であり，20世紀末からようやく本格的展開が図られたと言っても過言ではない。

本章では，基本的には高齢者・障害者・児童といった多様な属性をもつ人々に対する社会福祉サービスの歴史的展開や法的枠組みを中心に叙述していく。

ただし，本書が重視する自律の支援という社会保障法の目的からすれば，狭義の社会福祉として考えられてきた諸サービスだけでは必要な法制度を十分捉え切れないという側面がある。そこで本章では，「社会サービス保障」という概念を立て，広い視角から捉えることにしたい。

第1節　社会サービス保障総論

本節では，次節以下で対象者別に各論を叙述する前に，社会福祉と社会サービスの意義を明らかにした後，社会福祉サービス供給体制をめぐる法規制を概観し，次いで社会福祉基礎構造改革によって大きく変化した社会福祉法をはじめとする社会福祉法制全体の歴史的展開と「措置から契約へ」の転換，そして社会福祉法の概略をみていく。

第1款　社会福祉と社会サービスの意義

従来，老人福祉法上の老人福祉施設である養護老人ホームが，同法制定（1963〔昭和38〕年）前まで生活保護法上の養老院であったことに窺われるように，社会福祉は，公的扶助と結びついた貧困・低所得者施策としての色彩の濃いものであった。その後次第に，社会福祉は，身体障害，知的障害，老齢，母子家庭など生活を営む上での身体的・社会的ハンディキャップを要保障事由として捉え，それに対して所得のいかんにかかわらず非金銭的な給付を行うことにより，生活上のハンディキャップの軽減・緩和・除去を目指す制度[1)]といった理解が主流となった。

これに対し，たとえば保育所利用の変遷にみられるように，社会福祉は「保育に欠ける」児童への保育の提供といった消極的な意味での要保障事由の軽減・除去のみならず，子どもの育ちの支援といった積極的な意義をも有すること（第4節第6款），障害の医学モデルから社会モデルへの転換といった近時の動向を踏まえる必要性（第3節第2款），そして「個人の自律の支援」ないし「主体的な生の追求を可能にするための前提条件の整備」という社会保障の目的に着目する本書の立場からすると，ことさらにハンディキャップの観念を強調することなく，「生活を送る上で一定の社会的支援を必要とする人々に対するサービス給付を中核とする非金銭的給付」といった捉え方が相応しいように思われる。こうした理解を前提とした場合，その射程に入るのは，伝統的に社会福祉の領域の中に含められてきた諸サービスにとどまらない。「個人の自律の支援」を目的とする給付のあり方を考えるにあたっては，その外延の問題は残るとしても，たとえば障害者に対する就労支援や未就学児に対する幼児教育などを含んだ，対人社会サービスといったより広い視角が必要になってくるといわねばならない。

さらに従来の社会保障の制度別体系論によれば，社会福祉と社会保険を互い

1)　西村444頁参照。荒木・読本〔3版〕180頁も，「生活を営むうえでハンディキャップを負っている人びとに対して，社会的に組織されたサービスを提供して人間らしい生存を確保する制度」とする。

に相容れない別個の制度領域として捉える見方が一般的であった。しかしながら，こうした考え方を前提として，社会保険（介護保険）による給付が中核となる高齢者領域を社会福祉の下で論じることには違和感を禁じ得ない。

そこで本書では，以上の問題意識に鑑みて，「社会サービス保障」という章をおくことにした。ここで社会サービスとは，上述のように「生活を送る上で一定の社会的支援を必要とする人々に対するサービス給付を中核とする非金銭的給付」であり，伝統的な社会福祉サービス（高齢者福祉・障害者福祉・児童福祉・母子福祉）よりも広い射程を有している。

本章で取り上げる社会サービスは，サービス給付を中核とする点で年金や社会手当などの所得保障給付とは異なる。サービス給付という点では，医療保障の中核である療養の給付と共通性を有するものの，同給付は傷病の治療を直接の目的とする点で，生活そのものの社会的支援を目指す社会サービス給付とは性格を異にしている。

社会福祉を中心とする社会サービス分野は，年金・医療と比較して相対的に発展が遅れてきた分野であった。20世紀末になってようやく，いわゆる社会福祉基礎構造改革の名の下に抜本的な改革がなされ，社会保障全体の中で占める位置も次第に大きくなりつつある[2)]。

第2款　社会福祉サービス供給体制

社会福祉分野では，医療と同様，サービス給付が中心であることから，サービス供給主体の存在が不可欠である。以下では，従事者と事業主体・組織に関する法規制についてみていく。

1　社会福祉従事者

施設や在宅での福祉サービスの提供にかかわる職種としては，医療専門職と異なり資格化されているものが少ない（第7章第1節第1款1）。もちろん，医師

2)　社会保障給付費に占める「福祉その他」部門の割合は，1990（平成2）年度10.6%（医療39.3%，年金50.1%）であったのに対し，2020（令和2）年度（予算ベース）には22.5%（医療32.0%，年金45.5%）となった。厚生労働省編『令和3年版厚生労働白書（資料編）』（1 厚生労働全般）20頁。

や看護師などの医療専門職も社会福祉施設などで必置とされている場合が少なくない。しかし，いわゆる福祉専門職として国家資格となっているものとしては，社会福祉士・介護福祉士・精神保健福祉士があり，このほか心理職として，2015（平成27）年公認心理師法が制定されたにとどまる。

社会福祉士と介護福祉士については，社会福祉士及び介護福祉士法が定めている。このうち社会福祉士とは，登録を受け，専門的知識及び技術をもって，身体上若しくは精神上の障害があること又は環境上の理由により日常生活を営むのに支障がある者の福祉に関する相談に応じ，助言，指導，福祉サービスを提供する者又は医師その他の保健医療サービスを提供する者その他の関係者との連絡及び調整その他の援助を行うことを業とする者をいい（社福士2条1項），介護福祉士とは，登録を受け，専門的知識及び技術をもって，身体上又は精神上の障害があることにより日常生活を営むのに支障がある者につき心身の状況に応じた介護[3]を行い，並びにその者及びその介護者に対して介護に関する指導を行うことを業とする者をいう（同条2項）。前者は相談援助，後者は介護及び介護指導を主たる業務とする。いずれも名称独占（同48条）にとどまり，大多数の医療専門職のように業務独占ではない[4]。社会福祉施設等で無資格の職員が業務にあたっていても，違法とはいえない。生活指導員，寮母，ケアワーカーなどの呼称が用いられていても，これらは行政機関により付与される公的資格ではない。介護職員初任者研修課程を修了することにより，訪問介護員の資格が得られるけれども，その研修内容及び研修時間数（130時間）などからして，介護福祉士に匹敵する専門職とはいえない。

医療分野でも医療ソーシャルワーカー（MSW）が相談援助業務にあたっている。しかし国家資格としては，1997（平成9）年精神保健福祉士法により，精神保健医療分野のソーシャルワーカーが名称独占の下におかれてきたにとどまる。

3）2011（平成23）年改正（平23法72）により，喀痰吸引等を医師の指示の下に行うことが可能となった。第7章第1節第1款**3**参照。

4）ただし，注3）のように喀痰吸引等の診療補助業務（保助看5条）を行い得ることになったことで（社福士48条の2），介護福祉士の資格をもたない介護職には行い得ない業務の範疇が生じた。業務独占に係る明文規定はおかれていないものの，罰則規定があり（同53条4号），実質的には業務独占と同様の立場と言い得る。ただし，介護福祉士でなくとも認定特定行為業務従事者認定証の交付を受けた者に限り，喀痰吸引等のうち特定行為を行うことを業とすることができる（同附則3条1項）。

すなわち精神保健福祉士は，精神障害者の保健及び福祉に関する専門的知識及び技術をもって，精神科病院その他の医療施設において精神障害の医療を受け，又は精神障害者の社会復帰の促進を図ることを目的とする施設を利用している者の地域相談支援の利用に関する相談その他の社会復帰に関する相談に応じ，助言，指導，日常生活への適応のために必要な訓練その他の援助を行うことを業とする者をいう（精福士2条）。

公認心理師は，公認心理師法によれば，登録を受け，公認心理師の名称を用いて，保健医療，福祉，教育その他の分野において，心理学に関する専門的知識及び技術をもって，①心理に関する支援を要する者の心理状態を観察し，その結果を分析すること，②心理に関する支援を要する者に対し，その心理に関する相談に応じ，助言，指導その他の援助を行うこと，③心理に関する支援を要する者の関係者に対し，その相談に応じ，助言，指導その他の援助を行うこと，④心の健康に関する知識の普及を図るための教育及び情報の提供を行うこと，を業とする者をいう（同法2条）。

児童福祉分野の専門職として保育士が規定されている。都道府県知事が試験事務を行うものの[5)]，2001（平成13）年児童福祉法改正により法定化され（児福18条の4以下），名称独占（同18条の23）の下におかれている。このほか，社会福祉主事（社福18条，19条）・児童福祉司（児福13条）・身体障害者福祉司（身福11条の2，12条）・知的障害者福祉司（知福13条・14条）にかかる規定がおかれているものの，特定の行政事務を行う際の任用資格にとどまる。介護保険法では介護支援専門員（ケアマネージャー〔介保7条5項，69条の2以下〕）が規定され，重要な役割を果たしているものの，都道府県知事が行う試験に合格し，所定の研修の課程を修了したものが知事の登録を受けて介護保険法所定の業務を行うための資格であるにとどまる。

---

5)　実際には，一般社団法人全国保育士養成協議会が全都道府県から指定を受け，試験の実施に関する全ての事務を行っている。本文で述べるように名称独占資格であることからすれば，国家資格の一種であると言ってよい（この点で，初版の見解を改める。法令の中には，国家資格を「資格のうち，法令において当該資格を有しない者は当該資格に係る業務若しくは行為を行い，又は当該資格に係る名称を使用することができないこととされているものをいう」と定義するものがある。「出入国管理及び難民認定法別表第一の二の表の高度専門職の項の下欄の基準を定める省令」1条1項2号。法人税法施行令5条1項30号ホも，名称独占資格を国家資格の定義に含めている）。

以上のように，社会福祉分野においては，資格の面からみた場合，同じくサービス提供に従事する医療関係職種と比較して，業務の専門性が十分に確立されているとはいい難い状況にある。

2　社会福祉事業及び社会福祉の組織・機関

1951（昭和26）年社会福祉事業法は，2000（平成12）年改正により社会福祉法へと名称を変えた。同法は，「社会福祉を目的とする事業の全分野における共通的基本事項を定め」る法律として位置づけられるが（社福1条。第5款参照），ここでは社会福祉事業や社会福祉法人を中心とした社会福祉の供給体制や行政組織の規律についてみておく。

(1)　社会福祉事業

社会福祉法は，定義が困難である等の理由から，社会福祉事業の定義規定をおかず，これを第一種と第二種に分け，それぞれ限定列挙[6)]している（社福2条)。これらの種別は，公的責任の程度・重要性，対象者の権利保障の面からみた公的な規制の必要性の度合いによる区別である[7)]。このうち第一種社会福祉事業の多くは，重大な人権侵害を生ずる可能性がある入所施設の経営や，不当な搾取が行われやすい経済保護事業（無利子又は低利で融資を行う事業など）である。公的規制として，第一種社会福祉事業は経営主体に制限を設け，国，地方公共団体又は社会福祉法人による経営を原則としている（同60条。例外として同62条2項，67条2項)[8)]。これに対し，第二種社会福祉事業は在宅サービス・通所サービスなど相対的に事業実施に伴う弊害のおそれが比較的少ないものであり，民間の事業主体であっても都道府県知事への届出があれば足りるも

6)　桑原洋子『社会福祉法制要説〔第5版〕』（有斐閣，2006年）31頁。

7)　西村456頁。社会福祉法令研究会編『社会福祉法の解説』（中央法規，2001年）69頁は，「第一種社会福祉事業は，当該事業の実施により提供される福祉サービスの利用者に対する影響が特に大きいため，当該事業の継続性，安定性を確保する必要性が特に高く，相対的に強い公的規制が必要な事業である」とする。これに対し，第二種社会福祉事業は，「その事業の実施が社会福祉の増進に貢献するものであって，しかし事業実施に伴う弊害のおそれが比較的少ないものである」とする。同書80頁。

8)　従来の社会福祉事業法における事業主体助成法としての性格よりも，サービス利用者の権利保護を優先する立場から，事業規制法としての性格を強化すべきとの議論がある。この立場からは，事業主体いかんにかかわらず，同内容の事業には同程度の規制を行うことになろう。新田秀樹『社会保障改革の視座』（信山社，2001年）214-215頁，菊池・将来構想316頁など。

のとされた（同69条）[9]。入所させて保護を行うものにあっては5人未満，その他のものにあっては20人未満（政令で定めるものについては10人未満。社福令1条）のものは社会福祉事業に含まれない（社福2条4項4号）。施設については，設備の規模及び構造並びに福祉サービスの提供の方法，利用者等からの苦情への対応その他の社会福祉施設の運営について，都道府県が定める条例の規律の下におかれる（同65条1項）。上述した規模の制限のほか，社会福祉法2条4項は，更生保護事業（同項1号），実施期間が原則6ヵ月以内である事業（同項2号）など社会福祉事業に含まれない事業を例示的に掲げている[10]。

社会福祉事業経営の準則として，社会福祉法は，①国及び地方公共団体の責任の民間社会福祉事業への転嫁の禁止（同61条1項1号），②国及び地方公共団体による民間社会福祉事業に対する自主性の尊重と不当な関与の禁止（同項2号），③社会福祉事業経営者が不当に国及び地方公共団体の財政的，管理的援助を仰がないこと（民間社会福祉事業の独自性維持。同項3号）を規定する。ただし，①の規定にもかかわらず，国又は地方公共団体が，その経営する社会福祉事業について，福祉サービスを必要とする者を施設に入所させることその他の措置を民間事業者に委託することが認められている（同条2項）[11]。

社会福祉法上の社会福祉事業に関する法規制としては，先に述べた施設基準（同65条）等に係る調査（同70条），改善命令（同71条），許可の取消し等（同72条）の規定がおかれているが，さらに社会福祉の各分野を規律する法律によってその設置又は開始につき，行政庁の許可，認可又は行政庁への届出を要するものとされている施設又は事業である場合には，これらの他法が優先適用される場合がある。たとえば，老人福祉法上，特別養護老人ホームの設置主体は

9)　いわゆる貧困ビジネス対策として，無料低額宿泊所の規制を強化するとの観点から，自治体や社会福祉法人以外の者が住居の用に供するための施設（社会福祉住居施設）を設置して，第二種社会福祉事業を経営しようとするときは，事前届出制にするとともに（同68条の2第2項），都道府県が定める同施設にかかる最低基準を遵守しなければならないものとした（同68条の5第3項）。同基準を満たさない事業所に対しては，改善命令（同71条）や許可の取消等（同72条）の対象となる。これにより，同じ目的意識を持つ法人が個々の自主性を保ちながら連携し，規模の大きさを活かした法人運営を行うことが期待されている。

10)　限定列挙ではない。西村457頁，桑原・前掲書（注6）36頁。

11)　行政がその責任を明確にしつつ，民間の社会福祉事業経営者に対し，実費を支払って福祉サービスの提供を委託することを妨げるものではないことを入念に規定したものである。社会福祉法令研究会編・前掲書（注7）230-231頁。第3款**2**参照。

都道府県・市町村などを除くほか社会福祉法人及び日本赤十字社に限定され（老福15条4項，35条），生活保護法上の保護施設についても同様である（生活保護41条1項）。報告の徴収等，事業の停廃止及び認可取消しなどについても独自の規定がおかれている（老福18条，19条，生活保護43条〜45条）。

⑵　組織及び機関

福祉行政の第一線の現業機関となるのが福祉事務所である。都道府県，市（特別区を含む）は必置であり（社福14条1項），町村は任意にこれを設置することができる（同条3項）。町村が福祉事務所を設置しない場合，その区域は都道府県の福祉事務所の管轄となる（同条2項。一部事務組合又は広域連合を設置する場合を除く。同条4項）。都道府県の設置する福祉事務所は，生活保護法・児童福祉法・母子及び父子並びに寡婦福祉法（同条5項），また市町村（特別区を含む）の設置する福祉事務所は，生活保護法・児童福祉法・母子及び父子並びに寡婦福祉法・老人福祉法・身体障害者福祉法・知的障害者福祉法（同条6項）に定める一定の事務を所掌するものとされている[12)]。福祉事務所の指導監督・現業・事務を行う所員は社会福祉主事でなければならない（同15条6項）。

他方，民間組織として重要な役割を担っているのが，社会福祉法人である（同22条以下）。社会福祉法人は，社会福祉事業を行うことを目的とする特別法人であり，第一種社会福祉事業などの主要な担い手として位置づけられている[13)]。社会福祉法人は一般の公益法人よりも厳格な規制の下におかれ，検査・勧告・公表・措置命令・業務停止・役員解職勧告・解散命令といった一般的監督（同56条），公益事業又は収益事業の停止命令（同57条），助成に対する監督（同58条）などの規制を受ける。これは，先述した社会福祉事業に対する監督とは別の側面からの規制である。2000（平成12）年社会福祉事業法等改正により，従来措置事務の受託者[14)]としての位置づけであった社会福祉法人につき，契約制度の導入に伴い自主的な判断による事業経営を行う必要性を生じたことから，経営の原則に係る一般規定の創設をはじめとして（同24条），事業運営

12）　介護保険法や障害者総合支援法が含まれないことに留意する必要がある。

13）　一般の公益法人よりも厳格な規制（社福56条，58条2項）に服する社会福祉法人制度が創設された意義としては，後述するように憲法89条との整合性を図ることとした点が指摘されるのが通例である。第3款**2**参照。

14）　措置制度については第4款参照。

の透明性の確保の強化などを図る一方，公益事業，収益事業に係る制約を緩和する（同26条1項）等の改正がなされた。

社会福祉法人については，2006（平成18）年公益法人制度改革が行われ，公益社団・財団法人が公益性の高い法人類型として位置づけられるなどの状況変化を踏まえ，他の経営主体とのイコール・フッティング等の観点から，「公益性」「非営利性」を徹底した社会福祉法人制度改革が求められるに至った[15)]。こうした背景の下で，2016（平成28）年社会福祉法等改正により，社会福祉法人制度の改革が行われた。具体的には，①経営組織のガバナンスの強化を図るための，議決機関としての評議員会の必置化（同36条1項），一定規模以上の法人（特定社会福祉法人。経常収益30億円以上など。社福令13条の3）への会計監査人の導入（社福37条）等，②事業運営の透明性の向上を図るための，定款，貸借対照表，収支計算書，役員報酬基準等の公表に係る規定の整備（同59条の2第1項）等，③財務規律の強化を図るための，役員報酬基準の作成と公表（同45条の35第1項，59条の2第1項），評議員，理事等の関係者への特別の利益供与の禁止（同27条）等，④地域における公益的な取組みを実施するための，経営の原則に新たな項を加え，社会福祉事業及び公益事業を行うに当たって無料又は低額な料金で福祉サービスを提供する責務の規定（同24条2項）[16)]，⑤行政の関与のあり方につき，所轄庁への改善勧告権限の付与による指導監督の機能強化（同56条4項），国・都道府県・市の連携（同59条の3）等，といった相当踏み込んだ改革を行った。

2000（平成12）年法改正で重きがおかれるに至った地域福祉の推進を図ることを目的とする団体として，市町村および地区社会福祉協議会（同109条），都道府県社会福祉協議会（同110条）が置かれており，公益的な性格を有する団体として重要な役割を果たしている[17)]。

15）その背景には，一部の社会福祉法人による不適正な運営が社会福祉法人全体の信頼を揺るがす事態を引き起こしたという事情もあった。社会保障審議会福祉部会報告書「社会福祉法人制度改革について」（2015〔平成27〕年2月12日）4頁。

16）税制上の優遇措置を受け得る以上，こうした意味での「公益性」を責務とすることは戦後社会福祉の原点に立ち返る意味でも当然の改正であったといえる。菊池・将来構想319頁。そのほか，改正全体としても，筆者の改革提案と同様の方向性をもつものとして評価できるものであった。同317-319頁。

17）社会福祉協議会に関する法的考察として，太田匡彦「社会福祉法における社会福祉協議会」

2020（令和2）年改正では，2以上の社会福祉法人等の法人が社員として参画し，その創意工夫による多様な取組みを通じて，地域福祉の充実，災害対応力の強化，福祉サービス事業に係る経営の効率化，人材の確保・育成等を推進するため，社会福祉連携推進法人制度が創設された。これにより一般社団法人が，基準に適合する法人であることについての認定を受けることができる（同125条以下）。

第3款　社会福祉法制の史的展開

1　戦前の社会事業

日本の社会福祉制度の発端は，1874（明治7）年に制定された恤救規則にまで遡ることができる[18]。その意味で，社会福祉の歴史は，公的扶助の歴史とも重なる困窮者対策として始まったと言い得る。ただし戦前は，日本赤十字社・恩賜財団済生会・救世軍などに代表されるように，公の事業よりも民間の社会事業団体や篤志家による活動が主流であった。しかし，昭和時代に入ってからの経済不況等により，民間社会事業の財政基盤が悪化した。そこで1938（昭和13）年，民間社会事業の助成，指導・監督の強化などをねらいとした社会事業法（社会福祉事業法の前身）が制定された。ただし，第二次世界大戦の激化とともに社会事業そのものが衰退していった。

2　社会福祉事業の法的基盤

戦後すぐに，海外からの引揚者，傷痍軍人，戦災孤児，失業者などの生活困窮者が大量に発生するとともに，インフレ・食糧難などにより生活困窮に陥った一般国民の救済が喫緊の課題となった。そうした中にあって，社会福祉のあ

橋本宏子ほか編著『社会福祉協議会の実態と展望——法学・社会福祉学の観点から』（日本評論社，2015年）139頁以下。

18）社会福祉法制の歴史は，法学的には公的責任という観点から分析されることが多かったようにみられる。社会福祉法令研究会編・前掲書（注7）4頁以下，江口第I章，北場勉『戦後社会保障の形成——社会福祉基礎構造の成立をめぐって』（中央法規，1999年）など。このことは，後述するように，戦後社会福祉の成立基盤が憲法89条の公私分離原則をめぐって論じられたことや，公的責任を前提とした措置制度が戦後社会福祉の主たるサービス供給形態であったことと深く関連していると考えられる。

り方は，他の社会保障分野と異なりGHQ（連合国軍最高司令官総司令部）による非軍事化・民主化政策との兼ね合いで構想されていった点が特徴的である。すなわち，1945（昭和20）年12月，政府からGHQへの回答として出された「救済福祉ニ関スル件」に対し，1946（昭和21）年2月，GHQより示された「社会救済」に関する覚書において，①国家責任の原則，②無差別平等の原則，③最低生活保障の原則の三原則が示された。これらは後の公的扶助の基本原則となり，1946（昭和21）年生活保護法制定，1950（昭和25）年同法全面改正と結びついた。1947（昭和22）年児童福祉法，1949（昭和24）年身体障害者福祉法も，対象を低所得者に限定していないものの，実質的には戦災孤児対策及び傷痍軍人対策を念頭においたものであり，困窮者対策といえるものであった。

戦後の社会事業につき，GHQは国家責任原則の下，その実施責任を公にあるとした。この趣旨は，「公金その他の公の財産は，……公の支配に属しない慈善，教育若しくは博愛の事業に対し，これを支出し，又はその利用に供してはならない」と規定する憲法89条にも盛り込まれた。しかし，先に述べたように戦前から社会事業の大半は民間によって担われていたため，行政によるサービスだけで困窮者のニーズを充足することはできなかった。他方，憲法89条の公私分離原則により民間の事業に対する公的な財政支援が打ち切られ，民間事業の運営状況はさらに悪化した。こうした中で，行政による社会事業を民間事業者へ委託し，必要な経費を支払うことは，対等当事者間の契約に基づき民間のサービスを購入することであって公的責任の転嫁ではなく，公私分離原則にも反しないとの解釈がとられた。これが社会福祉施設サービスの主要な供給形態として戦後一貫して維持された措置制度（あるいは措置委託制度）である。そして，事実上死文化していた社会事業法に代わって，1951（昭和26）年，社会福祉事業の共通事項を定めた法律として社会福祉事業法が制定され，社会福祉事業，福祉事務所，社会福祉法人，共同募金，社会福祉協議会などを法定化するに至った。

このように，通説によれば，措置制度は，民間事業が公的援助なくして運営することが困難であった状況下，慈善博愛の事業に対する公的助成を禁止した憲法89条による制約をクリアすることをねらいとするものであった。ただし，こうした対応は，施設運営費や在宅福祉事業への公的支出の根拠となり得るものの，公立の社会福祉施設が不足し，民間施設が激減する中で要請された民間施設整備のための公的支出を行う法的根拠とはならない。社会福祉法人制度は，こうした施設整備費に対する国庫補助を正当化するために設けられた側面があるといわれている。すなわち，社会福祉法人制度を設け，通常の公益法人よりも公の関与を強めた厳格な監督規定を置くことで（社福 56 条～59 条参照），「公の支配」に属する慈善博愛の事業に公的助成を行っても憲法 89 条に反しないとの同条の反対解釈を行い，施設整備費補助の途を拓いたといわれる。

こうした社会福祉法人制度導入に係る通説的見解に対しては，異論も出されているものの[19)]，いずれにせよ憲法 89 条は，戦後日本の社会福祉の実情に適合しない面があり，それらの整合性を保つために社会福祉事業法が制定され，憲法適合的な解釈が行われてきたという背景があったことは間違いない[20)]。

---

19)　北場・前掲書（注 18）200-201 頁は，「授産事業が起こした不祥事のために，社会福祉事業の社会的信用を失墜し，経営上も新規課税という不利な情勢を招いたことに対して，社会福祉事業の社会的信用を守り，経営上も有利な条件を確保するため」とし，非課税・課税優遇措置の獲得に着目する見方を示している。増田雅暢「福祉サービスと供給主体」講座 3 114-115 頁は，この見方を首肯できるとしたうえで，さらに①憲法 89 条による問題を回避することが直接の動機ではないとしても，民間社会福祉事業に対する公的助成が，本来公的助成に消極的であった GHQ の方針に加え，憲法の規定によりますます困難となったため，その打開を図る必要があることが，政策担当者の問題認識となっていたこと，②当時の政策担当者は，わが国の福祉行政は官民一体となって進めることが当然であり，とりわけ施設については民間施設が中心となるべきであって，そのための経営母体として社会福祉法人制度を活用しようと意図したと考えられることを指摘する。

20)　福祉事業との関係で憲法 89 条を制限的に解釈すべきとする学説として，堀・総論〔2 版〕169 頁は，憲法 89 条後段の趣旨を公私分離にあると捉え，自主性確保説を支持した上で，公的責任で行われるべき社会福祉事業を憲法 89 条後段の射程外とする。江口 32 頁も，「公金を主な財源とし，補助基準が明確で，国や地方公共団体の『管理運営責任』を果たすために行われる一般的，普遍的な公的福祉サービスは，憲法 89 条に規定する『慈善，博愛の事業』には該当しない」とする。介護保険や障害者に係る自立支援給付の導入は，法形式的にはサービス利用者への費用の支給という形式をとるため，民間事業への公的助成に係る憲法 89 条違反の問題を考慮する必要がなくなった。ただし，施設整備費の問題は依然として残る。なお憲法 89 条後段に着目し「公の支配」の意義と射程について包括的に論じた憲法学説は，「公の支配」とは，公金支出等にかかる公費濫用防止という「意義」をもち（公費濫用防止説），かつ，一般の財政処分が服するような執行統制といった財政統制にかかる範囲でその「射程」が及ぶ（財政処分執行統制説）としつつ，財政統制が及ぶ限りで社会福祉法人に限定されない多様な社会福祉サービス供給主体への助成を支援する憲法構造となっていることを認めている。尾形健『福祉国家と憲法構造』（有斐閣，2011 年）317-320 頁。

3　戦後の制度展開

戦後まもなく制定された生活保護法，児童福祉法，身体障害者福祉法を併せて，福祉3法体制といわれた社会福祉法制は，日本の経済発展とともに専門分化を遂げていった。具体的には従来，生活保護法の保護施設で援護の対象となっていた知的障害者と高齢者につき，1960（昭和35）年精神薄弱者福祉法（現在の知的障害者福祉法），1963（昭和38）年老人福祉法が制定された。さらに1964（昭和39）年には母子福祉法（現在の母子及び父子並びに寡婦福祉法）が制定されるに至り，いわゆる福祉6法体制が確立された。これらの法律の下での給付は，主として措置制度を通じて行われ，社会福祉法人がその重要な担い手であった。

こうした専門分化と普及・拡大によって，社会福祉サービスは低所得者施策としての性格を次第に弱め，所得の多寡によらない，利用者のハンディキャップに対する援護という普遍的性格をもつようになっていった。ただし，1962（昭和37）年老人福祉法改正により老人家庭奉仕員派遣制度が設けられたものの，依然として施設収容が中心であった。

4　財政改革と地方分権

福祉元年といわれた1973（昭和48）年老人福祉法改正は，老人医療費無料化という医療保障の側面からの改正であり，以後，老人医療費は大幅な伸びを示すことになった。他方，同年の第1次オイル・ショックを契機として高度経済成長の時代は終焉を迎え，財政再建が重要政策課題となり，社会保障分野においても制度の合理化が図られていった。たとえば，老人医療費の見直し策としては，1982（昭和57）年老人保健法により，老人一部負担が再度導入されるに至った。

社会福祉領域では，国と地方の役割分担が見直され，事務と財政の両面で地方公共団体の役割が増していった。具体的には，1986（昭和61）年，生活保護を除く社会福祉に関する機関委任事務が団体委任事務化され，国と地方公共団体の費用負担割合も見直しがなされた。地方公共団体とりわけ基礎自治体である市町村の役割の拡大は，単なる国の財政軽減策であるだけでなく，高齢化の進展などを背景として，地域住民の福祉ニーズにもっとも近い市町村に事務権限を一元化するという意味で積極的な意義をもつものであった。1987（昭和62）年に施設入所事務の団体委任事務化が図られた後，1990（平成2）年のいわゆる福祉8法改正により，高齢者・身体障害者の措置権限の市町村への移譲，在宅サービスの社会福祉事業としての法定化などが行われた。

地方分権化とともに，少子高齢化の進展やノーマライゼーションの推進の要請などを背景として，サービス供給量の増大が政策課題となった。高齢者福祉については，1989（平成元）年に「高齢者保健福祉推進十ヵ年戦略（ゴールドプラン）」が策定され，保健福祉サービスについて財源を踏まえた目標量が定められた。同様に，児童福祉分野では1994（平成6）年「今後の子育て支援のための施策の基本的方向について（エンゼルプラン）」と「緊急保育対策等5ヵ年事業」，障害者福祉分野では1995（平成7）年「障害者プラン〜ノーマライゼーション7ヵ年戦略」が策定された。

こうした一連の改正と並んで，1990年代半ば以降，戦後社会福祉制度の基盤であった措置制度自体の見直しが検討されるに至った。

第4款　社会福祉基礎構造改革

1　改革の必要性

第3款で述べたように，社会福祉分野は，戦後，生活困窮者対策として出発し，その後の経済成長に伴い発展を遂げてきた。しかしながら，次第に社会福祉は，国民の価値観や社会福祉に対する意識の変化，少子高齢化の進展，家庭機能の変化，ノーマライゼーション理念の展開なども相俟って，限られた貧窮者の保護・救済にとどまらず，国民全体を対象として，普遍的にその生活の安定を支える役割を果たすことが期待されるに至り，所得状況のいかんに関わりなく一定の生活上のハンディキャップをもつ人々に対するサービス給付という捉え方がなされるようになった。

ただし，戦後確立された社会福祉の基礎構造にはいくつかの問題が存在していた[21]。第1に，戦後以来の中核的なサービス提供方式であった措置制度は，行政庁が行政処分たる性格をもつ措置決定という裁量判断権の行使により一方的にサービス提供の可否・内容を決する仕組みであり，理論的には異なった理解も可能であったとはいうものの[22]，利用者の決定権や選択権を認めておらず

21）炭谷茂編著『社会福祉基礎構造改革の視座』（ぎょうせい，2003年）2-7頁。

22）第4款**3**(1)参照。

問題であると考えられるに至った。従来の仕組みは，希少なサービスを行政庁が後見的に配分するという意味で，いわば社会福祉サービスの「配給」制度であったという見方もできる。第2に，日本の社会福祉は障害者（その中でも精神・知的・身体の3障害）・児童・老人・母子家庭といったタテ割りの領域ごとに発展してきたため，そこから漏れる谷間の問題（生活保護と社会福祉との谷間，発達障害・高次脳機能障害，父子家庭等），制度間の連携の不十分さ（精神障害につき医療・保健・福祉，児童福祉につき福祉と教育等）などの諸課題が存在していた。またカテゴリー別の施策のため，社会福祉共通の問題（対象者ごとの個別法にとどまらない総合的な対応や，地域福祉への対応の欠如）も生じていた。第3に，専門性の不足という問題があった。第2款でも述べたように，同じくサービス給付である医療領域と比較した場合，この点は明らかである。

以上の諸状況を背景として，戦後以来，基本的な枠組みに変更がなされてこなかった社会福祉分野の基礎構造を改め，新たな枠組みを作り上げる必要性が認識されるに至った。個人の自立支援，利用者による選択の尊重，サービスの効率化などを柱とする大きな流れの中にあるこうした改革の機運が，1997（平成9）年児童福祉法改正による保育所入所方式の改革，同年介護保険法制定（2000〔平成12〕年施行）による高齢者介護サービス保障方式の改革，さらに2000（平成12）年社会福祉事業法等改正による社会福祉法制定・障害者福祉サービスへの支援費制度導入などへと結びついた。

戦後以来の社会福祉の基礎構造が抜本的に改められたという意味では，こうした1997（平成9）年法から2005（平成17）年介護保険法改正，障害者自立支援法・発達障害者支援法制定に至るまでの一連の制度改革を，広義における社会福祉基礎構造改革ということができよう。ただし狭義においては，1998（平成10）年6月に中央社会福祉審議会社会福祉構造改革分科会から出された「社会福祉基礎構造改革について（中間まとめ）」（以下，「中間まとめ」）に示された理念，具体的内容などに基づき，2000（平成12）年に成立した社会福祉事業法等改正法を指すものとして用いられる。

2　改革の理念と基本的方向

上記の「中間まとめ」によれば，これからの社会福祉の理念は，国民全体を対象に社会連帯のもとでの支援を行い，「個人が人としての尊厳をもって，家庭や地域の中で，障害の有無や年齢にかかわらず，その人らしい安心のある生活が送れるよう自立を支援すること」であるとした。そして，そうした理念のもとになされるべき改革の基本的方向性としては，①サービス利用者と提供者の対等な関係の確立，②個人の多様な需要への地域での総合的な支援，③幅広い需要に応える多様なサービス提供主体の参入促進，④信頼と納得が得られるサービスの質と効率性の向上，⑤情報公開等による事業運営の透明性の確保，⑥増大する費用の公平かつ公正な負担，⑦住民の積極的な参加による福祉の文化の創造が挙げられた。そしてこうした改革は，福祉サービス受給者が行政による一方的な保護の「客体」として位置づけられた措置制度を克服することによって実現すべきものと考えられたのである。

2000（平成12）年に成立した法律は，社会福祉事業法を改正し，社会福祉法と名称を改めたほか，関係8法律の一括改正を行うものであった。その改正内容は，全体として以下の4点に整理される[23)]。第1に，利用者の立場に立った社会福祉制度の構築に向けた改正として，1997（平成9）年介護保険法による高齢者福祉サービスに引き続き，身体障害者及び知的障害者の施設福祉サービス及び在宅福祉サービス，障害児の在宅福祉サービスを直接利用契約の仕組みに改める（支援費支給制度の導入）一方，社会福祉法において，利用者への情報提供，福祉サービス利用の援助，苦情解決，重要事項説明，誇大広告禁止など利用者保護の仕組みを法定化した。第2に，福祉サービスの質の向上に関する制度を整備し，社会福祉法上，社会福祉事業の経営者による福祉サービスの自己評価や情報提供，国・地方公共団体による情報提供や福祉サービスの評価に関する支援措置，社会福祉法人の財務諸表等の開示義務付けなどに係る規定を設けた。第3に，福祉サービスの拡充に関する規定を整備し，9事業の社会福祉事業への追加，小規模化（人数規模要件の特例）などを図った。第4に，地域福祉を推進するため，市町村地域福祉計画及び都道府県地域福祉支援計画の法定化などがなされた。

23）　社会福祉法令研究会編・前掲書（注7）45-46頁。

図1　措置制度

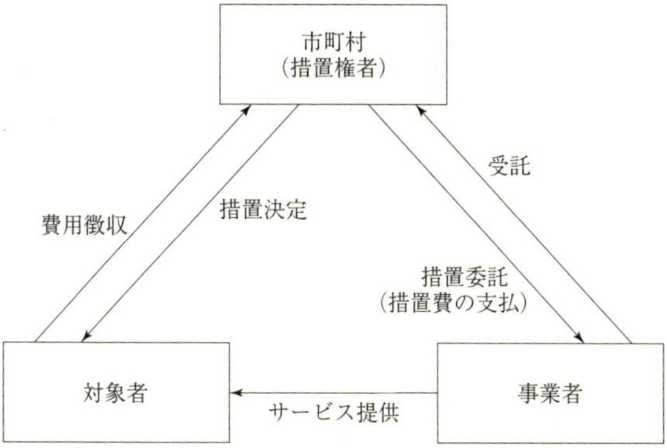

市町村
（措置権者）

受託

費用徴収

措置決定

措置委託
（措置費の支払）

対象者

サービス提供

事業者

3　措置から契約へ

(1)　従来の措置制度

上述したように，措置制度は，戦後日本の社会福祉サービス供給の仕組みとして，重要な役割を果たしてきた。たとえば，2000（平成12）年改正前の老人福祉法は，「市町村は，必要に応じて，次の措置を採らなければならない」(11条1項）とし，そのひとつとして「65歳以上の者であって，身体上又は精神上著しい障害があるために常時の介護を必要とし，かつ，居宅においてこれを受けることが困難なものを当該地方公共団体の設置する特別養護老人ホームに入所させ，又は当該地方公共団体以外の者の設置する特別養護老人ホームに入所を委託すること」（同項2号）を掲げていた。ここでは，行政庁が自らの設置する施設に入所させる（措置する）か，他の者の設置する施設に入所を委託（措置委託）する義務を負い，サービスの利用関係は行政庁が一方的に決定することが予定されていた（図1）。裁判例も，児童福祉施設である保育所の事案において，市町村による入所決定行為の法的性格が行政処分であると解していた[24)]。行政解釈[25)]及び一部の裁判例では，利用者がサービスを受けるのは措置義務があることから派生する反射的利益にすぎないとして，サービスを受ける権利ないし法的利益を否定し[26)]，申請権すら否定するものもみられた[27)]。学説の中に

24）　大阪地決平元・5・10判時1331号38頁。

25）　厚生省社会局老人福祉課監修『改訂老人福祉法の解説』（中央法規，1987年）88-89頁。

26）　東京高判平4・11・30判例集未登載（養護老人ホーム個室入居請求訴訟）。本判決の紹介とし

は，入所対象者の意思に反してまで行うことができないことから，いわゆる「相手方の同意を要する行政行為」とする説があり[28]，さらに利用者側と施設・事業者との間に，契約的要素の存在を指摘する学説も展開された[29]。しかしながら，一般的には，入所者の福祉サービス利用関係は行政庁の一方的意思表示により決定され，利用者側と市町村，（措置委託の場合）利用者側と施設・事業者のあいだに契約的要素は認められない（したがって利用者に選択権がない）と理解されてきた[30]。これに対し，入所措置権者から施設に対する措置委託の法的性格は委託契約とされた[31]。

⑵　**措置から契約へ**

以上のような一般的理解に基づき，措置制度には，第１に，措置権者の一方的・権力的な措置決定によって措置内容が決定され，利用者自らサービスの選択をすることができない，第２に，措置権者の措置委託によるサービスの供給では，供給主体間の競争原理が働かず，サービス内容が画一的になりがちで，質の向上も図られない，第３に，措置権者の財政的制約のため，サービス供給量が増えない，といった問題点が指摘されるようになった。こうした課題を克服することをねらいとして，上述した社会福祉基礎構造改革に向けた取組みがなされ，理念的には当事者の合意によりサービスの利用関係が設定される契約の仕組みを導入するなど，社会福祉におけるサービス給付方式の多様化が図ら

て，堀・総論〔2 版〕163-164 頁。

27）　大阪地判平 10・9・29 判タ 1021 号 150 頁。

28）　木佐茂男「保育所行政からみた給付行政の法律問題」『公法研究』46 号（1984 年）160 頁。措置時代においても，初期の保育所利用に係る裁判例の中には，措置の処分性を前提とせず，保育所と保護者の間に契約関係の存在を認めたものが存在した。松江地益田支決昭 50・9・6 判時 805 号 96 頁，盛岡地一関支判昭 56・11・19 判タ 460 号 126 頁。

29）　加藤ほか〔5 版〕260 頁〔前田雅子執筆〕は，「措置決定を行政処分と解したとしても，決定後のサービス利用関係を契約類似の法律関係とみることができる」旨指摘していた。入所措置が行政処分であることと，保護者と市町村の関係が契約関係であることは両立する旨判示した裁判例として，東京地八王子支判平 10・12・7 判例自治 188 号 73 頁。

30）　措置時代の保育所入所をめぐる法律関係を整理したものとして，菊池馨実「保育所入所をめぐる法律問題（上）（下）」『賃金と社会保障』1051 号 45 頁以下，1053 号 41 頁以下（1991 年）。

31）　盛岡地一関支判昭 56・11・19・前掲（注 28）。契約類型としては，介護や保育という事実行為を委託するものと理解すれば，準委任契約と解される。措置制度における措置権者と施設との法律関係を第三者のための契約とする見解として，倉田聡『これからの社会福祉と法』（創成社，2001 年）24 頁，菊池・前掲論文（下）（注 30）57 頁。

図2　介護保険

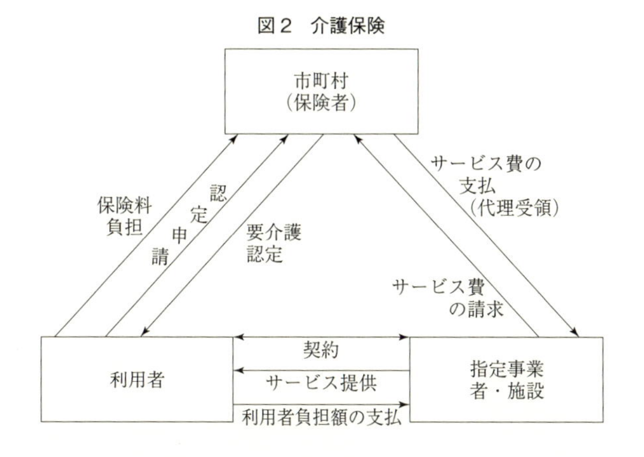

れた。この改革は，「措置から契約へ」というスローガンで表現された。

(3)　**現在のサービス給付方式**

新たに導入されたサービス給付の仕組みについては，本章の各節で詳細を述べるが，以下ではそれぞれの概略を明らかにしておく。

①　介護保険方式

従来，老人福祉法の下で給付されていた施設・在宅の高齢者介護サービスは，社会保険である介護保険の仕組みの下で給付されている（図2)。被保険者は保険者（市町村）に保険料を納付し，保険給付を受けようとする場合，保険者に対して要介護認定（もしくは要支援認定）申請を行い，要介護認定（もしくは要支援認定）を受け，原則としてサービス計画（ケアプラン）の作成を経た上で（行政処分)，施設・事業者とサービス利用に係る契約を締結し，在宅給付については要介護度（もしくは要支援度）に応じた範囲内でサービスを受ける。保険者から施設・事業者に対してサービス費用（介護報酬）が支払われ（法律上は要介護被保険者に対する給付であるものの，実際には代理受領方式により施設・事業者が支払を受ける)，利用者は原則1割の一部負担金を施設・事業者に対して支払う。

②　自立支援給付

身体障害者福祉法及び知的障害者福祉法に基づく施設・居宅サービス，児童福祉法に基づく障害児に対する居宅サービスについては，2000（平成12）年社会福祉事業法等改正により，いわゆる支援費支給方式となった。これは，介護保険と異なり公費で賄われる仕組みであり，2003（平成15）年度から施行され

図3　自立支援給付

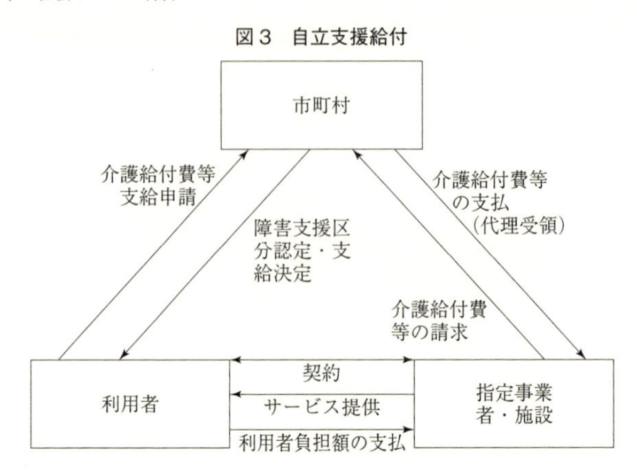

た。さらにこの仕組みは，2005（平成17）年障害者自立支援法の施行に伴い，新たに精神保健福祉法に基づく施設・居宅サービスも併せて自立支援給付の仕組みに移行した。これに伴い，介護給付費・訓練等給付費などの支給を受けようとする場合，利用者は，あらかじめ市町村に申請し，障害程度区分の認定を受けるとともに，当該区分のほか，介護者の状況，障害福祉サービスの利用に関する意向その他の事項を勘案した支給決定を受けて（区分認定・支給決定ともに行政処分），施設・事業者とサービス利用に関する契約を締結し，サービスの支給量に応じた範囲内でサービスを受けることとなった。また市町村からサービス費用が支払われ（介護保険と同様，法律上は利用者に対する給付となるものの，実際には代理受領方式により施設・事業者が支払を受ける），利用者は原則1割の一部負担金を施設・事業者に対して支払うこととなった。この仕組みにはその後も修正がなされ，2010（平成22）年改正により，利用者負担につき応能負担を原則とし，発達障害が法の対象となることの明確化，障害児支援の強化などがなされた後，2012（平成24）年障害者自立支援法改正（障害者総合支援法と改称）により，難病等を新たに対象に加え，障害程度区分を障害支援区分に改める等の改正がなされた（図3）。

③　保育所方式

行政解釈によれば，1997（平成9）年児童福祉法改正により保育所について，さらに2000（平成12）年社会福祉事業法等改正により母子生活支援施設，助産施設についても，従来の措置制度から，地方公共団体と利用者との契約締結

図4　保育所方式

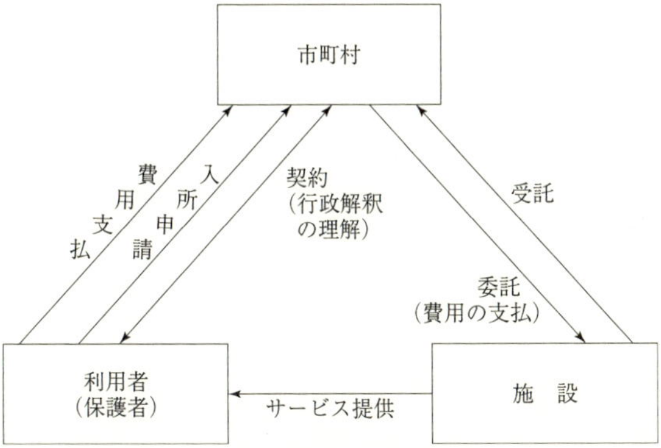

市町村
費用支払
入所申請
契約（行政解釈の理解）
受託
委託（費用の支払）
利用者（保護者）
サービス提供
施　設

（公法上の契約）によるサービス利用に改められたものと説明された[32]。ただし，介護保険や自立支援給付における介護給付費等と異なり，利用者と施設との直接契約という法律構成は採られず，市町村に保育所入所等の保護義務が課せられるなど，依然としてサービス支給にあたっての行政庁の関与の度合いが強い仕組みであった[33]（図4）。

これに対し，2012（平成24）年児童福祉法改正では，保育所につき，市町村による保育の必要性の認定と利用調整を前提として，私立認可保育所の利用については従来と同様，保護者と市町村との間で利用関係が設定される仕組みを維持する一方，公立保育所や認定こども園等を利用する場合は，介護保険や自立支援給付と同様，保護者が施設と契約を締結し，サービスを受ける仕組みとなった。その際，市町村からサービス費用が支払われ（介護保険などと同様，法律上は保護者に対する給付となるものの，実際には代理受領方式により施設が支払を受

32）児童福祉法規研究会編『最新児童福祉法・母子及び寡婦福祉法・母子保健法の解説』（時事通信社，1999年）167頁。大阪地判平16・5・12判例自治283号44頁，大阪地判平17・1・18判例自治282号74頁，大阪地判平17・10・27判例自治280号75頁，千葉地判平20・7・25賃社1477号49頁も同様の立場をとる。

33）このため，裁判例や学説には，措置制度と同様の性格を認めたり，端的に市町村による入所決定の行政処分性を認めるものが多くみられた。大阪高判平18・1・20判例自治283号35頁，大阪高判平18・4・27新版判例大系4 120頁。桑原洋子＝田村和之編『実務注釈児童福祉法』（信山社，1998年）142頁〔田村和之執筆〕，287頁〔菊池馨実執筆〕，倉田・前掲書（注31）350頁注27，西村469頁。

図5　新しい施設型給付等（公立保育所・認定こども園・地域型保育）

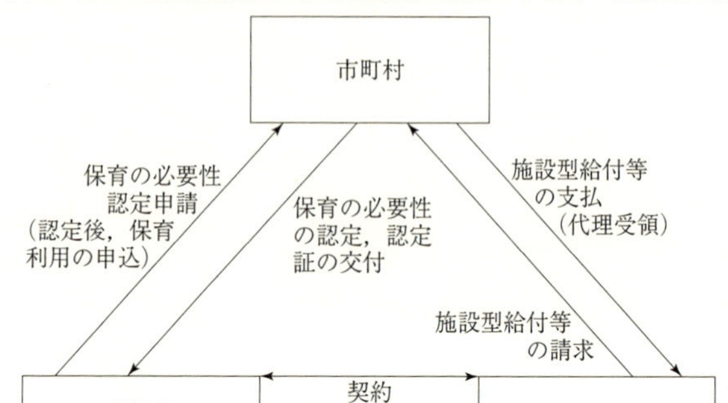

図6　その他の補助事業等

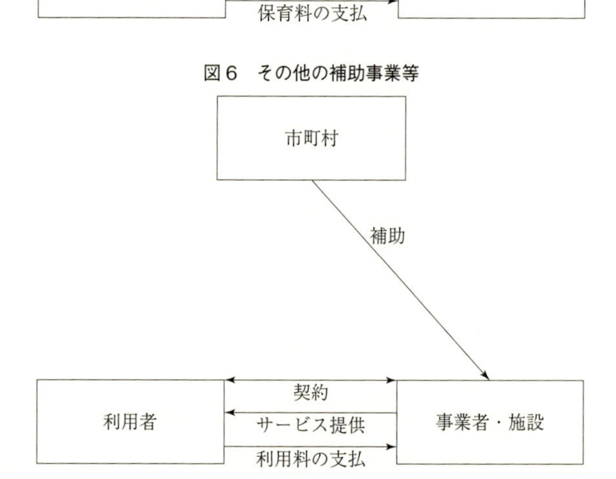

ける），利用料も保護者から施設に対して支払うこととなった（図5）。

④　その他

こうした一連の改革を経てもなお，児童福祉法上の要保護児童の施設入所（児福27条1項3号）や養護老人ホーム（老福11条1項1号）など，従来の措置制度の仕組みの下におかれた施設もある。さらに，介護保険や自立支援給付が導入された後も，やむをえない事由によりこれらの制度を利用できない場合（老福11条1項2号，身福18条2項，知福16条1項2号）などを想定して（たとえば，要介護高齢者が家庭で虐待を受けており，本人又は家族からの申請が望めない場合など），措置の仕組みが残されている[34]。

また，軽費老人ホームや各地方公共団体独自の補助事業など，行政による運営費等の補助が行われるにすぎず，サービス提供をめぐる法律関係が利用者と施設・事業者との間の契約によって規律される類型も，従来から存在する（図6）。

このように，社会福祉サービスの提供の仕組みは，従来の措置制度中心から，利用者と施設・事業者間の契約制度を軸とした多様な仕組みへと変化を遂げたということができる。この制度改革は，サービス利用形態の変更にとどまらず，供給形態の変更を伴うものであった点で重要である。市町村は，措置制度の下ではサービスそのものの給付責任を負っていたのに対し，契約制度の下では，基本的にサービス費用の保障責任を負うにとどまる。このことは，国及び地方公共団体などの公的主体の役割が変化していることと無関係ではない。すなわち，社会保障の保障水準が戦後復興期と比較して相対的に高くなっている中では，公的主体の役割も多様なものとならざるを得ず（公的主体の役割の相対化），それに伴い私人間における法律関係として規律されるべき場面が増えざるを得ない。こうした現象は，「社会保障法の私法化」[35]とも言いうるだろう。

第5款　社会福祉法

1　法の目的と理念

旧社会福祉事業法は，措置制度を前提として，社会福祉事業や社会福祉法人を中心とした社会福祉供給主体を規律するための法律という色彩の濃いものであり，社会福祉サービスの受給者も「要援護者等」「被援護者等」といったパターナリスティックな保護の客体とも位置づけられ得るものであった[36]。そうした仕組みを抜本的に改める社会福祉基礎構造改革の一環として，2000（平成12）年，同法は改正され社会福祉法へと名称変更されるとともに，社会福祉全分野にわたる共通事項を定める法律として位置づけられることになった。

社会福祉法では，「福祉サービスの利用者の利益の保護及び地域における社

34）　ただし，措置の契機となったやむを得ない事由が消滅した時点で，措置を解除し契約に移行するものとされる。増田雅暢『〔新版〕わかりやすい介護保険法』（有斐閣，2000年）54頁。

35）　菊池馨実「社会保障法の私法化？」『法学教室』252号（2001年）119頁以下。

36）　社会福祉法令研究会編・前掲書（注7）57頁。

会福祉……の推進」（社福1条）が法目的に加えられた。上述したような従来の用語法と異なり，はじめてサービス「利用者」という概念が用いられるに至ったのである。

次いで社会福祉法は，福祉サービスの基本的理念として，「個人の尊厳の保持を旨とし」，その内容につき利用者が「心身ともに健やかに育成され，又はその有する能力に応じ自立した日常生活を営むことができるように支援するものとして，良質かつ適切なものでなければならない」と規定する（同3条）。利用者の「自立の支援」こそが社会福祉サービスの提供にあたって重要であることが宣明されており，ここにも「援護」され「更生」されるべき対象から，「自立」していく主体として捉えられるに至った法の理念の転換をみてとることができる。

2　福祉サービスの適切な利用

社会福祉法の目的として「利用者の利益の保護」が盛り込まれたのは，社会福祉基礎構造改革によって福祉サービスの利用関係が措置から契約により設定されることとなったことに呼応している。契約関係における実質的な対等当事者性を確保するためには，施設・事業者と比べて一般的に弱い立場におかれる高齢者・障害者などの利用者の権利利益を擁護するための方策が不可欠だからである。

福祉サービス利用契約[37]には，民法のほか消費者契約法の適用がある。さらに社会福祉法は，第8章（福祉サービスの適切な利用）で，社会福祉事業経営者に対し，情報提供（社福75条），利用契約の申込み時の説明（同76条），利用契約の成立時の書面交付（同77条），質の評価その他福祉サービスの質の向上のための措置（同78条）に係る努力義務を課すとともに，誇大広告の禁止（同79条）を規定している[38]。

37）福祉サービス利用契約ないし福祉契約をめぐる社会保障法学の検討として，岩村正彦編『福祉サービスの法的研究』（信山社，2007年），中野妙子「介護保険法および障害者自立支援法と契約」『季刊社会保障研究』45巻1号（2009年）14頁以下など。

38）社会福祉法のみならず，各領域における法律においても，介護保険法及び障害者総合支援法上，サービス情報の都道府県知事への報告義務と知事による公表義務などが課されている（介保115条の35，障害総合支援76条の3）。

利用者の権利擁護のための仕組みとしては，2000（平成12）年民法等改正による成年後見制度（法定後見〔民7条以下〕及び任意後見〔任意後見契約に関する法律〕）のほか，第二種社会福祉事業として福祉サービス利用援助事業が設けられた（社福2条3項12号）。前者が，財産管理や身上監護（介護サービスに係る利用契約の締結等）を目的とするものであるのに対し，後者は日常生活上の支援が念頭におかれている。社会福祉法80条は，市町村社会福祉協議会等によって行われる福祉サービス利用援助事業の実施に当たって，利用者の意向の尊重や，利用者の立場から公正かつ適切な方法により行うべきことを定めており，同81条は，都道府県社会福祉協議会に対し，同事業の実施のために必要な事業とともに，同事業に従事する者の資質の向上のための事業や普及・啓発を行うべきことを定めている。また都道府県社会福祉協議会におかれる運営適正化委員会は，福祉サービス利用援助事業を行う者に対して必要な助言又は勧告をすることができ，同事業を行う者はこの勧告を尊重しなければならない（同84条）。

このほか，利用者の権利擁護のための仕組みとして，社会福祉事業経営者による苦情解決が法定されている（同82条）[39]。また都道府県社会福祉協議会に設置される運営適正化委員会（同83条）が，福祉サービスに関する苦情解決についての相談，助言，調査，あっせん（同85条）を行うものとされている。運営適正化委員会は，苦情に係る福祉サービスの利用者の処遇につき不当な行為が行われているおそれがあると認めるときは，都道府県知事に対し，速やかに，その旨を通知しなければならない（同86条）。これに基づき知事が指導監督権限を行使することになる[40]。

3　地域福祉の推進

2000（平成12）年法改正で重きがおかれるに至った地域福祉の推進[41]に努め

39）事業経営者独自の取組みを求めるものとして，通知により第三者委員の設置が求められ，第三者性をもつ仕組みが予定されている。「社会福祉事業の経営者による福祉サービスに関する苦情解決の仕組みの指針について」（平12・6・7障発452号，社援発1352号，老発514号，児発575号）。

40）菊池・将来構想297頁は，運営適正化委員会による苦情解決には限界があり，市町村に苦情解決機関の設置を義務づける規定を置く必要があると述べる。

41）地域福祉のあり方に関してまとめられた政府文書として，これからの地域福祉のあり方に関

るべき主体としては，地域住民，事業者及び社会福祉に関する活動（ボランティア等）を行う者（以下，地域住民等）が挙げられた（社福4条2項）。さらに従来の「共同募金及び社会福祉協議会」の章（同第8章）を改め，「地域福祉の推進」として再編成し（同第10章），地域福祉推進の中心的な担い手として市町村及び地区社会福祉協議会（同109条）及び都道府県社会福祉協議会（同110条）を位置づけた。また戦後，民間事業者に対する財源補塡として行われた活動を制度化した共同募金制度も，地域福祉の推進を図るための制度として位置づけ直した（同112条以下）。

高齢者の保健・医療・福祉・住まいなどにかかわる地域包括ケアシステムの充実と，高齢者に限られない地域共生社会の実現に向けた取組みを推進するとの観点から行われた2017（平成29）年介護保険法等改正法（「地域包括ケアシステムの強化のための介護保険法等の一部を改正する法律」〔平29法52〕）では，市町村に対し，地域生活課題の解決に資する支援が包括的に提供される体制の整備に係る努力義務を課すとともに（社福106条の3），市町村及び都道府県に対し，これまで任意であった市町村地域福祉支援計画及び都道府県地域福祉支援計画の策定を努力義務化した（同107条・108条）。さらに，地域で事業展開する一定の事業者に対しても，地域生活課題を抱える地域住民の支援に努めるべき旨を明文化するとともに（同106条の2），地域住民等に対しても，地域生活課題の解決に資する支援を行う関係機関との連携等に向けて留意する旨の規定をおいた（同4条3項）。さらに2020（令和2）年改正（「地域共生社会の実現のための社会福祉法等の一部を改正する法律」）では，地域福祉の推進に関する定めとして，地域福祉の推進は，地域住民が相互に人格と個性を尊重し合いながら，参加し，共生する地域社会の実現を目指して行われなければならない旨を新たに定めるとともに（同4条1項），福祉サービスの提供体制の確保等に関する国及び地方公共団体の責務規定を整備した（同6条2項・3項）。また従来の制度ごとの（タテ割りの）支援体制の枠組みを越えて，包括的相談支援，参加支援，地域づくり，アウトリーチ等を通じた継続的支援，他機関協働といった事業を一体的に実施することを目的とした市町村の任意事業として，重層的支援体制整備事業が創設された（同106条の4以下）。これにより，高齢・障害・子ども・困窮と

する研究会報告書「地域における『新たな支え合い』を求めて――住民と行政の協働による新しい福祉」（2008〔平成20〕年3月31日）参照。

いった属性を問わない支援が市町村において一体的に提供されることが期待される。

こうした規定の整備は，地域福祉の推進をさらに進める観点から，様々な（場合によっては複合的な）課題を抱え，支援を必要とする地域住民とその世帯を，自治体，事業者，地域住民等で構成される「地域共生社会」で支えていこうという新たな方向性を打ち出したものと評価できる[42]。

4　福祉人材確保

このほか社会福祉法では，1992（平成4）年社会福祉事業法改正（福祉人材確保法）により，社会福祉事業に従事する者の確保の促進についての規定をおいた。社会福祉法第9章では，厚生労働大臣が，人材確保のための処遇の改善，資質の向上等を図るための具体的な目安として基本指針を策定するものとし（社福89条），これに即して社会福祉事業等経営者や国，都道府県が一定の措置を講ずる努力義務を負うものとする（同90条，92条）。また社会福祉事業等に関する連絡及び援助を行うこと等により社会福祉事業等従事者の確保を図ることを目的として設立される社会福祉法人である都道府県福祉人材センター（同93条～98条），同センターの健全な発展を図るとともに社会福祉事業等従事者の確保を図ることを目的とした中央福祉人材センター（同99条～101条），社会福祉事業等従事者の福利厚生の増進を図ることを目的とした福利厚生センター（同102条～106条）を，法律上位置づけている。上記の基本指針や福祉人材センター等の対象者の範囲には，2016（平成28）年改正により，社会福祉事業と密接に関連する介護サービス従事者が追加された（社福令23条の2）。このほか同改正では，福祉人材確保の推進との観点から，社会福祉事業等従事者に対し，離職した場合等に，住所，氏名等を都道府県福祉人材センターに届け出るよう努力義務を課すに至った[43]。

42）厚生労働省「『地域共生社会』の実現に向けて（当面の改革工程）」（2017〔平成29〕年2月7日），同「地域共生社会に向けた包括的支援と多様な参加・協働の推進に関する検討会」最終とりまとめ（2019〔令和元〕年12月26日）参照。

43）同様の観点から，社会福祉施設職員等退職手当共済法の見直し（退職手当金支給乗率の長期加入者に配慮したものへの見直し等）なども行われた。

第2節　介護保険・高齢者福祉

本節では，本章の各論的検討の第一として，介護保険法を中心に，高齢者に対するサービス保障システムの概略を明らかにする。従前の措置制度とは異なり，現在，日本の高齢者介護は介護保険の仕組みによって提供されている。介護保険は社会保険の一種であり，社会保障の制度別分類に従えば社会福祉とは異なる性格を有する（第1章第2節第4款3)。併せて，介護保険法施行後も残された老人福祉法（第12款）と，高齢者の権利擁護という観点から高齢者虐待防止法（第13款）についても取り上げる。

第1款　沿　革

日本では，1963（昭和38）年老人福祉法が制定されるまで，高齢者に焦点を絞った本格的な福祉施策は存在せず，低所得者対策の一環として，生活保護法の下，居宅保護を原則とする金銭給付が行われ，収容保護施設としては養老院が置かれるにとどまっていた。所得の多寡にかかわらず福祉ニーズをもつ高齢者を対象とする固有の制度体系が整備される端緒となったのが，老人福祉法であった。

老人福祉法の展開過程における重要な改正として，1973（昭和48）年改正で老人医療費支給制度が設けられ，老人医療費の無料化が実現したことが挙げられる。社会福祉法制の改正を通じて医療費の支給を行った同制度は，その後，爆発的な老人医療費の増大をもたらし[44]，1982（昭和57）年における同制度の廃止と老人保健法制定による老人一部負担の導入へと結びついた。他方，老人医療費対策ではなく社会福祉の側面からみた場合，老人保健法は，福祉を保健・医療とともに一体的に捉えるとの考え方を採り入れた点で積極的意義を有するものであった。後述するように（第2款），介護保険導入に際しても，従来の老人福祉と老人医療が抱えていた制度的課題の解決の必要性が背景にあったのである。

44）　第7章第7節第1款注208）参照。

高齢者福祉サービスの本格的な展開が図られたのは，人口の急速な高齢化が社会問題化した1990年代以降である。1989（平成元）年12月，厚生・大蔵・自治の三大臣により，「高齢者保健福祉推進十ヵ年戦略」（いわゆるゴールドプラン）が了解され，10年間の保健福祉サービスの整備目標が立てられた。これは，従来の老人福祉施策が施設入所（養護老人ホーム，特別養護老人ホームなど）中心であったのに対し，在宅サービスの大幅な整備を主眼に据えるものであった。このプランは，後述の老人保健福祉計画において，予想を上回る高齢者保健福祉サービス整備の必要性が明らかになったことなどを踏まえ，5年経過後の1994（平成6）年12月，全面的に見直され，2000（平成12）年3月までを見据え，数値的な上乗せや新たな目標設定がなされた（新ゴールドプラン）。同年4月から介護保険法が施行された際にも，同時にゴールドプラン21が策定され，さらなる基盤整備が目指された。

ゴールドプランの制定とも対応して，1990（平成2）年，いわゆる福祉8法改正の一環として老人福祉法及び老人保健法が改正された。これにより，老人福祉サービスは従来の機関委任事務から団体事務化され，基本的に市町村の責任により実施されるべきものとされた。さらに全市町村及び都道府県に対して，老人保健福祉計画の策定が義務づけられることになった。

そして1997（平成9）年介護保険法の制定と2000（平成12）年同法施行により，日本の高齢者福祉制度は大きな転換点を迎えた。21世紀に入ってからの日本の高齢者福祉は，介護保険法を中核として大きく発展を遂げている。ただし，同法施行後も老人福祉法は依然として効力を有している（第12款）。

第2款　介護保険導入の背景

1　介護保険導入の背景

1997（平成9）年12月，足掛け2年以上に及ぶ国会審議の末，介護保険法が成立した。介護保険導入に際しては，以下のような背景となるべき事情があった。第1に，本格的な高齢社会の到来に伴う介護保障に対するニーズの増大である[45)]。具体的には，①将来的に予想された要介護高齢者の大幅な増加（1993

45)　厚生省高齢者介護対策本部事務局監修『高齢者介護保険制度の創設について――国民の議論を深めるために』（ぎょうせい，1996年）309-315頁。

〔平成5〕年の200万人から2025〔令和7〕年には520万人になるものと予想された），②介護の重度化・長期化（65歳以上の死亡者の2人に1人が死亡6ヵ月前から寝たきりや虚弱状態にある，寝たきり者の約半数が3年以上寝たきり），③介護者の高齢化（寝たきり高齢者の主たる同居介護者の約半数が60歳以上〔いわゆる老老介護〕）などであった。さらに高齢者世帯の割合の増加，女性就労の増加といった家庭内での介護を困難にする家族状況の変化もみられた。第2に，こうした要介護高齢者の増加や，介護負担の増大といった事態に社会的に対処する仕組みへの要請が高まった（介護の社会化）にもかかわらず，従来の福祉・医療制度は様々な矛盾ないし限界を抱えていた。すなわち，従来の老人福祉制度は，①措置制度の仕組みの下で利用者自らサービスの選択をすることができない一方，市町村によるサービス提供が原則であることから競争原理が働かずサービス内容が画一的である，②所得調査を要するため利用に際し心理的抵抗感を伴う一方，本人のほか扶養義務者の収入に応じた（応能）利用者負担のため，中高所得層にとって負担感が重い（平均的なサラリーマン世帯で，厚生年金受給者である親の特別養護老人ホーム本人負担月額14万9000円，扶養義務者4万1000円〔合計19万円〕にもなった）といった問題を抱えていた。他方，老人医療制度については，①基盤整備が不十分であった福祉サービスを事実上代替し，介護を理由とする病院への長期入院（社会的入院）を生むことで，医療費の無駄を生ぜしめる（病院のほうが費用が高い）だけでなく，②本来的に治療を目的とする病院は，職員配置や生活環境の面で長期にわたる介護療養の場としてふさわしくない，といった問題があった。

こうした中で，高齢者介護に関する新たなシステムを導入する必要性が強く認識されるに至った。立法過程においては[46]，社会保険の仕組みを用いるか公費で賄うか（税方式）につき議論があったものの[47]，政府は1994（平成6）年12

46）介護保険制度の政策立案過程については，増田雅暢『介護保険見直しの争点――政策過程からみえる今後の課題』（法律文化社，2003年）第Ⅰ部，同『介護保険の検証――軌跡の考察と今後の課題』（法律文化社，2016年）第1部，和田勝編著『介護保険制度の政策過程』（東洋経済新報社，2007年）第2部，介護保険制度史研究会編著『介護保険制度史――基本構想から法施行まで』（社会保険研究所，2016年）。

47）税方式を主張する論拠としては，保険料負担できない階層が排除される「排除原理」の存在などが挙げられた。里見賢治ほか『公的介護保険に異議あり』（ミネルヴァ書房，1997年）50頁。

月の高齢者介護・自立支援システム研究会報告（「新たな高齢者介護システムの構築を目指して」）以来，一貫して社会保険方式を志向していた48)。

2　介護保険法制定と主な改正

介護保険法は，1997（平成9）年12月に成立した。ただし，大がかりな新制度の実施に準備期間を要したため，施行されたのは2000（平成12）年4月である。

同法附則は，制度について施行後5年を目途に全般的検討を行い，必要な見直しを行うとの趣旨の規定をおいていた。これを受けた2004（平成16）年社会保障審議会介護保険部会報告書「介護保険制度の見直しに関する意見」49)を土台として，法改正に向けた作業が行われ，2005（平成17）年に改正法が成立した。その内容は，①予防重視型システムへの転換（予防給付の見直し〔従来の要支援を要支援1とし，従来の要介護1を要支援2と要介護1に再編する〕，地域における包括的・継続的ケアマネジメントを行う地域支援事業の創設），②利用者負担の見直し（介護保険施設における居住費・食費，通所介護・通所リハビリテーションにおける食費を保険給付の対象外とする一方，低所得者に対する補足給付による負担軽減），③新たなサービス体系の確立（身近な地域で，地域の特性に応じた多様で柔軟なサービス提供を行うための地域密着型サービスの創設，地域における総合的なケアマネジメントを担う地域包括支援センターの創設），④サービスの質の確保・向上（介護サービス情報の公表，事業者規制の見直し〔指定の見直し，指定の更新制の導入など〕，介護支援専門員の資格への更新制の導入など）を含む幅広いものであった。ただし，法制定時から議論のあった被保険者・受給者範囲の問題については，法施行後5年の検討項目として挙げられていたものの，先送りとなった50)。

---

48)　老人保健福祉審議会「新たな高齢者介護システムの確立について（中間報告）」（1995年7月26日）によれば，社会保険方式が「利用者によるサービスの選択の保障やサービス受給の権利性の確保という点で優れた制度であ」り，「さらに，負担と給付の対応関係が明確であり，負担に対する国民の理解を得やすい」として，社会保険方式を支持した。増田・前掲書『介護保険見直しの争点』（注46）24-32頁では，社会保険方式の導入は，安定的な財源確保を可能にするとともに，本文で先述したように，措置制度の問題点の解決を図り，利用者本位のサービス提供システムの構築等をねらいとしていたとする。

49)　『介護保険制度の見直しに向けて』（中央法規，2004年）。

50)　介護保険研究会監修『新しい介護保険制度Q&A平成17年改正法の要点』（中央法規，2006

2005（平成17）年改正法附則も，被保険者・受給者範囲の見直しを含む全般的検討を5年後を目途として行う旨の規定をおいた。これを受けた2010（平成22）年社会保障審議会介護保険部会報告書「介護保険制度の見直しに関する意見」を基にして，サービスの基盤強化をねらいとした2011（平成23）年法改正が行われたものの，財政制約の下，比較的小規模なものにとどまった[51]。具体的には，①医療・介護・予防・住まい・生活支援サービスが連携した要介護者等への包括的な支援（地域包括ケアシステム）の推進（24時間対応の定期巡回・随時対応の訪問介護看護サービスの創設，複合型サービスの創設など）[52]，②保険者たる市町村による主体的な取組みの推進，③介護事業者のサービスの質の向上などが図られた[53]。

その後も，一方では，2005（平成17）年改正による地域密着型サービスの創設，地域包括支援センターの創設に端を発し，2011（平成23）年改正でも推進が図られた地域包括ケアシステムの推進に係る一連の改正が（第10款参照），他方では，法施行後15年以上経過し，制度が日本社会に定着し，受給者数・介護給付費が急増[54]する中での持続可能性の確保を図るため，負担の引上げ，重点化などに関わる改正が，相次いで行われた。2014（平成26）年改正（「地域における医療及び介護の総合的な確保を推進するための関係法律の整備等に関する法律」〔平26法83〕）では，①地域支援事業の充実と，その一環としての予防給付（訪問介護・通所介護）の地域支援事業への移行，②介護老人福祉施設（特別養護

年）31頁。

51） これに先立つ2008（平成20）年には，介護サービス事業者の不正事案の再発防止，介護事業運営の適正化の観点から，法令遵守等の業務管理体制整備の義務付け，事業者の本部等に対する立入検査権の創設等に関わる改正がなされた。

52） 西村周三監修・国立社会保障・人口問題研究所編『地域包括ケアシステム――「住み慣れた地域で老いる」社会をめざして』（慶應義塾大学出版会，2013年）参照。

53） 石橋敏郎「介護保険法改正の評価と今後の課題」『ジュリスト』1433号（2011年）8頁以下，稲森公嘉「24時間安心の居宅介護保障と介護保険――定期巡回・随時対応型訪問介護看護の創設をめぐって」同上15頁以下，田中滋「地域包括ケアシステムの構築」同上22頁以下参照。

54） 要介護（要支援）認定者数は，2000（平成12）年4月の218万人から2020（令和2）年4月の669万人，介護サービス受給者数は，2000（平成12）年4月の149万人から2020（令和2）年4月の564万人へと増加し，介護総費用も，2000（平成12）年度3.6兆円から2021（令和3）年度（予算ベース）12.8兆円と増大した。厚生労働省編『令和3年版厚生労働白書（資料編）』（I-10 高齢者保健福祉）235頁，237頁。

老人ホーム）を，在宅での生活が困難な要介護者を支える機能へと重点化，③低所得者の保険料軽減の拡充，④一定以上の所得のある利用者自己負担の2割への引上げ，⑤低所得の施設利用者の食費・居住費を補填する補足給付の要件に資産などを追加する，といった改正が行われた。次いで，2017（平成29）年改正（「地域包括ケアシステムの強化のための介護保険法等の一部を改正する法律」〔平29法52〕）では，①自立支援・重度化防止に向けた保険者機能の強化等の取組みの推進（市町村が自立支援・重度化防止に向けて取り組む仕組みの制度化），②新たな介護保険施設としての介護医療院の創設など，医療・介護の連携の推進，③地域共生社会の実現に向けた取組みとしての共生型サービス（高齢者と障害児者が同一事業所でサービスを受けやすくする），所得の高い層の負担割合の3割への引上げ，被用者保険間の介護納付金の負担割合につき全額総報酬割への移行，などの改正が行われた。

2019（令和元）年改正（「医療保険制度の適正かつ効率的な運営を図るための健康保険法等の一部を改正する法律」）は，文字通り医療保険制度と連動した改正であり，後期高齢者に対する保健事業を市町村が介護保険の地域支援事業等と一体的に実施できるようにするための規定の整備等を行うとともに，医療保険レセプト情報等のデータベース（NDB）と介護保険レセプト情報等のデータベース（介護DB）について連結解析を可能とし，公益目的での利用促進のため研究機関等への提供等に関する規定の整備を行った。2020（令和2）年改正（「地域共生社会の実現のための社会福祉法等の一部を改正する法律」）では，地域福祉の推進との関連での国及び地方公共団体の責務に関する規定の創設，地域の特性に応じた認知症施策や介護サービス提供体制の整備等の推進などにかかる規定の整備を行った。

こうした最近の改正にみられるように，医療・保健・介護・住まいなどを広く射程に据えた高齢者の地域生活支援を推進しながら（第10款参照），財政的な負担が年々増大する介護保険制度をどうやって維持していくかが，焦眉の課題となるとともに，医療保険制度（とりわけ後期高齢者医療制度）と介護保険制度における健康保持やデータ基盤の整備といった面での連携の方向性がみられるようになった（第14款参照）。

第3款　介護保険の目的と対象

1　目　的

介護保険は，「加齢に伴って生ずる心身の変化に起因する疾病等により要介護状態となり，入浴，排せつ，食事等の介護，機能訓練並びに看護及び療養上の管理その他の医療を要する者等」を対象に，「これらの者が尊厳を保持し，その有する能力に応じ自立した日常生活を営むことができるよう，必要な保健医療サービス及び福祉サービスに係る給付を行」い，「もって国民の保健医療の向上及び福祉の増進を図ること」（介保1条）を目的とする。後述するように，加齢に伴う疾病等による要介護状態が対象となる点で，基本的に「高齢者」介護保険としての性格を有するものである。また要介護状態となった本人が「有する能力に応じ自立した日常生活を営む」ことが目指される点で，家族介護負担の軽減が直接の法目的とはなっていない点に留意する必要がある。

後述するように（第6款），近時の法改正による地域包括ケアシステム構築に向けた地域支援事業の強化・充実は，「地域づくり」まで見据えたものである点で，本人の「能力に応じ自立した日常生活を営む」ことにとどまらず，介護保険法全体としては実質的に生活支援による社会への包摂を目指した制度となりつつある。そうした内実に合わせた目的規定の変更も視野に入れる必要がある。

2　保険者

介護保険では，制度運営に直接携わる保険者となるのが市町村及び特別区である（介保3条1項）。市町村（特別区を含む。以下同様）は，要介護認定等に係る審査判定業務を行わせるため，介護認定審査会を設置する（同14条）。審査会の委員は，要介護者等の保健，医療又は福祉に関する学識経験者のうちから市町村長（特別区にあっては区長）が任命する（同15条2項）。審査及び判定の案件は，5人を標準とする合議体により扱われる（介保令9条）。要保障事由である要介護状態等の認定を保険者たる市町村が行う点で，基本的に保険医にその判断が委ねられている医療保険とは根本的に異なっている。審査会は，共同設置（介保16条），都道府県への委託も可能である（同38条2項）。一部事務組合（自治284条2項）や広域連合（同条3項）を設置し，審査会の設置・運営のほか，介護保険に関わるその他の事務・事業を共同で行っている場合もある。

3　被保険者

介護保険の被保険者は，2種類に分かれる。第1号被保険者は，市町村の区域内に住所を有する65歳以上の者であり（介保9条1号），第2号被保険者は，市町村の区域内に住所を有する40歳以上65歳未満の医療保険加入者である（同条2号）。**1**でも述べたように，介護保険は「加齢に伴って生ずる心身の変化に起因する疾病等」（同1条）に関し，保険給付を行うものであり，40歳未満の者は被保険者になり得ない。また第2号被保険者であっても，保険給付の対象となるのは，要介護状態もしくは要支援状態（**4**参照）の原因である身体上又は精神上の障害が加齢に伴って生ずる心身の変化に起因する疾病であって政令で定めるもの（特定疾病といい，関節リウマチ，筋萎縮性側索硬化症，初老期における認知症〔同5条の2〕，脳血管疾患，末期がんなど16疾病が指定されている〔介保令2条〕）によって生じたものであることを要する（介保7条3項2号，4項2号）[55]。

第1号被保険者には生活保護受給者が含まれ，生活保護法上の生活扶助として保険料相当額が支給される。保険料負担能力のいかんにかかわらず同一の保険者の下で被保険者となり，同一の給付を受け得る点では，国民健康保険とは別個に生活保護から現物給付（医療扶助）がなされる医療保障のあり方とは異なった仕組みとなっている[56]。第1号被保険者である生活保護受給者の自己負担分（1割）は介護扶助で賄われる。これに対し，医療保険に加入しない40歳以上65歳未満の生活保護受給者は被保険者とならず，生活保護法上の介護扶助として現物給付がなされる。

第1号被保険者は，資格の取得（同10条）及び喪失（同11条）等に関する事

55）西村292頁は，こうした取扱いが，制度の普遍性・公平性を損なうものであり改められるべきである旨述べる。菊池・法理念200頁は，特定疾病以外に起因する障害をもつ第2号被保険者は，基本的に一定の介護を必要とする場合でも保険給付の対象とならず，保険料納付義務だけを課せられる可能性があり，そうしたケースについては，憲法14条1項との関連で違憲の疑いも払拭できないとする。

56）制度論としては，平等な医療へのアクセス保障との観点から，生活保護受給者も，介護保険第1号被保険者と同様，医療保険（さしあたり国民健康保険）に加入し，保険料及び一部負担金相当分を生活保護法によって支給する方式もあり得る。菊池・将来構想191頁。

項の届出義務を負う（同12条1項）。第1号被保険者の属する世帯の世帯主も，その世帯に属する第1号被保険者に代わって，当該第1号被保険者に係る届出をすることができる（同条2項）。被保険者は，市町村に対し，当該被保険者に係る被保険者証の交付を求めることができる（同条3項）。

施設が多数ある市町村に高齢者が集中し，当該市町村（とその被保険者）に過大な費用負担がかかることを防ぐとの趣旨から，介護保険施設，特定施設（有料老人ホーム，軽費老人ホーム，養護老人ホームであって法8条21項に規定する地域密着型特定施設でないもの〔介保8条11項，介保則15条〕）若しくは老人福祉法20条の4に規定する養護老人ホーム（老人福祉法11条1項1号の措置を受けた者に限る）に入所等することにより，他の市町村から住所を変更したと認められる被保険者であって，当該施設に入所等した際他の市町村の区域内に住所を有していたと認められるものにつき，当該他の市町村が行う介護保険の被保険者とする旨の住所地特例が設けられている（介保13条1項）。

4　受給権者

介護保険の受給権者となるのが，要介護者及び要支援者である。要介護者とは，要介護状態にある65歳以上の者（介保7条3項1号）もしくは要介護状態にある40歳以上65歳未満の者であって，その原因が特定疾病により生じたもの（同項2号），要支援者とは，要支援状態にある65歳以上の者（同7条4項1号）若しくは要支援状態にある40歳以上65歳未満の者であって，その原因が特定疾病により生じた者（同項2号）である。

要介護状態とは，身体上又は精神上の障害があるために，入浴，排せつ，食事等の日常生活における基本的な動作の全部又は一部について厚生労働省令で定める期間（6ヵ月。介保則2条）にわたり継続して常時介護を要すると見込まれる状態であって，その介護の必要の程度に応じて厚生労働省令で定める区分（要介護状態区分）のいずれかに該当するものをいう（介保7条1項）。要支援状態とは，身体上又は精神上の障害があるために，入浴，排せつ，食事等の日常生活における基本的な動作の全部又は一部について厚生労働省令で定める期間（原則6ヵ月。介保則3条）にわたり継続して常時介護を要する状態の軽減若しくは悪化の防止に特に資する支援を要すると見込まれ，又は身体上若しくは精神上の障害があるために厚生労働省令で定める期間（同上）にわたり継続して日常生活を営むのに支障があると見込まれる状態であって，支援の必要の程度に応じて厚生労働省令で定める区分（要支援状態区分）のいずれかに該当するものをいう（介保7条2項）。

介護の必要性の程度を示す区分として省令で定められている要介護状態区分は，要介護1（軽度）から5（最重度）までの5段階，要支援状態区分は要支援1，要支援2の2段階に分かれている[57]。要介護状態区分については，法施行当初，軽度の認定者が予想を大幅に上回って増加したため，2005（平成17）年改正により，新たに要支援2を創設し（従来の要支援は1段階のみ），従来の要介護1を要支援2と要介護1に分け，さらに要支援については自立支援の趣旨を徹底する観点から，後述する予防給付を新たに設けることとした（第5款1(3)）。

第4款　給付プロセス

保険医による診察をもって保険給付が開始される医療保険と異なり，介護保険の場合，受給要件の充足の有無を保険者が認定する。この認定を要介護認定及び要支援認定といい（介保19条1項・2項），行政処分たる性格を有する（同27条11項，32条9項）[58]。以下ではこれらの認定から給付に至るプロセスを概観しておく（図7参照）。

①　要介護認定等を受けようとする被保険者は，申請書に被保険者証を添付して市町村に申請をしなければならない。当該被保険者は，指定居宅介護支援事業者（ケアマネジメント機関），地域密着型介護老人福祉施設若しくは介護保険施設又は地域包括支援センターに当該申請に関する手続を代行させることができる（同27条1項，32条1項）。

②　市町村に申請があったときは，職員が当該申請に係る被保険者に対し，認定に必要なADL（activities of daily living：日常生活動作）などの諸事項について

57）「要介護認定等に係る介護認定審査会による審査及び判定の基準等に関する省令」（平11・4・30・厚生省令58号）1条・2条。

58）厳密に言えば，受給権の確認とともに，支給する給付の内容（包括的な支給限度）を決定する処分である。笠木ほか293頁。名古屋高判平30・9・26判例集未登載（LEX/DB文献番号25561987）は，要介護認定・要支援認定等非該当処分につき，市町村の判断に裁量権の逸脱・濫用があるとして取り消した原審（名古屋地判平30・3・8賃社1724号49頁）を覆して適法とした。

図7　要介護認定の流れ

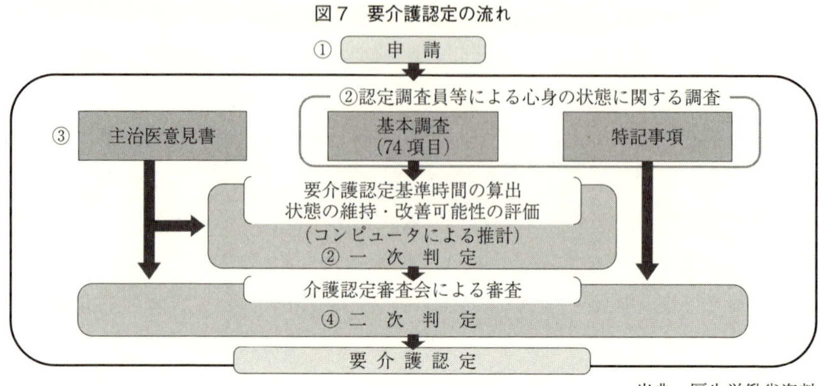

出典：厚生労働省資料

の訪問調査（同 27 条 2 項，32 条 2 項）を行う[59]。この調査事務は，都道府県が指定した法人に委託し，当該法人の介護支援専門員等に行わせることができる（指定市町村事務受託法人。同 24 条の 2 第 1 項・2 項）。

この訪問調査の結果をもとに，市町村はコンピュータによる推計を行い，申請者に係る要介護認定等基準時間[60]を算出し，計 7 段階の要介護状態区分及び要支援状態区分に係る一次判定を行う。

③　②の調査とともに，市町村は，①の申請があったときは，当該申請に係る被保険者の主治医に対し，当該被保険者の身体上又は精神上の障害の原因である疾病又は負傷の状況等につき意見書の提出を求める（同 27 条 3 項，32 条 2 項）。

④　市町村は，訪問調査の結果と主治医の意見等を独立した機関である介護認定審査会に通知し，審査及び判定（2 次判定）を求める（同 27 条 4 項，32 条 3 項）。同審査会は，要介護状態若しくは要支援状態に該当すること及びその該当する要介護状態区分・要支援状態区分等につき審査及び判定を行い，その結

59）調査項目は，直接生活介助（入浴，排せつ，食事等の介護），間接生活介助（洗濯，掃除等の家事援助等），問題行動関連介助（徘徊に対する探索，不潔な行為に対する後始末等），機能訓練関連行為（歩行訓練，日常生活訓練等の機能訓練），医療関連行為（輸液の管理，じょく瘡の処置等の診療の補助等）にわたる。厚生省令・前掲（注 57）3 条。

60）被保険者に対して行われる注 59）所定の各行為に要する 1 日あたりの時間として厚生労働大臣の定める方法により推計される時間。たとえば要介護 5 は，要介護認定等基準時間が 110 分以上である状態等をいう。注 57）参照。

果を市町村に通知する（同27条5項，32条4項）。必要があると認めるとき，同審査会は一定の事項につき付帯意見を述べることができる。市町村は，同審査会の審査及び判定の結果に基づき，要介護認定若しくは要支援認定を行い，その結果を申請者に通知する（同27条7項，32条6項）。

要介護認定及び要支援認定は，申請日に遡及して効力を生じる（遡及主義。同27条8項，32条7項）。要介護者若しくは要支援者に該当しないとき，市町村は理由を付して，申請者に通知するとともに，被保険者証を返還する（同27条9項，32条8項）。申請に対する処分は，当該申請のあった日から30日以内にしなければならない（同27条11項，32条9項）。

なお，要介護認定及び要支援認定がなされる前に，緊急その他やむを得ない理由によりサービスを受けた場合において，必要があると認めるときには，特例居宅介護サービス費や特例施設介護サービス費などの支給対象となり，自費でサービスを受けた後で9割が償還払いされる（同42条，42条の3，47条，49条，51条の4など）。

⑤　要介護認定及び要支援認定された被保険者に対しては，居宅介護支援及び介護予防支援（ケアマネジメント）が（同8条24項，8条の2第16項），自己負担なく（10割給付），指定居宅介護支援事業者及び指定介護予防支援事業者（地域包括支援センター）から提供される（同46条，58条）。具体的には，利用する指定居宅サービス及び指定介護予防サービス等の種類及び内容，これを担当する者等を定めた居宅介護サービス計画・介護予防サービス計画（ケアプラン）の作成，サービス事業者等との連絡調整などが行われる[61)]。居宅介護支援及び介護予防支援を担当するのは，介護支援専門員（ケアマネジャー）である（同7条5項，69条の2以下）。要介護者等の介護保険利用にあたっては，介護支援専門員の役割が重要である。ただし，ケアマネジメントには本来，医療・保健・福祉に係る幅広い知見が求められるにもかかわらず，介護支援専門員の専門性の点で問題が指摘されることがある[62)]。

61）　ケアプランは指定居宅介護支援事業者等に依頼せず，自ら作成することもできる（セルフケアプラン）。この場合も，あらかじめ市町村に届け出れば，事業者に依頼した場合と同様，1割の自己負担を支払えば済む。ただし，ケアプランを作成しない場合，全額自己負担となり，後で9割が償還される扱いとなる。

62）　近年，ケアマネジャーの保有資格については，看護師等の医療系資格の保有者が減少し，介

施設サービスを受ける場合には，施設サービス計画の作成が必要となる（同8条26項）。

要介護認定及び要支援認定は，原則として6ヵ月の有効期間ごとに更新される（同28条1項・2項，33条1項・2項，介保則38条，52条）。介護の必要の程度が変化（重度化）した場合，被保険者は要介護状態区分及び要支援状態区分の変更を申請することができる（介保29条，33条の2）。逆に介護の必要の程度が低下した場合，市町村は職権で要介護認定及び要支援認定を変更することができる（同30条，33条の3）。要介護者及び要支援者に該当しなくなった場合などにおける認定の取消しについても規定されている（同31条，34条）。また市町村は，介護給付等対象サービスの種類を指定することができる（同37条）。

第5款　介護保険給付

1　給付の種類

(1)　種　類

保険給付には，被保険者の要介護状態に関する給付（介護給付），被保険者の要支援状態に関する給付（予防給付），要介護状態等の軽減又は悪化の防止に資する給付として条例で定めるもの（市町村特別給付）の3種類がある（介保18条）。その内訳としては，法施行当時，居宅サービスと施設サービスの二本立てであったのに対し，2005（平成17）年改正により，地域密着型サービスが創設された。法律上，すべて「サービス費」の支給という形式になっており，「療養の給付」という現物支給が原則である医療保険と異なっている。この点は，介護保険給付に上乗せして追加的なサービスを私費で購入すること（いわゆる混合介護）を可能にするためであるとされる[63]。ただし，指定サービス事

護福祉士等の介護系資格保有者の比率が高まっている。介護支援専門員実務研修受講試験の第1回から第5回試験（平成10年度から14年度）の職種別合格者比率は，医師及び歯科医師6.3%，薬剤師5.8%，保健師7.1%，看護師・准看護師38.0%，社会福祉士4.6%，介護福祉士19.2%で，合格率が第1回44.1%，第5回30.7%であったのに対し，第23回試験（令和2年度）の職種別合格者比率は，医師及び歯科医師0.8%，薬剤師0.9%，保健師2.7%，看護師・准看護師16.9%，社会福祉士10.0%，介護福祉士55.9%，合格率17.7%であった。

63)　新田・前掲書（注8）272頁注24。その前提として，本質的に介護は医療と異なり分割可能なサービスであるとの事情がある。島崎謙治『日本の医療――制度と政策〔増補改訂版〕』（東京

業者・指定施設から居宅介護サービス・介護予防サービス，地域密着型介護サービス・地域密着型介護予防サービス，施設介護サービス，特定入所者介護サービス・特定入所者介護予防サービス，居宅介護支援・介護予防支援を受ける場合，市町村がサービスを利用した被保険者に代わり，事業者等に利用した費用を支払うこととし，事実上現物給付化されている（代理受領方式。介保41条6項・7項，42条の2第6項・7項，46条4項・5項，48条4項・5項，51条の3第4項・5項，53条4項・5項，54条の2第6項・7項，58条4項・5項，61条の3第4項・5項）。

(2)　介護給付

介護給付は，要介護認定を受けた被保険者（要介護被保険者）に対して行われるものであり，14種類が列挙されている（介保40条1号～13号。表1参照）。以下では，主なものについてみておきたい。

i)　居宅介護サービス費

居宅介護サービス費は，11種類のサービスを対象としている（介保41条4項1号・2号。図8の居宅介護サービスのうち，特定福祉用品販売〔同44条〕を除く）。このうち訪問介護（介護福祉士などが居宅を訪問して介護その他一定の日常生活上の世話を行うこと〔同8条2項〕。ホームヘルプサービス），通所介護（日帰り介護施設に通わせて介護および機能訓練を行うこと〔介保8条7項〕。デイサービス），短期入所生活介護（特別養護老人ホームなどに短期間入所させて介護その他の日常生活上の世話及び機能訓練を行うこと〔介保8条9項〕。ショートステイ）は，かつて「在宅三本柱」と呼ばれていた。また特定施設入所者生活介護は，特定施設サービス計画（同8条11項）に基づき介護その他一定の日常生活上の世話，機能訓練及び療養上の世話を行うことにより，要介護状態となった場合でも特定施設（有料老人ホーム，養護老人ホームであって法8条21項に規定する地域密着型特定施設でないもの，軽費老人ホーム〔介保8条11項，介保則15条〕）で施設職員から受けた介護サービスにつき，1日単位で特定施設入居者介護生活費が支給されるものである（外部サービス利用型の特定施設もあり，この場合1ヵ月単位で特定施設入居者介護生活費が支給される）。施設での介護を前提としながらも居宅サービスに位置づけられており，事実上施設不足の代替手段となっている。

大学出版会，2020年）287頁注102。

表１　介護給付の種類

①居宅介護サービス費，②特例居宅介護サービス費，③地域密着型介護サービス費，④特例地域密着型介護サービス費，⑤居宅介護福祉用具購入費，⑥居宅介護住宅改修費，⑦居宅介護サービス計画費，⑧特例居宅介護サービス計画費，⑨施設介護サービス費，⑩特例施設介護サービス費，⑪高額介護サービス費，⑫高額医療合算介護サービス費，⑬特定入所者介護サービス費，⑭特例特定入所者介護サービス費

図８　介護サービスの種類

	都道府県・政令市・中核市が指定・監督を行うサービス	市町村が指定・監督を行うサービス
介護給付を行うサービス	◎居宅介護サービス 【訪問サービス】 ○訪問介護（ホームヘルプサービス） ○訪問入浴介護 ○訪問看護 ○訪問リハビリテーション ○居宅療養管理指導 【通所サービス】 ○通所介護（デイサービス） ○通所リハビリテーション 【短期入所サービス】 ○短期入所生活介護（ショートステイ） ○短期入所療養介護 ○特定施設入居者生活介護 ○福祉用具貸与 ○特定福祉用具販売 ◎施設サービス ○介護老人福祉施設 ○介護老人保健施設 ○介護療養型医療施設（2024〔令和６〕年度末まで） ○介護医療院	◎地域密着型介護サービス ○定期巡回・随時対応型訪問介護看護 ○夜間対応型訪問介護 ○地域密着型通所介護 ○認知症対応型通所介護 ○小規模多機能型居宅介護 ○認知症対応型共同生活介護（グループホーム） ○地域密着型特定施設入居者生活介護 ○地域密着型介護老人福祉施設入所者生活介護 ○複合型サービス（看護小規模多機能型居宅介護） ◎居宅介護支援
予防給付を行うサービス	◎介護予防サービス 【訪問サービス】 ○介護予防訪問入浴介護 ○介護予防訪問看護 ○介護予防訪問リハビリテーション ○介護予防居宅療養管理指導 【通所サービス】 ○介護予防通所リハビリテーション 【短期入所サービス】 ○介護予防短期入所生活介護（ショートステイ） ○介護予防短期入所療養介護 ○介護予防特定施設入居者生活介護 ○介護予防福祉用具貸与 ○特定介護予防福祉用具販売	◎地域密着型介護予防サービス ○介護予防認知症対応型通所介護 ○介護予防小規模多機能型居宅介護 ○介護予防認知症対応型共同生活介護（グループホーム） ◎介護予防支援

この他，住宅改修費の支給，介護予防・日常生活支援総合事業がある。

出典：厚生労働省資料

ii)　特例居宅介護サービス費

特例居宅介護サービス費は，居宅要介護被保険者が，要介護認定の効力が生ずる前に，緊急その他やむを得ない理由により指定居宅サービスを受けた場合や，指定居宅サービス以外の居宅サービス又はこれに相当するサービスを受けた場合，必要があると認める場合に費用の償還を行うものである（介保42条1項1号・2号）。法制定過程において，家族介護を支援する観点から現金給付の導入が争点となり，結局導入しないこととされたものの，サービス利用者が離島，山間地など指定訪問介護だけでは必要な訪問介護の見込み量を確保することが困難であると市町村が認める地域に住所を有し，居宅介護支援事業者の作成する介護サービス計画に基づいて訪問介護を提供するなど，厳格な要件の下で，同居家族が行う訪問介護サービスの提供について，基準該当居宅サービスとして認められる余地がある（同項3号）。

iii)　地域密着型介護サービス費

地域密着型介護サービス費は，高齢者が身近な地域で安心して暮らし続けていけるようにするとの趣旨で，市町村が事業者の指定・監督を行うサービスとして2005（平成17）年改正により創設された。当初は，夜間対応型訪問介護（介保8条16項），認知症対応型共同生活介護（認知症高齢者のグループホーム〔同条17項〕），小規模多機能型居宅介護（通所，訪問，宿泊を組み合わせた介護〔同条18項〕）など6種類であったのが，2011（平成23）年改正で24時間対応の定期巡回・随時対応型訪問介護看護と複合型サービス（現在の看護小規模多機能型居宅介護），2014（平成26）年改正で地域密着型通所介護が新設され，9種類となった（同条14項。図8の地域密着型介護サービスの項参照）。

iv)　居宅介護サービス計画費

居宅介護サービス計画費は，居宅介護支援（ケアプラン作成。介保8条24項）にかかる費用を支給するもので，他のサービスと異なり自己負担がない（同46条）。

v)　施設介護サービス費

施設介護サービス費は，特定の施設に入所して，施設サービス計画に基づき，介護その他の日常生活上の世話，機能訓練，健康管理及び療養上の世話などを行うサービスを対象とする。施設介護サービス費は，当初，介護老人福祉施設（特別養護老人ホーム）・介護老人保健施設（老人保健施設）・介護療養型医療施設

（療養病床）が対象となっていた。2005（平成17）年改正により，介護療養型医療施設については2012（平成24）年3月をもって対象外とされることになり，介護保険法の本則では介護老人福祉施設及び介護老人保健施設のみが施設介護サービス費の対象として規定され，介護療養型医療施設の新設は認めないことになった。ただし，介護療養型医療施設から他施設への移行が思うように進まず，2012（平成24）年4月1日の時点で指定を受けているものについては，2018（平成30）年3月31日までの間，なお効力を有するものとされた（健康保険法等の一部を改正する法律〔平18法83〕附則130条の2）。そしてようやく，2017（平成29）年改正により，新たな施設サービスとして介護医療院が設置され，この問題に一応の決着がつけられた（介保8条25項・29項。同時に，介護療養型医療施設の指定の効力は2024〔令和6〕年3月31日まで延長された）[64]。

vi）　高額介護サービス費など

高額介護サービス費は，医療保険の高額療養費に相当し，1ヵ月の利用者負担が一定額を超えた場合，超えた額が支給される（介保51条，介保令22条の2の2。図9参照）[65]。医療保険の利用者負担との合算額が世帯ごとに年間一定額を超えた場合にも，高額医療合算介護サービス費という形で配慮がなされる（介保51条の2）。

生活保護受給者や住民税非課税者など低所得者は，特定入所者介護サービス費の支給対象となり，施設での居住費と食費について事実上低額の負担限度額が設定されている（同51条の3。いわゆる補足給付[66]）。この支給要件については，

64）　入所への需要が高い介護老人福祉施設（特別養護老人ホーム）については，2014（平成26）年改正により，在宅での生活が困難な中重度の要介護者を支える機能に重点化するとの趣旨で，新規入所者を，原則として要介護3以上の者に限定することとした（介保8条22項，介保則17条の9）。

65）　医療保険の高額療養費制度に合わせ，2021（令和3）年8月利用分から一定年収以上の高所得者（上の二区分）の負担上限額が新たに設定された（図9の網かけ参照）。なお，高額介護サービス費に関する裁判例として，岡山地判平24・5・29判例集未登載（LEX/DB文献番号25481741）（高額介護サービス費受給対象者に一定期間その受給手続に関する書類が送付されなかったことにつき，住民には合理的期待が生じていたとして，町長に対する担当職員等への求償権に基づく損害賠償相当額の支払請求が一部認容された例〔住民訴訟〕）。

66）　平均的な費用である基準費用額と利用者負担限度額との差額を保険給付で補うという意味で，補足給付といわれる。予防給付である特定入所者介護予防サービス費についても同様である（同61条の3）。

図9　高額介護サービス費の負担上限額

区　分	負担の上限額（月額）
課税所得690万円（年収約1,160万円）以上	140,100円（世帯）
課税所得380万円（年収約770万円）～課税所得690万円（年収約1,160万円）未満	93,000円（世帯）
市町村民税課税～課税所得380万円（年収約770万円）未満	44,400円（世帯）
世帯の全員が市町村民税非課税	24,600円（世帯）
前年の公的年金等収入金額＋その他の合計所得金額の合計が80万円以下の方等	24,600円（世帯） 15,000円（個人）
生活保護を受給している方等	15,000円（世帯）

出典：厚生労働省資料

費用負担の公平化の観点から，2014（平成26）年改正により，所得のほか，資産の状況も斟酌するものとされた（同条1項）[67]。しかし，本来的給付ではない（補足給付にとどまる）とはいえ，給付の場面で資産を勘案することは，給付の定型性という社会保険の本来的意義を損なう危険性がある。資産のうち預貯金等のみを対象とすることも公平性の観点から疑問がある[68]。

vii）　共生型サービス

高齢者医療・介護の枠を超えた「地域共生社会」に向けた取組みの一環として，高齢者や障害児者がともに利用できる「共生型サービス」を創設するとの観点から，2017（平成29）年改正により，共生型居宅サービス事業者等に係る特例が設けられた。新たな介護給付の類型が設けられたわけではないものの，これにより介護保険又は障害福祉のいずれかの指定を受けている事業所が，他方の制度における指定を受けやすくなることが期待される（介保72条の2の2，児福21条の5の17，障害総合支援41条の2）。

(3)　予防給付

予防給付は，要支援認定を受けた被保険者（要支援被保険者）に対して行われるものであり，12種類が列挙されている（介保52条1号～11号。表2参照）。このうち介護予防サービス費として，10種類のサービスが対象となる（同53条2

67）　預貯金・信託等が単身1000万円超，夫婦2000万円超の場合，対象とならない（介保則83条の5第1項1号，97条の3第1号）。

68）　後期高齢者医療制度との関連でも資産の保有状況の評価が課題となった。経済財政諮問会議「新経済・財政再生計画改革工程表2019」（2019（令和元）年12月19日）参照。

表2　予防給付の種類

①介護予防サービス費，②特例介護予防サービス費，③地域密着型介護予防サービス費，④特例地域密着型介護予防サービス費，⑤介護予防福祉用具購入費，⑥介護予防住宅改修費，⑦介護予防サービス計画費，⑧特例介護予防サービス計画費，⑨高額介護予防サービス費，⑩高額医療合算介護予防サービス費，⑪特定入所者介護予防サービス費，⑫特例特定入所者介護予防サービス費

項1号・2号，56条1項。図8の介護予防サービスの項参照）。2014（平成26）年改正により，それまで全国一律で介護予防サービスに含まれていた介護予防訪問介護と介護予防通所介護が，地域支援事業（第6款参照）に移行し，市町村が行うこととなった。予防給付は，軽度の要支援者を対象とするものであるため，施設介護サービス費を含まない。

⑷　市町村特別給付

介護給付及び予防給付のほか，市町村は，条例で定めるところにより，市町村特別給付を行うことができる（介保62条）。おむつ支給，配食サービス，寝具乾燥，移送などがあり，財源は第1号被保険者の保険料で賄われる。

2　支給限度基準額と給付率

居宅サービス，地域密着型サービス，介護予防サービス，地域密着型介護予防サービス，施設サービスともに，基本的には要介護状態区分及び要支援状態区分別の定額給付となる。居宅サービス系は基本的に支給限度基準額の範囲内で9割給付される（介保43条，55条）。逆に言えば，被保険者に対し，原則1割の定率負担が課されることとなる。ただし，近時，制度の持続可能性を高める観点から相次いで負担割合が見直され，2014（平成26）年改正により，一定以上の所得（原則として合計所得金額160万円〔単身で年金収入のみの場合，280万円〕以上）を有する第1号被保険者に係る利用者負担の割合を2割（8割給付）に引き上げた[69]のに続き（同49条の2第1項・2項，介保令22条の2），2017（平成29）年の改正で，2割負担者のうち特に所得の高い層（原則として合計所得金額220万円〔同じく344万円〕以上）の負担割合を3割（7割給付）に引き上げた。

施設入所者及び短期入所者は，在宅生活者との公平性の観点から，居住費と

69）　ただし，高額介護サービス費に基づく負担上限がある。図9参照。

図10　居宅介護（介護予防）サービス費等　区分支給限度基準額
（2021〔令和3〕年10月現在）

要支援1	5,032単位
要支援2	10,531単位
要介護1	16,765単位
要介護2	19,705単位
要介護3	27,048単位
要介護4	30,938単位
要介護5	36,217単位

出典：筆者作成（1単位＝10円を基本とする）

食費を負担するものの，負担が困難な低所得者に対しては，先述したように（1(2)vi）特定入所者介護サービス費・特定入所者介護予防サービス費による給付がある（介保51条の3，61条の3）。他方，居宅介護サービス計画・介護予防サービス計画（ケアプラン）の作成等に係る居宅介護支援・介護予防支援（ケアマネジメント）は10割給付であり，自己負担がない。

居宅介護サービスと地域密着型サービスについては，厚生労働大臣が設定する区分支給限度基準額（2以上のサービスの種類からなる区分），市町村が定める種類支給限度基準額の制約に服するものとされる（同43条）。法制定当初，区分支給限度額として，訪問通所系区分支給限度額と短期入所系区分支給限度額が設定されていたが，現在では居宅介護サービス費区分支給限度基準額として一本化されている。区分支給限度基準額は，要介護状態区分・要支援状態区分に応じて1ヵ月単位で設定されており，被保険者は，この支給限度基準額の範囲内で1つまたは複数のサービスを利用することになる（図10）。

このほか，居宅介護福祉用具購入費として年間10万円（同44条5項，平12・2・10厚生省告示34号），居宅介護住宅改修費として1回20万円（同45条5項，平12・2・10厚生省告示35号）が支給限度基準額として設定されている。

3　介護報酬

医療保険の診療報酬に相当するのが介護報酬（条文上は介護サービス費）であり（介保41条4項，42条3項，42条の2第2項，4条の3第2項，43条2項，48条2項，49条2項），詳細は厚生労働省告示で定められている[70]。ただし，診療報酬が1点＝10円の点数制により，全国一律とされているのに対し，介護報酬は単位数制を採用し，１単位＝10円を基本とし，人件費等の地域差を反映するため，各地域の１単位あたりの単価を段階的に設定している[71]。各サービス毎に，人件費等包括的に評価する部分と，サービス提供体制，利用者の状況，地域などに応じ加算・減算される部分からなり，３年に１度改定が行われる。診療報酬と同様，介護報酬の設定の仕方により介護政策が方向づけられる面があり，事業者・施設ひいてはサービス利用者に与える影響も大きい[72]。厚生労働省令（告示）で定めるものとされる基準は，あらかじめ社会保障審議会（介護給付費分科会）の意見を聴かなければならないとされるが（同41条５項など），保険者による民主的統制としては弱いと言わざるを得ない。

介護報酬の審査支払事務を行う機関は，国民健康保険団体連合会（国保連）である（同176条１項１号）[73]。

70）「指定居宅サービスに要する費用の額の算定に関する基準」（平12・2・10厚生省告示19号），「指定居宅介護支援に要する費用の額の算定に関する基準」（平12・2・10厚生省告示20号），「指定地域密着型サービスに要する費用の額の算定に関する基準」（平18・3・14厚生労働省告示126号），「指定施設サービス等に要する費用の額の算定に関する基準」（平12・2・10厚生省告示21号）など。

71）法制定当初５段階であったが，現在では８段階の級地制（1級地～7級地と「その他」）となり，サービス種類ごとに割合を異にしている。「厚生労働大臣が定める一単位の単価」（平27・3・23厚生労働省告示93号）。

72）たとえば，2021（令和3）年介護報酬改定では，新型コロナウイルス感染症や大規模災害が発生する中で，①「感染症や災害への対応力強化」とともに，団塊の世代のすべてが75歳以上となる2025年に向けて，②「地域包括ケアシステムの推進」（認知症への対応力向上に向けた取組の推進など），③「自立支援・重度化防止の取組の推進」（リハビリテーション・機能訓練，口腔，栄養の取組の連携・強化など），④「介護人材の確保・介護現場の革新」（介護職員の処遇改善等に向けた取組の推進など），⑤「制度の安定性・持続可能性の確保」（評価の適正化・重点化など）が図られた。なお，診療報酬改定は原則として２年に１度行われる。近時，地域包括ケアシステムの構築など，医療・介護を一体として捉えた政策が推進されていることからすれば，６年に１度行われる診療報酬と介護報酬の同時改定が重要な意味合いをもつと言える。同時改定にあたる2018（平成30）年の介護報酬改定の柱は，①地域包括ケアシステムの推進，②自立支援・重度化防止に資する質の高い介護サービスの実現，③多様な人材の確保と生産性の向上，④介護サービスの適正化・重点化を通じた制度の安定性・持続可能性の確保であった。

73）介護報酬についても，不適切な報酬請求がなされた場合，診療報酬と同様，審査支払機関である国保連からのいわゆる「減点査定」がなされ得る。高松高判平16・6・24判タ1222号300頁（介護タクシーサービスを提供した者が居宅介護サービスの支払を請求したところ，国保連から「減点査定」を受けたことから，市等に対し，請求額と支払額との差額の支払を求めた事案で，請求を棄却した原判決を相当とし，控訴を棄却した例）。一般論としては，医学的

4　給付に係る通則

介護給付又は予防給付と，労災保険法に基づく療養補償給付，複数事業労働者療養給付若しくは療養給付その他の法令に基づく給付（国家公務員災害補償法による療養補償・介護補償，地方公務員災害補償法による療養補償・介護補償，災害救助法に基づく扶助金など）であって介護給付等に相当するものを受けることができるときは，その限度で，介護保険法に基づく介護給付等は行われない（介保20条，介保令11条）。介護と医療の関連性に鑑みて，とりわけ医療保険との関係が問題となるが，この点については介護保険法に基づく給付が後期高齢者医療給付に優先する（高齢医療57条1項）。在宅の場合，医師，薬剤師等による療養上の管理及び指導は居宅介護サービス費（居宅療養管理指導）として支給される。施設の場合，特別養護老人ホームでは，健康管理等については施設配置の医師（非常勤）が施設サービスの一環として行い，その他医療が必要な場合，医療保険の対応となる。老人保健施設では，必要な医療は施設サービスの一環として行うものの，他の医療機関で手術等の急性期治療を行う場合，医療保険の対応となる[74)]。

このほか，損害賠償請求権との関係で，市町村は，給付事由が第三者の行為によって生じた場合で，保険給付を行ったときは，その給付の価額の限度で被保険者が第三者に対して有する損害賠償の請求権を取得する（介保21条1項）。その場合，保険給付を受けるべき者が第三者から同一の事由について損害賠償を受けたときは，市町村は，その価額の限度において保険給付を行う責めを免れる（同条2項）。偽りその他不正の行為によって保険給付を受けた者があるときは，市町村は，その者からその給付の価額の全部又は一部を徴収することができる（同22条1項）。偽りその他不正の行為により支払を受けた事業者等に対しても，その支払った額につき返還させるべき額を徴収するほか，その額に4割を乗じた額を徴収することができる（同条3項）[75)]。

判断を必要とする診療と異なり，給付の可否・内容に係る判断は比較的客観的であることから，「減点査定」を訴訟で争う余地は少ないようにみられる。

74）　これらとは異なり，障害者総合支援法上の自立支援給付との関係では社会保険である介護保険法の介護給付が優先する（障害自立支援7条）。ただし，この点に関しては裁判上争われている。第3節第3款1注175）。

75）　法22条3項は，事業者が支払を受けるに当たり偽りその他不正な行為をした場合における介護報酬の不当利得返還義務についての特則であるとされる。最1判平23・7・14判時2129号

法23条は，市町村に対し，保険給付に関して必要があると認めるときは，保険給付を受ける者若しくは各種サービスを担当する者に対し，文書その他の物件の提出若しくは提示を求め，若しくは依頼し，又は当該職員に質問若しくは照会をさせることができる旨規定する。2005（平成17）年高齢者虐待防止法の成立に伴い，同条を根拠とし，高齢者への身体的，心理的，経済的等の虐待防止について適切な対応に向けた「指導」が行われることとなった[76]。この指導は，法90条に基づいて行われる「監査」とは区別して位置付けられており，裁判例では，法23条に基づく指定介護老人福祉施設への実地指導の通知に対し，「法23条……に基づく調査は，被保険者の介護保険の不正受給等といった，専ら被保険者の保険受給状況についての調査であると考えるべきである」とし，施設側からの監査応諾義務不存在確認請求を認容したものがある[77]。

このほか，保険給付を受ける権利の譲渡・担保付保禁止，差押禁止（同25条），公課禁止（同26条）に係る規定がおかれている。

31頁（指定居宅サービス事業者等が不正の手段によって指定を受けた場合であっても，そのことを理由とする指定の取消しがなされておらず，指定を受けるにあたっての経緯も指定を無効とするほどの瑕疵の存在が認められない等の事情の下では，介護保険法22条3項に基づく返還義務を負わないとされた例）。法22条3項に基づく返還の通知につき，市による返還請求は私法上の請求であるとして行政処分性を否定する裁判例（さいたま地判平22・6・30判例自治345号63頁。平20法42による改正前）がある一方，返還命令処分の取消請求を一部認容した裁判例もある（佐賀地判平27・10・23判時2298号39頁）。なお，青森地判令2・11・27判例集未登載（LEX/DB文献番号25568154）は，所定の研修を受講していない者による修了証明書の偽装を誤信して採用した事業者による訪問介護等にかかる介護報酬支払につき，法22条3項にいう「偽りその他不正の行為」とはいえないものの，所定の要件と基準を満たさない介護報酬の支払が法律上の原因を欠くものであるとして，別途事業者に対し民法上の不当利得返還請求を求めることができる旨判示した。笠木ほか307頁は，たとえサービス提供の事実があったとしても，運営基準に合致しないサービスについては介護給付費は支払われないのであり，事業者の受領に法律上の原因がない（すなわち事業者に不当利得返還義務が生じる）旨述べる。

76）介護保険施設等実地指導マニュアルの策定（平19・2・7老指0207001号，改訂平22・3・31老指0331第1号）。

77）長野地判平23・4・1判例集未登載（LEX/DB文献番号25470746）。

第6款　地域支援事業等

既に述べたように（第2款2），2005（平成17）年介護保険法改正は予防重視型システムへの転換を目指すものであった。その一環として，軽度の要支援高齢者が重度化して要介護状態等になることの予防（介護予防）を推進し，地域における包括的・継続的なマネジメント機能を強化するため，市町村を実施主体とし，要介護状態となるおそれのある高齢者（二次予防対象者）等を対象とする介護予防事業，包括的支援事業などからなる地域支援事業が設けられた。その後，単身の要支援高齢者が地域で生活し続けるためには生活支援も一体的に提供する必要があるとの観点から，2011（平成23）年改正により，予防給付サービス，二次予防対象者への介護予防事業を総合的かつ一体的に提供できるようにする介護予防・日常生活支援総合事業（総合事業）が創設され，市町村は介護予防事業か総合事業のいずれかを行うべきものとされた。

2005（平成17）年及び2011（平成23）年の介護保険法改正は，いわゆる地域包括ケアシステム（第10款）構築に向けた取組みの一環として位置付けられる。さらに，高齢者の社会参加が生活支援の担い手につながることから，市町村による生活支援と介護予防の基盤整備を可能にするとともに，予防給付を重点化・効率化するため，2014（平成26）年改正により，地域支援事業の再編が行われた（図11参照）。これにより，従来，介護予防サービスに含まれていた介護予防訪問介護と介護予防通所介護を総合事業に移行し，地域支援事業としての総合事業を，2017（平成29）年度までにすべての市町村で実施するものとした（介保115条の45第1項1号イ〔第1号訪問事業〕及びロ〔第1号通所事業〕）。このほか，同様に居宅要支援者被保険者等を対象とする総合事業（介護予防・生活支援サービス事業[78]）として，居宅要支援被保険者等の地域における自立した日常生活の支援として行う事業（同項1号ハ〔第1号生活支援事業〕），居宅要支援被保険者等（介護予防支援を受けている者を除く）の介護予防を目的として，必

78）　笠木ほか310頁は，介護予防・生活支援サービス事業のみを利用する場合，「基本チェックリスト」による簡易な審査で事業対象者と判断されることで要支援認定を受けずにサービスを利用できる点に着目し，このサービスの振り分けを行政処分に当たらないとする行政実務につき，不服がある者は要支援認定を申請しその結果（行政処分）をもって審査請求や取消訴訟の提起に至らざるを得ない点を指摘する。

図11　地域支援事業の全体像（2014〔平成26〕年改正前・後）

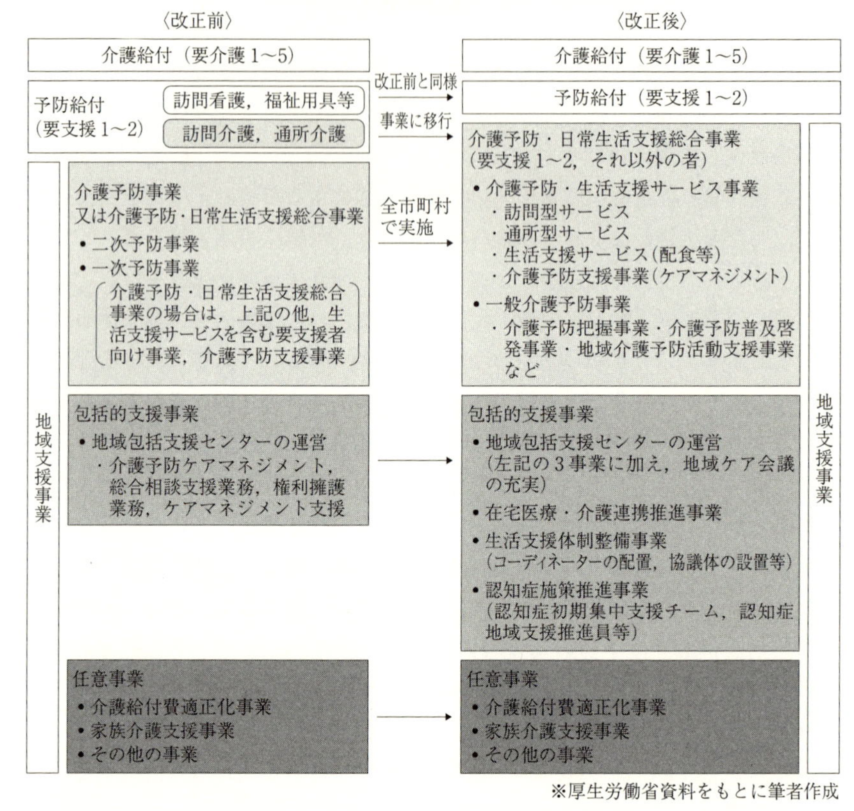

※厚生労働省資料をもとに筆者作成

要な援助を行う事業（同項1号ニ〔第1号介護予防支援事業〕）も位置付けられた。また，第1号被保険者が要介護状態等となることの予防又は要介護状態等の軽減若しくは悪化の防止のため必要な事業（一般介護予防事業）も，総合事業として位置付けられた（同項2号）。

総合事業以外の地域支援事業として，市町村は，①総合相談支援，②権利擁護，③包括的継続的ケアマネジメント支援，④在宅医療・介護連携推進，⑤生活支援体制整備，⑥認知症施策推進といった事業を行うものとする（包括的支援事業。同115条の45第2項）。このほか，任意事業として，介護給付等費用適正化事業，家族介護支援事業などが位置付けられている（同条3項）。

新しい総合事業は，第1号訪問事業や第1号通所事業といった従来型のサービス給付のみならず，元気な高齢者等の活用による多様な生活支援等サービスを支援の対象とするとともに，生活支援体制整備事業により，NPO，ボランティア，地縁組織，協同組合等による生活支援等サービスの開発，ネットワーク化まで射程に入れている点で，「地域づくり」まで見据えた地域包括ケアシステム構築のための重要なツールとして位置付けられている。こうした広範にわたる地域支援事業の展開は，介護保険の給付本体ではないものの，法目的として掲げられている本人の「能力に応じ自立した日常生活を営む」ことにとどまらず，介護保険法全体として実質的に生活支援による社会とのつながりの保持（ないし包摂）といった方向に，実質的に相当程度踏み込んでいることを示すものである。そうであればなおさら，介護保険の法目的や理念の再整理が求められるのではないかと思われる。

総合事業の費用負担は，介護給付等に要する費用と同様で，国が25%（調整交付金を含む），都道府県及び市町村がそれぞれ12.5%を負担する（同122条の2第1項・3項，123条3項，124条3項）。総合事業以外の地域支援事業については，事業に要する費用の額に，法125条1項にいう第2号被保険者負担率に100分の50を加えた率を乗じた額（特定地域支援事業支援額）の50%（費用全体の39%），都道府県及び市町村がそれぞれ25%（同じく19.5%）を負担する（同122条の2第4項，123条4項，124条4項）。

地域支援事業のうち，第1号介護予防支援事業及び包括的支援事業などを担当するのが地域包括支援センターである（同115条の46第1項）。市町村及び市町村から包括的支援事業の委託を受けた者が同センターを設置することができる（同条2項・3項）。同センターは，高齢者介護に係る中核的な相談支援機関として位置付けられるほか，生活困窮者自立支援制度の自立相談支援事業などとも相まって，今後とりわけ地方部における地域の包括的相談拠点としての役割も期待される。

第7款　サービス提供者

要介護認定・要支援認定の更新（介保28条5項，33条4項）や，居宅介護支援事業（同81条1項）などの業務に携わる者として，介護支援専門員（ケアマネジャー）という資格が法定されている（同69条の2以下）[79]。試験は都道府県知事が行い，知事の登録を受けるものとされ（同条1項），要介護者等の人格を尊重し，常に当該要介護者等の立場に立って，サービス等が特定の種類又は特定の事業者若しくは施設に不当に偏ることのないよう，公正かつ誠実にその業務を行わなければならないとされているものの（同69条の34第1項），実際には特定の関連事業者等へのサービスの誘導が問題となることがある。

介護保険法上のサービス提供を担う事業主体として，①指定居宅サービス事業者（同70条），②指定地域密着型サービス事業者（同78条の2），③指定居宅介護支援事業者（同79条），④指定介護予防サービス事業者（同115条の2），⑤指定地域密着型介護予防サービス事業者（同115条の12），⑥指定介護予防支援事業者（同115条の22）がある。このうち①，③，④は知事の指定を，②，⑤，⑥は市町村長の指定を受ける必要がある。このほか，介護保険施設として，⑦指定介護老人福祉施設（同8条27項，86条），⑧介護老人保健施設（同8条28項，94条），⑨介護医療院（同8条29項，107条）が規定されている。⑦は都道府県知事の指定，⑧，⑨は知事の開設許可を必要とする[80)]。

指定を受けるにあたっては，都道府県若しくは市町村が条例で定める従業者の員数等に係る基準や事業の設備及び運営に関する基準を満たさなければならない（同70条2項2号・3号，78条の2第4項2号・3号など）[81)]。この基準は，一義的には事業者が指定及び指定の更新を受けるための基準に過ぎず[82)]，直ちに

79）注62）参照。

80）指定介護老人福祉施設は，指定を受けるにあたり，老人福祉法上の特別養護老人ホームの設置認可を受けていることが前提となる（老福15条4項）。介護老人保健施設と介護医療院の開設許可は，開設許可と指定の双方の性格が含まれる。

81）「指定居宅サービス等の事業の人員，設備及び運営に関する基準」（平成11年3月31日厚生省令37号），「指定地域密着型サービスの事業の人員，設備及び運営に関する基準」（平成18年3月14日厚生労働省令34号）など。

82）介護保険法78条の4第2項又は4項に規定する指定地域密着型サービスの事業の設備及び運営に関する基準に従って適正な事業の運営ができないと認められるときは，市町村長は同法42条の2第1項本文の指定をしてはならないが，市町村長には一定の要件裁量があり，要件該当性の判断の基礎とされた重要な事実に誤認があること等により，その判断がまったく事実の基礎を欠く場合，又は判断の過程が著しく合理性を欠く場合にその判断が違法となる旨述べるものの，指定申請却下処分が適法とされたものとして，東京高判平24・11・22判例自治375号58頁。同様に指定申請不許可処分が適法とされた事案として，東京地判平24・10・19賃社1605号52頁。

契約内容となるものではないが，少なくとも受給権者と事業者・施設との介護サービス契約の解釈基準となる余地がある。指定基準を満たさない場合等にあっては，報告等を命じるなどのほか，指定権者に勧告・命令等[83]を行い，最終的には指定取消しを行う権限等も留保されている（同76条～77条，78条の9，78条の10など）[84]。

指定の法的性格につき，学説では当初，保険医療機関の指定の法的性格に係る議論を参考にしながら，契約と解する説[85]がみられたものの，現在では，確認行為と解する説が多数説である[86]。「療養の給付」という現物給付が原則で

83）勧告を受けた事業者等が従わなかったとき，その旨を公表できるとされているところ，介護老人保健施設につき，介護保険法103条2項に基づく公表が国民に対する情報の提供であって，これにより国民の権利義務を形成し，又はその範囲を確定することが法律上認められているとはいえないとし，行政処分性を否定したものとして，東京高決平19・11・13裁判所ウェブサイト（LEX/DB文献番号25421173）。

84）指定取消処分が争われた裁判例は少なくない。指定取消処分等の取消請求を棄却した最近の例として，高知地判令元・12・17判例集未登載（LEX/DB文献番号25564904），大阪地判令元・7・24判例自治468号45頁，大阪地判令元・10・25判例自治466号95頁など。他方，実体判断に踏み込んで請求を認容した例として，松山地判平26・7・1判例集未登載（LEX/DB文献番号25504353）（指定居宅サービス事業者等として提供したサービスの記録不備につき，複数のサービスを24時間体制で行うという事業態様の特殊性が関係しており〔各事業所の従業員が協力し合いサービスを提供しており，業務の混同が生じやすく，正確な記録を作成しづらくなっていた〕，県等による適切な措置や指導があれば是正され得たとし，処分が取り消された例）。また，指定取消処分が行政手続法14条1項本文の要求する理由提示要件を欠く違法があるとして取り消された例として，名古屋高判平25・4・26判例自治374号43頁（知事のした指定通所リハビリテーション事業者の指定を取り消す処分が，行政手続法14条1項本文の要求する理由提示要件を欠く違法があるとして取り消された例），名古屋高判平25・10・2判例集未登載（LEX/DB文献番号25505971。上告審・最1決平26・12・11判例集未登載〔LEX/DB文献番号25505633。上告不受理〕），熊本地判平26・10・22判例自治422号85頁（ただし，控訴審である福岡高判平28・5・26判例自治422号72頁は指定取消処分を適法とした）。なお，指定取消処分の執行停止が認められた例として，広島高岡山支決平20・4・25裁判所ウェブサイト（LEX/DB文献番号25421266。抗告棄却），大阪地決平30・4・20裁判所ウェブサイト（LEX/DB文献番号25449962）。

85）橋本宏子「介護サービスの供給体制」佐藤進＝河野正輝編『介護保険法――権利としての介護保険に向けて』（法律文化社，1997年）124頁。

86）西村310頁，菊池・法理念207頁注83。指定地域密着型サービス事業者の指定（介保42条の2第1項，78条の2）行為の法的性質につき，「その提供するサービスが介護保険法の保険給付の対象としてふさわしいものであることの確認行為」であるとするものとして，水戸地判平24・5・18判例自治375号61頁。

ある医療保険と異なり，保険者は被保険者に対して介護サービスそのものの提供義務を負っておらず，指定事業者等は，代理受領を受け得る地位にあることを確認されるにとどまるからである[87]。しかしながら，いわゆる総量規制により，特定施設入居者生活介護事業者及び施設系・居住系地域密着型サービス事業者の指定拒否の仕組みが創設されたほか（同70条4項・5項，78条の2第6項4号），地域密着型サービスの一環である定期巡回・随時対応型サービス，小規模多機能型居宅介護等についての事業者指定にあたって公募制を通じた選考が導入されるなど（同78条の13）[88]，指定はもっぱら確認行為であるとは言えなくなり，事業の種類によっては地位を設定する形成的行為の性格を帯びていると評価することが可能である。

従来の措置制度に代わって，サービス提供者と受給権者との間には，介護サービス利用に係る契約（介護保険契約あるいは介護契約）が締結される（第1節第4款3(2)）。この契約は，介護サービスの利用を目的とするものであり，民法上

87）原田啓一郎「福祉契約における介護保険の保険者責任」新井誠ほか編著『福祉契約と利用者の権利擁護』（日本加除出版，2006年）259頁。介護保険法と同様，サービス費用の支給を法定する障害者総合支援法の事案につき，指定居宅サービス事業者は，市町村が当該事業者に支払うことができるとされた金員の取立権能を取得するにすぎず，当該事業者が市町村に対する居宅介護に要した費用についての債権を取得するものと解することはできないとした裁判例として，大阪高判平27・9・8金法2034号78頁。こうした理解も，診療報酬支払との仕組みの違いによるものということができる。山下慎一「障害者総合支援法における『法定代理受領』をめぐる法律関係」『福岡大学法学論叢』61巻3号（2016年）1頁以下は，本判決を素材とし，介護保険法の仕組みとの異同に留意しつつ，障害者総合支援法上の法定代理受領の法的構成について，債務引受構成を採用し，サービス事業者の債権を広く認める方向での議論を展開する。

88）公募制は，地域密着型サービスのうち，認知症対応型共同生活介護，地域密着型特定施設入居者生活介護，地域密着型介護老人福祉施設入居者介護について，市町村長が，市町村介護保険事業計画の達成に支障が生じるおそれがあると認めるときは，事業者への指定をしないことができるとしていたのに対し（介保78条の2第6項4号），小規模多機能型居宅介護等についてはこうした定めがなく，裁判例もこれらの事業の指定申請があったときは市町村長は介護保険事業計画の達成に支障が生じるという理由で指定を拒否することができないと解したこともあって（福井地判平20・12・24判例自治324号56頁，名古屋高金沢支判平21・7・15裁判所ウェブサイト〔LEX/DB文献番号25441731〕），2011（平成23）年改正で導入された。なお参照，千葉地判平24・9・28裁判所ウェブサイト（LEX/DB文献番号25445317）（指定地域密着型サービス事業者の指定に係る申請前になされた認知症対応型共同生活介護事業者の応募を否とする市長の決定につき，指定の申請をすることを妨げられるものでない等として，処分性を認めず訴えを却下した例）。

の準委任契約（民656条）と解される[89]。ただし，法形式上は対等当事者間の契約であるとしても，実質的には「情報の非対称性」「附合契約性」「交渉力格差」[90]などの点で利用者保護の必要性が認められる。このため消費者契約法の適用があるほか，既にみたように社会福祉法上，社会福祉事業経営者に対し，情報提供（社福75条），利用契約の申込み時の説明（同76条），利用契約の成立時の書面交付（同77条），質の評価その他福祉サービスの質の向上のための措置（同78条）に係る努力義務を課すとともに，誇大広告の禁止（同79条）を規定している。成年後見制度や福祉サービス利用援助事業，運営適正化委員会等の利用者の権利擁護の仕組みも設けられている。また先述のように，直接契約内容となるか否かは別として，国が定める基準を参酌して条例で規定される人員，設備及び運営等に関する様々な基準が定められている。

サービスの利用関係が契約化したこととも関連して，介護保険法施行後，介護サービス提供に際しての事故（典型的には食物の誤嚥，転倒・骨折など）に係る法的紛争が増大し，裁判例が多くみられる[91]。裁判例の多くは，「安全配慮義務」構成により事案の解決を図っている[92]。

介護保険法施行後も，老人福祉法上の措置の規定は残されている。家族が介護を放棄し，あるいはひとり暮らしで認知症状が顕著になってきた場合など，本人による申請が望み難い場合，市町村が職権措置権限を発動することが期待されている（老福10条の4）[93]。

---

89)　西村312頁。

90)　岩村編・前掲書（注37）31頁〔岩村執筆〕。

91)　佐藤丈宜「介護事故による損害賠償請求訴訟の裁判例概観——過失・安全配慮義務違反の判断を中心として」判タ1423号（2016年）78頁以下。保険政策を交えた検討として，長沼建一郎『介護事故の法政策と保険政策』（法律文化社，2011年）。

92)　利用者の安全に配慮する義務は給付義務そのものであるとの私見の立場からの疑問として，菊池・将来構想270-271頁。

93)　大阪地判令元・7・26判例自治466号87頁（子による父親への高齢者虐待を理由として特別養護老人ホームへの入所措置及び面会制限措置を講じた大阪府豊中市に対する国賠請求につき，父親が危篤に陥った事実を通知すべき職務上の法的義務を負っていたということはできないなどとして，子による請求を棄却した例）。

第８款　保険財政

1　費用負担

介護保険の財政は，基本的に公費50%，保険料50%の割合となっている。

保険給付にかかる費用のうち，国は，介護給付及び予防給付に要する費用の20%（介護保険施設，特定施設入居者生活介護及び介護予防特定施設入居者生活介護にかかるものは15%）に加えて（介保121条1項），保険者間の財政調整を行うための調整交付金として5%を負担する（同122条2項）。第1号被保険者の年齢階級別の分布状況，第1号被保険者の所得の分布状況等を考慮するため，交付金の割合は市町村によって異なる（同条1項）。このほか国は，地域支援事業のうち介護予防・日常生活支援総合事業に要する費用につき25%（調整交付金を含む），その他の事業に要する費用につき公費負担分と第2号被保険者負担分を加えた額の50%（2021〔令和3〕年現在38.5%）を負担する（同122条の2。第2号被保険者が負担しないため）。都道府県は，介護給付及び予防給付に要する費用の12.5%（介護保険施設，特定施設入居者生活介護及び介護予防特定施設入居者生活介護に係るものは17.5%），介護予防・日常生活支援総合事業に要する費用の12.5%，その他の地域支援事業に要する費用につき国の半額（2021〔令和3〕年度現在19.25%）を負担する（同123条）。残りの公費負担分（原則12.5%。その他の地域支援事業につき国の半額〔同19.25%〕）を市町村が一般会計において負担する（同124条）。

介護給付及び予防給付に要する費用につき，第2号被保険者は，介護給付及び予防給付に要する費用の額に第2号被保険者負担率を乗じて得た額を負担する（同125条）。この負担率は，第1号被保険者数と第2号被保険者数の比率に応じて自動的に調整される仕組みとなっており，3年に一度見直される[94]（同条2項）。第2号被保険者の負担分は，介護給付費交付金という名目で社会保険診療報酬支払基金が市町村に対し交付する（同条1項）。介護予防・日常生活支援総合事業に要する費用についても，第2号被保険者の負担分は，地域支援事業支援交付金という名目で支払基金が市町村に対し交付する（同126条。こ

94）2021（令和3）年度から2023（令和5）年度までの第2号被保険者負担率は，27%である（介護保険の国庫負担金の算定等に関する政令5条。第1号被保険者負担率は23%）。高齢化が進み，第1号被保険者の割合が増えるにつれ，第2号被保険者負担率は減少する。

れに対し，介護予防・日常生活支援総合事業以外の地域支援事業については，第1号被保険者のみが負担するので第2号被保険者は負担しない)。この財源として，支払基金は医療保険者から介護給付費・地域支援事業支援納付金を徴収する（同150条，160条1項)。この納付金の負担の仕方については，従来，医療保険者が第2号被保険者である加入者数に応じて負担してきたのに対し，2017（平成29）年改正により，被用者保険間の負担配分につき変更がなされ，段階的に各保険者の第2号被保険者標準報酬総額に比例した負担割合とした後，全面的に総報酬割が導入されることになった（同152条，153条)。

介護給付や予防給付といった制度本体の給付のみならず，地域支援事業についても保険料財源が投入されているのは，介護保険法における同事業の位置付けや性格を考えるにあたって留意されるべき点といえる。

国及び都道府県は，上記以外に介護保険事業に要する費用の一部を補助することができる（同127条，128条)。

2　保険料

市町村は，介護保険事業に要する費用に充てるため，保険料徴収義務を負う（介保129条1項)。保険料の徴収方法として，第1号被保険者については，年金からの特別徴収（天引き）がなされる（同131条，135条)。年額18万円以上の年金が支給されている場合が対象となる（介保令41条)。当初，老齢年金のみであったのが，2005（平成17）年改正により障害年金，遺族年金も対象に含められた。特別徴収方式については，年金の支給目的に反せず，憲法14条及び25条に違反せず合憲とされている[95)]。

特別徴収に当たらない場合，普通徴収の対象となり，市町村が納入の通知をすることによって徴収する（介保131条，132条)。2005（平成17）年改正により，収納事務の私人への委託（同144条の2)，生活保護受給者の保険料の市町村による代理納付（生活保護37条の2）に係る規定がおかれた。

---

95)　最3判平18・3・28判タ1208号78頁。大阪高判平22・10・27税務訴訟資料260号順号11540（LEX/DB文献番号25501194）（特別徴収の方法による妻の介護保険料が夫である納税者本人の社会保険料控除の対象とならないことが憲法14条に反しないとされた例。上告審・最1決平23・4・21税務訴訟資料261号順号11673〔LEX/DB文献番号25501886。上告不受理〕）参照。

市町村が徴収する第１号被保険者の保険料は，政令で定める基準に従い条例で定めるところによって算定された保険料額によって課される（介保129条２項）。保険料率は，おおむね３年を通じ財政均衡を保つことができるものでなければならない（同条３項）。後述の介護保険事業計画（第９款）に基づき今後３年間の費用を見込み，各年度の費用の見込額から公費負担や第２号被保険者の保険料負担などの収入の見込額を控除した額を第１号被保険者数で割ると，第１号被保険者１人当たりの基準額となる。保険料額は，基準額を中心に所得に応じて段階別に設定されており[96]，基準額である第５段階を中心に９段階からなる（介保令38条１項）。2014（平成26）年改正により，給付費に係る公費の５割負担とは別に公費を投入し，第１段階から第３段階までの低所得高齢者（世帯全員が市町村民税非課税の世帯）の保険料軽減を強化した（介保124条の２）。市町村はもっとも保険料額の高い第９段階をさらに細分化し段階づけることができる（介保令39条１項）。

このように，第１号被保険者の保険料は，応能負担の観点から，所得段階別となっている。徴収猶予及び減免に関する規定がおかれているものの（介保142条），低所得者に対する一律の減免を想定しているものではない[97]。第１号被保険者に係る保険料の滞納に関しては，支払方法の変更（代理受領ではなく償還払いとなる。同66条），保険給付の支払の一時差止め（同67条，68条），保険料を徴収する権利が消滅した場合の保険給付の７割への減額（同69条）など，医療保険にはみられない厳格な制裁的手段が用意されている。

第２号被保険者については，医療保険者が保険料を徴収する（健保155条１項，国保76条）。先に述べたように，医療保険者は納付金という形で社会保険診療報酬支払基金に納付する義務を負い（介保150条），支払基金はこれを市町村に対し介護給付費交付金等として交付する（同125条，126条）。

96）大阪高判平18・7・20裁判所ウェブサイト（LEX/DB文献番号28112338）（介護保険の保険料を所得に応じた５段階区分〔当時〕としたことが憲法14条に反しないとされた例）。

97）最３判平18・3・28・前掲（注95）は，一定の低所得者につき一律に保険料を賦課しないものとする旨の規定又は全額免除する旨の規定を設けていない点についても，憲法14条・25条違反はないとする。

3　財政安定化措置

介護保険にも，医療保険と同様，保険者の財政の安定化を図るための仕組みが設けられている。

都道府県は，保険料収入の収納額の不足や保険給付費の予想以上の増加に対処するため，資金の交付又は貸付を行う財政安定化基金（介保147条1項・2項）を設けている。財源は国・都道府県・市町村各3分の1である（同条3項〜6項）。市町村拠出分は，第1号被保険者に課す保険料が財源となる（同129条1項・4項）。

市町村は，介護保険事業の財政の安定化を図るため，介護給付及び予防給付に要する費用，地域支援事業に要する費用，財政安定化基金拠出金の納付に要する費用等の財源について，他の市町村と共同して，市町村相互間において財政の悪化した市町村を支援するための調整を行う市町村相互財政安定化事業を行っている（同148条）。市町村間で調整保険料率を設定し，これに基づき保険財政の調整が行われる。

第9款　介護保険事業計画等

厚生労働大臣は，「地域における医療及び介護の総合的な確保の促進に関する法律」（平26法83）3条1項に定める総合確保指針（第10款参照）に即して，介護保険事業に係る保険給付の円滑な実施を確保するための基本的な指針（基本指針）を定め，具体的には，介護給付等対象サービスを提供する体制の確保及び地域支援事業の実施に関する基本的事項や，市町村が介護給付等対象サービスの種類ごとの量の見込みを定めるにあたって参酌すべき標準等を定めるものとされている（介保116条）。これに対し市町村は，この基本指針に即して，3年を1期とする当該市町村が行う介護保険事業に係る保険給付の円滑な実施に関する計画（市町村介護保険事業計画）を定めるものとする（同117条）。都道府県も，基本指針に即して，3年を1期とする介護保険事業に係る保険給付の円滑な実施の支援に関する計画（都道府県介護保険事業支援計画）を定めるものとする（同118条）。2021（令和3）年度より第8期の計画が立てられている。

市町村介護保険事業計画では，日常生活圏域ごとの当該区域における各年度の認知症対応型共同生活介護，地域密着型特定施設入居者生活介護及び地域密着型介護老人福祉施設入所者生活介護に係る必要利用定員総数その他の介護給付等対象サービスの種類ごとの量の見込み，各年度における地域支援事業の量の見込みが必要的記載事項として挙げられ（同117条2項1号・2号），都道府県介護保険事業支援計画では，都道府県が定める区域ごとに当該区域における各年度の介護専用型特定施設入居者生活介護，地域密着型特定施設入居者生活介護及び地域密着型介護老人福祉施設入所者生活介護に係る必要利用定員総数，介護保険施設の種類ごとの必要入所定員総数その他の介護給付等対象サービスの量の見込みを定めるものとされ（同118条2項），総量規制を行っている[98]。

第10款　地域包括ケアシステム

近時の高齢者医療・介護の政策動向は，地域包括ケアシステムの構築に向けた取組みと評価することができる。その嚆矢は，2005（平成17）年介護保険法改正による，予防重視型システムへの転換（地域支援事業の創設など），新たなサービス体系の確立（地域密着型サービスや地域包括支援センターの創設など）に遡ることができる。その後，2011（平成23）年でも引き続き，医療・介護・予防・住まい・生活支援サービスが連携した要介護者等への包括的な支援（地域包括ケアシステム）の推進（24時間対応の居宅サービスや複合型サービスの創設など）が図られた。

地域包括ケアシステムとは，「地域の実情に応じて，高齢者が，可能な限り，住み慣れた地域でその有する能力に応じ自立した日常生活を営むことができるよう，医療，介護，介護予防，住まい及び自立した日常生活の支援が包括的に

98）介護保険事業（支援）計画に定めた必要利用定員総数に既に達しているか，またはこれを超えることになる場合には，都道府県知事及び市町村長は，施設系・居住系サービス事業者（特定施設入居者生活介護事業者及び施設系・居住系地域密着型サービス事業者）の指定を拒否したり（介保70条4項・5項，78条の2第6項4号），介護老人保健施設及び特別養護老人ホームの設置許認可を拒否したりすることができる（同94条5項，老福15条6項）。市町村が定める事業計画で掲げられている認知症対応型共同生活介護などは指定拒否事由となるサービスとして列挙されている（介保78条の2第6項4号）。これに対し，列挙されていないサービスについての指定拒否は許されない（類推適用を認めない）とする裁判例として，名古屋高金沢支判平21・7・15・前掲（注88）。定期巡回・随時対応型訪問介護看護，小規模多機能型居宅介護，看護小規模多機能型居宅介護には公募制が採用されている。注88）参照。

確保される体制をいう」（「持続可能な社会保障制度の確立を図るための改革の推進に関する法律」〔平25法112〕4条4項）。この定義に示されるように，同システムは，個別の制度・分野で完結するものではなく，医療，介護，予防，住まい，生活支援など，領域横断的に発展が確保されるべきものである[99)]。またそれゆえに，ひとつの「システム」としての全体像を把握するのが難しい側面がある[100)]。以下に述べるように，法律上，権利関係が比較的明確な「給付」ではなく，様々な「事業」の展開によってシステムの構築が図られようとしている点も，同様に法的な考察を難しくする要因である。

2014（平成26）年改正法（「地域における医療及び介護の総合的な確保を推進するための関係法律の整備等に関する法律」〔平26法83〕）では，地域包括ケアシステムの構築に関わる介護保険法の改正として，予防給付（訪問介護・通所介護）の地域支援事業への移行を含む地域支援事業の拡充が図られた[101)]。また，地域における効率的かつ効果的な医療提供体制の確保を図るとの観点から，医療法改正により，都道府県による地域医療構想の策定，医師確保支援を行う地域医療支援センターの機能を法律上位置付けた（第7章第1節第2款4）。

2014（平成26）年改正法では，「地域における公的介護施設等の計画的な整備等の促進に関する法律」を「地域における医療及び介護の総合的な確保の促進に関する法律」（医療介護総合確保促進法）と改め，同法の目的に，「地域における創意工夫を生かしつつ，地域において効率的かつ質の高い医療提供体制を構築するとともに地域包括ケアシステムを構築することを通じ，地域における医療及び介護の総合的な確保を促進する措置を講じ」る旨が明記された（同法1条）[102)]。

99）　福島豪「高齢者・障害者の地域生活支援」『法律時報』89巻3号（2017年）6頁。地域包括ケアの基本的考え方が明確になったのは，地域包括ケア研究会報告書「今後の検討のための論点整理」（平成20年度老人保健健康増進等事業）であった。

100）　地域包括ケアシステムは，相互に独立性の高い医療システムや介護システムなど，それぞれ法的な把握が容易ないくつかのサブシステムによって構成されるという特徴がある。原田啓一郎「地域包括ケアの法的評価」『社会保障法研究』10号（2019年）114頁。同論文117頁は，同システムが，地域包括ケアの提供のために，住み慣れた地域で生活するための支援に動員される諸々の社会資源にかかわる仕組み・法制度を機能的に関連付ける体系ないし体制として把握する。

101）　稲森公嘉「介護保険制度改革」『論究ジュリスト』11号（2014年）21頁。

102）　同法2条は，先述した「持続可能な社会保障制度の確立を図るための改革の推進に関する法

同法では，厚生労働大臣に対し，地域における医療及び介護を総合的に確保するための基本的な指針（総合確保方針）を定めなければならないとするとともに（同３条１項～３項），都道府県及び市町村は，総合確保方針に即して，かつ，地域の実情に応じて，医療及び介護の総合的な確保のための事業の実施に関する計画を作成することができるものとした（同４条，５条）。都道府県計画は，医療計画及び都道府県介護保険事業支援計画，市町村計画は，市町村介護保険事業計画とそれぞれ整合性の確保を図るものとする（同４条３項，５条３項）。

都道府県が都道府県事業（都道府県計画に掲載された事業）に関する経費を支弁するため基金を設ける場合，国は，政令で定めるところにより，財源に充てるために必要な資金の３分の２を負担するものとし（同６条），当該基金の財源には，消費税の増収部分が充てられるものとされた（同７条）。

2017（平成29）年改正法は，「地域包括ケアシステムの強化のための介護保険法等の一部を改正する法律」〔平29法52〕と題するもので，地域包括ケアシステムの深化・推進を図ることが大きな目的であった。第１に，自立支援・重度化防止に向けた保険者機能の強化等の取組みの促進として，全市町村が保険者機能を発揮し自立支援・重度化防止に取り組むとの見地から，介護保険事業(支援)計画の策定に際しての国から提供されたデータの分析（介保117条５項，118条の２），同計画への介護予防・重度化防止等の取組み内容及び目標の記載（同117条２項，118条２項），都道府県による市町村支援の規定の整備（同115条の45の10第３項），介護保険事業(支援)計画に位置付けられた目標の達成状況についての調査・分析・評価・公表・報告（同117条７項・８項，118条７項・８項），自立支援等の取組み支援のための国による財政的インセンティブの付与（同122条の３・保険者機能強化推進交付金）といった規定がおかれた。第２に，医療・介護の連携の推進に係る改正として，日常的な医学管理や看取り等の機能と生活施設としての機能を兼ね備えた新たな介護保険施設としての介護医療院の創設がなされた。第１の点に関しては，詳細にわたる改正が多数行われており，全体としての目的自体は正当であるとしても，市町村及び都道府県などの自治体に多大な事務量の増大をもたらしたのではないかとの懸念がある[103)]。

律」（平25法112）と同様の地域包括ケアシステムの定義規定をおいた。

103)　財政的インセンティブの仕組みの複雑さに加えて，医療・介護・福祉の各側面について，財政的インセンティブ付与と各保険者の側でのコントロール可能性についての不明瞭さを指摘す

従来の地域包括ケアシステムは高齢者を対象とするものであったのに対し，2017（平成29）年改正では，障害者その他の者の福祉に関する施策との有機的な連携が，国及び地方公共団体の責務として掲げられた点が特徴的である（同5条4項）[104)]。この点は，社会福祉法改正による地域福祉推進のための包括的な支援体制の整備に係る規定の整備（社福106条の2以下），介護保険法等改正による高齢者と障害児者が同一事業所でサービスを受けやすくするための共生型サービスの創設などと並んで（介保72条の2，児福21条の5の17，障害総合支援41条の2），生活困窮者自立支援法の流れを汲む「地域共生社会」の理念との接続による，社会サービス保障の新たな展開局面に入ったことを示唆するものといえよう（第6章第8節）。

そうした方向性を示すものとして，2020（令和2）年改正（「地域共生社会の実現のための社会福祉法等の一部を改正する法律」）では，国及び地方公共団体の責務として，地域住民が相互に人格と個性を尊重し合いながら，参加し，共生する地域社会の実現に資するよう務めなければならないとの規定をおいたほか（同5条4項），認知症施策の地域社会における総合的な推進に向けた国及び地方公共団体の努力義務（同5条の2第2項以下），市町村の地域支援事業における関連データの活用に向けた努力義務（同115条の45第5項），介護保険事業計画の見直し（市町村の人口構造の変化の見通しの勘案，高齢者向け住まい〔有料老人ホーム・サービス付き高齢者向け住宅〕の設置状況の記載事項への追加，有料老人ホームの設置状況に係る都道府県・市町村間の情報連携の強化など。同117条3項・4項，118条3項〕）などを行った。

第11款　不服申立て等

介護保険法において，保険給付に関する処分（被保険者証の交付の請求に関する処分及び要介護認定又は要支援認定に関する処分を含む）又は保険料その他同法の

るものとして，中益陽子「医療保険および介護保険制度と保険者」『社会保障法研究』9号（2019年）138-139頁。

104)　とりわけ精神障害に対応した地域包括ケアシステムの構築を図るための取り組みがなされている。厚生労働省障害保健福祉部「精神障害にも対応した地域包括ケアシステムの構築に係る検討会報告書」（2021〔令和3〕年3月）参照。

規定による徴収金（財政安定化基金拠出金，納付金等を除く）に関する処分に不服がある者は，各都道府県に設置される介護保険審査会に審査請求をすることができる（介保183条，184条）。これらの処分の取消しの訴えは，当該処分についての審査請求に対する裁決を経た後でなければ，提起することができない（同196条）。このように，受給資格を決定する要介護認定等について不服申立てを行う途が拓かれているのに対し，介護サービス計画に係る不服は，同計画が基本的に当事者の同意に基づいて決定されるものであることから，この手続によることはできない。

介護保険固有の紛争解決の仕組みとして，苦情処理制度が法定化されている点が特徴的である。具体的には，介護報酬の審査支払にあたる国民健康保険団体連合会（国保連）が，サービスに関する苦情対応を含め事業者に対する必要な指導と助言を行う（同176条1項3号）。

第12款　老人福祉法

介護保険法施行後，高齢者福祉サービスは基本的に同法により提供されることとなった。ただし，同法施行後も老人福祉法の役割は失われていない。

まず「措置から契約へ」の移行後も，市町村に対し，身体上又は精神上の障害があるために日常生活を営むのに支障がある65歳以上の者が，心身の状況，その置かれている環境等に応じて，自立した日常生活を営むためにもっとも適切な支援を総合的に受けられるよう，居宅介護及び施設介護の措置その他地域の実情に応じたきめ細かな措置の積極的な実施に努めるとともに，これらの措置，介護保険法に基づくサービス等並びに老人クラブその他老人の福祉を増進することを目的とする事業を行う者の活動の連携及び調整を図る等地域の実情に応じた体制の整備に努めるべき一般的義務が課されている（老福10条の3第1項）。その上で，介護保険法上の居宅サービスの利用がやむを得ない事由により著しく困難である場合，市町村が依然として措置権限を有することを規定する（同10条の4）。また養護者による虐待など，やむを得ない事由により介護保険法の介護老人福祉施設等に入所することが著しく困難である場合を想定して[105]，養護老人ホーム（65歳以上の者であって，環境上の理由及び経済的理由により居宅において養護を受けることが困難なものを入所させる施設。同11条1項1号，

20条の4）又は特別養護老人ホーム（65歳以上の者であって，身体上又は精神上著しい障害があるために常時の介護を必要とし，かつ，居宅においてこれを受けることが困難なものを入所させる施設。同11条1項2号，20条の5）等への職権措置義務を，市町村に課している（高齢者虐待9条2項[106]）。

事業及び施設への規制に関しては，老人居宅生活支援事業（老人居宅介護等事業，老人デイサービス事業，老人短期入所事業，小規模多機能型居宅介護事業，認知症対応型老人共同生活援助事業及び複合型サービス福祉事業〔老福5条の2第1項～7項〕）や老人デイサービスセンター（同20条の2の2），老人短期入所施設（同20条の3），老人介護支援センター（同20条の7の2）を国及び都道府県以外の者が設置しようとする場合，都道府県知事への届出で足りる（同14条，15条2項）。これに対し，養護老人ホーム又は特別養護老人ホームについては，市町村等は知事への届出，社会福祉法人は知事の認可（同15条3項・4項）が必要とされ，その上で都道府県が条例で定めた設備運営基準の遵守を義務付けている（同17条）。このほか，これらの事業，施設につき，報告の徴収等に係る知事の権限（同18条），改善命令・事業の制限及び停廃止・認可取消等の規定がおかれている（同18条の2，19条）。

老人福祉法における老人福祉施設としては，上記の老人デイサービスセンター，老人短期入所施設，老人介護支援センター，養護老人ホーム及び特別養護老人ホームのほか，軽費老人ホーム，老人福祉センター及び老人介護支援センターが掲げられている（同5条の3）。ただし，これらのほかにも，実際には高齢者が入居し生活を営んでいる民間の集合住宅等が多数存在している[107]。老人福祉法は有料老人ホーム（老人を入居させ，入浴，排せつ若しくは食事の介護，食事の提供，洗濯，掃除等の家事または健康管理の供与をする事業を行う施設であって老人福祉施設等に該当しないもの〔老福29条1項，老福令20条の3〕[108]）の設置に係

105）増田・前掲書（注34）54頁。

106）注93）参照。

107）高齢者介護施設の不足などを背景として，高齢者のための住居として，「高齢者の居住の安定確保に関する法律」（高齢者住まい法）により，サービス付き高齢者向け住宅（いわゆる「サ高住」。同法5条）が設けられ，一定の基準を満たす建築物につき都道府県知事の登録を受けられる仕組みがある（同6条，7条）。この住宅において介護保険サービスは，外部の事業者から受けることができる。

108）従来，人数要件として10人以上の高齢者を入居させていること，サービス要件として食事

る届出義務を課し，帳簿の作成・保存，情報開示，費用徴収に係る規制を行うとともに，都道府県知事に対する立入・検査・改善命令等に係る権限を付与している（老福29条1項〜12項）。従来から，有料老人ホームをめぐる法的紛争がみられ[109]，契約規制が重要な法的課題と捉えられてきた[110]。現在では，そもそもこうした規制の下にも置かれない賃貸住宅等で，事実上集団生活を営む高齢者（その多くが生活保護受給者を含む貧困者）の存在が，火災による死亡事故等で社会問題化することがあり，劣悪な居住環境の改善が課題となってきた[111]。

このほか老人福祉法は，各自治体における老人福祉事業の整備を計画的に行うため，市町村老人福祉計画（同20条の8第1項），都道府県老人福祉計画（同20条の9第1項）の策定を義務付けている。これらの老人福祉計画は，介護保険事業(支援)計画と一体のものとして策定される（同20条の8第7項，20条の9第5項）。

第13款　高齢者虐待防止法

高齢化の進展や介護保険の実施，民間事業者参入の拡大などに伴い，日本の高齢者介護サービス供給量は急速な伸びを示した一方で，サービスの質の確保が課題となっており，施設等における職員による虐待が社会問題化することも稀ではない。他方，高齢者に対する虐待は，少なくとも統計的にみれば，施設内よりもむしろ，在宅で近親者等によって行われることが圧倒的に多い[112]。

の提供をしていることが有料老人ホームの基準とされていたのに対し，2006（平成18）年改正により，人数要件が撤廃され，食事の提供，介護の提供，洗濯・掃除等の家事，健康管理のいずれかを行っていることと拡大された。

109）津地判平7・6・15判時1561号95頁（有料老人ホーム退去に伴う損害賠償請求）。

110）丸山絵美子「ホーム契約規制論と福祉契約論」岩村編・前掲書（注37）43頁。

111）さいたま地判平29・3・1判時2359号65頁（無届宿泊所事業者と入所者との契約が公序良俗に反して無効とされた例）参照。2018（平成30）年生活保護法改正では，第2種社会福祉事業（社会福祉2条3項8号）に属する無料低額宿泊施設のうち，居宅では日常生活を営むことが困難であるが，社会福祉施設等に入所の対象とはならない者が，必要な支援を受けながら生活を送る場として，日常生活支援住居施設が創設された（生活保護30条1項但書）。

112）2020（令和2）年度の調査によれば，養介護施設従事者等による虐待判断件数が595件であったのに対し，養護者によるものが1万7281件であった。「令和2年度『高齢者虐待の防止，高齢者の養護者に対する支援等に関する法律』に基づく対応状況等に関する調査結果」（厚生

2005（平成17）年，議員立法として「高齢者虐待の防止，高齢者の養護者に対する支援等に関する法律」（高齢者虐待防止法）が成立した。同法では，虐待を，①身体的虐待，②ネグレクト，③心理的虐待，④性的虐待，⑤経済的虐待に区分した上で（高齢者虐待2条4項・5項），国及び地方公共団体に対し，高齢者虐待の防止等に関する責務を負わせるとともに（同3条），養介護施設従事者等（同2条5項）に対しても防止等のための必要な措置を講じるものとされている（同20条）。さらに，虐待への対応として，養護者による虐待と養介護施設従事者等による虐待それぞれにつき，発見者に対する通報義務を課すとともに（同7条・21条），市町村に対する立入調査権限の付与（同11条），警察署長に対する援助要請等（同12条），面会の制限（同13条）などに係る規定をおいている。さらに市町村は，養護者による虐待に係る通報等を受けた場合，生命又は身体に重大な危険が生じているおそれがあると認められる高齢者を一時的に保護するため，適切に老人福祉法上の措置（一時保護措置）を講じるものとされ（同9条2項）[113]，養介護施設従事者等による虐待に係る通報等を受けた場合にも，市町村は老人福祉法等の規定による権限を適切に行使するものとされる（同24条）。

同法上の虐待に当たるか否かとは別に，先述したように（第6款），介護施設等での死亡・負傷事故に際しては，施設・事業者に対し損害賠償請求訴訟が提起されることが少なくない[114]。

第14款　介護保険をめぐる課題

介護保険法制定を機に，日本の高齢者介護サービスは大幅な拡充をみた。ただし，現在でも検討課題は少なくない。

特別養護老人ホームへの入所の「待機待ち」問題に象徴されるように，入所施設不足が顕著になる中で，在宅での療養生活の環境整備をいかに図っていくかが重要な課題である。この点については，先述したように（第10款），地域

労働省ウェブサイト）。

113）　東京地判平27・1・16判時2271号28頁，大阪地判令元・7・26・前掲（注93）によれば，措置については市町村の職員の合理的な裁量に委ねられているとされる。

114）　菊池・将来構想第11章。注91）参照。

包括ケアシステムの構築という政策の流れの中で，今後は在宅での療養生活をも念頭に置いた環境整備に取り組んでいく必要がある。

介護保険の適用がある被保険者は40歳以上の者とされ，このうち40歳以上65歳未満の第2号被保険者も給付対象がきわめて制限的であるなど，事実上「高齢者」介護保険となっている。要介護状態にある若年障害者への適用拡大については，将来的な介護保険財政の安定化という面からも立法当初からの課題とされていた。この点は，2005（平成17）年改正の際にも決着がつかず，被保険者・受給者の範囲については，社会保障に関する制度全般との一体的な見直しとあわせて検討し，改正法施行後5年を目処として所要の措置を講じるものとされた[115]。2009（平成21）年秋の民主党への政権交代後，障害者自立支援法の廃止がいったん既定路線となり[116]，これにより高齢者と障害者のサービス保障法制はそれぞれ別個独立に整備される可能性が高まった。しかしながら，2012（平成24）年障害者自立支援法改正（障害者総合支援法と改称）は，同法の枠組みを本質的に変更したとは言えず，介護保険との統合は依然として将来的な検討課題として残されている。多様な障害者福祉サービスのすべてを介護保険でカバーすることは到底できないとしても，介護サービス自体に対する基本的ニーズは高齢者と非高齢障害者との間で本質的に異なるとは思われないことから，共通部分について統合を図り，若年世代も含めた介護サービス提供システムとする法構成が望ましいと考える[117]。このことは，単に介護保険財政のために被保険者の範囲を拡げるという側面ではなく，要保障事由としての障害を普遍化し，保険料財源で支え合う連帯（もしくは共助）の仕組みの一環として組み込んでいくという積極的な意味合いを有する[118]。

115）厚生労働省老健局「介護保険制度の被保険者・受給者範囲に関する有識者会議：介護保険制度の被保険者・受給者範囲に関する中間報告」（2007〔平成19〕年5月）。

116）「障害者自立支援法違憲訴訟原告団・弁護団と国（厚生労働省）との基本合意文書」（2010〔平成22〕年1月7日）。

117）小西啓文「介護政策と障害政策の統合的把握に関する予備的考察」『法律論叢』92巻6号（2020年）93-96頁も，「参加」を重視する観点から，被保険者としての「地位」を得て，介護保険料を支払うことを通じて社会連帯の担い手となるための介護保険との統合的把握に積極的な見解を示す。橋爪幸代「介護保険の普遍化可能性」『社会保障法研究』10号（2019年）86-90頁は，障害福祉制度と介護保険制度との共通点と相違点を比較しながら，同様の介護ニーズを有する高齢者と障害者とを年齢によって区切ることの合理性は薄れてきているとする。

118）社会保障審議会障害者部会報告書「障害者総合支援法施行3年後の見直しについて」（2015

介護保険法制定の際に議論となった家族介護の際の金銭給付の要否については，外部サービスの供給過少により介護給付の受給が不可能である場合と，可能であるにもかかわらず要介護者本人が家族介護を選択する場合が考えられる。このうち前者については，一定の要件を充たした場合，特例居宅介護（支援）サービス費として金銭給付の対象となる。これに対し後者については，現在，地域支援事業の中の任意事業として，家族介護支援事業が位置づけられているにとどまる。立法論として，居宅サービス費が原則として知事の指定を受けた事業者による介護サービスに対して支給されることからすれば，研修の義務づけなど，指定に準ずるようなサービスの質の担保を図ることを条件に，要介護者本人への介護サービス費の支給という形で一定水準の金銭給付を行う方向性が考えられる[119)]。さらに家族介護の経済的評価にとどまらず，介護者支援の観点が，地域共生社会の実現に向けた施策とも関連して重視されるようになってきた[120)]。そこでは，ダブルケア，ヤングケアラーなどの問題に象徴されるように，介護者本人の支援という観点も踏まえながら，地域で本人と家族を継続的に支えていくことの重要性が増している[121)]。

現在，市町村単位である保険者については，当初から広域化が課題となっていた。ただし，この点については，地方自治法上の広域連合や一部事務組合の活用による要介護認定の広域化，介護認定審査会の共同設置，市町村相互財政安定化事業による介護保険財政の広域化などが進んでいる。専門性の高い医療サービスを提供する医療保険が都道府県単位での提供体制に収斂する方向性を見せているのに対し，介護保険については，福祉・介護サービスが本来的に地域のニーズに即して提供されるべきものであるとすれば，依然として市町村単位での制度運営を原則とすることに積極的な意義を見出すことができるように思われる。

〔平成27〕年12月）でも，「障害福祉制度と介護保険制度との関係や長期的な財源確保の方策を含めた今後の在り方を見据えた議論を行うべきである」とし，将来的な議論となる含みを残している。

119）　西村289頁も，現金支給制度の必要性を認めている。

120）　介護離職の問題も深刻化している。厚生労働省「市町村・地域包括支援センターによる家族介護者支援マニュアル」（2018〔平成30〕年3月）参照。

121）　津田小百合「介護者支援とそのあり方についての理論的検討」『法律時報』92巻10号（2020年）53頁以下参照。

介護保険は，施行後20年以上を経て，いまや社会に定着し，高齢者ケアの進展に大きな役割を果たしている。超高齢社会を迎えている日本において，財政制約がある中にあって，制度の充実をどのように図っていくかが重要な課題である。その中で，要介護者等本人の「能力に応じ自立した日常生活を営む」ことにとどまらず，地域包括ケアや地域共生社会の政策理念に示され，既に地域支援事業にも組み入れられているように，要介護者等の社会参加や社会への包摂にまで踏み込んだ制度設計を本格的に行っていくかどうかが，今後の制度展開に向けた試金石となるものと思われる。

第3節　障害者福祉・障害者法制

本節では，障害者に対する福祉サービス保障法制を中心に取り上げ，その沿革と現行制度の概要を明らかにする。障害者を対象とする法制度は，障害者権利条約の批准などとの兼ね合いで，とりわけ21世紀以降大きく変貌を遂げつつある。このため，障害者福祉分野に限定せず，障害者法制全体のダイナミックな動きを紹介するとともに，障害者総合支援法にも組み込まれた雇用分野については，独立して取り上げることにした（第6款）。前節と同様，虐待防止法制についてもみておきたい（第7款）。

第1款　障害者福祉の沿革

1　戦後の展開

戦前の日本では，傷痍軍人対策のほかには一般的な障害者福祉施策と呼べるものはみられず，低所得者対策の一環としての対応にとどまっていた。戦後になると，いくつかの分野で障害者福祉施策の展開がみられた。まず1947（昭和22）年児童福祉法では，戦災孤児対策を契機として障害児福祉施策の枠組みが設けられ，1949（昭和24）年身体障害者福祉法は，傷痍軍人対策としての側面をもちながらも，18歳以上の身体障害者福祉施策の枠組みを設けるものであった[122]。他方，精神障害者については，1950（昭和25）年精神衛生法で医療中

122）　雇用対策としては，1960（昭和35）年身体障害者雇用促進法が制定された。同法は1987（昭和62）年，精神薄弱者（当時）を含む障害者全般の雇用安定を図るとの見地から「障害者の雇

心の対応を行うこととなった。知的障害者については対応が遅れ，1960（昭和35）年にようやく精神薄弱者福祉法が制定され，同法は1998（平成10）年に知的障害者福祉法と改称された。

総合的な障害者対策を目指すための基本法としては，1970（昭和45）年に心身障害者対策基本法が制定され，1993（平成5）年には精神障害者を含めた障害者施策の基本法とすべく障害者基本法と名称が改められた。1995（平成7）年には，1987（昭和62）年改正で精神衛生法から改称された精神保健法が，「精神保健及び精神障害者福祉に関する法律」（精神保健福祉法）[123]へと改められ，医療中心であった精神障害者施策に福祉の視点を本格的に持ち込むに至った。

このように，日本の障害者福祉施策は，戦後次第に対象範囲を拡充していったものの，半世紀を経ても依然として戦後の枠組みが維持され，基本法の制定などが行われたとはいえ，基本的には措置制度の下で身体・知的・精神障害（3障害といわれる）という障害種別ごとの縦割りの施策にとどまっていた。給付内容としても，施設収容や家族による介護に依存する部分が大きく，公的サービスによる支援を受けながら地域で暮らすという発想は希薄であったといわざるを得ない。

2　社会福祉基礎構造改革

1990年代半ば以降，ようやく障害者福祉施策の充実に向けた本格的取組みがなされるに至った。1995（平成7）年には，上述した精神保健法改正（精神保健福祉法と改称）に加え，政府が「障害者プラン～ノーマライゼーション7ヵ年戦略」[124]を発表し，具体的な施設等のサービス整備目標を設定した。これは，高齢者福祉におけるゴールドプラン，児童福祉におけるエンゼルプランと並ぶ

用の促進等に関する法律」（障害者雇用促進法）へと名称を変えた。

123）精神医療（精神保健）については，第7章第8節第1款参照。

124）ノーマライゼーションは障害者福祉の進展に大きな影響を与えた思想で，日本では，①入所施設による収容隔離政策への反省から，障害者の生活を一般の市民生活に近づけていくことを目標とする考え方（ノーマライゼーションの同化的側面）と，②障害者に生じている不平等に対して行政が積極的に介入し，障害者向けの特別なサービスの提供によって，障害者を含むすべての国民の実質的な平等の保障をめざす考え方（ノーマライゼーションの異化的側面）の二側面から捉えられるとされる。佐藤久夫＝小澤温『障害者福祉の世界〔第5版〕』（有斐閣，2016年）62頁。

政府プランとして位置づけられる。

他方，市町村等が行政処分の形式により一方的に給付の可否・内容を決定する仕組みとして，戦後日本の社会福祉制度を特徴づけてきた措置制度の仕組みが，1990年代後半に相次いで転換された中にあって[125]，障害者福祉サービスについても，いわゆる社会福祉基礎構造改革の一環として，2000（平成12）年社会福祉事業法等改正により，施設・事業者と利用者との契約によりサービスを提供する支援費制度が創設され，2003（平成15）年から実施されることになった[126]。

3　支援費制度の導入と問題

2003（平成15）年支援費制度の実施を契機として，新たなサービス利用者が増え，障害者の地域生活支援が一定の前進をみた。しかし支援費制度は，利用者負担や財源の仕組み，サービス類型などの点で，依然として措置制度の時代と変わらない枠組みの下におかれていた。こうした中で，同制度の問題点が明らかになった。第1に，利用者の急増に伴い[127]，自治体のサービス費用支出が増大し，今後も利用者の増加が見込まれる一方で，サービスに係る国の経費は裁量的支出にとどまったことから，国庫による財政的な裏づけがなく，将来

125)　1997（平成9）年児童福祉法改正による保育所入所制度の変更（ただしその法的評価は分かれている。第1節第4款**3**(3)③参照），同年介護保険法成立による高齢者サービス領域への利用契約制度の導入がこれにあたる。

126)　支援費制度施行に至るまでの懸案事項として，2002（平成14）年に，当時地域において知的障害者や障害児の相談支援などを行うための中核的な役割を担っていた障害児(者)地域療育等支援事業を一般財源化したことにつき，同事業は地域で完全に定着しているものではなく，国は在宅サービスを一層進める方向に進んでいないのではないかという声が関係者より起こった点や，地域の財政力等によってサービスに大きなばらつきが出るとの懸念に対応して，同年1月には，特に伸びの大きいホームヘルプサービスについて全国的により公平，公正に補助金を配分する基準を策定する必要があるとして国庫補助基準を定めたのに対し，個々人のサービス支給量の上限を定め，市町村における支給決定を制約するものであるとの関係者の批判が起こった点などが指摘されている。障害者福祉研究会編集『逐条解説　障害者自立支援法』（中央法規，2007年）4頁。

127)　支援費制度施行（2003〔平成15〕年4月）以降の1年半でホームヘルプサービス支給決定者数は1.6倍に増加した。在宅サービス予算も，2003（平成15）年度118億円，2004（平成16）年度274億円（流用・補正予算による補塡分を含む）の不足額を生じた。障害者福祉研究会編集・前掲書（注126）5頁。

的な制度の維持が困難となることが予想された。第2に，支援費制度の下では全国統一的なサービスの必要度を測る客観的な尺度がなかったこと，従来から市町村のサービス提供体制に大きな格差があり財政状況にも格差があったことから，サービスの提供に大きな地域格差が生じた。第3に，働く意欲のある障害者が必ずしも働けていない，つまり障害者が地域で普通に暮らせるための基盤が十分整備されていないという実態が明らかになった。このほか，障害種別ごとに大きなサービス格差があり，精神障害者は支援費制度の対象になっていない点なども問題と考えられた。

4　障害者自立支援法の制定と改正

こうした状況下，2005（平成17）年に至り，従来の障害者福祉の枠組みを抜本的に見直し，契約に基づく介護保険と同様の仕組み（利用者側が定率負担を行う一方，国の負担を義務的経費化する）を導入するとともに，障害者が地域で暮らすために必要なサービスを整備するための新たな障害保健福祉施策の体系を構築するとの見地から，障害者自立支援法が成立し，2006（平成18）年4月と同年10月にわたり，段階的に施行された。

同法による改革の主要点として，以下の諸事項が挙げられる。

第1に，市町村を中心とする一元的なサービス提供体制の確立である。従来，施設サービスについて都道府県が，居宅サービスについて市町村が，それぞれサービスを実施した事業者に対して補助金を支払う仕組みになっていた精神障害者施策を，身体障害者および知的障害者に適用されていた支援費制度に合わせ，市町村が障害者個人に支給決定を行い，サービス給付費を支給する仕組みとした。これにより，児童福祉法に残された障害児施設の措置に係る事務[128)]を除き，年齢，障害種別，疾病の相違を超えて，市町村が一元的にサービスの事務の実施を行うこととなった。また都道府県及び市町村は，新たに障害福祉計画の策定を義務付けられた。サービスの提供にあたっては，障害福祉サービスの必要性を明らかにするため，当該障害者等の心身の状態を総合的に示すものとして厚生労働省令で定める区分である障害程度区分の認定の仕組みを採用するなど，サービスの地域間格差の是正とともに，支給決定過程の客観性・透

---

128)　被虐待児等に関する事務の主体に関してなお検討が必要であるため，今後の検討課題とされた。障害者福祉研究会編集・前掲書（注126）18頁。

明性の確保が図られた。

第2に，増大するサービス費用を負担する新たな仕組みの確立である。ひとつには，福祉サービスに相当する基礎的な自立支援給付につき，従来裁量的経費であった国庫負担を義務的経費化した。もうひとつは，従来，措置制度及び支援費制度の下で応能負担であった仕組みを改め，受けたサービス量に応じた定率負担（原則1割）に改めた[129]。

このほか，就労支援の強化が図られ，訓練等給付として就労移行支援事業を創設する等の改正が行われた。また，サービス提供に関する規制緩和が図られ，通所型施設につき社会福祉法人以外のNPO法人・医療法人などの参入を認めるなどのサービス運営主体の規制緩和，設備・人員配置要件等の規制緩和，事業者に対する報酬の「日払い化」などがなされた。

5　自立支援法から総合支援法へ

障害者自立支援法に対しては，制定当初から障害のある当事者を中心に多くの批判がなされた。「日払い化」による事業者の経営悪化などの批判もなされた中で，もっとも批判の矛先が向けられたのが，介護保険制度との将来的な統合を見据えた原則1割の定率利用者負担の導入であった[130]。この規定が憲法13条・14条・25条等違反であるとして，2008（平成20）年から翌年にかけて全国各地で訴訟が提起されるに至ったのである。

折しも2009（平成21）年夏の衆議院議員総選挙により，障害者自立支援法廃止をマニフェストに掲げていた民主党が政権の座についた。2010（平成22）年1月，政府は，上記訴訟原告団及び弁護団とのあいだで裁判上の和解を成立させ，基本合意文書を交わした。それによれば，国は速やかに定率負担制度を廃止し，遅くとも2013（平成25）年8月までに，障害者自立支援法を廃止し新たな総合的福祉法制を実施するものとされた。

129)　ただし当初から，①月額利用者負担額に上限を設ける，②在宅・通所の利用者のうち資産と所得が一定以下の者については，経過的に同上限額をさらに引き下げる，③入所施設・グループホーム利用者についてはさらに個別減免を行う，といった負担軽減措置を設け，実質負担率は2008（平成20）年11月のデータで2.82%であった。

130)　社会保険方式でなく税方式の制度において定率負担の仕組みを設けたことに批判的な見解として，堤修三『社会保障改革の立法政策的批判―― 2005/2006年介護・福祉・医療改革を巡って』（社会保険研究所，2007年）27頁以下。注164）参照。

この基本合意を受けて，利用者負担につき応能負担を原則とする障害者自立支援法改正（障がい者制度改革推進本部等における検討を踏まえて障害保健福祉施策を見直すまでの間において障害者等の地域生活を支援するための関係法律の整備に関する法律）が2010（平成22）年12月に成立した（平22法71）。その後，さらに検討が重ねられ，2012（平成24）年6月，障害者自立支援法は再度改正され，障害者の日常生活及び社会生活を総合的に支援するための法律（障害者総合支援法）へと名称を改めた（平24法51）。ただしこの新法は，第3款でみるように，基本的には応能負担化した障害者自立支援法の個別の修正にとどまり，その枠組みを抜本的に改めたとは言えない。

2016（平成28）年障害者総合支援法改正では，必要性が認められたサービスの創設や，障害児福祉計画の策定，サービス事業所の情報公表制度の創設など，比較的きめ細かな規定の整備が行われた[131)]。

第2款　障害の概念

1　障害分類

本章で取り上げる社会サービス等の保障対象である高齢者や児童に係る各法上の定義は，基本的には年齢で区分され得る。たとえば，老人福祉法では，福祉の措置の対象となる者を65歳以上の一定の者とし（老福10条の4，11条），介護保険法の第1号被保険者は市町村の区域内に住所を有する65歳以上の者としている（介保9条1号）。また児童福祉法は，児童を満18歳に満たない者と定義している（児福4条1項）。これに対し，障害(者)については，その捉え方自体が議論となり得る概念である[132)]。

131)　具体的には，①障害者が自らの望む地域生活を営むことができるようにするための自立生活援助・就労定着支援といったサービスの新設，長期間にわたり障害福祉サービスを利用してきた低所得高齢障害者が介護保険サービスを利用する場合における介護保険サービスの利用者負担の軽減など，②障害児支援のニーズの多様化へのきめ細かな対応として，重度障害児に対する居宅を訪問して発達支援を提供するサービスの新設，障害児福祉計画の策定など，③サービスの質の確保・向上に向けた環境整備として，障害児の場合等における補装具費の貸与の活用，都道府県によるサービス事業所の事業内容等の情報公表制度の創設などが行われた。

132)　日本では「害」という言葉が否定的イメージをもつとして，「障碍」（者）あるいは「障がい」（者）という表現が用いられることが少なくない。その趣旨は理解できるものの，本書で

この点につき，世界保健機関（WHO）の国際障害分類（1980年）は，「疾病」とその結果（outcome）である「障害」を分離し，さらに「障害」を個人の特質である機能障害（インペアメント。impairment），それによる機能面の制約である能力低下（ディスアビリティ。disability）及びその能力低下のゆえに生ずる社会的不利（ハンディキャップ。handicaps）という3つの階層に分けて分類するいわゆる「障害構造論」を提唱した。この議論は，疾病と障害を区別するとともに，インペアメントがあっても「リハビリテーションの理念」の下，社会的支援によりディスアビリティやハンディキャップを軽減できるとの意義をもつものであった[133]。

こうした捉え方は，障害を個人のもつ機能面の特質とみて，障害のある当事者に対するリハビリテーションなどの社会的支援によってこれを克服すべきものと捉える見方であった。これを障害の「医学モデル」という。こうした見方に対しては，障害を形成する環境因子や社会的要因についての認識が欠如しているとの痛烈な批判がなされるに至った[134]。このように，障害とは社会がもたらす障壁であると捉える「社会モデル」の見方が，障害者運動や障害学（ディスアビリティ・スタディーズ。Disability Studies）[135]を中心に有力に唱えられるようになった[136]。

は現行法の文言に従い「障害」（者）という表現を用いている。法令用語に従うことに加えて，後述する障害の社会モデルの見地からすれば，社会的障壁の問題性を強調する意味でこうした用語法を否定的にのみ捉える必要はないと言い得る。注134）参照。

133）　杉野昭博『障害学――理論形成と射程』（東京大学出版会，2007年）51頁。

134）　たとえば，下肢に麻痺があり車椅子生活を送る身体障害者にとって，建物や公共交通機関の利用にあたって段差がなくスムーズに移動できるのであれば，特段の不都合はない。車椅子でアクセスできないような建物や通路の構造自体が社会的障壁であり，改められるべきものであるとの発想が本文で述べる「社会モデル」の見方である。

135）　障害者法制のあり方を論じるにあたって，当事者性をもつ障害学の知見が有益な視座を提供してきた。杉野・前掲書（注133）5-11頁，113-154頁。障害学にはイギリスとアメリカの系譜があり，前者のほうが当事者性が強いといわれる。注138）参照。マイケル・オリバー（三島亜紀子ほか訳）『障害の政治』（明石書店，2006年），コリン・バーンズほか（杉野昭博ほか訳）『ディスアビリティ・スタディーズ』（明石書店，2008年），ジョン・スウェインほか編著（竹前栄治監訳・田中香織訳）『イギリス障害学の理論と経験』（明石書店，2010年）など参照。

136）　医学モデル，社会モデルにいうところの「モデル」とは，まさに物の見方（視点）のことであり，理論ではない。社会モデルの視点に立つことで，従来の視点（医学モデル）からでは得ることが難しい有意義な知見（たとえば，後述する「合理的配慮」の法整備の必要性〔第5款

こうした潮流を受けて世界保健機関は，2001年に国際生活機能分類（ICF）を承認するに至った。ただし，この新しい分類も，障害を捉える枠組みとして「生物・心理・社会的アプローチ（biopsychosocial approach）」を採用し，医学モデルと社会モデルの統合を目指したもので137)，医学モデルを完全に否定したものではなかった。また，障害を機能障害（インペアメント）とまったく切り離して，もっぱら当事者の不利な状況と社会的障壁を問題にすることは，ジェンダー・階級・経済的地位などに関して社会的に生み出された不利との区別が相対化し，困難になるという問題を生じる138)。このため，社会的障壁の問題性をことさらに強調するための道具概念であればともかく，法概念としての障害を捉える場合，機能障害（インペアメント）をまったく排除した障害概念を用いることは困難であると言わざるを得ない139)。

2　実定法上の定義

日本の障害者法制でも，近時，社会モデルの捉え方が実定法に取り入れられている。すなわち，障害者施策の基本法である障害者基本法2条は，かつて「この法律において『障害者』とは，身体障害，知的障害又は精神障害（以下

3参照]）を獲得しやすくなる。川島聡＝菊池馨実「障害法の基本概念」菊池馨実ほか編著『障害法〔第2版〕』（成文堂，2021年）6頁。同書は，実定法の一分野としての障害法の確立に向けたテキストであり，総論と，各法分野と障害との関係を叙述した各論からなる。

137)　世界保健機関（障害者福祉研究会編集）『ICF国際生活機能分類――国際障害分類改定版』（中央法規，2002年）18頁。

138)　こうした定義は，インペアメントと障害を概念上区別するイギリス社会モデルに特徴的なものである。川島聡「差別禁止法における障害の定義――なぜ社会モデルに基づくべきか」松井彰彦ほか編著『障害を問い直す』（東洋経済新報社，2011年）294-305頁。

139)　川島・前掲論文（注138）305-314頁では，アメリカ社会モデルは，インペアメントと社会障壁との相互作用で発生する当事者の不利に「障害」という言葉を付与するとともに，医学モデルに対抗するために，「障害」の発生原因としての社会障壁の問題性を強調するものであり，法的概念としてはイギリス社会モデルより望ましいとする。菊池ほか編・前掲書（注136）5頁参照。最近，社会モデルを参照しつつ，障害者権利条約に依拠した人権モデルが提起されている。河野正輝『障害法の基礎理論』（法律文化社，2020年）第6章参照。人権モデルとは，たとえば「社会モデルが明らかにした既存社会の構造により生み出される不平等と排除という構造の根源にあるものを人権規範の視点から捉えなおし，障害のある人を包括的で総合的な人権の享有主体として再構成するモデル」と説明される。池原毅和『日本の障害差別禁止法制』（信山社，2020年）26頁。

『障害』と総称する。）があるため，長期にわたり日常生活又は社会生活に相当な制限を受ける者をいう」と定義していた[140]。これに対し，2011（平成 23）年改正により，同法２条１号は，「障害」を機能障害（「身体障害，知的障害，精神障害（発達障害を含む。）その他の心身の機能の障害」）と捉えた上で，「障害者」の定義上，そうした障害がある者であって「障害及び社会的障壁[141]により継続的に日常生活又は社会生活に相当な制限を受ける状態にあるものをいう」（下線著者）と規定し，障害者の定義との関連において，社会モデルの考え方を取り入れるに至った[142]。

140）障害者総合支援法における「障害者」は，「身体障害者福祉法第４条に規定する身体障害者，知的障害者福祉法にいう知的障害者のうち 18 歳以上である者及び精神保健及び精神障害者福祉に関する法律第５条に規定する精神障害者（発達障害者支援法（平成 16 年法律第 167 号）第２条第２項に規定する発達障害者を含み，知的障害者福祉法にいう知的障害者を除く。以下「精神障害者」という。）のうち 18 歳以上である者並びに治療方法が確立していない疾病その他の特殊の疾病であって政令で定めるものによる障害の程度が厚生労働大臣が定める程度である者であって 18 歳以上であるものをいう」（障害総合支援４条１項）。2010（平成 22）年改正で発達障害が対象となることが明確化された後，2012（平成 24）年改正で後段部分に係る難病患者が挿入された。また「障害児」は，「児童福祉法第４条第２項に規定する障害児をいう」と定義され（同条２項），児童福祉法にいう「障害児」は，「身体に障害のある児童，知的障害のある児童，精神に障害のある児童（発達障害者支援法第２条第２項に規定する発達障害児を含む。）又は治療方法が確立していない疾病その他の特殊の疾病であって障害者の日常生活及び社会生活を総合的に支援するための法律第４条第１項の政令で定めるものによる障害の程度が同項の厚生労働大臣が定める程度である児童をいう」（児福４条２項）とされる。

141）「社会的障壁」とは，「障害がある者にとつて日常生活又は社会生活を営む上で障壁となるような社会における事物，制度，慣行，観念その他一切のものをいう」（障害基２条２号）と定義され，広く捉えられている。

142）障害者権利条約１条では，「障害者には，長期的な身体的，精神的，知的又は感覚的な機能障害であって，様々な障壁との相互作用により他の者との平等を基礎として社会に完全かつ効果的に参加することを妨げ得るものを有する者を含む」とされる。社会的障壁との相互作用により社会参加を妨げられている者という同条約の捉え方が，障害者基本法に取り入れられたものとみることができる。ただし同条約では，「含む」との表現がなされ，障害者の概念を開かれたものにしている（限定的でない）点に留意する必要がある。なお，「障害者基本法が理念法であるとするならば，その適用範囲を拡張する，またはより適切なものに設定する意味は同時にほとんどな」く，「社会モデルに基づくものであるとする場合でも，その意義は極めて小さい」との評価がある。中川純「福祉サービスに対する障害者権利条約のインパクト――障害者の概念と差別」『論究ジュリスト』８号（2014 年）37 頁。しかし，立法政策上，基本法は関連領域の法改正を領導する重要な役割を果たし得るほか，解釈論においても関連法の解釈指針となり得る可能性など，その意義を過小評価すべきではない。

種別ごとの具体的な障害の定義は各法に委ねられ，その範囲や区分は各法の趣旨目的の相違などに応じて異なっている。たとえば，身体障害者福祉法4条は，「この法律において，『身体障害者』とは，別表に掲げる身体上の障害がある18歳以上の者であって，都道府県知事から身体障害者手帳の交付を受けたものをいう」，精神保健福祉法5条は，「この法律で『精神障害者』とは，統合失調症，精神作用物質による急性中毒又はその依存症，知的障害，精神病質その他の精神疾患を有する者をいう」と規定する（知的障害者福祉法には定義規定がない）。他方，国民年金法30条1項は，「障害基礎年金は，……その傷病により次項に規定する障害等級に該当する程度の障害の状態にあるときに，その者に支給する」（厚年47条1項も同旨）と規定する。したがって，ある法律において障害認定されたとしても，当然に他法において受給資格を得られるわけではない[143]。

第3款　障害者総合支援法

次に，現在の障害者サービス体系の中核である障害者総合支援法の概要につき，障害者自立支援法制定以降の変遷にも触れながら述べていく[144]。なお従来，児童福祉法に置かれていた各事業のうち，障害児在宅サービスに関わるものは障害者自立支援法に移行し，そのまま障害者総合支援法に引き継がれている[145]。

143）東京高判平15・11・26判タ1223号135頁，福岡地判昭39・7・30行集15巻7号1447頁。

144）2012（平成24）年改正により，2011（平成23）年障害者基本法改正を受けて，基本理念に係る規定が創設され，①全ての国民が，障害の有無にかかわらず，等しく基本的人権を享有するかけがえのない個人として尊重されるものであるとの理念，②全ての国民が，障害の有無によって分け隔てられることなく，相互に人格と個性を尊重し合いながら共生する社会の実現，③可能な限りその身近な場所において必要な支援を受けられること，④社会参加の機会の確保，⑤どこで誰と生活するかについての選択の機会が確保され，地域社会において他の人々と共生することを妨げられないこと，といった重要な考え方が規定されるに至った（障害総合支援1条の2）。地域社会における共生という理念は，高齢者分野の地域包括ケアや，生活困窮者支援などを包含する「地域共生社会」の理念とも相通ずる面がある。2017（平成29）年介護保険法改正による共生型サービスの導入なども，一連の改革工程の中に位置づけられる。厚生労働省「『地域共生社会』の実現に向けて（当面の改革工程）」（平成29年2月7日）。

145）施設サービスについては依然として児童福祉法に規定されている。第4節第2款**4**(1)。

図12　障害者総合支援法の給付・事業

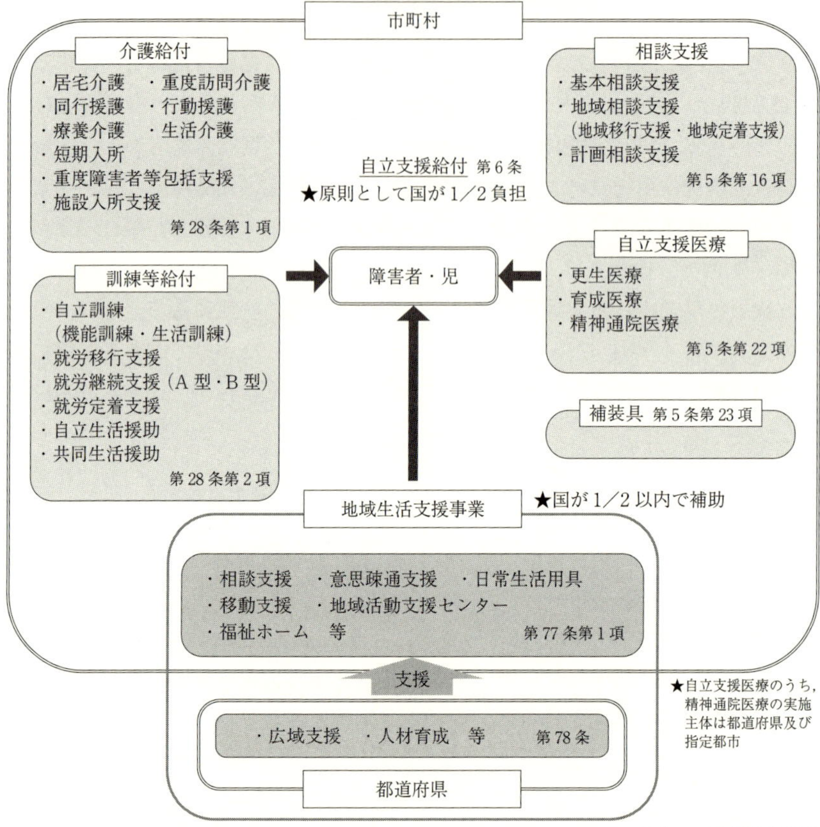

出典：厚生労働省資料

1　自立支援給付

障害者自立支援法では，従前の措置制度や支援費制度の下で存在していた障害種別による縦割りの福祉サービス体系を廃止し，機能に応じてサービス体系を再編した。その枠組みは，障害者総合支援法に受け継がれている（図12）。

福祉サービスとしては，自立支援給付という枠組みの中で，介護給付と訓練等給付という二類型の給付が設けられている。このほか自立支援給付として，医療サービスである自立支援医療と補装具が位置づけられている。2012（平成24）年改正では，相談支援体制の強化との観点から，相談支援も明確に位置づけられた。

i)　介護給付費及び訓練等給付

自立支援給付は，介護保険と同様，障害者に対する費用の支給（金銭給付）の形式をとっている。障害者がサービスを受けたときは，費用を支給すべき限度において，市町村は当該障害者に代わり，サービス事業者に支払うことができ，この支払があったときは費用の支払があったものとみなすとし，やはり介護保険と同様，代理受領の仕組みを採用している（障害総合支援29条4項・5項，58条5項・6項）[146]。

自立支援給付のうち介護給付費や訓練等給付費など（以下，介護給付費等[147]）の支給を受けようとする障害者又は障害児の保護者は，市町村による介護給付費等を支給する旨の決定（支給決定）を受けなければならない（同19条1項）。支給決定を受けようとする障害者又は障害児の保護者は，厚生労働省令（障害総合支援則7条）で定めるところにより，市町村に申請をしなければならず（障害総合支援20条1項），市町村は，この申請があったときは，当該職員をして，当該申請に係る障害者もしくは障害児（以下，障害者等）又は障害児の保護者に面接をさせ，その心身の状況，その置かれている環境その他省令で定める事項（障害総合支援則8条）について調査をさせるものとする（障害総合支援20条2項。ただし，市町村は，当該調査を指定一般相談支援事業者等に委託することができる。同項後段。障害総合支援則9条）。市町村は，申請があったときは，政令で定めるところにより，市町村に設置される介護給付費等の支給に関する審査会（市町村審査会。障害総合支援15条）が行う当該申請に係る障害者等の障害支援区分に関する審査及び判定の結果に基づき，障害支援区分[148]の認定を行う（同21条1項）[149]。申請があった場合の調査に基づき，要介護認定基準の考慮事項に障害

146)　法29条4項の指定障害福祉サービス事業者は，市町村が支払うことができるとされた金員の取立権能を取得するにすぎないとした裁判例として，大阪高判平27・9・8金法2034号78頁。第2節第7款注87）参照。

147)　介護給付費及び訓練等給付費のほか，申請をしてから支給決定までの間に緊急その他やむを得ない理由によりサービスを受けた場合等に支給される特例介護給付費・特例訓練等給付費（障害総合支援30条）が含まれる。

148)　従来「障害程度区分」という呼称だったのが，2012（平成24）年改正に際し，障害の程度（重さ）ではなく「障害の多様な特性その他の心身の状態に応じて必要とされる標準的な支援の度合いを総合的に示す」との見地から，「障害支援区分」と改めたものである。

149)　障害程度区分の処分性を前提にして，処分の取消しが争われた事案として，名古屋地判平24・9・7裁判所ウェブサイト（LEX/DB文献番号25482695。請求棄却）。

支援区分固有の考慮事項を加えた項目を基に一次判定を行い，さらに特記事項や医師の意見書などを資料として二次判定を行った上で，障害支援区分1ないし6の6段階の認定を行う[150)]。

さらに市町村は，申請に係る障害者等の障害支援区分のみならず，当該障害者等の介護を行う者の状況，当該障害者等の置かれている環境，当該申請に係る障害者等又は障害者の保護者の障害福祉サービスの利用に関する意向その他の厚生労働省令で定める事項[151)]を勘案して介護給付費等の支給の要否と支給量（障害福祉サービスの種類ごとに1ヵ月を単位として介護給付費等を支給する障害福祉サービスの量）の決定（支給決定）を行う（同22条1項）。介護保険の場合，受給資格を得るためには要介護認定のみで足りるのに対し，自立支援給付においては，要介護認定に相当する障害支援区分認定に加えて，支給決定という二段階の認定判断（行政処分）を経なければならない点が異なっている。とくに支給決定に際しては，自治体の財政状況まで勘案することが可能とされており[152)]，行政裁量に委ねられる部分が少なくない。ただし裁判例では，重度身体障害者が1日24時間あるいはそれに近い量に相当する在宅での介護給付費

150)　「障害程度区分に係る市町村審査会による審査及び判定の基準等に関する省令」（平成26年1月23日厚生労働省令5号）。なお知的障害・精神障害については，コンピュータによる一次判定で低く判定される傾向があり，専門家の審査会での二次判定で引き上げられる割合が高いことから，平成24年改正法（平24法51）附則2条で，必要な措置を講ずる旨の規定をおいた。これを踏まえ，厚生労働省は，障害支援区分モデル事業の結果に基づき，二次判定での障害支援区分の引上げ率が高い「区分1」の精神障害者に着目した一次判定式の修正を行った。社会保障審議会障害者部会第53回（平成25年11月19日）資料1。なお，障害区分認定の有効期間は，原則として3年間とされている。「介護給付費等の支給決定等について」（平19・3・23障発0323002）第二-2。

151)　省令によれば，当該申請に係る障害者等の障害支援区分又は障害の種類及び程度その他の心身の状況，障害者等の介護を行う者の状況，障害者等に関する介護給付費等の受給の状況，障害者等に関する介護保険法上の居宅サービス利用状況や，保健医療サービス又は福祉サービス等の利用の状況，障害者等又は障害児の保護者の障害福祉サービス利用に関する意向の具体的内容，障害者等の置かれている環境，障害福祉サービスの提供体制の整備の状況（障害総合支援則12条）などが含まれている。

152)　当該自治体におけるサービスの提供体制の整備の状況を勘案できることがこれに該当する。札幌高判平27・4・24判例自治407号65頁参照。ただし，笠木ほか323頁は，市町村が支給決定・支給量決定に際して財政事情を直接的に考慮することは許されないとする。注151）参照。

の支給を求める訴訟において，原告の請求を一定程度容れた義務付け判決等も出されるなど，裁量権の行使には限界がある[153]。

支給決定を受ける前提として，介護給付費等の対象となるすべてのサービスにつき区分支給認定を経なければならないわけではなく[154]，訓練等給付（入浴，排泄又は食事等の介護を伴う共同生活援助を除く）については，区分にかかわらず利用可能とされている点に留意する必要がある[155]。

153）　脳性麻痺による四肢の機能障害がある障害者による請求に対し，和歌山地判平22・12・17賃社1537号20頁が，1ヵ月500.5時間以上744時間以下といった幅のある義務付け判決を行ったのに対し，控訴審である大阪高判平23・12・14賃社1559号21頁は，原審判決が認めた下限を上回る1ヵ月558時間の義務付けを行った。他方，札幌地判平24・7・23判例自治407号71頁は，24時間介護給付に係る審査基準が裁量権の逸脱・濫用にあたらないとするとともに，重度訪問介護の支給量を1ヵ月当たり330時間とした支給決定を適法とした。控訴審である前掲・札幌高判平27・4・24・前掲（注152）は，有効期間が経過した支給決定の取消し等に係る訴えの利益を否定する一方，追加申立てに係る1ヵ月あたり540時間とした平成26年の処分についての支給決定を適法とした。東京地判平28・9・27判例集未登載（LEX/DB文献番号25537717）は，デュシェンヌ型筋ジストロフィー症患者に対する重度訪問看護の1ヵ月当たりの支給量506時間を超え655時間に達するまでの部分を支給量として算定しないとした部分を取り消し，655時間を下回らない時間の義務付けを行った（本件では，同居家族による介護を勘案して24時間介護に必要な支給量を認めなかったことが裁量の範囲内とされた）。東京地判平30・10・12判例自治455号57頁は，重度訪問介護の支給量を1ヵ月527時間とする支給決定は裁量権の逸脱・濫用にあたるとして，1ヵ月527時間を超えて算定しないとした部分を取り消し，1ヵ月568時間20分を下回らない時間とする支給決定をすることを義務付けた。このほか，ALS患者に対する重度訪問介護の1ヵ月当たりの支給量268時間を超える部分につき支給量として算定しないとした部分を取り消し，重度訪問介護の1ヵ月当たりの支給量542.5時間を下回らない介護給付費支給決定の義務付けを行った和歌山地判平24・4・25判時2171号28頁，重度身体障害者に対する移動介護加算の支給決定を違法とした東京地判平22・7・28賃社1527号23頁，法律に基づく基準として定められたガイドラインを踏まえ1ヵ月50時間としている視覚障害者への同行援護の支給量を適法とした大阪地判平30・12・19判例自治452号53頁がある。なお，東京地判平25・1・29判時2191号33頁は，障害者自立支援法29条1項に基づく介護給付費支払決定の行政処分性を否定した。ただし行政解釈は，障害程度区分（注148）参照），支給要否決定，支給量等の決定のほか支払決定も処分であり審査請求（障害総合支援97条1項）の対象になるとの立場をとる。障害者福祉研究会編集・前掲書（注126）272-273頁。

154）　注151）に引用したように，法令上も「障害者等の障害支援区分又は障害の種類及び程度その他の心身の状況」を勘案するものとされている（障害総合支援則12条）。

155）　前掲・平19・3・23障発0323002（注150）の平成26年3月31日改正において，注154）掲記の文言の解釈として，「訓練等給付費の支給対象となる障害福祉サービスに係る支給申請

支給決定の効力は，介護保険制度における要介護認定及び要支援認定（介保27条8項，32条7項）と異なり，申請日に遡らない。したがって，支給決定の性格は，確認行為でなく形成行為である156)。ただし，申請日から支給決定の効力発生日の前日までの間に緊急その他やむを得ない理由によりサービスを利用した場合には，特例介護給付費・特例訓練等給付費が支給される（障害総合支援30条）157)。また，支給決定は，厚生労働省令（障害総合支援則15条）158)で定める期間内に限り，その効力を有する（障害総合支援23条）。

介護保険で必須となっているケアマネジメントについては，障害者自立支援法制定当初，長期入院・入所などにより自らサービスのマネジメントを行うことが困難な重度障害者等に限定され，計画の作成も市町村の支給決定後とされていた。こうしたプロセスを見直し，2012（平成24）年改正では，市町村が介護給付費等の支給要否決定を行うに当たって必要と認められる場合として省令で定める場合（原則として支給決定を受けるために申請をする場合〔障害総合支援則12条の2〕）には，申請に係る障害者等又は障害児の保護者に対し，指定特定相談支援事業者が作成するサービス等利用計画書案の提出を求め，その提出があった場合には，当該計画案を勘案して支給要否決定を行うこととした（障害総合支援22条4項～6項。希望する場合など，自ら計画案を提出することもできる。障害総合支援則12条の4)。これにより，サービス等利用計画作成対象者が拡大され，

（共同生活援助に係る支給申請のうち，入浴，排せつ又は食事等の介護を伴う場合を除く。……）を行う障害者については，障害支援区分の認定は要さず，障害の種類及び程度を勘案する」ものと規定された。障害支援区分の認定は法律に定められた手続で，それを経なければ支給決定に至らないという意味では申請者にとってきわめて重要（介護給付費等の受給権の成否にかかわるもの）であることから，どのサービスが対象になるかは法令で定めるべきものと思われる。

156)　本沢巳代子＝新田秀樹編著『トピック社会保障法〔第15版〕』（不磨書房，2021年）199頁〔新田執筆〕。

157)　注147）参照。

158)　①居宅介護，重度訪問介護，同行援護，行動援護，短期入所，重度障害者等包括支援，自立訓練及び就労移行支援（③を除く）については，1ヵ月から12ヵ月までの範囲内（月単位。以下同じ）で市町村が定める期間，②療養介護，生活介護，施設入所支援，就労継続支援及び共同生活援助については，1ヵ月から36ヵ月までの範囲内で市町村が定める期間，③就労移行支援（専らあん摩マッサージ指圧師，はり師又はきゅう師の資格を取得させることを目的として便宜を供与する場合）については，1ヵ月から60ヵ月までの範囲内で市町村が定める期間とされる。

通所・入所・居宅サービスの利用者に対して計画作成が義務づけられた。市町村は支給決定を行ったときは，当該支給決定障害者等に対し，支給量等を記載した受給者証を交付しなければならない（障害総合支援 22 条 8 項）。

介護給付費の支給対象となる障害福祉サービスは，①居宅介護（ホームヘルプサービス），②重度訪問介護（重度の肢体不自由者等[159]の介護），③同行援護（視覚障害者の移動援護），④行動援護（重度の知的・精神障害者の危険回避のための援護），⑤療養介護（医療ケアに伴う介護で，医療に係るものを除く），⑥生活介護（昼間施設における介護，創作活動・生産活動の支援），⑦短期入所（ショートステイ），⑧重度障害者等包括支援（重度障害者への障害福祉サービスの包括的提供），⑨施設入所支援（施設での夜間・休日介護）の 9 種類である（障害総合支援 5 条 2 項〜10 項）。

次に，訓練等給付費の対象となる障害福祉サービスは，①自立訓練，②就労移行支援，③就労継続支援，④就労定着支援，⑤自立生活援助，⑥共同生活援助の 6 種である（同条 12 項〜17 項）。これらの給付は，障害者が自立して生活していくにあたっての訓練等の給付である点で，介護等の給付による日常生活の支援を超えた積極的な意義を有する。

このうち①は，障害者につき，自立した日常生活又は社会生活を営むことができるよう，厚生労働省令で定める期間（標準期間は機能訓練 1 年 6 ヵ月，生活訓練 2 年。長期入所者等は 3 年）内で，身体機能又は生活能力の向上のために必要な訓練等を供与するものであり，リハビリテーションなどの機能訓練と，知的・精神障害者に対する生活訓練からなる（障害総合支援則 6 条の 6，6 条の 7）。

②は，就労を希望する 65 歳未満の障害者につき，厚生労働省令で定める期間（標準期間 2 年）内で，雇用されることが可能と見込まれるものにつき，生産活動その他の活動の機会の提供を通じて，就労に必要な知識及び能力の向上のために必要な訓練等を供与するものである（同 6 条の 8，6 条の 9）。一般就労への移行が進んでいる一方[160]，事業所によっては移行が進んでいない点が指

159）　2012（平成 24）年改正により，重度の肢体不自由者に加え，重度の知的障害者・精神障害者にも対象が拡大された。また 2016（平成 28）年改正により，最重度の障害者であって医療機関に入院した者につき，入院中もサービスが利用できることになった。

160）　2019（令和元）年現在，サービス利用終了者に占める一般就労への移行率は 54.7％となっている（2010〔平成 22〕年現在，40.6％）。

摘されている。

③は，通常の事業所に雇用されることが困難な障害者につき，就労の機会を提供するとともに，生産活動その他の活動の機会の提供を通じて，その知識及び能力の向上のために必要な訓練等を供与するものであり，A型（雇用契約に基づく就労が可能である場合）とB型（雇用契約に基づく就労が困難である場合）に分かれる。A型で雇用契約を締結している場合，最低賃金法をはじめとする労働法制が適用されるものの，最低賃金の減額特例の適用を受け，最低賃金以下の賃金を受けている者がいるのが現状である。雇用契約が締結されないB型でも一定の工賃が支払われるものの，その金額の低さ[161)]が課題である。

こうした②③などの福祉サービスとしての就労支援施策とは別に，職業リハビリテーション（障害者職業能力開発校・訓練施設，地域障害者職業センター〔地域センター〕，障害者就労・生活支援センター〔ナカポツセンター〕，ジョブコーチ〔職場適応援助者〕），ハローワーク（公共職業安定所），障害者トライアル雇用など，雇用施策としての障害者の一般就労支援策が存在する[162)]。雇用義務制度（雇用率制度）も障害者雇用に重要な役割を果たしてきた（第6款1参照）。最近，福祉施策と雇用施策の連携のあり方について検討が進められ，一般就労の促進に向けた施策が講じられつつある[163)]。

④就労定着支援は，就労移行支援等の利用を経て一般就労へ移行した障害者で，就労に伴う環境変化により生活面の課題が生じている者に対し，事業所・家族との連絡調整等の支援を，一定期間にわたり行うサービスとして，2016（平成28）年改正で創設された。障害者本人にとっては，一般就労することが最終目標ではなく，その職場に定着し，安定した生活を営めることこそが重要である以上，このサービスの重要性は高い[164)]。

161）作業所などに毎日通所して一定の作業を行うとしても，月額1万円を下回るケースも珍しくない。立法論としては，工賃と障害基礎年金を合わせて地域での自立生活を営める水準が目指されるべきである。そのためには，工賃引上げのための努力のほか，障害基礎年金の支給水準の引上げも検討の余地がある。

162）小西啓文＝中川純「障害と労働法」菊池ほか編著・前掲書（注136）147頁以下参照。

163）厚生労働省社会・援護局障害保健福祉部「障害者雇用・福祉施策の連携強化に関する検討会報告書」（2021〔令和3〕年6月）参照。

164）他方，企業には障害者である労働者について合理的配慮義務が課されており（障害雇用36条の3），この点でも福祉サービス利用との兼ね合いが慎重に考慮されなければならない。

⑤自立生活援助は，障害者支援施設やグループホーム等からひとり暮らしへの移行を希望する知的障害者や精神障害者などについて，本人の意思を尊重した地域生活を支援するため，一定期間にわたって，定期的な巡回訪問や随時の対応により，障害者の理解力，生活力等を補う観点から支援を行うサービスとして，2016（平成28）年改正で創設された。

⑥の共同生活援助（グループホーム）については，従来，介護給付費の対象となるサービスとして共同生活介護（ケアホーム）が存在し，前者は介護を必要とせず，後者は介護を必要とする人を対象としていた。しかし，介護が必要な人と必要ない人を一緒に受け入れる場合，両方の事業所指定を必要とし，現にグループホーム・ケアホーム一体型の事業所が半数以上を占めていたことから，2012（平成24）年改正により，共同生活介護を廃止し，共同生活援助に統合したものである。

高齢者医療・介護の枠を超えた「地域共生社会」に向けた取組みの一環として，障害児者や高齢者がともに利用できる「共生型サービス」を創設するとの観点から，2017（平成29）年改正により，共生型居宅サービス事業者等に係る特例が設けられ，介護保険又は障害福祉のいずれかの指定を受けている事業所が，他方の制度における指定を受けやすくなった（障害総合支援41条の2，介保72条の2，児福21条の5の17）。

介護給付費等の支給額は，障害者自立支援法施行当初は，指定障害福祉サービス等に通常要する費用（特定費用を除く）の原則として100分の90相当額とされ，様々な負担軽減措置を講じてはいたものの[165]，法形式上定率負担（1割）を原則としていた。既に述べたように，この点が障害をもつ当事者をはじめとする大きな批判にさらされることになった[166]。そこで2010（平成22）年改正

165）注129）参照。

166）定率負担導入の経緯につき，岩村正彦「総論――改革の概観」『ジュリスト』1327号（2007年）23頁。障害者自立支援法において利用者負担が定率負担となっていたことにつき早い時期から疑問を呈した見解として，堤・前掲書（注130）参照。新田秀樹「費用負担と報酬基準」『社会保障法』25号（2010年）49頁以下はこの点を詳細に検討し，応益負担が，①サービスを利用した以上は負担を求める建前となり，扶助原理が過度に後退する危険性（特に低所得や重度の障害者に対して過重な負担となる危険性）は避けがたい，②社会扶助方式を前提とする限り法制的妥当性を説明しづらい，③対象やサービスについての医療保険や介護保険との相違は完全に無視できない，④障害者権利条約との関係でも正当化が難しい面があるとして，障害者

（平22法71）により，法形式上も応能負担に改め，この規定が2012（平成24）年障害者総合支援法に引き継がれた（障害総合支援29条3項2号）。これにより，原則として支給決定障害者等の家計の負担能力その他の事情をしん酌して政令で定める額（ただし100分の10を超えない限度で）を自己負担すればよいことになった[167]。

ii)　相談支援

相談支援に関しては，2005（平成17）年障害者自立支援法において，相談支援事業が法定化され，地域生活支援事業（同77条）として市町村によって実施される障害者等への助言・相談・指導や地域自立支援協議会等の設置などによる相談支援と，指定相談支援事業としてサービス利用計画を作成しサービス事業者等と調整を行う相談支援という二つの仕組みが設けられ，相談支援事業の担い手として相談支援専門員が位置付けられた。

2012（平成24）年改正による相談支援体制の充実の一環として，従来の相談支援の定義を「基本相談支援」「地域相談支援」「計画相談支援」に分けるとともに，「地域相談支援」を地域移行支援並びに地域定着支援，「計画相談支援」をサービス利用支援並びに継続サービス利用支援からなるものと整理した（同5条18項～23項）。その上で，基本相談支援及び地域相談支援のいずれも行う事業を一般相談支援事業と定義して地域相談支援給付費の支給対象とし（同51条の5～51条の15），基本相談支援及び計画相談支援のいずれも行う事業を特定相談支援事業と定義して計画相談支援給付費の支給対象とした（同51条の16～51条の18。基本相談支援は給付対象となっていない）（図13）。他方，個別給付化した相談支援の対象とならない相談支援を行うため（たとえば，基本相談支援のみを行う場合），地域支援事業の一環としての相談支援事業も市町村の必須事業として残し，自立支援協議会を法律上明記するとともに（同89条の3），新たに地域の中核としての役割を担う基幹相談支援センターが設置された（同77条の2）。

ただし，介護給付費等や自立支援医療費，補装具費といった従来から存在した自立支援給付が国庫負担（2分の1）の対象となっているのに対し，新たに設

福祉サービスに係る負担としては応能的な負担が望ましい旨述べる。台豊「社会福祉法と財政」新講座2 80頁は，新田説を俎上に載せ，応能負担もしくは低額の定額負担を基本とし，利用者間の公平を図る観点から，応益的な要素を加えるのが望ましい旨述べる。

167）　生活保護世帯や市町村民税非課税世帯については無料である（障害総合支援令17条4号）。

図13　個別給付で提供される相談支援

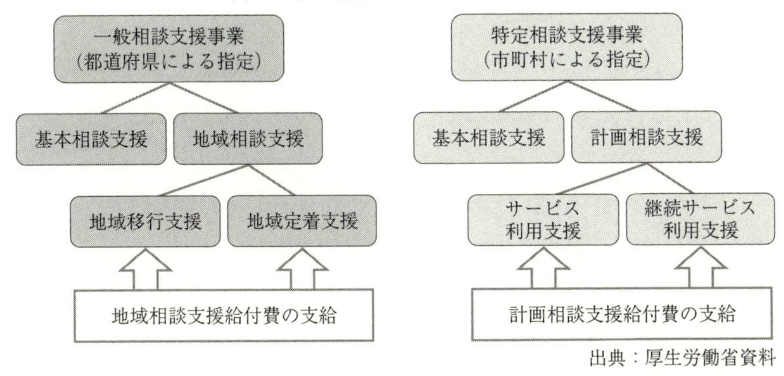

出典：厚生労働省資料

定された相談支援関連の給付費は，**2**で述べる地域生活支援事業に要する費用と同様，国の補助金（2分の1以内）の対象とされるにとどまっている（同95条2項1号）。

こうした財源的な基盤の不十分さは認められるとしても，相談支援の事業化・給付化は，介護保険法における居宅介護支援（介保8条24項），生活困窮者自立支援法による自立相談支援事業（生活困窮者自立支援4条），児童福祉法による障害児相談支援事業（児福6条の2の2第7項）などと並んで，これまで法律の枠組みの中で必ずしも明確な位置づけを与えられてこなかったソーシャルワーク（相談支援）の法定化という点で，重要な意義を有するといえる。

介護給付費等の支給は，障害福祉サービスが都道府県知事の指定を受けた指定障害福祉サービス事業者（障害総合支援36条），指定障害者支援施設（同38条）によって提供されたときに，障害者又は障害児の保護者に代わって当該事業者に対して行われる（同29条4項）[168]。これに対し，相談支援関連の給付費は，同じく相談支援が指定を受けた指定一般相談支援事業者（同51条の19）・指定特定相談支援事業者（同51条の20）によって提供されたときに，障害者又は障害児の保護者に代わって当該事業者に支給される（同51条の14第4項，51

168)　施設入所支援，共同生活援助等の特定入所等サービスに係る支給決定を受けた障害者のうち所得の状況その他の事情をしん酌して厚生労働省令で定める特定障害者（生活保護世帯や市町村民税非課税世帯に属する者。障害総合支援則34条，障害総合支援令17条4号）に対し，食事の提供に要した費用又は居住に要した費用について支給される特定障害者特別給付費（障害総合支援34条）・特例特定障害者特別給付費（同35条）もある。

条の17第3項)。

iii)　補装具

i) ii) で述べた以外の自立支援給付として，障害の状態からみて，補装具の購入・借入れ又は修理（以下「購入等」）を必要とする者に対して，申請に基づき，当該補装具の購入等に要した費用について補装具費が支給される（同76条1項)[169]。利用者の負担は，障害者自立支援法施行当初は原則1割負担だったものの，2010（平成22）年改正により，介護給付費等と同様，応能負担とされた（同条2項)[170]。

iv)　自立支援医療

以上述べた福祉的性格をもつ自立支援給付のほかに，医療サービスとしての自立支援医療がある。従来，障害に係る公費負担医療制度は，身体障害者福祉法（更生医療）・児童福祉法（育成医療）・精神保健福祉法（精神通院医療）というそれぞれ異なった法律の下に定められていた。障害者自立支援法の下では，医療の内容や支給認定の実施主体（更生医療は市町村，その他は都道府県）は従来の仕組みを踏襲した上で，自立支援医療として統一した。

自立支援医療は，障害者等が心身の障害の状態からみて自立支援医療を受ける必要があり，かつ当該障害者等又はその属する世帯の世帯員の所得の状況，治療状況その他の事情を勘案して政令で定める基準に該当する場合，市町村等の支給認定を受けることにより行われる（同54条1項)。所得の状況も勘案されるため，この基準によれば，一定額以上の所得（市町村民税額23万5000円以上。障害総合支援令29条1項）のある世帯の利用者は対象外（医療保険のみ適用）となる[171]。支給される自立支援医療費の額は，原則として同一の月に受けた

169)　成長に伴って短期間での交換が必要となる障害児や，障害の進行により短期間の利用が想定されるもの，仮合わせ前の試用などを想定し，購入よりも貸与の利用者の便宜を図ることが可能な場合があるとの観点から，2016（平成28）年改正により，貸与の仕組みを導入した。

170)　電動車椅子のリフト機能につき不支給とした部分を取り消し，リフト機能部分に係る特例補装具費を支給する決定をするよう命じた例として，京都地判令3・3・16賃社1786号29頁，電動車椅子に係る補装具費の支給申請の却下を違法とし，支給決定の義務付けを認めた裁判例として，福岡地判平27・2・9賃社1632号45頁。電動車椅子に係る補装具費の支給決定を取り消し，申請を却下した処分行政庁（市長）の決定につき，取消決定・却下決定をいずれも適法とした裁判例として，和歌山地判平26・7・11判例集未登載（LEX/DB文献番号25504436)。

171)　ただし，経過的特例につき，注172）参照。

指定自立支援医療につき健康保険の療養の額の算定方法の例により算定した額から，支給認定障害者等の家計の負担能力，障害の状態その他の事情をしん酌して政令で定める額[172]を控除した額とされ，当該政令で定める額が算定した医療費の額の1割を超えるときは，1割が上限となる（障害総合支援58条3項1号）。この点も，原則的に1割の自己負担とされていた[173]障害者自立支援法の仕組みが，応能負担に改められたものである。自立支援医療を扱う医療機関は，申請により，自立支援医療の種類ごとに都道府県知事の指定を受けなければならない（同59条）。

v）　高額障害福祉サービス等給付費

2010（平成22）年改正による応能負担の導入と同時に，高額障害福祉サービス等給付費制度が設けられた。障害福祉サービス及び介護保険法24条2項に規定する介護給付等対象サービスのうち政令で定めるもの並びに補装具の購入等に要した費用の負担の合計額が著しく高額である場合，市町村より，支給決定障害者等に対し，高額障害福祉サービス等給付費が支給される（障害総合支援76条の2）。

2016（平成28）年改正により，65歳に至るまで相当の長期間（5年以上。障害総合支援令43条の4第5項1号）にわたり障害福祉サービスを利用してきた低所得の高齢障害者が引き続き障害福祉サービスに相当する介護保険サービスを利用する場合，高額障害福祉サービス等給付費で介護保険サービスの利用者負担が軽減された（障害総合支援76条の2第2号）。介護保険サービスへの移行により負担が過重になるのを防ぐとの趣旨であるが，高齢で障害をもった介護保険サービス利用者との公平の問題が残る。

vi）　費用その他

介護給付費等や自立支援医療費，補装具費といった従来から存在した自立支援給付は，国庫負担が2分の1，都道府県が4分の1（ただし精神通院医療は2分

172）　費用が高額な治療を長期にわたり継続しなければならない者（高額治療継続者）は月額1万円，高額治療継続者で市町村民税額3万3000円未満の者は月額5000円，市町村民税非課税世帯の者は月額5000円（うち本人収入が80万円未満の場合，月額2500円），生活保護世帯は0円（障害総合支援令35条）。このほか，経過的特例として，高額治療継続者は，市町村民税額23万5000円以上であっても2万円の上限額が設定されている。

173）　障害者自立支援法以前の利用者負担は，精神通院医療が0.5割の定率負担で，更生医療と育成医療は応能負担であった。

の1〔市町村負担なし〕。同93条，障害総合支援令3条），市町村が4分の1の負担割合となる（障害総合支援94条1項，95条1項）。他方，2010（平成22）年改正で設けられた相談支援関連の給付費は，**2**で述べる地域生活支援事業に要する費用と同様，国（2分の1以内）と都道府県（4分の1以内）の補助金の支出対象とされる（同94条2項，95条2項）。

他の法令による給付との調整につき，公費で賄われる自立支援給付は，介護保険法に基づく介護給付や健康保険法に基づく療養の給付等で自立支援給付に相当するものを受けることができるときは政令で定める限度において行わないとされ，社会保険給付との関係で後順位におかれている（同7条）。

この調整は，介護保険優先原則といわれる[174)]。ただし，とりわけ若年で障害者福祉サービスを受けてきた者が介護保険の対象となる65歳に達した場合，利用者負担の増大を招くことなどから，実務上批判も少なくなかった[175)]。先に述べたように，高額障害福祉等サービス給付費の対象となったことで，立法上の手当が一定程度なされたといえる。

2　地域生活支援事業

1で述べた自立支援給付のほか，都道府県及び市町村が行う事業として，地

---

174)　大阪高判平19・9・13賃社1479号63頁は，身体障害者福祉法に基づく支援費は介護保険法の規定によりこれらの給付に相当する給付を受けることができるときはその限度において行わないものと定める併給調整規定が，二重給付の回避と無拠出制給付に対する拠出制給付の優先との理由から憲法25条に照らして合憲とする。

175)　ただし，常に機械的に介護保険給付が優先するというわけではなく，行政解釈でも，障害者の心身の状況等により，個別にさまざまなケースが考えられることから，一律に介護保険法に基づくサービスを優先するのではなく，個別に障害福祉サービスの種類や利用者の状況に応じて障害福祉サービスに相当する介護保険法に基づくサービスを受けられるかどうかを判断するとしている。障害者福祉研究会編集『逐条解説障害者自立支援法』（中央法規，2007年）68頁。裁判例は分かれており，広島高岡山支判平30・12・13賃社1726号8頁は，法7条が自立支援給付と介護保険給付等の二重給付を回避するための規定であると解したうえで，65歳到達後に介護保険給付に係る申請を行わないまま，継続して自立支援給付に係る申請をした場合において，介護給付費を不支給とした処分を違法とし，自立支援給付決定の義務付けを行った一方，千葉地判令3・5・18判例集未登載（LEX/DB文献番号25590079）は，介護給付費の支給決定を受けようとする障害者が65歳以上の者である場合，要介護認定の申請をしないことに正当な理由がない限り，介護保険法の規定による要介護認定の申請をすることが介護給付費の支給申請の適法要件となると解し，介護給付費支給決定の義務付けの訴えを却下した。

域生活支援事業が法定化されている（障害総合支援77条〜78条）。自治体が地域の実情や利用者の状況に応じて柔軟な形態により行うことを意図していたため，自立支援給付のような全国一律の事業者・報酬等に係る基準は設けられなかった。

法施行後，地域生活にとって不可欠であるにもかかわらず，相談支援への市町村の取組み状況に差があったことから，先に述べたように（1-ii），2012（平成24）年改正により，地域移行支援と地域定着支援を個別給付化したほか，地域における相談支援の中核的な役割を担う機関として基幹相談支援センターを市町村に設置することとした（ただし任意設置。同77条の2第1項・2項）。また地方公共団体は，障害者等への支援体制の整備を図るため，関係機関，関係団体並びに障害者等及びその家族並びに障害者等の福祉，医療，教育又は雇用に関連する職務に従事する者等により構成される協議会（自立支援協議会）を置くように努めなければならない（同89条の3）。今後は，これらの機関の設置義務化が課題となろう。

また同年改正により，従来地域生活支援事業で行っていた視覚障害者の移動支援での対応につき，障害福祉サービスの一環として，「同行援護」（1参照）を創設した。

市町村が行う地域生活支援事業として，研修啓発，自立生活活動支援，相談援助，成年後見制度利用費用支給，成年後見業務人材育成，意思疎通支援，意思疎通支援者養成，移動支援，地域活動支援センター等への通所等が掲げられており，都道府県は，市町村の実施体制の整備の状況その他の地域の実情を勘案して，関係市町村の意見を聴いて，当該市町村に代わってこれらの事業の一部を行うことができる（同77条1項・2項）。

地域生活支援事業は補助金事業で，財源は国の義務的経費としては計上されておらず，国は事業の実施に要する費用の100分の50以内を補助することができ（同95条2項），都道府県は市町村の事業の実施に要する費用の100分の25以内を補助することができる（同94条2項）。

3 障害福祉計画

障害者総合支援法では，障害福祉サービス及び相談支援並びに市町村及び都道府県の地域生活支援事業の提供体制を整備し，自立支援給付及び地域生活支援事業の円滑な実施を確保するための行政計画を策定することとしている。すなわち，厚生労働大臣による基本指針（障害総合支援87条）に則して，市町村は市町村障害福祉計画（同88条），都道府県は都道府県障害福祉計画（同89条）の策定義務を負う。この計画の下で，市町村では，①障害福祉サービス，相談支援及び地域生活支援事業の提供体制の確保に係る目標に関する事項，②各年度における指定障害福祉サービス，指定地域相談支援又は指定計画相談の種類ごとの必要な量の見込み，③地域生活支援事業の種類ごとの実施に関する事項（同88条2項），都道府県では上記①③に加えて，当該都道府県が定める区域ごとに当該区域における各年度の指定障害福祉サービス，指定地域相談支援又は指定計画相談支援の種類ごとの必要な量の見込み（上記②に対応），各年度の指定障害者支援施設の必要入所定員総数を必要的記載事項としている（同89条2項）。市町村障害福祉計画は，市町村障害者計画（障害基11条3項），市町村地域福祉計画（社福107条）などと，また都道府県障害福祉計画は，都道府県障害者計画（障害基11条2項），都道府県地域福祉支援計画（社福108条）などと調和が保たれたものでなければならない（障害総合支援88条6項，89条4項）。

4　その他

国民健康保険団体連合会は，国民健康保険法の規定による業務のほか，本来市町村が行うべきとされている介護給付費，訓練等給付費，特定障害者特別給付費，地域相談支援給付費及び計画相談支援給付費の支払に関する業務を，市町村からの委託を受けて行うものとされている（障害総合支援96条の2）。

不服申立手続に係る特則として，市町村の介護給付費等又は地域相談支援給付費等に係る処分に不服がある障害者又は障害児の保護者は，都道府県知事に対して審査請求をすることができる（同97条1項）[176]。都道府県知事は，条例で定めるところにより，この審査請求の事件を取り扱わせるため，障害者介護給付費等不服審査会を置くことができる（同98条1項）。

176）　サービス事業者等による代理受領が行われた場合，審査支払の法律関係は，医療保険における療養の給付における法律関係に類似することから，事業者等からの介護給付費等の請求に対し国民健康保険団体連合会が行う減額査定は処分性を有しないため，事業者等は抗告訴訟で争うことはできない（このことは，法97条が事業者等からの審査請求を認めていないこととも整合する）と解するものとして，笠木ほか329頁。

不服申立てと訴訟との関係につき，法97条1項に規定する処分の取消しの訴えは，当該処分についての審査請求に対する裁決を経た後でなければ，提起することができないとし，不服申立前置主義がとられている（同105条）。

第4款　個別の障害者福祉法

1　障害者総合支援法と障害各法

障害者自立支援法の施行以後，障害福祉サービスは，児童福祉法に根拠をおく障害児施設サービスを除くと，基本的に障害者総合支援法を通じて給付されることとなった。ただし，従来の障害種別ごとに制定された法律も，依然として効力を有している。以下では，既に述べた精神障害者に対する入院医療などに係る精神保健福祉法を除き（第7章第8節第1款），身体障害者福祉法，知的障害者福祉法，発達障害者支援法につき主要な点をみておく。

2　身体障害者福祉法

身体障害者福祉法にいう身体障害者とは，別表に掲げる身体上の障害がある18歳以上の者であって，都道府県知事から身体障害者手帳（身福15条）の交付を受けたものをいう（同4条）[177)]。同法施行規則別表5号「身体障害者障害程度等級表」では，1級から6級までの障害が列挙されている[178)]。

従来，身体障害者福祉法におかれていた身体障害者に関する社会福祉サービスの根拠規定は，障害者自立支援法に移行し，現在では障害者総合支援法におかれている。ただし，同法に規定のない身体障害者固有の事業（身体障害者生活訓練等事業，手話通訳事業，介助犬訓練事業，聴導犬訓練事業〔身福4条の2〕）については，依然として身体障害者福祉法に規定がおかれている（同26条・27条）。同様に施設についても，「身体障害者社会参加支援施設」として，身体障

177)　手帳制度と連動していることもあり，障害者基本法2条1号のように「社会モデル」の考え方は取り入れられていない。注183）参照。

178)　広島高判平7・3・23行集46巻2＝3号309頁（排尿障害につき身体障害者手帳の交付申請を却下した処分を適法とした例），東京地判平26・7・16判例自治393号63頁（下肢の障害につき，身体障害程度等級を5級とした処分を適法とした例），仙台地判平28・8・8判例集未登載（LEX/DB文献番号25543785）(吃音を原因とする身体障害者手帳の交付申請を却下した処分を適法とした例)。

害者福祉センター，補装具製作施設，盲導犬訓練施設，視聴覚障害者情報提供施設が規定されている（同5条1項，28条～34条）。

社会福祉基礎構造改革により利用者と事業者・施設との直接契約制度に改められたとはいえ，養護者による虐待を受けているなどのやむを得ない理由により，障害者総合支援法による介護給付費等の利用が著しく困難である場合も考えられる。そこで身体障害者福祉法には，市町村に対し，障害福祉サービスの提供又は当該市町村以外の者に対する障害福祉サービスの提供委託（同18条1項），当該市町村の設置する障害者支援施設等への入所又は社会福祉法人等の設置する障害者支援施設等への入所若しくは入院委託の規定をおき，措置制度時代と同様の「措置」を残すとともに（同18条2項），事業者・施設に対し措置の受託義務を課している（同18条の2。障害虐待9条2項参照）。

身体障害者福祉法に定める身体障害者又はその介護者に対する援護は，原則としてその身体障害者の居住地の市町村（特別区を含む）が行う（身福9条1項）。その上で，市町村は，この法律の施行に関し，身体障害者の発見及び相談・指導（同条5項1号），福祉に関して必要な情報の提供（同項2号），生活の実情，環境等の調査に基づく更生援護の必要の有無及びその種類の判断並びに社会的更生の方途の指導等（同項3号）の業務を行わねばならないとされている[179]。都道府県には，市町村相互間の連絡調整等の義務が課されている（同10条1項）。

このほか，市町村の福祉事務所が行う業務（同9条の2），都道府県への障害者更生相談所の設置義務（同11条），同更生相談所に必置とされる身体障害者福祉司（同11条の2，12条），市町村で相談援助にあたる身体障害者相談員（同12条の3）などに係る規定がおかれている。

3　知的障害者福祉法

知的障害者については，身体障害者福祉法と異なり，その定義規定がおかれ

179）身体障害者福祉法9条5項2号は，市町村に対し，身体障害者の福祉の増進を図るため，行うべき業務として「身体障害者の福祉に関し，必要な情報の提供を行うこと」を課しているとし，市町村が，身体障害者手帳交付時に，介護者に鉄道運賃等の割引制度に関して何らの説明を行わなかったことが情報提供義務違反にあたるとした例として，東京高判平21・9・30判時2059号68頁。

ていない。厳格な判定方法・基準を設定し，更生援護の対象を制限するよりも，できる限り幅広く支援・保護の枠を広げ，多少の濫救があったとしても，漏救のないようにしていくことを選択したものといわれる[180]。ただし，このことは，知的障害者に対して支給される療育手帳が，身体障害者手帳などと異なり法律上明確な根拠をもたないという不都合を生じさせている[181]。知的障害者福祉法にいう障害者が障害者総合支援法上の障害者概念に関連付けられ（障害総合支援4条1項），障害福祉サービス等の対象を画することになる以上，現在，各都道府県で異なった基準で運用されている実態があるとしても，知的障害者福祉法に根拠をおく定義規定を設け，全国一律の基準の下で運用すべきであろう。

従来，知的障害者福祉法に規定されていた事業及び施設の定めは，障害者自立支援法の制定により削除された。

身体障害者福祉法と同様，養護者による虐待を受けているなどのやむを得ない理由により，障害者総合支援法による介護給付費等の利用が著しく困難である場合を想定して，市町村に対し，障害福祉サービスの提供又は当該市町村以外の者に対する障害福祉サービスの提供委託（知福15条の4），当該市町村の設置する障害者支援施設等への入所又は社会福祉法人等の設置する障害者支援施設等への入所委託の規定をおき，措置制度時代と同様の「措置」を残すとともに（同16条1項2号），事業者・施設に対し措置の受託義務を課している（同21条。障害虐待9条2項参照）。

知的障害者福祉法に定める知的障害者又はその介護者に対する更生援護は，原則としてその知的障害者の居住地の市町村（特別区を含む）が行う（知福9条1項）。その上で，市町村は，同法の施行に関し，知的障害者の福祉に関して必要な実情の把握（同条5項1号），福祉に関して必要な情報の提供（同項2号），知的障害者の福祉に関する相談に応じ，必要な調査及び指導を行うこと並びにこれらに付随する業務（同項3号）を行わねばならないとされている。都道府県には，市町村相互間の連絡調整等の義務が課されている（同11条1項1号）。

このほか，市町村の福祉事務所が行う業務（同10条），都道府県への知的障

180)　桑原・前掲書（注6）395頁。

181)　ただし，療育手帳の交付決定は行政処分であるとの裁判例がある。東京高判平13・6・26裁判所ウェブサイト（LEX/DB文献番号25410194）。

害者更生相談所の設置義務（同12条），同更生相談所に必置とされる知的障害者福祉司（同13条，14条，10条2項・3項），市町村で相談援助にあたる知的障害者相談員（同15条の2）などに係る規定がおかれている。

4　発達障害者支援法

自閉症などの発達障害児者は，その人口に占める割合が決して低くない[182]にもかかわらず，従来は固有の法律がなく制度の谷間におかれ，十分な対応がなされてこなかった。そこで，発達障害の定義と法的な位置づけの確立，乳幼児期から成人期までの地域における一貫した支援の促進，専門家の確保と関係者の緊密な連携の確保，子育てに対する国民の不安の軽減をねらいとして，2004（平成16）年発達障害者支援法が制定された。

同法において発達障害とは，「自閉症，アスペルガー症候群その他の広汎性発達障害，学習障害，注意欠陥多動性障害その他これに類する脳機能の障害であってその症状が通常低年齢において発現するものとして政令で定めるもの」をいう（発達障害2条1項）。発達障害者とは，発達障害及び社会的障壁により日常生活又は社会生活に制限を受ける者であり，このうち18歳未満の者を発達障害児という（同条2項）[183]。発達障害者に対する発達支援とは，その心理機能の適正な発達を支援し，円滑な社会生活を促進するために行う個々の発達障害者の特性に対応した医療的，福祉的及び教育的援助をいう（同条4項）。ここでは福祉的施策にとどまらない支援が念頭におかれている。

2016（平成28）年改正は，制定時以来の本格的な改正であった。上述した発

---

182)　普通学級で学習障害（LD）・注意欠陥多動性障害（ADHD）・高機能自閉症等による特別支援教育の新たな対象となる児童生徒の在籍率は6.3％といわれた。中央教育審議会「特別支援教育を推進するための制度の在り方について（答申）」（2005年）34頁。文部科学省 障害のある児童生徒の教材の充実に関する検討会報告書「特別支援教育の現状について」（平成25年6月4日）でも，知的発達に遅れはないものの学習面又は行動面で著しい困難を示すとされた児童生徒の推定値は6.5％とされている。

183)　2016（平成28）年改正により，障害者基本法2条1号に倣って，発達障害者の概念に「社会モデル」の考え方が取り入れられた。社会的障壁の概念についても障害者基本法と同様の規定がおかれた（発達障害2条3項）。なお，この改正に先んじて，社会福祉サービス等につき障害者自立支援法のサービスを受けやすくするとの観点から，2012（平成24）年障害者総合支援法改正により，発達障害者が障害者の範囲に含まれることが法律上明記されている（障害総合支援4条）。

達障害者の概念の見直しのほか，発達障害者支援に係る基本理念の規定がおかれ，①社会参加の機会の確保，どこで誰と生活するかについての選択の機会の確保，地域社会における共生，②社会的障壁の除去，③性別，年齢，障害の状態及び生活の実態に応じ，かつ，医療，保健，福祉，教育，労働等に関する業務を行う関係機関等の緊密な連携の下での，意思決定の支援にも配慮した切れ目のない支援，が明記された（同2条の2）。

発達障害者に対する発達支援に際しては，できるだけ早期の発見及び支援が重要であることに鑑み，同法は，早期発見や早期の発達支援のための施策について規定をおいている（同5条，6条）。保育（同7条），教育（同8条），放課後児童健全育成事業（同9条），就労の支援（同10条），地域での生活支援（同11条），権利利益の擁護（同12条），家族等への支援（同13条）に係る規定がおかれている。2016（平成28）年改正では，新たに情報の共有の促進（同9条の2），司法手続における配慮（同12条の2）に係る規定がおかれた。

また，そうした早期発見等に資するよう専門的見地から支援等を行うため，発達障害者支援センターに係る規定もおかれている（同14条）。2016（平成28）年改正により，都道府県が，発達障害者の支援の体制の整備を図るため，関係者等により構成される発達障害者支援地域協議会をおくことができるものとした（同19条の2）。ただし，これらの規定は，予算措置を伴い行政庁に一定の施策の実施を義務づけるものではない。

第5款　障害者法制の展開

1　障害者権利条約と国内法の整備に向けた動き

世界人権宣言や国際人権規約などの国際人権文書は，従来，障害をめぐる人権問題への認識が希薄であった[184)]。そうした中で，ようやく2006（平成18）年12月，国連で障害者権利条約が採択された[185)]。同条約は，2008（平成20）年5

184）　川島聡＝東俊裕「障害者の権利条約の成立」長瀬修ほか編『増補改訂　障害者の権利条約と日本――概要と展望』（生活書院，2012年）13頁以下。

185）　障害者権利条約をめぐるまとまった検討として，長瀬ほか編・前掲書（注184），「特集・障害者権利条約と日本の課題」『法律時報』81巻4号（2009年），松井亮輔＝川島聡編『概説障害者権利条約』（法律文化社，2010年），長瀬修＝川島聡編『障害者権利条約の実施』（信山

月，20ヵ国の批准を得て発効した。日本政府は，2007（平成19）年9月条約に署名し，その後，条約批准に向けた取組みがなされるに至った。2009（平成21）年夏の衆院選に伴う民主党中心の政権交代は，こうした動きを加速化させた。

具体的には，2009（平成21）年12月閣議決定により，障がい者制度改革推進本部が設置され，2010（平成22）年1月，同本部の下に障がい者制度改革推進会議が設けられた。同会議は，総合福祉部会と差別禁止部会をおき，精力的に議論を積み重ねた。こうした積極的な議論の背景として，原則1割の定率利用者負担を導入した障害者自立支援法を憲法違反で提訴した原告団及び弁護団と，同法廃止をマニフェストに掲げて政権の座についた当時の民主党政権とのあいだで成立した裁判上の和解による2010（平成22）年1月基本合意文書の存在が，一定の推進力になったと考えられる。

2　障害者基本法

一連の障害者制度改革の先鞭をつける形で，2011（平成23）年7月，障害者基本法が改正された。障害者基本法は，1993（平成5）年心身障害者対策基本法の全面改正という形で成立し，障害者施策の総合的計画的推進等の方向性を示すものであった。同法は，2004（平成16）年改正により，目的規定としての自立や社会参加支援等，基本的理念としての障害を理由とする差別等の禁止，都道府県及び市町村における障害者計画の策定義務化，同計画の策定等にかかわる中央障害者施策推進協議会の内閣府への設置等の見直しがなされた。2011（平成23）年改正は，以下のような抜本改正を行うものであった。

①　目的規定の見直し（障害基1条）

「障害者の福祉を増進する」との文言を削除し，「全ての国民が，障害の有無にかかわらず，等しく基本的人権を享有するかけがえのない個人として尊重されるものであるとの理念にのっとり，全ての国民が，障害の有無によって分け隔てられることなく，相互に人格と個性を尊重し合いながら共生する社会を実現するため」という法の理念・目的を明文化し，福祉の増進そのものではなく，それによる個人の尊重と共生社会の実現に焦点を当てるに至った。

社，2018年）。日本政府は2014（平成26）年1月，同条約を批准した。

②　定義の見直し

既に述べたように（第2款**2**），「障害」を機能障害（「身体障害，知的障害，精神障害（発達障害を含む。）その他の心身の機能の障害」）と捉えた上で，「障害者」の定義上，そうした障害がある者であって「障害及び社会的障壁により継続的に日常生活又は社会生活に相当な制限を受ける状態にあるものをいう」（障害基2条1号）と規定し，障害者の定義との関連で社会モデルの考え方を取り入れた。

③　基本原則

地域社会における共生等（障害基3条）として，改正前に定められていたあらゆる分野の活動に参加する機会の確保（同条1号）のほか，新たに地域社会における共生（同条2号），意思疎通のための手段についての選択の機会の確保，情報の取得利用のための手段の選択の機会の拡大（同条3号）を規定した。さらに，従来から定められていた障害を理由とする差別の禁止（同4条1項）に加えて，社会的障壁の除去の実施について必要かつ合理的な配慮がされなければならないこと（同条2項），国は差別等の禁止に係る啓発及び知識の普及を図るため，必要な情報の収集，整理及び提供を行うものとすること（同条3項）を規定した。合理的配慮の否定は，障害者権利条約2条が障害に基づく差別の一形態に含めており，この考え方を踏まえて規定したものである[186]。

④　施策の基本方針

改正前は，障害者施策が障害者の「年齢及び障害の状態」に応じて策定，実施されなければならないとされていたのに対し，「性別，年齢，障害の状態及び生活の実態」（下線筆者）に応じなければならないこととし，配慮すべき対象

186）　2011（平成23）年改正では，従来条文にあった「社会連帯」との文言が削除されている。それらは国民の責務（改正前6条1項・2項。改正後8条），雇用の安定に関する事業主の努力義務（改正前16条2項。改正後19条2項），公共的施設のバリアフリー化に関する事業者の努力義務（改正前18条2項。改正後21条2項），情報のバリアフリー化に関する事業者の努力義務（改正前19条3項。改正後22条3項）に係る規定にみられる。社会保障法の見地からは，障害者施策推進にあたっての強力な規範的根拠となり得る社会連帯概念を削除したことに強い違和感を覚える。地域社会における共生といった考え方は，ひとつの政策理念として尊重されるべきであるとしても，社会連帯が事業主等の義務・負担を根拠づけるという意味での「規範」的要素は，共生という概念には相対的に弱いと言わざるを得ない。障害者雇用促進法5条参照。

を明文で拡大した（障害基10条1項）。また国及び地方公共団体に対し，施策を講じるにあたって，障害者その他の関係者の意見聴取及び意見尊重に係る努力義務を新たに課した（同条2項）。

⑤　障害者政策委員会の設置

障害者権利条約33条2項が締約国に対し，条約の実施を監視するための枠組みを設置するよう求めていることに呼応して，内閣府に障害者政策委員会を設置し，障害者基本計画の実施状況を監視し，必要があると認めるときは，内閣総理大臣又は関係各大臣に勧告すること等の事務を行わせることにした（障害基32条）。さらに都道府県等にも，審議会その他の合議制の機関を置くこととした（同36条）。

3　障害者差別禁止法

障害者権利条約は，障害者と他の者との平等を基礎として，障害に基づくあらゆる差別を禁止することを重要なねらいとするものであった（5条2項。差別禁止アプローチ）。全体としては，障害者につき保護の客体から権利の主体へとパラダイムシフトを図るものであったと評価できる[187]。こうした差別禁止法制の先駆けとしては，1990年アメリカで成立した「障害をもつアメリカ人法」（ADA）[188]が著名であり，その後多くの国で同様の法制度が実現をみた[189]。これらの立法動向が，権利条約の実現へと結びついた面がある。

従来の日本の障害者法制は，福祉サービスや雇用率制度といった社会権的（あるいは福祉的）アプローチが主であったのに対し，権利条約は平等と差別禁止の理念の下，障害者の人権を自由権と社会権との複合的な基盤から捉えようとするものであった[190]。こうした中で，権利条約の批准を念頭においた国内

187）　東俊裕「障害者の権利条約と日本における障害法との乖離」『社会保障法』25号（2010年）7頁。

188）　ADAに関する文献として，川島聡「2008年ADA改正法の意義と日本への示唆――障害の社会モデルを手がかりに」『海外社会保障研究』166号（2009年）4頁以下，植木淳『障害のある人の権利と法』（日本評論社，2011年）第Ⅰ部など。

189）　イギリス障害差別禁止法（DDA）をめぐる詳細な分析として，杉山有沙『障害差別禁止の法理』（成文堂，2016年）。

190）　権利条約におけるこうした自由権と社会権の「人権二分論」の克服という見地からの，筆者の自律基底的人間像への問題提起として，棟居徳子「社会保障法における『人間像』と『人権

法整備のための重要な課題として，差別禁止法制の整備に向けた議論が障害者政策委員会（当初は障がい者制度改革推進会議）差別禁止部会を中心に行われ[191]，広範に及ぶ障害差別を対象とする意見書がまとめられた[192]。その後，2012（平成24）年12月の自公政権への交代を経て，2013（平成25）年6月，「障害を理由とする差別の解消の推進に関する法律」（障害者差別解消法）が成立した[193]。

同法で定める「障害者」とは「身体障害，知的障害，精神障害（発達障害を含む。）その他の心身の機能の障害（以下「障害」と総称する。）がある者であって，障害及び社会的障壁により継続的に日常生活又は社会生活に相当な制限を受ける状態にあるもの」をいい（障害差別解消2条1号），「社会的障壁」を「障害がある者にとって日常生活又は社会生活を営む上で障壁となるような社会における事物，制度，慣行，観念その他一切のものをいう」とし（同条2号），障害者基本法と同一の定義づけを行っている。

社会的障壁の除去のための環境整備に向けて，障害者差別解消法5条は，行政機関等及び事業者に対し，「社会的障壁の除去の実施についての必要かつ合理的な配慮を的確に行うため，自ら設置する施設の構造の改善及び設備の整備，関係職員に対する研修その他の必要な環境の整備に努めなければならない」旨の努力義務を課している。

行政機関等における障害を理由とする差別の禁止につき，同法7条は，「障害を理由として障害者でない者と不当な差別的取扱いをすることにより，障害者の権利利益を侵害してはならない」（同条1項）と定め，障害を理由とする不当な差別的取扱い[194]を禁止する。さらに「障害者から現に社会的障壁の除去

観』――国際人権基準からの一考察」『法学セミナー』748号（2017年）42頁以下。

191）国に先んじて，千葉県「障害のある人もない人も共に暮らしやすい千葉県づくり条例」（2006年）を皮切りに，北海道（2009年），岩手県（2010年），熊本県（2011年），さいたま市（2011年）など自治体レベルでの差別禁止規定等を含む条例の制定がみられた。

192）障害者政策委員会差別禁止部会「『障害を理由とする差別の禁止に関する法制』についての差別禁止部会の意見」（2012〔平成24〕年9月）。

193）障害者差別解消法解説編集委員会編著『概説障害者差別解消法』（法律文化社，2014年）参照。

194）不当な差別的取扱いとは，政府見解によれば，「障害者に対して，正当な理由なく，障害を理由として，財・サービスや各種機会の提供を拒否する又は提供に当たって場所・時間帯などを制限する，障害者でない者に対しては付さない条件を付けることなどにより，障害者の権利利益を侵害することを禁止」することである旨述べる。「障害を理由とする差別の解消の推進

を必要としている旨の意思の表明があった場合において，その実施に伴う負担が過重でないときは，障害者の権利利益を侵害することとならないよう，当該障害者の性別，年齢及び障害の状態に応じて，社会的障壁の除去の実施について必要かつ合理的な配慮をしなければならない」（同条2項）と定め，合理的な配慮の不提供[195]も禁止している[196]。

に関する基本方針」（平成27年2月24日閣議決定）。これによれば，正当な理由の不存在と並んで，障害者に対する差別的取扱いがあれば，障害者の権利利益の侵害にあたると解しているようにもみられる。その意味では，障害者の権利利益の侵害は，それ自体立証を要する独立した要件ではないということになろう。権利利益の侵害をどう理解するかについては，立法当時から議論があった。岩村正彦＝菊池馨実＝川島聡＝長谷川珠子「〔座談会〕障害者権利条約の批准と国内法の新たな展開」『論究ジュリスト』8号（2014年）14-15頁。なお，正当な理由の不存在の立証責任を被差別（障害）者に負わせるのは酷に過ぎ，正当な理由の存在の立証責任を政府機関等に負わせるのが適当である。

195）合理的配慮とは，政府見解によれば，「『社会モデル』の考え方を踏まえたものであり，障害者の権利利益を侵害することとならないよう，障害者が個々の場面において必要としている社会的障壁を除去するための必要かつ合理的な取組であり，その実施に伴う負担が過重でないもの」とされる。「障害を理由とする差別の解消の推進に関する基本方針」前掲（注194）。ここでも，障害者の権利利益の侵害は独立の要件とは捉えられていないとみるべきであろう。また負担の過重性の立証責任は行政機関等が負うものと解すべきである。また合理的配慮の前提としての「意思の表明」についても，当該障害者が社会的障壁の除去を必要としているものと合理的意思の推定が働く場合などにおいては，合理的配慮義務が生じる方向で解釈すべきであろう。合理的配慮に関しては，「小特集・差別と配慮の交錯――障害者への合理的配慮」『法律時報』87巻1号（2015年）（川島聡「欧州人権条約と合理的配慮」，東俊裕「障害者差別解消法と合理的配慮」，長谷川珠子「障害者雇用促進法と合理的配慮」，植木淳「日本国憲法と合理的配慮」），川島聡ほか『合理的配慮』（有斐閣，2016年）など参照。

196）障害者差別解消法は「差別」そのものに係る定義をしていない（障害基4条1項参照）ものの，7条1項は「直接差別」（障害を理由とする区別，排除，制限等の異なる取扱いがなされる場合〔たとえば，精神障害者の入店を断る場合。東京地判平24・11・2賃社1583号54頁〕），同条2項は「合理的配慮の不提供」（障害者に他の者と平等な，権利の行使又は機会や待遇が確保されるには，その者の必要に応じて現状が変更されたり，調整されたりすることが必要であるにもかかわらず，そのための措置が講じられない場合〔たとえば，階段しかない店舗の2階での買い物を希望する車椅子使用者に何らかの手段を提供しない場合〕）に一応対応するものと思われる（8条も同じ）。このほか，差別禁止部会の検討段階（注192）参照）では，「間接差別」（外形的には中立の基準，規則，慣行ではあってもそれが適用されることにより結果的には他者に比較し不利益が生じる場合〔たとえば，マイカー通勤禁止の企業で，事故で両足を切断した社員がマイカー通勤できず，退職を余儀なくされた場合〕）と，「関連差別」（障害に関連する事由を理由とする区別，排除又は制限等の異なる取扱いがなされる場合〔たとえば，車椅子を使用しているから入店されるのが困ると言っているだけで，障害があるからという理

これに対し同法８条は，事業者における障害を理由とする差別の禁止につき，「障害を理由として障害者でない者と不当な差別的取扱いをすることにより，障害者の権利利益を侵害してはならない」（同条１項）と定め，行政機関等と同様，障害を理由とする不当な差別的取扱いを禁止する。これに対し，合理的配慮の不提供については，「障害者から現に社会的障壁の除去を必要としている旨の意思の表明があった場合において，その実施に伴う負担が過重でないときは，障害者の権利利益を侵害することとならないよう，当該障害者の性別，年齢及び障害の状態に応じて，社会的障壁の除去の実施について必要かつ合理的な配慮をするように努めなければならない」（同条２項）とし，立法当初は努力義務にとどめていた。しかしながら，2021（令和3）年改正により行政機関等と同様，合理的な配慮の不提供を禁止するに至った（施行は公布〔令和３年６月４日〕から起算して３年を超えない範囲内において政令で定める日）。

障害者差別解消法は，障害者に直接権利を認めるのではなく，行政機関等や事業者に対する義務付けと，政府による基本方針[197]の策定（同６条），基本方針に即した国（同９条）及び地方公共団体（同10条）における対応要領[198]の策定，主務大臣による事業者のための対応指針[199]の策定（同11条）と報告の徴収，助言・指導・勧告（同12条），国及び地方公共団体による相談及び紛争の防止等のための体制の整備（同14条）といった行政主導でのシステムを構築したものと評価できる[200]。差別的取扱い禁止規定や合理的配慮義務規定に違反した場合の法的効力については，基本的には民法90条（公序良俗違反）や同709条（不法行為）といった一般条項の適用を通じて差別禁止等の効果が生じ

由ではないと説明される場合〕）が挙げられていた。差別解消法も，間接差別や関連差別を禁止していると解するものとして，植木淳「障害差別禁止法理の現段階――障害者差別解消法と障害差別判例の展開」『北九州市立大学法政論集』43巻1＝2号（2015年）8頁，東・前掲論文（注195）64頁。

197）「障害を理由とする差別の解消の推進に関する基本方針」前掲（注194）。

198）国でも各省庁ごとに対応要領が定められている。たとえば，厚生労働省においては，「厚生労働省における障害を理由とする差別の解消の推進に関する対応要領」（平27・11・27厚生労働省訓45号）。

199）厚生労働省の各事業者向け対応指針として，福祉事業者向け，医療関係事業者向け，衛生事業者向け，社会保険労務士の業務を行う事業者向けのガイドラインがそれぞれ設けられている（平成27・11・11厚生労働大臣決定）。

200）池原毅和「合理的配慮義務と差別禁止法理」『労働法律旬報』1794号（2013年）11頁。

るにとどまると思われる[201]。障害者差別解消法により明文規定がおかれる前から，障害を理由とする差別（合理的配慮の不提供を含む）について争われた裁判例がみられるが[202]，同法制定後の裁判例の集積が待たれる[203]。

第6款　障害者雇用の促進

1　雇用率（雇用義務）制度と障害者雇用

障害者雇用に関しては，1960（昭和35）年身体障害者雇用促進法（現在の障害者雇用促進法）制定以降，雇用率（雇用義務）制度によりその拡大が図られ，基準雇用率を下回る事業主に対し，障害者雇用納付金の納付義務を負わせる（障害雇用53条，54条1項・2項）一方，これを上回る事業主に対し，障害者雇用調整金を支給することとした（同50条1項）[204]。法定雇用率の対象となる障害者

201）　名古屋地判令2・8・19判時2478号24頁は，公立中学校での障害児教育の事案において，法7条2項が，障害者に対して合理的配慮を行うことを公法上の義務として定めたものであって，個々の障害者に対して合理的配慮を求める請求権を付与する趣旨の規定ではないとして，障害児及びその保護者が，同項に基づく合理的配慮の提供として，町に喀痰吸引器具の取得等を請求することはできないとしたほか，町教育委員会が喀痰吸引器具を保護者において取得し持参することを義務付けたこと，学校長が校外学習に際して保護者の付き添いを求めたことなどが，障害者基本法4条及び障害者差別解消法7条の不当な差別的取扱いや合理的配慮の不提供に当たるということはできないと判示した。

202）　障害者差別解消法をめぐる内閣委員会の附帯決議で，「障害を理由とする差別に関する具体的な……裁判例の集積等を図ること」が求められたのを機として，こうした裁判例（雇用分野を除く）を網羅的に調査したものとして，内閣府障害者施策担当「障害を理由とする差別の解消の推進に関する法律に係る裁判例に関する調査結果について」（主席研究員：菊池馨実，研究員：長谷川珠子・福島豪）があり，保育・教育，公共交通，商品・サービス，政治参加，刑事事件につき23の判決を紹介・分析している（http://www8.cao.go.jp/shougai/suishin/tyosa/h28houritsu/index-w.html）。

203）　同法施行（2016〔平成28〕年4月）前の事案であるが，職業能力開発促進法4条2項に基づく職業訓練の受講の選考において，発達障害を理由として不合格としたことは，発達障害を理由とした差別に当たるものとして，国家賠償法上違法とした裁判例として，高松高判令2・3・11賃社1759＝1760号101頁。同判決では，障害者基本法3条3項と障害者権利条約の国内的効力を挙げたうえで，障害者に対する障害を理由とする差別の禁止は国家賠償法上の違法性を基礎付けるだけの規範的意義を有していた旨判示する。

204）　納付金制度は，雇用率未達成事業主から不足1人につき月額5万円の納付金を徴収し（同施行令17条。常用労働者数100人以下の事業主は支払義務を負わない。障害雇用附則4条），雇用率達成事業主に対し超過1人につき月額2万7千円の調整金を支給する（同15条）。常用労

の範囲は，当初の身体障害から知的障害へと拡充され，さらに2005（平成17）年改正により精神障害者の算定特例を設けた後，後述する2013（平成25）年改正により精神障害者が法定雇用率の算定基礎に加えられた[205]。

法定雇用率は，順次引き上げられ，2021（令和3）年3月より，民間企業2.3%，特殊法人等2.6%，国及び地方公共団体2.6%，都道府県等の教育委員会2.5%となった[206]。

他方，2000年代後半以降，障害者雇用施策と福祉施策との有機的な連携を図りつつ就労支援の強化が図られており[207]，近年，雇用部局（職業安定局）と福祉部局（障害保健福祉部）が共通の検討の場を設けるなど，その動きが加速化している[208]。

2　障害者権利条約への対応

雇用率制度は，雇用の場を確保することが困難な障害者に対し，社会連帯の理念に基づき，すべての事業主の責務として課されるものである（障害雇用5

働者数100人以下の事業主には，6人を超えて障害者を雇用している場合，超過1人につき月額2万1千円の報奨金が支給される（障害雇用附4条）。これ以外に，納付金を財源として，事業主に支給される助成金の仕組みがあり，重度障害者等通勤対策助成金（障害雇用則20条の4）などがある。なお参照，東京地判平27・12・15判時2302号29頁（重度障害者等通勤対策助成金の一つである重度障害者等用住宅の賃借助成金の受給資格の認定又は不認定の決定が，抗告訴訟の対象となる処分には当たらないとされた例）。

205)　この間の2008（平成20）年改正では，①障害者雇用納付金制度の適用範囲を100人超の企業まで拡大し中小企業における障害者雇用の促進を図る，②短時間労働に対応した雇用率制度の見直しを行い，障害者の雇用義務の基礎となる労働者及び雇用障害者に短時間労働者（週20時間以上30時間未満）を追加する等の改正を行った。

206)　常時雇用する労働者（障害雇用43条1項）が雇用率制度の対象となり，週の所定労働時間が20時間以上30時間未満で身体障害・知的障害・精神障害のある者を短時間労働者（同条3項）といい，0.5人として算定される（障害雇用則6条。ハーフカウント）。他方，重度の身体障害者及び知的障害者は2人として算定される（障害雇用令10条。ダブルカウント）。

207)　雇用施策としては，本文で述べた雇用率制度のほか，トライアル雇用助成金などの助成措置，職場適応援助者（ジョブコーチ）による支援，障害者就業・生活支援センター（ナカポツセンター）における支援，地域障害者職業センターにおける支援などがある。福祉施策としては2005（平成17）年障害者自立支援法により，就労移行支援及び就労継続支援の創設がなされた後，2016（平成28）年障害者総合支援法改正により，就労定着支援が創設された。注164）参照。

208)　「障害者雇用・福祉施策の連携強化に関する検討会報告書」（2021〔令和3〕年6月）参照。

条)。こうした割当雇用を中核とする従来の障害者雇用支援対策では，個々の障害者は事業主の雇用義務に対する反射的利益の享受者に過ぎず，権利保障の発想に乏しいとの見方があった[209]。さらに加えて，障害者権利条約以降の障害者施策の国際的潮流は，保護の客体から権利の主体へと障害者施策の転換を迫るものであった。こうした状況の下，先に述べた（第5款3）一連の政府内での検討の一環として，雇用施策についても権利条約への対応のあり方が検討されるに至った[210]。その結果，2013（平成25）年障害者雇用促進法改正法が成立した。日本では，社会連帯に基づく割当雇用という発想とメリットを残しながら，以下に述べるような形で差別禁止アプローチをも導入したのである[211]。

同法改正により，「第2章の2　障害者に対する差別の禁止等」が新設され，従来より範囲が拡大された障害者[212]に対し，事業主は，労働者の募集及び採用について，障害者でない者と均等な機会を与えなければならない旨規定するとともに（同34条），「賃金の決定，教育訓練の実施，福利厚生施設の利用その他の待遇について，労働者が障害者であることを理由として，障害者でない者と不当な差別的取扱いをしてはならない」（同35条）とし，不当な差別的取扱いの禁止に関わる規定をおいた[213]。厚生労働大臣は，前2条（34条・35条）の

209）竹中康之「障害者雇用保障法制の現状について――障害者雇用保障法制の新局面についての分析・検討の準備作業として」『修道法学』31巻1号（2008年）217-218頁。

210）厚生労働省「労働・雇用分野における障害者権利条約への対応の在り方に関する研究会報告書」（2012〔平成24〕年8月）。

211）行政機関等及び事業者が事業主としての立場で労働者に対して行う障害を理由とする差別を解消するための措置については，障害者雇用促進法に定めるところによるとし（障害差別解消13条），雇用分野については障害者雇用促進法が規律することが明文化された。障害者雇用についての詳細な叙述として，永野仁美＝長谷川珠子＝富永晃一編『詳説　障害者雇用促進法〔増補補正版〕』（弘文堂，2018年），長谷川珠子＝石崎由希子＝永野仁美＝飯田高『現場からみる障害者の雇用と就労』（弘文堂，2021年）。

212）障害者の範囲が従来の「身体障害，知的障害又は精神障害」から「身体障害，知的障害，精神障害（発達障害を含む……）その他の心身の機能の障害」と拡大された（同法2条1号）。

213）障害者雇用促進法の差別禁止規定は，「障害者であることを理由として」と規定するように，差別意思のある差別として直接差別を禁止したと解されている。富永晃一「改正障害者雇用促進法の障害者差別禁止と合理的配慮提供義務」『論究ジュリスト』8号（2014年）29頁，長谷川・前掲論文（注195）71頁。ただし，取扱いに合理的な理由が認められれば，当該取扱いは禁止の対象とならない。永野ほか編・前掲書（注211）84頁〔長谷川聡執筆〕。もっとも，そうであっても後述する合理的配慮義務違反とされることはあり得る。

定める事項に関し，差別の禁止に関する指針を定めるものとする（同36条）[214]。

また同法は，合理的配慮に関して，事業主に対し，「労働者の募集及び採用について，障害者と障害者でない者との均等な機会の確保の支障となっている事情を改善するため，労働者の募集及び採用に当たり障害者からの申出により当該障害者の障害の特性に配慮した必要な措置を講じなければならない」（同36条の2），「障害者である労働者について，障害者でない労働者との均等な待遇の確保又は障害者である労働者の有する能力の有効な発揮の支障となっている事情を改善するため，その雇用する障害者である労働者の障害の特性に配慮した職務の円滑な遂行に必要な施設の整備，援助を行う者の配置その他の必要な措置を講じなければならない」（同36条の3）とし，必要な措置を義務付けた[215]。ただし，いずれの場合も，事業主に対して過重な負担を及ぼすこととなるときは，この限りでない（同36条の2但書，36条の3但書）。また事業主は，これら両条に規定する措置を講ずるに当たっては，障害者の意向を十分に尊重しなければならず（同36条の4第1項），法36条の3に規定する措置に関し，その雇用する障害者である労働者からの相談に応じ，適切に対応するために必要な体制の整備その他の雇用管理上必要な措置を講じなければならない（同条2項）。厚生労働大臣は，前3条（36条の2～36条の4）に基づき事業主が講ずべき措置に関して，均等な機会の確保等に関する指針を定めるものとする（同36条の5第1項）[216]。ここでは，2021（令和3）年改正前までの障害者差別解消法と異なり，民間事業主に対して必要な措置を講じることが義務付けられていた点が重要である。ただし，合理的配慮に係るこれらの規定は，障害者差別解消法上の義務付け規定と同様，私法上の効力をもたないものと解され，このことは先に挙げた差別禁止に係る規定についても同様である[217]。

214）「障害者に対する差別の禁止に関する規定に定める事項に関し，事業主が適切に対処するための指針」（障害者差別禁止指針）（平27・3・25厚生労働省告示116号）。同指針及び後述する合理的配慮指針に関しては，石崎由希子「障害者差別禁止・合理的配慮の提供に係る指針と法的課題」『日本労働研究雑誌』685号（2017年）20頁以下。

215）障害者雇用促進法では，法文上，「必要な措置」を講じる義務として規定されているものの，一般には合理的配慮の問題と捉えられている。

216）「雇用の分野における障害者と障害者でない者との均等な機会若しくは待遇の確保又は障害者である労働者の有する能力の有効な発揮の支障となっている事情を改善するために事業主が講ずべき措置に関する指針」（合理的配慮指針）（平27・3・25厚生労働省告示117号）。

このほか，実効性確保のための措置として，厚生労働大臣に対し，事業主に対する助言，指導又は勧告の権限が付与されている（同36条の6）。また紛争解決手続として，個別労働関係紛争の解決の促進に関する法律（個別労働関係紛争解決促進法）6条1項の紛争調整委員会による調停が定められた（障害雇用74条の7）。

障害者差別解消法と同様，2013（平成25）年改正後の障害者雇用促進法の解釈については，裁判例の集積が俟たれる[218)]。

第7款　障害者虐待防止法

障害者への虐待は，家庭，施設，職場，学校，病院などにおいて多数発生し，発覚するのはごく一部に過ぎないといわれる[219)]。裁判例でも，知的障害者の雇用先や施設，あるいは家族による身体的虐待・性的虐待・経済的虐待などに係る事案[220)]がみられる。

虐待防止に関する法制として，2000（平成12）年児童虐待の防止等に関する法律（児童虐待防止法），2005（平成17）年高齢者虐待防止法が制定された。障害

217)　富永・前掲論文（注213）31頁，34頁，長谷川・前掲論文（注195）72頁。民法90条（公序良俗違反）や同709条（不法行為）といった一般条項や労働契約法の解釈を通じて間接的に差別禁止等の効果が生じることはあろう。

218)　改正前後の障害者雇用に係る裁判例の概観として，永野ほか編・前掲書（注211）第2章及び第7章第2節参照。

219)　日本弁護士連合会高齢者・障害者の権利に関する委員会編『障害者虐待防止法活用ハンドブック』（民事法研究会，2012年）1頁。

220)　大津地判平15・3・24判時1831号3頁（サン・グループ事件），水戸地判平16・3・31判タ1213号220頁（アカス紙器事件），札幌高判平17・10・25賃社1411号43頁（札幌育成園事件），東京地判平26・2・24判時2223号56頁（知的障害者施設の職員の入所者に対する暴行につき職員の不法行為責任等が認められた例），大阪地判平27・2・13裁判所ウェブサイト（LEX/DB文献番号25506068）（社会福祉法人の運営する自立ホーム入所者が職員に体を押さえつけられ死亡した事案で，損害賠償請求が認められた例），長野地松本支判平30・5・23判例集未登載（LEX/DB文献番号25560708）（グループホーム世話人と入所中の知的障害者との継続的な性的関係による妊娠・中絶につき，世話人と社会福祉法人の損害賠償責任が認められた例），大津地判平30・11・27判時2434号3頁（高次脳機能障害等の後遺障害が残存した原告の元妻による経済的虐待につき，市の相談支援グループ担当者の注意義務違反を認め，国家賠償請求を一部認容した例）。

者に関しても，2007（平成19）年障害者権利条約署名もあって，虐待防止法制の必要性が認識され（同条約16条），2008（平成20）年以降いくつかの法案が出されたものの成立せず，ようやく2011（平成23）年「障害者虐待の防止，障害者の養護者に対する支援等に関する法律」（障害者虐待防止法）が成立し，翌2012（平成24）年10月から施行された。

同法にいう「障害者」とは，障害者基本法2条1号に規定する障害者をいう（障害虐待2条1項）。また「障害者虐待」には，養護者による障害者虐待，障害者福祉施設従事者等による障害者虐待のほか，使用者による障害者虐待も含む点が特徴的である（同条2項。高齢者虐待2条3項参照）。同法では，虐待を，①身体的虐待，②性的虐待，③心理的虐待，④ネグレクト，⑤経済的虐待に区分した上で（障害虐待2条6項・7項），国及び地方公共団体に対し，障害者虐待の防止等に関する責務を負わせるとともに（同4条），障害者福祉施設設置者やサービス事業者に対しても障害者福祉施設従事者等による虐待防止等のための必要な措置を講ずるものとされている（同15条）。さらに障害者を雇用する事業主（使用者。同21条）や学校（同29条）・保育所等（同30条）・医療機関（同31条）の長・管理者に対しても，虐待の防止等に係る必要な措置を講ずるものとしている。

このほか虐待への対応として，養護者による虐待[221]，障害者福祉施設従事者等による虐待，使用者による虐待のそれぞれにつき，発見者に対する通報義務を課すともに（同7条1項，16条1項，22条1項），市町村長に対する立入調査権限の付与（同11条），警察署長に対する援助要請等（同12条），面会の制限（同13条）などに係る規定をおいている。さらに市町村は，養護者による虐待に係る通報等を受けた場合，障害者支援施設等への入所等，適切に，身体障害者福祉法18条1項・2項又は知的障害者福祉法15条の4，16条1項2号の規定による措置などを講ずるものとする（障害虐待9条2項）。障害者福祉施設従事者等による虐待に係る通報等を受けた場合にも，市町村長又は都道府県知事は社会福祉法，障害者総合支援法等による権限を適切に行使するものとされ（同19条），使用者による虐待に係る通報は市町村から都道府県を通して都道府県労働局に報告され，同労働局長又は労働基準監督署長若しくは公共職業安定

221）　養護者による障害者虐待は18歳未満の障害者に対して行われるものが適用対象外とされており（障害虐待7条1項），これらの者は児童虐待防止法の適用対象となる。

所長は労働基準法，障害者雇用促進法，個別労働関係紛争解決促進法等による権限を適切に行使するものとされる（同23条，24条，26条）。

市町村及び都道府県は，市町村障害者虐待防止センター及び都道府県障害者権利擁護センターを置くものとされている（同32条～38条）。

第8款　障害者福祉と障害者法制をめぐる課題

戦後，障害福祉サービスの展開にあって最大の改革ともいうべき障害者自立支援法は，2012（平成24）年改正法により障害者総合支援法へと名称を変えた。批判の的となっていた原則1割の利用者負担は，2010（平成22）年改正で応能負担となり，障害者総合支援法にも引きつがれた。さらに，同改正により検討課題とされた諸事項を俎上に載せた2016（平成28）年改正は，障害者の望む地域生活の支援に向けた体制の整備など，きめ細かな対応を行うものであった。しかし，根本問題として，障害福祉サービスに関しては，40歳以上（第2号被保険者）を対象としながら，給付との関係では事実上65歳以上（第1号被保険者）を対象とする介護保険法の被保険者・受給者範囲拡大との兼ね合いで，若年障害者の介護サービスを介護保険から支給することの適否についてかねてより議論がなされてきた[222)]。部分的にではあっても，介護保険と共通する部分を被保険者が拠出する保険料で広く賄うことについては，単に財源の確保という面にとどまらず，要保障事由としての障害を，社会連帯を理念として社会全体で普遍化することにもつながることから，積極的に捉えるべきである[223)]。その上で，障害者固有のニーズについては，公費財源による独自の総合的な支援法制の整備を図るべきものと考えられる。

2012（平成24）年障害者自立支援法改正では，目的規定において，「障害者及び障害児が自立した日常生活又は社会生活を営むことができるよう」にするとの文言が，「障害者及び障害児が基本的人権を享有する個人としての尊厳にふさわしい日常生活又は社会生活を営むことができるよう」と改められ，「自立」が法の目的から削除された。個人の尊厳それ自体の重要性は言うまでもないと

222)　介護保険法制定段階からの論点であった。関ふ佐子「介護保険制度の被保険者・受給者範囲」新講座2 269頁以下。

223)　菊池・将来構想44頁。

しても，自律の支援を重視する本書の立場からいえば，こうした修正は社会保障法の本来的法主体である（障害者を含めた）個人の動態的（プロセス的）な権利主体としての側面を消極的に評価しているようにもみられなくはない[224)]。

障害者権利条約の批准を目指した差別禁止アプローチの導入は，雇用，交通，通信，教育など生活に密接にかかわる従来の日本の法制度体系に対して大きなインパクトを与える可能性がある。その意味で，障害者差別解消法及び障害者雇用促進法をめぐる裁判例の集積が俟たれる。雇用・就労のみならず，場合により年金・社会手当・生活保護などにより生計を立て，必要なサービスを受けながら，地域で生活を営んでいくことができるようにしていくとの包括的・総合的な視点も欠かせない[225)]。

超高齢・少子社会の到来を迎え，社会福祉の施策は，ともすれば高齢化・少子化問題に直結する高齢者及び児童・子育て対策中心になりかねない。そうした現状であればこそ，広い視野に立ち，他の諸分野と有機的に連携した障害者福祉施策の展開及び充実を図っていく必要がある。2017（平成29）年改正（平29法52）による共生型サービスの導入に象徴される高齢者・障害児者・生活困窮者等を包括的に捉えた「地域共生社会」の取組みは，先に述べた介護保険との部分的統合と並んで，その有力な突破口となるように思われる[226)]。現実に，障害者の高齢化が進展している中にあっては，こうした包括的・統合的な視点がますます求められることになろう。

第4節　児童福祉と子ども・子育て支援

本節では，児童に対する福祉サービスと，子育てないし育児を支援する法制

224）自立（independence）とは，行為主体として独立できていることをいい，全く他者に依存しないことを意味するものではない。さまざまな公的・社会的支援を受けながらの「自立」が想定される。菊池馨実「自立支援と社会保障」同編著『自立支援と社会保障』（日本加除出版，2008年）358頁。

225）永野仁美『障害者の雇用と所得保障――フランス法を手がかりとした基礎的考察』（信山社，2013年）第1章，第3章参照。ここにいう雇用・就労には，稼得による収入確保という意味にとどまらず，福祉的雇用などを通じての社会参加という視点も含まれる。

226）現在，精神障害にも対応した地域包括ケアシステムの構築を図るための取り組みがなされており，積極的に評価できる。第7章第8節第1款1（注225）参照。

度を取り上げ，その沿革と現況を明らかにする。具体的には第1款で，児童福祉の沿革を簡単にたどった後，第2款で児童福祉法に着目し，要保護児童や障害児などを対象とする制度を中心にみていく。児童の養育を取り巻く法制度は，児童福祉法に限らず，子ども・子育て支援策の一環として，教育分野や所得保障政策とも関連性をもちながら近時大きな展開がみられる。このため，第3款でこうした改正動向を跡付けた後，2012（平成24）年子ども・子育て関連3法のうち，子ども・子育て支援法と認定こども園法を中心に取り上げる（第4款・第5款）。次いで，児童福祉サービスの中で量的に圧倒的に多くの割合を占め，法的紛争の対象ともなってきた保育所に着目し，款を改めて取り上げる（第6款）。さらに，児童虐待防止法制や母子・父子・寡婦福祉，母子保健法制についてもみておくことにしたい（第7款・第8款）。

第1款　児童福祉の沿革

戦後の児童福祉対策は，1947（昭和22）年児童福祉法の制定にはじまる。同法は，直接的には戦災孤児・浮浪児対策としての側面を有していたものの，児童一般を対象とし，単なる児童の保護ではなく積極的な福祉の増進を国家の責任として認めたという点で，画期的なものであった。

その後，児童福祉をめぐる政策上の争点は，1950年代後半から1960年代前半にかけての心身障害児対策及び母子家庭対策，1960年代後半における保育所整備など一般児童の健全育成策，1970年代後半から80年代前半にかけての不登校，登校拒否，非行問題などへと移行していった。1980年代後半になると，少子化対策に焦点が当てられ，1994（平成6）年には「今後の子育て支援のための施策の基本的方向について」（エンゼルプラン）が策定された。その一つの柱となったのが，「緊急保育対策5ヵ年事業」（児童版ゴールドプラン）であった。今日に至るまで，少子化対策は児童福祉の枠組みを超えた重要政策課題となっている。他方，1997（平成9）年児童福祉法改正による保育所入所方式の改定以後，2000（平成12）年社会福祉事業法等改正による同方式の拡充と支援費支給制度の導入，2005（平成17）年障害者自立支援法制定など，社会福祉基礎構造改革の波は障害児サービスを対象とする児童福祉分野にまで及んだ。

2009（平成21）年秋に発足した民主党政権下では，従来の少子化対策から子ども・子育て支援へと力点を移すとともに，「子ども・子育て新システム」の検討を行い，2012（平成24）年社会保障・税一体改革における子ども・子育て関連3法へと結びついた（第3款参照）。その後も，保育所不足による待機児童対策や，児童虐待への対応が重要な政策課題となっており，とりわけ近年，児童虐待に関わる法改正が相次いで行われている。

第2款　児童福祉法

1　法の理念

従来，児童福祉法は，総則において，児童の健全育成を国民の努力義務とするとともに，国及び地方公共団体に対し，児童の健全育成に係る責任を，保護者とともに負わせる旨の規定を置くにとどまっていた（2016〔平成28〕年改正前児福1条・2条）。2016（平成28）年改正は，「全て児童は，児童の権利に関する条約の精神にのっとり，適切に養育されること，その生活を保障されること，愛され，保護されること，その心身の健やかな成長及び発達並びにその自立が図られることその他の福祉を等しく保障される権利を有する」（児福1条）と規定し，主体としての児童に権利を認める旨の法の理念を明確化した[227]。さらに，国・地方公共団体の責務として，保護者を支援するとともに，児童を家庭において養育することが困難であり又は適当でない場合，家庭における養育環境と同様の環境における養育のために必要な措置を講じることを明記し（同3条の2），国・都道府県・市町村の役割・責務を明確化した（同3条の3）。

2　定　義

児童福祉の基本法ともいうべき児童福祉法は，児童を「満18歳に満たない者」（児福4条1項）と定義している[228]。このうち満1歳に満たない者を乳児，

227）改正前の理念規定は，ほぼ2条に受け継がれ，責務の内容をさらに具体化している（児福2条1項～3項）。改正後2条1項は，児童の権利に関する条約などを踏まえ，国民の努力義務を規定するにあたって，児童の意見表明権の保障や最善の利益の優先的考慮を明記するに至った。磯谷文明＝町野朔＝水野紀子編集代表『実務コンメンタール　児童福祉法・児童虐待防止法』（有斐閣，2020年）55-56頁参照。

228）他の児童関係法規では，「18歳に達する日以後の最初の3月31日までの間にある者」（児手3条1項），「20歳に満たない者」（母福6条3項）など，それぞれの法目的に応じて異なった

満1歳から，小学校就学の始期に達するまでの者を幼児，小学校就学の始期から，満18歳に達するまでの者を少年という（同項1号〜3号）。また障害児とは，身体に障害のある児童，知的障害のある児童，精神に障害のある児童（発達障害者支援法2条2項に規定する発達障害児を含む）又は治療方法が確立していない疾病その他の特殊の疾病であって障害者総合支援法4条1項の政令で定めるものによる障害の程度が同項の厚生労働大臣が定める程度である児童をいう（児福4条2項）。妊産婦とは妊娠中又は出産後1年以内の女子をいい（同5条），保護者とは親権を行う者，未成年後見人その他の者で，児童を現に監護する者をいう（同6条）。

3　実施機関など

児童福祉法の施行に関する業務を行う機関として，同法は市町村（児福10条）・都道府県（同11条）に関する規定を置いている。こうした業務に係る一般的義務を背景として，都道府県には児童相談所の設置義務が課されている（同12条1項）[229]。児童相談所は，市町村への支援，児童及び保護者についての相談対応，児童の一時保護，里親に関する業務などを行う（同条2項，11条1項）。都道府県は，その設置する児童相談所に児童福祉司を置かなければならない（同13条）[230]。このほか保健所の業務として，①児童の保健についての衛生知識の普及，②児童の健康相談，健康診査，保健指導，③身体障害児及び長期療養児童の療育指導，④児童福祉施設への栄養改善その他衛生に関する助言

「児童」の定義を行っている法律もある。

229）指定都市，中核市，児童相談所設置市（特別区を含む）も，児童相談所を設置するものとされている（児福59条の4第1項）。2019（令和元）年改正では，児童相談所の設置促進との観点から，児童相談所の管轄区域は，地理的条件，人口，交通事情その他の社会的条件について政令で定める基準を参酌して都道府県が定めるものとする旨の規定をおくとともに（同12条2項），施行後5年間を目途に政府に対し，中核市及び特別区が児童相談所を設置できるよう，施設整備，人材確保・育成の支援等の措置を講ずるものとした（改正法附則6条2項）。

230）近年の児童虐待の増加に伴い，専門的知識・技術を要する複雑な事例も増加していることから，2016（平成28）年改正により，都道府県は，児童相談所に，新たに児童心理師，医師又は保健師（児福12条の3第5項・6項）のほか，指導・教育担当の児童福祉司（同13条5項・6項）を置くとともに，弁護士の配置又はこれに準ずる措置を行うものとし（(同12条3項)，さらに児童福祉司に対し，厚生労働大臣が定める基準に適合する研修の受講義務を課した（同13条8項）。

が掲げられている（同12条の6）。また市町村の区域に児童委員を置くものとされている（同16条）。

4(2)で取り上げる児童福祉施設の大半を占めるのが保育所であるが，児童の保育及び児童の保護者に対する保育に関する指導を行うことを業とする専門職として，保育士資格が2003（平成15）年より法定化された（同18条の4以下）。ただし，指定保育士養成施設の卒業と保育士試験の合格のいずれかが保育士資格の取得に必要であるにとどまり，試験合格が必要条件とはなっていない点（同18条の6），都道府県知事に試験の実施が委ねられている点（同18条の8第2項）で，医療・福祉分野の各種資格の中では相対的に専門性が高いとは言えない。

4　事業，養育里親及び施設

(1)　障害児に関わる事業・施設

かつて児童福祉法に置かれていた各事業のうち，障害児在宅サービスに関わるものについては，障害者自立支援法（現在の障害者総合支援法）施行に伴い原則として同法に移行した。これに対し，通所サービスについては，2010（平成22）年改正により，児童福祉法上の通所支援（知的障害児通園施設，盲ろうあ児施設，肢体不自由児施設）と障害者自立支援法上の児童デイサービスに分立していた従来の仕組みを，障害種別による区分をなくした上で，児童福祉法上，障害児通所支援として一元化し（児福6条の2の2第1項），従来のサービスを再編した①児童発達支援（同条2項）及び②医療型児童発達支援（同条3項）に加えて，新たに③放課後等デイサービス（同条4項）及び④保育所等訪問支援（同条6項）を創設し[231)]，障害児通所支援を行う事業を障害児通所支援事業とした（同条1項）。2016（平成28）年障害者総合支援法等改正により，障害児支援のニーズの多様化への対応として，重度の障害等により外出が著しく困難な障害児を対象とする⑤居宅訪問型児童発達支援が創設された（同条5項）。

障害児が受けるサービスの利用計画を作成するため，障害児相談支援（同条

231）　この改正により，保育所等発達支援の対象が乳児院及び児童養護施設の障害児にも拡大されたほか（同条6項），医療的ケア児への支援強化の観点から，人工呼吸器装着など医療的ケアを要する障害児が適切な支援を受けられるよう，地方公共団体において保健・医療・福祉等の連携促進に努めるべき旨の規定をおいた（同56条の6第2項）。

7項。障害児支援利用援助〔同条8項〕と継続障害児支援利用援助〔同条9項〕からなる）が設けられ，障害児相談支援を行う事業を障害児相談支援事業として位置付けた。

国及び都道府県以外の者が障害児通所支援事業又は障害児相談支援事業を行う場合，都道府県知事への届出を必要とし（同34条の3第1項・2項），障害児通所給付費は都道府県知事の指定する障害児通所支援事業を行う者（指定障害児通所支援事業者）に対して支給される（同21条の5の3第1項）。ただし，市町村が障害児通所給付費等の支給（同21条の5の3第1項など），障害児相談支援給付費等の支給（同24条の26など）を行い，障害児相談支援事業者の指定も市町村長が行うなど，通所サービスの実施は市町村によって担われる部分が大きい。これらの通所サービスに係る総合的な支援を一元的に行う児童福祉施設として，児童発達支援センターが位置づけられた（同43条）。これは児童への治療の要否に応じて，福祉型児童発達支援センター（同条1号）と医療型児童発達支援センター（同条2号）に分かれる。

障害児施設入所サービスについては，障害者自立支援法施行後も，児童福祉法の下で知的障害児施設，盲ろうあ児施設，肢体不自由児施設，重症心身障害児施設が存在し，障害種別等に分かれてサービスが提供されてきた。2010（平成22）年改正により，これらの施設は障害児入所施設（児福42条）として一元化され，児童への治療の要否に応じて，福祉型障害児入所施設（同条1号）と医療型障害児入所施設（同条2号）に分かれた[232]。障害者入所施設に入所する障害児に対して行われる保護，日常生活の指導及び知識技能の付与並びに治療は，障害児入所支援として行われる（同7条2項）[233]。

障害児のサービスに係る提供体制の計画的な構築を推進するため，2016（平成28）年障害者総合支援法等改正により，厚生労働大臣が基本的な指針を定め（児福33条の19），市町村及び都道府県は，当該指針に即して障害児通所支援等の提供体制の確保その他障害児通所支援等の円滑な実施に関する計画（障害児福祉計画）を定めるものとし，当該計画は障害福祉計画と一体のものとして作

232）障害児関連の児童福祉施設として，このほか児童心理治療施設（情緒障害児短期治療施設から改称）がある（同7条1項，43条の2）。

233）従来，障害種別等に分かれていた障害児施設支援を，2010（平成22）年改正により，入所につき障害児入所支援，通所につき先に挙げた障害児通所支援に再編したことになる。

成することができるものとした（同33条の20，33条の22）[234]。

(2)　それ以外の事業・施設

障害児以外の児童一般についても，児童福祉法は様々な事業・施設を設けている。

障害者自立支援法施行後も児童福祉法に残された事業として，児童自立生活援助事業（児福6条の3第1項）・放課後児童健全育成事業（同条2項）・子育て短期支援事業（同条3項）がある。その後2008（平成20）年改正で，乳児家庭全戸訪問事業（同条4項）・養育支援訪問事業（同条5項）・地域子育て支援拠点事業（同条6項）・一時預かり事業（同条7項）・小規模住居型児童養育事業（同条8項）・家庭的保育事業（同条9項）が加えられたのに続き，2012（平成24）年改正により，小規模保育事業（同条10項）・居宅訪問型保育事業（同条11項）・事業所内保育事業（同条12項）・病児保育事業（同条13項）・子育て援助活動支援事業（同条14項）が法定化され，様々なメニューが揃うに至った。

児童福祉施設としては，(1)で取り上げた障害児関連の施設（障害児入所施設，児童発達支援センター，児童心理治療施設）に加えて，助産施設，乳児院，母子生活支援施設，保育所，児童厚生施設，児童養護施設，児童自立支援施設及び児童家庭支援センターのほか，2012（平成24）年改正により幼保連携型認定こども園がおかれた（同7条1項）。これらのうち，助産施設は，保健上必要があるにもかかわらず，経済的理由により，入院助産を受けることができない妊産婦を入所させて，助産を受けさせることを目的とする施設（同36条），乳児院は，乳児を入院させて，これを養育し，あわせて退院した者について相談その他の

234）　同改正では，サービスの質に問題がある放課後等デイサービス事業者の急増といった事情を背景として，特定の障害児通所支援事業者及び障害児入所施設の指定について，都道府県が定める地域における支援の量が都道府県障害児福祉計画で定める必要な量に達しているとき等において，都道府県知事は指定申請に対し指定をしないことができるとの規定をおいた（児福21条の5の15第2項・5項，24条の9第1項・2項）。東京高判平31・3・27判例自治459号40頁（放課後等デイサービスを行う指定障害児通所支援事業者の指定を受けたNPO法人に対してなされた，同指定の一部の効力を停止する処分の取消訴訟を棄却した原審を維持した例）参照。障害児サービスについては，近時，放課後等デイサービスのほか児童発達支援の伸びが大きく，利用者児童数，費用はそれぞれ2019（令和元）年度22万6610人（2014〔平成26〕年度8万8360人），11万1792人（同じく6万6709人），3287億円（1024億円），1277億円（575億円）となっている。厚生労働省「第1回障害児通所支援の在り方に関する検討会」（令和3年6月14日）資料3。

援助を行うことを目的とする施設（同37条），母子生活支援施設は，配偶者のない女子又はこれに準ずる事情にある女子及びその者の監護すべき児童を入所させて，これらの者を保護するとともに，これらの者の自立の促進のためにその生活を支援し，あわせて退所した者に対して相談その他の援助を行うことを目的とする施設（同38条），児童養護施設は，保護者のない児童，虐待されている児童その他環境上養護を要する児童を入所させて，これを養護し，あわせて退所した者に対する相談その他の自立のための援助を行うことを目的とする施設（同41条）をいう。後述する（(3)）養育里親と並んで，乳児院，母子生活支援施設，児童養護施設などは，虐待やDVなどから児童を守り養育するための社会的養護[235]の取組みにとって重要な役割を果たしている。

幼保連携型認定こども園は，義務教育及びその後の教育の基礎を培うものとしての満3歳以上の幼児に対する教育及び保育を必要とする乳児・幼児に対する保育を一体的に行い，これらの乳児又は幼児の健やかな成長が図られるよう適当な環境を与えて，その心身の発達を助長することを目的とする施設（同39条の2），児童厚生施設は，児童遊園，児童館等，児童に健全な遊びを与えて，その健康を増進し，又は情操を豊かにすることを目的とする施設（同40条），児童自立支援施設は，不良行為をなし，又はなすおそれのある児童及び家庭環境その他の環境上の理由により生活指導等を要する児童を入所させ，又は保護者の下から通わせて，個々の児童の状況に応じて必要な指導を行い，その自立を支援し，あわせて退所した者について相談その他の援助を行うことを目的とする施設（同44条）である。児童家庭支援センターは，児童に関する家庭その他からの相談のうち，専門的な知識及び技術を必要とするものに応じ，必要な助言を行うとともに，市町村の求めに応じ，技術的助言その他必要な援助を行うこと等を目的とする施設である（同44条の2）。

児童福祉施設については，市町村はあらかじめ厚生労働省令で定める事項を都道府県知事に届け出て設置することができ（同35条3項），国，都道府県及び市町村以外の者は，知事の認可を得て設置することができる（同条4項）[236]。

235）児童養護施設等の社会的養護の課題に関する検討委員会・社会保障審議会児童部会社会的養護専門委員会「社会的養護の課題と将来像（とりまとめ）」（2011〔平成23〕年7月）。

236）2012（平成24）年改正により，保育所につき社会福祉法人又は学校法人以外の者が認可申請した場合，経済的基礎，社会的信望，社会福祉事業の知識経験に関する審査要件を加重するこ

これらの届出もしくは認可を経ていないが（いわゆる無認可施設），児童の福祉のため必要があると認めるときは，法6条の3第9項から12項まで（家庭的保育事業，小規模保育事業，居宅訪問型保育事業，事業所内保育事業）若しくは上述の同36条から44条までの各条に規定する業務を目的とする施設にも，必要と認める事項の報告義務，職員による立入調査，改善勧告，公表，事業停止・施設閉鎖命令といった権限が都道府県知事に付与されている（同59条）。これは，劣悪なベビーホテルでの児童の死亡事故などの問題に端を発し，1981（昭和56）年改正により設けられた規制であり，現在では無認可保育所のほか，無認可の家庭的保育事業，小規模保育事業，居宅訪問型保育事業，事業所内保育事業については，さらに施設設置者に対し，事業開始日から1ヵ月以内に所定の事項を都道府県知事に届け出なければならないとするほか，利用契約に係る説明・書面交付義務等の付加的な規律を行っている（同59条の2〜59条の2の5）。

児童福祉施設の設備及び運営については，都道府県が条例で基準を定めなければならず，その基準は児童の身体的，精神的及び社会的な発達のために必要な生活水準を確保するものでなければならない（同45条1項）。この基準は，従来厚生労働大臣が最低基準を定めなければならないとされていたのを，いわゆる地域主権改革に係る第1次一括法（平23法37）による義務付け・枠付けの見直しに伴い条例に委任したものである。従来の規定の下で，行政解釈は，「児童の健康にして文化的な最低限度の生活を保障するに必要な最低限度の基準という意味であ」り，「憲法第25条に規定された『健康で文化的な最低限度の生活』と同一の思想である」と理解していた[237]。サービス保障に係る最低生活保障水準との意味合いをもつと言うべきものであった[238]。最低基準により施設利用者が受ける便益の法的性格につき，裁判所の立場は分かれていたものの[239]，学説は総じて最低基準の給付を受ける利益の法的権利性を認めてき

ととした（児福35条5項）。その反面，審査基準に適合する場合，都道府県知事は原則として認可義務を負い（同条8項），行政裁量の幅が狭まることになった。ただし，特定の区域における特定教育・保育施設の利用定員の総数が，子ども・子育て支援事業支援計画（子育て支援62条1項）において定める必要利用定員総数に既に達しているか，これを超えることになると認められる場合，認可をしないことができることとしており（児福35条8項），総量規制の仕組みを導入している。

237）　児童福祉法規研究会編・前掲書（注32）326頁。

238）　児童福祉施設の設備及び運営に関する基準（昭和23年12月29日厚生省令63号）。

た[240]。現行法上も，一定の事項は都道府県が従うべき基準とされており（同条2項），最低生活保障水準としての規範的意味合いは変化していないとみられる。

児童福祉施設の長は，入所中の児童等で親権者又は未成年後見人のないものに対し，親権者又は未成年後見人があるに至るまでの間，親権を行い，児童相談所長は，小規模住居型児童養育事業を行う者又は里親に委託中の児童等で親権者又は未成年後見人のないものに対し，親権者又は未成年後見人があるに至るまでの間，親権を行う（同47条1項・2項）。

(3) 養育里親

児童福祉法上，保護者のいない児童や保護者に監護させることが不適当であると認められる児童（要保護児童）を養育するため，従来から里親制度が存在していたものの，養子縁組を前提とするものであった等の事情から普及してこなかった。そこで2008（平成20）年改正により，養子縁組を前提としない養育里親制度を設けるに至った。養育里親とは，4人以下（児福則1条の33）の要保護児童を養育することを希望し，かつ，都道府県知事が厚生労働省令で定めるところにより行う研修を終了したことその他の省令で定める要件を満たす者であって，養育里親名簿（児福34条の19）に登録されたものをいう（同6条の4第1号）。さらに2016（平成28）年改正により，養子縁組里親制度を法定化した。養子縁組里親とは，都道府県知事が行う研修を終了し養子縁組によって養親となること等を希望する者のうち養子縁組里親名簿に登録されたものをいう（同条2号）。また併せて，都道府県の業務として，一貫した里親支援と（同11条1項2号へ），養子縁組に関する相談，援助（同号ト）を明確に位置づけた。

このように，最近の法改正では，里親制度の普及を図っているものの，児童養護施設等での養育を主たる養護手段としてきた日本において，里親がどこまで普及するかは，まだ十分には見通せない状況にある[241]。

239） 権利性を認めたものとして，神戸地決昭48・3・28判時707号86頁，反射的利益に過ぎないとしたものとして，東京地決平5・12・8判例集未登載（評釈・菊池馨実『賃金と社会保障』1178号〔1996年〕42頁）。名古屋高判平22・9・16判例集未登載（LEX/DB文献番号25471218）は，保育所での自園調理による給食を受ける権利を否定した。

240） 桑原＝田村編・前掲書（注33）281頁〔菊池馨実執筆〕。

241） 2021（令和3）年3月末現在，養育里親の委託児童数4621人，養子縁組里親の委託児童数384人にとどまる。厚生労働省子ども家庭局家庭福祉課「社会的養育の推進に向けて」（2022〔令和4〕年1月）2頁（厚生労働省ウェブサイト〔https://www.mhlw.go.jp/content/00083329

5　福祉の保障

(1)　障害児への支援

児童福祉法に規定されていた障害児に対する育成医療は，障害者自立支援法（現在の障害者総合支援法）の自立支援医療の対象となった。このため児童福祉法上の療育の指導・給付としては，保健所長が身体障害児や長期にわたり療育を必要とする児童につき行う審査・相談・必要な療育の指導（児福19条），都道府県が骨関節結核その他の結核にかかっている児童につき，療養に併せて学習の援助を行うため病院に入院させて行う療育の給付（同20条）が残された。

加えて，2014（平成26）年改正では，小児慢性特定疾病に罹患している児童等に関する医療費助成の制度を法定化した。都道府県（政令指定都市及び中核市を含む。同59条の4）は，小児慢性特定疾病（同6条の2第1項）にかかっている児童等であって，当該疾病の程度が一定程度以上であるものの保護者に対し，申請に基づき，医療に要する費用（小児慢性特定疾病医療費）を支給する（同19条の2第1項）。また都道府県は，小児慢性特定疾病児童等及びその家族等への相談助言等を行う小児慢性特定疾病児童等自立支援事業を行うものとし（同19条の22第1項），医療機関等における一時預かり，相互交流の機会の提供，就職支援等に係る事業を行うことができるものとした（同条2項）。その費用は都道府県の支弁とし，国が2分の1を負担する（同50条5号の2・5号の3，53条）[242]。

障害児の居宅生活の支援として，通所給付決定（後述）を受けた障害児の保護者が，都道府県知事が指定する指定障害児通所支援事業者等から障害児通所支援（児童発達支援，医療型児童発達支援，放課後等デイサービス，居宅訪問型児童発達支援，保育所等訪問支援）を受けたとき，市町村が障害児通所給付費を支給する（同21条の5の3第1項）。障害児通所給付費の額は，障害児通所支援の種類ごとに通常要する費用について，厚生労働大臣が定める基準により算定した費用の額から，通所給付決定保護者の家計の負担能力その他の事情をしん酌して政令で定める額を控除した額（当該政令で定める額よりも厚生労働大臣が定める基

4.pdf]）より。

242)　従来より，小児慢性特定疾病医療費助成制度が存在していたものの，児童福祉法に根拠をおく小児慢性特定疾患治療研究事業に基づく補助事業にとどまっていた。第7章第4節第1款注126）参照。

準により算定した費用の額の1割相当額のほうが低い場合はその額）を負担することとし，障害者総合支援法と同様，応能負担が明定された（同条2項）。障害児通所給付費の支給を受けようとする障害児の保護者は，市町村の通所給付決定を受けなければならない（同21条の5の5第1項）[243]。通所給付決定を行うにあたって，市町村は通所給付費等の支給の要否の決定（通所支給要否決定）を行い，この要否決定を行うに当たって必要と認められる場合として省令で定める場合，市町村は障害児支援利用計画案の提出を求めるものとする（同21条の5の7第1項・4項）。また市町村は，通所給付決定を行う場合には，障害児通所支援の支給量を定めなければならない（同条7項）。このように，障害者総合支援法と同様の仕組みが設けられている（障害総合支援22条参照）。市町村は，通所給付決定保護者が受けた障害児通所支援に要した費用の合計額からその費用につき支給された障害児通所給付費の合計額を控除して得た額が著しく高額であるとき，通所給付決定保護者に対し，高額障害児通所給付費を支給する（児福21条の5の12）。また市町村は，通所給付決定に係る障害児が，指定障害児通所支援事業者等から医療型児童発達支援のうち治療に係るもの（肢体不自由児通所医療）を受けたときは，通所給付決定保護者に対し肢体不自由児通所医療費を支給する（同21条の5の28第1項）。

障害児在宅サービスについては，障害者自立支援法施行に伴い原則として同法に移行し，保護者が事業者と契約を締結して給付を受けることになった（「措置から契約へ」）。同様に，通所サービスについても，児童福祉法により契約の仕組みの下でサービスの提供を受ける。ただし，やむを得ない事由によりこれらの支給を受けることが著しく困難であると認められる場合を想定し，市町村による措置の権限規定を残している（児福21条の6）。

他方，障害児の入所サービスについては，入所給付決定を受けた障害児の保護者が都道府県知事の指定する指定障害児入所施設又は指定医療機関から障害児入所支援を受けたとき，都道府県が障害児入所給付費を支給する（同24条の2第1項）。通所サービスと同様，1割を上限とする応能負担である（同条2項）。障害児入所給付費の支給を受けようとする障害児の保護者は，都道府県に申請

243）　市町村に申請後，緊急その他やむを得ない理由により指定通所支援を受けたときや，指定通所支援以外の障害児通所支援を受けた場合，特例障害児通所給付費が支給される（児福21条の5の4第1項）。

しなければならない（同24条の3第1項）。通所給付と同様，負担額が著しく高額になる場合に備えて高額障害児入所給付費が支給される（同24条の6）[244]。障害児が指定障害児入所施設等から障害児入所医療を受けたとき，都道府県が障害児入所医療費を支給する（児福24条の20第1項）。やはり1割を上限とする応能負担である（同条2項）。

指定障害児入所施設等に入所等をした障害児が，引き続き入所支援を受けなければその福祉を損なうおそれがあると認めるときは，満18歳に達した後においても，その者からの申請により，満20歳に達するまで，引き続き障害児入所支援を受けることができる（同24条の24）。

障害児の保護者が市町村長の指定する指定障害児相談支援事業者から障害児支援利用援助を受けた場合であって通所給付決定を受けたとき，または継続障害児支援利用援助を受けたとき，市町村から障害児相談支援給付費が支給される（同24条の26）。

(2)　その他の支援

居宅生活の支援の一環として，市町村に対し，子育て支援事業が着実に実施されるよう，必要な措置の実施に係る努力義務が課されている（児福21条の9）。ここでいう子育て支援事業とは，放課後児童健全育成事業（同6条の3第2項），子育て短期支援事業（同条3項），乳児家庭全戸訪問事業（同条4項），養育支援訪問事業（同条5項），地域子育て支援拠点事業（同条6項），一時預かり事業（同条7項），病児保育事業（同条13項），子育て援助活動支援事業（同条14項）等をいう。

児童福祉施設である保育所への入所（同24条）については，従来措置制度の仕組みの下におかれていた。これに対し，1997（平成9）年改正により，行政解釈によれば地方公共団体と利用者との契約締結（公法上の契約）と理解されるサービス利用に改められた（保育所方式。第1節第4款**3**(2)③）。助産施設への入所（同22条），母子生活支援施設への入所等（同23条）についても，2000（平成12）年改正により保育所と同様の仕組みとなった。母子生活支援施設は，保護者が当事者であることから契約施設とされているものの，その実態としては，

244)　入所給付決定保護者に対し，所得の状況等をしん酌して食費及び居住費の一部につき負担させるとの趣旨から，都道府県により特定入所障害児食費等給付費が支給される（児福24条の7）。

DV や児童虐待から逃れた母子のシェルターとして活用されることが多く，公的関与度が極めて高い点で保育所とは相当異質な施設である。

保育所をめぐる入所方式については，2012（平成 24）年改正によりさらに修正が行われており，第 4 款で改めて取り上げる。

(3) 要保護児童の保護措置等

上述のように，保育所入所等については措置制度の枠組みから外れたにもかかわらず，要保護児童（保護者のない児童又は保護者に監護させることが不適当であると認められる児童〔児福 6 条の 3 第 8 項〕）の保護措置等については，依然として権力的要素の強い措置制度の仕組みの下におかれている。要保護児童には，親のない児童や非行を行った児童なども含まれるが，近時，親による虐待を原因とする児童の保護が重要な課題となっており，虐待を受けている児童の保護を図るための児童福祉法及び児童虐待防止法の改正が相次いで行われている（第 7 款参照）。

要保護児童を発見した者には，福祉事務所又は児童相談所への通告義務が課される（同 25 条）。福祉事務所又は児童相談所は，この通告を受けた場合において必要があると認めるときは，速やかに当該児童の状況の把握を行う（同 25 条の 6）。市町村（同 25 条の 7），都道府県の設置する福祉事務所の長（同 25 条の 8），児童相談所長（同 26 条）は，特定の者について（たとえば，同 25 条の 7 では，要保護児童等に対する支援の実施状況を適格に把握し，法 25 条による通告を受けた児童及び相談に応じた児童又は保護者について），必要があると認めたときは，同法 27 条の措置を要すると認める者等の児童相談所への送致（同 25 条の 7 第 1 項 1 号，25 条の 8 第 1 項 1 号）や，法 27 条の措置を要すると認める者の都道府県知事への報告（同 26 条 1 項 1 号）などの措置をとらなければならない[245)]。これに対し都道府県は，児童相談所長からの報告等のあった児童につき，①児童又はその保護者に訓戒を加え，又は誓約書を提出させること，②児童又はその保護者を児童相談所等に通わせることなどにより児童福祉司等に指導させ，又は当該都道府県以外の者の設置する児童家庭支援センター等に指導を委託すること，③児童を小規模住居型児童養育事業を行う者若しくは里親に委託[246)]し，又は

245) これらの条文では「措置を採らなければならない」と規定されているものの，その内実は「送致」「報告」「通知」などの事実行為であり，法 27 条の「措置」と異なり当然に行政処分たる性格をもつものではないと思われる。

乳児院，児童養護施設，障害児入所施設，児童心理治療施設若しくは児童自立支援施設に入所させること，④家庭裁判所の審判に付することが適当であると認める児童は，これを家庭裁判所に送致すること，のいずれかの措置をとらなければならない（同27条1項各号。この権限は，児童相談所長に委任することができる。同32条1項）。

これらのうち③の措置（3号措置）[247]は，要保護児童をその保護者から引き離す措置（いわゆる親子分離）であり，原則として親権者又は未成年後見人の意に反して，これをとることができない（同27条4項）。しかし，保護者が，その児童を虐待し，著しくその監護を怠り，その他保護者に監護させることが著しく当該児童の福祉を害する場合において，③の措置をとることが児童の親権者又は未成年後見人の意に反するときは，都道府県は，家庭裁判所の承認を得て，③の措置をとることなどができる（同28条1項）[248]。措置の期間は最大2年であるが，当該措置に係る保護者に対する指導措置の効果等に照らし，当該措置を継続しなければ保護者がその児童を虐待し，著しくその監護を怠り，その他著しく当該児童の福祉を害するおそれがあると認めるときは，都道府県は，家

246）法27条1項3号に基づく里親委託措置及びこれを解除する措置は，親権者等に対する関係では，親権者等を名宛人とする行政処分であるのに対し，里親に対する関係では，準委任契約に類する公法上の法律関係の成立及びその解消とみるべきものであるとして，行政処分性を否定したものとして，横浜地判平31・3・13判例自治462号70頁。東京地判令元・11・7判タ1487号196頁も，里親と知事等との関係を民法上の準委任に準じた公法上の契約関係と解する一方，委託された児童と生活すること等によって里親が何らかの個人的利益を得ることがあるとしても，児童福祉法がこのような里親の利益をその個別的利益として法律上保護しているということはできない旨判示した。

247）この措置に基づき社会福祉法人の設置運営する児童養護施設に入所した児童に対する当該施設の職員等による養育監護行為は，都道府県の公権力の行使にあたる公務員の職務行為であり，都道府県が国家賠償責任を負う。最1判平19・1・25民集61巻1号1頁。政令指定都市（児福59条の4）による3号措置でも県の公権力の行使にあたる公務員の職務行為でもあるとしたものとして，東京高判平21・2・26判例集未登載（LEX/DB文献番号25464339。上告不受理〔最2決平22・11・5〕）。

248）3号措置に関し，保護者らに課された法12条2項，11条1項2号ニに定める行政指導としての面接通信制限の適法性につき，一方の保護者については認めつつも，他方保護者についてはその不協力が社会通念に照らし客観的にみて到底是認し難いものといえるような「特段の事情」が存在する場合にあたらないとして国賠法上違法とした裁判例として，宇都宮地判令3・3・3判時1501号73頁。

庭裁判所の承認を得て，当該期間を更新することができる（同条2項）。家庭裁判所は，上記③の施設入所等の措置に関する承認の申立てがあった場合，都道府県に対し，当該申立てに係る保護者に対する指導措置をとるよう勧告することができるとともに（同条4項），この勧告を行った場合において，施設入所等の措置に関する承認の申立てを却下する審判をするときであって，当該勧告に係る当該保護者に対する指導措置をとることが相当であると認めるときは，都道府県に対し，当該指導措置をとるよう勧告することができる[249]（同条7項。これらの勧告を行った場合，その旨を当該保護者に通知する〔同条5項・8項〕）。都道府県知事は，同28条の措置をとるため，必要があると認めるときは，児童委員又は児童の福祉に関する事務に従事する職員をして，児童の住所若しくは居所又は児童の従業する場所に立ち入り，必要な調査又は質問をさせることができる（同29条1項）。児童相談所長及び都道府県知事には，必要があると認めるとき，措置をとるに至るまで，原則2ヵ月以内の期間，児童に一時保護を加え，又は適当な者に委託して，一時保護を加えさせることができる（同33条1項～3項）[250]。2ヵ月を超えて引き続き一時保護を行おうとする場合，2ヵ月ごとに，児童相談所長又は都道府県知事は，家庭裁判所の承認を得なければならない（同条5項）。

このほか児童福祉法は，被措置児童に対する虐待を防止するための諸規定をおいている（同33条の10～33条の17）。

2019（令和元）年改正では，児童の権利擁護，児童相談所の体制強化等を図るとの観点から，①児童の権利擁護に関し，i児童福祉審議会において児童に意見聴取する場合における当該児童の状況・環境等への配慮義務（同8条7項），

249）福岡家審令元・8・6判時2442号166頁（児童相談所長から里親等への委託又は児童養護施設への入所を承認するよう求めた事案において，児童に対する監護が著しく児童の福祉を害するものとはいえないとして申立てを却下し，同条7項に基づく指導措置の勧告を行った例）。

250）要保護児童の一連の保護措置の過程でも，とりわけ一時保護は，保護者の意思に反して緊急的に児童の身柄を確保するものであるため，その適法性が争われることが少なくない。ただし通常，児童相談所等の一時保護及びその延長措置は適法とされている。最近の事案として，東京地判平25・8・29判時2218号47頁，東京高判平25・9・26判時2204号19頁，東京地判平27・3・11判時2281号80頁，横浜地判平28・10・12判例自治427号58頁，大津地判平28・11・24判例集未登載（LEX/DB文献番号25544891），福岡高判平29・4・13判例集未登載（LEX/DB文献番号25545865），大阪高決平30・6・15判時2405号84頁，大阪高決平30・7・30判時2420号72頁，さいたま地判平31・3・27判例自治461号34頁など。

ii 都道府県の業務として，児童の安全確保の明文化（同11条1項），②児童相談所の体制強化に関し，i 都道府県による児童相談所への弁護士の配置又はこれに準ずる措置（同12条4項），ii 児童相談所長及び児童福祉司の任用資格として精神保健福祉士及び公認心理師の追加（同12条の3第2項，13条3項），iii 児童相談所への医師及び保健師の配置義務（同12条の3第8項）などの規定をおいた。

6　費　用

児童福祉に係る費用のうち，とくにサービス給付費に関する国・都道府県・市町村の負担は以下のようになっている。

国庫は，政令の定めるところにより，療育の給付に要する費用（児福20条，50条5号），小児慢性特定疾病医療費の支給に要する費用（同条5号の2），小児慢性特定疾病児童等自立支援事業に要する費用（同条5号の3），都道府県の設置する助産施設又は母子生活支援施設において市町村が行う助産の実施又は母子保護の実施に要する費用（同条6号），都道府県が行う助産の実施又は母子保護の実施に要する費用（同条6号の2），障害児入所給付費，高額障害児入所給付費，特定入所障害児食費等給付費，障害児入所医療費の支給に要する費用（同条6号の3），都道府県が27条1項3号に規定する措置（3号措置）をとった場合において，入所又は委託に要する費用及び入所後の保護又は委託後の養育につき，45条1項等の基準を維持するために要する費用（同条7号），都道府県が27条2項に規定する措置（肢体不自由のある児童又は重症心身障害児について，3号措置をとった場合において，障害児入所施設で行われる措置）をとった場合において，委託及び委託後の治療等に要する費用（同条7号の2），都道府県が行う児童自立生活援助（20歳未満義務教育修了児童等に係るものに限る）の実施に関する費用（同条7号の3），一時保護に要する費用（同条8号）につき，都道府県の支弁にかかる費用の2分の1を負担する（同53条）[251]。

また国庫は，障害児通所給付費，特例障害児通所給付費，高額障害児通所給

251）　国庫負担額の算定につき，措置時代の事案であるが，「補助金等に係る予算の執行の適正化に関する法律」に定める交付決定との関連が問題になった事案として，東京高判昭55・7・28行集31巻7号1558頁（いわゆる摂津訴訟），東京高判昭57・9・14行集33巻9号1789頁（いわゆる国分寺訴訟）がある。

付費，肢体不自由児通所医療費の支給に要する費用（同51条1号），障害児通所支援及び障害者総合支援法5条1項に規定する障害福祉サービスの措置（児福21条の6）に要する費用（同51条2号），市町村が行う助産の実施又は母子保護の実施に要する費用（同条3号），都道府県及び市町村以外の者の設置する保育所若しくは幼保連携型認定こども園又は都道府県及び市町村以外の者の行う家庭的保育事業等に係る措置に要する費用（同条5号），障害児相談支援給付費・特例障害児相談支援給付費の支給に要する費用（同条6号）につき，市町村の支弁にかかる費用の2分の1を負担する（同53条）。都道府県は，これらの市町村が支弁する諸費用につき，政令の定めるところにより，4分の1を負担する（同55条）。

2004（平成16）年児童福祉法改正による公立保育所運営費の一般財源化に伴い，公立保育所運営の国庫負担及び都道府県負担が廃止され，もっぱら市町村が支弁するものとされた（同51条4号）。

応益負担の考え方を取り入れた介護保険と異なり，児童福祉法上のサービスの多くは，措置時代と同様，応能負担の考え方によって本人又はその扶養義務者から，負担能力に応じ，その費用の全部又は一部を徴収することができるものとされているほか，直接の受給者が原則として児童であることもあり，その扶養義務者も徴収対象となっている（同56条）[252]。

第3款　子ども・子育て支援

1　育児支援と社会保障法

日本における社会保障法上の子どもへの配慮は，戦後主として児童福祉法を通じてなされてきた。第2款でみたように，その保護の対象は，主として障害児や要保護児童といった特別の支援ニーズを有する児童であった。もっとも普遍的な児童福祉施設である保育所でさえ，「保育に欠ける」児童を対象とし，やはり特定の支援ニーズの存在を前提としていた。

他方，戦後以来の社会保障法の発展過程においては，子ども自身というより，

252）　応能負担原則を採用している点につき，東京地判昭62・7・29判時1243号16頁，東京高判平元・9・27判例自治74号54頁（小平市保育料訴訟），京都地判平11・6・18賃社1269号56頁（長岡京市保育料訴訟）。

子どもを養育する家庭の環境整備に重心が置かれたことを否定できない。1950（昭和25）年社会保障制度審議会勧告によれば，「多子」すなわち子どもが多いことによる経済的負担が社会保障の関心事であった。児童手当等の社会手当の導入も，「家庭等における生活の安定」（児手1条）に主眼を置くものであった。

少子高齢化の急激な進展を踏まえ，本格的に育児支援のための施策が講じられるに至ったのは21世紀に入ってからであった[253]。こうした性格をもつ社会保障関係施策としては，①親自身の支援や地域資源の利用によるものも含めた普遍的な子育て支援事業（児福21条の9以下）や保育所への入所（同24条）のほか，②育児期間中の所得保障ないし賃金保障（産前産後休業期間〔労基65条1項2項〕の取得期間中における出産手当金〔健保102条〕並びに保険料免除〔厚年81条の2の2，健保159条の3，国年88条の2〕，育児休業期間中の被用者保険における保険料免除〔厚年81条の2，健保159条〕並びに育児休業給付〔雇保61条の4，61条の5〕），③育児そのものの経済的支援（児童手当，扶養控除等）など多岐にわたる。以下では，育児支援策の大枠となる近時の立法と政策動向を概観した後，子ども・子育て支援法と認定こども園法を中心に取り上げることとしたい。

2　少子化対策と子ども・子育て支援策の動向

育児支援策としての政府の取組みの多くは，少子化対策の一環として担われてきた側面がある[254]。その起点は，1989（平成元）年，合計特殊出生率が丙午（ひのえうま）だった1966（昭和41）年を下回った「1.57ショック」に遡ることができる。1994（平成6）年，文部・厚生・労働・建設の4大臣合意によるエンゼルプラン（「今後の子育て支援のための施策の基本的方向について」）が策定され，「社会全体による子育て支援の機運の醸成と企業・職場・家庭での子育て支援の推進」などを謳うとともに，「緊急保育対策等5か年事業」が大蔵・厚生・自治の3大臣合意として策定され，5年間の保育対策（低年齢児保育，延長保育，一時的保育，放課後児童クラブ，多機能化保育所の整備，地域子育て支援センター）の目標値を設定した。5年後の1999（平成11）年には，少子化対策推進関係閣僚会議が「少子化対策推進基本指針」を決定し，「固定的な性別役割分業や職場

253）　福田素生「子育ち，子育て支援策に関する法制度の歴史的展開と今後の方向性」『社会保障法』23号（2008年）146頁以下。

254）　江口隆裕『「子ども手当」と少子化対策』（法律文化社，2011年）82-96頁。

優先の企業風土の是正」「仕事と子育ての両立のための雇用環境の整備」など6項目を掲げ，これを受けて新エンゼルプランが策定され，エンゼルプラン後の5年間のさらなる数値目標を設定した。

2002（平成14）年，厚生労働省は「少子化対策プラスワン」を策定し，「子育てと仕事の両立支援」，とりわけ保育を中心としてきた従来の対策のみならず，①男性を含めた働き方の見直し，②地域における子育て支援，③社会保障における次世代支援，④子どもの社会性の向上や自立の促進，という4つの柱を立てた。2003（平成15）年には，次世代育成支援対策推進法が制定され，市町村行動計画（次世代育成8条），都道府県行動計画（同9条）の策定，一定規模以上の事業主に対する行動計画の策定（同12条～19条）などが義務付けられた。また同年，議員立法の形で少子化社会対策基本法が制定され，内閣府に少子化社会対策会議が設置されることとなった（少子基18条）[255]。同会議では，2004（平成16）年，「少子化社会対策大綱」とともに「少子化社会対策大綱に基づく重点施策の具体的実施計画について」（子ども・子育て応援プラン）を策定し，向こう5年間に講じるべき施策内容と目標数値を掲げた。2003（平成15）年以来，少子化対策を担当する大臣がおかれている。

2009（平成21）年民主党への政権交代後の2010（平成22）年1月，従来の「少子化社会対策大綱」に代わる「子ども・子育てビジョン」が策定された。ここでは，子どもが主人公（チルドレン・ファースト）という考え方を打ち出すとともに，従来の「少子化対策」から「子ども・子育て支援」へ視点を移すなど，当事者の目線を意識するとともに，新たに5年間の数値目標を設定するに至った。次いで2010（平成22）年6月，少子化社会対策会議が「子ども・子育て新システムの基本制度案要綱」を策定し，2011（平成23）年7月には「子ども・子育て新システムに関する中間とりまとめ」，2012（平成24）年2月に「子ども・子育て新システムに関する基本制度とりまとめ」を公表し，それを基に同年3月，「子ども・子育て新システムに関する基本制度」等を決定した。

3　子ども・子育て関連3法

「子ども・子育て新システムに関する基本制度」等に基づき，社会保障・税

255）　吉岡てつを「少子化対策（次世代育成支援）の現状と取組み」『社会保険旬報』2169号（2003年）16頁以下。

一体改革の一環として，2012（平成24）年３月，いわゆる「子ども・子育て関連３法案」が国会に提出され，同年８月に成立した。３法とは，①子ども・子育て支援法，②就学前の子どもに関する教育，保育等の総合的な提供の推進に関する法律の一部を改正する法律（いわゆる認定こども園法改正法），③子ども・子育て支援法及び就学前の子どもに関する教育，保育等の総合的な提供の促進に関する法律の一部を改正する法律の施行に伴う関係法律の整備等に関する法律（上記２法に伴う児童福祉法等の関係法律整備法）であった。これらのうち，①については第４款，②については第５款で取り上げる。③については，既に第２款でみたように，児童福祉法改正との関連で，子ども・子育て支援法における地域子ども・子育て支援事業（子育て支援59条）の法定化にあわせて，地域の子ども・子育て支援の充実のための事業の新設・拡充などの改正を行うとともに（児福６条の３第２項・７項・９項〜14項），幼保連携型認定こども園を児童福祉施設として位置づけた（同７条１項）。

4　その後の展開

子ども・子育て関連３法成立後も，待機児童対策と少子化対策の両面から，政府は対策を講じている。前者に関しては，2013（平成25）年度から５年間に約40万人分（その後上積みし50万人分）の保育の受け皿を確保することを目標にした「待機児童解消加速化プラン」を策定した。後者に関しては，2013（平成25）年６月に少子化社会対策会議が「少子化危機突破のための緊急対策」を決定したのに続き，2015（平成27）年３月，「少子化社会対策大綱」が閣議決定された。

2014（平成26）年に次世代育成支援対策推進法が改正され，時限立法である同法の期限を2025（令和７）年度まで10年延長するとともに，雇用環境の整備に関し適切な行動計画を策定し実施している旨の厚生労働大臣による認定を受けた事業主のうち，とくに次世代育成支援対策の実施状況が優良なものについて，従来の認定制度（くるみん認定。次世代育成13条）に加えて，厚生労働大臣による新たな認定（特例認定）制度（プラチナくるみん認定。同15条の２）を創設する等の改正を行った。

第４款で取り上げる子ども・子育て支援法では，2018（平成30）年改正により，市町村が，当分の間，保育の量的拡充及び質の向上を図るため，保育に係る子ども・子育て支援に関する事業（保育充実事業）を市町村子ども・子育て支援計画に定め，行うことができることとしたのに続き（子育て支援附則14条），2019（令和元）年改正により，子育てのための施設等利用給付を創設し（後述），就学前保育・教育の無償化が図られた。2021（令和3）年改正では，従来の認定制度に加え，子育て支援に積極的に取り組む事業主に対する助成制度を創設することとした（同附則14条の2）。

5　子どもの貧困対策

21世紀に入り，「格差」「貧困」問題に焦点が当てられるようになった。なかでも，貧困・生活困窮世帯の子どもが十分な育成環境を得られないまま，成人して自らも生活困難に陥る「貧困の連鎖」への対処の必要性が広く社会的に認識されるに至った。2013（平成25）年には，子どもの貧困対策の推進に関する法律が成立し，同法に基づき，「子供の貧困対策に関する大綱」が閣議決定され[256]，子どもの貧困対策に関する基本的な方針，子どもの貧困に関する調査研究等が定められるとともに，子どもの貧困対策会議（関係閣僚で構成）を設置する等の措置が講じられている。

第4款　子ども・子育て支援法

1　目的及び基本理念

子ども・子育て支援法の目的は，急速な少子化の進行並びに家庭及び地域を取り巻く環境の変化に鑑み，児童福祉法その他の子どもに関係する法律による施策とも相まって，子ども・子育て支援給付その他の子ども及び子どもを養育している者に必要な支援を行い，「一人一人の子どもが健やかに成長することができる社会の実現に寄与すること」にある（子育て支援1条）。児童手当の目的のひとつとして「次代の社会を担う児童の健やかな成長」（児手1条）が挙げられているのと同様，子ども自身の主体的な育ちに着目している点で，2010（平成22）年に実現し，わずか2年で姿を消した子ども手当と共通の理念が存続しているとみることができる。すべての子どもを対象とする点で，普遍的な

256）　同大綱は，2019（令和元）年法律改正を踏まえ，同年改正された（同年11月29日閣議決定）。

適用を目指すものである。

同法は，基本理念として，子ども・子育て支援は，父母その他の保護者が子育てについての第一義的責任を有するという基本的認識の下に，家庭，学校，地域，職域その他の社会のあらゆる分野における全ての構成員が，各々の役割を果たすとともに，相互に協力して行われなければならないこと（同2条1項），子ども・子育て支援給付その他の子ども・子育て支援の内容及び水準は，全ての子どもが健やかに成長するように支援するものであって，良質かつ適切なものであり，かつ，子どもの保護者の経済的負担の軽減について適切に配慮されたものでなければならないこと（同条2項）などを規定する[257)]。

2　定　義

子ども・子育て支援法にいう「子ども」とは，18歳に達する日以後の最初の3月31日までの間にあるものをいい（子育て支援6条1項），「子ども・子育て支援」とは，全ての子どもの健やかな成長のために適切な環境が等しく確保されるよう，国若しくは地方公共団体又は地域における子育ての支援を行う者が実施する子ども及び子どもの保護者に対する支援をいう（同7条1項）。

「教育」とは，満3歳以上の小学校就学前子ども（子どものうち小学校就学の始期に達するまでの者〔同6条1項〕）に対して教育基本法6条1項に規定する法律に定める学校（幼稚園，幼保連携型認定こども園）において行われる教育をいい（子育て支援7条2項），「保育」とは，児童福祉法6条の3第7項に規定する保育（養護および教育〔幼保連携型認定こども園において行われる満3歳以上の幼児に対する教育を除く〕を行うこと）をいう（子育て支援7条3項）。「地域型保育」は家庭的保育（5人以下の子どもを預かる家庭的保育事業として行われる保育。児福6条の3第9項），小規模保育（子どもの数が6人以上19人以下の小規模保育事業として行われる保育。同条10項），居宅訪問型保育（子どもの居宅で居宅訪問型保育事業として行われる保育。同条11項）及び事業所内保育（従業員の子のほか地域の子どもに対して事業所内保育事業として行われる保育。同条12項）をいい，「地域型保育事業」とは地域型保育を行う事業をいう（子育て支援7条5項）。

---

257)　経済的負担の軽減への配慮は，子育てのための施設等利用給付の創設に伴い，2019（令和元）年改正で挿入された。

3　子ども・子育て支援給付

子ども・子育て支援法の最大の意義は，子どものための現金給付と子どものための教育・保育給付からなる「子ども・子育て支援給付」を体系化した点にあった（子育て支援8条）。このうち子どものための現金給付は，児童手当の支給とする扱いがなされている（同9条）。その後，2019（令和元）年改正により，子育てのための施設等利用給付が創設され，三本立てとなった。

(1)　子どものための教育・保育給付

子どものための教育・保育給付は，施設型給付費（同27条），特例施設型給付費（同28条），地域型保育給付費（同29条）及び特例地域型保育給付費（同30条）の支給とする（同11条）。大別すると，認定こども園，幼稚園，保育所を通じて共通化した「施設型給付」と，前述した家庭的保育・小規模保育・居宅訪問型保育・事業所内保育を含む「地域型保育給付」を，財政支援（形式的には金銭給付）の対象とする。前者につき小学校就学前教育も給付対象となっており，後者は従来児童福祉法上明確な位置づけがなされてこなかった地域型保育が対象となっている点で注目される。

子どものための教育・保育給付は，①満3歳以上の小学校就学前子ども（②の場合を除く），②満3歳以上の小学校就学前子どもであって，保護者の労働又は疾病その他の内閣府令で定める事由[258]により家庭において必要な保育を受

---

258)　小学校就学前子どもの保護者のいずれもが各号のいずれかに該当することとし，①1ヵ月に48時間から64時間までの範囲内で月を単位に市町村（特別区を含む）が定める時間以上労働することを常態とすること，②妊娠中であるか又は出産後間がないこと，③疾病にかかり，若しくは負傷し，又は精神若しくは身体に障害を有していること，④同居の親族（長期間入院等をしている親族を含む）を常時介護又は看護していること，⑤震災，風水害，火災その他の災害の復旧に当たっていること，⑥求職活動（起業の準備を含む）を継続的に行っていること，のほか，⑦各種学校等の教育施設への在学，職業訓練の受講など，⑧児童虐待を行っている又は再び行われるおそれがあると認められること，DVにより保育が困難であると認められること，⑨育児休業の間に特定教育・保育施設等を引き続き利用することが必要であると認められること，⑩その他，①〜⑨に類するものとして市町村が認める事由に該当すること，が挙げられている（子育て支援則1条の5）。従来の児童福祉法24条1項にいう「保育に欠ける」事由より広く，児童虐待やDVへの対応が明記されている点，育児休業中の継続利用が規定されている点が注目される。育児休業中の継続利用（同条9号）との関連で，さいたま地決平27・9・29賃社1648号57頁（保育の利用継続不可決定及び保育の利用解除処分による損害は重大であり，それを避けるため緊急の必要があるなどとして，決定等の執行停止〔効力の停止〕が認められた例）。同旨，さいたま地決平27・12・17賃社1656号45頁，さいたま地決平27・

けることが困難であるもの，③満3歳未満の小学校就学前子どもであって，②の内閣府令で定める事由により家庭において必要な保育を受けることが困難であるもの，の保護者に対して行われる（同19条1項各号）。このように，家庭において必要な保育を受けることが困難である子ども以外の子ども（上記の①）に対しても，給付が行われる。

給付手続としては，保護者が市町村（特別区を含む）に対し，子どものための教育・保育給付を受ける資格を有すること及び法19条1項各号に掲げる小学校就学前子どもの区分（上述の①ないし③）についての認定を申請し，認定（支給認定）を受けなければならない（同20条1項）[259]。市町村は，20条1項の規定による申請があった場合において，上述の②又は③に掲げる小学校就学前子どもに該当すると認めるときは，政令で定めるところ[260]により，当該小学校就学前子どもに係る保育必要量の認定を行う（同条3項）。市町村は，支給認定を行ったときは，小学校就学前子どもの区分，保育必要量その他の内閣府令で定める事項を記載した認定証（支給認定証）を保護者に交付する（同条4項）。子どものための教育・保育給付を受ける資格を有すると認められないときは，理由を付して，その旨を保護者に通知する（同条5項）。支給認定は，有効期間内に限り，その効力を有する[261]（同21条）。その他，届出（同22条），支給認定の変更（同23条）・取消し（同24条）に係る規定がおかれている。

給付費の支給には，前述の通り4種類ある。このうち施設型給付費は，支給認定に係る子ども（支給認定子ども）が支給認定の有効期間内において，市町村長（特別区長を含む）が施設型給付費の支給に係る施設として確認[262]する教

12・17賃社1656号55頁。

259）この認定は，給付を受ける法的地位を発生させるものであるから，行政処分であると考えられる。

260）保育必要量の認定は，原則として，保育の利用について，1ヵ月当たり平均275時間まで（1日当たり11時間までに限る）又は平均200時間まで（1日当たり8時間までに限る）の区分に分けて行うものとする（子育て支援則4条1項）。

261）小学校就学前子どもの区分に応じ細分化されており，たとえば，法19条1項1号に掲げる小学校就学前子どもの区分に該当する子どもについては，支給認定が効力を生じた日から当該小学校就学前子どもが小学校就学の始期に達するまでの期間とされる（子育て支援則8条1号）。

262）ここでいう「確認」は，教育・保育施設の設置者の申請により，施設の区分ごとの利用定員を定めるものとして市町村長が行う行為であり（子育て支援31条），変更や辞退にあたっても

育・保育施設（特定教育・保育施設）から当該確認に係る教育・保育（特定教育・保育）[263]を受けたとき，当該特定教育・保育に要した費用について保護者に対し支給される（同27条1項）。保護者は特定教育・保育施設に支給認定証を提示して教育・保育を受けさせる（同条2項）点で，基本的な利用関係は施設と保護者の契約によって設定される（ただし，子育て支援附則6条1項参照。第6款4)）。施設型給付費の額は，法19条1項各号に掲げる小学校就学前子どもの区分，保育必要量，当該特定教育・保育施設の所在する地域等を勘案して算定される特定教育・保育に通常要する費用の額を勘案して内閣総理大臣が定める基準により算定した費用の額から，政令で定める額を限度として当該支給認定保護者の属する世帯の所得の状況その他の事情を勘案して市町村が定める額を控除して得た額とする（同条3項。実際には代理受領方式をとる。同条5項・6項）。この市町村が定める額に係る保護者負担は，応能負担となった（(2)参照）。

特例施設型給付費は，保護者が申請した日以降，緊急その他やむを得ない理由により特定教育・保育を受けた場合等に支給される（同28条1項）。

地域型保育給付費は，支給認定子ども（同19条1項3号〔先の③〕に掲げる満3歳未満保育認定子どもに限る）が支給認定の有効期間内において，市町村長が地域型保育給付費の支給に係る事業を行う者として確認する地域型保育を行う事業者（特定地域型保育事業者）から当該確認に係る地域型保育（特定地域型保育）を受けたとき，保護者に対し支給される（同29条1項。実際には代理受領方式をとる。同条5項・6項）。

特例地域型保育給付費は，保護者が申請した日以後，緊急その他やむを得ない理由により特定地域型保育を受けた場合等に支給される（同30条1項）。

手続が法定されていることから，権利義務関係の範囲を画するものとして，行政処分と解することができるのではないかと思われる。児童福祉法上の施設認可と，子ども・子育て支援法上の確認という二つの質の基準を設ける意味は限定的であるなどとして，保育の質に関する規制は確認制度に統合すべきとするものとして，常森裕介「保育における認可の意義」『社会保障法研究』14号（2021年）167頁。

263)　子育て支援19条1項1号（本文の①）の子どもにあっては，認定こども園において受ける教育・保育と幼稚園において受ける教育に限り，同項2号（本文の②）の子どもにあっては，認定こども園において受ける教育・保育と保育所において受ける保育に限り，同項3号（本文の③）の子どもにあっては保育所における保育に限る（同27条1項）。ただし，同28条1項2号・3号参照（特別利用保育，特別利用教育として特例施設型給付費の支給対象となり得る）。

(2) 子育てのための施設等利用給付

総合的な少子化対策を推進する一環として，子育てを行う家庭の経済的負担の軽減を図るため，消費税率8％から10％への引上げ（2019〔令和元〕年10月）分を財源として，同年改正により，市町村の確認を受けた幼児期の教育及び保育等を行う施設等の利用に関する給付制度が創設され，3歳児以上の未就学児と2歳までの住民税非課税世帯の子どもにつき，幼児教育・保育の実質無償化が図られた。

子育てのための施設等利用給付は，施設等利用費の支給とする（子育て支援30条の2）。市町村は，①3歳から小学校就学前までの子ども，②0歳から2歳までの住民税非課税世帯の子どもであって，保育の必要性のある子ども，のいずれかに該当する子どもであって市町村の認定（同30条の5第1項）を受けたものを対象とし（同30条の4），特定子ども・子育て支援施設等（子どものための教育・保育給付の対象外である認定子ども園及び幼稚園，特別支援学校の幼稚部，認可外保育施設〔ただし，5年間の経過措置あり。附則4条1項〕，預かり保育事業，一時預かり事業，病児保育事業，子育て援助活動支援事業であって，市町村長の確認を受けたもの。子育て支援7条10項，58条の2）から教育・保育その他の子ども・子育て支援（特定子ども・子育て支援）を受けたときは，当該認定に係る保護者に対し，当該特定子ども・子育て支援に要した費用（食費等を除く）について，施設等利用費を支給することとした（同30条の11第1項）。

これに対し，既に個人給付の対象となっている認定こども園，幼稚園，保育所等については，利用者負担の無償化という形で同様の措置が講じられた（子育て支援令4条）[264]。

4　施設・事業者

特定教育・保育施設の設置者は，支給認定に係る保護者（支給認定保護者）から利用の申込みを受けたときは，正当な理由がなければこれを拒んではならず（子育て支援33条1項），申込みに係る子どもの総数が利用定員の総数を超える場合においては，内閣府令で定めるところにより，1項の申込みに係る支給認定子どもを公正な方法で選考しなければならないとされている（同条2項）。特

264）就学前の障害児の発達支援についても利用者負担が無償化された（児福令24条6号，25条の2第1号へ・同第2号へ）。

定教育・保育施設の設置者は，教育・保育施設の区分に応じ，施設の認可基準を遵守しなければならない（同34条1項）。また市町村は，特定教育・保育施設に関し必要な情報の提供を行うとともに，支給認定保護者から求めがあった場合その他必要と認められる場合には，特定教育・保育施設を利用しようとする支給認定子どもに係る支給認定保護者の教育・保育に係る希望，当該支給認定子どもの養育の状況，当該支給認定保護者に必要な支援の内容その他の事情を勘案し，当該支給認定子どもが適切に特定教育・保育施設を利用できるよう，相談に応じ，必要な助言又は特定教育・保育施設の利用についてのあっせんを行うとともに，必要に応じて，特定教育・保育施設の設置者に対し，当該支給認定子どもの利用の要請を行うものとし（同42条1項），特定教育・保育施設の設置者に対し，あっせん及び要請に対する協力義務を負わせている（同条2項）。このように，施設と保護者の間の契約を基礎としながらも，市町村による関与を予定している仕組みとなっている。

上述のような同法33条・34条・42条と同趣旨の規定は，特定地域型保育事業者に関してもおかれている（同45条，46条，54条）。

5　地域子ども・子育て支援事業

市町村は，**7**で述べる市町村子ども・子育て支援事業計画に従って，地域子ども・子育て支援事業として，子ども・子育て支援法59条所定の事業を行うものとされている。具体的に挙げられているのは，利用者支援，時間外保育，実費徴収に係る補足給付，多様な事業者の参入を促進するための事業，放課後児童健全育成事業（児福6条の3第2項），子育て短期支援事業（同条3項），乳児家庭全戸訪問事業（同条4項），養育支援訪問事業（同条5項），要保護児童対策地域協議会その他の者による要保護児童等に対する支援に資する事業（同25条の2第1項・2項），地域子育て支援拠点事業（同6条の3第6項），一時預かり事業（同条7項），病児保育事業（同条13項），子育て援助活動支援事業（同条14項），妊婦健診事業（母子保健13条1項）である。児童福祉法など他法に根拠規定がある事業が多い。

6　仕事・子育て両立支援事業

2016（平成28）年子ども・子育て支援法改正により，保育の受け皿整備の一環として，事業所内保育業務を目的とする施設等の設置者に対する助成及び援助を行う事業として，仕事・子育て両立支援事業が創設された。政府は，児童福祉法59条の2第1項に規定する施設（いわゆる無認可で都道府県知事への届出がなされているもの）のうち，事業所内保育事業（児福6条の3第12項）に規定する業務を目的とするものその他事業主と連携して当該事業主が雇用する労働者の監護する乳児又は幼児の保育を行う業務に係るものの設置者に対し，助成及び援助を行う事業を行うことができる（子育て支援59条の2第1項）。具体的には，企業主導型保育事業として展開されており，市町村の関与を必要とせず整備が可能な仕組みとなっている。保護者のいずれもが就労要件等を満たすことを前提として，事業実施者の従業員の児童については子ども・子育て支援法における支給認定（同20条）を受ける必要がない。また利用定員の50％以内で地域枠を設定することもでき，この場合の対象児童は支給認定を受ける必要がある。また運営費及び整備費については助成がなされ，財源は事業主拠出金で賄われる[265]。

7　子ども・子育て支援事業計画

内閣総理大臣は，教育・保育及び地域子ども・子育て支援事業の提供体制を整備し，子ども・子育て支援給付並びに地域子ども・子育て支援事業及び仕事・子育て両立支援事業の円滑な実施の確保その他子ども・子育て支援のための施策を総合的に推進するための基本指針を定めるものとされている（子育て支援60条1項）。さらに市町村は，基本指針に即して，5年を1期とする教育・保育及び地域子ども・子育て支援事業の提供体制の確保その他この法律に基づく業務の円滑な実施に関する計画（市町村子ども・子育て支援事業計画）を定め（同61条），都道府県は，同様に都道府県子ども・子育て支援事業支援計画について定めるものとする（同62条）。

265）　中野妙子「子どもの保育――子ども・子育て支援新制度の効果と課題」『論究ジュリスト』27号（2018年）95頁は，企業主導型保育事業を認可保育所等に準じた保育の受け皿として位置付けることにつき，子ども・子育て支援制度の本来の趣旨に逆行するとして，消極的に評価する。

8　費用等

①市町村が設置する特定教育・保育施設に係る施設型給付費及び特例施設型給付費の支給に要する費用，②都道府県及び市町村以外の者が設置する特定教育・保育施設に係る施設型給付費及び特例施設型給付費並びに地域型保育給付費及び特例地域型保育給付費の支給に要する費用，③市町村が設置する特定子ども・子育て支援施設等（認定こども園，幼稚園及び特別支援学校に限る）に係る施設等利用費の支給に要する費用，④国，都道府県又は市町村が設置し，又は行う特定子ども・子育て支援施設等（認定こども園，幼稚園及び特別支援学校を除く）に係る施設等利用費の支給に要する費用，⑤国，都道府県及び市町村以外の者が設置し，又は行う特定子ども・子育て支援施設等に係る施設等利用費の支給に要する費用，⑥地域子ども・子育て支援事業に要する費用は，市町村が支弁する（子育て支援65条各号）。都道府県は，政令で定めるところにより上記②の費用のうち国及び都道府県等が負担すべきものの算定の基礎として政令で定めるところにより算定した額（施設型給付費等負担対象額）から事業主拠出金充当額（同69条1項）を控除した額の4分の1（同67条1項，子育て支援令24条の3第1項），上記④及び⑤の費用のうち国及び都道府県が負担すべきものの算定の基礎となる額として政令で定めるところにより算定した額の4分の1を負担し（子育て支援67条2項，同令24条の5第1項），上記⑥の費用に充てるため，予算内で交付金を交付することができる（子育て支援67条3項）。国は，政令で定めるところにより，上記②の費用のうち施設型給付費等負担対象額から事業主拠出金充当額（同69条1項）を控除した額の2分の1（同68条1項，子育て支援令24条の3第2項），上記④及び⑤の費用のうち，前条2項の政令で定めるところにより算定した額の2分の1を負担し（子育て支援68条2項，同令24条の5第2項），上記③の費用に充てるため交付金を交付することができる（子育て支援68条3項）。

従前，児童手当法におかれていた児童手当に係る事業主拠出金の徴収規定は，子ども・子育て支援法におかれている。政府は，児童手当の支給に要する費用，施設型給付費等負担対象額のうち満3歳未満保育認定子どもに係るものに相当する費用，地域子ども・子育て支援事業に要する費用及び仕事・子育て両立支援事業に要する費用に充てるため，一般事業主（厚生年金保険法82条1項に規定する事業主，私立学校教職員組合法28条1項に規定する学校法人等，地方公務員等共済組合法144条の3第1項に規定する団体等，国家公務員共済組合法126条1項に規定する連合会等の団体）から拠出金を徴収する（子育て支援69条1項）。拠出金は，厚生年金保険料の計算の基礎となる標準報酬月額及び標準賞与額に拠出金率を乗じた額とし（同70条1項），拠出金率は，従来1000分の1.5以内で政令で定めるものとされていたのを，2016（平成28）年改正により2.5以内，2018（平成30）年改正により4.5以内へと相次いで引き上げられている（同条2項。2021〔令和3〕年度は1000分の3.6。子育て支援令27条）。

9　その他

この法律又は他の法律によりその権限に属させられた事項を処理するほか，内閣総理大臣の諮問に応じ，この法律の施行に関する重要事項を調査審議する会議体として，内閣府に子ども・子育て会議がおかれている（子育て支援72条以下）。

時効につき，子どものための教育・保育給付を受ける権利及び拠出金等その他この法律の規定による徴収金を徴収する権利は，2年の消滅時効にかかる（同78条1項）。

審査請求に関しては，71条2項から7項までの規定による拠出金等の徴収に関する処分に不服がある者は，厚生労働大臣に対して行政不服審査法による審査請求をすることができる（子育て支援80条）。訴訟との関係では，不服申立前置に係る規定はおかれていない。

第5款　認定こども園法

1　認定こども園法

認定こども園は，幼児期の学校教育と保育を一体的に行う施設として，2006（平成18）年「就学前の子どもに関する教育，保育等の総合的な提供の推進に関する法律の一部を改正する法律」（認定こども園法）により創設された。幼稚園と保育園の機能の一体化（幼保一元化）は古くからの課題とされ[266]，この観点から認定こども園の創設が注目されたものの，学校教育法に基づく幼稚園と

266）　田村和之『保育法制の課題』（勁草書房，1986年）16-43頁など。

児童福祉法に基づく保育所は，認可や指導監督等に関する二重行政（文部科学省と厚生労働省）の問題を抱えていたこともあり，認定こども園はそれほど普及しなかった[267]。子ども・子育て新システムをめぐる議論の中では，当初幼保一元化を目指す動きもみられたものの実現に至らず，従来の幼稚園及び保育園の枠組みは維持した上で，認定こども園制度の改善を図ることとした。

2　2012（平成24）年改正

従来の認定こども園は，幼保連携型，幼稚園型，保育所型，地方裁量型の4類型からなっていた。2012（平成24）年改正により，学校教育法及び児童福祉法双方に基づく認可及び指導監督の下におかれていた「幼保連携型」を改め，学校及び児童福祉施設の両方の法的位置づけをもつ「幼保連携型認定こども園」を設けた。

幼保連携型認定こども園の入園対象となるのは，満3歳以上の子ども及び満3歳未満の保育を必要とする子どもである（認定こども園11条）。設置主体は，国，自治体，学校法人及び社会福祉法人に限定される（同12条）。市町村（指定都市等を除く）は，設置等の都道府県知事への届出で足り（同16条），国及び地方公共団体以外の者は，知事の認可を受けなければならない（同17条）。この単一の認可制度の下，指導監督も一本化し，従来の二重行政の課題などを解消し，設置の促進を図った。

ただし，既存の幼稚園及び保育所から認定こども園への移行は義務付けられておらず，既存の幼稚園型，保育所型，地方裁量型の認定こども園の存続も認められている（同3条1項～4項・9項）[268]。

財政面では，4類型の認定こども園すべてが新たな子ども・子育て支援法の下で「施設型給付」の対象とされた。

267）　2013（平成25）年4月1日現在，認定数は762件にとどまっていた。

268）　認定こども園の認定数は，2021（令和3）年4月1日現在，8585件（幼保連携型6093件，幼稚園型1246件，保育所型1164件，地方裁量型82件）となった。内閣府ウェブサイトによる。

第6款　保育所入所制度

1　措置制度

従来，保育所は，「日日保護者の委託を受けて，保育に欠けるその乳児又は幼児を保育することを目的とする施設」(2012〔平成24〕年改正前児福39条1項）とされていた[269]。保育所入所制度については様々な変遷があり，その法的性格などをめぐって多くの議論が積み重ねられてきた。

保育所への入所は，1997（平成9）年児童福祉法改正前，他の児童福祉施設への入所と同様，措置制度の下におかれていた。「措置から契約へ」の政策動向の中で問題とされた措置制度の法的性格をめぐる議論（第1節第4款3(1)参照）は，保育所制度をめぐる裁判例の蓄積を通じて展開されてきたといっても過言ではない。すなわち，市町村による入所決定行為の法的性格は行政処分であり[270]，措置権者から施設に対する措置委託の法的性格は委託契約[271]であるとの理解である。他方，一般的には，保育所と保護者の間には，サービス支給の直接当事者であるにもかかわらず，当然に法的な委託契約関係があるとは考えられていなかった[272]。

2　保育所入所をめぐる判例理論の展開

かつての児童福祉法24条本文は，市町村は「保護者の労働又は疾病等の事由により，その監護すべき乳児，幼児……の保育に欠けるところがあると認めるときは，それらの児童を保育所に入所させて保育する措置を採らなければならない」とし，保育所入所要件として，児童の「保育に欠ける」ことを規定していた。この法的意義については，「現実に保護者がその児童の面倒を見ることができない状態にあることをい」[273]い，「保育に欠ける」との認定判断は羈

269)　2012（平成24）年改正により，「保育を必要とする乳児・幼児を日々保護者の下から通わせて保育を行うことを目的とする施設（利用定員が20人以上であるものに限り，幼保連携型認定こども園を除く。）」(児福39条1項）と規定された。

270)　大阪地決平元・5・10・前掲（注24)。

271)　盛岡地一関支判昭56・11・19・前掲（注28)。契約類型としては，保育という事実行為を委託するものであることから，準委任契約と解するのが一般的であった。

272)　ただし，入所措置が行政処分であることと，保護者と市町村の関係が契約関係であることは両立する旨指摘する裁判例もみられた。東京地八王子支判平10・12・7・前掲（注29)。

束裁量事項とされた[274)]。ただし，「『保育に欠ける』の認定と入所措置をするかどうかの判断とは別個のものであ」り[275)]，入所保育の施行方法ないし入所選考については行政庁の裁量（効果裁量）の幅を広く認めていた[276)]。

また同法24条但書は，「付近に保育所がない等やむを得ない事由があるときは，その他の適切な保護を加えなければならない」と規定していた。このいわゆる代替措置については，「法24条によれば，『保育に欠ける』児童について入所措置をするか代替措置をしなければならない」ものと解され[277)]，「どのような措置が法24条1項ただし書にいう『その他の適切な保護』に当たるかについては，当該児童のおかれた状況，被告の保育所における保育不可の事由，保護者以外の近親者や家庭内保育（いわゆる「保育ママ」）又は一定の質が確保された認可外保育施設へのあっせん，情報提供，補助の有無等諸般の事情を考慮して決しなければならない」[278)]とされた。

措置制度との関連で，施設での事故責任の所在をめぐる論点が存在した。すなわち公立保育所で園児に事故が発生した場合，当然に国家賠償責任の当否が問題となるのに対し，保護者（児童）と市町村との法律関係が，入所措置決定

273)　東京地判昭56・1・20判時999号40頁。

274)　東京地判昭61・9・30判時1218号93頁。

275)　同上。

276)　仙台高判昭62・4・27判時1236号59頁。1997（平成9）年児童福祉法改正後も同様の解釈をとったものとして，さいたま地判平14・12・4判例自治246号99頁。このほか，保護者の保育所についての希望に拘束されるものではない旨判示したものとして，東京地判昭56・1・20・前掲（注273），いったん入所した特定の保育所において継続的に保育を受ける法的権利性を否定したものとして，仙台地判昭63・9・29判例自治56号42頁，東京高決平16・3・30判時1862号151頁。保育所入所選考にあたってのいわゆる第三子基準（同一世帯で同時期の保育所入所が3人目となるときは，他の世帯の1人目または2人目のこどもの入所を優先させるとの扱い）に従った入所不承諾決定につき，裁量権の逸脱・濫用はないとして国家賠償請求が斥けられたものとして，那覇地判平25・11・26保育情報450号39頁。

277)　東京地判昭61・9・30・前掲（注274）。

278)　さいたま地判平16・1・28判例自治255号78頁（重度障害児についての保育の実施不可決定につき，適切な保護を行っていないとして慰謝料請求が認められた例）。大阪高判平25・7・11保育情報453号75頁は，入所可能な他の保育所を教示したのに保護者が特定の保育所を希望して入所申込みをしなかったことをもって，「適切な保護」措置を講じる義務の違反はないとした。また，さいたま地判平21・6・24賃社1534号63頁は，「その他適切な保護」の実施に係る家庭保育室の指定取消しにつき，指定の処分性を否定した。

という行政処分を契機に設定され，市町村と認可保育所との法律関係が委託契約関係であるとすれば，私立保育所での事故責任を市町村に対して問う可能性があるのではないかとの問題である。施設経営者ないしその職員を，国家賠償法1条にいう「公権力の行使」にあたる「公務員」と捉える余地の有無が争点となった。しかしながら，認可保育所に係る下級審裁判例は，この点を消極に解した[279)]。

3　1997（平成9）年改正とその後の法律問題

社会福祉基礎構造改革の先駆けとして，1997（平成9）年保育所入所制度が改正された。これにより，従来（2012〔平成24〕年改正前）の児童福祉法24条は1項として，市町村は「その監護すべき乳児，幼児……の保育に欠けるところがある場合において，保護者から申込みがあつたときは，それらの児童を保育所において保育しなければならない」と規定し，保護者からの申込みを明記するとともに，2項以下で，保護者による申込書の提出（2項），やむを得ない事由がある場合における市町村による公正な方法での選考（3項），市町村による保護者への保育の実施の申込みの勧奨（4項），市町村による情報提供義務（5項）を規定するに至った。この改正により，行政解釈は，利用者と市町村の関係が，従来の措置制度から，意思表示を前提とした申込みとこれに対する保育サービ

279）　浦和地熊谷支判平2・10・21判例集未登載（評釈・菊池馨実『賃金と社会保障』1131号〔1994年〕29頁）。知的障害者更生施設での事故につき，県の国家賠償責任を否定した例として，鹿児島地判平18・9・29判タ1269号152頁。肯定例としては，広島地福山支判昭54・6・22判時947号101頁（公設民営の精神薄弱者援護施設），最1判平19・1・25・前掲（注247）（児童養護施設），東京高判平21・2・26・前掲（注247）（同）などがある。保育所と児童養護施設との結論の相違は，委託された公務の性格にみられる（養育監護に係る）権力的契機の有無に求められるように思われる。なお，契約による保育サービス関係の下で，最近，民間施設での保育中の事故につき自治体の損害賠償責任を認める判決が出されている。横浜地横須賀支判令2・5・25判時2467号67頁（市が運営する家庭的保育事業に基づく家庭保育福祉員による保育中の死亡事故につき，午睡中の呼吸確認等を怠った注意義務違反があるとした上で，市の指導研修実施義務違反を認め国賠責任を認めた例）。虐待情報あるいは虐待をうかがわせる情報を把握しながら適切な対応を行わなかったことに不作為の違法責任が認められたケースもある。宇都宮地判令2・6・3判時2463号11頁（認可外の託児室での乳児の死亡事故につき，会社及び園長とともに，市の損害賠償責任を認めた例），高松高判平18・1・27裁判所ウェブサイト（LEX/DB文献番号28110380，認可外保育施設での虐待死につき，県の国賠責任が認められた例）。

スの提供，利用者がこれに対して市町村の定める方式によって保育料を支払うという双務関係に立つ利用契約関係（一種の附合契約としての公法上の契約）に変更されたものと解するに至った[280]。しかし，裁判例では，この解釈を肯定するものがある一方で[281]，従来と同様，行政処分によって設定される法律関係である旨明言するものもみられた[282]。学説にも処分性を肯定するものが多かった[283]。

21 世紀に入り，規制改革などの流れとも関連して，公立保育所を廃止して社会福祉法人等に運営を委託するなど「民営化」を図る自治体が増加した。しかし，これに対抗する法的手段として，保護者等から各地で訴訟が提起され[284]，下級審で廃止・民営化を違法とする判決も出された[285]。最高裁は，公立保育所を廃止する条例の制定行為を行政処分に当たらないとした原審[286]の判断を覆して，処分性を認めたものの，判決言渡し時点において上告人らに係る保育の実施期間が満了している（児童が全員卒園した）ことから，訴えの利益を否定した[287]。

280）児童福祉法規研究会編・前掲書（注 32）168 頁。

281）大阪地判平 16・5・12・前掲（注 32），大阪地判平 17・1・18・前掲（注 32），大阪地判平 17・10・27・前掲（注 32），千葉地判平 20・7・25・前掲（注 32）。

282）大阪高判平 18・1・20・前掲（注 33），大阪高判平 18・4・27・前掲（注 33）。このほか，処分性を当然の前提として争われた裁判例として，大阪地判平 14・6・28 賃社 1327 号 53 頁（保育所入所保留処分が行政手続法等の適正手続に反するとされた例），さいたま地判平 14・12・4 判例自治 246 号 99 頁（母指数方式による保育所入所選考に裁量権の逸脱・濫用はなく，法 24 条 3 項所定の「公正な方法で選考」したものとして適法とし，保育園入園不承諾処分が適法とされた例）。

283）桑原＝田村編・前掲書（注 33）142 頁〔田村執筆〕，287 頁〔菊池執筆〕，倉田・前掲書（注 31）350 頁注 27，西村 469 頁。

284）新版判例大系 4 104-131 頁掲記の裁判例のほか，仙台地判平 23・8・30 裁判所ウェブサイト（LEX/DB 文献番号 25443726）。

285）大阪高判平 18・4・20 判例自治 282 号 55 頁（大東市），横浜地判平 18・5・22 判タ 1262 号 137 頁（横浜市）。

286）東京高判平 21・1・29 判例自治 316 号 60 頁（横浜市）。

287）最 1 判平 21・11・26 民集 63 巻 9 号 2124 頁。その後の下級審で，実体判断を行い，（条例）廃止処分が適法であると判示したものとして，大阪地判平 29・5・18 判例自治 438 号 53 頁（高石市）。

4　2012（平成24）年子ども・子育て関連3法と保育所入所制度

2012（平成24）年子ども・子育て関連3法により，保育所入所制度は大きく変わることになった。改正後児童福祉法24条1項によれば，市町村は，「この法律及び子ども・子育て支援法の定めるところにより，保護者の労働又は疾病その他の事由により，その監護すべき乳児，幼児その他の児童について保育を必要とする場合において，次項に定めるところによるほか，当該児童を保育所……において保育しなければならない」と規定するとともに，新たに2項をおき，「市町村は，前項に規定する児童に対し，認定こども園法第2条第6項に規定する認定こども園（子ども・子育て支援法第27条第1項の確認を受けたものに限る。）又は家庭的保育事業等（家庭的保育事業，小規模保育事業，居宅訪問型保育事業又は事業所内保育事業をいう。以下同じ。）により必要な保育を確保するための措置を講じなければならない」と規定した。さらに3項では，保育の需要に応ずるに足りる保育所，認定こども園（子ども・子育て支援法第27条第1項の確認を受けたものに限る）又は家庭的保育事業等が不足し，又は不足するおそれがある場合その他必要と認められる場合における，市町村による保育所等の利用についての調整と，認定こども園の設置者又は家庭的保育事業等を行う者に対し，前項に規定する児童の利用の要請を行うものとすると規定し，市町村による利用調整・利用要請の規定をおいた[288]。従来の1項但書（代替措置）を削除するとともに，子ども・子育て支援法における施設型給付及び地域型保育給付の法定化と財源確保を前提として，2項で市町村に対し必要な保育を確保するための措置を義務付け，さらに3項において，保育所等が不足し，又は不足するおそれがある場合等における市町村による利用の調整とともに，設置者等に対する2項に規定する児童の利用の要請まで規定したことは，従来の「その他の適切な措置」（代替措置）の曖昧な解釈からすれば[289]，保育

288）　続けて，24条4項では，虐待等による要保護児童（児福25条の8第3号，26条1項5号）等について，保護者に対する保育所等での保育の利用の勧奨・支援，5項では，前項による勧奨・支援を行っても保育を受けることが著しく困難な場合における市町村による保育所等への入所委託，6項では，前項に定める場合のほか，保育を受けることが著しく困難な場合における市町村による措置，7項では市町村における体制整備義務の諸規定をおいた。さらに市町村は，保育を必要とする乳児・幼児に対し，必要な保育を確保するために必要があると認めるとき，保育所及び幼保連携型認定こども園の整備に関する計画（市町村整備計画）を作成することができるものとされた（同56条の4の2）。

所のほか，認定こども園，家庭的保育事業等を含めた保育サービス受給権の確保という観点からは前進したと評価できないわけではない。ただし，地域にある保育所等がすべて定員に達した状態で，利用できる施設等がない場合，保育所等への入所ができない状態に事実上置かれることは否定できず，現実に地域にサービスがない以上，2項を根拠にして直ちに請求権が導かれるとも解されない。また，1項が保育所での保育に関する規定であるのに対し，市町村が措置を講じなければならないとされる2項の対象は，保育所に限定されない（認定こども園，家庭的保育事業等を含む）点にも留意する必要がある[290]。

289）児童福祉法規研究会編・前掲書（注32）180頁では，「適切な保護」の具体例として，児童福祉法上の「保育所」に該当しないへき地保育所や季節保育所のほか，家庭内保育（いわゆる「保育ママ」）による対応や，「適切な保護」にふさわしい一定の質が確保された認可外保育施設に対するあっせん，さらに認可外保育施設についての情報提供も挙げている。

290）東京高判平29・1・25賃社1678号64頁は，「改正後の児童福祉法は，改正前の24条1項ただし書を削除しつつも，2項で子ども・子育て支援法で創設された地域型保育給付等を前提に，市町村に地域の実情に応じて保育所以外の手段で保育を提供する体制の確保義務があることを明記し，さらに，3項で，いわゆる待機児童が発生している場合などを想定して，これらの利用調整等を行う規定を置いて」おり，「改正前後を通じて，市町村が，定員を上回る需要がある場合に調整を行い，その結果として保育の必要性がありながら保育所への入所が認められない児童が生じるという事態を想定しているものと解されるから」，保育所の定員を上回る需要があることを理由に保護者の希望する保育所への入所を不承諾とする処分を行っても，24条1項の義務違反とはいえないとした。2項が，同判決のいうように，単なる「体制の確保義務」の規定にとどまるとすれば，改正により「保育に欠ける」児童に対して義務付けられていた代替措置が削除されたことにも照らすと，改正後に保育サービス受給権の確保という観点からは前進したとの本文での評価は難しくなろう。改正後24条2項の市町村の義務は，法的に履行を強制することができる法的義務ではなく，努力義務にすぎないとするものに，伊藤周平「子ども・子育て支援新制度における市町村の保育実施義務と子どもの保育を受ける権利（下）」『賃金と社会保障』1609号（2014年）8頁。田村和之ほか『待機児童ゼロ――保育利用の権利』（信山社，2018年）117-119頁〔伊藤周平執筆〕参照。ただし，常森裕介「子育て支援における保育所保育と保育実施義務の意義」『社会保障法研究』8号（2018年）219頁は，24条2項は単なる体制確保だけでなく，認定を受けた個々の子どもの入所につながる保育確保措置を求めており，同条1項と2項が一体となって市町村の保育実施義務を規定していると捉える。ただし，伊藤と同様に法律改正の必要性は指摘している。これに対し，山下義昭「『保育を受けることを期待し得る法的地位』に関する一考察」『福岡大学法学論叢』60巻2号（2015年）33頁は，法24条2項が義務規定であることを明示していること，市町村に具体的な「措置を講じる義務」が存在することの確認訴訟（行政事件訴訟法4条）などは考えられるとし，衣笠葉子「子ども・子育て支援新制度を契機とした国と地方の役割・権限の変化と保育の実施義務」『社会保障研究』3巻2号（2018年）203頁は，提供体制の整備等に関する規定が別途あること

従来の法24条1項では，保育所入所要件としての「保育に欠ける」か否かの判断を市町村が行うことになっており，この認定判断と市町村の保育所に対する委託費の支払が連動していた。これに対し，改正後は「保育を必要とする」か否か（保育の必要性）の判断が必要とされる一方（児福24条1項），費用は子ども・子育て支援法により保護者に対する施設型給付費等の支払（実際には代理受領方式により施設に対して支払われる。子育て支援27条5項・6項など）という形式となったため，子どものための教育・保育給付を受けるにあたっての支給認定（同20条）を別途市町村が行うことになる。ただし実際には，これらの手続は通常一体のものとして行われている[291]。

子ども・子育て支援法は，特定教育・保育施設の設置者と保護者の法律関係を契約関係と想定する一方，施設設置者による応諾義務を課すとともに（同33条1項），公正な方法による選考義務を課し（同条2項），他方で市町村に対し，施設に関する情報提供義務を課し，必要と認められる場合におけるあっせん及び利用要請を規定した（同42条）。こうした法律の本則からすれば，介護保険や障害者総合支援制度と同様，保育所入所制度についても，行政が一定の関与を行った上での施設と保護者の間での直接契約方式が導入され（第1節第4款3(3)③），社会福祉基礎構造改革の目指した方向性が実現したといえそうである。しかし，附則に規定がおかれ，当分の間，私立認可保育所に関しては従来と同

を指摘し，24条2項の措置義務の内容は，個々の児童についてのあっせんや要請等を行うことと解するのが自然であるとする。また，田村和之「市町村の『保育の実施義務』について」『賃金と社会保障』1678号（2017年）57頁は，同条2項によれば，市町村は，認定こども園又は家庭的保育事業等により「必要な保育を確保する」措置をとらなければならず，市町村が自ら認定こども園や家庭的保育事業等を設置・運営していない場合は民間の施設・事業等に保育を委託するとしている。田村ほか・前掲書106頁〔田村和之執筆〕参照。なお，上述の東京高判平29・1・25では，認定こども園等への入所のあっせん等，改正後の24条2項が求める措置を講じていないとの控訴人（保護者）による不作為の違法の主張に対し，認定こども園等への入所を申し込んだと認めるに足りる証拠はない旨判示するとともに，「同条2項に基づく保育を確保するための体制を整備する義務を怠った違法があるという趣旨であるとしても，……同条2項の趣旨を没却するような著しい懈怠があることを裏付けるに足りる証拠はない」とした。

291）　たとえば，東京都中野区では，教育・保育給付支給認定申請書兼保育所等利用申込書，同杉並区では，保育所等利用申込書兼教育・保育給付認定・施設等利用給付認定申請書という一つの書式を提出することとしている（2021〔令和3〕年度段階の両区ウェブサイトによる）。

様の仕組みが残されることになった。すなわち市町村は，児童福祉法24条1項の規定により保育所における保育を行うため，当分の間，保育認定こども[292]が，特定保育所（都道府県及び市町村以外の者が設置する保育所）から特定教育・保育（保育に限る）を受けた場合については，その費用について，当該特定保育所に委託費として支払う（子ども・子育て支援法27条は適用しない）ものとされた（子育て支援附則6条1項）。この場合，保育費用の支払をした市町村の長は，保護者又は扶養義務者から，当該保育費用をこれらの者から徴収した場合における家計に与える影響を考慮して特定保育所における保育に係る保育認定こどもの年齢等に応じて定める額を徴収する（同条4項）。ただし，施設等利用費の対象となるため，実質無償化が図られていることは前述した通りである（第4款**3**(2)）。

このように，公立保育所，地域型保育，認定こども園と私立認可保育所とで異なる入所の仕組みが設けられることとなり，利用者としては非常にわかりづらいと言わざるを得ない。社会福祉法制全体を見通しても，児童福祉に係る私立保育所の仕組みだけ従来の枠組みのままに据え置く十分な合理性があるとは到底思われず，早急に本則の定めに則った改正が望まれる。

第7款　児童虐待防止法

児童の人権を守るもっとも身近な存在が保護者であるにもかかわらず，保護者による児童虐待は長きにわたって問題となってきた。児童虐待に対応する法制度としては，民法上の親権喪失に係る諸規定（民834条以下），刑法上の刑罰規定（身体的虐待につき傷害罪〔刑204条〕，暴行罪〔同208条〕など），人身保護法に基づく人身保護請求に加え，先に述べたように（第2款**4**(3)），児童福祉法が，都道府県による施設入所等承認の家庭裁判所への申立て（児福28条），そのための立入調査（同29条。罰則規定として同61条の5），児童相談所長等による一時保護（同33条）などの規定をおいている。さらに2000（平成12）年，児童虐待の防止等に関する法律（児童虐待防止法）が制定され，児童虐待への法的対応が一層強化された。

292）家庭において必要な保育を受けることが困難な小学校就学前の子どもをいう。子ども・子育て支援法30条1項，19条1項2号・3号。

同法は，児童虐待の類型として，保護者による身体的虐待，性的虐待，ネグレクト，心理的虐待の4類型を挙げている（児童虐待2条1号〜4号）。児童虐待の早期発見に向けた努力義務が，学校，児童福祉施設，病院，都道府県警察，婦人相談所，教育委員会，配偶者暴力相談支援センターその他児童の福祉に業務上関係のある団体及び学校の教職員，児童福祉施設の職員，医師，歯科医師，保健師，助産師，看護師，弁護士，警察官，婦人相談員その他児童の福祉に職務上関係のある者に対して課されている（同5条1項）[293]。児童虐待を受けたと思われる児童を発見した者には通告義務が課され（同6条1項），通告を受けた市町村又は都道府県の設置する福祉事務所の長は，必要に応じ近隣住民，学校の教職員，児童福祉施設の職員その他の者の協力を得つつ，当該児童との面会その他の当該児童の安全の確認を行うための措置を講ずるとともに，必要に応じ児童相談所への送致等の措置をとり，児童相談所長は必要に応じ一時保護等の措置を講じる（同8条1項・2項）。従来より，都道府県知事は児童の住所・居所への立入調査等の権限を有していたが（同9条），2007（平成19）年改正により児童保護の強制対応の仕組みが強化され，都道府県知事の保護者に対する出頭要求（同8条の2）・再出頭要求（同9条の2），裁判所の許可状を得た上での児童の住所等の臨検・捜索（同9条の3）[294]，その際の解錠等の処分（同9条の7）などの規定がおかれた。また同改正では，施設入所や一時保護した場合における施設名の保護者への非告知（同12条3項），つきまといやはいかいの禁止命令（同12条の4）[295]など入所児童の安全確保のための規定も設けられた。2011（平成23）年民法等改正では，2年以内の期間に限って親権を行うことができないようにする親権の停止制度が新設された（民834条の2第2項）。さらに2016（平成28）年児童虐待防止法改正により，児童の親権者に対し，児童のし

293）　2019（令和元）年改正により，都道府県警察，婦人相談所，教育委員会及び配偶者暴力相談支援センターが含まれること等が明確化されるとともに，5条1項に規定する者は，正当な理由なく，その職務上知り得た児童に関する秘密を漏らしてはならないこととされた（同条3項）。

294）　2016（平成28）年改正により，児童の臨検・捜索の際，当該児童の保護者が再出頭の求めに応じないことを要件としないこととした。

295）　禁止命令は，従来，保護者等の意に反して施設入所等の措置がとられている場合に限られていたのに対し，2017（平成29）年改正により，一時保護や同意の下での施設入所等の措置の場合にも行うことができることとなった（児童虐待12条の4第1項）。

つけに際して，監護及び教育に必要な範囲を超えて当該児童を懲戒してはならない旨の規定を置いたのに続き，2019（令和元）年同法改正により，体罰を加えてはならない旨を明文化した（児童虐待14条1項）。

児童虐待の通告先となるべき行政機関としては，従来，児童相談所が想定されていたのに対し，2004（平成16）年改正により市町村も加わり，二層構造で対応する仕組みとなった（児福25条1項）。さらに地方公共団体に対し，要保護児童対策地域協議会（子どもを守る地域ネットワーク）の設置を努力義務化し（同25条の2第1項），要保護児童等に関する情報の交換や支援の内容に関する協議を行うものとし（同条2項），従来よりも市町村レベルでの早期発見・早期対応に向けた体制が整備されることとなった。協議会を設置した地方公共団体の長は，協議会を構成する関係機関等のうちから，協議会に関する事務を総括し，関係機関等の連絡調整を行う要保護児童対策調整機関を指定する[296)]。

最近，子育て支援事業の普及・推進を通じて，育児の孤立化や育児不安を防ぎ，虐待に至る以前の予防に重点がおかれるようになってきている。2016（平成28）年改正では，母子保健施策との連携を図ることとし，①従来の母子健康センターが行う事業に，母子保健に関する支援に必要な実情の把握及び関係機関との連絡調整を行うこと等を追加し，名称を市町村母子健康包括支援センターとする（母子保健22条1項・2項），②国及び地方公共団体は，母子保健に関する施策を講ずるにあたっては，当該施策が乳幼児に対する虐待の予防及び早期発見に資するものであることに留意すべきことを明確化する（同5条2項），③要支援児童等（支援を要する妊婦，児童及びその保護者。児福6条の3第5項）と思われる者を把握した医療機関，児童福祉施設，学校等は，その旨を市町村に情報提供するよう努めなければならない（同21条の10の5）といった規定を置いた。

親子関係の再統合支援を含む被虐待児童の自立支援に向けた取組みも整備されてきている。2016（平成28）年改正では，①親子関係再統合支援につき，施

296）　2016（平成28）年改正により，調整機関に調整担当者として専門職を配置することとされた（児福25条の2第6項～8項）。このほか，同年児童虐待防止法改正により，従前の地方公共団体の機関に限らず，児童の医療，福祉又は教育に関係する機関及び関連する職務に従事する者についても，市町村長，児童相談所長等から被虐待児童等に関する資料等の提供を求められたときは，原則として当該資料等を提供することができるものとした（児童虐待13条の4）。

設の長や里親などに対し，市町村，児童相談所等の関係機関等との緊密な連携を図りつつ必要な措置をとるべき旨の明確化（児福48条の3），都道府県知事に対し，施設入所等の措置等の解除にあたり，保護者に対する助言を行うことができる旨の明確化（児童虐待13条2項），同じく都道府県知事に対し，施設入所等の措置等の解除時に安全確認を行うこと等の明確化（同13条の2），②養子縁組里親の法定化（児福6条の4第2号），都道府県の業務としての一貫した里親支援（同11条1項2号へ）と養子縁組に対する援助（同号ト）など，里親委託及び養子縁組の推進，③義務教育を終了した児童又は児童以外の満20歳に満たないものとされた児童自立生活援助事業（自立援助ホーム）の対象者の範囲を，22歳の年度末までの間にある大学等就学中の者に広げる（同6条の3第1項），等の改正を行った。

また2019（令和元）年改正では，DV対策との連携強化の観点から，先に述べたように，児童虐待の早期発見に向けた努力義務の対象を，婦人相談所及び配偶者暴力相談支援センターの職員に拡大するとともに（児童虐待5条1項），配偶者からの暴力の防止及び被害者の保護等に関する法律（DV防止法）の改正により，児童相談所がDV被害者の保護のために，同センターと連携協力するよう努める旨の規定をおいた（同法9条）。

以上のように，児童虐待への法的対応は，児童虐待防止法と児童福祉法のみならず，母子保健法，DV防止法などにまたがって行われている。近時の改正は，児童保護の強制対応の実効的確保の仕組みの強化と並んで，虐待予防—虐待対応—被虐待児童の自立支援という一連の対策の強化という観点から評価することが可能である。しかしながら，こうした取組みにもかかわらず，児童虐待対応件数は依然として増加傾向にある[297]。

第8款　母子・父子・寡婦福祉

1　母子及び父子並びに寡婦福祉法

母子及び寡婦福祉に関する施策は古くから存在し，戦争未亡人の生活援護対

297）児童相談所での児童虐待に関する相談対応件数は，児童虐待防止法制定時の2000（平成12）年度1万7725件に対し，2016（平成28）年度12万2575件，2020（令和2）年20万5029件と急増している。厚生労働省ウェブサイト。

策として制定された1952（昭和27）年「母子福祉資金の貸付等に関する法律」に遡ることができる。しかし，その後の時間的経過により，母子家庭の発生原因が戦争によるものから，離婚，労働災害，交通災害などへと変化した。これらに伴う対応策として，1964（昭和39）年母子福祉法が制定された。さらに1981（昭和56）年，母子福祉法の対象が20歳未満の子のいる母子家庭であり，子どもが自立した後に残された寡婦についても母子家庭に準じた支援が必要であるとの認識が高まり，同法を改正し母子及び寡婦福祉法となった。

母子及び寡婦福祉法という名称にもかかわらず，父子家庭等も同法の対象とされていたものの，その適用は，居宅等における日常生活支援，保育施設等への入所に関する特別の配慮，母子家庭自立支援給付金などに限られ，さらなる拡大が課題となっていた。こうした状況の下，2014（平成26）年改正により，名称を母子及び父子並びに寡婦福祉法と改めるとともに，母子家庭及び父子家庭に対する支援を拡充した[298]。

同法は，基本理念として，全て母子家庭等には，児童が，その置かれている環境にかかわらず，心身ともに健やかに育成されるための諸条件と，その母子家庭の母及び父子家庭の父の健康で文化的な生活とが保障されるものとするとともに（母福2条1項），寡婦には，母子家庭の母及び父子家庭の父に準じて健康で文化的な生活が保障されるものとする（同条2項）旨の規定をおいている。そのうえで，母子家庭に対する給付等としては，母子福祉資金の貸付け（同13条），母子家庭日常生活支援事業（同17条），母子家庭就業支援事業等（同30条），母子家庭自立支援給付金の支給（同31条）などがあるほか，公営住宅の供給（同27条）や保育所への入所等（同28条）に関する特別の配慮などが自治体に義務付けられている。2014（平成26）年改正により，新たに母子家庭生活向上事業（同31条の5）が創設された。また，父子家庭に対しても同様に，同改正により，新たな章（第4章）を創設し，父子福祉資金の貸付け（同31条の6），父子家庭日常生活支援事業（同31条の7），父子家庭就業支援事業（同31条の9），父子家庭自立支援給付金の支給（同31条の10），父子家庭生活向上事業を定めたほか，公営住宅の供給や保育所への入所等に関する特別の配慮（同31

298）　2014（平成26）年改正により，関係機関の相互協力の責務に係る規定（母福3条の2），母子家庭等及び寡婦の生活の安定と向上のための措置の積極的かつ計画的な実施等に関する努力義務に係る規定（同10条の2）が設けられた。

条の8）などが自治体に義務付けられた。寡婦に対するものとしては，寡婦福祉資金の貸付け（同32条），寡婦日常生活支援事業（同33条），寡婦生活向上事業（同35条の2）などがある。このほか，母子・父子福祉センター，母子・父子休養ホームといった母子・父子福祉施設の設置が規定されている（同38条～41条）。

ひとり親への支援策としては，児童扶養手当などの所得保障施策も重要である（第4章第2節第3款）。

2　母子保健法

母子保健に関しては，当初児童福祉法に規定がおかれていた。出産前後における母子の医療及び保健サービスの充実向上を総合的に図るとの趣旨から，1965（昭和40）年母子保健法が制定されるに至った。母子保健の向上に関する措置として，妊産婦等に対する保健指導（母子保健10条），育児上必要があると認められる新生児の訪問指導（同11条），満1歳6ヵ月を超え満2歳に達しない幼児と満3歳を超え満4歳に達しない幼児に対する健康診査（同12条），妊娠の届出（同15条）と市町村による母子健康手帳の交付（同16条），低体重児の届出（同18条）と未熟児の訪問指導（同19条），養育医療（同20条），母子健康包括支援センターの設置などの規定がおかれている（同22条）。

健康診査や母子健康手帳などによる普遍的な母子保健サービスの充実は，国民全体の保健の向上に寄与していると言ってよい（同1条参照）。

第9款　児童福祉と子ども・子育て支援の課題

日本の社会保障給付費の約3分の2が高齢者に向けられてきたことに示されるように[299]，子どもと子どもを養育する家族への社会保障制度上の配慮は従来から相対的に手薄な状況にあった。そうした中で，2012（平成24）年社会保障・税一体改革で消費増税によって生じる財源の支出先として，医療・介護，年金，貧困・格差対策等に先んじて子ども・子育て支援がおかれ，就学前教育の実質無償化などが図られたことの意義は小さくない。今後とも，20世紀日

299）　2018（平成30）年度現在，社会保障給付費に占める高齢者関係給付費の割合は66.5％であった。編集委員会編『社会保障入門2021』（中央法規出版，2021年）38頁。

本における「高齢者中心型」社会保障から，子ども・子育て支援を含む21世紀「全世代型」社会保障への転換[300]という大きな政策の流れを一層促進する必要がある。その際，子ども・子育て分野についていえば，子ども・子育て支援法により，児童手当等の金銭給付と教育・保育等のサービス給付を包括的に捉える視点が，法律上明確化されたことに示されるように（子育て支援8条），サービス給付の充実にのみ焦点を当てるのではなく，金銭給付（による経済的支援）とのバランスをとることが重要である。

こうした中で，待機児童問題に象徴されるように，近年，とくに大都市部における保育施設不足に焦点が当てられてきた。もちろん，保育環境の整備が重要な課題であることは言うまでもない。ただし，親（とくに母親）が地域で孤立化した中で子育てに携わらざるを得ない現実にも，より一層目を向ける必要がある。それは児童虐待といった要保護児童の問題の予防にもつながるものである。こうした地域での孤立に対する支援は，子ども・子育て支援の枠組みにとどまらず，近時の社会保障制度改革の大きな流れである「地域共生社会」の構築に向けた取り組みの一環としても対処されるべきものである。その意味で，2020（令和2）年社会福祉法改正による重層的支援体制整備事業などによるタテ割りを排した自治体での相談支援体制整備に際しても，この点を考慮に入れる必要がある。

個別具体的な育児支援策に目を転じると，かなり以前から，児童手当の拡充にとどまらず，社会保険方式の導入により，既存の社会保障制度の枠組みの改革まで見据えた提案がなされてきた。たとえば，児童手当を基礎年金制度に統合する案[301]，介護保険制度をベースに児童の養育などを給付として組み込み地域の総合福祉保険制度に再編成する案[302]などが提案されてきた[303]。ただし，妊娠・出産という受給者が一定程度コントロール可能なイベントを保険事故として設定できるか，被保険者をどう設定するか[304]など，社会保険の仕組みを

300）　社会保障制度改革国民会議「社会保障制度改革国民会議報告書――確かな社会保障を将来世代に伝えるための道筋（2013〔平成25〕年8月6日）8頁。

301）　山崎泰彦「少子高齢社会と社会保障改革」鈴木眞理子編著『育児保険構想――社会保障による子育て支援』（筒井書房，2002年）15-16頁。

302）　福田素生「総合福祉保険制度による子育て支援」鈴木編著・前掲書（注301）48-53頁。

303）　年金制度による育児の経済的支援を様々な面から検討したものとして，堀勝洋『社会保障・社会福祉の原理・法・政策』（ミネルヴァ書房，2009年）234頁以下。

導入するにあたっては理論的な課題が少なくない[305]。

このほか，家庭で育児する世帯に対し，子育てという行為それ自体の経済的評価の必要性や，保育サービス利用世帯（共働き世帯など）との均衡という観点から，保育手当ないし育児手当の構想[306]なども議論されてきた。

従来日本では，児童養育が親の責任であるとの観念が強く，社会全体で対応しようとする考え方に乏しかった。実際，先述したように日本の社会保障給付費は，依然として高齢者に著しく偏った配分構造であった。しかし現在では，高齢者「介護」に引き続き，「育児」ないし「児童扶養」が，戦後以来の典型的要保障事由であった「多子」に代わって，社会的に対処すべき要保障事由であるとの捉え方が，一般的に受け入れられている状況にある。その意味では，所得要件を課さない普遍的な社会手当（「子ども手当」）導入の試みが日本で挫折した現在でも，育児に対するより一層の社会的支援は，社会保障法における重要な課題であり続ける。この点において，子ども・子育て支援法が，3歳以上の小学校就学前のすべての子どもを対象に就学前教育・保育を保障し，さらに2019（令和元）年改正で，消費税率8%から10%への引上げ分を財源に，3歳以上の未就学児の幼児教育・保育の実質無償化が図られた点は，積極的に評価されてよい[307]。

---

304)　事実上受益可能性が無きに等しい高齢者世代などからの保険料徴収が正当化し得ないのではないか，かといって育児を担う世代にのみ保険料を課すとすれば育児支援の社会的システムとは言えないのではないか，などが問題となる。菊池・将来構想174-175頁。

305)　2017（平成29）年にも，「こども保険」構想が政策上の争点となった。子ども・子育て支援の新たな制度枠組み自体の必要性は高いことから，社会保険の仕組みに拘泥せず，政策目的を特定した拠出金制度を設け，事業主その他国民に広く拠出を求めるべきではないかと思われる。菊池馨実「『こども保険』構想」『週刊社会保障』2929号（2017年）26-27頁。2021（令和3）年のいわゆる「骨太の方針」（「経済財政運営と改革の基本方針2021」〔同年6月18日閣議決定〕において，「結婚，妊娠・出産，子育てを大切にするという意識が社会全体で深く共有され地域全体で子育て家庭を支えていく社会の実現を目指す」と述べられ，その際，「安定的な財源の確保にあたっては，企業を含め社会・経済の参加者全員が連帯し，公平な立場で，広く負担していく新たな枠組みについても検討する」とされている点が注目される。同「社会保障制度の課題と将来――コロナ後を見据えて」『週刊社会保障』3132号（2021年）162頁。

306)　宇野裕「児童手当・育児手当・保育手当」鈴木編著・前掲書（注301）162頁以下，堤修三『社会保障の構造転換――国家社会保障から自律社会保障へ』（社会保険研究所，2004年）88-90頁。

307)　これに対し，2021（令和3）年児童手当法改正により，本則の所得制限を超えても同法附則2

ただしその際，国家や経済の将来的安定という観点に偏りがちな「少子化対策」の視点と，子育てをするにあたっての様々な社会的経済的障壁を除去し子どもを産み育てやすい環境を整備するという意味での「育児支援」ないし「子育て支援」の視点を明確に区別した議論が必要である。前者の視点は国家による出産奨励（すなわち出産という特定の「善き生」に向けた方向付け）につながりかねず，法学的には注意を要するのに対し，後者の視点は実質的な自由ないし自己決定を支援ないし保障する方向に結びつくからである。さらに，かつての子ども手当や，子ども・子育て支援法が目指しているように，「一人一人の子どもが健やかに成長すること」（子育て支援１条），すなわち子ども自身の成長や発達それ自体を，独立した法益として捉え，尊重し支援していくための制度を，今後さらに充実させていく必要がある[308]。現実の法令や政策の中で，「子ども・子育て」の支援といった言い方で一括りにすること自体，必ずしも否定されるべきではないが，両者の違い（法益・法主体の違い）に十分思いを致した議論をすべきであろう。このこととも関連して，児童福祉法と子ども・子育て支援法の関係にみられるように，子どもへの法的支援のあり方が多様化・複雑化し，支援体系全体を支える理念が必ずしも明確でないこと，子育て等に係る親のニーズとの区別の必要性などに鑑みて，子どもに関する（社会保障に限定せず教育なども含んだ）基本法の制定を求めたい[309]。

条を根拠に支給されてきた特例給付につき，新たに所得制限を設け，子ども２人と年収103万円以下の配偶者からなるモデル世帯の場合，年収1200万円以上であれば2022（令和4）年10月から廃止されることとなったのは，普遍的な支援という観点からは逆行した法改正であり疑問である。菊池馨実「児童手当特例給付の見直し」『週刊社会保障』3112号（2021年）28-29頁。

308）　菊池・将来構想23-24頁，172頁。

309）　伊奈川秀和「社会保障法制における『子ども』のニーズの位置付けと変容」『社会保障法』32号（2017年）23頁。

事項索引

あ 行

か 行

さ　行

た　行

な　行

は　行

ま　行

や　行

ら行・わ

判例索引

大審院

最高裁判所

高等裁判所

地方裁判所

家庭裁判所

〈著者紹介〉

菊池馨実（きくち　よしみ）

1962年　札幌市に生まれる
1985年　北海道大学法学部卒業
　　　　大阪大学助教授を経て
現　在　早稲田大学法学学術院教授（博士〔法学〕）

〈主著〉

『年金保険の基本構造』（北海道大学図書刊行会，1998年），『社会保障の法理念』（有斐閣，2000年），『社会保障法制の将来構想』（有斐閣，2010年），『社会保障再考――〈地域〉で支える』（岩波新書，2019年），『自立支援と社会保障』（編著，日本加除出版，2008年），『新版 社会保障・社会福祉判例大系（全4巻）』（共編，旬報社，2009年），『希望の社会保障改革』（共編，旬報社，2009年），『社会保険の法原理』（編著，法律文化社，2012年），『目で見る社会保障法教材〔第5版〕』（共編著，有斐閣，2013年），『社会保障法〔第7版〕』（共著，有斐閣，2019年），『ブリッジブック社会保障法〔第3版〕』（編著，信山社，2021年），『障害法〔第2版〕』（共編著，成文堂，2021年），『原発被災した地域を支え，生きる――福島モデルの地域共生社会をめざして』（共編，旬報社，2022年），『「相談支援」の法的構造――地域共生社会の理論分析』（編著，信山社，2022年）など

社会保障法〔第3版〕　*Social Security Law, 3rd ed.*

2014年6月20日　初　版第1刷発行
2018年6月30日　第2版第1刷発行
2022年6月25日　第3版第1刷発行
2024年8月30日　第3版第2刷発行

著　者　菊　池　馨　実

発行者　江　草　貞　治

〔101-0051〕東京都千代田区神田神保町2-17
発行所　株式会社　有　斐　閣
https://www.yuhikaku.co.jp/

印刷・株式会社三陽社／製本・牧製本印刷株式会社

ISBN 978-4-641-24355-2